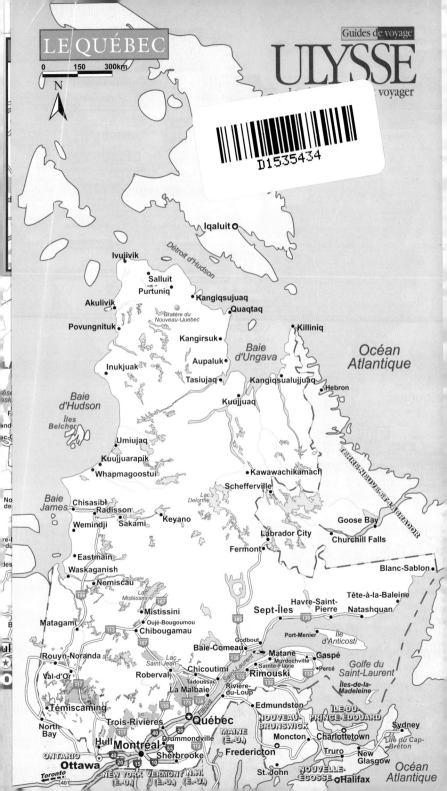

LE QUÉBEC

0   150   300km

N

Guides de voyage

ULYSSE
voyager

D1535434

Iqaluit

Détroit d'Hudson

Ivujivik

Salluit
Purtuniq

Akulivik   Kangiqsujuaq
                              Quaqtaq

Povungnituk   Cratère du
                     Nouveau-Québec

                     Kangirsuk   Killiniq

                              Baie
                     Aupaluk   d'Ungava   Océan
Inukjuak   Atlantique

            Tasiujaq   Kangiqsualujjuaq

                     Kuujjuaq   Hebron

Baie
d'Hudson
     Îles
     Belcher

     Umiujaq

     Kuujjuarapik

     Whapmagoostui   Kawawachikamach

                     Schefferville

Baie   Chisasibi
James   Radisson   Goose Bay
     Wemindji   Sakami   Keyano
                                   Churchill Falls
     Eastmain   Labrador City
                       Fermont
     Waskaganish
                                   Blanc-Sablon
     Nemiscau
          Lac
          Mistassini
                              Tête-à-la-Baleine
     Mistissini   Havre-Saint-
Matagami   Pierre   Natashquan
          Oujé-Bougoumou   Île
     Chibougamau   d'Anticosti
                     Godbout
               Baie-Comeau   Port-Menier
     Rouyn-Noranda   Matane   Gaspé
                     Lac   Sainte-Flavie   Percé
     Val-d'Or   Saint-Jean   Golfe du
          Roberval Chicoutimi Rimouski   Saint-Laurent
                    Tadoussac   Îles-de-la-
          La Malbaie Rivière-   Madeleine
                    du-Loup
     Témiscaming   Edmundston
                              ÎLE-DU-
North   Trois-Rivières   Québec   NOUVEAU-   PRINCE-ÉDOUARD
Bay   BRUNSWICK   Sydney
     Hull   Montréal   MAINE   Île du Cap-
          Drummondville   (É.-U.) Moncton Charlottetown Breton
ONTARIO   Sherbrooke   Fredericton   Truro New
Ottawa   Glasgow
Toronto   NEW YORK VERMONT N.H.   St. John NOUVELLE-   Océan
          (É.-U.)   (É.-U.) (É.-U.)   ÉCOSSE Halifax Atlantique

TERRE-NEUVE-ET-LABRADOR

Fleuve Saint-Laurent

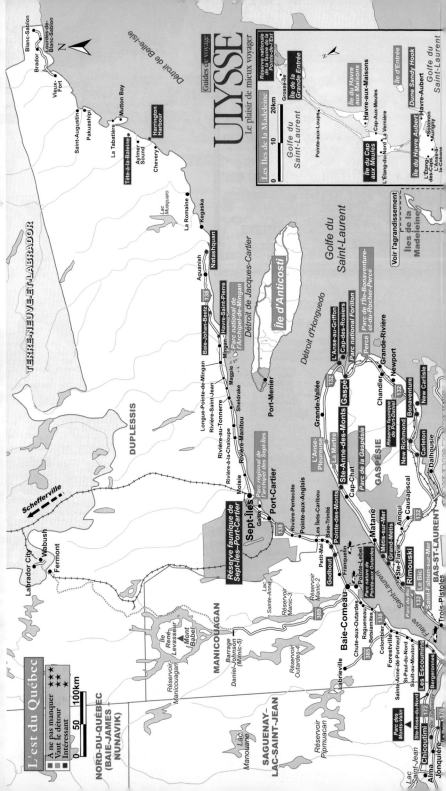

Le Québec

8ᵉ édition

Guides de voyage

ULYSSE

Le plaisir de mieux voyager

Nos bureaux

Canada: Les Guides de voyage Ulysse, 4176, rue St-Denis, Montréal (Québec) H2W 2M5, ☎(514) 843-9447 ou 1-877-542-7247, fax: (514) 843-9448, info@ulysse.ca, www.guidesulysse.com

Europe: Les Guides de voyage Ulysse SARL, 127, rue Amelot, 75011 Paris, France, ☎01 43 38 89 50, fax: 01 43 38 89 52, voyage@ulysse.ca, www.guidesulysse.com

États-Unis: Ulysses Travel Guides, 305 Madison Avenue, Suite 1166, New York, NY 10165, ☎1-877-542-7247, info@ulysses.ca, www.ulyssesguides.com

Nos distributeurs

Canada: Les Guides de voyage Ulysse, 4176, rue St-Denis, Montréal (Québec) H2W 2M5, ☎(514) 843-9882, poste 2232, ☎1-800-748-9171, fax: (514) 843-9448, www.guidesulysse.com, info@ulysse.ca

États-Unis: Distribooks, 8120 N. Ridgeway, Skokie, IL 60076-2911, ☎(847) 676-1596, fax: (847) 676-1195

Belgique: Presses de Belgique, 117, boulevard de l'Europe, 1301 Wavre, ☎(010) 42 03 30, fax: (010) 42 03 52

France: Vivendi, 3, allée de la Seine, 94854 Ivry-sur-Seine Cedex, ☎01 49 59 10 10, fax: 01 49 59 10 72

Suisse: Havas Services Suisse, ☎(26) 460 80 60, fax: (26) 460 80 68

Pour tout autre pays, contactez Les Guides de voyage Ulysse (Montréal).

Catalogage avant publication de la Bibliothèque nationale du Canada:

Vedette principale au titre:

> Le Québec

> Annuel.
> (Guide de voyage Ulysse)
> Comprend un index.

> ISSN 1486-3499
> ISBN 2-89464-634-8

> 1. Québec (Province) - Guides. I. Titre. II. Collection.

> FC2907.Q4   917.1404'4   C99-301662-6
> F1052.7Q4

Imprimé au Canada

tu es mon amour
ma clameur mon bramement
tu es mon amour ma ceinture fléchée d'univers
ma danse carrée des quatre coins d'horizon
le rouet des écheveaux de mon espoir
tu es ma réconciliation batailleuse
mon murmure de jours à mes cils d'abeille
mon eau bleue de fenêtre
dans les hauts vols de buildings
mon amour
de fontaines de haies de ronds-points de fleurs
tu es ma chance ouverte et mon encerclement
à cause de toi
mon courage est un sapin toujours vert
et j'ai du chiendent d'achigan plein l'âme
tu es belle de tout l'avenir épargné
d'une frêle beauté soleilleuse contre l'ombre
ouvre-moi tes bras que j'entre au port

Extrait de «La Marche à l'amour»
Gaston Miron
L'Homme rapaillé

Recherche et rédaction
Attraits touristiques
François Rémillard
Portrait
Benoit Prieur

Éditrices
Stéphane G. Marceau
Jacqueline Grekin

Directeur de production
André Duchesne

Correcteurs
Pierre Daveluy
Marie-Josée Guy

Traductrice
Cindy Garayt

Adjointe à l'édition
Isabelle Lalonde
Assistants
Julie Brodeur
Pierre Ledoux

Cartographes
André Duchesne
Isabelle Lalonde

Illustratrices
Myriam Gagné
Lorette Pierson
Marie-Annick Viatour

Photographe
1re de couverture
Patrick Escudero

Directeur artistique
Patrick Farei (Atoll)

Recherche et rédaction supplémentaires: Gabriel Audet, Caroline Béliveau, Julie Brodeur, Alexandre Chouinard, Daniel Desjardins, Alexandra Gilbert, Stéphane G. Marceau, Jacqueline Grekin, François Hénault, Judith Lefebvre, Claude Morneau, Yves Ouellet, Joël Pomerleau, Sylvie Rivard, Yves Séguin, Marcel Verreault.

Collaboration à la recherche et à la rédaction: Virginie Bonneau, Nathalie Boucher, Catherine Desforges, Simon Dubé, Claude Feuiltault, Annie Frenette, Séverine Giroux, Isabel Gosselin, Alain Legault, Jennifer McMorran, Francis Plourde, Marc Rigole, Steve Rioux, Christian Roy, Maxime Soucy, Christopher Woodward.

Photographies

Architecture: Guy Dagenais, Michel Gagné, Perry Mastrovito, Roger Michel, Roch Nadeau, Carlos Pineda, François Rémillard.
Nature: Michel Gagné, H. Hughes, Perry Mastrovito, Roch Nadeau, Sean O'Neill, Carlos Pineda, Philippe Renault, B. Terry.

Remerciements

Les Guides de voyage Ulysse remercient les Associations touristiques régionales pour leur précieuse collaboration. Nous tenons à remercier particulièrement Josée Lafleur (Association touristique de l'Outaouais), Lina Racine (Association touristique de Charlevoix), Josée Jacques (Tourisme Cantons-de-l'Est) et Manon Lefebvre (Association touristique des Laurentides).

Les Guides de voyage Ulysse reconnaissent l'aide financière du gouvernement du Canada par l'entremise du Programme d'aide au développement de l'industrie de l'édition (PADIÉ) pour ses activités d'édition.

Les Guides de voyage Ulysse tiennent également à remercier le gouvernement du Québec – Programme de crédit d'impôt pour l'édition de livres – Gestion SODEC.

Tableau des symboles

≡	Air conditionné
🐕	Animaux domestiques admis
⊛	Baignoire à remous
☉	Centre de conditionnement physique
🚢	Coup de cœur Ulysse pour les qualités particulières d'un établissement
ℂ	Cuisinette
½p	Demi-pension (petit déjeuner et dîner inclus dans le prix de la chambre)
♿	Établissement accessible aux personnes à mobilité réduite
⌘	Foyer
pc	Pension complète
pdj	Petit déjeuner inclus dans le prix de la chambre
≈	Piscine
ℝ	Réfrigérateur
✿	Relais santé (spa)
ℜ	Restaurant
bc/bp	Salle de bain commune (bc) et salle de bain privée (bp) (N.B. toutes les chambres des établissements possèdent des installations sanitaires complètes sauf ceux avec mention bc)
⌂	Sauna
⇌	Télécopieur
☎	Téléphone

Classification des attraits

★	Intéressant
★★	Vaut le détour
★★★	À ne pas manquer

Classification de l'hébergement

Les tarifs mentionnés dans ce guide s'appliquent, sauf indication contraire, à une chambre standard pour deux personnes en haute saison.

$	moins de 50$
$$	50$ à 100$
$$$	101$ à 150$
$$$$	151$ à 200$
$$$$$	plus de 200$

Classification des restaurants

Les tarifs mentionnés dans ce guide s'appliquent, sauf indication contraire, à un dîner pour une personne, excluant le service et les boissons.

$	moins de 10$
$$	de 10$ à 20$
$$$	de 21$ à 30$
$$$$	plus de 30$

Tous les prix mentionnés dans ce guide sont en dollars canadiens.

Sommaire

Liste des cartes

Légende des cartes

🅿	Information touristique (service permanent)	✝	Église
🅿	Information touristique (service saisonnier)	⊠	Poste frontalier
🏌	Terrain de golf	🌄	Point de vue
⛺	Terrain de camping	Ⓜ	Station de métro
⛷	Station de ski alpin	🚂	Train à vapeur
🏛	Musée	🐋	Centre d'interprétation des mammifères marins
🚗	Traversier (ferry)	⚓	Port ou marina
🛥	Traversier (navette)	🐟	Centre de pisciculture
🚌	Gare routière	🎒	Gare ferroviaire
Ⓗ	Hôpital	🚲	Piste cyclable
Ⓟ	Stationnement	🛶	Librairie Ulysse
➊	Sanctuaire ou monastère	♠	Casino

Écrivez-nous

Tous les moyens possibles ont été pris pour que les renseignements contenus dans ce guide soient exacts au moment de mettre sous presse. Toutefois, des erreurs peuvent toujours se glisser, des omissions sont toujours possibles, des adresses peuvent disparaître, etc.; la responsabilité de l'éditeur ou des auteurs ne pourrait s'engager en cas de perte ou de dommage qui serait causé par une erreur ou une omission.

Nous apprécions au plus haut point vos commentaires, précisions et suggestions, qui permettent l'amélioration constante de nos publications. Il nous fera plaisir d'offrir un de nos guides aux auteurs des meilleures contributions. Écrivez-nous à l'adresse qui suit, et indiquez le titre qu'il vous plairait de recevoir (voir la liste à la fin du présent ouvrage).

Les Guides de voyage Ulysse
4176, rue Saint-Denis
Montréal (Québec)
Canada H2W 2M5
www.guidesulysse.com
texte@ulysse.ca

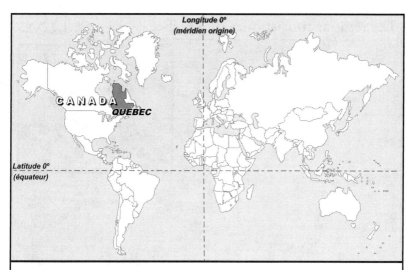

Longitude 0°
(méridien origine)

CANADA
QUÉBEC

Latitude 0°
(équateur)

Situation géographique dans le monde

©ULYSSE

Le Québec
Capitale: Québec
Population: 7 407 000 hab.
Monnaie: dollar canadien
Superficie: 1 550 000 km²

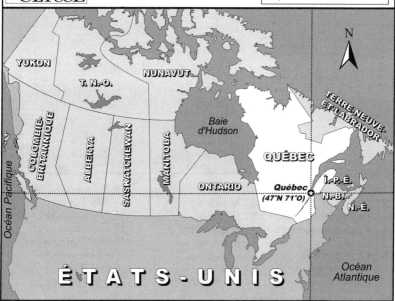

N

YUKON

T. N.-O.

NUNAVUT

COLOMBIE-BRITANNIQUE

ALBERTA

SASKATCHEWAN

MANITOBA

Baie d'Hudson

ONTARIO

QUÉBEC

TERRE-NEUVE-ET-LABRADOR

Québec
(47°N 71°O)

I.-P.-É.

N.-B.

N.-É.

Océan Pacifique

ÉTATS-UNIS

Océan Atlantique

Les régions touristiques du Québec

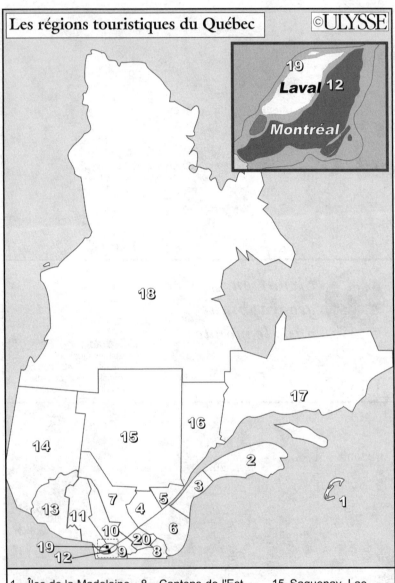

©ULYSSE

19
Laval 12
Montréal

18

17

16

15

14

2

3

13   11   7   4   5

10

19   20

12   9   8   6

1

1. Îles de la Madeleine
2. Gaspésie
3. Bas-Saint-Laurent
4. Région de Québec
5. Charlevoix
6. Chaudière-
   Appalaches
7. Mauricie

8. Cantons-de-l'Est
9. Montérégie
10. Lanaudière
11. Laurentides
12. Montréal
13. Outaouais
14. Abitibi-
    Témiscamingue

15. Saguenay–Lac-
    Saint-Jean
16. Manicouagan
17. Duplessis
18. Nord-du-Québec
    (Baie-James –
    Nunavik)
19. Laval

Vaste contrée située

à l'extrémité nord-est du continent américain, le Québec s'étend sur environ 1 550 000 km², ce qui équivaut globalement aux superficies de l'Allemagne, de la France et de la péninsule ibérique mises ensemble.

Cet immense territoire à peine peuplé, sauf dans ses régions les plus méridionales, comprend de formidables étendues sauvages, riches en lacs, en rivières et en forêts. Il forme une grande péninsule septentrionale dont les interminables fronts maritimes plongent à l'ouest dans les eaux de la baie James et de la baie d'Hudson, au nord dans le détroit d'Hudson et la baie d'Ungava, et à l'est dans le golfe du Saint-Laurent. Le Québec possède également de très longues frontières terrestres qu'il partage à l'ouest et au sud-ouest avec l'Ontario, au sud-est avec le Nouveau-Brunswick et l'État du Maine, au sud avec les États de New York, du Vermont et du New Hampshire, et au nord-est avec Terre-Neuve-et-Labrador.

Avant d'atteindre leur configuration actuelle en 1927, les frontières du Québec ont été modifiées à quelques reprises. Lors de la Confédération en 1867, on attribua au Québec l'ancien territoire du Bas-Canada, correspondant à ce qui est aujourd'hui le sud du Québec. Par la suite, le Québec s'est agrandi vers le nord, d'abord en 1898, en incluant la région qui va de l'Abitibi à la rivière Eastmain, puis en 1912, par l'ajout du Nouveau-Québec. Enfin, en 1927, le Conseil privé de Londres trancha en faveur de Terre-Neuve dans le litige l'opposant au Québec sur l'immense territoire du Labrador.

La géographie

La géographie du pays est marquée de trois formations morphologiques d'envergure continentale. D'abord, le puissant et majestueux fleuve Saint-Laurent, le plus important cours d'eau de l'Amérique du Nord à se jeter dans l'Atlantique, le traverse sur plus d'un millier de kilomètres. Tirant sa source des Grands Lacs, le Saint-Laurent reçoit dans son cours les eaux de grands affluents tels que l'Outaouais, le Richelieu, le Saguenay et la Manicouagan. Principale voie de pénétration du territoire, le fleuve a depuis toujours été le pivot du développement du Québec. Encore aujourd'hui, la majeure partie de la population québécoise se regroupe sur les basses terres qui le bordent, principalement dans la région de Montréal, qui compte près de la moitié de la population du Québec. Plus au sud, près de la frontière canado-étasunienne, la chaîne des Appalaches longe les basses terres du Saint-Laurent depuis le sud-est du Québec jusqu'à la péninsule gaspésienne. Les paysages vallonnés de ces régions ne sont pas sans rappeler ceux de la Nouvelle-Angleterre, alors que les montagnes atteignent rarement plus de 1 000 m d'altitude. Le reste du Québec, soit environ 80% de son territoire, est formé du Bouclier canadien, une très vieille chaîne de montagnes érodées bordant la baie d'Hudson de chaque côté. Très peu peuplé, le Bouclier canadien est doté de richesses naturelles fabuleuses, de grandes forêts et d'un formidable réseau hydrographique dont plusieurs rivières servent à la production d'électricité.

Un paysage façonné par l'homme

Le mode d'occupation du sol des premiers colons modèle encore de nos jours l'espace territorial québécois. Les paysages des basses terres du Saint-Laurent portent ainsi toujours l'empreinte du système seigneurial français. Ce système, qui divisait les terres en longs rectangles très étroits, avait été élaboré pour permettre au plus grand nombre possible de colons d'avoir accès aux cours d'eau. Lorsque les terres bordant les cours d'eau étaient toutes peu-

plées, on traçait alors un chemin (un rang) avant de répéter cette même division du sol plus loin. Plusieurs régions du Québec restent quadrillées de la sorte. Comme les terres sont très étroites, derrière des maisons rapprochées les unes des autres qui s'alignent le long des rangs, les champs s'étendent à perte de vue. Dans certaines régions bordant la frontière canado-étasunienne, les premiers occupants, des colons britanniques, implantèrent, quant à eux, un système de cantons, soit une division du sol en forme de carré. Ce système subsiste dans certaines parties des Cantons-de-l'Est, une région touristique anciennement connue sous le nom d'Estrie. Il a cependant disparu dans plusieurs autres régions avec l'arrivée massive de paysans francophones qui ont imposé le système seigneurial.

La flore

Vu la différence de climat, la végétation varie sensiblement d'une région à l'autre; alors que dans le nord du territoire québécois elle est plutôt rabougrie, dans le sud elle s'avère luxuriante. En général, au Québec, on divise le type de végétation selon quatre strates allant du nord au sud: la toundra, la forêt subarctique, la forêt boréale et la forêt mixte.

La toundra occupe les confins les plus septentrionaux du Québec, principalement aux abords de la baie d'Hudson et de la baie d'Ungava. Étant donné que la belle saison dure à peine un mois, que la température hivernale est excessive et que le gel du sol atteint plusieurs mètres de profondeur, la végétation de la toundra ne se compose que d'arbres miniatures, de mousses et de lichens.

Iris versicolore

La forêt subarctique ou forêt de transition couvre, quant à elle, plus du tiers du Québec, faisant le lien entre la toundra et la forêt boréale. Il s'agit d'une zone à la végétation très clairsemée où les arbres connaissent une croissance extrêmement lente et réduite. On y trouve plus particulièrement de l'épinette et du mélèze.

La forêt boréale s'étend également sur une très grande partie du Québec, depuis la forêt subarctique et, en certains endroits, jusqu'aux rives du fleuve Saint-Laurent. C'est une région forestière très homogène où l'on ne retrouve que des résineux, dont les principales essences sont l'épinette blanche, l'épinette noire, le sapin baumier, le pin gris et le mélèze. On l'exploite pour la pâte à papier et le bois de construction.

La forêt mixte, qui se déploie le long du fleuve Saint-Laurent jusqu'à la frontière canado-étasunienne, est constituée de conifères et de feuillus. Elle est riche de nombreuses essences telles que le pin blanc, le pin rouge, la pruche, l'épinette, le merisier, l'érable, le bouleau et le tremble.

La faune

L'immense péninsule du Québec, à la géographie diverse et aux climats variés, s'enorgueillit d'une faune d'une grande richesse. En effet, une multitude d'animaux peuplent ses vastes forêts, plaines ou régions septentrionales, alors que ses mers, lacs et rivières regorgent de poissons et d'animaux aquatiques.

Vous trouverez l'illustration de quelques-uns des principaux mammifères que l'on retrouve au Québec dans le fascicule en couleurs traitant de la faune.

Bref historique

Lorsque les Européens découvrent le Nouveau Monde, une mosaïque de peuples indigènes occupent déjà ce vaste continent depuis plusieurs millénaires. Les ancêtres de ces populations autochtones, des nomades originaires de l'Asie septentrionale, avaient franchi le détroit de Béring vers la fin de la période glaciaire, il y a plus de 12 000 ans, pour lentement s'approprier l'ensemble du continent.

C'est au cours des millénaires suivants, et ce, à la faveur du recul des glaciers, que certains d'entre eux commencent à émigrer vers les terres les plus septentrionales, notamment celles de la péninsule québécoise. Ainsi, au moment où les Européens lancent leurs premières explorations intensives de l'Amérique du Nord, plusieurs nations regroupées au sein de trois familles linguistiques (algonquienne, iroquoienne et inuktitut) se partagent le territoire qui deviendra par la suite le Québec.

Vivant en groupes, les Autochtones de ce vaste pays ont élaboré des sociétés aux modes de fonctionnement très distincts les uns des autres. Par exemple, les peuples de la vallée du Saint-Laurent se nourrissent principalement des produits de leurs potagers, y ajoutant du poisson et du gibier, alors que les communautés plus au nord dépendent essentiellement des fruits de leur chasse pour survivre.

Au fil des siècles s'est tissé sur l'ensemble du continent un intense réseau de communication impliquant l'ensemble des Amérindiens; tous utilisent abondamment le canot pour circuler sur les «chemins qui marchent» et entretiennent des relations commerciales très étroites avec les nations voisines. Ces sociétés amérindiennes, bien adaptées aux rigueurs et aux particularités du territoire, seront rapidement marginalisées à partir du XVIe siècle avec le début de la conquête européenne.

La Nouvelle-France

Lors de sa première exploration des côtes de Terre-Neuve et de l'embouchure du fleuve Saint-Laurent, Jacques Cartier y croise des navires de pêche provenant de diverses régions d'Europe. En fait, ces eaux, qui ont d'abord été explorées par les Vikings vers l'an 900, sont déjà, à l'époque des voyages de Cartier, régulièrement visitées par de nombreux baleiniers et pêcheurs de morues provenant de différentes régions d'Europe. Les trois voyages de Jacques Cartier, à partir de 1534, marquent néanmoins une étape importante, puisqu'ils constituent les premiers contacts officiels de la France avec les peuples et le territoire de cette partie de l'Amérique.

Au cours de ses expéditions, le navigateur breton remonte très loin le fleuve Saint-Laurent, jusqu'aux villages amérindiens de Stadaconé (Québec) et d'Hochelaga (sur l'île de Montréal). Les découvertes de Cartier sont toutefois considérées par les autorités françaises comme étant de peu d'intérêt. Cartier ayant été mandaté par François Ier pour chercher de l'or et un passage vers l'Asie, ses trois voyages en Amérique ne lui ont permis de découvrir ni l'un ni l'autre. À la suite de cet échec, la Couronne française oublie cette contrée au climat inhospitalier pendant plusieurs décennies.

La mode grandissante en sol européen de

JACQUES CARTIER
1534

coiffures et de vêtements de fourrure ainsi que les bénéfices que laisse présager ce commerce relancent par la suite l'intérêt de la France pour l'Amérique du Nord. Comme la traite des fourrures nécessite des liens étroits et constants avec les fournisseurs locaux, une présence permanente devient alors rapidement indispensable.

Jusqu'à la fin du XVIe siècle, plusieurs tentatives d'installation de comptoirs sur la côte atlantique ou à l'intérieur du continent sont lancées. Enfin, en 1608, sous le commandement de Samuel de Champlain, un premier poste permanent est érigé. Champlain et ses hommes choisissent un emplacement au pied d'un gros rocher faisant face à un étranglement du fleuve pour construire quelques bâtiments fortifiés que l'on nomme l'Abitation de Québec (le nom d'origine algonquine *kebec* signifie «l'endroit où la rivière se rétrécit»).

Le premier hiver à Québec est extrêmement pénible, et 20 des 28 hommes meurent du scorbut ou de sous-alimentation avant l'arrivée de navires de ravitaillement au printemps de 1609. Quoi qu'il en soit, cette date marque le début de la présence française en Amérique du Nord. Lorsque meurt Samuel de Champlain le jour de Noël 1635, la Nouvelle-France compte déjà environ 300 pionniers.

Entre 1627 et 1663, la Compagnie des Cent Associés détient le monopole du commerce des fourrures et assure un lent peuplement de la colonie. Simultanément, la Nouvelle-France commence à intéresser de plus en plus les milieux religieux français. Les récollets arrivent les premiers en 1615, avant d'être remplacés par les jésuites à partir de 1632.

Déterminés à convertir les Autochtones, les jésuites s'installent profondément dans l'hinterland de la Nouvelle-France, près du littoral de la baie Georgienne, y fondant Sainte-Marie-des-Hurons. L'entente commerciale les liant aux Français est sans doute la principale raison pour laquelle les Hurons consentent à la présence des religieux. La mission est toutefois abandonnée quand cinq jésuites périssent lors de la défaite des Hurons en 1648 et en 1649 aux mains des Iroquois. Cette guerre fait d'ailleurs partie d'une vaste campagne militaire lancée par la puissante confédération iroquoise des Cinq Nations, qui anéantit, entre 1645 et 1655, toutes les nations rivales. Comptant chacune au moins 10 000 individus, les nations des Hurons, des Pétuns, des Neutres et des Ériés disparaissent presque totalement en l'espace d'une décennie. L'offensive menace même l'existence de la colonie française.

En 1660 et 1661, des guerriers iroquois frappent partout en Nouvelle-France, entraînant la ruine des récoltes et le déclin de la traite des fourrures. Louis XIV, roi de France, décide alors de prendre la situation en main. Il dissout en 1663 la Compagnie des Cent Associés et décide d'administrer lui-même la colonie. La Nouvelle-France, qui regroupe environ 3 000 habitants, devient dès lors une province française.

L'émigration vers la Nouvelle-France se poursuit sous le régime royal. On recrute alors principalement des travailleurs agricoles, mais également des militaires, comme ceux du régiment de Carignan-Salières, envoyés en 1665 pour combattre les Iroquois. La Couronne prend également des initiatives pour augmenter la croissance naturelle de la population, jusqu'alors entravée par la faible proportion d'immigrantes célibataires. Ainsi, entre 1663 et 1673, environ 800 «filles du Roy» viennent trouver des époux en Nouvelle-France contre une dot payée par le roi.

Cette période de l'histoire de la Nouvelle-France est aussi celle de la glorieuse épopée des «coureurs des bois». Délaissant leurs terres pour le commerce des fourrures, ces jeunes gens intrépides pénètrent profondément dans le continent afin de traiter directement avec les trappeurs amérindiens. L'occupation principale de la majorité des colons demeure néanmoins l'agriculture.

L'organisation sociale gravite autour du système seigneurial; les terres de la Nouvelle-France sont divisées en seigneuries qui, elles-mêmes, sont subdivisées en rotures. Pour permettre à tous l'accès aux cours d'eau, on divise les terres en bandes étroites et profondes. Dans le système seigneurial, un censitaire est tenu de verser une rente annuelle et d'accomplir une série de devoirs pour son seigneur. Mais comme le territoire est très vaste et fort peu peuplé, le censitaire de la Nouvelle-France jouit alors de conditions d'existence autrement supérieures à celles du paysan français de la même époque.

Les revendications territoriales françaises en Amérique du Nord s'accroissent rapidement à cette époque, à la faveur des expéditions de coureurs des bois, de religieux et d'explorateurs, à qui l'on doit la découverte de la presque totalité du continent nord-américain. La Nouvelle-France atteint son apogée à l'aube du XVIIIe siècle, au moment où elle monopolise le commerce des fourrures en Amérique du Nord, contrôle le fleuve Saint-Laurent et entreprend la mise en valeur de la Louisiane. Ses positions lui permettent de contenir l'expansion des colonies anglaises, pourtant beaucoup plus populeuses, entre l'océan Atlantique et les Appalaches.

Mais la France, vaincue en Europe, accepte par le traité d'Utrecht de 1713 de céder le contrôle de la baie d'Hudson, de Terre-Neuve et de l'Acadie française à l'Angleterre. Ce traité, qui fait perdre à la Nouvelle-France une grande partie du commerce des fourrures et des positions militaires stratégiques, l'affaiblit sévèrement et sera le prélude de sa chute.

Dans les années suivantes, l'étau ne cesse de se resserrer sur la colonie française. Dès 1755, le colonel britannique Charles Lawrence ordonne ce qu'il conçoit comme une mesure préventive: la déportation des Acadiens. Ce «grand dérangement» entraîne l'exode d'au moins 7 000 Acadiens, ces paysans de langue française, citoyens britanniques depuis 1713, qui occupaient jusqu'alors les terres de l'actuelle Nouvelle-Écosse.

L'épreuve de force pour le contrôle de l'Amérique du Nord connaît son dénouement quelques années plus tard, avec la victoire définitive des troupes britanniques sur les Français. Bien que Montréal soit tombée la dernière en 1760, c'est la célèbre bataille des plaines d'Abraham, où s'affrontent les troupes de Montcalm et de Wolfe, qui concrétise, l'année précédente, la fin de la Nouvelle-France par la chute de Québec. Au moment de la conquête anglaise, la population de la Nouvelle-France s'élève à environ 60 000 habitants, dont 8 967 vivent à Québec et 5 733 à Montréal.

Le Régime anglais

Par le traité de Paris de 1763, la France cède officiellement à l'Angleterre le Canada, ses possessions à l'est du Mississippi et ce qui lui reste de l'Acadie. Pour les anciens sujets de la Couronne française, les premières années de l'administration britannique sont très éprouvantes. D'abord, les dispositions de la Proclamation royale de 1763 instaurent un découpage territorial qui prive la colonie du secteur le plus dynamique de son économie, la traite des fourrures. De plus, la mise en place des lois civiles anglaises et le refus de reconnaître l'autorité du pape signifient la destruction des deux piliers sur lesquels reposait jusqu'alors la société coloniale: le système seigneurial et la hiérarchie religieuse. Enfin, indispensable pour occuper toute haute fonction administrative, le serment de Test, niant la transsubstantiation dans l'Eucharistie et l'autorité du pape, ne peut que discriminer les Canadiens français. Une part importante de l'élite quitte le pays pour la France, tandis que des marchands anglais prennent graduellement les commandes du commerce.

L'Angleterre accepte par la suite d'annuler la Proclamation royale, car, pour mieux pouvoir résister aux poussées indépendantistes de ses 13 colonies du Sud, elle doit rapidement accroître son emprise sur le Canada et gagner la faveur de la population. Ainsi, à partir de 1774, l'Acte de Québec remplace la Proclamation royale et inaugure une politique plus réaliste envers cette colonie anglaise dont la population est catholique et de langue française.

La population canadienne reste presque essentiellement de souche française jusqu'à la fin de la guerre d'Indépendance américaine, qui amène une première vague de colons anglo-saxons. Citoyens américains désirant rester fidèles à la Couronne britannique, les loyalistes viennent s'installer au Canada, principalement aux abords du lac Ontario et dans l'ancienne Acadie, mais aussi dans les régions de peuplement français.

Avec l'arrivée de ces nouveaux colons, les autorités britanniques divisent, en 1791, le Canada en deux provinces. Le Haut-Canada, situé à l'ouest de la rivière Outaouais, est principalement peuplé d'Anglo-Saxons, et les lois civiles anglaises y ont désormais cours. Le Bas-Canada, qui comprend le territoire de peuplement à majorité française, reste régi par la coutume de Paris. D'autre part, l'Acte constitutionnel de 1791 introduit une amorce de parlementarisme au Canada en créant une Chambre d'assemblée dans chacune des deux provinces.

Portrait

Du point de vue économique, le blocus continental de Napoléon, qui pousse l'Angleterre à venir s'approvisionner en bois au Canada, initie une nouvelle vocation pour la colonie. Cela tombe à point car le motif initial de la colonisation, la traite des fourrures, ne cesse de péricliter. En 1821, l'absorption de la Compagnie du Nord-Ouest, qui regroupe les intérêts montréalais, par la Compagnie de la Baie d'Hudson, concrétise le déclin de Montréal en tant que pôle du commerce des fourrures en Amérique du Nord. D'autre part, l'épuisement des sols et la surpopulation relative causée par le haut taux de natalité des familles canadiennes-françaises débouchent, au cours de cette même période, sur une profonde crise agricole. Le niveau de vie du paysan chute de telle sorte que son régime alimentaire en vient à se composer presque essentiellement de soupe aux pois et de galettes de sarrasin.

Ces difficultés économiques, mais aussi les luttes de pouvoir entre les deux groupes linguistiques du Bas-Canada, seront les éléments catalyseurs de la rébellion des Patriotes de 1837 et 1838. La période d'effervescence précédant les événements s'amorce en 1834, avec la publication des *Quatre-Vingt-Douze Résolutions*, un réquisitoire impitoyable contre la politique coloniale de Londres. Ses auteurs, un groupe de parlementaires conduit par Louis-Joseph Papineau, décident de ne plus voter le budget aussi longtemps que l'Angleterre n'accédera pas à leurs demandes. La métropole réagit en mars 1837 par la voie des *Dix Résolutions* de Lord Russell,

refusant catégoriquement tout compromis avec les parlementaires du Bas-Canada.

Dès l'automne suivant, de violentes émeutes éclatent à Montréal, opposant les Fils de la Liberté, composés de jeunes Canadiens, au Doric Club, formé de Britanniques loyaux. Les affrontements se déplacent par la suite dans la vallée du Richelieu et dans le comté de Deux-Montagnes, où de petits groupes d'insurgés tiennent tête pendant un temps à l'armée britannique avant d'être écrasés dans le sang.

L'année suivante, tentant de rallumer la rébellion, des Patriotes connaissent le même sort à Napierville en affrontant 7 000 soldats de l'armée britannique. Par contre, cette fois-ci, les autorités coloniales entendent donner l'exemple. En 1839, 12 Patriotes montent sur l'échafaud, alors que de nombreux autres sont déportés.

Entre-temps, Londres avait envoyé un émissaire, Lord Durham, afin d'étudier les problèmes de la colonie. S'attendant à découvrir un peuple en rébellion contre l'autorité coloniale, Durham constate plutôt qu'il s'agit de deux peuples en lutte, l'un français et l'autre britannique. Dans son rapport, Durham avance une solution radicale afin de résoudre définitivement le problème canadien: il propose aux autorités de la métropole d'assimiler graduellement les Canadiens français.

Dicté par Londres, l'Acte d'Union de 1840 s'inspire dans une large mesure des conclusions du rapport Durham. Dans cet esprit, on instaure un parlement unique composé d'un nombre égal de délégués

des deux anciennes colonies, même si le Bas-Canada possède une population bien supérieure à celle du Haut-Canada. On unifie également les finances publiques, et, enfin, la langue anglaise devient la seule langue officielle de cette nouvelle union.

Comme les soulèvements armés ont été sans résultat, la classe politique canadienne-française décide alors de s'allier aux anglophones les plus progressistes afin de combattre ces dispositions. La lutte pour l'obtention de la responsabilité ministérielle devient par la suite le principal cheval de bataille de cette coalition.

Par ailleurs, la crise agricole qui frappe toujours aussi durement le Bas-Canada, doublée de l'arrivée constante d'immigrants et d'un haut taux de natalité, entraîne une émigration massive de Canadiens français vers les États-Unis. Entre 1840 et 1850, 40 000 Canadiens français quittent le pays pour aller tenter leur chance dans les usines de la Nouvelle-Angleterre. Pour contrer cette hémorragie, l'Église et le gouvernement lancent un vaste plan de colonisation des régions périphériques, dont le Lac-Saint-Jean. La rude vie des colons de ces nouvelles régions de peuplement, agriculteurs en été et bûcherons en hiver, fut dépeinte avec brio par Louis Hémon dans le roman *Maria Chapdelaine*. Mais cette désertion massive ne cesse pas pour autant avant le début du siècle suivant, si bien que, selon les estimations, environ trois quarts de million de Canadiens français auraient émigré entre 1840 et 1930. De ce point de vue, la colonisation, qui a permis de doubler la superficie des terres cultivées, se solde par un échec. La pression démographique sévissant dans le monde rural ne pourra être absorbée que plusieurs décennies plus tard grâce à l'industrialisation.

L'économie canadienne reçoit à cette même époque un dur coup, lorsque l'Angleterre abandonne sa politique de mercantilisme et de tarifs préférentiels à l'égard de ses colonies. Pour amortir les contrecoups du changement de cap de la politique coloniale britannique, le Canada-Uni signe en 1854 un traité permettant la libre entrée de certains de ses produits aux États-Unis. L'économie canadienne reprend timidement son souffle, jusqu'à ce que le traité soit répudié en 1866 sous la pression d'industriels américains. C'est pour aider à résoudre ces difficultés économiques que l'on conçoit alors, en 1867, la Confédération canadienne.

La Confédération

Par la Confédération de 1867, l'ancien Bas-Canada reprend forme sous le nom de Province de Québec. Trois autres provinces, la Nouvelle-Écosse, le Nouveau-Brunswick et l'Ontario (ancien Haut-Canada), adhèrent à ce pacte qui unira par la suite un vaste territoire s'étendant de l'Atlantique au Pacifique.

Pour les Canadiens français, ce nouveau système politique confirme leur statut de minorité amorcé par l'Acte d'Union de 1840. La création de deux ordres de gouvernement octroie par contre au Québec la juridiction dans les domaines de l'éducation, de la culture et des lois civiles.

Du point de vue économique, la Confédération tarde à résoudre les difficultés. En fait, il faut attendre trois décennies ponctuées de fortes fluctuations avant que l'économie du Québec ne connaisse un véritable essor. Ces premières années de la Confédération permettent néanmoins une consolidation de l'industrie nationale grâce à la mise en place de tarifs douaniers protecteurs, à la création d'un grand marché unifié et au développement du système ferroviaire sur l'ensemble du territoire. La révolution industrielle amorcée au milieu du XIXe siècle reprend de la vigueur à partir des années 1880. Si Montréal demeure le centre incontesté de ce mouvement, cette industrialisation touche aussi de nombreuses autres villes de moindre importance.

L'exploitation forestière, qui constitue un moteur économique majeur au cours du XIXe siècle, fait que l'on exporte désormais plus de bois scié que de bois équarri, donnant ainsi naissance à une industrie de transformation. Par ailleurs, l'expansion du système ferroviaire, qui a pour pôle Montréal, permet une spécialisation dans le secteur du matériel fixe des chemins de fer. Les industries du cuir, du vêtement et de l'alimentation connaissent également une croissance notable. De plus, cette période donne

lieu à l'émergence d'une toute nouvelle industrie, le textile, qui deviendra par la suite, et pour longtemps, le symbole de la structure industrielle du Québec. Bénéficiant d'un large réservoir de main-d'œuvre peu qualifiée, les industries textiles exploitent au début principalement les femmes et les enfants.

Cette vague d'industrialisation a pour conséquences d'accroître le rythme de l'urbanisation et de créer une importante classe ouvrière aux conditions de vie difficiles. Agglutinés près des usines, les quartiers ouvriers de Montréal sont terriblement insalubres, et la mortalité infantile y atteint un taux deux fois plus élevé que dans les quartiers riches.

Alors que le monde urbain vit de profondes transformations, la campagne amorce une sortie de crise. Une production dominée par les produits laitiers remplace graduellement les cultures de subsistance, contribuant à augmenter le niveau de vie des cultivateurs.

Enfin, un événement tragique, la pendaison de Louis Riel en 1885, témoigne une nouvelle fois de l'opposition qui règne entre les deux groupes linguistiques du Canada. Ayant pris la tête de rebelles métis et amérindiens dans l'ouest du Canada, Riel, un Métis francophone et catholique, est jugé coupable de haute trahison et condamné à mort. Alors que l'opinion publique canadienne-française se mobilise pour demander au cabinet fédéral de commuer la peine, du côté anglo-saxon on réclame avec insistance la pendaison de Riel. Le gouvernement Macdonald tranche finalement pour que Riel soit pendu, déclenchant une vive réaction populaire au Québec.

L'âge d'or du libéralisme économique

Le début du XXe siècle coïncide avec le commencement d'une période de croissance économique prodigieuse devant se prolonger jusqu'à la crise des années 1930. Euphorique et optimiste comme bien d'autres Canadiens, le premier ministre de l'époque, Wilfrid Laurier, prédit alors que le XXe siècle sera celui du Canada.

Cette croissance profite au secteur manufacturier québécois. Mais, grâce à la mise au point de nouvelles technologies et à l'émergence de certains marchés, ce sont les richesses naturelles du territoire qui deviennent le principal facteur de localisation dans cette seconde vague d'industrialisation.

L'électricité joue un rôle de pivot. En quelques années, grâce au grand nombre de rivières à fort débit et à leur dénivellation, le Québec devient l'un des plus importants producteurs d'hydroélectricité. Cette disponibilité d'énergie bon marché attire dans son sillage des industries nécessitant une forte consommation d'électricité. Des alumineries et certaines industries chimiques s'établissent ainsi à proximité des centrales hydroélectriques.

Par ailleurs, le secteur minier connaît un timide démarrage, alors que commence l'exploitation du sous-sol des Cantons-de-l'Est, riche en amiante, et de l'Abitibi, où l'on trouve des gisements de cuivre, d'or, de zinc et d'argent. Mais surtout, le secteur des pâtes et papiers québécois trouve de fabuleux débouchés aux États-Unis avec l'épuisement des forêts américaines et l'essor de la grande presse. Pour favoriser la création d'industries de transformation en sol québécois, le gouvernement du Québec intervient en 1910 pour interdire l'exportation de billes de bois.

Cette nouvelle vague d'industrialisation diffère de la première à bien des égards. Ayant lieu à l'extérieur des grands centres, elle accentue l'urbanisation des régions périphériques, créant dans certains cas des villes en quelques années. L'exploitation des richesses naturelles se distingue également du secteur manufacturier par la nécessité d'une main-d'œuvre plus qualifiée, mais surtout par le besoin d'imposants capitaux dont la finance locale est presque complètement dépourvue. Les Britanniques, jusque-là principaux pourvoyeurs de capitaux, cèdent cette fois devant l'ascension triomphante du capitalisme américain.

Cette société en pleine transformation, dont la population devient à moitié urbaine à partir de 1921, reste néanmoins fortement encadrée par l'Église. Rassemblant 85% de la population du Québec et pour ainsi dire tous les Canadiens français, l'Église catholique s'élève alors au rang d'acteur politique majeur au Québec. Grâce au contrôle qu'elle

exerce sur les domaines de l'éducation, des soins hospitaliers et de l'assistance sociale, son autorité est incontournable. L'Église catholique n'hésite d'ailleurs pas à intervenir dans les débats politiques, combattant tout particulièrement les politiciens jugés trop libéraux.

Enfin, lorsque la Première Guerre mondiale éclate en Europe, le gouvernement canadien s'engage sans réticence au côté de la Grande-Bretagne. Un bon nombre de Canadiens français s'enrôlent volontairement dans l'armée, quoique dans une proportion beaucoup plus faible que les autres Canadiens. Ce manque d'enthousiasme des francophones s'explique par les sentiments plutôt mitigés qu'ils entretiennent envers la Grande-Bretagne. Bientôt, le gouvernement canadien fixe l'objectif de mobiliser 500 000 hommes, et, comme les volontaires ne sont plus suffisants, il vote en 1917 la conscription obligatoire.

Au Québec, la colère gronde: émeutes, bagarres, dynamitages. La population réagit furieusement. La conscription se solde finalement par un échec, en ne parvenant pas à enrôler un nombre appréciable de Canadiens français. Mais surtout, elle a pour conséquence de river les deux groupes linguistiques du Canada l'un contre l'autre.

La Grande Dépression

Entre 1929 et 1945, deux événements d'envergure internationale, la crise économique et la Seconde Guerre mondiale, perturbent considérablement la vie politique, économique et sociale du pays. La Grande Dépression des années 1930, que l'on perçoit d'abord comme une crise cyclique et temporaire, se prolonge en un long cauchemar d'une décennie et brise l'essor économique du Québec. La chute des échanges internationaux frappe durement l'économie canadienne, fortement dépendante des marchés extérieurs.

Le Québec est inégalement touché. Montréal, dont une grande partie de l'économie repose sur l'exportation, et les villes axées sur l'exploitation des richesses naturelles absorbent les coups les plus durs. Les industries du textile et de l'alimentation écoulant leur production sur le marché canadien résistent mieux pendant les premières années, avant de sombrer également dans les difficultés. Comme elle peut nourrir sa population, la campagne devient alors un refuge, apportant un répit au mouvement séculaire d'urbanisation. La misère ne cesse de se généraliser, et le chômage frappe, touchant jusqu'à 27% de la population en 1933.

Les gouvernements ne savent que faire devant cette crise que l'on pensait d'abord passagère. Le gouvernement du Québec lance d'abord de vastes travaux publics pour employer les chômeurs, mais, devant l'insuffisance de cette solution, il introduit le secours direct. D'abord très timidement avancée, puisque le chômage a toujours été perçu comme un problème individuel, cette mesure vient par la suite en aide à de nombreux Québécois.

La crise incite également le gouvernement fédéral à remettre en cause certains dogmes du libéralisme économique et à redéfinir le rôle de l'État. La mise sur pied de la Banque du Canada en 1935 va dans ce sens, en permettant un meilleur contrôle du système monétaire et financier.

C'est toutefois au cours des années de guerre que seront lancées les mesures qui conduiront par la suite à la naissance de l'État providence canadien. Entre-temps, la crise qui secoue le libéralisme débouche sur un foisonnement d'idéologies au Québec. Les tendances se multiplient, mais le nationalisme traditionnel accapare une place de choix, encensant les valeurs traditionnelles que sont le monde rural, la famille, la religion et la langue.

La Seconde Guerre mondiale

La guerre éclate en 1939, et le Canada s'y engage officiellement dès le 10 septembre de la même année. La nécessité de moderniser le matériel militaire canadien et les besoins logistiques des Alliés permettront la relance de l'économie du pays. De plus, ses relations privilégiées avec la Grande-Bretagne et les États-Unis accordent au Canada un rôle diplomatique appréciable, comme en témoigneront les Conférences de Québec de 1943 et de 1944.

Mais, très rapidement, la polémique entourant la conscription obligatoire refait surface. Bien que le gouvernement fédéral se soit engagé à ne pas y recourir, devant la montée de l'opposition anglophone du pays, il organise un plébiscite afin de se dégager de cette promesse. Les résultats démontrent sans équivoque le clivage existant entre les deux groupes linguistiques: les Canadiens anglais votent à 80% en faveur de la conscription, alors que les Québécois francophones s'y opposent dans une même proportion. Les sentiments équivoques à l'égard de la France et de la Grande-Bretagne font en sorte que les Québécois se sentent très peu enclins à s'engager dans ce conflit. Ils doivent néanmoins se plier à la décision de la majorité. L'engagement total du Canada s'élève à 600 000 personnes, dont 42 000 trouveront la mort.

La guerre a pour effet de modifier en profondeur le visage du Québec. Son économie en sort davantage diversifiée et beaucoup plus puissante. Du côté des relations entre Québec et Ottawa, l'intervention massive du gouvernement fédéral au cours de la guerre devient le prélude à l'accroissement de son rôle dans l'économie et à la marginalisation relative des gouvernements provinciaux.

D'autre part, le contact de milliers de Québécois avec le monde européen, tout comme le travail des femmes dans les usines, transforme les attentes de chacun. Un vent de changement souffle sur la société québécoise. Il se heurte cependant à la volonté d'un homme, Maurice Duplessis, et de ses alliés.

1945-1960: le duplessisme

La fin du second conflit mondial initie une période exaltante de croissance économique, où les désirs de consommation réprimés, par la crise et le rationnement du temps de guerre, peuvent enfin être assouvis. Jusqu'en 1957, malgré quelques fluctuations, l'économie fonctionne à merveille.

Cette richesse touche néanmoins inégalement les divers groupes sociaux et ethniques du Québec. De nombreux travailleurs, surtout les non-syndiqués, gagnent toujours des salaires relativement bas. De plus, en moyenne, la minorité anglophone du Québec bénéficie d'un niveau de vie supérieur à celui des francophones. À compétence et à expérience égales, les francophones touchent des salaires moindres et sont discriminés dans leur ascension sociale par le puissant contrôle qu'exercent les Canadiens anglais et les Étasuniens sur l'économie.

Quoi qu'il en soit, cette croissance de l'économie favorise la stabilité politique, si bien que le chef de l'Union nationale, Maurice Duplessis, demeure premier ministre du Québec de 1944 jusqu'à sa mort, en 1959. Cette période qu'on a souvent qualifiée de «grande noirceur» est profondément marquée par la personnalité de Duplessis.

L'idéologie duplessiste est formée d'un amalgame parfois paradoxal de nationalisme traditionnel, de conservatisme et de capitalisme débridé. Le «Chef» fait l'apologie du monde rural, de la religion et de l'autorité, tout en octroyant aux grandes entreprises étrangères des conditions très favorables à l'exploitation des richesses du territoire. Dans l'esprit de Duplessis, la main-d'œuvre bon marché fait partie de ces richesses nationales

qu'il faut préserver. Il lutte donc farouchement contre la syndicalisation et n'hésite pas à employer des mesures musclées d'intimidation. Des nombreuses grèves, c'est celle de l'amiante, en 1949, qui marque le plus la conscience collective.

Bien que Maurice Duplessis soit la personnalité dominante de cette époque, son passage au pouvoir ne peut s'expliquer que par la collaboration tacite d'une grande partie des élites traditionnelles et du monde des affaires tant francophone qu'anglophone. Le clergé, qui, en apparence, vit ses heures les plus glorieuses, ressent un affaiblissement de son autorité, ce qui le pousse à soutenir à fond le régime duplessiste.

Malgré la prédominance du discours duplessiste, cette période donne néanmoins lieu à l'émergence d'importants foyers de contestation. Le Parti libéral du Québec ayant de la difficulté à s'organiser, l'opposition se veut alors surtout extraparlementaire. Certains artistes et écrivains témoignent de leur impatience en publiant en 1948 le *Refus global*, un réquisitoire terrible contre l'atmosphère étouffante du Québec d'alors. Mais l'opposition organisée émane surtout de groupes d'intellectuels, de syndicalistes et de journalistes.

Tous désirent moderniser le Québec et sont en majorité favorables à la mise en place d'un État providence. Cependant, très tôt au sein de ces réformistes, deux tendances s'organisent. Certains, comme Gérard Pelletier et Pierre Trudeau, soutiennent que la modernisation du Québec passe par un fédéra-

lisme centralisateur; d'autres, les néonationalistes, comme André Laurendeau, souscrivent plutôt à un accroissement des pouvoirs du gouvernement du Québec. Ces deux groupes, qui auront tôt fait de marginaliser le traditionalisme avec la Révolution tranquille, s'opposeront par la suite tout au long de l'histoire contemporaine du Québec.

La Révolution tranquille

«L'équipe du tonnerre» du Parti libéral de Jean Lesage, ayant pour slogan «C'est le temps que ça change», prend le pouvoir en 1960 et le conserve jusqu'en 1966. Cette période qu'on désigne du nom de «Révolution tranquille» a l'allure d'une véritable course à la modernisation.

Mouvement accéléré de rattrapage, la Révolution tranquille réussit en quelques années à mettre le Québec à «l'heure de la planète». L'État accroît son rôle en prenant à sa charge les domaines de l'éducation, de la santé et des services sociaux. L'Église, dépouillée ainsi de ses principales sphères d'influence, perd alors de son autorité et plonge dans une douloureuse remise en question accentuée par la désaffection massive de ses fidèles.

Du point de vue économique, la nationalisation de l'électricité initie un vaste mouvement visant à octroyer au gouvernement du Québec un rôle moteur dans le développement économique. L'État québécois se dote d'un surplus de puissants instruments économiques lui permettant d'intervenir massive-

Portrait

Rappel des principaux événements historiques

Il y a plus de 12 000 ans: des nomades provenant d'Asie septentrionale traversent le détroit de Béring et peuplent graduellement les deux Amériques. Certains s'établissent, après le retrait des glaces, sur la péninsule du Québec: ce sont les ancêtres des Amérindiens et des Inuits.

1534: Jacques Cartier, marin de Saint-Malo, fait la première de ses trois explorations du golfe et du fleuve Saint-Laurent. Il s'agit des premiers contacts officiels de la France avec ce territoire.

1608: Samuel de Champlain et ses hommes fondent Québec. C'est le début d'une présence française permanente en Amérique du Nord.

1663: la Nouvelle-France devient officiellement une province française. La colonisation se poursuit.

1759: Québec tombe aux mains des Britanniques. Quatre ans plus tard, le roi de France leur cédera officiellement la Nouvelle-France, où vivent environ 60 000 colons d'origine française.

1837-1838: l'armée britannique écrase les insurrections des Patriotes.

1840: faisant suite au rapport Durham, les dispositions de l'Acte d'Union visent à minoriser les Canadiens français et, éventuelle-ment, à les assimiler.

1867: naissance de la Confédération cana-dienne. Quatre provinces, dont le Québec, sont parties prenantes de ce pacte. Six autres provinces viendront par la suite s'y joindre.

1914-1918: le Canada s'engage dans la Première Guerre mondiale. Anglophones et francophones ne s'entendent pas sur l'ampleur de la participa-tion du pays. Le Canada en ressort très divisé.

1929-1939: la crise économique touche de plein fouet le Québec. En 1933, 27% de la population est au chômage.

1939-1945: participation du Canada à la Seconde Guerre mondiale. Les anglophones et les francophones du pays s'opposent toujours en ce qui a trait à la conscrip-tion obligatoire.

1944-1959: le premier ministre Maurice Duplessis dirige le Québec et impose un régime très conservateur. On qualifiera cette période de «grande noirceur».

1960: élection du Parti libéral. Début de la Révolution tranquille.

Octobre 1970: un groupuscule terroriste, le Front de Libération du Québec (FLQ), enlève un diplomate britannique et un ministre québécois, déclenchant une grave crise politique.

Novembre 1976: un parti indépendantiste, le Parti québécois, remporte les élections provinciales.

Mai 1980: les Québécois se prononcent majoritai-rement contre la tenue de négociations visant à donner au Québec l'indépendance.

1982: rapatriement de la Constitution canadienne sans l'accord du Québec.

Juin 1990: l'échec de l'entente du Lac Meech sur la Constitution canadienne est très mal reçu au Québec.

26 octobre 1992: le gouvernement fédéral et les provinces organisent un référendum sur de nouvelles offres constitutionnelles. Jugées insuffisantes, celles-ci sont rejetées par une majorité de Québécois et de Canadiens.

30 octobre 1995: le gouvernement du Parti québécois tient un référendum sur la souveraineté du Québec: 49,4% des Québécois votent «oui»; 50,6% «non».

ment et de consolider l'emprise des francophones dans le monde des affaires. Cette Révolution tranquille se traduit par un remarquable dynamisme dans la société québécoise, que symbolisera la tenue à Montréal d'événements internationaux d'envergure tels que l'Exposition universelle, en 1967, et les Jeux olympiques, en 1976.

Cette société en pleine effervescence engendre un pluralisme idéologique, cependant marqué par la prédominance des mouvements de gauche. On assiste à des débordements à partir de 1963, alors que le Front de Libération du Québec (FLQ), un groupuscule d'extrémistes désirant accélérer la «décolonisation» du Québec, lance une première vague d'attentats à Montréal. Puis, en octobre 1970, le FLQ récidive en kidnappant le diplomate britannique James Cross et le ministre Pierre Laporte, ce qui déclenche une crise politique au pays. Le premier ministre canadien de l'époque, Pierre Elliott Trudeau, prétextant un soulèvement appréhendé, réagit en promulgant la Loi sur les mesures de guerre. L'armée canadienne prend alors position en territoire québécois; on effectue des milliers de perquisitions et emprisonne des centaines de personnes innocentes. Peu de temps après, le ministre Pierre Laporte est retrouvé mort. La crise se termine finalement lorsque les ravisseurs de James Cross acceptent sa libération contre un sauf-conduit vers Cuba. Tout au long de cette crise, et par la suite, le premier ministre Trudeau sera critiqué sévèrement pour avoir eu recours à la Loi sur les mesures de guerre. On l'accusera d'avoir tenté, par ce coup de force, de briser le

mouvement autonomiste québécois.

Le phénomène politique le plus marquant entre 1960 et 1980 demeure cependant l'ascension rapide du nationalisme modéré. Rompant avec le traditionalisme d'antan, le néonationalisme se veut le promoteur d'un Québec fort, ouvert et moderne. Il préconise un accroissement des pouvoirs du gouvernement québécois et, ultimement, l'indépendance politique.

Les forces nationalistes se regroupent rapidement autour de René Lévesque, fondateur du Mouvement Souveraineté-Association, puis, en 1968, du Parti québécois. Après deux élections où il ne fait élire que quelques députés, le Parti québécois remporte, en 1976, une étonnante victoire. S'étant fixé comme mandat de négocier la souveraineté du Québec, le Parti québécois organise en 1980 un référendum pour obtenir l'assentiment du peuple.

Dès le début, la campagne référendaire met au jour la division des Québécois entre souverainistes et fédéralistes. La lutte demeure vive et mobilise l'ensemble de la population jusqu'aux derniers moments. Mais finalement, après une campagne axée sur les promesses visant à réaménager le fédéralisme, les tenants du «non» remportent la victoire avec près de 60% des voix.

Malgré l'amertume que suscite cette défaite, les souverainistes se consolent néanmoins en constatant que le soutien à leur cause a fait un bond de géant en l'espace de quelques années. Mouvement marginal dans les années 1960, le nationalisme s'affirme dé-

sormais comme un phénomène incontournable de la politique québécoise. Le soir de la défaite, René Lévesque, déçu mais toujours aussi charismatique, prédit que ce serait pour «la prochaine fois».

Depuis 1980: ruptures et continuités

Le mouvement amorcé par la Révolution tranquille connaît une rupture avec la défaite souverainiste au référendum et, pour plusieurs, les années 1980 s'amorcent avec ce que l'on a appelé la «déprime post-référendaire». Le climat s'envenime davantage lorsqu'en 1981 et 1982 l'économie traverse la pire récession depuis les années 1930. Plus tard, bien qu'il y ait une lente relance de l'économie, le taux de chômage demeurera très élevé, et les finances publiques accumuleront des déficits vertigineux. À l'instar de plusieurs autres gouvernements occidentaux, le Québec remet alors en question ses choix passés, même si, pour certains, cette nouvelle rationalité du gouvernement québécois fait craindre que les «acquis» de la Révolution tranquille ne soient sacrifiés.

La décennie des années 1980 et le début des années 1990 sont donc marquées du sceau de la rationalisation, mais aussi de la mondialisation des marchés et de la consolidation de grands blocs économiques. Dans cet esprit, le Canada et les États-Unis concluent un accord de libre-échange en 1989, élargi au Mexique à partir de 1994.

Du point de vue politique, la question du statut du Québec refait surface, et le mouvement souverainiste québécois reprend une étonnante vigueur avec le début des années 1990. Les Québécois acceptent alors très mal l'échec de l'entente du Lac Meech, en juin 1990, qui visait à réintégrer le Québec dans la «famille constitutionnelle» en lui accordant un statut particulier (voir p 28). Plus tard, les gouvernants tentent de résoudre l'impasse en organisant, le 26 octobre 1992, un référendum pancanadien sur de nouvelles offres constitutionnelles, que rejette avec éclat, mais pour des raisons opposées, tant la population québécoise que canadienne.

Par la suite, lors de l'élection fédérale du 25 octobre 1993, le Bloc québécois, un parti favorable à la souveraineté du Québec, remporte plus des deux tiers des comtés du Québec et forme l'opposition officielle au Parlement canadien; puis, l'année suivante, le Parti québécois se fait élire et forme le gouvernement du Québec, en ayant à son programme la tenue d'un référendum sur la souveraineté du Québec.

Moins d'un an après son arrivée au pouvoir, comme prévu, le Parti québécois déclenche une campagne référendaire sur la souveraineté du Québec. Tout comme au référendum de 1980, 15 années plus tôt, on sait la population québécoise très divisée sur le sujet. Par contre, cette foisci, les résultats seront autrement plus serrés. Au soir du 30 octobre 1995, date du référendum, le résultat ne laisse aucun doute sur le déchirement des Québécois: 49,4% votent «oui» au projet de souveraineté du Québec, et 50,6% votent «non»! Ce référendum, qui devait résoudre définitivement la question du statut politique du Québec, a plutôt ramené tout le monde à la case départ. Les souverainistes, sentant désormais leur objectif ultime à portée de la main, n'ont pas hésité à promettre, le soir même de cette courte défaite, qu'un prochain référendum aurait lieu d'ici peu.

Les fusions municipales

En 2001, le gouvernement du Québec a voté une loi obligeant la plupart des municipalités du Québec à fusionner avec leurs voisines afin de créer de grands ensembles régionaux. Ainsi, depuis le 1ᵉʳ janvier 2002, plusieurs villes et villages ont officiellement perdu leur nom et ont été intégrés à une municipalité plus importante. La ville de Montréal, par exemple, regroupe maintenant toutes les villes de l'île de Montréal, ce qui n'était pas le cas auparavant. À Québec, les villes qui formaient ce que l'on appelait la Communauté urbaine de Québec font dorénavant partie de la ville de Québec elle-même. Ces fusions ne se font pas, on le comprend facilement, sans heurts et sans hésitations. Il s'agit d'un processus entamé mais loin encore d'être achevé. C'est pourquoi nous avons décidé de ne pas modifier dans ce guide, pour l'instant, le nom des villes. Pour les villes qui doivent être rebaptisées, le choix d'un nouveau nom suscite souvent des débats, et nous croyons qu'il est encore trop tôt pour inscrire, dans notre guide, des toponymes qui prendront en fait des années à s'employer. En voyageant au Québec, vous n'aurez de toute façon aucun mal à vous y retrouver, nous en sommes certains.

Vie politique

Le document constitutionnel à la base de la Confédération canadienne de 1867, l'Acte de l'Amérique du Nord britannique, a créé une division des pouvoirs entre deux ordres de gouvernement. Ainsi, en plus du gouvernement central, situé à Ottawa, les 10 provinces canadiennes, dont le Québec, possèdent respectivement un gouvernement ayant le pouvoir de légiférer dans certains domaines. Le conflit constitutionnel opposant le Québec et le gouvernement canadien repose d'ailleurs largement sur les modalités de cette division des pouvoirs.

Calqués sur le modèle britannique, les systèmes politiques canadien et québécois accordent le pouvoir législatif à un Parlement élu au suffrage universel. À Québec, ce Parlement, qu'on nomme l'Assemblée nationale, se compose de 122 députés représentant autant de circonscriptions électorales. À Ottawa, le pouvoir appartient à la Chambre des communes, formée de députés provenant de toutes les régions du Canada. Le gouvernement fédéral possède également une Chambre haute, le Sénat, qui fut départie peu à peu de tous ses pouvoirs réels et dont l'avenir reste incertain.

Lors d'élections, le parti politique qui a pu faire élire le plus grand nombre de députés forme le gouvernement. Ces élections se tiennent environ tous les quatre ans, selon le mode de scrutin uninominal à majorité simple. La logique de ce type de suffrage conduit à un affrontement ne laissant généralement place qu'à deux formations politiques d'envergure. En contrepartie, ce système électoral offre l'avantage de garantir une grande stabilité entre chaque élection, tout en permettant d'identifier chaque député à une circonscription.

La politique fédérale

Au fédéral, deux formations politiques, le Parti libéral et le Parti conservateur, ont gouverné tour à tour le Canada depuis le début de la Confédération en 1867. Les Québécois et, généralement, les Canadiens de langue française ont en majorité donné leur soutien au Parti libéral du Canada. D'ailleurs, les quatre premiers ministres de langue française ayant gouverné le Canada se sont tous présentés sous la bannière de cette formation.

Longtemps associés à l'impérialisme britannique et à la conscription obligatoire de 1917, ne laissant traditionnellement que peu de place aux francophones, les conservateurs ont donné signe d'une plus grande ouverture. Ils ont ainsi réussi à prendre le pouvoir lors de l'élection de 1984 et à le conserver en 1988 grâce à l'appui des Québécois. Ils ont cependant été battus par le Parti libéral lors de l'élection tenue à l'automne 1993, permettant du coup à Jean Chrétien d'être élu premier ministre du Canada.

Le retour des libéraux au pouvoir n'a surpris personne, puisque le système politique canadien favorise l'alternance. Cette élection devait toutefois marquer une rupture brutale avec le passé en amenant un réaménagement sans précédent de l'échiquier politique canadien à la faveur de deux nouvelles formations: le Reform Party et le Bloc québécois. Le Reform Party, qui présente un programme politique populiste largement inspiré de la droite américaine, a fait élire une cinquantaine de députés provenant essentiellement des provinces de l'Ouest canadien.

De son côté, le Bloc québécois a remporté 54 sièges, soit plus des deux tiers des circonscriptions en jeu au Québec. Né de la débâcle de l'Accord du Lac Meech, le Bloc québécois s'est donné la mission de promouvoir la souveraineté du Québec sur la scène fédérale. Le Parti conservateur, jusque-là au pouvoir, et le Nouveau Parti démocratique, cet éternel bon troisième de la politique canadienne, ont quant à eux été pratiquement balayés de la carte.

Les résultats de l'élection fédérale de 1993 se sont par la suite confirmés, dans une large mesure, lors du scrutin tenu au printemps 1997. Le Parti libéral a été une nouvelle fois élu, quoique cette fois-ci avec une marge plus mince malgré un appui massif de la population de l'Ontario, la plus populeuse des provinces canadiennes. Le Reform Party a encore une fois connu une écrasante victoire dans l'Ouest canadien, augmentant même le nombre de sièges remportés par rapport à l'élection précédente. La performance du Bloc québécois a été moins impressionnante qu'en 1993. Il a tout de même remporté 45 des 75 circonscriptions du Québec. De leur côté, le Parti conservateur et le Nouveau Parti démocratique ont pu timidement renaître de leurs cendres grâce à des victoires acquises notamment dans les provinces de l'Atlantique.

La carte politique canadienne n'aura certes jamais été aussi complexe. Autrefois, l'incapacité du Parti libéral à obtenir un appui substantiel de la population ailleurs qu'en Ontario, la performance du Reform Party en tant que porte-parole des revendications de l'Ouest canadien et la présence au sein même du Parlement canadien d'un groupe important de députés du Bloc québécois, un parti voué à la promotion de la souveraineté du Québec, semblaient mettre au jour l'éclatement d'un certain consensus pancanadien. Les dernières élections du 27 novembre 2000 changèrent radicalement ce tableau. Le Reform Party fut remplacé par l'Alliance canadienne et fut élu comme opposition au gouvernement libéral. Le Parti libéral, après avoir craint une baisse de popularité qui le vouerait à l'échec, remporta une victoire écrasante sur les autres partis. Le Bloc québécois perdit même des sièges au Parlement, ce qui prouve la difficulté de convaincre les Québécois de devenir souverains. Jean Chrétien est, pour un troisième mandat consécutif, premier ministre du Canada.

La politique provinciale

En 2001, Bernard Landry, chef du Parti québécois (PQ), a remplacé Lucien Bouchard comme premier ministre. Premier ministre du Québec de 1996 à 2001, Lucien Bouchard (PQ) avait succédé à Jacques Parizeau (PQ), qui avait été élu sous la même bannière en 1994. Cette formation relativement jeune avait auparavant formé le gouvernement de 1976 à 1985; le PQ avait, à cette époque, le fameux communicateur et très charismatique René Lévesque comme figure de proue.

Deux formations dominent la vie politique québécoise. L'opposition au Parti québécois est principalement composée du Parti libéral du Québec, qui fut aux commandes du gouvernement québécois de 1985 à 1994, alors que Robert Bourassa en était le chef. Après avoir été dirigé par Daniel Johnson fils, le Parti libéral a maintenant à sa tête Jean Charest, qui a

aussi été chef du Parti conservateur canadien.

Ce qui distingue ces deux formations politiques québécoises, c'est d'abord et avant tout la vision qu'elles ont du statut politique du Québec. Depuis sa naissance, le Parti québécois poursuit l'objectif de faire accéder le Québec à la souveraineté politique. De son côté, le Parti libéral, tout en revendiquant timidement un accroissement des pouvoirs du gouvernement provincial, reste néanmoins attaché au système fédéral canadien.

Une troisième formation, l'Action démocratique du Québec (ADQ), vient de prendre son envol en faisant élire quatre députés en 2002 lors d'élections partielles. Mario Dumont, le chef de ce parti qui a gardé le phare en solitaire pendant plusieurs années, s'est toujours montré beau joueur.

Les relations fédérales-provinciales

Au cours des 40 dernières années, les relations fédérales-provinciales et l'affrontement entre les fédéralistes et les souverainistes québécois ont monopolisé la vie politique du pays. Ce bras de fer qui n'a pas encore désigné de gagnant continue d'ailleurs à occuper l'avant-scène de la vie politique.

Depuis la Révolution tranquille, les gouvernements québécois successifs se sont tous considérés comme les porte-parole d'une nation distincte, réclamant un statut particulier pour le Québec et un accroissement de leurs pouvoirs au détriment du gouvernement canadien.

Face à cette volonté autonomiste du Québec, le gouvernement fédéral a résisté avec énergie, arguant que le Québec n'est somme toute qu'une province comme les autres.

Le gouvernement fédéral poursuivait depuis quelques années l'objectif de rapatrier les textes constitutionnels canadiens, toujours à Londres, une entreprise demandant l'appui des provinces. Si le Québec ne s'opposait pas au rapatriement de la Constitution, son intention était de profiter de cette occasion pour y inclure une révision de la division des pouvoirs en sa faveur. Les exigences québécoises n'ont cependant jamais été satisfaits par le gouvernement fédéral, et le Québec, longtemps appuyé par d'autres provinces canadiennes, a répondu en bloquant le rapatriement de la Constitution lors des conférences fédérales-provinciales de 1964 et 1971.

Le référendum de 1980

Les enjeux changèrent radicalement lorsque le Parti québécois prit le pouvoir en 1976. Cette formation, dont la principale raison d'être était l'accession à la souveraineté politique du Québec, tenait un discours qui effrayait autrement plus le gouvernement fédéral et les forces fédéralistes québécoises.

En 1980, le PQ choisit de tenir un référendum sur la question nationale, demandant aux Québécois de lui accorder le mandat de négocier la souveraineté-association avec le «reste du Canada». La campagne référendaire qui s'engagea donna lieu à un affrontement titanesque entre les troupes fédéralistes, menées par le Parti libéral du Québec et par les ténors du gouvernement canadien, et les troupes souverainistes, dirigées par le Parti québécois.

Cette collision frontale entre les deux principales thèses ayant marqué la vie politique québécoise contemporaine prit également l'allure d'une guerre à finir entre deux hommes: Pierre Elliott Trudeau et René Lévesque. Après une longue bataille, la campagne connut son dénouement le 20 mai 1980, alors que les Québécois votèrent à près de 60% contre le projet de souveraineté-association. Ce jour-là, une majorité de Québécois choisit donc de donner une autre chance au fédéralisme canadien en confiant son avenir à Pierre Elliott Trudeau, qui avait promis *qu'un non au référendum serait un oui à un nouveau Canada*.

Mais les Québécois ne tardèrent pas à apprendre que le nouveau fédéralisme de Pierre Elliott Trudeau n'avait rien à voir avec les demandes traditionnelles du Québec. En novembre 1981, Trudeau convoqua une conférence fédérale-provinciale dans le but de rapatrier la Constitution. Le Québec trouva d'abord des alliés chez les autres provinces pour bloquer le projet fédéral, mais un revirement spectaculaire, en pleine nuit et en l'absence du Québec, isola le gouvernement québécois. Après cet épisode baptisé «la nuit des longs couteaux», le gouvernement fédéral put, dès 1982, imposer de force au Québec un nouveau pacte constitutionnel, bien que l'Assemblée nationale du

Québec eût farouchement refusé d'en être signataire.

En plus de n'octroyer aucun nouveau pouvoir au Québec et de menacer ses lois linguistiques, la Constitution de 1982 fit perdre au gouvernement québécois son droit de veto sur tout amendement constitutionnel. Après avoir gagné le référendum sur la souveraineté, les fédéralistes tentèrent ainsi de museler définitivement toute velléité autonomiste des Québécois. Depuis ce coup de force, le Parti libéral fédéral n'a plus jamais réussi à faire élire une majorité de députés au Québec.

Du lac Meech à Charlottetown

La saga constitutionnelle, après une pause de quelques années, reprit de plus belle avec l'arrivée au pouvoir de Brian Mulroney à Ottawa (1984) et l'élection, à Québec, de Robert Bourassa (1985), chef du Parti libéral du Québec. Le premier ministre canadien mit alors à l'ordre du jour l'objectif de réintégrer le Québec dans la *famille canadienne*, et ce, *dans l'honneur et l'enthousiasme*. En 1987, le gouvernement fédéral et les 10 provinces en arrivèrent à une entente, désignée du nom d'Accord du Lac Meech, qui apportait un réaménagement de la Constitution répondant aux demandes traditionnelles minimales du Québec. L'Accord devait cependant être ratifié devant les Assemblées législatives des 10 provinces avant le 24 juin 1990 pour entrer en vigueur.

Cette opération, qui semblait de prime abord très simple, se transforma en un fiasco monumental

lorsque certains premiers ministres provinciaux furent défaits et remplacés par des opposants à l'accord, que le premier ministre de Terre-Neuve renia sa parole et que l'opinion publique canadienne-anglaise se mobilisa pour combattre ce renouvellement de la Constitution, jugé trop favorable au Québec. La «grande réconciliation nationale», après maintes tentatives burlesques pour la sauver, se solda donc par un échec retentissant.

Le premier ministre Bourassa dut alors se résoudre à lancer un ultimatum au gouvernement fédéral. Il annonça qu'un référendum se tiendrait au Québec avant le 26 octobre 1992, portant, soit sur des offres fédérales acceptables, soit sur une proposition de souveraineté du Québec. Jusqu'à la fin de ce délai, Robert Bourassa souhaita que les autres provinces et le gouvernement fédéral proposent une entente susceptible de répondre aux revendications d'une majorité de Québécois. Mais le premier ministre du Québec dut finalement se rendre à l'évidence et, ravalant ses menaces, retourna négocier avec ses partenaires du fédéral et des provinces.

Une entente de principe fut bâclée en quelques jours, ayant la prétention non seulement de répondre aux aspirations du Québec, mais également à celles des autres provinces canadiennes et des Premières Nations. Pour être ratifié, ce projet devait cependant être d'abord accepté par une majorité de la population de chacune des provinces. On choisit le 26 octobre 1992, date qui avait initialement été retenue pour le référendum sur l'avenir du

Québec, pour tenir ce référendum désormais pan-canadien.

Robert Bourassa promit alors, selon ses propres termes, de réussir à «*vendre*» cette entente à la population québécoise. Mais, dès le départ, le premier ministre québécois se heurta à l'opposition farouche d'une majorité de la population et, même, de plusieurs militants de son propre parti. Ainsi, le soir du référendum, le rejet de cette entente par les Québécois ne surprit personne. D'ailleurs, elle fut également répudiée dans certaines autres provinces canadiennes, quoique pour des raisons parfois diamétralement opposées à celles des Québécois. Le problème du statut politique du Québec n'avait donc pas encore été résolu.

Oui: 49,4%
Non: 50,6%

Épuisés par les discours stériles sur leur place au sein du Canada, beaucoup de Québécois attendaient avec impatience, depuis l'échec de l'entente du Lac Meech, l'occasion d'exprimer leur désir de changement. Cette occasion se présenta d'abord lors de l'élection fédérale de 1993. Pour la première fois, les Québécois avaient alors l'occasion de voter en faveur d'un parti souverainiste bien structuré, le Bloc québécois, qui irait les représenter au sein même du Parlement canadien. Le Bloc québécois devait finalement rafler plus des deux tiers des comtés en jeu au Québec et former l'opposition officielle à Ottawa.

L'année suivante, la population québécoise était cette fois appelée à élire un nouveau gouvernement à la tête du Québec; son choix devait se porter sur le Parti québécois, principal porte-étendard de la cause souverainiste québécoise au cours du dernier quart du XXe siècle. Dès lors, avec une forte représentation souverainiste au Parlement canadien et le Parti québécois à la tête du gouvernement du Québec, il n'y avait plus aucun doute possible, les Québécois auraient une nouvelle fois l'occasion de choisir, par voie de référendum, entre la souveraineté et le fédéralisme canadien.

Après quelques mois d'attente, on fit enfin connaître la date du référendum. Ce serait le 30 octobre 1995. Quinze ans après le référendum de 1980, les fédéralistes et les souverainistes s'engageaient donc une nouvelle fois à fond de train dans une campagne dont l'issue déterminerait l'avenir politique du Québec.

Dès les débuts de la campagne référendaire, chaque camp savait la population québécoise toujours divisée sur la question. Par contre, personne n'aurait alors pu prédire un résultat final aussi serré. Au soir du référendum, il fallut attendre que le scrutin soit presque entièrement dépouillé pour enfin connaître le verdict de la population: 49,4% des Québécois avaient voté «oui» au projet de souveraineté, tandis que 50,6% avaient voté «non»! Les deux options n'étaient séparées que de quelques dizaines de milliers de votes seulement; le Québec était pour ainsi dire coupé en deux.

Personne ne fut alors bien étonné d'entendre les ténors souverainistes, qui venaient de rater le «grand soir» de peu, annoncer un prochain rendez-vous référendaire pour très bientôt. Le lendemain du référendum, Jacques Parizeau offre néanmoins sa démission comme chef du Parti québécois et premier ministre du Québec. Il sera remplacé par Lucien Bouchard, jusque-là chef du Bloc québécois à Ottawa, qui jouit d'une grande popularité auprès de la population québécoise.

Les résultats serrés du référendum de 1995 ont durement secoué les fédéralistes qui s'étaient toujours crus à l'abri d'un éventuel vote majoritaire des Québécois en faveur de la souveraineté. Le réveil a été brutal. D'autant plus que le premier ministre actuel et chef du Parti québécois, Bernard Landry, ne cache pas son intention de tenir un nouveau référendum sur la question nationale. Sachant que toute véritable tentative de renouvellement en profondeur du fédéralisme canadien serait une opération risquée, les fédéralistes essaient plutôt d'utiliser au mieux l'étroite marge de manœuvre dont ils disposent pour convaincre les Québécois de leur ouverture à des aménagements éventuels.

Vie économique

Longtemps boudé par la majorité de la population, le monde des affaires occupe désormais une place prépondérante au Québec. Depuis les années 1960, il est devenu l'un des lieux privilégiés des Québécois francophones pour exprimer leur désir de prendre en main leur destinée. Ce phénomène récent constitue un virage social majeur.

Jusqu'à la Révolution tranquille, on orientait massivement les étudiants francophones vers les domaines du droit, de la médecine ou de la prêtrise, dédaignant le monde des affaires, jugé trop temporel, mais également inaccessible puisque dominé par la langue anglaise. Les 40 dernières années ont ainsi été les témoins d'un remarquable changement d'attitude des francophones, alors que l'indifférence et les craintes d'autrefois ont fait place à un désir avoué d'être des acteurs de premier plan dans le développement économique du Québec.

Aujourd'hui, les jeunes s'orientent dans une forte proportion vers des programmes d'études en administration des affaires, à un point tel que les universités québécoises forment actuellement beaucoup plus d'administrateurs que les autres universités canadiennes. On médiatise également davantage les succès des gens d'affaires québécois, tandis que de plus en plus d'études sont consacrées aux phénomènes économiques.

Bref, les Québécois, longtemps relégués à des postes subalternes, ont amorcé un grand rattrapage. Cette montée de l'entrepreneuriat francophone s'est faite au détriment des Anglo-Canadiens et des Américains. À cet égard, on a pu observer depuis quelques années un net recul de la présence étrangère, surtout américaine, en territoire québécois. Le dynamisme des entrepreneurs locaux, combiné à des politiques fédérales de contrôle des investissements étrangers et au déclin des secteurs d'activité où se concentrent les investisseurs américains, explique cette plus grande mainmise du capitalisme francophone sur l'économie locale.

Le rôle de l'État

À l'instar de ce qui eut lieu dans plusieurs autres pays occidentaux, l'intervention étatique a diminué au Québec au cours des dernières décennies. Malgré la rationalisation de son activité, l'État reste néanmoins un acteur de taille impliqué de maintes façons dans le développement économique. Ainsi, il s'élève au rang du plus important employeur au Québec, formant en son sein un grand nombre de cadres compétents et stimulant l'activité économique locale, notamment par des politiques d'achats privilégiant les fournisseurs locaux.

En ce sens, l'essor d'Hydro-Québec donne un exemple éloquent de l'effet d'entraînement qu'ont les interventions de l'État québécois. Bénéficiant, depuis le gouvernement de Jean Lesage, d'un monopole presque exclusif sur la production et la distribution d'électricité en territoire québécois, Hydro-Québec, ce fleuron des entreprises publiques, a pu, par la mise en œuvre de chantiers de grande envergure, donner une forte impulsion à plusieurs entreprises privées du Québec. Certaines firmes d'ingénierie doivent ainsi leur expansion, au Québec et à l'étranger, aux compétences acquises par leur participation à la construction d'immenses barrages hydroélectriques dans le Nord québécois.

Le gouvernement s'est en outre donné au cours des dernières décennies de puissants leviers de développement économique, dont le plus fameux est la Caisse de dépôt et de placement. Cette institution, qui administre des capitaux provenant principalement du fonds de retraite des travailleurs québécois, est devenue un véritable géant financier. Alors que, dans les premières années, son action restait relativement discrète, la Caisse de dépôt et de placement s'est transformée, avec l'accession au pouvoir du Parti québécois en 1976, en un puissant instrument de soutien aux entreprises privées établies au Québec. Elle détient aujourd'hui le plus important portefeuille d'actions au Canada. Si plusieurs s'inquiètent de la lourdeur de l'intervention publique, il y a généralement consensus sur la nécessité d'un État fort pour une petite économie comme celle du Québec.

Barrage Daniel-Johnson (Manic 5)

L'avenir économique du Québec

L'économie québécoise est actuellement en pleine transformation. Tout comme dans la plupart des autres pays occidentaux, la tertiarisation de l'économie touche le Québec, avec la perte de vitesse de plusieurs secteurs d'exploitation des richesses minières et de certaines industries traditionnelles. En contrepartie, on a assisté au cours de cette même période à l'émergence ou à la croissance de quelques sphères d'activité économique porteuses d'avenir.

Ainsi, grâce à d'imposantes ressources électriques bon marché, le Québec est devenu le troisième producteur mondial d'aluminium de première fusion et un centre important de transformation de divers autres métaux. De plus, certains produits finis, particulièrement le matériel de transport, la machinerie et les appareils électriques, ont graduellement occupé une place de choix dans l'économie locale. À titre d'exemple, la société Bombardier, jadis une petite entreprise familiale spécialisée dans la production de motoneiges, s'est transformée en un important groupe industriel exportateur de matériel de transport ferroviaire et aérien.

Bien entendu, l'exploitation des richesses naturelles reste toujours un secteur clé au Québec. En domestiquant d'impétueuses rivières du Nord québécois, Hydro-Québec a pu atteindre une colossale puissance installée de 25 600 MW. D'autre part, les activités économiques gravitant autour de l'exploitation des forêts demeurent encore responsables de 10% du PIB québécois et de 100 000 emplois. Enfin, en ce qui concerne l'extraction minière, l'effondrement des cours mondiaux des métaux a fait décroître les principales productions québécoises que sont le fer, l'amiante, le cuivre et le zinc. Seul l'or, avec une production annuelle de 52 000 tonnes, est en hausse.

Cette restructuration de l'économie du Québec ne se fait pas sans heurt et sans victimes. Au cours des dernières années, le taux de chômage s'est maintenu constamment autour de 10%, affectant très durement certains quartiers de Montréal et quelques régions périphériques. De plus, alors que la classe moyenne a vu son pouvoir d'achat fléchir, les plus riches n'ont cessé de s'enrichir. Ainsi, bien que l'on puisse apprécier le chemin parcouru depuis la Révolution tranquille, notamment en ce qui a trait à la prise en main de l'économie locale par les gens d'affaires du Québec, les Québécois devront encore relever de nombreux défis avant que l'économie ne devienne garante d'un développement social plus harmonieux. Toutefois, le début du nouveau millénaire s'annonce un peu plus prometteur avec un taux de chômage à la baisse et une confiance grandissante en l'avenir de la part des consommateurs québécois.

La population québécoise

Le Québec, tout comme le reste de l'Amérique d'ailleurs, est constitué d'une population aux origines diverses. Aux peuples autochtones se sont joints, à partir du XVIe siècle, des colons d'origine française dont les descendants forment aujourd'hui la majorité de la population québécoise. Puis, au cours des deux derniers siècles, le Québec s'est enrichi d'immigrants des îles Britanniques et des États-Unis, puis d'un peu partout à travers le monde. Selon le dernier recensement, le Québec compte plus de sept millions d'habitants.

Les Inuits et les Amérindiens

Premiers habitants du territoire québécois, les Autochtones représentent une petite fraction de la population totale du Québec. Leurs ancêtres, qui provenaient d'Asie septentrionale, franchirent le détroit de Béring il y a plus de 12 000 ans et, quelques millénaires plus tard, commencèrent à peupler la péninsule québécoise par vagues successives.

Ainsi, lorsque Jacques Cartier «découvrit» au nom du roi François Ier les terres bordant le golfe et le fleuve Saint-Laurent, des civilisations y vivaient déjà depuis des millénaires. À cette époque, le territoire que l'on nommera par la suite le «Québec» était peuplé d'une mosaïque complexe de cultures indigènes se distinguant les unes des autres par leur langue, leur mode de vie et leurs rites religieux. Ayant su apprivoiser les rigueurs du climat et les particularités du territoire, les peuples du Nord tiraient leur subsistance de la chasse et de la pêche, alors que ceux qui vivaient dans la vallée du Saint-Laurent se nourrissaient

L'art autochtone

Les œuvres autochtones furent longtemps considérées comme des spécimens anthropologiques et collectionnées presque exclusivement par les musées d'ethnographie. Ce n'est que graduellement au cours du XXe siècle qu'elles se sont vu reconnaître le statut «d'œuvres d'art». Comme les Premières Nations, traditionnellement, ne dissociaient pas l'art des objets de la vie quotidienne, leurs œuvres ne correspondaient pas aux canons de la tradition artistique européenne. C'est à force de luttes de toutes sortes – qui se poursuivent encore aujourd'hui – que leurs œuvres ont été intégrées aux collections des musées d'art. L'art autochtone a été l'objet d'un intérêt croissant de la part des Canadiens depuis les années 1960 et 1970. Aujourd'hui, plus d'une centaine de musées canadiens possèdent des collections d'art autochtone. Les pratiques artistiques varient énormément selon les régions du pays. L'art amérindien et l'art inuit, surtout, diffèrent de plusieurs façons.

L'art inuit connaît une grande popularité au Canada; il fait souvent l'objet d'expositions dans les musées et est apprécié par un grand nombre de collectionneurs. Les années 1950 ont marqué un tournant majeur dans l'art

inuit. C'est à cette époque que furent créées les coopératives destinées à promouvoir et à diffuser l'artisanat du Grand Nord. Avant ces années, les œuvres étaient de petite taille: des jouets, des outils, des amulettes sacrées. À la fin des années 1940 sont apparues les sculptures telles qu'on les présente aujourd'hui, c'est-à-dire de format pouvant atteindre jusqu'à un mètre de hauteur et d'une grande diversité de formes et de couleurs. Ces sculptures peuvent être réalisées en os, en ivoire (l'usage en est aujourd'hui interdit), en andouiller et plus rarement en corne ou en bois. Cependant, le matériau le plus populaire demeure la pierre, que les Inuits sculptent depuis des millénaires. Provenant généralement de la famille des stéatites, cette pierre est aussi connue sous le nom de «pierre à savon». Sa couleur varie entre le gris, le vert et le noir. Plus elle est foncée et plus sa densité est grande. La gravure et l'estampe sont des pratiques très récentes qui ont une grande popularité grâce à la simplicité de leurs lignes et à la qualité de leur exécution. Certaines pratiques de l'art inuit sont exclusivement féminines. On compte parmi celles-là la vannerie, les poupées, la couture, les broderies, le perlage ainsi que le travail de la peau et du cuir.

Les Inuits définissent l'art par le mot *sananquaq*, nom inuktituk qui signifie «petite représentation de la réalité». Pour les artistes, qui sont souvent aussi des chasseurs et des pêcheurs, les meilleures œuvres sont celles qui reproduisent fidèlement les formes et les mouvements des animaux et des humains. Les sculptures comme les gravures sont animées par des histoires tirées des grands thèmes de la tradition orale de ces peuples: les mythes et légendes, les rêves, les forces de la nature, les relations qu'entretiennent les êtres humains et les animaux, les travaux de la vie quotidienne. Les thèmes et les styles varient d'une région à l'autre.

Les Amérindiens pratiquent moins la sculpture que leurs voisins du Nord, sauf sur la Côte Ouest, région connue principalement pour son art totémique. Alors que dans l'est et dans le nord du Canada règne l'art de l'infiniment petit – et pour cause, la plupart des Premières Nations étaient nomades –, il en est autrement pour les Amérindiens de la côte du Pacifique. Leurs totems, représentant les lignées de différentes tribus, peuvent atteindre de 20 à 25 m de haut. Leurs motifs proviennent du monde des esprits, du monde animal ainsi que de la mythologie. La culture totémique existe depuis des milliers d'années. Cependant, les seuls totems qu'il soit encore possible d'observer aujourd'hui sont conservés dans des musées ou dans des parcs. Les plus vieux d'entre eux ont environ 300 ans. De façon générale, les œuvres d'art amérindiennes sont réalisées avec des matériaux comme le bois, le cuir ou la toile. Les artistes amérindiens réalisent beaucoup de travail tridimensionnel (masques, «capteurs de rêves», objets décorés), de sérigraphie et d'œuvres sur papier.

principalement de leurs récoltes. Comme ces peuples ne maîtrisaient pas l'écriture, le peu que nous sachions de leur mode de vie à l'époque repose sur les traditions orales, les récits d'explorateurs européens et les recherches anthropologiques.

Le déclin de ces cultures millénaires débuta à partir du XVIe siècle, en fait avec l'arrivée des premiers colonisateurs européens. Contrairement aux conquêtes européennes de certaines autres régions des Amériques, les affrontements armés entre Autochtones et colonisateurs ont été relativement peu nombreux. La faible densité de population de ce vaste territoire permettait aux Européens de fonder leurs premières petites colonies en évitant d'affronter directement les nations autochtones, longtemps beaucoup plus puissantes qu'eux.

Néanmoins, les Autochtones souffrirent cruellement de la colonisation européenne dès ses premières années. D'abord, des maladies introduites par les Européens, comme la grippe, la variole et la tuberculose, que le système immunitaire des Autochtones ne pouvait combattre, emportaient parfois jusqu'à la moitié d'une nation.

Tout aussi dévastatrice, la lutte pour le contrôle du lucratif commerce des fourrures, instauré par les colonisateurs, provoqua de sanglantes guerres entre nations amérindiennes, désormais pourvues d'armes à feu. C'est ainsi qu'entre 1645 et 1665 la confédération iroquoise des Cinq Nations anéantit presque totalement les Hurons, les Pétuns, les Neutres et les Ériés, nations comptant respectivement plus de 10 000 personnes.

L'agonie des peuples autochtones se poursuivit par la suite avec l'avancée implacable de la colonisation qui, arrachant graduellement les territoires, repoussa sans relâche les Autochtones. Finalement, sans avoir véritablement jamais été défaits militairement, Amérindiens et Inuits vivent désormais sous la loi des Blancs.

On estime aujourd'hui que plus des trois quarts des Autochtones vivent toujours dans de petites communautés dispersées un peu partout sur le territoire. Quoique plusieurs puissent encore jouir de territoires de chasse et de pêche, leur mode de vie traditionnel a été, dans une large mesure, anéanti.

Mal adaptés à la société moderne, souffrant de déculturation, les peuples autochtones sont actuellement piégés par d'importants problèmes sociaux.

Depuis quelques années, ils ont néanmoins réussi à obtenir davantage d'attention de la part des médias, de la population et des gouvernements. Il y eut d'abord le succès international remporté par Kashtin, un duo de musique montagnaise. Cependant, l'intérêt a surtout été porté vers leurs revendications politiques et territoriales, plus particulièrement lors de l'été 1990, alors que, pendant plus de deux mois, des Mohawks armés ont réussi à bloquer l'un des principaux ponts reliant l'île de Montréal à la rive sud du Saint-Laurent. Occasionnant de fortes tensions sociales, cette crise politique a sans doute nui à court terme à la cause des Autochtones.

Mais, deux ans plus tard, un pas important était accompli, lorsque, dans le projet de réforme de la Constitution canadienne, fut incluse la création de gouvernements autonomes pour les Autochtones. Bien que les Québécois et les Canadiens aient voté contre cette entente lors du référendum du 26 octobre 1992, ce n'était en aucune façon par crainte d'éventuels gains des Autochtones. En fait, les revendications des Amérindiens et des Inuits trouvent maintenant des appuis très solides un peu partout au Canada, et des accords actuellement leur octroyant une plus grande autonomie ont commencé à être signés ces dernières années.

Les 11 nations autochtones du Québec se regroupent en trois familles culturelles distinctes. Ainsi, les Abénaquis, les Algonquins, les Attikameks, les Cris, les Malécites, les Micmacs, les Montagnais et les Naskapis sont tous de culture algonquienne, alors que les Hurons-Wendats et les Mohawks sont de culture iroquoienne. Les Inuits forment, de leur côté, une entité culturelle tout à fait à part. Nous présentons ici, brièvement, ces 11 nations autochtones.

Vivant jadis dans les États de la Nouvelle-Angleterre, où résident toujours plusieurs des leurs, les **Waban Aki (Abénaquis)** se sont d'abord installés à Sillery (près de Québec) vers 1675, puis aux abords des chutes de la rivière Chaudière en 1684. Très étroitement liés aux colons français, les Abénaquis leur ont fait partager plusieurs de leurs connaissances ancestrales dont, semble-t-il, l'art de la fabrication du sirop d'érable. Lors des guerres coloniales, les Waban Aki se sont rangés du côté des Français, participant d'ailleurs à la défense de la colonie contre les visées des Britanniques, établis plus au sud sur le continent. En 1700, plusieurs d'entre eux se fixèrent définitivement à Odanak, un village qui sera saccagé lors de la conquête de la Nouvelle-France par les troupes britanniques, en 1759. Au Québec, on retrouve maintenant deux communautés abénaquises, Odanak et Wôlinak, situées sur la rive sud du fleuve Saint-Laurent entre les villes de Sorel et de Bécancour. Sur les quelque 1 600 Abénaquis vivant au Québec, environ

350 habitent l'un ou l'autre de ces deux villages. Ayant longtemps fait la réputation des Waban Aki, la vannerie de frêne et de foin est encore fabriquée dans ces villages, mais la plupart des Waban Aki travaillent plutôt dans les villes avoisinantes ou ailleurs au Québec. La langue abénaquise n'est pratiquement plus parlée; leur langue seconde est le français.

Habitant des territoires plutôt éloignés des grands centres de développement, les **Anishnabe (Algonquins)** ont pu ainsi longtemps préserver leur mode de vie nomade, vivant de la chasse, de la pêche et de la cueillette. Ils n'ont commencé en fait à se sédentariser qu'au milieu du XIXe siècle, avec l'arrivée de colons, de bûcherons et de prospecteurs qui, venus mettre en valeur le sol de l'Abitibi, ont, dans un même temps, perturbé les activités traditionnelles des Anishnabe. Au Québec, on dénombre aujourd'hui quelque 6 500 Algonquins, dont environ 4 000 habitent les communautés de Kitcisakik (Grand-Lac-Victoria), Kitiganik (Lac-Rapide) et Kitigan Zibi (Maniwaki), dans la région de l'Outaouais, ainsi que de Hunter's Point, de Kebaowek, de Simo Sagigan (Lac-Simon), d'Abitibiwinni (Pikogan), de Timiskaming (Notre-Dame-du-Nord) et de Winneway, en Abitibi-Témiscamingue. La langue algonquine est encore largement utilisée dans la plupart de ces communautés qui parlent aussi l'anglais et le français.

Presque complètement décimés au XVIIe siècle, à la suite des épidémies et des défaites militaires subies aux mains des Iroquois, les **Atikamekw (Atti-**

kameks) se sont réfugiés chez les peuples cris ou montagnais avant de s'intégrer à un groupe du lac Supérieur, les O'pimittish Ininivac, qui se sont plus tard installés en Haute-Mauricie. C'est d'ailleurs toujours dans cette région que les quelque 4 000 Atikamekw du Québec habitent, principalement dans les villages de Manawan, de Wemotaci et d'Obedjiwan. Restés très près de la nature par leur mode de vie, les Atikamekw ont su développer, en Haute-Mauricie, un réputé service forestier prônant le développement durable des ressources. La langue atikamekw, proche du montagnais, est encore parlée par l'ensemble de la population des trois communautés, qui utilisent aussi le français.

Remarquablement bien adaptés au territoire et aux rigueurs du climat, les **Cris** habitent le nord du Québec depuis environ 5 000 ans. Malgré l'isolement qu'imposaient les distances, très tôt ils eurent des contacts suivis avec les Européens. D'ailleurs, dès la fin du XVIIe siècle, le commerce des fourrures avec les marchands non autochtones a constitué l'une des principales activités économiques de la nation crie. Mais le déclin de cette pratique et l'intérêt grandissant des gouvernements canadien et québécois pour le développement du nord du Québec à partir des années 1950 ont graduellement modifié les rapports qu'entretenaient les Cris avec leur environnement. Cependant, c'est la signature aux gouvernements du Québec et du Canada, en 1975, de la Convention de la Baie-James et du Nord québécois qui a réellement transformé le mode de vie des Cris. Cette convention permit l'aménagement par Hydro-Québec de barrages hydroélectriques sur certaines des plus tumultueuses rivières de la région, octroyant aux Cris, en contrepartie, des indemnités de 225 millions de dollars, la propriété d'un territoire de 13 696 km^2 et l'exclusivité des droits de chasse et de pêche sur un territoire de 151 580 km^2. Par cette convention, les Cris ont obtenu les moyens nécessaires pour prendre une part active au développement économique de leur région, comme en témoigne, depuis une dizaine d'années, l'émergence d'entreprises dynamiques détenues par des gens de cette nation. Les 12 000 Cris du Québec habitent aujourd'hui neuf villages: Waskaganish, Eastmain, Wemindji et Chisasibi, sur les rives de la baie James; Whapmagoostui, à proximité de la baie d'Hudson; Nemiscau, Waswanipi et Mistissini, à l'intérieur des terres; et Oujé-Bougoumou, tout près de la ville de Chibougamau. Le cri est toujours la langue d'usage pour une grande partie de la population, dont la langue seconde est l'anglais.

À l'arrivée des premiers colons français, les **Hurons-Wendats** habitaient une vingtaine de grands villages construits dans le centre de l'Ontario, aux abords de la baie Georgienne. En plus d'être d'excellents agriculteurs, ils contrôlaient alors un immense empire commercial qui s'étendait de la région des Grands Lacs jusqu'au Saguenay et à la baie d'Hudson, ce qui fit d'eux, tout naturellement, les principaux partenaires des marchands français du pays aux premiers temps

de la colonisation. Mais cette fructueuse association économique va toutefois rapidement prendre fin, car la population huronne-wendat sera, en l'espace de quelques années, presque complètement décimée, d'abord par des épidémies en 1634 et 1639, puis par les attaques répétées des Iroquois à partir de 1640. En 1649, les survivants, soit environ 300 Hurons-Wendats, viennent trouver refuge aux abords de Québec, s'installent sur l'île d'Orléans, en 1657, puis près de la rivière Saint-Charles, en 1697, où se trouve encore aujourd'hui le village de Wendake. Situé à proximité de Loretteville, Wendake, une petite communauté à l'économie florissante, est l'unique village huron-wendat du Québec. Sur les quelque 2 500 Hurons-Wendats que compte le Québec, environ 950 habitent le village. Certains produits fabriqués à Wendake sont reconnus internationalement, comme les mocassins, les canots et les raquettes. La langue huronne n'est plus utilisée au Québec; les communautés parlent plutôt le français.

Les **Inuits** résident depuis environ 4 500 ans dans l'extrême nord du Québec, région connue en inuktitut sous le nom de Nunavik, qui signifie «pays où vivre». Jusqu'au début du XXe siècle, les Inuits ont préservé, dans son ensemble, un mode de vie hérité de

leurs ancêtres, chassant avec les armes traditionnelles et vivant sous leur iglou. Le passage au mode de vie plus moderne, avec tout ce que cela implique, n'a donc eu lieu, chez les Inuits, que tout récemment et en l'espace de quelques décennies seulement. Comme les Cris, les Inuits sont signataires de la Convention de la Baie-James et du Nord québécois. Cet accord permit notamment aux Inuits d'acquérir une plus grande autonomie en ce qui concerne l'administration de la région. Ils contrôlent ainsi la plupart des services dispensés au Nunavik, qui sera éventuellement doté d'un gouvernement régional. Les indemnités monétaires obtenues à la suite de la signature de la convention, que gère la Société Makivik, servent, de leur côté, à donner aux Inuits les outils nécessaires pour prendre une place plus grande dans le développement de l'économie régionale. Ainsi, par l'intermédiaire de la Société Makivik, les Inuits du Québec sont notamment propriétaires des compagnies aériennes Air Inuit et First Air, qui détiennent une place prépondérante dans le domaine du transport aérien dans le Nord canadien. Les 8 500 Inuits du Québec habitent 14 villages situés sur les rives de la baie d'Hudson (Kuujjuarapik, Umiujaq, Inukjuak, Payungnituk, Akulivik), du détroit d'Hudson (Ivu-

Femme inuite et enfant

jivik, Salluit, Kangiqsujjuag, Quaqtaq) et de la baie d'Ungava (Kangirsuk, Aupaluk, Tasiujaq, Kuujjuaq et Kangiqsualujjuaq). Quelques dizaines d'Inuits habitent également à Chisasibi. La langue des Inuits, l'inuktitut, est toujours largement utilisée dans les communautés. Elle est d'ailleurs, dans les écoles inuites, la seule langue d'enseignement jusqu'à la troisième année du primaire. Si les Inuits ont adopté un style de vie plus moderne, leur culture et leurs valeurs ancestrales ont été largement conservées.

Dispersés sur le territoire, les **Welustuk (Malécites)**, que l'on a longtemps appelés les «Etchemins», ne sont qu'environ 270 à habiter le Québec. Ils sont, en outre, la seule nation autochtone du Québec à ne pas être regroupée en au moins un village. Pourtant, en 1827, le gouvernement créa pour eux l'une des premières réserves amérindiennes du Québec sur les berges de la rivière Verte, dans la région du Bas-Saint-Laurent. Mais, comme la plupart des Welustuk préféraient plutôt demeurer nomades, cette réserve, pratiquement jamais habitée, fut par la suite rachetée par les autorités gouvernementales. Finalement, les membres de la nation malécite ne se sont jamais regroupés en un village, s'intégrant plutôt, graduellement, aux communautés blanches avoisinantes. Bien que la langue ne soit plus parlée, au profit du français, et qu'ils n'aient aucun village, les Welustuk ont, depuis 1987, un chef et un conseil de nation.

Les **Mi'gmaq (Micmacs)**, dont la population s'élève aujourd'hui à un peu moins de 4 000 personnes au Québec, se sont sédentarisés dans la région de la Gaspésie, formant les villages de Restigouche et de Gesgapegiag, ou habitant, avec les non-Autochtones, à Gaspé et dans ses alentours. Sans doute l'une des premières nations amérindiennes, sinon la toute première à avoir eu des contacts avec les Européens, les Mi'gmaq habitaient alors les rives du fleuve Saint-Laurent et la côte de l'océan Atlantique. Reconnus comme d'excellents marins, ils établirent aussi des campements, permanents ou non, sur plusieurs des îles du golfe du Saint-Laurent. Avec le développement économique de la région, plusieurs Mi'gmaq sont devenus, depuis le XIXe siècle, bûcherons ou ouvriers. Bon nombre d'habitants de Restigouche et de Gesgapegiag parlent toujours le micmac, que l'on enseigne d'ailleurs maintenant dans les écoles des deux villages.

À l'arrivée des Européens, les **Kanien'kahaka (Mohawks)** formaient une des cinq nations iroquoises de la puissante confédération des Cinq Nations, qui sera au cœur de la guerre des fourrures au XVIIe siècle. Mais, malgré leur association à ce système politique sophistiqué, les Kanien'kahaka n'en demeuraient pas moins une nation indépendante et ambitieuse. Plus tard, lorsque sédentarisés, plusieurs d'entre eux pratiqueront des métiers très recherchés, notamment celui d'ouvrier spécialisé dans le montage de structures d'acier. Les Kanien'kahaka jouissent d'ailleurs, encore maintenant, d'une réputation internationale en ce qui a trait à ce genre d'ouvrage sur des édifices en hauteur ou des ponts.

Avec une population d'environ 12 000 personnes, les Kanien'kahaka forment aujourd'hui la plus populeuse des nations amérindiennes du Québec. Ils habitent principalement trois villages: Kahnawake, situé tout près de Montréal sur la rive sud du fleuve Saint-Laurent; Akwesasne, dans le sud-ouest de la province, et chevauchant à la fois les frontières du Québec, de l'Ontario et de l'État de New York; et Kanesatake, à une cinquantaine de kilomètres à l'ouest de Montréal, aux abords du lac des Deux Montagnes. Rappelons que les revendications territoriales des Mohawks de Kanesatake ont été au centre de la crise autochtone de l'été 1990. Si de nombreux Kanien'kahaka ont adopté la culture moderne nord-américaine, d'autres vivent toujours selon les enseignements ancestraux, basés sur la «Grande Loi de la Paix». La société mohawk est, en outre, traditionnellement matrilinéaire; d'ailleurs, les mères de clans sont seules à choisir les chefs. Le mohawk est toujours parlé par plusieurs membres des communautés, mais l'anglais est aussi largement utilisé.

Isolés sur le vaste territoire de la Côte-Nord et de la Basse-Côte-Nord, les **Innus (Montagnais)** vivaient essentiellement de la chasse, de la pêche, de la cueillette et du commerce des fourrures jusqu'au début du XXe siècle. Mais l'arrivée des industries minières et forestières et la construction de barrages hydroélectriques ont bouleversé leur mode de vie. Leur culture reste cependant encore bien vivante, et l'innu demeure toujours la langue d'usage dans la plupart des communautés, surtout les plus isolées. Le groupe musical Kashtin, d'Uashat-Maliotenam, est un bon exemple de la vitalité culturelle de cette nation, tout comme les efforts ayant mené à l'élaboration d'un premier dictionnaire innu-français. Les 12 000 Innus constituent, pour ce qui est du nombre, la seconde nation amérindienne en importance au Québec. Ils se regroupent dans sept communautés: Les Escoumins, Betsiamites et Uashat-Maliotenam, sur la Côte-Nord; Mingan, Natashquan, La Romaine et Pakuashipi, sur la Basse-Côte-Nord; Mashteuiatsh, au Lac-Saint-Jean, et Matimekosh, près de Schefferville.

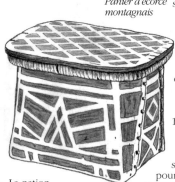

Panier d'écorce montagnais

La nation **naskapie** ne compte qu'un seul village au Québec (et au Canada), Kawawachikamach, qui fut inauguré en 1984 et qui est situé dans le nord du Québec, à quelques kilomètres de Schefferville. En vertu de la Convention du Nord-Est québécois, les 475 Naskapis de Kawawachikamach possèdent un territoire de 285 km^2 et disposent de l'exclusivité des droits de chasse, de pêche et de piégeage sur un territoire de 4 144 km^2. Les Naskapis, qui n'ont laissé la vie traditionnelle sous la tente que récemment, pratiquent toujours la chasse au caribou, cet animal

dont la chair et la fourrure leur permirent de survivre aux difficiles conditions de la toundra arctique. La langue naskapie est parlée par l'ensemble de la population.

Les francophones

Les Québécois francophones sont les descendants, dans une écrasante majorité, des colons d'origine française arrivés au pays entre 1608 et 1759. Cette émigration vers la Nouvelle-France fut d'abord très lente, si bien qu'en 1663 la colonie française ne comptait qu'environ 3 000 habitants. Le mouvement migratoire s'accéléra légèrement par la suite, ce qui, combiné à la croissance naturelle, donna à la Nouvelle-France une population d'environ 60 000 habitants au moment de la conquête anglaise de 1759. Les Français venus peupler le Canada, majoritairement des paysans, provenaient pour la plupart des régions de la côte ouest de la France.

Ces 60 000 Canadiens français ont légué, après un peu plus de deux siècles, un impressionnant héritage démographique de plusieurs millions d'individus, dont environ sept millions vivent toujours au Canada. Des démographes ont établi des comparaisons très étonnantes à ce sujet: entre 1760 et 1960, la population mondiale s'est multipliée par 3, la population de souche européenne par 5, alors que la population française du Canada se multipliait par 24! Cette statistique est

surprenante, d'abord parce que l'immigration en provenance de la France fut presque nulle au cours de cette période, mais aussi parce que, mises à part les quelques unions avec des Irlandais, il y eut très peu de mariages entre citoyens des îles Britanniques et Canadiens français, et que les immigrants des autres pays d'Europe se sont surtout assimilés à la minorité anglophone. De plus, entre 1840 et 1930, environ 900 000 Québécois, dont une grande majorité de francophones, quittèrent le pays pour les États-Unis.

Cette croissance phénoménale de la population française du Canada tient donc, essentiellement, à un taux d'accroissement naturel remarquable. Ainsi, pendant longtemps, les femmes canadiennes-françaises engendraient en moyenne huit enfants, les familles de 15 ou de 20 enfants étant chose courante. Ce phénomène s'explique en partie par les pressions qu'exerçait le puissant clergé catholique, désireux de combattre la progression du protestantisme au Canada. Situation plutôt paradoxale, les francophones du Québec partagent aujourd'hui, avec des pays comme l'Allemagne, l'un des taux d'accroissement naturel les moins élevés du monde.

Majoritaires au Québec, les francophones ont toutefois longtemps été dépourvus du contrôle de leur économie. On estime qu'en 1960 la moyenne de revenus des Québécois francophones correspondait à environ 66% de celle des Anglo-Québécois. Alors que le rattrapage économique s'amorçait avec la Révolution tranquille, on assista parallèlement à une ascension de l'affirmation nationale des francophones, qui, dès lors, cessèrent de se considérer comme Canadiens français et se définirent plutôt comme Québécois. Les francophones, qui intègrent maintenant de plus en plus d'immigrants, représentent actuellement environ 80% de la population totale du Québec.

Les anglophones

On a longtemps véhiculé une conception très monolithique de la communauté québécoise de langue anglaise. Selon l'image populaire, les «Anglais» étaient essentiellement protestants et bien nantis. Dans la réalité, cependant, les Anglo-Québécois forment à bien des égards, et ce, depuis longtemps, une communauté très diversifiée. D'abord, même si, en moyenne, ils ont toujours bénéficié de revenus supérieurs aux Québécois d'expression française, dans les faits on retrouve des anglophones dans tous les milieux socioéconomiques. De plus, grâce à l'intégration de nombreux immigrants, ils constituent un groupe aux origines ethniques particulièrement hétérogènes.

Les premiers arrivés après la conquête de 1759, surtout des marchands, n'ont représenté qu'une fraction infime de la population québécoise durant près d'un quart de siècle. Ils furent ensuite rejoints par des colons américains (loyalistes ou simples paysans à la recherche de terres) entre 1783 et le début du XIXe siècle. Vinrent par la suite, et ce, tout au cours du XIXe siècle, de grandes vagues d'immigrants en provenance des îles Britanniques. Ces Anglais, Écossais ou Irlandais, souvent dépossé-

dés dans leur pays ou victimes de la famine, s'installèrent surtout dans les Cantons-de-l'Est, dans l'Outaouais et à Montréal. La diminution de l'immigration britannique, dès la fin du XIXe siècle, fut compensée par l'intégration d'arrivants d'autres souches. Les immigrants d'origine autre que britannique ou française ont ainsi longtemps préféré adopter la langue anglaise, considérée comme un gage de réussite économique. Pour cette même raison, la minorité anglophone du Québec parvint même à assimiler de nombreux Québécois de langue française. En jetant un coup d'œil aux origines ethniques des Anglo-Québécois, on constate qu'aujourd'hui 60% se disent d'origine britannique, 15% d'origine française, 8% d'origine juive et 3% d'origine italienne.

Représentant actuellement un peu plus de 10% de la population totale du Québec, les Québécois ayant l'anglais comme langue maternelle vivent pour les trois quarts à Montréal, plus particulièrement dans l'ouest de la ville. Ils possèdent leurs propres institutions (écoles, universités, hôpitaux, médias), qui fonctionnent parallèlement à celles des francophones. Ils forment encore aujourd'hui un groupe au poids économique relativement important, quoique, dans les dernières décennies, leur pouvoir n'ait cessé de s'effriter.

Depuis la Révolution tranquille, la montée du mouvement indépendantiste québécois, le rattrapage économique des francophones et la promulgation de lois linguistiques visant à protéger et à promouvoir l'usage du français au Québec ont provoqué une

série de chocs dans la communauté anglophone. Bien que la majorité se soit adaptée à ces changements, plusieurs ont quitté définitivement le Québec. Ceux qui sont restés ont par ailleurs modifié sensiblement la perception qu'ils ont de leur place au Québec. Par exemple, désormais, environ 60% des Anglo-Québécois affirment être en mesure de s'exprimer en français, ce qui représente une nette progression. Même s'il y a parfois divergence de vue entre eux et les francophones, les Anglo-Québécois éprouvent généralement un attachement très profond pour le Québec et plus particulièrement pour Montréal, une ville qu'ils ont grandement contribué à construire.

Les Québécois d'autres origines ethniques

L'immigration autre que française, étasunienne ou britannique n'a réellement commencé qu'au tournant du XXe siècle. Jusqu'à ce que la crise économique des années 1930 et le second conflit mondial imposent une halte aux mouvements migratoires vers le Québec, cette immigration se constituait surtout de Juifs d'Europe centrale et d'Italiens. Avec la prospérité de l'aprèsguerre, l'arrivée d'immigrants reprit de plus belle, venant très majoritairement d'Europe du Sud et de l'Est. Puis, à partir des années 1960, le Québec accueillit une immigration en provenance de tous les continents, dont notamment beaucoup d'Indochinois et de Haïtiens. Aujourd'hui, après les Québécois d'origine française ou britannique, les Italiens, les Juifs et les

Grecs forment les groupes ethniques les plus importants au Québec.

Évidemment, ces nouveaux arrivants, même s'ils tendent souvent à préserver leurs attaches culturelles, finissent par adopter le français ou l'anglais comme langue d'échange, et par s'intégrer à l'une ou l'autre des deux communautés. Cette intégration fut jusqu'à tout récemment source de fortes tensions sociales.

Il n'y a pas si longtemps, les immigrants s'assimilaient massivement à la minorité anglophone, ce qui fit craindre un renversement de l'équilibre linguistique et, à terme, un clivage de la société québécoise entre les francophones et les autres groupes ethniques. Promulguée en 1977, la Charte de la langue française (Loi 101) avait pour but de remédier à cette situation, en poussant, par l'intermédiaire de l'école française, les nouveaux arrivants à s'intégrer à la majorité linguistique du Québec.

L'architecture et l'aménagement du territoire

Consulter aussi le fascicule en couleurs.

Les XVIIᵉ et XVIIIᵉ siècles

Un vaste territoire à défendre et à développer

Au siècle des Lumières, l'immensité du territoire français en Amérique a de quoi surprendre. Vers 1750, la Nouvelle-France s'étend de l'Acadie à l'estuaire du Mississippi et des contreforts des Appalaches à ceux des Rocheuses. Les explorateurs et les militaires qui osent s'aventurer à l'intérieur du continent se contentent le plus souvent d'enterrer en des lieux significatifs (promontoires, embouchures de rivière) des plaques de terre cuite ou d'étain marquant la prise de possession du territoire au nom du roi de France. Mais il arrive que l'on érige un fortin de pieux pour défendre un point névralgique. Ces emplacements donneront parfois naissance à des bourgs qui deviendront des années plus tard des villes du Midwest américain, comme Detroit ou Pittsburgh.

L'hinterland demeure cependant en grande partie vierge. C'est le royaume amérindien, fréquenté sporadiquement par les chasseurs de fourrures blancs et les missionnaires jésuites. La population de souche française, qui s'élève à environ 60 000 âmes en 1759, est concentrée dans la vallée du Saint-Laurent, près du quart habite les trois villes qui bordent le fleuve (Québec: 8 400 hab., Trois-Rivières: 650 hab., Montréal: 5 200 hab.), soit une proportion de citadins plus élevée qu'en France à cette époque (22% au Canada contre 17% en France)!

Le sentiment d'insécurité des habitants, joint à la

Tour Martello

volonté du roi de voir sa colonie mieux protégée, amène les citoyens des villes et villages de la Nouvelle-France à entourer leurs agglomérations d'enceintes fortifiées en pierre ou en bois, dessinées selon les principes de Vauban, ingénieur militaire de Louis XIV. À ces ouvrages bastionnés, subventionnés par la Couronne, s'ajoute un ensemble de forts destinés à retarder la progression de l'ennemi. Les enceintes doivent être conçues pour résister à la fois aux attaques-surprises des tribus amérindiennes hostiles et à l'armée britannique, venue par la mer sur des navires de guerre équipés de pièces d'artillerie lourde.

À la fin du Régime français, Montréal et surtout Québec ont l'aspect de petites villes de province française bien contenues dans leurs murs. Elles se parent d'églises pointant leurs clochers au-dessus des enceintes, de couvents, de collèges, d'hôpitaux et de demeures aristocratiques et bourgeoises entourées de jardins à la française. Une place d'armes et une place du marché viennent se joindre à cette courte liste.

Pendant longtemps, les rivières, et surtout le fleuve Saint-Laurent, serviront de routes à la Nouvelle-France. Ces voies d'eau sont alors ponctuées de portages, qui se transformeront souvent en hameaux où l'on aménagera auberge et chapelle. Il faut attendre 1734 pour que soit enfin inaugurée une route de terre carrossable entre Montréal et Québec. Le chemin du Roy, comme on l'appelle encore aujourd'hui, n'était praticable qu'en été, le fleuve reprenant son statut de voie de communication principale l'hiver venu. En 1750, il fallait compter jusqu'à cinq jours pour se rendre de Québec à Montréal par la route.

Les abords du fleuve Saint-Laurent et de la rivière Richelieu sont lentement défrichés et mis en culture. Le roi de France, qui a choisi le système seigneurial pour favoriser le développement du Canada, concède de longs rectangles de terre, perpendiculaires aux cours d'eau, à des individus ou à des communautés religieuses qui s'engagent à y tenir feu et lieu et à recruter des colons. Ceux-ci s'engagent à leur tour à payer le cens et à jurer «foi et hommage» à leur seigneur. Sous le Régime français, peu de ces seigneurs rempliront leurs obligations, certains d'entre eux trouvant leurs terres trop isolées ou trop exposées aux attaques iroquoises et britanniques, d'autres utilisant leur seigneurie comme réserve de chasse aux bêtes à fourrure ou comme simple objet de spéculation. Il faudra attendre la fin du XVIIIe siècle pour voir l'ensemble des seigneuries concédées entre 1626 et 1758 enfin défrichées et cultivées.

Les seigneuries ont été aménagées selon un modèle rigide qui a façonné le paysage de la vallée du fleuve Saint-Laurent et de celle de la rivière Richelieu. On trouvait d'abord, en bordure du cours d'eau desservant la seigneurie, le «domaine» du seigneur, sur lequel étaient érigés le manoir et le moulin à eau ou à vent, destiné à moudre le grain des censitaires pour en faire de la farine. La «commune», sorte de pâturage à usage commun, occupait également la rive. Tout à côté s'élevait le bourg, généralement composé d'une modeste église et de cinq ou six maisons de pierre ou de bois. Le reste de la seigneurie était occupé par de longues et étroites bandes de terres, disposées en rangs successifs concédés aux colons au fur et à mesure de l'augmentation du nombre des familles. Ces bandes étaient reliées entre elles par des «côtes», ces chemins bordant le côté étroit des concessions, et par des «montées» traversant la seigneurie perpendiculairement aux rangs et aux côtes. Le système seigneurial a été aboli en 1854, mais la répartition des terres agricoles sous la forme du rang s'est perpétuée jusqu'à nos jours.

L'adaptation de l'architecture française au contexte québécois

Parmi les ennemis à combattre, celui que les habitants de la Nouvelle-France redoutent le plus est sans contredit le froid. Après des débuts extrêmement difficiles, voire tragiques, qui ont vu mourir gelés des colons installés dans de frêles cabanes en bois aux fenêtres de papier, l'architecture française s'adapte lentement aux longs hivers. Elle doit en outre pallier la pénurie de main-d'œuvre spécialisée, notamment celle des tailleurs de pierre, ainsi que l'absence de certains matériaux sur le marché local, matériaux qu'il faut importer à grands frais, comme le verre pour les fenêtres et l'ardoise pour les couvertures. On le devine, l'architecture du Régime français est une architecture de colonisation, épurée et économique, où chaque composante a une fonction bien déterminée, donc essentielle au bien-être des colons.

La maison du Régime français est un modeste rectangle de moellons grossièrement équarris à deux cheminées, coiffé d'un toit à deux versants et recouvert de bardeaux de cèdre. Les murs sont percés de rares ouvertures dotées de fenêtres à

vantaux divisés en tout petits carreaux, le verre de trop grande taille ne supportant pas la traversée de l'océan. La porte est, en général, faite de planches moulurées.

L'intérieur de la maison demeure assez rustique, la première préoccupation restant le chauffage. Le nombre de pièces est limité à celui des cheminées, chacune des chambres devant obligatoirement être chauffée. À partir de 1740, plusieurs bâtiments seront équipés de poêles en fonte fabriqués aux Forges du Saint-Maurice. On retrouvera parfois le long des murs des éviers de pierre ou des armoires encastrées, et plus rarement des lambris de style Louis XV.

L'architecture des manoirs seigneuriaux est en général fort semblable à celle des maisons de ferme prospères. Il y a toutefois des exceptions dans le cas des seigneurs les plus actifs ou des communautés religieuses, dont le manoir sert aussi de couvent. Ces manoirs prennent alors l'allure de véritables châteaux, le plus célèbre étant le château de Longueuil, aujourd'hui disparu.

L'architecture des villes diffère légèrement de celle des campagnes. La première préoccupation demeure l'éternel combat contre le froid, auquel il faut ajouter la prévention des incendies, car ceux-ci peuvent facilement devenir des conflagrations majeures en l'absence de service d'incendie efficace. Deux édits des intendants de Nouvelle-France, parus en 1721 et 1727, codifient la construction à l'intérieur des murs des villes. Les maisons de bois et les toitures mansardées, dont la charpente touffue présente un réel danger, sont

interdites; tous les bâtiments devront être de pierre et dotés de murs coupe-feu; les planchers des greniers devront être recouverts de carreaux de terre cuite. Les plus pauvres, qui ne peuvent satisfaire à des exigences aussi coûteuses, iront former les premiers faubourgs à l'extérieur des enceintes. Ils y construisent des maisons de bois dont il ne subsiste plus que de rares exemples. L'architecture demeure partout sobre et fonctionnelle.

Certains édifices présentent toutefois un décor plus sophistiqué. Dans cette contrée colonisée par les sociétés dévotes, les églises et chapelles sont évidemment les bâtiments les plus soignés. Quelques-unes se voient même parées de belles façades baroques en pierre de taille. Mais, plus importants, leurs intérieurs bien éclairés aux nombreux ornements de bois de styles Louis XIV et Louis XV, peints en blanc et dorés à la feuille, apparaissent dans la première moitié du XVIIIe siècle. C'est le début d'une tradition typiquement québécoise qui perdurera jusqu'au milieu du XIXe siècle. La plupart des églises et chapelles des villes s'inscrivent alors dans des perspectives caractéristiques de l'urbanisme français classique. Malheureusement, ces perspectives ont été éliminées au XIXe siècle afin de faciliter la circulation...

On trouve aussi, dans les villes, quelques rares hôtels particuliers entre cour et jardin, mais davantage de demeures de marchands hautes de trois ou quatre étages et érigées en bordure de la rue. Elles sont parfois dotées d'ateliers et de caves voûtées en pierre pour l'entrepo-

sage des marchandises. De beaux exemples de ces caves subsistent autour de la place Royale à Québec (voir p 424).

L'après-conquête

La Nouvelle-France sort meurtrie de la guerre de Sept Ans, qui laisse nombre de ses plus beaux édifices en ruine. Ce que la conquête anglaise de 1759 n'aura pas réussi à endommager, l'invasion américaine de 1775 et la guerre anglo-américaine de 1812 le feront. Cependant, malgré tous les bouleversements politiques, le vocabulaire architectural ne changera pas avant la fin du XVIIIe siècle, car la population anglaise est trop faible, et les entrepreneurs, tout comme la main-d'œuvre, demeurent essentiellement canadiens-français. L'architecture palladienne anglaise, influencée par l'œuvre d'Andrea Palladio en Italie, n'est employée pour la première fois qu'après 1780, lors de la construction de quelques maisons pour les dignitaires et militaires anglais haut gradés en poste à Québec.

Le XIXe siècle

L'élaboration d'une tradition

Le mariage de l'architecture du Régime français et du palladianisme, en prenant soin d'inclure le courant Regency, forme la base de l'architecture québécoise traditionnelle, qui connaîtra son apogée au XIXe siècle. Celle-ci se différencie de l'architecture du siècle précédent par le prolongement du larmier de la toiture, qui vient recouvrir une longue galerie de bois disposée sur la façade de la maison. Les larmiers débordants et galbés des cottages Regency, inspirés de l'architecture orientale, trouvent donc ici une nouvelle fonction. Les galeries servent, quant à elles, d'intermédiaire entre le dedans et le dehors. Lieux de détente en été, elles évitent que la neige envahisse les ouvertures en hiver.

Parmi les autres améliorations notables qu'il faut signaler, mentionnons la réduction de la pente des toits, évitant ainsi que la neige s'abatte sur les occupants de la maison chaque fois qu'ils pointent le nez dehors, le surhaussement du carré de maçonnerie pour mieux dégager la structure du sol et l'installation des cheminées aux extrémités des habitations plutôt qu'en leur centre, permettant de la sorte une meilleure distribution de la chaleur.

Les fenêtres, plus nombreuses, demeurent françaises, mais le nombre de carreaux de chaque vantail passe de 12 à 6; puis s'ajoutent à la fenêtre fixe une contre-fenêtre en hiver et une moustiquaire en été, améliorant de beaucoup le confort des occupants de la maison.

Vers 1820 apparaît aussi la cuisine d'été, sorte d'appentis, aussi appelé «bas-côté», disposé sur la face nord de la maison, la plus exposée aux vents froids. La pièce, plus fraîche en été, est fermée en hiver, permettant d'y entreposer les denrées périssables tout en protégeant le corps principal des bourrasques glaciales. Enfin, la couverture de bardeaux est graduellement remplacée par de la tôle à la canadienne ou à baguettes, matériau résistant et incombustible qui sera également em-

ployé pour recouvrir les clochers des églises.

Ces dernières profiteront, elles aussi, des apports du palladianisme, grâce notamment à la famille Baillairgé de Québec, qui va révolutionner l'art de bâtir les églises au Québec. Cette dynastie d'architectes ajoute serliennes et frontons aux façades, et fait même entrer des composantes du style Louis XVI dans le mobilier liturgique. À l'autre extrémité du registre, Louis-Amable Quévillon (1749-1823) rassemble tout ce que le Régime français avait déployé de somptuosité pour créer des décors complexes sur lesquels veillent des plafonds étoilés et losangés.

La population des villages du Québec augmentant rapidement, on procède à l'agrandissement ou au remplacement de plusieurs églises du Régime français. Les communautés religieuses catholiques érigent dans leur voisinage des

couvents et des collèges voués à l'éducation des filles et des garçons. Tout autour s'établit une nouvelle classe de notables, formée d'avocats, de notaires et de médecins, qui se font construire de vastes demeures.

Le village québécois traditionnel, formé à cette époque, se différencie du village américain ou ontarien par son tissu urbain, composé de maisons campagnardes très rapprochées les unes des autres, sans pour autant être mitoyennes, ainsi que par la rareté des édifices commerciaux, les boutiques et magasins étant installés dans des bâtiments dont l'allure diffère peu de celle des habitations. Cette façon de faire s'explique à la fois par la crainte des incendies, la plupart de ces maisons villageoises possédant une structure de bois, et par le discours du clergé catholique de l'époque, peu favorable à l'expansion du commerce.

L'immigration américaine et britannique

À la suite de la signature du traité de Versailles, reconnaissant l'indépendance des États-Unis (1783), nombre d'Américains loyaux à la couronne d'Angleterre se réfugient dans ce qui reste de l'Amérique du Nord britannique, c'est-à-dire le Canada. Ils apportent avec eux une architecture d'esprit georgien de la Nouvelle-Angleterre, caractérisée par l'emploi de la brique rouge et du clin de bois peint en blanc. Ces nouveaux arrivants occupent les espaces laissés vacants par le Régime français, que le gouvernement colonial britannique divise sous forme de cantons dans la première moitié du XIXe siècle. Les Cantons-de-l'Est (voir p 233) et l'Outaouais (voir p 333) sont les régions du Québec où l'on retrouve la plupart de ces cantons à saveur américaine.

Parallèlement, les villes de Québec et de Montréal reçoivent entre 1800 et 1850 un fort contingent d'immigrants écossais et irlandais, qui importent une architecture néoclassique sévère mais élégante, comme on la retrouve alors à Glasgow ou à Dublin. Conséquemment, la pierre de taille remplace définitivement les moellons vers 1810. Bientôt apparaissent en milieu urbain la fenêtre à guillotine, le portique à colonnes et tout le vocabulaire architectural inspiré de la Grèce et de la Rome antiques (frontons, pilastres toscans, palmettes en acrotère).

Les premiers gouvernements municipaux démocratiques procèdent à l'éclairage et au pavage de certaines rues. Cette époque voit aussi la réalisation de projets d'ingénierie d'envergure, comme le creusement du canal de Lachine (1821-1825) et l'apparition de chantiers navals, d'une échelle jamais vue auparavant. Toute cette activité économique attire également dans les villes une partie de la population rurale canadienne-française. Ainsi, Montréal supplante définitivement Québec vers 1830 et dépasse le cap des 100 000 habitants en 1860.

Le règne de l'historicisme

La construction de l'orphelinat protestant de Québec en 1823 et surtout celle de l'église Notre-Dame à Montréal entre 1824 et 1829, deux édifices de style néogothique, annoncent l'ère de l'historicisme dans l'architecture québécoise. D'abord marginal, l'historicisme en viendra à dominer le paysage des villes du Québec dans la seconde moitié du XIXe siècle. Il se définit par l'emploi d'éléments décoratifs tirés des différentes époques de l'histoire de l'architecture, remis à la mode grâce aux découvertes archéologiques, à l'invention de la photographie et à la popularité du roman historique, diffusé à travers le monde.

Une pléiade de styles inspirés des formes anciennes apparaissent presque simultanément peu avant et pendant le règne de Victoria (1837-1901), ce qui vaudra à toutes ces formes, si différentes les unes des autres, d'être réunies sous le terme simplificateur d'architecture «victorienne». L'Amérique étant suffisamment éloignée des modèles du Moyen Âge ou de la Renaissance, elle a pu se libérer des contraintes du pastiche qui ont longtemps affecté l'Europe. On peut donc parler de l'architecture victorienne nord-américaine comme étant foncièrement nouvelle. On y appose simplement un décor passéiste qui a valeur de symbole pour ses contemporains.

Le style néogothique, par exemple (le préfixe «néo» tient du fait qu'il s'agit du renouveau d'un art plus ancien), avec ses arcs brisés, ses pinacles et ses créneaux, sera longtemps privilégié pour la construction des églises, car le Moyen Âge, dont il est issu, correspond à une période de grande ferveur religieuse. De même, le style néo-Renaissance sera favorisé par la classe bourgeoise pour la construction de demeures somptueuses, car la Renaissance italienne correspond à l'éclosion d'une puissante bourgeoisie. Le style Second Empire est, quant à lui, associé au raffinement du Paris de Napoléon III. Ses toitures mansardées, revêtues d'ardoises, seront employées à profusion dans l'architecture résidentielle du Québec et pour toute une série d'édifices publics. Sa grande popularité tient à la fois des ramifications françaises de la société québécoise et de la vogue du style dans l'ensemble de l'Amérique du Nord entre 1865 et 1900. Il ne faudrait pas oublier le style néoroman, caractérisé par ses larges arcs cintrés et ses colonnes trapues, le style Queen Anne, employé dans les banlieues de la nouvelle classe moyenne, et surtout le style château, mélange de l'architecture des manoirs écossais et des châteaux de la Loire, devenu au fil des ans une sorte de «style national» du Canada.

Victor Bourgeau, dans la région de Montréal, et Joseph Ferdinand Peachy, dans la région de Québec, se sont illustrés dans la construction d'une multitude d'églises paroissiales historicisantes, pour tous les goûts et tous les budgets. Bourgeau, travaillant d'abord avec un vocabulaire néoclassique issu autant de l'œuvre du britannique John Ostell que de l'architecture des églises urbaines du Régime français, se tournera graduellement vers le néogothique puis vers le néoroman. Peachy a davantage laissé sa marque grâce à des œuvres néo-Renaissance et Second Empire.

Industrialisation et confort

L'ère victorienne peut sembler contradictoire. Si elle est tournée vers le passé en matière de décor architectural, elle se tourne résolument vers l'avenir en ce qui a trait au confort. Ainsi, on ne compte plus les innovations technologiques de cette époque qui rendent la vie des citadins plus agréable: eau courante, réservoirs d'eau chaude automatiques, multiplication des salles de bain, chauffage central, téléphone, électricité.

Parmi les changements durables apportés au bâti, il faut noter la popularité des fenêtres en baie et des oriels (*bay-window, bow-window* et *box-window*) de même que l'apparition du toit plat, revêtu de goudron et de cailloux, qui retient la neige jusqu'à ce qu'elle fonde plutôt que de l'évacuer, faisant de cette neige un isolant

naturel tout en évitant qu'elle ne s'abatte sur les passants. Certaines toitures plus complexes, appartenant à des édifices civiques ou religieux, seront plutôt recouvertes d'un cuivre richement orné ayant acquis une agréable patine verdâtre au fil des ans sous l'effet de l'oxydation (vert-de-gris).

Dans la seconde moitié du XIXe siècle, le chemin de fer permet désormais de relier efficacement les grands centres, sans compter qu'il profite également aux Canadiens français; isolés sur leurs seigneuries maintes fois redivisées pour la colonisation de nouveaux territoires au nord du fleuve Saint-Laurent (Saguenay–Lac-Saint Jean, Laurentides et Témiscamingue), ce nouveau moyen de transport repousse les frontières habitées du Québec.

La révolution industrielle fait des villes des centres de transformation des matières premières. Les quartiers ouvriers poussent comme des champignons autour des usines, bien desservis par un réseau de tramways, d'abord hippomobiles (1861) puis électriques (1892). Les villes de Québec et de Montréal deviennent très fréquentées et bruyantes. De grands magasins, des théâtres, des sièges sociaux de banques et de compagnies d'assurances ouvrent leurs portes, attirant une foule toujours plus nombreuse de travailleurs. Cependant, le reste du Québec, essentiellement agricole, demeure solidement ancré dans la tradition. Il vivra d'ailleurs relativement isolé jusqu'au milieu du XXe siècle.

Le XXe siècle

L'habitat vernaculaire urbain

Le taux de natalité record dans le Québec rural de 1900, où les familles de 12 enfants ne sont pas rares, provoque toujours plus l'engorgement des terres. De nouvelles régions, comme l'Abitibi, sont ouvertes à la colonisation par le clergé. Mais le pouvoir d'attraction des villes est insurmontable, malgré les salaires de misère. Ces «déracinés» veulent retrouver en ville un peu de leur maison de ferme: galeries et balcons, pièces nombreuses et bien éclairées, espaces de rangement multiples, qui serviront à l'occasion de poulailler ou d'étable. L'ensemble ne doit pas coûter trop cher à chauffer et être relativement facile d'entretien. L'habitat type montréalais était né! Ses escaliers extérieurs, qui doivent se contorsionner afin d'atteindre l'étage dans l'espace restreint disponible entre le trottoir et le balcon, évitent aux citadins d'avoir à chauffer une cage d'escalier intérieure. Ses balcons rappellent la galerie rurale et donnent un accès direct aux logements (un ou deux par étage), qui possèdent leur propre entrée extérieure individuelle.

De 1900 à 1930, des milliers de duplex, triplex, quadruplex et quintuplex seront construits le long des avenues rectilignes de Montréal. Ces immeubles de deux ou trois étages à structure de planches de bois, emboîtées les unes dans les autres, sont revêtus soit de la pierre calcaire locale, soit de briques, dont il existe une variété infinie. Même s'il est avant tout économique, l'habitat type montréalais se pare d'une corniche ou d'un parapet très orné, de balcons à colonnes toscanes et de beaux vitraux d'inspiration Art nouveau.

À la même époque, une série de villes mono-industrielles (papetières ou minières) voient le jour à travers le Québec. Ces agglomérations, créées de toutes pièces par des entreprises, sont dotées, dès leur fondation, d'un plan d'urbanisme précis ainsi que d'une architecture publique et résidentielle soignée, œuvre d'architectes reconnus qui prend pour modèles les cités-jardins anglaises.

Le retour aux sources

L'École des beaux-arts de Paris, dont les enseignements vont engendrer des principes rigoureux de composition architecturale (symétrie, monumentalité) de même qu'un style, synthèse du classicisme français, trouvera un écho favorable chez les Canadiens français éclairés au début du XXe siècle. Ces derniers voudront faire du style Beaux-Arts un flambeau signalant la présence française en Amérique. Ses colonnes jumelées, ses petits balcons en fer forgé et soutenus par des consoles de pierre, ainsi que sa balustrade de couronnement se retrouveront aussi dans les quartiers des Anglo-Saxons fortunés, pour qui les beaux-arts s'inscrivent dans la tradition du raffinement parisien.

Ce timide mouvement de retour aux sources des Canadiens français prendra des proportions plus considérables chez les descendants des marchands anglais et écossais, de plus

en plus nombreux à effectuer des pèlerinages outre-Atlantique pour redécouvrir tel manoir gallois en ruine ou telle maison de ferme écossaise ayant vu naître grand-père. Le mouvement «Arts and Crafts» britannique trouvera là des amateurs de la tuile du Herefordshire, de la boiserie élizabéthaine et de la cheminée Tudor. Ces mêmes personnes, déjà sensibilisées à l'architecture rurale traditionnelle de Grande-Bretagne, qu'elles tenteront de reproduire au Québec, sont à la base des premiers sauvetages de l'architecture rurale du Régime français, qui poursuivait toujours sa descente aux enfers en 1920.

À l'orée des années 1930, on verra toutefois apparaître quelques bâtiments neufs s'inspirant des réalisations de la Nouvelle-France. La Révolution tranquille des années 1960 encouragera heureusement une conscientisation plus large de la population face à son patrimoine de tradition française. Ce sera le début d'une ère de décapage et de restauration minutieuse.

Toutefois, pendant qu'un certain patrimoine se voit remis à l'honneur, un autre, celui du XIXe siècle, tombe massivement sous le pic du démolisseur. Cette saignée ne sera stoppée qu'au début des années 1980. On s'efforce encore de colmater les brèches causées par des vagues de démolition comparables aux bombardements de la guerre, qui ont laissé des terrains vacants jusqu'au cœur des villes.

Le choix de l'Amérique

Les contacts privilégiés qu'entretiennent les ar-

chitectes et artistes québécois avec Paris, Bruxelles et Londres depuis toujours n'empêcheront pas les décideurs d'opter d'emblée pour l'Amérique au début du XXe siècle. Ainsi, les premiers gratte-ciel percent l'horizon montréalais en 1928, à la suite de l'abrogation définitive d'un règlement limitant la hauteur des édifices à 10 étages. Des architectes célèbres, venus des États-Unis, dessineront plusieurs tours montréalaises, donnant au centre-ville de la métropole sa configuration actuelle, très nord-américaine. L'Art déco français, géométrique ou aérodynamique, dont il existe de bons exemples dans toutes les régions du Québec, sera supplanté par l'architecture moderne américaine après la Seconde Guerre mondiale. Enfin, l'Exposition universelle tenue à Montréal en 1967 a été l'occasion de doter cette ville et le Québec entier d'une architecture internationale, audacieuse et exemplaire.

La Révolution tranquille des années 1960 correspond à l'explosion des banlieues et à la construction d'infrastructures publiques majeures. Depuis, de nouvelles autoroutes sillonnent le Québec dans tous les sens; des écoles gigantesques, des hôpitaux, des centres culturels et des musées voient le jour dans des régions où il n'y avait auparavant qu'églises et couvents. Le nord du Québec reçoit un peu plus d'attention, avec la construction de vastes complexes hydroélectriques. Le centre des villes connaît également des transformations radicales en ce domaine: construction d'un métro à Montréal, de vastes complexes gouvernementaux modernes à Québec, etc.

Au début des années 1980, la lassitude engendrée par la répétition *ad nauseam* des mêmes formules décrétées par les modernistes provoque un retour vers les formes du passé à travers le postmodernisme, qui mêle volontiers verre réfléchissant et granit poli dans des compositions rappelant l'Art déco ou le néoclassicisme.

Les années 1990 présentent, quant à elles, deux pôles opposés: l'aboutissement du postmodernisme, sous une forme d'architecture romantique traditionnelle, et la recherche d'une architecture nouvelle ultramoderne faisant appel à des matériaux nouveaux, à l'informatique et à l'électronique.

Les arts au Québec

Le monde des arts sert souvent de véhicule privilégié aux peuples pour exprimer leurs préoccupations et leurs aspirations. Au Québec, l'expression artistique a pendant longtemps été à l'image d'une société qui se tenait constamment sur la défensive, tourmentée par la médiocrité de son présent et par des doutes quant à son avenir. Mais, depuis les années d'après-guerre et surtout avec la Révolution tranquille, la culture québécoise a bien évolué et s'est affirmée. Ouverte aux influences extérieures, et souvent très innovatrice, elle est maintenant d'une remarquable vitalité.

Lettres québécoises

L'essentiel des débuts de la littérature de langue française en Amérique du Nord est constitué d'écrits des premiers explorateurs (dont ceux de Jacques Cartier) et des communautés religieuses. Sous forme de récits, ces textes relatent différentes observations destinées principalement à faire connaître le pays aux autorités de la métropole. Le mode de vie des Autochtones, la géographie du pays et les débuts de la colonisation française figurent parmi les principaux thèmes abordés par des auteurs comme le père Sagard (*Le grand voyage au pays des Hurons*, 1632) ou par le baron de La Hontan (*Nouveaux voyages en Amérique septentrionale*, 1703).

La tradition orale domine la vie littéraire durant tout le XVIIIe siècle et au début du XIXe siècle. Les légendes issues de cette tradition (revenants, feux follets, loups-garous, chasse-galerie) sont par la suite consignées par écrit. Plusieurs années s'écoulent donc avant que le mouvement littéraire ne prenne un véritable envol, qui aura lieu à la fin du XIXe siècle. La majorité des créations d'alors, fortement teintées de la rhétorique de la «survivance», encensent les valeurs nationales, religieuses et conservatrices. L'éloge de la vie à la campagne, loin de la ville et de ses tentations, devient l'un des thèmes centraux de la littérature de l'époque. Les romans d'Antoine Gérin-Lajoie (*Jean Rivard le défricheur*, 1862, et *Jean Rivard, économiste*, 1864) offrent l'exemple type de cette tendance à une apologie du monde rural frisant la propagande. La glorification du passé, particulièrement du Régime français, inspire également un grand nombre de romanciers. Mis à part quelques écrits tels que *Angéline de Montbrun* (1884) de Laure Conan, peu de romans de cette période présentent davantage qu'un intérêt strictement socio-historique. L'influence de l'idéologie traditionnelle domine également dans la poésie. Néanmoins, le poète Louis-Honoré Fréchette a su s'en démarquer.

Jusqu'en 1930, le traditionalisme continue de marquer profondément la création littéraire, quoique soient perceptibles certains mouvements innovateurs. En poésie, l'École littéraire de Montréal, mais plus particulièrement Émile Nelligan, qui a été le premier à s'inspirer des œuvres de Baudelaire, de Rimbaud, de Verlaine et de Rodenbach, font contrepoids au courant dominant pendant quelque temps. Encore aujourd'hui une figure mythique, Nelligan a écrit sa poésie très jeune, avant de sombrer dans la folie. Dans le roman québécois de cette époque, le monde rural reste toujours le principal thème que l'on aborde, bien que certains auteurs commencent à le traiter d'une manière différente. Louis Hémon, dans *Maria Chapdelaine* (1916), présente avec une plus grande vraisemblance la vie paysanne, alors qu'Albert Laberge (*La scouine*, 1918) en décrit la médiocrité.

C'est au cours des années de la crise économique et de la Seconde Guerre mondiale que la création littéraire connaît un début de modernisation. Dans le roman du terroir, qui domine toujours, on voit graduellement apparaître le thème de l'aliénation des individus. On sent enfin qu'un pas majeur a été franchi lorsque la ville, où en réalité une majorité de la population réside, devient le cadre de romans, comme c'est le cas de *Bonheur d'occasion* (1945) de la Franco-Manitobaine Gabrielle Roy et de *Au pied de la pente douce* (1945) de Roger Lemelin.

Le modernisme s'affirme franchement à partir de la fin de la guerre, et ce, malgré le régime politique de Maurice Duplessis. En ce qui a trait au roman, deux courants dominent: le roman urbain tel que *Au pied de la pente douce* (1945) de Roger Lemelin ou *Les Vivants, les morts et les autres* (1959) de Pierre Gélinas, et le roman psychologique tel que *La Fin des songes* (1950) de Robert Élie ou *Le Gouffre a toujours soif* (1953) d'André Giroux. Un peu en marge de ces deux courants, Yves Thériault, auteur très prolifique, publie, de 1944 à 1962, contes et romans (*Agaguk*, en 1958; *Ashini*, 1960) qui marqueront toute une génération de Québécois. La poésie connaît une période d'or grâce à une multitude d'auteurs, notamment Gaston Miron, Alain Grandbois, Anne Hébert, Rina Lasnier et Claude Gauvreau. On assiste également à la véritable naissance du théâtre québécois grâce à la pièce *Tit-Coq* de Gratien Gélinas, qui sera suivie d'œuvres variées, dont celles de Marcel Dubé et de Jacques Ferron. Pour ce qui est des essais, le *Refus global* (1948), signé par un groupe de peintres automatistes, fut sans contredit le plus incisif des nombreux réquisitoires contre le régime duplessiste.

La Révolution tranquille, dont l'effervescence politique et sociale marque la création littéraire des années 1960, «démarginalise» les auteurs. Une multitude

d'essais, tel *Nègres blancs d'Amérique* (1968) de Pierre Vallières, témoignent de cette période de remise en question, de contestation et de bouillonnement culturel. Au cours de cette époque, véritable âge d'or du roman, de nouveaux noms, entre autres ceux de Marie-Claire Blais (*Une saison dans la vie d'Emmanuel*, 1965), Hubert Aquin (*Prochain épisode*, 1965) et Réjean Ducharme (*L'avalée des avalés*, 1966), s'ajoutent aux écrivains de la période précédente. La poésie triomphe, alors que le théâtre, marqué particulièrement par l'œuvre de Marcel Dubé et par l'ascension de nouveaux dramaturges comme Michel Tremblay, s'affirme avec éclat. Pendant quelque temps, plusieurs romanciers, poètes et dramaturges font usage dans leurs œuvres de la langue populaire.

La création littéraire contemporaine s'est diversifiée et enrichie. De nouvelles figures sont venues se joindre aux auteurs de la période antérieure, comme Victor-Lévy Beaulieu, Jacques Godbout, Alice Parizeau, Roch Carrier, Jacques Poulin, Louis Caron, Yves Beauchemin, Suzanne Jacob et, encore plus récemment, Louis Hamelin, Robert Lalonde, Gaetan Soucy, Christian Mistral, Dany Laferrière, Ying Chen, Sergio Kokis, Denise Bombardier, Arlette Cousture, Raymond Soucy et Marie Laberge. Par ailleurs, le théâtre se distingue au cours des années 1980 par un foisonnement de productions d'une remarquable qualité, dont plusieurs intègrent d'autres formes d'expression artistique (danse, chant, vidéo). Un en-

gouement pour le théâtre se fit sentir à Montréal, alors que se multipliaient les petites salles. Parmi les plus brillants représentants du théâtre québécois d'aujourd'hui, notons la troupe Carbone 14, les metteurs en scène André Brassard, Robert Lepage, Lorraine Pintal, René-Richard Cyr et les auteurs Normand Chaurette, René-Daniel Dubois, Michel-Marc Bouchard, Jean-Pierre Ronfard et Wajdi Mouhawad.

Musique et chanson

En ce qui a trait à la musique, il faut attendre les années d'après-guerre pour que le modernisme puisse commencer à s'afficher au Québec. Cette tendance s'affirme résolument à partir des années 1960, alors qu'on tient pour la première fois, en 1961, une Semaine internationale de la musique actuelle. Les grands orchestres, notamment l'Orchestre symphonique de Montréal (OSM), commencent dès lors à intéresser un vaste public. L'intérêt pour la musique s'est également propagé en régions, où l'on tient notamment un grand festival d'été dans Lanaudière et un festival de musique actuelle à Victoriaville.

La chanson, qui a toujours été un élément important du folklore québécois, connaît un nouvel essor

dans l'entre-deux-guerres avec la généralisation de la radio et l'amélioration de la qualité des enregistrements. Des artistes comme Ovila Légaré s'illustrent, mais le plus grand succès de l'époque appartient incontestablement à la Bolduc (Marie Travers), qui, grâce à des chansons originales en langue populaire, connaît la gloire pendant de longues années. Au cours de la guerre, le Soldat Lebrun occupe aussi une place appréciable dans le monde de la chanson locale. Puis, dans les années 1950, la mode de l'adaptation de succès américains ou de l'interprétation de chansons françaises éclipse le travail de chansonniers tels que Raymond Lévesque et Félix Leclerc, qui ne seront reconnus qu'au cours de la décennie suivante.

Avec la Révolution tranquille, la chanson dite québécoise s'affiche avec éclat. Des chansonniers comme Claude Léveillé, Jean-Pierre Ferland, Gilles Vigneault et Claude Gauthier font vibrer les «boîtes à chansons» du Québec par des textes fortement teintés d'affirmation nationale et culturelle. Un événement d'une grande portée survient en 1968, lorsque Robert Charlebois lance le premier album rock en français. La chanson québécoise connaît par la suite des succès retentissants. Pour la Saint-Jean-Baptiste, fête nationale des Québécois, des artistes parviennent à rassembler des centaines de milliers de personnes lors de grands spectacles extérieurs se transformant en véritables *happenings*. La chanson québécoise remporte également de forts succès à l'étranger, particulièrement en Europe francophone.

Aux figures déjà connues que sont notamment Plume Latraverse, Michel Rivard, Diane Dufresne, Pauline Julien, Ginette Reno, Jim Corcoran, Claude Dubois, Richard Séguin, Paul Piché et Marjo, se sont joints des artistes aussi différents que Jean Leloup, Richard Desjardins, Daniel Bélanger, Dan Bigras, Bruno Pelletier, Kevin Parent, Lynda Lemay, Luce Dufault, Daniel Boucher, Isabelle Boulay et le groupe La Chicane. La figure la plus connue à l'étranger est toutefois Céline Dion, une interprète qui chante tant en français qu'en anglais. Sa voix remarquable lui a permis de se hisser parmi les étoiles de la musique populaire les plus connues du monde.

On se doit également de souligner le succès remporté par le parolier Luc Plamondon, entre autres avec les opéras rock *Starmania* et *Notre-Dame-de-Paris*, ainsi que par la Bottine souriante, qui joue une musique inspirée de la tradition québécoise. Enfin, certains artistes non francophones, comme Leonard Cohen, jouissent d'une solide réputation internationale.

Les arts visuels

Ayant pour toile de fond idéologique le clérico-nationalisme, les œuvres d'art québécoises du XIXe siècle s'illustrent par leur attachement à un esthétisme désuet. Néanmoins encouragés par de grands collectionneurs montréalais, des peintres locaux adhèrent à des courants quelque peu novateurs à la fin du XIXe siècle et au début du XXe siècle. Il y a d'abord la vogue des paysagistes qui, comme

Lucius R. O'Brien, font l'éloge de la beauté du pays. La peinture à la manière de l'école de Barbizon, s'appliquant à représenter le mode de vie pastoral, bénéficie également d'une certaine reconnaissance. Puis, inspirés par l'école de La Haye, des peintres comme Edmund Morris introduisent timidement le subjectivisme dans leurs œuvres.

Les peintures d'Ozias Leduc, s'inscrivant dans le courant symboliste, démontrent aussi une tendance à l'interprétation subjective de la réalité, tout comme les sculptures d'Alfred Laliberté réalisées au début du XXe siècle. Quelques créations de l'époque laissent entrevoir une certaine perméabilité aux courants européens, comme c'est le cas des tableaux de Suzor-Côté. Mais, c'est dans la peinture de James Wilson Morrice, inspirée de Matisse, que l'on peut le mieux sentir l'empreinte des écoles européennes. Mort en 1924, Morrice est perçu par plusieurs comme le précurseur de l'art moderne au Québec. Il faudra néanmoins attendre plusieurs années, marquées notamment par les peintures très attrayantes de Marc-Aurèle Fortin, paysagiste mais aussi peintre urbain, avant que l'art visuel québécois ne se place au diapason des courants contemporains.

L'art moderne québécois commence d'abord à s'affirmer au cours de la guerre grâce aux chefs de file que sont Alfred Pellan et Paul-Émile Borduas. Dans les années 1950, il est possible de distinguer deux courants majeurs. Le plus important est le non-figuratif, que l'on peut diviser en deux tendances: l'expressionnisme abstrait,

Place au spectacle!

Deux formes assez particulières d'expression artistique québécoises empruntent certains éléments au théâtre: celle des «humoristes» et celle du cirque. L'humour a toujours tenu une place importante dans la vie culturelle québécoise. Ainsi, dans les années 1960, le groupe humoristique Les Cyniques, par sa critique mordante du clergé et des institutions politiques, participa à sa façon à la Révolution tranquille. Puis, au cours des années 1970, Yvon Deschamps reprendra le personnage du Canadien français exploité mais sympathique de ses aînés (Olivier Guimond entre autres) pour forcer une prise de conscience chez son public. Les années qui ont suivi le référendum de 1980 ont vu naître une impressionnante vague de comédiens dont l'humour tient davantage de l'absurde et de l'autodérision (Ding et Dong, Rock et Belles Oreilles, Daniel Lemire, Lise Dion, etc.), témoignant sans doute de la désillusion de toute une génération. Le fameux Cirque du Soleil, quant lui, a littéralement réinventé l'art du cirque en intégrant ses composantes traditionnelles à de véritables chorégraphies. Ce cirque comprend maintenant plusieurs troupes se produisant autant au Québec qu'à travers le monde.

connaît un essor certain, les *happenings* se popularisent, et l'on commence à mettre les artistes à contribution dans l'aménagement des lieux publics. La diversification des procédés et des écoles devient réelle à partir du début des années 1970, jusqu'à présenter aujourd'hui une image très éclatée de l'art visuel.

Le cinéma

Bien que certains longs métrages aient été réalisés auparavant, il faut attendre l'après-guerre pour que naisse un authentique cinéma québécois. Entre 1947 et 1953, des producteurs privés portent à l'écran des œuvres ayant connu le succès dans d'autres médias, comme *Un homme et son péché* (1948), *Séraphin* (1949), *La petite Aurore l'enfant martyre* (1951) et *Tit-Coq* (1952). Mais l'avènement de la télévision, au début des années 1950, lui porte un dur coup, si bien que la création cinématographique québécoise stagne par la suite pendant une décennie complète.

Sa renaissance, au cours des années 1960, est largement tributaire du soutien de l'Office national du film (ONF). Par l'intermédiaire de documentaires ayant recours au cinéma «direct», la critique de la société québécoise constitue alors le thème principal abordé par les cinéastes. Des nombreuses créations de l'époque, le film de Pierre Perrault et de Michel Brault, *Pour la suite du monde* (1963), fut sans doute le plus marquant par son caractère innovateur. Par la suite, le long métrage de fiction devient un genre dominant, et certains cinéastes y connaissent le

dont se réclament Marcelle Ferron, Marcel Barbeau, Pierre Gauvreau et surtout Jean-Paul Riopelle, et l'abstraction géométrique, où s'illustrent particulièrement Jean-Paul Jérôme, Fernand Toupin, Louis Belzile et Redolphe de Repentigny. Le deuxième courant d'envergure de l'après-guerre, le nouveau figuratif, comprend des peintres tels que Jean Dallaire et surtout Jean-Paul Lemieux.

Les tendances de l'après-guerre s'imposent toujours dans les années 1960, quoique l'arrivée de nouveaux créateurs comme Guido Molinari, Claude Tousignant et Yves Gaucher accroisse la place de l'abstraction géométrique. Par ailleurs, le domaine de la gravure et de l'estampe

succès: Claude Jutra (*Mon oncle Antoine*, 1971), Jean-Claude Lord (*Les Colombes*, 1972), Gilles Carle (*La vraie nature de Bernadette*, 1972), Michel Brault (*Les ordres*, 1974), Jean Beaudin (*J.A. Martin photographe*, 1977) et Francis Mankiewicz (*Les bons débarras*, 1979). Comme peu de films sont rentables, le financement, même avec l'apport de producteurs privés, repose en grande partie sur les gouvernements.

Parmi les films des dernières années, il convient de mentionner ceux de Denys Arcand (*Le déclin de l'empire américain*, 1986; *Jésus de Montréal*, 1989; *Stardom*, 2000), du regretté Jean-Claude Lauzon (*Un zoo la nuit*, 1987; *Léolo*, 1992), de Léa Pool (*À corps perdu*, 1988), de Pierre Falardeau (*Le party*, 1990; *Octobre*, 1994; *15 février 1839*, 2001), de Jean Beaudin (*Being at home with Claude*, 1992), de Robert Lepage (*Le confessionnal*, 1995; *Possible Worlds*, 2000), de François Girard (*Le violon rouge*, 1998), de Charles Binamé (*Le coeur au poing*, 1998; *Un homme et son péché*, 2002), de Roch Demers, qui s'est spécialisé dans les films pour enfants, et de Frédérick Back, qui s'est distingué grâce à ses films d'animation, entre autres *Crac!*, qui a remporté un oscar en 1982, et *L'homme qui plantait des arbres*, qui a également mérité un oscar en 1988.

Mentionnons aussi la contribution de Daniel Langlois, acteur important sur la scène du cinéma utilisant les nouvelles technologies. Il contribue à les développer par la mise sur pied de festivals et de lieux de création. Il est notamment le fondateur de Softimage, qui crée des logiciels d'animation infographique ayant servi à la réalisation de plusieurs longs métrages remarqués ces dernières années.

Renseignements généraux

L e présent chapitre
a pour but de vous aider à planifier votre
voyage, aussi bien avant votre départ qu'une fois sur
place.

Il renferme plusieurs
indications générales qui
pourront vous être utiles
lors de vos déplacements.
Nous vous souhaitons un
excellent voyage au Québec!

Formalités d'entrée

Généralités

Pour la plupart des citoyens des pays de l''Europe de l'Ouest, un passeport valide suffit, et aucun visa n'est requis pour un séjour de moins de trois mois. Il est possible de demander une prolongation de trois mois. Un billet de retour ainsi qu'une preuve de fonds suffisants pour couvrir le séjour peuvent être demandés.

Prolongation sur place

Il faut adresser sa demande **par écrit** et **avant** l'expiration du visa (date généralement inscrite dans le passeport) à l'un des centres d'Immigration Canada. Votre passeport valide, un billet de retour, une preuve de fonds suffisants pour couvrir le séjour ainsi que 75$ pour les frais de dossier vous seront demandés. Attention, dans certains cas (études, travail), la demande doit obligatoirement être faite **avant** l'arrivée au Canada.

Ambassades et consulats

Pour la liste complète des services consulaires à l'étranger, veuillez consulter le site du gouvernement canadien:
www.dfait-maeci.gc.ca/world/embassies/menu- fr.asp

En Europe

France
Ambassade du Canada
35 av. Montaigne, 75008 Paris
métro Franklin-Roosevelt
☎*01.44.43.29.00*
⇆*01.44.43.29.99*
www.dfait-maeci.gc.ca/canadaeuropa/france

Belgique
Ambassade du Canada
av. de Tervueren 2,
1040 Bruxelles
métro Mérode
☎*2.741.06.11*
⇒*2.741.06.43*
www.dfait-maeci.gc.ca/
canadaeuropa/brussels

Suisse
Ambassade du Canada
Kirchenfeldstrasse 88,
3005 Berne
☎*357.32.00*
⇒*357.32.10*
www.dfait-maeci.gc.ca/
canadaeuropa/switzerland

Au Québec

Consulat général
de France à Montréal
1 Place Ville-Marie, bureau 2601,
26ᵉ étage, Montréal,
H3B4S3
☎*878-4385*
⇒*878-3981*
www.consulfrance-
montreal.org

Consulat général de France à
Québec
25 rue St-Louis, Québec,
G1R3Y8
☎*(418) 694-2294*
⇒*(418) 694-1678*
www.consulfrance-quebec. org

Consulat général
de Belgique
999 boul. De Maisonneuve Ouest,
bureau 850, Montréal, H3A3L4
☎*(514) 849-7394*
⇒*(514) 844-3170*

Consulat général
de Suisse
1572 av. Docteur-Penfield,
Montréal, H3G1C4
☎*(514) 932-7181*
⇒*(514) 932-9028*

Renseignements touristiques

Il est utile de savoir que le Québec se divise en 20 régions touristiques. Les Associations touristiques régionales s'occupent de diffuser l'information concernant leur région. Pour les villes de Mont-réal, Québec et Laval, ce sont les offices de tourisme qui offrent les renseignements. Pour chacune des régions touristiques, une brochure promotionnelle est publiée. Ces brochures sont disponibles gratuitement auprès de ces associations et offices.

Les Guides de voyage Ulysse publient des guides tels que celui que vous consultez en ce moment, mais qui couvrent des régions de manière plus spécifique: *Gaspésie - Bas-Saint-Laurent - Îles de la Madeleine; Charlevoix - Saguenay–Lac-Saint-Jean; Côte-Nord, Abitibi-Témiscamingue et Grand Nord; Ville de Québec* et *Mont-réal.* Pour les amateurs de plein air, mentionnons: *Randonnée pédestre au Québec* et *Randonnée pédestre Montréal et environs, Le Québec cyclable, Ski de fond et raquette au Québec* et *Motoneige au Québec.* Pour l'hébergement et la restauration, on retrouve notamment les *Gîtes et Auberges du Passant au Québec, Délices et Séjours de charme au Québec* et *La Cuisine Régionale au Québec.*

En Europe

France

Tourisme Québec
c/o MPS, boîte postale 90,
67162 Wissembourg Cedex
☎*08.00.90.77.77*
jeu-mar 14h à 22h, mer 16h
à 22h
www.bonjour-quebec.com
Minitel: 3615 Québec

Commission canadienne
du tourisme
35 av. Montaigne, 75008 Paris
métro Franklin-Roosevelt
lun-ven 10h à 17h
☎*01.44.43.29.00*
⇒*01.44.43.29.94*
Au ☎*01.44.43.25.07*, un système automatisé permet d'obtenir rapidement de l''infor-mation touristique 24 heures. Sur Minitel: 3615 Canada.

Délégation générale
du Québec
66 rue Pergolèse, 75116 Paris
métro Porte Dauphine
☎*01.40.67.85.00*
⇒*01.40.67.85.09*

La Librairie du Québec
30 rue Gay Lussac,
75005 Paris
☎*01.43.54.49.02*
⇒*01.43.54.39.15*
On y trouve un grand choix de livres sur le Québec et le Canada, ainsi que toute l'édition du Québec et du Canada francophone, dans tous les domaines.

Abbey Bookshop
La librairie canadienne
29 rue de la Parcheminerie,
75005 Paris
☎*01.46.33.16.24*
⇒*01.46.33.03.33*
Livres en anglais et en français sur le Canada ou d'auteurs canadiens.

Belgique

**Délégation générale
du Québec**
av. des Arts 46, 7ᵉ étage,
1000 Bruxelles
métro Art-Loi
☎ *512.00.36*
= *514.26.41*

Au Québec

Pour tout renseignement
sur les différentes régions
touristiques, vous pouvez
composer sans frais,

de Montréal et sa région,
du Québec, des États-Unis
ou du Canada, le ☎ *877-266-5687*.

Vous pouvez aussi écrire
à:

Tourisme Québec
Case postale 979
Montréal, H3C 2W3

À Montréal

Pour de l'information dé-
taillée avec nombreux do-
cuments (cartes routières,
dépliants, guides d'hébergement) sur Montréal et
toutes les régions touristiques du Québec:

Centre Infotouriste
1001 rue du Square-Dorchester
métro Peel

Librairie Ulysse
4176 rue Saint-Denis
métro Mont-Royal
☎ *(514) 843-9447*

560 av. du Président-Kennedy
Métro McGill
☎ *(514) 843-7222*

À Québec

**Centre Infotouriste
de Québec**
12 rue Ste-Anne, Québec, G1R 3X2

**Centre d'information de
l'Office du tourisme et des
congrès de la Communauté
urbaine de Québec**
835 av. Wilfrid-Laurier
Québec, G1R 2L3
☎ *(418) 649-2608*
= *(418) 522-0830*

Dans Internet

Vous pourrez aussi trouver
de multiples renseigne-
ments dans Internet. Voici
quelques sites intéressants.

Les voyageurs partant pour
le Québec ou les Québé-
cois visitant une nouvelle
région consulteront les
sites du **ministère du Tourisme** (*www.tourisme.gouv.
qc.ca* ou *www.bonjourque-
bec.com*), qui permettent
d'entrer en contact avec
les différentes associations
touristiques régionales et
même de faire une visite
virtuelle du Québec. Le
site des **Guides de voyage
Ulysse** (*www.guidesulysse.-
com*) présente régulière-
ment ses nouveautés sur le
Québec.

Mentionnons aussi:

*http://voyagez.branchez-vous.
com
www.canoe.qc.ca
www.montrealplus.ca
www.quebecplus.ca
www.petitmonde.qc.ca
www.toile.qc.ca*

Études et travail

Étudier au Québec

Pour étudier au Québec, il
faut obtenir un C.A.Q.
(certificat d'acceptation du
Québec) ainsi qu'un per-
mis de séjour fédéral.

Pour cela, il faut **d'abord**
s'inscrire dans un collège
ou une université à un
programme d'au moins six

mois, avec un minimum
d'heures de cours par
semaine. Il faut fournir des
preuves de fonds suffisants
pour son séjour ainsi que
pour les frais de scolarité.
De plus, il faut détenir une
assurance maladie-hospi-
talisation. Il se peut aussi
qu'un examen médical soit
exigé.

Travail d'étudiant

Si vous avez obtenu un
permis de séjour pour étudier au Québec, vous avez
le droit de travailler
moyennant certaines con-
ditions. Le travail sur le
campus, comme assistant
de recherche, ou un em-
ploi dans une entreprise,
afin d'acquérir une expé-
rience pratique, sont au-
tant de possibilités offertes
à l'étudiant.

Par ailleurs, le conjoint de
l'étudiant admis à titre de
visiteur peut également
travailler durant la durée
du séjour de l'étudiant.
Attention cependant, les
lois évoluant rapidement, il
est préférable de se renseigner auprès de la Déléga-
tion générale du Québec
de votre pays.

Travailler au Québec

Travail sous
contrat temporaire

Vous devez toujours faire
les démarches à partir de
votre lieu de résidence.
C'est l'employeur qui de-
vra faire la demande au-
près d'un Centre d'emploi
du Canada. Dans le cas où
l'offre a été jugée receva-
ble, vous serez convoqué
auprès de la Délégation
générale du Québec, qui
examinera vos compéten-
ces. Celle-ci vous fera part
des démarches à effectuer.

**Renseignements
généraux**

N'oubliez pas: tant que vous n'avez pas reçu votre visa de travail, il vous est interdit de travailler sur place. Aussi, ce permis de travail ne sera valable que pour l'emploi et l'employeur auprès duquel vous avez postulé et que pour la durée de cet emploi.

Attention: le fait que vous soyez admis au Québec pour travailler ne signifie pas que vous puissiez y rester comme immigrant.

Travail au pair

Tout comme pour le travail temporaire, la demande doit être faite par l'employeur et n'est valable que pour ce dernier. Cette formule impose que vous demeuriez chez votre employeur.

Travail saisonnier

Il est surtout concentré dans le domaine de l'agriculture, de la cueillette des pommes aux stages agricoles. L'obtention préalable d'un visa de travail est nécessaire. Renseignez-vous auprès de l'ambassade ou du consulat de votre lieu de résidence.

Quelques sites Internet

www.qc.brdc-drhc.gc.ca
www.toile.qc.ca
www.careerclick.com
http://branchezvous.work opolis.com

Aéroports

Il existe deux aéroports importants au Québec, soit à **Dorval** et à **Mirabel**. Un troisième, celui de **Québec**, est nettement plus petit et ne dessert qu'un nombre limité de destinations, bien qu'il reçoive des vols internationaux. Les aéroports de Dorval et de Québec sont destinés aux vols internationaux et domestiques, tandis que l''aéroport de Mirabel ne reçoit plus que les vols nolisés *(charters)*.

La station de ski et de villégiature du **Mont-Tremblant** (www.tremblant-.com) s'est récemment dotée d'un aéroport international qui accueille les vols en provenance des États-Unis et de Toronto.

Aéroport international de Dorval

Cet aéroport est situé à une vingtaine de kilomètres du centre-ville de Montréal, soit à plus ou moins 20 min en voiture. Pour vous rendre au centre-ville, prenez l''autoroute 20 Est jusqu'à la jonction avec l'autoroute 720 (Ville-Marie) direction «centre-ville, Vieux-Montréal».

Information

Pour tout renseignement concernant les services d''aéroport (arrivées, départs et autres), un comptoir d'information est ouvert de 5h à 24h, sept jours sur sept. ☎*(514) 394–7377* *www.admtl.com*

Autobus

De Dorval au centre-ville: avec la compagnie d'autocars La Québécoise *(aux 30 min de 7h à 1h; ☎514-931-9002, www.autobus.qc.ca).* Arrêts terminus Centre-ville *(777 De La Gauchetière, angle rue University)* et à la Station Centrale *(505 boul. De Maisonneuve Est, métro Berri-*

UQAM). Coût: 11$ adulte aller simple, 19,75$ aller-retour.

Du centre-ville à Dorval: vous pouvez utiliser le même service *(aux 30 min de 3h30 à 23h, départs à l'aérogare Centre-ville et à la Station Centrale).*

De Dorval à Mirabel: même service *(l'horaire varie selon les arrivées et les départs, gratuit pour les voyageurs en correspondance de moins de 15 heures; 18$ aller simple, 28$ aller-retour).*

Vous pouvez aussi utiliser le **service de transport en commun** pour vous rendre au centre-ville. Prenez l'autobus n° 204 vers l'est jusqu'au terminus Dorval. De là, prenez le n° 211 vers l'est jusqu'à la station de métro Lionel-Groulx. Information: ☎*(514) 288-6287*.

De Dorval à Ottawa: avec la compagnie Voyageur *(aller simple 23,50$; tlj 11h20, 13h20, 15h20, 18h20, 20h20, 22h20; ☎514-842-2281).*

De Dorval à Québec: avec la compagnie La Québécoise *(53$ aller simple; tlj départ toutes les 30 min de 7h à 1h; ☎514-631-1856)*

Taxis

Le service est offert à partir de 6h le matin jusqu'à l'arrivée du dernier vol. Le tarif forfaitaire se chiffre à 28$ plus 1$ de frais aéroportuaires pour les voyages entre Dorval et le centre-ville de Mont-réal. Tous les taxis desservant l'aéroport de Dorval sont tenus d'accepter les cartes de crédit majeures.

Limousine

Tarif fixe *(47,70$)* pour aller au centre-ville. Information: ☎*(514) 633-3019*.

Location de voitures

Les grandes firmes sont présentes à l'aéroport.

Change

Exchange ICE Currency dispose d'un comptoir ouvert de 5h30 à 21h. Une commission est prélevée. Notez qu'il est plus avantageux de changer ses devises au centre-ville de Montréal (voir p 92).

Taxes

Une taxe de départ de 15$ est ajoutée au prix de votre billet d'avion lors de votre départ de l'aéroport de Dorval.

Objets perdus

☎*(514) 636-0499*

Aéroport international de Mirabel

Situé à Mirabel, cet aéroport se trouve à une cinquantaine de kilomètres au nord de Montréal. Pour se rendre au centre-ville, il faut prendre l'autoroute des Laurentides (15), direction sud, jusqu'à la jonction avec l'autoroute métropolitaine (40), qu'il faut emprunter vers l''ouest pendant quelques kilomètres. Puis il faut continuer par l'autoroute 15, en direction sud (qui prend alors le nom d'autoroute Décarie), jusqu'à la jonction avec l'autoroute Ville-Marie (720). Il faut suivre ensuite

la direction «Centre-ville, Vieux-Montréal». Comptez de 40 à 60 min pour effectuer ce trajet.

Information

Pour tout renseignement concernant les services d''aéroport (arrivées, départs et autres), un comptoir d'information est à la disposition des visiteurs *(lun-jeu et sam 11h à 23h; ven 11h à 24h; dim 5h à 24h;* ☎*450-394-7377 ou 800-465-1213, www.admtl.com)*.

Autobus

De Mirabel au centre-ville: avec la compagnie d'autocars La Québécoise *(20$ aller simple, 30$ aller-retour; l'horaire varie selon les départs et les arrivées).* Arrêts terminus Centre-ville *(777 De La Gauchetière, angle rue University)* et à la Station Centrale *(505 boul. De Maisonneuve Est, métro Berri-UQAM)*.

Du centre-ville à Mirabel: vous pouvez utiliser le même service. Information: ☎*(514) 931-9002*.

De Mirabel à Dorval: même service *(18$ aller simple, 28$ aller-retour, gratuit pour passagers avec une correspondance de moins de 15 heures; l'horaire varie selon les arrivées et les départs;* ☎*514-931-9002)*.

Limousine

Pour un service de limousine, adressez-vous à **Limousines Montréal** *(135$;* ☎*514-333-5466)*.

Taxis

L'aéroport de Mirabel offre des services plus restreints et plus coûteux *(environ 70$)* que ceux de Dorval, étant donné la distance qui

sépare Mirabel du centreville de Montréal. Le service de navette est donc plus avantageux dans ce cas.

Location de voitures

Les grandes firmes sont présentes à l'aéroport.

Change

ICE Currency Exchange ouvre ses portes pendant les heures d'arrivées et de départs des avions. Une commission est perçue. Notez qu'il est plus avantageux de changer ses devises au centre-ville de Montréal (voir p 92). Par ailleurs, cet établissement dispose de guichets automatiques de devises pour les monnaies les plus courantes.

Objets perdus

☎*(514) 636-0499*

Aéroport international Jean-Lesage (à Québec)

Bien que de petite taille, l''aéroport de Québec accueille des vols internationaux. Il est situé à la limite de Sainte-Foy et de L'Ancienne-Lorette. Du Vieux-Québec, on y accède en empruntant le boulevard Laurier vers l'ouest jusqu'à l'autoroute Henri-IV (40 Nord). Il faut par la suite se rendre sur le boulevard Hamel (en direction ouest) et le suivre jusqu'à la route de l'Aéroport.

500 rue Principale
Ste-Foy, G2G 2T9
☎*(418) 640-2700*
≈*(418) 640-2656*
www.aeroportdequebec.com

Taxis

Les taxis offrent un tarif forfaitaire à 24,50$ pour les voyages entre l'aéroport et le Vieux-Québec et à 11$ jusqu'à Sainte-Foy. Certaines voitures ont une capacité de six passagers.

Location de voitures

Les grandes firmes sont présentes à l'aéroport.

Change

L'horaire du bureau de change de la compagnie Travelex varie selon les départs et les arrivées des vols. Information: ☎(418) 877-5768.

Objets perdus

☎(418) 640-2600.

Douane

Si vous apportez des cadeaux à des amis québécois, n'oubliez pas qu'il existe certaines restrictions. Pour les **fumeurs** (l'âge minimal est de 18 ans), la quantité maximale est de 200 cigarettes, de 50 cigares, de 200 g de tabac ou de 200 bâtonnets de tabac. Pour les **vins ou alcools**, le maximum est de 1,5 litre; en pratique, on tolère deux bouteilles par personne. Pour la bière, il est de 24 canettes ou bouteilles de 355 ml.

Par ailleurs, il existe des règles très strictes concernant l'importation de **plantes**, de **fleurs** et d'autres **végétaux**; aussi est-il préférable, en raison de la sévérité de la réglementation, de ne pas apporter ce genre de cadeau. Si toutefois cela s'avère indispensable, il est vivement

conseillé de s'adresser au service de Douane-Agriculture de l'ambassade du Canada **avant** de partir.

Si vous décidez de voyager avec votre **chien** ou votre **chat**, il vous sera demandé un certificat de santé (document fourni par votre vétérinaire) ainsi qu'un certificat de vaccination contre la rage. Attention, cette vaccination devra avoir été faite **au moins 30 jours avant** votre départ et ne devra dater de plus d'un an.

Enfin, il existe une possibilité de se faire rembourser les **taxes** perçues sur ses achats (voir p 62).

Vos déplacements

En voiture

Le bon état général des routes et l'essence moins chère qu'en Europe font de la voiture un moyen idéal pour visiter le Québec en toute liberté. On trouve d'excellentes cartes routières publiées au Québec ainsi que des cartes régionales dans les librairies et dans les centres d'information touristique.

Quelques conseils

Permis de conduire: en règle générale, les permis de conduire européens sont valides six mois à compter du jour d'arrivée au Canada.

L'hiver: bien que les routes soient en général très bien dégagées, il faut tout de même considérer le danger que représentent les conditions climatiques. Il n'est pas rare de voir la route transformée en véritable patinoire par le verglas! Le vent peut également être de la partie, provoquant de la «poudrerie» et rendant ainsi la visibilité quasi nulle. Tous ces facteurs auxquels les Québécois sont bien habitués doivent vous faire redoubler de prudence. Aussi, si vous décidez de visiter des régions peu habitées, il est vivement conseillé d'apporter avec vous une couverture et quelques vivres en cas de panne.

Le code de la route: attention, il n'y a pas de priorité à droite comme en Europe. Ce sont les panneaux de signalisation qui indiquent la priorité à chaque intersection. Ces panneaux marqués «Arrêt» ou «Stop» sur fond rouge sont à respecter scrupuleusement! Il faut que vous marquiez l'arrêt complet, même s'il vous semble n'y avoir aucun danger apparent.

Les feux de circulation sont situés le plus souvent de l'autre côté de l'intersection. Faites attention où vous marquez l'arrêt. Lorsqu'un autobus scolaire (de couleur jaune) est à l'arrêt (feux clignotants allumés), vous devez obligatoirement vous arrêter, quelle que soit votre direction. Le manquement à cette règle est considéré comme une faute grave! Le port de la ceinture de sécurité est obligatoire.

Attention aux voies réservées aux autobus! Elles sont identifiées par un large losange blanc peint sur la chaussée ainsi que par des panneaux qui indiquent clairement les heures pendant lesquelles vous devez vous abstenir de circuler dans ces voies, sauf, bien sûr, pour effectuer un virage à droite.

Les autoroutes sont gratuites partout au Québec, et

Tableau des distances (km)
par le chemin le plus court

	Baie-Comeau	Boston (Mass.)	Charlottetown (Î.-P.-É.)	Chibougamau	Chicoutimi	Gaspé	Halifax (N.-É.)	Hull	Montréal	New York (N.Y.)	Niagara Falls (Ont.)	Québec	Rouyn-Noranda	Sherbrooke	Toronto (Ont.)
Boston (Mass.)	1040														
Charlottetown (Î.-P.-É.)	724	1081													
Chibougamau	679	1152	1347												
Chicoutimi	316	849	992	363											
Gaspé	337	1247	867	1039	649										
Halifax (N.-É.)	807	1165	265	1430	1076	952									
Hull	869	701	1404	725	662	1124	1488								
Montréal	676	512	1194	700	464	930	1290	207							
New York (N.Y.)	1239	352	1421	1308	1045	1550	1508	814	608						
Niagara Falls (Ont.)	1334	767	1836	1298	1126	1590	1919	543	670	685					
Québec	422	648	984	515	211	700	1056	451	253	834	925				
Rouyn-Noranda	1304	1136	1833	493	831	1559	1916	536	638	1246	858	877			
Sherbrooke	662	426	1187	724	451	915	1271	347	147	657	827	240	782		
Toronto (Ont.)	1224	906	1746	1124	1000	1476	1828	399	546	823	141	802	606	693	
Trois-Rivières	545	566	1089	574	338	808	1173	331	142	750	814	130	747	158	688

Exemple: la distance entre Québec et Chicoutimi est de 211 km.

la vitesse y est limitée à 100 km/h. Sur les routes principales, la vitesse est de 90 km/h, et de 50 km/h dans les zones urbaines.

Les postes d'essence: le Canada étant un pays producteur de pétrole, l'essence est nettement moins chère qu'en Europe.

Location de voitures

De nombreuses agences de voyages travaillent avec les firmes les plus connues (Avis, Budget, Hertz et autres) et offrent des promotions avantageuses, souvent accompagnées de primes (par exemple: rabais pour spectacles).

Vérifiez si le contrat comprend le kilométrage illimité ou non et si l'assurance proposée vous couvre complètement (accident, frais d'hospitalisation, passagers, vol de la voiture et vandalisme).

En général, les meilleurs tarifs sont obtenus en réservant à l'avance, aux centrales de réservations internationales des différentes firmes, même pour prendre une voiture dans votre propre ville. Afin de garantir le tarif qui vous est proposé par téléphone, faites-vous envoyer une confirmation par télécopieur.

Il faut avoir un minimum de 21 ans et posséder son permis depuis **au moins un an** pour louer une voiture. De plus, si vous avez entre 21 et 25 ans, certaines firmes (ex.: Avis, Thrifty, Budget) vous imposeront une franchise collision de 500$ et parfois un supplément journalier. À partir de l'âge de 25 ans, ces conditions ne s'appliquent plus.

Une carte de crédit est indispensable pour le dépôt de la garantie si vous ne voulez pas bloquer d'importantes sommes d'argent.

Dans la majorité des cas, les voitures louées sont dotées d'une transmission automatique. Vous pouvez, si vous le préférez, en demander une manuelle. Les sièges de sécurité pour enfants sont en supplément dans la location.

Location d'auto-caravanes

Bien qu'assez cher, se déplacer en autocaravane constitue un moyen très agréable de découvrir la grande nature. Tout comme pour l'automobile, acheter un forfait auprès d'un voyagiste peut être plus avantageux.

N'oubliez pas cependant qu'à cause de la demande et de la durée assez courte de la bonne saison il faut absolument réserver très tôt pour avoir un bon choix de véhicules récréatifs. Si vous partez pour l'été, vous devrez réserver au plus tard en janvier ou février.

N'oubliez pas de bien analyser la couverture d'assurance, car ce type de véhicule est très onéreux. Assurez-vous que les ustensiles de cuisine ainsi que la literie sont inclus dans le prix de la location.

Si toutefois vous désirez louer sur place, voici une adresse, en plus des nombreuses entreprises que vous trouverez dans l'annuaire des *Pages Jaunes* (rubrique «Véhicules récréatifs»).

Cruise Canada
☎*(450) 628-7093*

Accidents

La majorité des municipalités du Québec sont dotées du service **911**, qui vous permet, en cas d'urgence, de composer seulement ces trois chiffres pour appeler la police, les pompiers ou les ambulanciers. Il est toujours possible de faire le 0 pour joindre un téléphoniste qui vous indiquera quel numéro composer pour obtenir de l'aide.

Si vous vous trouvez sur l'autoroute, rangez-vous sur les bandes d'accotement et faites fonctionner vos feux de détresse. N'oubliez jamais de remplir une déclaration d'accident. En cas de désaccord, demandez l'aide de la police.

En autocar

Avec la voiture, il s'agit du meilleur moyen pour se déplacer. Bien répartis, les circuits d'autocars couvrent la majeure partie du Québec. Sauf pour les transports urbains, il n'existe pas d'entreprise d'État; plusieurs firmes se partagent le territoire.

Il est interdit de fumer, et les animaux ne sont pas admis. En général, les enfants de 5 ans et moins sont transportés gratuitement, et les personnes de 60 ans et plus ainsi que les étudiants ont droit à d'importants rabais. Renseignez-vous avant d'acheter votre billet si vous faites partie de l'une ou l'autre de ces catégories. Il est recommandé de se présenter au moins 45 min avant le départ.

Durée des trajets et coût (adulte) aller simple de Montréal:

Sherbrooke:
2 heures 10 min; 27,61$
Ottawa:
2 heures 20 min; 32,50$
Québec:
3 heures; 42,56$
Rimouski:
7 heures; 81,89$
Toronto:
7 heures; 85,70$

Renseignements:

Montréal
Station Centrale
505 boul. De Maisonneuve Est, angle Berri
☎*(514) 842-2281*

Québec
Gare du Palais
320 rue Abraham-Martin
☎*(418) 525-3000*

Ste-Foy (Québec)
3001 ch. des Quatre-Bourgeois
☎*(418) 650-0087*

Les forfaits

Certaines compagnies d'autocars proposent aussi des forfaits pour les excursions d'un jour ou plus incluant, selon la formule choisie, l'hébergement et le tour de ville. Vu leur grand nombre, nous ne pouvons toutes les citer ici. Pour obtenir davantage de renseignements sur ces forfaits, adressez-vous au Centre Infotouriste de Montréal ou de Québec.

En train

Le train peut s'avérer fort intéressant pour les déplacements, tout particulièrement pour parcourir de grandes distances, car il procure un excellent niveau de confort. **VIA Rail Canada** est la principale société ferroviaire responsable du transport des passagers partout au Canada. D'autre part, la **Compagnie ferroviaire Québec, Côte-Nord et Labrador** (☎*418-962-9411*) ne dessert que deux lignes dans le Nord-Est: Sept-Îles à Schefferville (une fois par semaine), Sept-Îles à Labrador City (deux fois par semaine).

En bateau

Les occasions de croisières sur les cours d'eau et les lacs sont nombreuses. Sur certaines rivières, des excursions en bateau-mouche sont organisées. Quelquefois, des naturalistes accompagnent les groupes afin de les renseigner sur les écosystèmes. En général, les explications sont très intéressantes et permettent une meilleure compréhension de la flore et de la faune. Bien que les options offertes soient multiples, il convient de mentionner quelques-unes d'entre elles qui en valent particulièrement la peine:

De Montréal

Pour les sportifs ou les gens «avides de sensations fortes», la descente des rapides de Lachine. Croisières autour des îles de Boucherville. Croisières de nuit avec vue saisissante sur Montréal.

De Québec

Le tour de l'île d'Orléans.

Le Saguenay

Excursions dans le fjord du Saguenay. Il s'agit du seul fjord navigable en Amérique du Nord, et il atteint jusqu'à 275 m de profondeur à certains endroits.

Le Saint-Laurent

Excursions aux baleines en Zodiac, croisières guidées à Montréal ou à Québec et soupers-croisières sont organisés par **Croisières AML** (*124 rue St-Pierre, Québec, ☎418-692-1159 ou 800-563-4643, ≠692-0845, www.croisieresaml.com*).

Côte-Nord

Nordik Express (☎*418-723-8787*) organise des excursions le long de la Côte-Nord au départ de Sept-Îles jusqu'à Blanc-Sablon, en passant par l'île d'Anticosti ainsi que par 12 villages accessibles seulement par bateau.

Îles de la Madeleine

Excursions autour des Îles.

À partir de Montréal, il existe une navette hebdomadaire jusqu'à Cap-aux-Meules, mais il s'agit plutôt

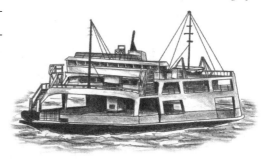

d'un traversier *(durée: environ 45 heures, départ le vendredi)*. Renseignements et réservations:
☎*888-986-3278*
www.ctma.ca

Au Québec

Le *M/S Jacques-Cartier* est un paquebot de croisière pouvant accueillir jusqu'à 400 passagers. Il offre une large gamme de croisières sur différentes routes navigables du Québec: la rivière des Outaouais, le Saint-Laurent, la rivière Richelieu et la rivière Saguenay. Même si son port d'attache est Trois-Rivières, le *M/S Jacques-Cartier* propose des croisières à partir de différentes villes du territoire (☎*819-375-3000 ou 800-567-3737, ≈819-375-1975, http://croisieres.qc.ca)*.

Nautisme

Fédération de voile du Québec
☎*(514) 252-3097*
Un petit conseil: munissez-vous toujours de vêtements chauds car, même en été, il peut faire frais sur les cours d'eau.

En traversier

De nombreux traversiers vous permettront de franchir le Saint-Laurent ou d'autres cours d'eau. En raison de leur nombre et des changements fréquents d'horaires, nous ne pouvons ici les énumérer tous. Aussi, pour une information plus détaillée, reportez-vous dans le guide à la section de la région que vous désirez visiter.

En avion

C'est de loin le moyen de transport le plus coûteux; cependant, certaines compagnies aériennes propo-

sent régulièrement des prix réduits. Encore une fois, soyez un consommateur averti, et comparez les offres.

Deux grandes compagnies assurent des vols réguliers:

Air Alliance et Air Nova: filiales d'Air Canada, elles desservent plusieurs destinations comme le Saguenay, Québec, Gaspé, les îles de la Madeleine. Renseignements à Montréal:
Air Canada
☎*888-247-2262*

Pour le Grand Nord

Deux compagnies aériennes appartenant à des communautés autochtones assurent des vols réguliers vers le Grand Nord québécois.

Air Creebec dessert Chibougamau, Chisasibi, Roberval, Weiindji et bien d'autres points encore. Elle propose des vols au départ de Val-d'Or et Montréal. Pour information:
☎*(819) 825-8355*
≈*(819) 825-0885*
Réservations:
☎*800-567-6567*
www.aircreebec.ca

First Air et Air Inuit desservent Inukjuak, Kuujjuarapik, Ivujivik et bien d'autres points. Pour information:
☎*800-267-1247*
www.firstair.ca

En hydravion

Plus qu'un moyen de transport, l'hydravion est surtout une façon originale d'obtenir une vue d'ensemble de la région ou la ville que vous survolerez. Aussi, pour les personnes ne disposant que de peu de temps, il constitue le moyen idéal pour survoler

les immenses complexes hydroélectriques de la Baie-James, accéder aux réserves amérindiennes et aux pourvoiries, ou partir en mini-excursion de pêche ou de chasse. Les survols de Montréal et de sa région, du Saguenay, du Lac-Saint-Jean, de Charlevoix, de Québec et des Laurentides sont autant de possibilités qui vous sont proposées. La plupart des régions touristiques offrent ce service.

À vélo

Le vélo au Québec est bien populaire, spécialement dans les grandes villes comme Montréal. Des pistes cyclables sont aménagées permettant aux usagers de se déplacer aisément. La prudence, même sur ces pistes, ainsi que le port du casque protecteur sont recommandés. Des randonnées cyclistes sont possibles partout au Québec.

En stop

Il existe «deux formules»: le stop «libre», ou le stop «organisé» par l'intermédiaire de l'association Allo-Stop. Le «stop libre» est fréquent, en été surtout, et plus facile en dehors des grands centres. N'oubliez pas qu'il est interdit de «faire du pouce» sur les autoroutes.

Le «stop organisé» par l'intermédiaire de l'association Allo-Stop fonctionne très bien en toute saison. Cette association efficace recrute les personnes qui désirent partager les frais d'utilisation de leur véhicule moyennant une petite rétribution (carte de membre obligatoire: passager 6$ par an, chauffeur 7$ par an). Le chauffeur reçoit une partie (environ 60%)

des frais payés pour le transport. Les destinations couvrent tout le Québec, mais aussi le reste du Canada et les États-Unis.

Quelques exemples de prix:
Montréal - Québec: *15$*
Montréal - Saguenay: *30$*
Montréal - Tadoussac: *30$*

Attention: les enfants de moins de cinq ans ne peuvent voyager avec cette association à cause d'une réglementation rendant obligatoires les sièges d'enfants à ces âges.

Pour inscription et information:

www.allostop.com

Allo-Stop Montréal
4317 rue St-Denis
☎*(514) 985-3032*

Allo-Stop Québec
665 rue St-Jean
☎*(418) 522-0056*
2360 ch. Ste-Foy
☎*(418) 522-0056*

Allo-Stop Chicoutimi
☎*(418) 695-2322*

Allo-Stop Jonquière
2370 rue St-Dominique
☎*(418) 695-2322*

Allo-Stop Rimouski
106 rue St-Germain
☎*(418) 723-5248*

Allo-Stop Sherbrooke
1204 rue King O.
☎*(819) 821-3637*

Monnaie

L'unité monétaire est le **dollar** ($), lui-même divisé en cents. Un dollar = 100 cents.

Il existe des billets de banque de 5, 10, 20, 50 et 100 dollars, de même que des pièces de 1, 5, 10, 25

cents ainsi que de 1 et 2 dollars.

Il se peut que vous entendiez parler de «piastres» et de «sous»; il s'agit, en fait, respectivement des dollars et des cents. À l'occasion (surtout dans la langue populaire), on pourra vous demander un «30 sous». C'est, en fait, de la pièce de 25 cents qu'on parle alors!

Services financiers

Bureaux de change

La plupart des banques changent facilement les devises étrangères, mais presque toutes demandent des **frais de change**. En outre, on peut s'adresser à des bureaux ou comptoirs de change. Certains d'entre eux n'exigent pas de commission et ces bureaux ont souvent des heures d'ouverture plus longues. La règle à retenir: **se renseigner et comparer**.

Chèques de voyage

N'oubliez pas que les dollars canadiens et américains sont différents. Aussi, si vous ne songez pas à vous rendre aux États-Unis

lors d'un même voyage, il serait préférable de faire émettre vos chèques en dollars canadiens. Les chèques de voyage sont acceptés en général dans la plupart des grands magasins et dans les hôtels, mais il vous sera plus commode de les changer dans une banque.

Cartes de crédit

La carte de crédit est acceptée un peu partout, tant pour les achats de marchandises que pour la note d'hôtel ou l'addition au restaurant. Son avantage principal réside surtout dans l'absence de manipulation d'argent, mais également dans le fait qu'elle vous permettra (par exemple lors de la location d'une voiture) de constituer une garantie et d'éviter ainsi un dépôt important d'argent. De plus, le taux de change est généralement plus avantageux. Les plus utilisées sont Visa, MasterCard et American Express.

La carte de crédit représente aussi un bon moyen d'éviter les frais de change. Ainsi, on peut surpayer sa carte et faire ensuite des retraits directement à partir de celle-ci. Cette procédure évite de transporter

Renseignements généraux

Taux de change

1$CA	=	0,62€ (euro)	1€ (euro)	=	1,61$CA
1$CA	=	0,67$US	1$US	=	1,49$CA
1$CA	=	0,91FS	1FS	=	1,10$CA

N.B. Ces taux sont sujets à changement.

de grandes quantités d'argent liquide ou des chèques de voyage. Les retraits peuvent se faire directement d'un guichet automatique si vous possédez un numéro d'identification personnel pour votre carte.

Cartes perdues ou volées:
☎800-428-1858.

Banques

De nombreuses banques offrent aux touristes la plupart des services courants. Attention cependant aux commissions perçues, qui peuvent se révéler plutôt élevées.

On peut retirer de l'argent dans n'importe quel guichet automatique, partout au Canada, grâce aux réseaux Interac, Cirrus et ATM. La plupart des guichets sont ouverts en tout temps. En outre, plusieurs guichets automatiques accepteront les cartes de banques européennes. Il est possible d'obtenir de l'argent à partir d'une carte de crédit, mais il s'agit alors d'une avance de fonds, et le taux d'intérêt sur la somme ainsi prêtée est élevé, sauf si vous avez surpayé votre carte auparavant (voir ci-dessus).

Les banques sont ouvertes du lundi au vendredi de 10h à 15h. La plupart d'entre elles sont ouvertes les jeudis et les vendredis jusqu'à 18h, voire 20h.

Taxes et pourboire

Les taxes

Contrairement à l'Europe, les prix affichés le sont **hors taxes** dans la majorité des cas. Il y a deux taxes: la TPS (taxe fédérale sur les produits et services) de 7% et la TVQ (taxe de vente du Québec) de 7,5% sur les biens et sur les services. Elles sont cumulatives, et il faut donc ajouter 14,59% de taxes sur les prix affichés pour la majorité des produits ainsi qu'au restaurant. Taxe spécifique à l'hébergement, voir p 67.

Il y a quelques exceptions à ce régime de taxation, comme les livres, qui ne sont taxés qu'à 7%, et les aliments (sauf le prêt-à-manger), qui ne sont pas taxés.

Droit de remboursement de la taxe pour les non-résidents

Les non-résidents peuvent récupérer les taxes payées sur leurs achats. Pour cela, il est important de garder ses factures. Le remboursement de ces taxes se fait en remplissant un formulaire pour chaque taxe (fédérale et du Québec). Attention, les conditions de remboursement de la taxe sont différentes selon qu'il s'agit de la TPS ou de la TVQ. Pour information, composez le ☎800-668-4748 (pour la TVQ et la TPS).

Le pourboire

Le pourboire s'applique à tous les services rendus à table, c'est-à-dire dans les restaurants ou autres endroits où l'on vous sert à table (la restauration rapide n'entre donc pas dans cette catégorie). Il est aussi de rigueur dans les bars, les boîtes de nuit et les taxis.

Selon la qualité du service rendu, il faut compter environ 15% de pourboire sur le montant avant les taxes. Le pourboire n'est pas, comme en Europe, inclus dans l'addition, et le client doit le calculer lui-même et le remettre à la serveuse ou au serveur.

Télé-communications

Les indicatifs régionaux sont clairement indiqués dans la section «Renseignements pratiques» de chaque chapitre. Vous n'avez pas besoin de composer cet indicatif s'il s'agit d'un appel local. Pour les appels interurbains, faites le 1, suivi de l'indicatif de la région que où appelez, puis le numéro de l'abonné que vous désirez joindre. Si vous utilisez un télécopieur, il faut également composer l'indicatif régional, qui est le même que pour un interurbain téléphonique. Les numéros de téléphone précédés de 800, 877, 866 ou 888 vous permettent de communiquer avec l'abonné sans encourir de frais si vous appelez du Canada et souvent même des États-Unis. Faites quand-même le **1** devant ces numéros. Si vous désirez joindre un téléphoniste, composez le **0**.

Beaucoup moins chers à utiliser qu'en Europe, les appareils téléphoniques se trouvent à peu près partout. Il est facile de s'en servir, et certains fonctionnent même avec les cartes de crédit. Pour les appels locaux, la communication coûte 0,25$ pour une durée illimitée. Pour les interurbains, munissez-vous de pièces de 25 cents, ou bien procurez-vous une carte à puce d'une valeur de 10$, 15$ ou 20$ en vente dans les kiosques à journaux. Il est maintenant possible de payer par carte de crédit, ou en utilisant la carte «Allô» pré-payée, mais sachez que, dans ces cas, le coût des communications est beaucoup plus élevé.

Pour appeler en **Belgique**, faites le 011-32 puis l'indicatif régional (Anvers 3, Bruxelles 2, Gand 91, Liège 41) et le numéro de votre correspondant.

Pour appeler en France, faites le 011-33 puis le numéro à 10 chiffres de votre correspondant en omettant le premier zéro. **France Direct** *(☎800-363-4033)* est un service qui vous permet de communiquer avec un téléphoniste de France et de faire porter les frais à votre compte de téléphone en France.

Pour appeler en **Suisse**, faites le 011-41 puis l'indicatif régional (Berne 31, Genève 22, Lausanne 21, Zurich 1) et le numéro de votre correspondant.

Bureaux de poste

Les grands bureaux de poste sont ouverts de 9h à 17h *(Postes Canada: ☎800-267-1177)*. Il existe de nombreux petits bureaux de poste répartis un peu partout au Québec, soit dans les centres commerciaux, soit chez certains «dépanneurs» ou même dans les pharmacies; ces bureaux sont ouverts beaucoup plus tard que les autres.

Décalage horaire

Au Québec, il est six heures plus tôt qu'en Europe et trois heures plus tard que sur la côte ouest de l'Amérique du Nord. Tout le Québec (sauf les Îles de la Madeleine, qui ont une

heure de plus) est à la même heure (dite «heure de l'Est»), mais n'oubliez pas qu'il existe plusieurs fuseaux horaires au Canada.

Notez aussi que le Québec vit, du premier dimanche d'avril au dernier dimanche d'octobre, à l'heure avancée de l'Est, soit une heure plus tard qu'en hiver.

Horaires et jours fériés

Magasins

La Loi sur les heures d'ouverture permet aux magasins les horaires suivants.

Du lundi au mercredi de 8h à 21h: la plupart ouvrent à 10h et ferment à 18h.

Le jeudi et le vendredi de 8h à 21h: la majorité ouvrent à 10h.

Le samedi de 8h à 17h: plusieurs ouvrent à 10h.

Le dimanche de 8h à 17h: la plupart ouvrent à midi.

On trouve également un peu partout au Québec des «dépanneurs» (magasins généraux d'alimentation de quartier) qui sont ouverts plus tard et parfois 24 heures sur 24.

Jours fériés

Voici la liste des jours fériés au Québec. Notez que la plupart des services administratifs et les banques sont fermés ces jours-là.

1er et 2 janvier
jour de l'An et le lendemain

Lundi suivant la fête de Pâques

3e lundi de mai
le jour des Patriotes

24 juin
la Saint-Jean (fête nationale des Québécois)

1er juillet
la fête du Canada

1er lundi de septembre
la fête du Travail

2e lundi d'octobre
l'Action de grâce

11 novembre
le jour du Souvenir (seuls les banques et les services gouvernementaux fédéraux sont fermés)

25 et 26 décembre
Noël et le lendemain

Climat

L'une des caractéristiques du Québec par rapport à l'Europe est que les saisons y sont très marquées. Les températures peuvent monter au-delà de 30°C en été et descendre en deçà de −25°C en hiver. Si vous visitez le Québec durant chacune des deux saisons «principales» (été et hiver), il pourra vous sembler avoir visité deux pays totalement différents, les saisons influant non seulement sur les paysages, mais aussi sur le mode de vie et le comportement des Québécois.

www.meteomedia.com

Hiver

Mon pays ce n'est pas un pays, c'est l'hiver...
- Gilles Vigneault

De la mi-novembre à la fin mars, c'est la saison idéale

Renseignements généraux

pour les amateurs de ski, de motoneige, de patin, de randonnée en raquettes et autres sports d'hiver. En général, il faut compter cinq ou six tempêtes de neige par hiver. Le vent refroidit encore davantage les températures et provoque parfois ce que l'on nomme ici la «poudrerie» (neige très fine emportée par le vent). Cependant, l'une des caractéristiques propres à l'hiver québécois est son nombre d'heures d'ensoleillement, plus élevé ici qu'à Paris ou Bruxelles.

Printemps

Il est bref (de la fin mars à la fin mai) et annonce la période de la «sloche» (mélange de neige fondue et de boue). La fonte des neiges laisse apercevoir une herbe jaunie par le gel et la boue, puis le réveil de la nature se fait spectaculaire.

Été

De la fin mai à la fin août s'épanouit une saison qui s'avère à bien des égards surprenante pour les Européens habitués à voir le Québec comme un pays de neige. Les chaleurs peuvent en effet être élevées et souvent accompagnées d'humidité. La végétation prend des allures luxuriantes, et il ne faut pas s'étonner de voir des poivrons rouges ou verts pousser dans un pot sur le bord d'une fenêtre. Dans les villes, les principales artères sont ornées de fleurs, et les terrasses ne désemplissent pas. C'est

aussi la saison de nombreux festivals en tout genre (voir «Fêtes et festivals», p 71).

Automne

De septembre à novembre, c'est la saison des couleurs. Les arbres dessinent ce qui est probablement la plus belle peinture vivante du continent nord-américain. La nature semble exploser en une multitude de couleurs allant du vert vif au rouge écarlate en passant par le jaune ocre. S'il peut encore y avoir des retours de chaleur, comme l'été des Indiens, les jours refroidissent très vite, et les soirées peuvent déjà être froides.

L'été des Indiens

Cette période relativement courte (quelques jours) pendant l'automne donne l'impression d'un retour en force de l'été. Ce sont en fait des courants chauds venus du golfe du Mexique qui réchauffent les températures déjà fraîches. Cette période de l'année porte le nom d'été des Indiens, car il s'agissait de la dernière chasse avant l'hiver chez les Autochtones. Les Amérindiens profitaient de ce réchauffement pour faire le plein de nourriture pour la saison froide.

Habillement

En raison des excès du climat québécois, il convient de bien choisir ses vêtements en fonction de la saison.

Hiver

Tricot, gants, bonnet (ou tuque), écharpe..., vous voilà prêt à affronter l'hiver..., enfin presque!

Petits conseils

Apportez un manteau de préférence long et avec un capuchon. Dans le cas contraire, n'hésitez pas à vous acheter un bonnet ou des «oreilles» (mais oui!).

Si vous êtes amoureux de vos chaussures, achetez-vous une paire de «claques». Il s'agit d'une sorte de couvre-chaussures en caoutchouc, bien pratiques pour protéger les chaussures des effets corrosifs du sel utilisé pour faire fondre la glace. On les trouve facilement, et elles ne coûtent pas très cher.

Été

Munissez-vous de t-shirts, de chemises et de pantalons légers, de shorts et de lunettes de soleil; un tricot est souvent nécessaire en soirée.

Printemps-automne

Pour ces saisons d'entre-deux sont à la fois conseillés chandail, tricot et écharpe, sans oublier le parapluie.

Assurances

L'assurance-annulation est normalement offerte par l'agent de voyages au moment de l'achat du billet d'avion ou du forfait. Elle permet le remboursement du billet ou du forfait dans le cas où le voyage devrait être annulé en raison d'une maladie grave ou d'un décès. Les gens en santé n'ont pas réellement besoin d'une telle protection. Elle demeure par conséquent d'une utilité relative.

Vol

La plupart des assurances-habitation au Canada protègent une partie des biens contre le vol, même si celui-ci a lieu à l'extérieur de la maison. Si une telle malchance survenait, n'oubliez toutefois pas d'obtenir un rapport de police, car sans lui vous ne pourriez pas réclamer votre dû. Les personnes disposant d'une telle protection n'ont donc pas besoin d'en prendre une supplémentaire, mais, avant de partir, assurez-vous d'en avoir bel et bien une.

Maladie

L'assurance-maladie est sans nul doute la plus importante à se procurer avant de partir en voyage, et il est prudent de bien savoir la choisir, car la police d'assurance doit être la plus complète possible. Au moment de l'achat de la police d'assurance, il faudrait veiller à ce qu'elle couvre bien les frais médicaux de tout ordre comme l'hospitalisation, les services infirmiers et les honoraires des médecins (jusqu'à concurrence d'un montant assez élevé), ainsi qu'une clause de rapatriement, pour le cas où les soins requis ne peuvent être administrés sur place. En outre, il peut arriver que vous ayez à débourser le coût des soins en quittant la clinique; il faut donc vérifier ce que prévoit la police dans ce cas. S'il vous arrivait un accident durant votre séjour, vous devriez toujours garder sur vous la preuve que vous avez contracté une assurance-maladie, ce qui

vous évitera bien des ennuis.

Santé

Pour les personnes en provenance d'Europe et des États-Unis, aucun vaccin n'est nécessaire. D'autre part, il est vivement recommandé aux étrangers, de contracter une assurance maladie-accident. Il existe différentes formules, et nous vous conseillons de les comparer. Emportez vos médicaments, surtout ceux qui exigent une ordonnance. Sauf indication contraire, l'eau est potable partout au Québec.

En hiver, une lotion hydratante sera utile pour les peaux sensibles, de même qu'un baume hydratant pour les lèvres. En cette saison, l'air à l'intérieur est souvent fort sec.

En été, méfiez-vous des fameux coups de soleil. Lorsque souffle le vent, il arrive fréquemment que l'on ne ressente pas les brûlures causées par le soleil. Après tout, Montréal est située à la même latitude que Lyon! N'oubliez pas votre crème solaire!

Urgence: ☎911

Sécurité

Comparé aux États-Unis, le Québec est loin d'être une société violente. En prenant les précautions courantes, il n'y a pas lieu d'être inquiet outre mesure pour sa sécurité.

La majorité des municipalités du Québec sont dotées du service **911**, qui vous permet, en cas d'urgence, de composer seulement ces trois chiffres pour appeler la police, les pom-

piers ou les ambulanciers. Il est toujours possible de faire le **0** pour joindre un téléphoniste qui vous indiquera quel numéro composer pour obtenir de l'aide.

Français québécois

La langue parlée au Québec a bien souvent de quoi surprendre le voyageur étranger. Les Québécois sont toutefois très fiers de cette «langue de France aux accents d'Amérique», qu'ils ont su préserver au prix de longues luttes.

Il nous serait bien difficile de dresser ici une liste exhaustive des expressions propres à la langue québécoise. Le voyageur intéressé à en connaître un peu plus peut se référer au guide de conversation *Le Québécois pour mieux voyager*, publié par les Guides de voyage Ulysse.

Personnes handicapées

L'association Kéroul publie le répertoire *Québec Accessible*, qui donne la liste des endroits accessibles aux personnes handicapées à travers tout le Québec. Ces endroits sont classés par régions touristiques. La brochure est disponible au prix de 15$. De plus, dans la plupart des régions, des associations organisent des activités de loisir ou de sport. Vous pouvez obtenir l'adresse des associations en communiquant avec l'Association québécoise de loisir pour personnes handicapées.

Renseignements généraux

Association québécoise de loisir pour personnes handicapées
4545 av. Pierre-De Coubertin
C.P. 1000, Succursale M
Montréal, H1V 3R2
☎(514) 252-3144
≈(514) 252-8360
www.aqlph.qc.ca

Kéroul *(tourisme pour personnes handicapées)*
4545 av. Pierre-De Coubertin
C.P. 1000, Succursale M
Montréal, H1V 3R2
☎(514) 252-3104
≈(514) 254-0766
www.keroul.qc.ca

Aînés

Pour les personnes du troisième âge qui désirent rencontrer des Québécois du même groupe d'âge, il existe une fédération qui regroupe la plupart des clubs de personnes âgées de 55 ans et plus. Cette fédération pourra vous indiquer, selon l'endroit que vous allez visiter, les activités et les adresses des clubs locaux.

Pour information:

Fédération de l'âge d'or du Québec
4545 av. Pierre-De Coubertin
C.P. 1000, Succursale M
Montréal, H1V 3R2
☎(514) 252-3017
≈(514) 252-3154

Des rabais très avantageux pour les transports et les spectacles sont souvent offerts aux aînés. N'hésitez pas à les demander.

Enfants

Au Québec, les enfants sont rois. Aussi, où que vous vous rendiez, des facilités vous seront-elles offertes, que ce soit pour les transports ou les loisirs. Dans les transports en général, les enfants de 5ans ou moins ne paient pas. Il existe aussi des rabais pour les 12 ans et moins. Pour les activités ou les spectacles, la même règle s'applique parfois. Renseignez-vous avant d'acheter les billets. Dans la plupart des restaurants, des chaises pour enfants sont disponibles, et certains proposent des menus pour enfants. Quelques grands magasins offrent aussi un service de garderie.

Gays et lesbiennes

En 1977, le Québec fut le deuxième État du monde, après la Hollande, à avoir inscrit dans sa charte le principe de non-discrimination pour orientation sexuelle. L'attitude des Québécois envers l'homosexualité est en général ouverte et tolérante. Les villes de Montréal et Québec offrent beaucoup de services à leur communauté gay. À Montréal, un quartier appelé **Le Village**, situé principalement sur la rue Sainte-Catherine entre les rues Amherst et Papineau, regroupe la plupart des commerces fréquentés par les gays. À Québec, le secteur gay se trouve principalement sur la rue Saint-Jean-Baptiste, hors des murs de la vieille ville.

À Montréal, il y a une ligne téléphonique précisant les détails des activités en ville: **Gai-écoute** *(écoute et renseignements 11h à 3h;* ☎*514-866-0103 ou 888-505-1010).* Autre possibilité, le **Centre Communautaire des Gais et Lesbiennes** *(2075 rue Plessis,* ☎*514-528-8424),* qui possède une bibliothèque spécialisée dans les ouvrages gays et lesbiens.

Au cours du mois d'août, le grand **Défilé de la fierté** gaie et lesbienne a lieu sur les rues Saint-Denis et Sainte-Catherine; il se termine par des spectacles. Renseignements: **Divers-cité** ☎*(514) 285-4011*

Trois revues gratuites sont également disponibles dans les bars et autres commerces gays: la revue *RG*, la revue *Fugues* et la revue *Orientations*. Toutes trois sont mensuelles et contiennent des renseignements sur la communauté gay.

Attraits touristiques

Les chapitres de ce guide vous entraînent à travers les 20 régions touristiques du Québec. Y sont abordés les principaux attraits touristiques, suivis d'une description historique et culturelle. Les attraits sont cotés selon un système d'étoiles pour vous permettre de faire un choix si le temps vous y oblige:

★	Intéressant
★★	Vaut le détour
★★★	À ne pas manquer

Le nom de chaque attrait est suivi d'une parenthèse qui vous donne ses coordonnées. Le prix qu'on y retrouve est le prix d'entrée pour un adulte. Informez-vous, car plusieurs endroits offrent des rabais aux enfants, aux étudiants, aux aînés et aux familles. Plusieurs de ces attraits sont accessibles seulement pendant la saison touristique, tel qu'indiqué dans cette même parenthèse. Cependant, même hors saison, certains de ces endroits vous accueillent sur demande, surtout si vous êtes en groupe.

Hébergement

Le choix est grand, et, suivant le genre de tourisme que l'on recherche, on choisira l'une ou l'autre des nombreuses formules proposées. En général, le niveau de confort est élevé, et souvent plusieurs services sont offerts. Les prix varient selon le type de logement choisi; sachez cependant que, aux prix affichés, il faut ajouter une taxe de 7% (la TPS: taxe fédérale sur les produits et les services) et la taxe de vente du Québec de 7,5%. Ces taxes sont toutefois remboursables aux non-résidents (voir p 62). Prenez note qu'une taxe applicable aux frais d'héber-gement est en vigueur dans la plupart des régions. Appelée **Taxe spécifique sur l'hébergement**, elle a été instaurée pour soutenir les infrastructures touristiques de ces régions. Elle est de 2$ par nuitée, peu importe le total de votre note.

Nous avons indiqué, à l'aide de petits symboles, différents services offerts par chaque établissement. Il ne s'agit en aucun cas d'une liste exhaustive de ce que propose l'établissement, mais bien des services que nous considérons les plus importants. Attention, la présence d'un symbole ne signifie pas que toutes les chambres sont pourvues de ce service; il vous faudra parfois débourser un supplément au prix indiqué pour obtenir par exemple un foyer ou une baignoire à remous. Par contre, si le petit symbole n'est pas apposé à l'établissement, c'est probablement que celui-ci ne peut vous offrir ce service. Pour connaître la signification des symboles utilisés, référez-vous au tableau des symboles dans les premières pages du guide.

Les prix indiqués sont ceux qui avaient cours au moment de mettre sous presse; ils s'appliquent à une chambre standard pour deux personnes en haute saison. Ils sont, bien sûr, sujets à changement en tout temps. De plus, souvenez-vous de bien vous informer des forfaits proposés et des rabais offerts aux corporations, membres de diverses associations, etc.

$	moins de 50$
$$	51$ à 100$
$$$	101$ à 150$
$$$$	151$ à 200$
$$$$$	plus de 200$

Tourisme Québec, en collaboration avec la Corporation des services aux établissements touristiques québécois, a récemment mis sur pied un système de classification des établissements hôteliers du Québec. Cette classification, qui s'échelonne entre une et cinq étoiles, est conforme aux standards internationaux et permet ainsi au visiteur d'avoir un point de repère quant à la qualité de l'établissement hôtelier. Ce système évalue tant l'aspect extérieur de l'établissement que la qualité des services offerts, en passant par le bon goût de la décoration, le confort des chambres et les commodités de la salle de bain.

Dans la section «Hébergement» du présent guide, la qualité des établissements mentionnés n'est pas définie selon les nouvelles normes de Tourisme Québec, mais bien selon l'appréciation des auteurs, au gré des coups de cœur et des belles découvertes.

Bateau Ulysse

Le pictogramme du bateau Ulysse est attribué à nos établissements favoris. Bien que chacun des établissements inscrits dans ce guide s'y retrouve en raison de ses qualités ou particularités, en plus de son rapport qualité/prix, de temps en temps un établissement se distingue parmi d'autres. Ainsi il mérite qu'on lui attribue un bateau Ulysse. Les bateaux Ulysse peuvent se retrouver dans n'importe quelle catégorie d'établissements: supérieure, moyenne-élevée, petit budget. Quoi qu'il en soit, dans chacun de ces établissements, vous en aurez pour votre argent. Repérez-les en premier!

Dans la mesure où vous souhaitez réserver (fortement conseillé en été!), une carte de crédit s'avère indispensable car, dans plusieurs cas, on vous demandera de payer d'avance la première nuitée.

Au Centre Infotouriste de Montréal et de Québec, il existe également un comptoir du Service de réservation, Hospitalité Canada, qui s'occupe gratuitement des réservations de chambres d'hôtel des visiteurs.

www.hospitality-canada.com

Centre Infotouriste de Montréal
1001 rue du Square-Dorchester
Montréal, H3B 4V4
☎/≈ *(514) 393-1072*
☎ *800-665-1528*

Centre Infotouriste de Québec
12 rue Ste-Anne
Québec, G1R 3X2
☎ *(418) 694-1602*

Le site Internet *www.quebec web.com* regroupe plusieurs établissements d'hébergement à travers le Québec, et l'on peut y faire des visites virtuelles ainsi que des réservations. Plusieurs des établissements mentionnés dans ce guide y sont répertoriés.

Hôtels

Ils sont nombreux, modestes ou luxueux. Dans la majorité des cas, les chambres sont louées avec salle de bain.

Gîtes touristiques

Contrairement aux hôtels, les chambres des gîtes touristiques ne sont pas toujours louées avec salle de bain privée. Bien répartis dans la majeure partie du Québec, les gîtes touristiques (ou *bed and breakfasts* en anglais) offrent l'avantage, outre le prix, de faire partager une ambiance familiale. Ils vous permettront aussi de vous familiariser avec une architecture régionale, certaines petites maisons de bois étant particulièrement pittoresques et chaleureuses. Attention, la carte de crédit n'est pas acceptée partout. Le prix de la chambre inclut toujours le petit déjeuner.

L'appellation québécoise **Gîtes et Auberges du Passant** identifie un gîte touristique membre de la Fédération des Agricotours du Québec; les Gîtes et Auberges du Passant sont tenus de se conformer à des règles et normes qui assurent aux visiteurs une qualité impeccable. La Fédération produit chaque année en collaboration avec les Guides de voyage Ulysse le guide des *Gîtes et Auberges du Passant au Québec*,

qui vous indiquera, pour chaque région, les différentes possibilités d'hébergement avec les services offerts, les activités de plein air pouvant être pratiquées à proximité, tous les tarifs, les gîtes non-fumeurs, ceux où vous pouvez amener votre animal de compagnie, etc. Outre les gîtes, ce guide donne aussi des adresses pour des formules de logement à la ferme ainsi que pour la location de maisons de campagne.

Motels

On retrouve les motels en grand nombre. Ils sont relativement peu chers, mais ils manquent souvent de charme. Cette formule convient plutôt lorsqu'on manque de temps.

Auberges de jeunesse

Vous trouverez l'adresse des auberges de jeunesse dans la section «Hébergement» des villes où elles se trouvent.

Pour de plus amples renseignements, communiquez avec:

Tourisme Jeunesse
☎ *(514) 252-3117*
www.tourismej.qc.ca

Universités

Cette formule reste assez compliquée à cause des nombreuses restrictions qu'elle implique: elle ne peut s'appliquer qu'en été (de la mi-mai à la mi-août), et il faut réserver plusieurs mois à l'avance et de préférence posséder une carte de crédit afin de payer la première nuitée à titre de dépôt. Toutefois, ce type d'hébergement reste moins cher que

les formules «classiques», et, si l'on s'y prend à temps, cela peut s'avérer agréable. Il faut compter en moyenne 20$ plus les taxes pour les personnes qui possèdent une carte d'étudiant (35$ pour les non-étudiants). La literie est comprise dans le prix, et, en général, une cafétéria sur place permet de prendre le petit déjeuner (non inclus).

Relais santé (spas)

Les relais santé (spas) offrent une formule d'hébergement de plus en plus populaire. Des professionnels de la santé vous offrent différents soins en hydrothérapie, massothérapie, esthétique, etc. dans des établissements qui se distinguent par leurs menus, activités et services propres. Pour obtenir de plus amples renseignements ou choisir le spa qui correspondra le mieux à vos objectifs de santé, contactez:

Relais Santé
☎ *800-788-7594*
www.relais-sante.com

Chez les Autochtones

Les possibilités de loger chez les Autochtones sont limitées, mais se développent de plus en plus. N'oubliez pas que les réserves sont administrées par les Autochtones, d'où la nécessité, dans certains cas, d'obtenir une autorisation du Conseil de bande.

Camping

À moins de se faire inviter, le camping constitue probablement le type d'hébergement le moins cher. Malheureusement, le climat ne rend possible cette activité que sur une courte période de l'année, soit de juin à août, à moins de disposer de l'équipement approprié contre le froid. Les services offerts sur les terrains de camping peuvent varier considérablement. Certains sont publics et d'autres privés. Les prix mentionnés dans ce guide s'appliquent à un emplacement pour une tente. Ils varieront, il va sans dire, selon les services ajoutés. Notez que les terrains de camping ne sont pas soumis à la taxe spécifique sur l'hébergement (voir p 67).

Par ailleurs, le Conseil du développement du camping au Québec publie en collaboration avec la Fédération québécoise de camping et caravaning le guide *Camping-Caravaning*. Ce guide annuel liste 300 terrains de camping avec leurs services, et il est disponible gratuitement auprès des Associations touristiques régionales ou de la Fédération québécoise de camping et caravaning.

Fédération québécoise de camping et caravaning
4545 av. Pierre-De Coubertin
C.P. 1000, Succursale M
Montréal, H1V 3R2
☎ *(514) 252-3003 ou*
866-237-3722
⇰ *(514) 254-0694*
www.campingquebec.com

Restaurants

Tout comme en Belgique, les Québécois appellent le petit déjeuner le déjeuner, le déjeuner le dîner et le dîner le souper (ce guide suit cependant la nomenclature internationale: «petit déjeuner», «déjeuner», «dîner»). Dans la majorité des cas, les restaurants offrent un «spécial du jour», c'est-à-dire un menu complet à prix avantageux.

Pour le repas de midi seulement, il propose bien souvent un choix d'entrées et de plats, un dessert et un café. Le soir, la table d'hôte (même formule mais plus chère) est également intéressante.

Les prix mentionnés dans ce guide s'appliquent à un dîner pour une personne **excluant** le service (voir «Pourboire», p 62) et les boissons.

$	moins de 10$
$$	de 10$ à 20$
$$$	de 21$ à 30$
$$$$	plus de 30$

C'est généralement selon les prix des tables d'hôte du soir que nous avons classé les restaurants, mais souvenez-vous que les déjeuners sont souvent beaucoup moins coûteux.

Bateau Ulysse

Le pictogramme du bateau Ulysse est attribué à nos établissements favoris.

«Apportez votre vin»

Il existe des restaurants où l'on peut apporter sa bouteille de vin. Dans la majorité des cas, une enseigne vous informera de cette possibilité. Autre «bizarrerie», il existe, en plus du permis de vente d'alcool, un permis de bar! Autrement dit, les restaurants qui n'ont qu'un permis de vente d'alcool ne peuvent vous vendre de la bière, du vin et de l'alcool que s'ils accompagnent un repas. Les restaurants qui, en plus, ont un permis de bar peuvent vous vendre de l'alcool même si vous n'y prenez pas de repas.

Les cafés

Beaucoup de Québécois sont amateurs de café *espresso*. Ainsi les cafés, ces petits restaurants à l'ambiance conviviale et détendue, sont-ils des endroits très fréquentés et répandus dans les villes, surtout à Montréal et à Québec. La rutilante machine à café y trône en maître des lieux, mais on peut aussi y manger de bons petits plats tels que soupes, salades ou croque-monsieur, et bien sûr des croissants et des desserts!

La cuisine québécoise

Bien que les plats servis dans les restaurants s'apparentent beaucoup aux mets que l'on retrouve en France ou aux États-Unis, quelques-uns sont typiquement québécois et doivent être goûtés:

La soupe aux pois
La tourtière
Le pâté chinois
Les cretons
Le jambon au sirop d'érable
Les fèves au lard
Le ragoût de pattes de cochon
Le cipaille
La tarte aux pacanes (noix)
La tarte au sucre
La tarte aux bleuets
Le sucre à la crème

En régions, vous aurez également la possibilité de goûter des spécialités régionales souvent étonnantes, par exemple l'orignal, le lièvre, le castor, le saumon de l'Atlantique, l'omble de l'Arctique et le caviar de l'Abitibi.

La Corporation de la Cuisine Régionale au Québec fait, depuis sa formation en 1993, la promotion de la cuisine régionale au

Québec. Au printemps 1999, elle a publié, en collaboration avec les Guides de voyage Ulysse, *La Cuisine Régionale au Québec*, un guide des restaurants, producteurs et transformateurs qui soutiennent aussi le développement de cette cuisine dans toutes les régions du Québec.

Cabanes à sucre

Au début du dégel, la sève commence à monter dans les arbres. C'est à ce moment que l'on procède à des entailles dans les érables afin d'en recueillir la sève; après une longue ébullition, celle-ci se transforme en un sirop sucré que l'on appelle «sirop d'érable». C'est à cette époque de l'année que les Québécois s'en vont à la campagne (dans les érablières) passer une journée à la cabane à sucre pour y manger des œufs dans le sirop d'érable ainsi que du lard ou des couennes de lard frites (appelées «oreilles de criss»). Après quoi on passe à la dégustation de la tire sur la neige. La tire est obtenue en faisant bouillir le sirop d'érable. Déposée chaude sur la neige, elle se consomme à l'aide de petits bâtonnets.

Bars et discothèques

Dans la plupart des cas, aucuns frais d'entrée (en dehors du vestiaire obligatoire) ne sont demandés. Cependant, attendez-vous à débourser quelques dollars pour avoir accès aux discothèques ainsi qu'à certains bars proposant des spectacles durant les fins de semaine. Bien que la vie nocturne soit très active au Québec, la vente d'alcool cesse au plus tard à 3h du matin. Certains bars peuvent rester ouverts, mais il faudra, à ce moment, vous contenter de petites limonades! Aussi, les établissements n'ayant qu'un permis de taverne et brasserie doivent fermer à minuit. Dans les petites villes, les restaurants font souvent aussi office de bars. Si vous désirez vous divertir le soir venu, consultez les sections «Sorties» de chacun des chapitres, mais jetez aussi un coup d'œil aux sections «Restaurants».

Avis aux fumeurs

Il est interdit de fumer:

- dans les centres commerciaux
- dans les autobus et dans le métro
- dans les bureaux des administrations publiques

La majorité des lieux publics (restaurants, cafés) sont tenus, depuis le 17 décembre 1999, d'avoir des sections fermées, réservées aux fumeurs. Si toutefois vous n'êtes pas trop découragé par ces règlements, sachez que les cigarettes se vendent dans bien des endroits (bars, marchands de journaux). Il faut être âgé d'au moins 18 ans pour pouvoir acheter des produits du tabac.

Vins, bières et alcools

Au Québec, les alcools sont régis par une société d'État, soit la Société des alcools du Québec (SAQ). Les meilleurs vins, bières et alcools sont donc vendus dans les magasins administrés par cette société qu'on retrouve un peu partout sur le territoire. Leurs heures d'ouverture sont cependant assez restreintes.

Il faut avoir au moins 18 ans pour pouvoir acheter des boissons alcoolisées.

Les bières

Deux grandes brasseries au Québec se partagent la plus grande part du marché: Labatt et Molson-O'Keefe. Chacune d'elles produit différents types de bières, surtout des blondes, avec divers degrés

d'alcool. Dans les bars, restaurants et discothèques, la bière pression (appelée parfois *draft*) est moins chère qu'en bouteille.

À côté de ces «macrobrasseries» se développent depuis quelques années des microbrasseries qui, à bien des égards, s'avèrent très intéressantes. La variété et le goût de leurs bières font qu'elles connaissent un énorme succès auprès du public québécois. Nommons, à titre d'exemples, Unibroue (Maudite, Fin du Monde, Blanche de Chambly), McAuslan (Griffon, St-Ambroise), le Cheval Blanc (Cap Tourmente, Berlue), les Brasseurs du Nord (Boréale) et GMT (Belle Gueule).

Animaux

À l'instar des habitants du reste de l'Amérique du Nord, les Québécois trouvent assez étrange qu'on puisse amener son chien aussi bien pour aller magasiner que pour aller au restaurant. Aussi, sachez que si vous avez décidé de voyager avec votre chien, il ne sera pas commode pour vous de faire du tourisme avec lui. En règle générale, les animaux ne sont pas admis dans les endroits publics, particulièrement dans les magasins d'alimentation et les restaurants. Il est tout de même possible d'amener les petits animaux (s'ils sont en cage ou dans vos bras) dans l'autobus ou le métro à Montréal.

Fêtes et festivals

Grâce à son passé et à sa culture distincte, mais aussi à la diversité de la po-

pulation qui le compose, le Québec est riche en activités de toutes sortes. Vu le nombre impressionnant (environ 250) de festivals, d'expositions annuelles, de salons, de carnavals, de rassemblements et autres, il nous est impossible de vous en citer ici la liste complète. Nous en avons néanmoins sélectionné quelques-uns qui sont décrits dans la section «Sorties» de chaque chapitre. On peut également se procurer *Le Bottin des Fêtes et Festivals du Québec*, publiée par **Festivals et Événements Québec** (☎*514-252-3037 ou 800-361-7688)*, chez les marchands de journaux.

Principaux festivals

Février

Montréal
La Fête des Neiges

Hull-Ottawa (Outaouais)
Le Bal de neige

Ville de Québec
Le carnaval de Québec

Chicoutimi (Saguenay–Lac-Saint-Jean)
Le Carnaval-Souvenir de Chicoutimi

Mai

Plessisville (Centre du Québec)
Le Festival de l'érable de Plessisville

Victoriaville (Centre du Québec)
Le Festival international de musique actuelle de Victoriaville

Juin

Montréal
Le Concours international d'art pyrotechnique

Le Grand Prix automobile du Canada
Le Festival international de jazz de Montréal

Saint-Jean-Port-Joli (Chaudière-Appalaches)
La Fête internationale de la sculpture

Matane (Gaspésie)
Le Festival de la crevette

Saint-Irénée (Charlevoix)
Le Festival international du Domaine Forget

Tadoussac (Manicouagan)
Le Festival de la chanson de Tadoussac

Joliette (Lanaudière)
Le Festival international de Lanaudière

Juillet

Montréal
Le Concours international d'art pyrotechnique
Le Festival international de jazz de Montréal
Le Festival Juste pour rire
Les FrancoFolies de Montréal

Saint-Hyacinthe (Montérégie)
L'Exposition régionale agricole de Saint-Hyacinthe

Sorel (Montérégie)
Le Festival de la gibelotte de Sorel

Salaberry-de-Valleyfield (Montérégie)
Les Régates internationales de Valleyfield

Granby (Cantons-de-l'Est)
Le Symposium international de sculpture de l'Estriade

Orford (Cantons-de-l'Est)
Le Festival Orford

Station touristique du Mont-Tremblant (Laurentides)
Le Festival de blues de Tremblant

Joliette (Lanaudière)
Le Festival international de
Lanaudière

Hull-Ottawa (Outaouais)
Le Festival international de
jazz d'Ottawa et de Hull

Drummondville (Centre-du-Québec)
Le Mondial des Cultures

Québec
Le Festival d'été de Québec

**Beauport
(Région de Québec)**
Les Grands feux Loto-Québec

Mont-Saint-Pierre (Gaspésie)
La Fête du vol libre

Saint-Irénée (Charlevoix)
Le Festival international du
Domaine Forget

**Roberval
(Saguenay–Lac-Saint-Jean)**
La Traversée internationale
du lac Saint-Jean

Août

Montréal
Le défilé Divers-Cité (fierté
gay)
Le Festival international
des films du monde (FFM)
Les FrancoFolies de Montréal

Chambly (Montérégie)
La fête de Saint-Louis
La Fête Bières et Saveurs

**Saint-Jean-sur-Richelieu
(Montérégie)**
Le Festival de montgolfières

Orford (Cantons-de-l'Est)
Le Festival Orford

**Station touristique du
Mont-Tremblant
(Laurentides)**
La Fête de la Musique

Gatineau (Outaouais)
Le Festival de montgolfières

Trois-Rivières (Mauricie)
Le Grand Prix automobile
de Trois-Rivières

Québec
Expo-Québec
Plein art

**Beauport
(Région de Québec)**
Les Grands feux Loto-Québec

**Montmagny
(Chaudière-Appalaches)**
Le Carrefour mondial de
l'accordéon

**Saint-Jean-Chrysostome
(Chaudière-Appalaches)**
Le Festivent

Mont-Saint-Pierre (Gaspésie)
La Fête du vol libre

**Île du Havre Aubert
(Îles de la Madeleine)**
Le Concours des châteaux
de sable

Rimouski (Bas-Saint-Laurent)
Le Festi-Jazz

Saint-Irénée (Charlevoix)
Le Festival international du
Domaine Forget

Baie-Saint-Paul (Charlevoix)
Le Symposium de la nouvelle peinture au Canada

Septembre

Montréal
Le Festival international
des films du monde (FFM)

Chambly (Montérégie)
La Fête Bières et Saveurs

Granby (Cantons-de-l'Est)
Le Festival de la chanson
de Granby

Saint-Donat (Lanaudière)
Les Week-End des couleurs

Laurentides
Le Festival des couleurs

Gatineau (Outaouais)
Le Festival de montgolfières

**Saint-Tite
(Mauricie)**
Le Festival western de
Saint-Tite

Rimouski (Bas-Saint-Laurent)
Le Carrousel international
du film de Rimouski

Baie-Saint-Paul (Charlevoix)
Rêves d'automne

Octobre

Montréal
Le Festival international du
cinéma et des nouveaux
médias de Montréal
(FCMM)

Saint-Donat (Lanaudière)
Les Week-End des couleurs

Laurentides
Le Festival des couleurs

**Rouyn-Noranda
(Abitibi-Témiscamingue)**
Le Festival du cinéma
international en Abitibi-Témiscamingue

Trois-Rivières (Mauricie)
Le Festival international de
la poésie

**Montmagny
(Chaudière-Appalaches)**
Le Festival de l'oie blanche

Achats

Quoi acheter?

Alcools: plusieurs alcools,
entre autres de délicieuses
bières qui ont remporté
des prix internationaux,
sont produits localement.

Artisanat autochtone: de très
belles sculptures amérindiennes, fabriquées à partir
de différentes sortes de
pierres et en général assez

chères. Assurez-vous du caractère authentique de votre sculpture en réclamant la vignette d'authenticité délivrée par le gouvernement du Canada.

Artisanat local: peintures, sculptures, ébénisterie, céramique, émaux sur cuivre, vêtements, etc.

Cidre: il est fabriqué en Montérégie, tout comme plusieurs autres produits à base de pommes (vinaigre, beurre, alcool, etc.)

Disques compacts: on trouve au Québec un très grand choix, au tiers du prix pratiqué en Europe, sans oublier plusieurs albums d'artistes québécois qui ne sont pas nécessairement en vente ailleurs.

Électronique: l'un des plus grands manufacturiers au monde de téléphones et d'appareils connexes est installé à Montréal; aussi peut-il être avantageux d'acheter des appareils comme un répondeur, un télécopieur ou un téléphone sans fil. Il faut toutefois prévoir adapter ces appareils au système électrique de son pays. L'importation de ces appareils peut ne pas être autorisée dans certains pays d'Europe.

Fourrure et cuir: les vêtements faits de ces peaux d'animaux sont d'excellente qualité, et leur prix est relativement bas. C'est dans ce que l'on nomme le «quartier de la fourrure» à Montréal que se fabriquent environ 80% des vêtements de fourrure au Canada.

Hydromel: il s'agit d'un vin de miel.

Livres: les livres d'auteurs québécois constituent évidemment de très bons achats pour qui s'intéresse à la culture d'ici.

Sirop d'érable: le sirop d'érable se trouve en plusieurs catégories. Plus sirupeux ou plus coulant, plus foncé ou plus clair, plus ou moins sucré: ce serait en tout cas un péché que de ne pas au moins y goûter!

Vin de bleuets: ce vin à base de bleuets est disponible dans la plupart des succursales de la Société des alcools du Québec (SAQ).

Vin blanc: il existe une production québécoise de vins blancs.

Vin de pissenlit: il s'agit d'une sorte de vin blanc sec à base d'une plante et surtout offert en Beauce.

Poids et mesures

Bien que le système métrique soit en vigueur au Canada depuis longtemps, il est encore courant de voir les gens utiliser les unités de mesure du système impérial.

Divers

Cultes

Presque tous les cultes sont représentés. Contrairement au Canada anglais, le culte majoritaire est la religion catholique, bien que la majorité des Québécois ne pratiquent plus.

Drogues

Absolument interdites (même les drogues dites «douces»). Aussi bien les consommateurs que les distributeurs risquent de très gros ennuis s'ils sont trouvés en possession de drogues.

Électricité

Partout au Canada, la tension est de 110 volts. Les fiches d'électricité sont plates, et l'on peut trouver des adaptateurs sur place.

Folklore

Le folklore peut être un moyen très agréable de mieux connaître la nation québécoise. Regroupés au sein d'une association, plusieurs comités régionaux œuvrent pour la préservation et le développement du folklore. Selon les saisons et les lieux, plusieurs activités sont organisées. Pour en savoir plus:

Association québécoise des loisirs folkloriques
4545, av. Pierre-De Coubertin
C.P. 1000, Succursale M
Montréal, H1V 3R2
☎*(514) 252-3022*
www.quebecfolklore.qc.ca

Laveries

On les retrouve à peu près partout dans les centres urbains. Apportez votre savon à lessive. Bien qu'on y trouve parfois des changeurs de monnaie, il est préférable d'en avoir une quantité suffisante sur soi.

Marchés

Nombreux en toutes saisons et couverts en hiver, les marchés sont intéressants non seulement pour les prix, mais aussi pour l'ambiance qui y règne.

Renseignements généraux

Météo

Pour les prévisions météo-rologiques, composez le ☎(514) 283-3010. Pour connaître l'état des routes, composez le ☎(514) 284-2363 ou 877-393-2363. Vous pouvez aussi synto-niser Météomédia (la chaîne 17 sur la télévision câblée) ou visiter le site web *www. meteomedia.com*.

Musées

Dans la majorité des cas, les musées sont payants. Cependant, l'accès aux collections permanentes de certains musées est gratuit les mercredis soir, de 18h à 21h, et des rabais sont offerts à ceux qui désirent voir les expositions tempo-raires durant cette même période. De plus, les personnes de 60 ans et plus ainsi que les enfants bénéficient de prix réduits. Renseignez-vous!

Pharmacies

À côté de la pharmacie classique, il existe de gros-ses chaînes (sorte de supermarchés des médica-ments). Ne soyez pas étonné d'y trouver des chocolats ou de la poudre à lessiver en promotion à côté de boîtes de bonbons pour la toux ou de médi-caments pour les maux de tête. Rappelez-vous la chanson de Trenet: *Les Pharmacies du Canada!*

Presse

Dans les centres urbains, vous trouverez sans pro-blème la presse internatio-nale. Les grands journaux québécois sont *Le Devoir*, *La Presse*, *Le Journal de Montréal*, *Le Soleil*, en fran-çais, et *The Gazette*, en anglais.

Chaque semaine, on trou-ve les hebdomadaires *Voir* (*www.voir.ca*) et *Ici*, en français, et *Mirror* et *Hour*, en anglais, dans plusieurs lieux publics à Montréal tels que bars, restaurants et certaines boutiques. Tous les quatre sont distribués gratuitement et couvrent les activités culturelles qui font bouger Montréal. Deux autres versions du *Voir* en français sont égale-ment distribuées à Québec et à Gatineau (Hull), cou-vrant les activités culturel-les liées spécifiquement à ces villes.

Toilettes

Il y a des toilettes dans la plupart des centres com-merciaux. N'hésitez pas cependant, si vous n'en trouvez pas, à entrer dans un bar, un casse-croûte ou un restaurant pour deman-der d'utiliser les leurs.

Plein air

Du fait de l'étendue de son territoire et de ses paysages d'une grande beauté, le Québec est un endroit idéal pour pratiquer toutes sortes de loisirs de plein air. Nous passons ici en revue une série d'activités sportives auxquelles vous pouvez vous adonner au Québec.

Cette liste est, bien sûr, incomplète en raison du grand choix d'activités possibles. Pour chaque sport, vous trouverez quelques remarques d'ordre général qui ont pour but de faciliter l'organisation des activités. Pour plus de détails, consultez la section «Activités de plein air» de chaque chapitre. Par souci de clarté, nous avons classé ces loisirs en deux catégories, soit loisirs d'été et loisirs d'hiver.

Le Regroupement Loisir Québec

Cet organisme privé sans but lucratif regroupe plus de 100 organismes nationaux (fédérations, mouvements, associations) s'occupant de loisirs ou de sports. Son but est de leur assurer un soutien administratif et technique. La plupart de ces organismes ont leur bureau au Stade olympique de Montréal.

Regroupement Loisir Québec
4545 av. Pierre-De Coubertin
C.P. 1000, Succursale M
Montréal, H1V 3R2
☎ *(514) 252-3126*

Parcs et réserves fauniques

Il existe des parcs fédéraux, administrés par le gouvernement fédéral, et des parcs québécois, à la charge du gouvernement du Québec. La majorité de ces parcs offrent des services et installations tels que bureau de renseignements, plans du parc, programmes d'interprétation de la nature, guides accompagnateurs et établissements d'hébergement (gîtes, auberges, camping) ou de restauration.

Ces services et installations n'étant pas systématiquement disponibles dans tous les parcs (ils varient aussi selon les saisons), il est préférable de se renseigner auprès des responsables des parcs avant de partir. Il est possible de réserver les emplacements de camping (sauf ceux pour le camping sauvage), les refuges et les chalets (parcs québécois). Notez cependant que les politiques de réservations pour les emplacements de camping des parcs fédéraux

Prix d'entrée de la Sépaq

Depuis le printemps 2001, un prix d'entrée est exigé dans tous les parcs et réserves fauniques gérés par la Sépaq (Société des établissements de plein air du Québec), ce qui comprend la majorité des réserves naturelles du Québec. Ce prix, le même pour tous les parcs, a été fixé à 3,50$ par adulte et vous donne accès au parc pour toute la journée. Un laissez-passer annuel est aussi disponible, soit pour le réseau au complet au coût de 30$, soit pour un seul parc que vous pourrez visiter à votre guise au coût de 16,50$. Notez que ce tarif d'accès est inclus dans le prix de location d'un refuge, d'un chalet ou d'un emplacement de camping.

varient d'un endroit à l'autre. Il est conseillé de se renseigner auprès des parcs directement ou à Parcs Canada (voir ci-dessous).

Dans plusieurs parcs, des circuits sillonnant le territoire et s'étendant sur des dizaines de kilomètres sont aménagés, permettant aux amateurs de s'adonner à des activités comme la randonnée pédestre, le ski de fond ou la motoneige pendant des jours. Les lacs et rivières, quant à eux, se prêtent bien au canot, au kayak, à la pêche et à la baignade. Le long de ces circuits, des sites de camping sauvage ou des refuges ont été aménagés.

Certains emplacements de camping sauvage se révèlent très rudimentaires et, parfois, ne sont même pas pourvus d'eau; il est alors essentiel d'être adéquatement équipé. Comme ces circuits s'enfoncent dans des forêts, loin de toute habitation, il est fortement conseillé de respecter le balisage des sentiers. Des cartes très utiles indiquant les circuits ainsi que les sites de camping et les refuges sont disponibles pour la plupart des parcs.

Tout au long du guide, vous trouverez la description de la majorité de ces parcs et réserves fauniques ainsi que les principales activités de plein air que l'on peut y pratiquer.

Les parcs fédéraux

Mentionnons l'existence, sur le territoire québécois, de quatre parcs fédéraux: le parc Forillon, en Gaspésie; le parc de la Mauricie, en Mauricie; le parc de l'Archipel-de-Mingan, dans la région de Duplessis; et le parc marin du Saguenay–Saint-Laurent. Outre ces parcs, le Service canadien des parcs possède également des aires de détente, en général des lieux historiques.

On peut obtenir plus de renseignements sur ces parcs en contactant:

Parcs Canada
Bureau national
25 rue Eddy, Hull
☎ *888-733-8888*
www.parkscanada.gc.ca

Les parcs québécois

Les parcs québécois, soit les parcs de conservation et les parcs de récréation, ont été regroupés. Dans ces parcs, on peut pratiquer la pêche à certaines conditions: il faut, entre autres, détenir un permis et réserver. La chasse y est toutefois interdite. On compte 22 parcs québécois (voir carte à la page suivante).

Société de la faune et des parcs
☎ *800-561-1616*
www.fapaq.gouv.qc.ca

La Société des établissements de plein air du Québec (Sépaq) gère une cinquantaine d'établissements axés sur le plein air. La Sépaq a pour mandat de développer les sites dans une perspective de tourisme durable, en assurant la conservation et la préservation des ressources naturelles. Pour de plus amples renseignements sur les activités et services offerts, de même que sur les sites sous la tutelle de la Sépaq, veuillez communiquer avec:

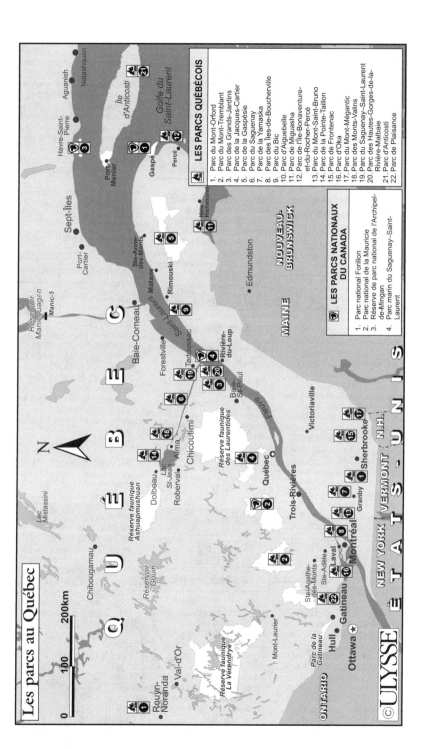

Les parcs au Québec

100 200km

LES PARCS QUÉBÉCOIS

1. Parc du Mont-Orford
2. Parc du Mont-Tremblant
3. Parc des Grands-Jardins
4. Parc de la Jacques-Cartier
5. Parc de la Gaspésie
6. Parc du Saguenay
7. Parc de la Yamaska
8. Parc des Îles-de-Boucherville
9. Parc du Bic
10. Parc d'Aiguebelle
11. Parc de Miguasha
12. Parc de l'Île-Bonaventure-et-du-Rocher-Percé
13. Parc du Mont-Saint-Bruno
14. Parc de la Pointe-Taillon
15. Parc de Frontenac
16. Parc d'Oka
17. Parc du Mont-Mégantic
18. Parc des Monts-Valins
19. Parc du Saguenay-Saint-Laurent
20. Parc des Hautes-Gorges-de-la-Rivière-Malbaie
21. Parc d'Anticosti
22. Parc de Plaisance

LES PARCS NATIONAUX DU CANADA

1. Parc national Forillon
2. Parc national de la Mauricie
3. Réserve de parc national de l'Archipel-de-Mingan
4. Parc marin du Saguenay–Saint-Laurent

© ULYSSE

Sépaq
801 ch. St-Louis, bureau 180
Québec, G1S 1C1
☎ *(418) 686-4875*
₰ *(418) 686-6160*
www.sepaq.com

Pour réservations:
☎ *800-665-6527 ou*
(418) 890-6527
inforeservation@sepaq.com

Les réserves fauniques

Les réserves fauniques couvrent généralement des territoires plus vastes que les parcs. La pêche et la chasse, organisées et contrôlées, y sont permises. Plusieurs réserves fauniques ont été créées sur le territoire québécois, entre autres les réserves de La Vérendrye, du Saint-Maurice, des Laurentides, de Portneuf, de Mastigouche, de Rouge-Matawin, de Papineau-Labelle et des Chic-Chocs. Elles sont gérées par la société des établissements de plein air du Québec (Sépaq) (*☎800-665-6527*). La Sépaq distribue une revue annuelle intitulée *Activités Services*, qui présente les diverses activités et services offerts dans les parcs et les réserves fauniques du Québec.

Zones d'exploitation contrôlée et pourvoiries

Les zones d'exploitation contrôlée (ZEC) sont aussi propriété du gouvernement du Québec. Elles ne sont généralement pas aménagées pour recevoir les visiteurs comme le sont les parcs et les réserves. On y pratique toutefois la chasse et la pêche. Les pourvoiries, quant à elles, sont des domaines privés aménagés spécialement

pour recevoir les chasseurs et les pêcheurs. Quelques-unes sont équipées de refuges rustiques, tandis que d'autres vous accueillent dans une auberge de luxe au menu élaboré.

Les Jardins du Québec

Le Québec possède de merveilleux jardins où il fait bon se promener tout en découvrant des aménagements paysagers aux beautés sans pareilles. De même que les bâtiments historiques, les œuvres d'art et les traditions ancestrales, les jardins sont également reconnus comme une partie intégrante du patrimoine québécois.

C'est en 1989 que l'on décida de regrouper les grands jardins du Québec (Association des jardins du Québec) afin de promouvoir l'horticulture ornementale et de les faire connaître à tous les amoureux de la nature. Cette association a d'ailleurs conçu, en collaboration avec Tourisme Québec, un dépliant qui décrit les principaux jardins de la province ainsi que leur localisation. À vous de découvrir ces «circuits fleuris»!

Les loisirs d'été

Lorsque la température est clémente, il est possible de pratiquer les activités de plein air dont nous donnons la liste ci-dessous. Toutefois, selon la région, l'habillement variera. Il ne faut pas oublier que les nuits sont fraîches (sauf peut-être en juillet et

août dans les régions au sud). En été, dans certaines régions, des chemises ou chandails à manches longues seront fort utiles si vous ne désirez pas «vous offrir en repas» aux «maringouins» (moustiques) ou aux mouches noires. Au mois de juin, durant lequel ceux-ci sont particulièrement voraces, des insectifuges puissants sont indispensables pour les promenades en forêt.

Randonnée pédestre

Activité à la portée de tous, la randonnée pédestre se pratique en maint endroit au Québec. Plusieurs parcs proposent des sentiers aux longueurs et degrés de difficulté divers. Certains offrent même des sentiers de longue randonnée. S'enfonçant dans les étendues sauvages, les parcours peuvent s'étendre sur des dizaines de kilomètres.

En empruntant de tels sentiers, il faut, bien sûr, en respecter le balisage et partir bien équipé. Il existe des cartes indiquant les sentiers ainsi que les sites de camping sauvage et les refuges. Les réservations pour les refuges qui se trouvent dans toutes les réserves fauniques ainsi que dans le parc de la Gaspésie et dans le parc de la Jacques-Cartier se font à compter de mai

Respectez la forêt!

Il est important de savoir marcher en forêt en respectant la fragilité de l'écosystème. Pour cela, un certain nombre de règles doivent être suivies.

Tout d'abord, pour préserver le sol et la végétation, il est primordial de demeurer dans les sentiers, même s'ils sont couverts de neige ou de boue. En respectant cette simple règle, vous protégerez la végétation qui borde le sentier, et vous éviterez ainsi qu'il s'élargisse.

Si vous ne partez pas pour une longue randonnée, il est préférable de vous chausser de bottes légères, car elles endommagent moins le sol.

Il est également important de protéger les plans et cours d'eau environnants, ainsi que la nappe phréatique, afin d'éviter leur contamination.

Ainsi, lorsqu'il n'y a pas de latrines extérieures, creusez un petit trou à 30 m ou plus de toute source d'eau, et recouvrez le tout (y compris le papier hygiénique) avec de la terre.

Ne vous lavez jamais dans les lacs et dans les ruisseaux. Dans les terrains de camping, ne jetez les eaux usées qu'aux endroits réservés à cet effet.

L'eau que vous trouverez n'étant pas toujours propre à la consommation, il est important de la faire bouillir au moins 10 min avant de la boire.

Ne laissez jamais de déchets derrière vous. Des sacs prévus à cet effet vous seront donnés dans les bureaux des parcs.

Certaines espèces de fleurs sont menacées d'extinction; ne les cueillez donc pas. Laissez à la nature ce qui lui appartient; les autres marcheurs pourront ainsi également en profiter.

Pour des raisons de sécurité, quand vous vous baladez avec votre chien, gardez-le toujours en laisse. En effet, les chiens qui se promènent en liberté ont tendance à s'éloigner et à courir après les animaux sauvages. C'est ainsi qu'on a déjà vu des chiens provoquer des ours, puis, s'apercevant du danger, se réfugier auprès de leur maître. **Avertissement:** les chiens sont interdits dans le réseau de Parcs Québec.

Plein air

(☎418-890-6527 ou 800-665-6527, ≈418-528-6025).

Un excellent guide intitulé *Randonnée pédestre au Québec* est disponible en librairie. Il propose différents circuits classés aussi bien d'après leur degré de difficulté que d'après leur longueur. Il s'agit donc d'un ouvrage qui s'adresse à tous. Les Guides de voyage Ulysse publient aussi un guide intitulé

Randonnée pédestre Montréal et environs, qui propose divers itinéraires situés non loin de la métropole ou à Montréal même. La Fédération québécoise de la marche du Regroupement Loisir Québec (☎514-252-3157), qui a pour but de développer la pratique de la randonnée pédestre, de la raquette et de la marche en milieu urbain, fournit divers renseignements.

Vélo

Le vélo est un moyen des plus agréables pour découvrir les régions du Québec. Les Guides de voyage Ulysse publient les guides *Le Québec cyclable* et *Cyclotourisme au Québec*, qui vous aideront à organiser de belles excursions sur les routes du Québec.

Des sentiers de vélo de montagne ont été aménagés dans plusieurs parcs. On peut obtenir des renseignements à cet égard au bureau d'accueil des parcs.

Le Centre Infotouriste de Montréal distribue gratuitement un très bon plan des voies cyclables de la ville. Découvrir Montréal à bicyclette en été est un véritable plaisir, et nous vous conseillons vivement de faire le tour de l'île!

De nombreuses boutiques de vélos offrent un service de location. Considérant le nombre, il est préférable de vous adresser aux Associations touristiques régionales, qui vous indiqueront les endroits proposant ce service, ou encore de consulter les *Pages Jaunes* sous la rubrique «Bicyclettes-Location». Il est conseillé de se munir d'une bonne assurance. Certains établissements incluent une assurance-vol dans le prix de location. Il est préférable de se renseigner au moment de la location.

Patin à roues alignées

Ce sport encore tout jeune est le pendant estival de notre populaire patin à glace. Il demande un certain temps d'adaptation, mais, une fois à votre aise dans ces patins, vous apprécierez l'aisance avec laquelle les kilomètres défileront sous vos pieds. On pratique le patin à roues alignées surtout en milieu urbain, sur des pistes revêtues. Quelques entreprises en font la location. Il est fortement conseillé de se munir d'un casque protecteur, de genouillères, de protège-coudes et de gants. Les

Guides de voyage Ulysse publient un répertoire de voies pour le patin en ligne: *Le Québec en patins à roues alignées*.

Canot

Le territoire québécois étant pourvu d'une multitude de lacs et rivières, les amateurs de canot seront comblés. Bon nombre de parcs et de réserves fauniques sont le point de départ d'excursions de canot d'une ou de plusieurs journées. Dans ce dernier cas, des sites de camping sauvage sont mis à la disposition des canoteurs. Au bureau d'information des parcs, on peut généralement obtenir une carte des circuits canotables et louer des embarcations.

Une excellente carte, *Les parcours canotables du Québec*, est disponible. Des «cartes-guides» (jusqu'à 125 cartes différentes!) par rivières sont aussi disponibles, de même qu'un *Guide Canot-Camping* (pour débutants). Pour information, adressez-vous à la Fédération québécoise du canot et du kayak du Regroupement Loisir Québec (☎514-252-3001).

Kayak

Le kayak n'est pas un sport nouveau, mais sa popularité va croissant au Québec. De plus en plus de gens découvrent cette activité merveilleuse qui permet de sillonner un cours d'eau dans une embarcation sécuritaire et confortable à un rythme

qui leur convient pour apprécier la nature environnante.

En fait, une fois installé dans un kayak, on a l'impression d'être littéralement assis sur l'eau et de faire partie de la nature. Une expérience aussi dépaysante que fascinante! Il existe trois types de kayaks dont le galbe varie: le kayak de lac, le kayak de rivière et le kayak de mer. Ce dernier, qui peut loger une ou deux personnes selon le modèle, est le plus populaire car plus facilement manœuvrable. Plusieurs entreprises offrent la location de kayaks et organisent des expéditions guidées sur les cours d'eau du Québec.

Le fleuve lui-même est sillonné de toute part par ces embarcations, à la hauteur de la Côte-du-Sud, du Bas-Saint-Laurent, des îles de Sorel, etc. La rivière Saguenay est une autre destination à envisager: la beauté du fjord vous coupera le souffle! Pour information, on peut s'adresser à la Fédération québécoise du canot et du kayak du Regroupement Loisir Québec (☎514-252-3001).

Rafting

Le rafting, ou descente de rivière, est un sport pour le moins riche en émotions fortes. Il consiste à affronter des rapides en radeau ou canot pneumatique. Ces embarcations, qui accueillent généralement une dizaine de personnes, sont d'une résistance et d'une flexibilité nécessaires pour bien résister aux rapides.

La Fédération québécoise de ski nautique offre renseignements, guides, stages de formation et autres services. Elle publie de plus le bulletin *Ski Nautique Québec*. Pour information, adressez-vous à cette fédération du Regroupement Loisir Québec (☎514-252-3092).

Baignade

Le rafting est particulièrement apprécié au printemps, lorsque les rivières sont en crue, donc avec un courant beaucoup plus impétueux. Il va sans dire qu'il faut être en bonne condition physique pour participer à une excursion de ce genre, d'autant plus qu'entre les rapides c'est la force des rameurs qui mène le bateau. Cependant, une excursion bien organisée, en compagnie d'un guide expérimenté, ne présente pas de danger démesuré. Les entreprises qui proposent de telles descentes fournissent généralement l'équipement nécessaire au confort et à la sécurité des participants. Alors, embarquez-vous, et laissez les rivières enfin libérées des glaces de l'hiver vous faire sauter et tournoyer au milieu de grandes éclaboussures!

liste des clubs et écoles de la voile, elle édite également un périodique saisonnier, *Le bulletin Voile Québec*, ainsi que le *Guide nautique du Saint-Laurent*. Pour information, adressez-vous à cette fédération du Regroupement Loisir Québec (☎514-252-3097).

Le *Guide des marinas du Québec*, disponible dans les kiosques à journaux, peut également s'avérer fort utile. Notez que le port de la ceinture de sauvetage est obligatoire au Québec.

Ski nautique et motomarine

Le ski nautique et la motomarine (scooter des mers) sont deux activités praticables sur les lacs du Québec. On voit aussi des motomarines sur le fleuve, même à la hauteur de Montréal. Certaines entreprises en font la location. Nous vous rappelons que la vigilance est de mise, surtout lorsque vous vous adonnez à ces sports non loin des baigneurs. Le port de la ceinture de sauvetage est obligatoire au Québec.

Les plages de sable blanc fin, de galets ou de roches sont nombreuses. On les retrouve sur les berges du fleuve ou au bord d'un des milliers de lacs que compte le Québec. Vous n'aurez aucune difficulté à en trouver une à votre goût, même si l'eau peut parfois être un peu froide, surtout s'il s'agit d'une rivière.

La Ville de Montréal a aménagé une plage sur l'île Notre-Dame, où vous pourrez vous rafraîchir dans l'eau filtrée du fleuve. Attention, il s'agit d'une plage très populaire et la quantité de baigneurs y est limitée: arrivez tôt.

Naturisme

À certains endroits au Québec, le naturisme est possible. D'ailleurs, la Fédération québécoise de naturisme a pour but de promouvoir les activités de ce genre. En plus de la revue *Au Naturel*, elle publie chaque été un guide naturiste et organise aussi des activités en hiver (habillez-vous!).

Les membres de l'Association naturiste internationale munis de leur «passe-

Voile

La Fédération de voile du Québec regroupe clubs, écoles et associations qui s'intéressent à la navigation. Elle met sur pied des programmes de formation et possède une importante documentation. Outre la publication annuelle de la

port A.N.I.» ont droit à des privilèges. Pour information, adressez-vous à cette fédération du Regroupement Loisir Québec (☎514-252-3014).

Observation des oiseaux

Outre les parcs fédéraux et québécois, plusieurs sites particulièrement intéressants sont accessibles pour observer les oiseaux. À cette fin, nous vous recommandons quelques guides que vous pouvez vous procurer à la boutique Lire la Nature (*1198 chemin De Chambly, Longueuil, J4J 3W6,* ☎*450-463-5072*):

Les meilleurs sites d'observation des oiseaux du Québec, publié par les Presses de l'Université du Québec;

Le guide des oiseaux de l'Est de l'Amérique du Nord, paru aux Éditions Broquet.

Consultez aussi le fascicule en couleurs inséré dans ce guide qui vous aidera à reconnaître les principales espèces d'oiseaux qu'on retrouve au Québec.

Observation des baleines

Le fleuve Saint-Laurent recèle une vie aquatique riche et variée. On y retrouve d'innombrables mammifères marins dont plusieurs espèces de baleines (béluga, rorqual commun et rorqual bleu). À

partir des régions touristiques de Charlevoix, du Saguenay–Lac-Saint-Jean, du Bas-Saint-Laurent, de Manicouagan, de Duplessis et de la Gaspésie, des excursions d'observation des baleines sont organisées.

Assurez-vous toutefois de vous embarquer avec une entreprise reconnue et responsable qui respecte les règles imposées afin de protéger les mammifères marins: par exemple, de ne pas poursuivre les baleines ou trop s'en approcher. Pour plus de renseignements, nous vous référons à chacune de ces régions qui sont décrites au fil du guide.

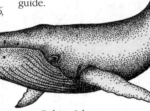

Baleine à bosse

Golf

Dans tous les coins du Québec, des terrains de golf ont été aménagés et sont en activité du mois de mai au mois d'octobre. Une carte intitulée *Le golf au Québec* ainsi qu'un *Guide Maxi-Golf* vous indiqueront toutes les possibilités qui vous sont offertes. Disponibles dans les librairies de voyage et au Centre Infotouriste de Montréal et de Québec.

Équitation

Plusieurs centres équestres proposent des cours ou des promenades. Quelques-uns d'entre eux organisent même des excursions de plus d'une journée. Selon les centres, on peut retrouver deux styles équestres: le style classique (selle anglaise) et le style western. Tous deux étant bien différents, il est utile de vérifier lequel est offert par le centre que vous avez choisi au moment de la réservation. Certains parcs québécois disposent de sentiers de randonnée équestre.

Québec à cheval est une association qui a pour but de faire connaître la randonnée équestre. Elle distribue gratuitement une publication annuelle intitulée *Découvrir le Québec à cheval*. Des stages de formation sont également proposés. Pour information, adressez-vous à Québec à cheval du Regroupement Loisir Québec (☎*450-434-1433*).

Plongée sous-marine

La plupart des régions disposent de bons sites de plongée sous-marine, et le Québec compte pas moins de 200 centres de plongée, écoles ou clubs. Notez qu'il existe de plus un centre de traitement pour les victimes d'accident de plongée. Pour en connaître davantage sur la plongée sous-marine au Québec, adressez-vous à la Fédération québécoise des activités subaquatiques du Regroupement Loisir Québec (☎514-252-3009).

Escalade

Les amateurs pourront s'adonner à l'escalade hiver comme été. Ainsi, on retrouve quelques parois de glace destinées aux grimpeurs de tous les niveaux. Pour cette activité, on doit se munir d'un équipement adéquat (qui est parfois loué sur place) et, bien sûr, connaître les techniques de base. Certains centres proposent des cours d'initiation.

Pour des renseignements concernant l'escalade de glace, l'initiation à l'escalade, les activités ou les stages, adressez-vous à la Fédération québécoise de la montagne du Regroupement Loisir Québec (☎514-252-3004). Une revue intitulée *Le Mousqueton* est également disponible sur place ainsi que dans certaines boutiques de plein air.

Vol libre (deltaplane et parapentisme)

Le vol en deltaplane se pratique au Québec depuis le début des années 1970. Les montagnes ou monts se prêtant bien à ce sport se trouvent en Gaspésie, dans la région de Charlevoix, dans les Appalaches et dans les Laurentides. Le parapentisme est une activité sportive beaucoup plus récente au Québec. Rappelons qu'il

consiste à se laisser porter par un parachute directionnel gonflé par les vents.

Réputés assez dangereux, ces sports ne peuvent être pratiqués sans au préalable avoir suivi un cours offert par un moniteur accrédité. Pour information, adressez-vous à l'Association québécoise de vol libre du Regroupement Loisir Québec (☎514-890-5276).

Chasse et pêche

La chasse et la pêche sont réglementées. En raison de la complexité de la législation en la matière, il est souhaitable de se renseigner auprès du ministère de l'Environnement et de la Faune *(675 boulevard René-Lévesque Est, Québec, G1R 4Y3, ☎418-521-3830 ou 800-561-1616, ≈646-5974)*. On peut s'y procurer gratuitement de petites brochures énonçant l'essentiel des règlements de pêche ou de chasse, aussi disponibles au ministère du Tourisme.

En règle générale, sachez cependant que, pour pêcher ou chasser, il faut se procurer un permis, disponible dans la plupart des magasins de sport et dans les pourvoiries.

Pour chasser les oiseaux migrateurs, on doit se munir d'un permis fédéral, en vente dans tous les bureaux de poste. Pour faire la demande d'un tel permis, il faut détenir un certificat de manutention d'armes à feu (ou attestation émise par la province ou le pays d'origine).

Les permis sont délivrés selon les zones de chasse,

ainsi que selon les saisons, les espèces et les quotas. Il est souhaitable de faire les démarches pour l'obtention du permis à l'avance car les restrictions sont nombreuses.

Les périodes de chasse et de pêche sont établies par le ministère et doivent, en tout temps, être respectées. Ces périodes varient selon le gibier chassé: le chevreuil l'est généralement au début novembre; l'orignal, de la mi-septembre à la mi-octobre; la perdrix, de la mi-septembre à la fin décembre; le lièvre, de la mi-septembre à mars.

Durant la chasse, il est nécessaire de porter un dossard orangé fluorescent. Il est de plus interdit de chasser la nuit. Aux fins de conservation, le nombre de prises est limité, et les espèces protégées ne peuvent être chassées. Tout chasseur doit déclarer ses prises à l'un des centres d'enregistrement (qui sont pour la plupart situés sur les routes d'accès des zones de chasse) dans les 48 heures après son départ de la zone de chasse.

Il est possible de chasser et de pêcher dans les réserves fauniques ou les parcs; il faut alors respecter certaines règles spécifiques. En outre, pour accéder aux plans d'eau, il est recommandé de réserver. Pour plus de renseignements, adressez-vous directement au bureau de la réserve où vous comptez pêcher ou chasser.

Les loisirs d'hiver

Une carte routière intitulée *Sports d'hiver Québec* recense plusieurs sports pratiqués au Québec durant cette saison. Elle comporte une liste d'établissements classés selon le lieu et le sport, ainsi que la route à suivre pour y accéder en voiture. Cette carte est disponible dans la plupart des librairies de voyage et au Centre Infotouriste de Montréal et de Québec. Le ministère du Tourisme publie également une brochure répertoriant les diverses activités sportives d'hiver.

Ski alpin

On dénombre plusieurs stations de ski alpin au Québec. Certaines d'entre elles disposent de pistes éclairées qui sont ouvertes en soirée. Près des stations de ski, on trouve des hôtels offrant des forfaits économiques incluant la chambre, les repas et les billets de ski; renseignez-vous au moment de réserver votre chambre.

Les billets de ski alpin sont coûteux; aussi, afin de s'adapter à tous les types de skieurs, les stations de ski mettent-elles en vente des billets pour la demi-journée, la journée et la soirée. Plusieurs d'entre elles proposent même des billets à l'heure ou selon un système de points.

Planche à neige

La planche à neige (ou surf des neiges) est apparue au Québec au début des années 1990. Bien que marginal à l'origine, ce sport ne cessa de prendre de l'ampleur, si bien qu'aujourd'hui les stations

de ski de l'Amérique du Nord dénombrent souvent plus de planchistes que de skieurs. Ça se comprend! Avec la planche à neige, les sensations éprouvées dans une descente quintuplent.

Contrairement à ce que plusieurs croient, le surf des neiges ne s'adresse pas uniquement aux jeunes; il n'y a pas d'âge pour goûter les plaisirs d'un slalom. Aux débutants qui désirent tenter l'expérience, il est conseillé de prendre quelques leçons avant de s'engager sur les pistes, plusieurs stations offrant ce service. La majorité d'entre elles font aussi la location d'équipement.

Ski de fond

Les centres de ski de fond et les parcs offrant des sentiers de ski de fond sont nombreux. Dans la plupart des centres, il est possible de louer de l'équipement à la journée. Plusieurs disposent de sentiers de longue randonnée, le long desquels on a placé des refuges afin d'accueillir les skieurs.

Pour s'assurer d'une place dans les refuges situés dans les réserves fauniques, il faut réserver à compter de la mi-octobre (☎418-890-6527 ou 800-665-6527).

Les Guides de voyage Ulysse ont publié un ouvrage intitulé *Ski de fond et raquette au Québec*, qui répertorie la plupart des centres de ski de fond. Ce guide vous donne la longueur des sentiers, leur degré de difficulté et leurs particularités. Certains centres de ski de fond offrent aux personnes empruntant un sentier de longue randonnée la possibilité d'aller porter en motoneige la nourriture au refuge.

Raquette

Ce sont les Amérindiens qui ont inventé la raquette, aujourd'hui un sport, mais qui jadis leur servait essentiellement à se déplacer sur la neige sans s'enfoncer. Au Québec, on pratique généralement ce sport dans les centres de ski de fond et dans les parcs et réserves. Les Guides de voyage Ulysse publient le guide *Ski de fond et raquette au Québec* pour vous aider à faire un choix parmi les nombreuses possibilités.

Motoneige

Voilà un sport très populaire au Québec; après tout, n'oublions pas que c'est le Québécois Joseph-Armand Bombardier qui inventa la motoneige, donnant ainsi naissance à ce qui allait devenir un des plus importants groupes industriels du Québec, aujourd'hui impliqué dans la fabrication d'avions et de matériel ferroviaire.

Un réseau de plus de 26 000 km de sentiers de motoneige aménagés sillonne le territoire québécois. Des circuits traversant diverses régions touristiques mènent les intrépides au cœur de vastes régions sauvages. Le long de ces sentiers, on trouve tous les services nécessaires aux motoneigistes (ateliers de réparation, relais chauffés, pompes à essence et services de restauration). Il est possible de louer, dans certains centres, les motoneiges et l'équipement requis pour entreprendre de telles expéditions. La revue *Motoneige Québec* est disponible dans les kiosques à journaux. On peut également se procurer la carte *Sentiers de motoneige à travers le Québec*. Sur les cartes, on trouve des renseignements comme les routes à suivre, l'emplacement des centres de services et les villes où l'on peut louer du matériel. De plus, vous pouvez vous procurer le guide *Motoneige au Québec* (Guides de voyage Ulysse), qui donne une liste exhaustive des centres et sentiers du Québec. Il s'agit d'un excellent ouvrage sur ce sport.

Pour emprunter les sentiers de motoneige, il faut être en possession du certificat d'immatriculation du véhicule et avoir une carte de membre. On peut se procurer cette carte à la Fédération des clubs de motoneigistes (voir ci-dessous). Nous vous recommandons fortement de vous munir d'une assurance-responsabilité.

Quelques règles de sécurité doivent être respectées. Ainsi, le port du casque protecteur est obligatoire. On ne peut circuler sur la voie publique en motoneige, sauf lorsque le sentier balisé y passe. Il faut allumer les phares avant et arrière en tout temps. La vitesse limite est de 60 km/h. Il est préférable d'entreprendre une expédition en groupe plutôt que seul. On doit respecter le balisage des sentiers.

Pour information, adressez-vous à la Fédération des clubs de motoneigistes du Québec du Regroupement Loisir Québec (☎514-252-3076).

Traîneau à chiens

Autrefois utilisé comme moyen de déplacement par les Inuits du Grand Nord, le traîneau à chiens est devenu une activité sportive très prisée. Des compétitions sont d'ailleurs organisées en maints pays nordiques. Chacun peut cependant s'initier aux plaisirs des randonnées en traîneau, car, depuis quelques années, des centres ont commencé à proposer aux visiteurs de tout âge des promenades qui peuvent durer de quelques heures à plusieurs jours.

Dans ce dernier cas, le centre veille à offrir l'équipement adéquat et les refuges. En moyenne, il est possible d'envisager de parcourir de 30 à 60 km par jour; aussi faut-il être en bonne condition phy-

sique pour entreprendre ces longues excursions.

Vous trouverez, au fil du guide, quelques adresses de centres proposant des randonnées en traîneau à chiens.

Patin

La plupart des municipalités disposent de patinoires parfois aménagées dans les parcs, sur les rivières ou sur les lacs. Quelquefois, on peut y louer des patins, alors qu'une petite cabane permet de les chausser tout en restant au chaud.

Pêche sous la glace

Plus communément appelée «pêche blanche», ce type de pêche a vu sa popularité grandir d'année en année. Le principe consiste, comme son nom l'indique, à pêcher le poisson sous la glace. Une petite cabane de bois est installée sur le lac ou sur la surface gelée du cours d'eau afin de pouvoir s'y tenir au chaud pendant les longues heures de patience que vous demandera cette activité. Les régions les plus populaires pour ce type de pêche sont les Cantons-de-l'Est, la Mauricie et le Saguenay–Lac-Saint-Jean. Tout au long du guide, nous mentionnons quelques endroits où la pratique de cette activité est possible.

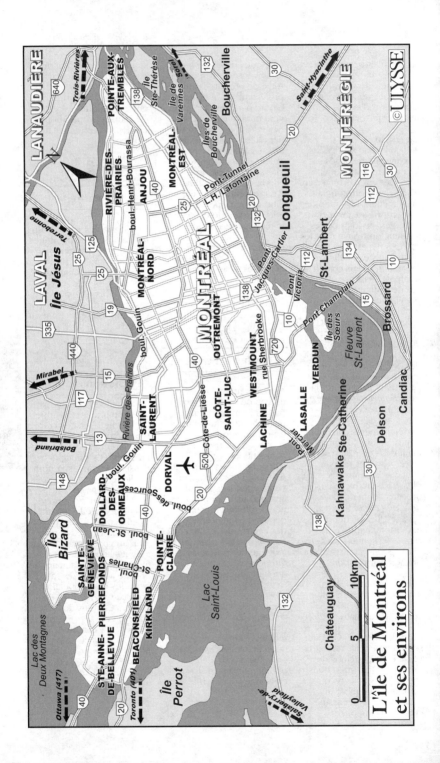

L'île de Montréal et ses environs

Montréal

Ville au carrefour

de l'Amérique et de l'Europe, à la fois latine, nordique et cosmopolite, **Montréal ★ ★ ★**, la métro-pole du Québec, s'offre sans rete-nue. Elle étonne les visiteurs d'outre-Atlantique par son caractère anarchique et sa nonchalance, alors que son petit cachet euro-péen sait charmer les continentaux.

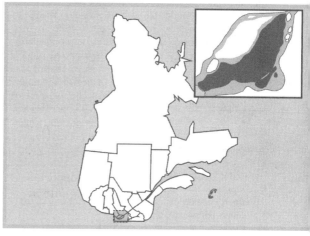

On la visite avec ravis-sement, mais surtout on la vit avec passion et enivrement. Montréal est généreuse, accueillante et pas mondaine du tout. Lorsque vient le temps d'y célébrer le jazz, le cinéma, l'humour, la chanson ou la Saint-Jean-Baptiste, c'est par centaines de milliers que l'on envahit ses rues pour faire de ces événe-ments de chaleureuses manifestations populaires. D'ailleurs, cet esprit de fê-te, on le retrouve tout au long de l'année dans ses innombrables cafés, boîtes de nuit ou bars en tout genre, pris constamment d'assaut par une faune ur-baine bigarrée et joyeuse. Si l'on sait s'éclater à Mont-

réal, on aime aussi beau-coup y célébrer les arts. Perméable aux influences françaises et américaines, tout en étant le principal foyer de la culture québé-coise et une terre d'accueil de peuples provenant de tous les horizons, Montréal constitue un formidable carrefour culturel de répu-tation internationale. Le dynamisme de ses créa-teurs et de ses artistes est perceptible par l'abondan-ce d'œuvres de qualité re-marquable, notamment en théâtre, en mode, en litté-rature et en musique. Sa gastronomie bénéficie éga-lement d'une réputation très enviable: il semble

que l'on mange mieux à Montréal que partout ail-leurs en Amérique du Nord.

Montréal offre un pay-sage urbain présentant en une riche diversité les différentes étapes de l'évo-lution de la ville. Des plus anciennes constructions du Vieux-Montréal jusqu'aux tours de verre du centre-ville, se sont écoulés plus de trois siècles et demi, marqués par l'incessante croissance de la ville. La splendeur de ses innom-brables églises, les façades néoclassiques des banques de la rue Saint-Jacques, les petites maisons à toit plat des quartiers ouvriers, tout comme les somptueuses résidences de ce que l'on dénommait le «Mille carré doré», ne sont que quelques témoignages de l'histoire récente ou plus ancienne de cette ville. L'importance que Montréal occupa et occupe toujours, en tant que principal centre artistique et intellectuel du Québec et grande ville portuaire, industrielle, financière et commerciale, se reflète avec éloquence dans son riche patrimoine architectural.

M algré les airs de grande cité nord-américaine qu'évoque sa haute silhouette de verre et de béton, Montréal est avant tout une ville de quartiers, de «bouts de rue». Ses quartiers se succèdent rapidement, possédant chacun leurs églises, quelques commerces, un restaurant au coin d'une rue et des brasseries ou tavernes. Par ailleurs, l'espace montréalais s'est également adapté, au fil des années, à la présence d'une population de plus en plus cosmopolite. La division entre l'Est et l'Ouest, entre les francophones et les anglophones, prévaut toujours dans une certaine mesure, bien qu'elle ne suscite plus les mêmes sentiments. Les deux «solitudes» ont d'ailleurs appris à s'estimer davantage et, malgré leurs divergences, apprécient les avantages qu'offre la métropole québécoise. À ces deux principales composantes de la société mon-

tréalaise, se sont joints depuis plus d'un siècle des immigrants de tous les continents. Certaines de ces minorités, notamment les Italiens, les Grecs, les Juifs, les Chinois et les Portugais, se sont regroupées dans quelques quartiers où ils préservent un peu du mode de vie de leur pays d'origine. Cette grande diversité des quartiers, et des populations qui les habitent, contribue à donner un charme tout à fait particulier à Montréal. Bien qu'elle soit la métropole québécoise, elle est par sa population singulièrement différente du reste du Québec.

Bref historique de Montréal

Lors de sa deuxième expédition en Amérique du Nord en 1535, Jacques Cartier remonta le fleuve Saint-Laurent jusqu'aux abords de l'île de Montréal, en explora les rives et gravit le mont Royal. Si Cartier n'a peut-être pas été le premier Européen à la visiter, il a néanmoins été le premier à en rapporter l'existence. Située au confluent de ce que l'on dénomme aujourd'hui le fleuve Saint-Laurent et la rivière des Outaouais, l'île était alors connue des Amérindiens sous le nom d'Hochelaga. Au moment de la visite de Cartier, une grande ville fortifiée, peuplée d'environ 1 000 Amérindiens de langue iroquoienne, occupait les flancs du mont Royal. Cette ville fut vraisemblablement détruite ou abandonnée quelques années plus tard, puisque Samuel

de Champlain, fondateur de la ville de Québec et grand explorateur, n'en trouva aucune trace lors de sa visite en 1611. Il nota toutefois au passage que cette île ferait un très bon emplacement pour l'érection d'un poste de traite.

La traite des fourrures n'a cependant pas été à l'origine de la fondation de Montréal. Baptisé d'abord Ville-Marie, son établissement a plutôt été l'œuvre d'un groupe de dévots français, venus dans l'espoir d'y évangéliser les Amérindiens. Sous la direction de Paul de Chomedey, sieur de Maisonneuve, 50 hommes et quatre femmes, dont Jeanne Mance, fondèrent Ville-Marie le 18 mai 1642. Leur idéal se heurta cependant très tôt à l'hostilité des Iroquois et, bien que, jusqu'à la signature du traité de paix de 1701, Français et Iroquois se livrèrent un conflit permanent, qui menaça même à plusieurs reprises l'existence de la ville.

Si Montréal a été fondée initialement pour la gloire de la chrétienté, les commerçants se sont néanmoins rapidement substitués aux religieux et autres porteurs de la «bonne nouvelle». Pénétrant profondément l'arrière-pays, les nombreux cours d'eau à proximité donnaient un accès facile à de riches territoires de chasse. Montréal devint ainsi rapidement un important centre de négoce et même, durant près d'un siècle et demi, le principal pôle de la traite des fourrures en Amérique du Nord. C'est aussi à partir de Montréal que les explorateurs et coureurs des bois partirent à la découverte de l'immense territoire s'étendant

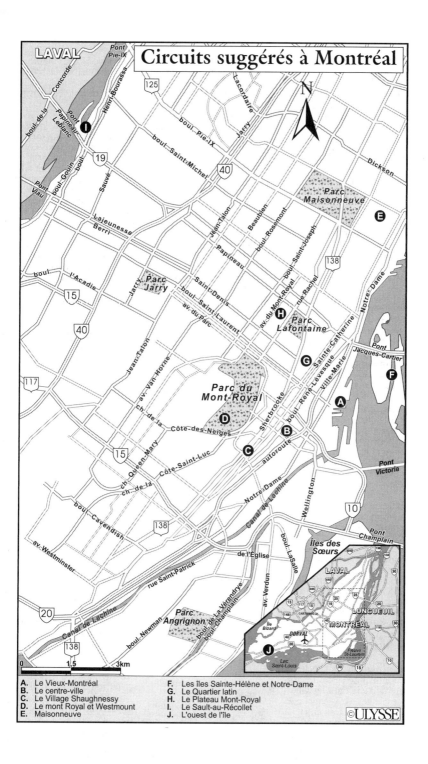

Circuits suggérés à Montréal

A. Le Vieux-Montréal
B. Le centre-ville
C. Le Village Shaughnessy
D. Le mont Royal et Westmount
E. Maisonneuve
F. Les îles Sainte-Hélène et Notre-Dame
G. Le Quartier latin
H. Le Plateau Mont-Royal
I. Le Sault-au-Récollet
J. L'ouest de l'île

©ULYSSE

de la baie d'Hudson à la Louisiane.

Montréal fut conquise par l'armée britannique en 1760, et les marchands français furent alors remplacés par des Écossais dans le commerce des fourrures. Elle devint la métropole du pays dans les années 1820, lorsque sa population dépassa celle de la ville de Québec. Montréal changeait alors très rapidement de visage: des milliers d'immigrants provenant des îles Britanniques s'y installaient ou simplement y transitaient avant d'aller peupler d'autres contrées de l'Amérique du Nord. Elle devint même, pendant quelque temps, à majorité anglo-saxonne, avant que son industrialisation, à partir du milieu du XIXe siècle, n'attire un flux incessant de paysans de la campagne québécoise.

Déjà au tournant du XXe siècle, Montréal était devenue une importante cité industrielle et commerciale dont la haute bourgeoisie contrôlait 70% des richesses de l'ensemble canadien. La révolution industrielle avait tout aussi naturellement donné naissance à un important prolétariat, surtout composé de Canadiens français et d'Irlandais, aux conditions de vie misérables. Parallèlement, des immigrants autres que britanniques commençaient à y affluer, surtout des Juifs d'Europe de l'Est, des Allemands et des Italiens, initiant ainsi le caractère cosmopolite de la métropole.

Au cours du XXe siècle, Montréal ne cessa de croître et d'engloutir les villes et villages avoisinants grâce à l'arrivée toujours constante d'immigrants et de Québécois des zones rurales. Elle commença même, à partir des années 1950, à étendre ses tentacules sur la campagne extérieure de l'île et à y créer une banlieue. Son centre économique quitta graduellement le «Vieux-Montréal» pour le quartier aux abords du boulevard Dorchester (aujourd'hui le boulevard René-Lévesque), où poussent depuis des gratte-ciel de verre et de béton.

Dans les années 1960 et 1970, le maire Jean Drapeau, que l'on a souvent taxé de mégalomane, affermit la réputation internationale de «sa» ville en y faisant construire le métro en 1966 et en y organisant des événements d'envergure. Montréal fut ainsi l'hôte de l'Exposition universelle de 1967, des Jeux olympiques de 1976 et des Floralies internationales de 1980. Puis, en 1992, c'est avec éclat que les Montréalais célèbrent le 350e anniversaire de fondation de leur ville.

Pour s'y retrouver sans mal

La ville de Montréal est divisée en 27 arrondissements. Le 1er janvier 2002 en effet, les villes de la Communauté urbaine de Montréal ont fusionné pour former une nouvelle grande ville qui occupe toute l'île de Montréal (environ 50 km sur 15 km d'une extrémité à l'autre, pour une superficie d'à peu près 500 km^2). La population de la nouvelle grande ville est de 1 810 000 habitants, tandis que la grande région de Montréal, qui comprend en outre la Rive-Sud, Laval et la Rive-Nord, compte 3 425 000 habitants. (Voir encadré «Les fusions municipales» dans le chapitre Portrait.)

Pour découvrir quelques-uns des plus beaux quartiers de la ville, nous vous proposons neuf circuits pédestres et un circuit en voiture sillonnant Montréal et les municipalités avoisinantes: **Circuit A: Le Vieux-Montréal ★★★**, **Circuit B: Le centre-ville ★★★**, **Circuit C: Le Village Shaughnessy ★★**, **Circuit D: Le mont Royal et Westmount ★★**, **Circuit E: Maisonneuve ★★★**, **Circuit F: Les îles Sainte-Hélène et Notre-Dame ★★**, **Circuit G: Le Quartier latin ★★**, **Circuit H: Le Plateau Mont-Royal ★**, **Circuit I: Le Sault-au-Récollet ★** et **Circuit J: L'ouest de l'île ★★**. Pour d'autres circuits dans Montréal, voir le *Guide Ulysse Montréal*.

En voiture

Si vous partez de Québec, vous pouvez emprunter l'autoroute 20 Ouest jusqu'au pont Champlain, puis prendre l'autoroute Bonaventure, qui mène directement au centre-ville. Vous pouvez aussi arriver par l'autoroute 40 Ouest, que vous devez emprunter jusqu'à l'autoroute Décarie, d'où vous devez suivre les indications vers le centre-ville.

En arrivant d'Ottawa, empruntez l'autoroute 40 Est jusqu'à l'autoroute Décarie, que vous devez prendre en suivant les indications vers le centre-ville. De Toronto, vous arrivez sur l'île de Montréal par l'autoroute 20 Est, puis vous devez prendre l'autoroute Ville-Marie en suivant les indications vers le centre-ville.

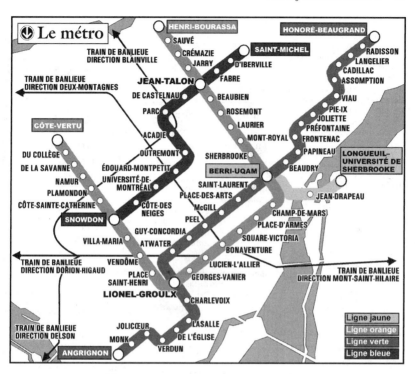

Agences de location de voitures

Avis
1225 rue Metcalfe
☎*866-2847*
505 boulevard De Maisonneuve Est
☎*288-9934*

Budget
1240 rue Guy
☎*937-9121*
895 rue De La Gauchetière Ouest
☎*866-7675*

Discount
607 boulevard De Maisonneuve O.
☎*286-1554*

Hertz
1073 rue Drummond
☎*938-1717*
1475 rue Aylmer
☎*842-8537*

National
1200 rue Stanley
☎*878-2771*

Les aéroports

On trouve deux aéroports à Montréal: l'**aéroport international de Dorval** (voir p 54) et l'**aéroport international de Mirabel** (voir p 55).

Gare routière

Station Centrale
505 boul. De Maisonneuve Est
Métro Berri-UQAM
☎*(514) 842-2281*

Gare ferroviaire

Gare centrale
895 rue De La Gauchetière Ouest
Métro Bonaventure
☎*(514) 871-7765*
☎*800-361-5390 du Québec*
☎*800-561-8630 du Canada*
⇌*871-7766*

Les transports publics

Montréal est pourvue d'un système de transport en commun (autobus et métro) qui couvre l'ensemble de son territoire. Pour utiliser tout le réseau pendant un mois sans aucune limite, on peut se procurer la carte d'accès à 52$. Pour l'utiliser pendant une semaine, il faut se procurer la Cam-Hebdo à 15$. On peut acheter des billets au coût de 9,50$ pour six. Enfin, pour un seul voyage, il faut payer 2,25$. Il y a aussi les cartes touristiques, qu'on peut utiliser comme laissez-passer pour une journée (7$) ou pour trois jours (14$).

Lorsqu'un trajet nécessite une correspondance (d'un autobus au métro par exemple), le passager doit

Montréal

demander un billet de correspondance au chauffeur ou le prendre, après avoir franchi le tourniquet, dans la distributrice prévue à cet effet dans les stations de métro. À l'intérieur de ces dernières, on peut obtenir gratuitement un plan du réseau ainsi que l'horaire de chacune des lignes.

Pour plus de renseignements sur le réseau de transports en commun, appelez la STM au ☎(514) 288-6287 (AUTOBUS, sur le clavier).

Les taxis

Co-op Taxi: ☎*(514) 725-9885*
Diamond: ☎*(514) 273-6331*
Taxi LaSalle: ☎*(514) 277-2552*

Renseignements pratiques

L'indicatif régional de l'île de Montréal est le **514**.

Renseignements touristiques

Centre Infotouriste
1001 rue du Square-Dorchester
Métro Peel
☎*873-2015*
Le centre est ouvert de 8h30 à 19h30 tous les jours de l'été et de septembre à juin de 9h à 18h également tous les jours. Il diffuse de l'information détaillée, avec nombre de documents à l'appui (cartes routières, dépliants, guides d'hébergement), sur toutes les régions touristiques du Québec.

Bureau du Vieux-Montréal
174 rue Notre-Dame Est
Métro Champ-de-Mars
☎*874-1696*
Renseignements sur la région de Montréal seulement.

Bureaux de change

Au centre-ville, on trouve plusieurs banques offrant un service de change des devises étrangères. Dans la majorité des cas, ces institutions demandent des frais de change. Les bureaux de change, quant à eux, n'en exigent pas toujours; il faut se renseigner sur place.

Banque Nationale du Canada
1140 rue Sherbrooke Ouest
☎*281-9640*
895 rue De La Gauchetière Ouest
☎*394-5555*
www.bnc.ca

Des guichets automatiques faisant le change de devises étrangères ont été installés au Complexe Desjardins (sur Sainte-Catherine Ouest, entre les rues Jeanne-Mance et Saint-Urbain). Ils sont en fonction de 6h à 2h. On peut y changer plusieurs devises en monnaie canadienne. Par ailleurs, en échange de dollars canadiens, il est possible d'obtenir des devises américaines et françaises. À l'aéroport de Mirabel, il y a également de tels guichets.

Bureaux de poste

1250 rue University
☎*846-5401*

1695 rue Ste-Catherine Est
☎*522-3220*

Attraits touristiques

Circuit A:
Le Vieux-Montréal
(deux jours)

Au XVIIIe siècle, Montréal était, tout comme Québec, entourée de fortifications en pierre. Entre 1801 et 1817, cet ouvrage défensif fut démoli à l'instigation des marchands, qui y voyaient une entrave au développement de la ville. Cependant, la trame des rues anciennes, comprimée par près de 100 ans d'enfermement, est demeurée en place. Ainsi, le Vieux-Montréal d'aujourd'hui correspond à peu de choses près au territoire couvert par la ville fortifiée. Au XIXe siècle, ce secteur devient le noyau commercial et financier du Canada. On y construit de somptueux sièges sociaux de banques et de compagnies d'assurances, ce qui entraîne la destruction de la quasi-totalité des bâtiments du Régime français. Puis au XXe siècle, après une période d'abandon de 40 ans au profit du centre-ville moderne, le long processus visant à redonner vie au Vieux-Montréal a été enclenché avec les préparatifs de l'Exposition universelle de 1967 et se poursuit, de nos jours, à travers de nombreux projets de recyclage et de restauration. Cette revitalisation connaît même un second souffle depuis la fin des années 1990. Plusieurs hôtels de marque se sont installés dans des édifices historiques, alors que plusieurs Montréalais renouent avec ce quartier en y déménageant leurs pénates. Il faut aussi mentionner que la nouvelle Cité du multimédia occupe maintenant un grand secteur au sud-ouest du quartier; les édifices logent diverses entreprises œuvrant dans le milieu du cinéma et du multimédia, ce qui donne beaucoup de vie au quartier maintenant arpenté toute la journée par une foule de jeunes travailleurs.

Le circuit débute à l'extrémité ouest du Vieux-Montréal, sur la rue McGill, tracée à l'emplacement même du mur d'enceinte qui séparait autrefois la ville du faubourg des Récollets (métro Square-Victoria). On notera une différence appréciable dans le tissu urbain entre le centreville moderne, à l'arrière, où se dressent des tours en verre et en acier bordant de larges boulevards, et le secteur de la vieille ville, où la pierre prédomine le long de rues étroites et compactes.

La **tour de la Bourse** ★ *(place de la Bourse, métro Square-Victoria,* ☎871-2424) est le bâtiment qui domine le paysage à l'arrivée. Élevée en 1964 selon les plans des célèbres ingénieurs italiens Luigi Moretti et Pier Luigi Nervi, à qui l'on doit le Palais des Sports de Rome et le Palais des Expositions de Turin, l'élégante tour noire de 47 étages qui abrite les bureaux et le parquet de la Bourse est un des nombreux édifices montréalais dessinés par des créateurs venus d'ailleurs. Sa construction était censée redonner vie au quartier des affaires de la vieille ville, délaissé depuis le krach de 1929 au profit des environs du square Dorchester. Le projet initial prévoyait la construction

de deux, voire de trois tours identiques.

Au XIXe siècle, le **square Victoria** *(métro Square-Victoria)* adoptait la forme d'un jardin victorien entouré de magasins et de bureaux Second Empire ou néo-Renaissance. Seul l'étroit édifice du 751 de la rue McGill subsiste de cette époque. Au nord de la rue Saint-Antoine, on peut voir une **statue de la reine Victoria**, réalisée en 1872 par le sculpteur anglais Marshall Wood, ainsi qu'une authentique **grille de métro parisien** de style Art nouveau, conçue par Hector Guimard en 1900. Cette dernière a été donnée à la Ville de Montréal par la Ville de Paris à l'occasion de l'Exposition universelle de 1967. Elle a été installée à l'une des entrées de la station de métro Square-Victoria.

Montréal est le siège des deux organismes régissant le transport aérien civil dans le monde, l'IATA (International Air Transport Association) et l'OACI (Organisation de l'aviation civile internationale). Cette dernière est une agence des Nations unies fondée en 1947. L'organisme est doté d'une **Maison de l'OACI** *(angle des rues University et St-Antoine Ouest)* pour abriter les délégations de ses 183 pays membres. Du square Victoria, on aperçoit l'arrière de l'édifice, intégré à la Cité internationale de Montréal. Il a été terminé en 1996 selon les plans de l'architecte Ken London, qui s'est vaguement inspiré de l'architecture scandinave des années 1930.

Pénétrez dans le passage couvert du Centre de commerce mondial.

Les centres de commerce mondiaux, mieux connus sous le nom de *World Trade Centers*, sont des lieux d'échanges destinés à favoriser le commerce international. Le **Centre de commerce mondial de Montréal** ★ *(rue McGill, métro Square-Victoria)*, terminé en 1991, couvre un quadrilatère complet constitué de façades anciennes apposées sur une nouvelle structure traversée en son centre par un impressionnant passage vitré long de 180 m. Celui-ci occupe une portion de la ruelle des Fortifications, voie qui suit l'ancien tracé du mur nord de la ville fortifiée.

En bordure du passage se trouvent une fontaine et un élégant escalier de pierre servant de cadre à une sculpture d'Amphitrite, épouse de Poséidon, provenant de la fontaine municipale de Saint-Mihiel-de-la-Meuse. Il s'agit d'une œuvre du milieu du XVIIIe siècle réalisée par le sculpteur nîmois Barthélemy Guibal, à qui l'on doit également les fontaines de la place Stanislas à Nancy. On peut aussi y voir une portion du «mur de Berlin», don de la Ville de Berlin à la Ville de Montréal à l'occasion du 350e anniversaire de sa fondation.

Montez l'escalier, puis longez le passage jusqu'à l'entrée discrète du hall de l'hôtel Inter-Continental. Prenez à droite la passerelle qui conduit à l'édifice Nordheimer, restauré pour accueillir les salles de réception de l'hôtel intégré au Centre de commerce mondial.

Cet édifice, érigé en 1888, abritait à l'origine un magasin de pianos ainsi qu'une petite salle de concerts où se sont produits les plus grands artistes, entre autres Maurice

Montréal

Ravel et Sarah Bernhardt. L'intérieur, combinant boiseries sombres, plâtres moulés et mosaïques, est typique de la fin du XIXe siècle, caractérisée par un éclectisme débordant et une polychromie enjouée. Sa façade, rue Saint-Jacques, réunit des éléments issus du style néoroman tels qu'adaptés par l'Étasunien Henry Hobson Richardson et des éléments de l'école de Chicago, notamment au niveau de la toiture métallique, abondamment fenêtrée.

Sortez par le 363 de la rue Saint-Jacques.

La **rue Saint-Jacques** a été pendant plus de 100 ans l'artère de la haute finance canadienne. Cette particularité se reflète dans son architecture riche et variée, véritable encyclopédie des styles de la période 1830-1930. Les banques, les compagnies d'assurances, tout comme les grands magasins et les sociétés ferroviaires ou maritimes du pays, étaient alors contrôlés, pour une bonne part, par des Écossais devenus Montréalais, attirés par les perspectives d'enrichissement qu'offraient les colonies.

L'ancien siège social de la **Banque Royale** ★★ *(360 rue St-Jacques, métro Square-Victoria)*, entrepris en 1928 selon les plans des spécialistes du gratte-ciel new-yorkais, les architectes York et Sawyer, est un des derniers immeubles à avoir été érigé au cours de cette période faste. La tour de 22 étages est posée sur un podium s'inspirant des palais florentins et respectant l'échelle des bâtiments voisins. Il faut pénétrer dans le hall bancaire pour admirer les hauts plafonds de ce «temple de la fi-nance», érigé à une époque où les banques devaient se doter de bâtiments imposants afin de donner confiance à l'épargnant. On remarquera, sur le pourtour du hall en pierre de Caen, les armoiries de 8 des 10 provinces canadiennes ainsi que celles de Montréal (croix de Saint-Georges) et d'Halifax (oiseau jaune), où la banque a été fondée en 1861.

La **Banque Molson** ★ *(288 rue St-Jacques, métro Square-Victoria)* a été fondée en 1854 par la famille Molson, célèbre pour sa brasserie mise sur pied par l'ancêtre John Molson (1763-1836) en 1786. À l'instar des autres banques de l'époque, la Banque Molson imprimait même son propre papier-monnaie. C'est dire toute la puissance de ses propriétaires, qui ont beau-

---

⬤ ATTRAITS

1. Tour de la Bourse	14. Place D'Youville	26. Hôtel de ville
2. Square Victoria	15. Hôpital Général des	27. Château Ramezay
3. Maison de l'OACI	Sœurs Grises	28. Lieu historique national
4. Centre de commerce	16. Musée Marc-Aurèle-Fortin	Sir-George-Étienne-
mondial de Montréal	17. Vieux-Port de Montréal	Cartier
5. Banque Royale	18. Bateau-Mouche	29. Gare Viger
6. Banque Molson	19. Canal de Lachine	30. Gare Dalhousie
7. Place d'Armes	20. Centre des sciences de	31. Chapelle Notre-Dame-de-
8. Banque de Montréal	Montréal	Bonsecours
9. Basilique Notre-Dame	21. Auberge Saint-Gabriel	32. Maison Papineau
10. Vieux Séminaire	22. Palais de justice	33. Marché Bonsecours
11. Cours Le Royer	23. Édifice Ernest-Cormier	34. Tour de l'Horloge
12. Place Royale	24. Vieux palais de justice	
13. Musée d'archéologie et	25. Place Jacques-Cartier	
d'histoire de Montréal et		
la Pointe-à-Callière		

◯ HÉBERGEMENT

1. Auberge Alternative	6. Hôtel Inter-Continental	10. St-Paul Hotel
2. Auberge Bonaparte	Montréal	11. XIXe Siècle
3. Auberge du Vieux-Port	7. Hôtel Place d'Armes	
4. Delta Centre-ville	8. Les Passants du	(R) établissement avec
5. Hostellerie Pierre du	SansSoucy	restaurant décrit
Calvet 1725	9. Marriott SpringHill Suites	
	Vieux-Montréal	

⬤ RESTAURANTS

1. Bio Train	6. Cube	11. Soto
2. Casa de Mateo	7. La Gargote	12. Stash's Café Bazar
3. Chez Better	8. Le Bonaparte	13. Titanic
4. Chez Delmo	9. Le Petit Moulinsart	14. Vieux Saint-Gabriel
5. Chez Queux	10. Modavie	

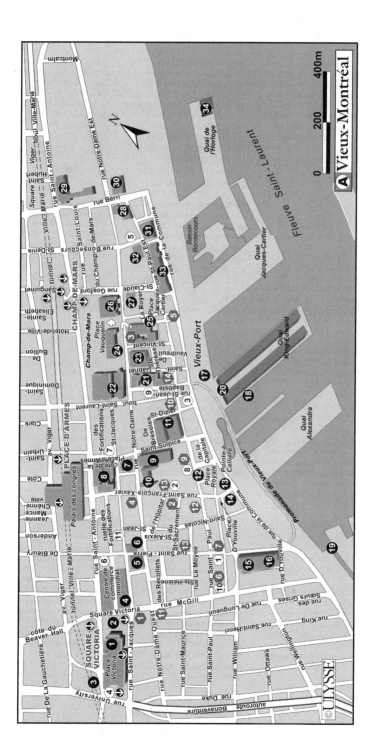

A Vieux-Montréal

0   200   400m

coup contribué au développement de Montréal. Le siège social de l'institution familiale ressemble d'ailleurs davantage à une demeure patricienne qu'à une banque anonyme. L'édifice, achevé en 1866, est un des premiers exemples du style Second Empire, aussi appelé style Napoléon III, à avoir été érigé au Canada. Ce style d'origine française, ayant pour modèle le Louvre et l'Opéra de Paris, a connu une grande popularité en Amérique entre 1865 et 1890. On remarquera, au-dessus de l'entrée, les têtes de William Molson et de deux de ses enfants, sculptées dans le grès. La Banque Molson a fusionné avec la Banque de Montréal en 1925.

Longez la rue Saint-Jacques jusqu'à la place d'Armes, qui surgit soudainement.

Sous le Régime français, la **place d'Armes** ★★ *(métro Place-d'Armes)* constituait le cœur de la cité. Utilisée pour les manœuvres militaires et des processions religieuses, elle comportait aussi le puits Gadoys, principale source d'eau potable de l'agglomération. En 1847, la place se transforme en un joli jardin victorien, ceinturé d'une grille; celui-ci disparaîtra au début du XXᵉ siècle pour faire place au terminus des tramways. Entretemps, on y installe en 1895 le **monument à Maisonneuve** du sculpteur Philippe Hébert, qui représente le fondateur de Montréal, Paul de Chomedey, sieur de Maisonneuve, entouré de personnages ayant marqué les débuts de la ville, soit Jeanne Mance, fondatrice de l'Hôtel-Dieu, Lambert Closse avec sa chienne Pilote, ainsi que Charles LeMoyne, chef d'une fa-

mille d'explorateurs célèbres. Un guerrier iroquois complète le tableau.

La place de forme trapézoïdale est entourée de plusieurs édifices dignes de mention. La **Banque de Montréal** ★★ *(119 rue St-Jacques, métro Place-d'Armes)*, fondée en 1817 par un groupe de marchands, est la plus ancienne institution bancaire du pays. Son siège social actuel occupe tout un quadrilatère au nord de la place d'Armes, au centre duquel trône le magnifique édifice de John Wells abritant le hall bancaire, construit en 1847 sur le modèle du Panthéon romain. Son portique corinthien est un monument à la puissance commerçante des marchands écossais. En 1970, les chapiteaux de ses colonnes, gravement endommagés par la pollution, ont été remplacés par des répliques en aluminium. Dans le fronton se trouve un bas-relief en pierre de Binney, exécuté en Écosse par le sculpteur de Sa Majesté, Sir John Steele. Il représente les armoiries de la banque. L'intérieur en fut presque entièrement refait en 1904-1905 selon les plans des célèbres architectes newyorkais McKim, Mead et White (Bibliothèque de Boston, Université Columbia de New York, etc.). À cette occasion, on a doté la banque d'un splendide hall bancaire, aménagé dans le goût des basiliques romaines, où se mêlent colonnes de syénite verte, ornements de bronze doré et comptoirs de marbre beige. Un petit **musée de numismatique** *(entrée libre; lun-ven 9h à 17h)*, situé dans le couloir de la tour moderne, permet de voir des billets de différentes époques ainsi qu'une amusante collection de tirelires

mécaniques. En face du musée, on aperçoit quatre bas-reliefs en pierre artificielle Coade provenant de la façade du premier siège de la banque. Ils ont été réalisés en 1819 d'après des dessins du sculpteur anglais John Bacon.

Au numéro 511 Place-d'Armes, la surprenante tour de grès rouge, élevée en 1888 pour la compagnie d'assurances New York Life selon les plans des architectes Babb, Cook et Willard, est considérée comme le premier gratteciel montréalais, avec seulement huit étages. Sa pierre de parement fut importée d'Écosse. On acheminait alors ce type de pierres dans les cales des navires, où elles servaient de ballast avant d'être vendues à quai aux entrepreneurs en construction. L'édifice voisin *(507 Place-d'Armes)* comporte de beaux détails Art déco. Il est un des premiers immeubles montréalais à avoir dépassé les 10 étages, à la suite de l'abrogation, en 1927, du règlement limitant la hauteur des édifices.

Du côté sud de la place d'Armes, on retrouve la basilique Notre-Dame ainsi que le Vieux Séminaire, décrits ci-dessous.

En 1663, la seigneurie de l'île de Montréal est acquise par les Messieurs de Saint-Sulpice de Paris. Ces derniers en demeureront les maîtres incontestés jusqu'à la conquête britannique de 1760. En plus de distribuer des terres aux colons et de tracer les premières rues de la ville, les sulpiciens font ériger de nombreux bâtiments, notamment la première église paroissiale de Montréal en 1673. Placé sous le vocable de Notre-Dame, ce lieu saint orné d'une belle façade baroque s'inscrivait dans l'axe de la rue du même nom, formant ainsi une agréable perspective, caractéristique de l'urbanisme classique français. Mais, au début du XIXᵉ siècle, cette petite église villageoise faisait piètre figure, lorsque comparée à la cathédrale anglicane de la rue Notre-Dame et à la nouvelle cathédrale catholique de la rue Saint-Denis, deux édifices aujourd'hui disparus. Les sulpiciens décidèrent alors de marquer un grand coup afin de surpasser pour de bon leurs rivaux. En 1823, ils demandent à l'architecte new-yorkais d'origine irlandaise protestante James O'Donnell de dessiner la plus vaste et la plus originale des églises au nord du Mexique, au grand dam des architectes locaux.

La **basilique Notre-Dame** ★★★ *(2$; 110 rue Notre-Dame Ouest, métro Place-d'Armes, ☎842-2925)*, construite entre 1824 et 1829, est un véritable chef-d'œuvre du style néogothique en Amérique. Il ne faut pas y voir une réplique d'une cathédrale d'Europe, mais bien un bâtiment foncièrement néoclassique de la révolution industrielle, sur lequel est apposé un décor d'inspiration médiévale précurseur de l'historicisme de l'ère victorienne. C'est d'ailleurs ce qui fait son mérite.

O'Donnell fut tellement satisfait de son œuvre qu'il se convertit au catholicisme avant de mourir, afin d'être

inhumé sous l'église. Le décor intérieur d'origine, jugé trop sévère, fut remplacé par le fabuleux décor polychrome actuel entre 1874 et 1880. Exécuté par Victor Bourgeau, champion de la construction d'églises dans la région de Montréal, et par une cinquantaine d'artisans, il est entièrement de bois peint et doré à la feuille.

On remarquera en outre le baptistère, décoré de fresques du peintre Ozias Leduc, le puissant orgue électropneumatique Casavant de 5 772 tuyaux, fréquemment mis à contribution lors des nombreux concerts donnés à la basilique, ainsi que les vitraux du maître-verrier limousin Francis Chigot, qui dépeignent des épisodes de l'histoire de Montréal et qui furent installés lors du centenaire de l'église.

À droite du chœur, un passage conduit à la chapelle du Sacré-Cœur, greffée à l'arrière de l'église en 1888. Surnommée la «chapelle des mariages» à cause des innombrables cérémonies nuptiales qui s'y tiennent chaque année, elle a malheureusement été gravement endommagée lors d'un incendie en 1978.

Seuls les escaliers à vis et les galeries latérales subsistent de l'exubérant décor néogothique hispanisant d'autrefois. Les architectes Jodoin, Lamarre et Pratte ont choisi de lier ces vestiges à un aménagement moderne, terminé en 1981 et comprenant une belle voûte compartimentée et percée de puits de lumière, un grand retable de bronze de Charles Daudelin et un orgue mécanique Guilbault-Thérien.

En sortant de la chapelle, dirigez-vous vers la droite pour voir le petit **musée de la basilique**, où sont rassemblés divers trésors, entre autres des vêtements liturgiques brodés ainsi que les effets personnels et le trône épiscopal de Mᵍʳ de Pontbriand, dernier évêque de la Nouvelle-France.

Le **Vieux Séminaire** ★ *(116 rue Notre-Dame Ouest, métro Place-d'Armes)* fut construit en 1683 sur le modèle des hôtels particuliers parisiens, érigés entre cour et jardin. C'est le plus ancien édifice de la ville. Depuis plus de trois siècles, il est habité par les Messieurs de Saint-Sulpice, qui en ont fait, sous le Régime français, le manoir d'où ils administraient leur vaste

Montréal

Basilique Notre-Dame

seigneurie. À l'époque de sa construction, Montréal comptait à peine 500 habitants, terrorisés par les attaques incessantes des Iroquois. Le séminaire, même s'il semble somme toute modeste, représentait dans ce contexte un précieux morceau de civilisation européenne au milieu d'une contrée sauvage et isolée. L'horloge publique, installée au sommet de la façade en 1701, serait la plus ancienne du genre dans le Nouveau Monde.

Empruntez la rue Saint-Sulpice, qui longe la basilique.

Les immenses entrepôts du **Cours Le Royer ★** *(rue St-Sulpice, métro Place-d'Armes)* ont été conçus entre 1860 et 1871 par Michel Laurent et Victor Bourgeau, dont c'est une des seules réalisations commerciales, pour les religieuses hospitalières de Saint-Joseph, qui les louaient à des importateurs. Ils sont situés à l'emplacement même du premier Hôtel-Dieu de Montréal, fondé par Jeanne Mance en 1643. L'ensemble de 43 000 m² a été recyclé en appartements et en bureaux entre 1977 et 1986. À cette occasion, la petite rue Le Royer a été excavée pour permettre l'aménagement d'un stationnement souterrain, recouvert d'un agréable mail piétonnier.

Tournez à droite dans la rue Saint-Paul, puis rejoignez la place Royale, sur votre gauche.

La plus ancienne place publique de Montréal, la **place Royale** *(métro Place-d'Armes)*, existe depuis

1657. D'abord place de marché, elle devient, à son tour, un joli square victorien entouré d'une grille. Surélevée pour permettre l'aménagement d'une crypte archéologique en 1991, elle relie le Musée d'archéologie et d'histoire de Montréal à l'ancienne **maison de la douane**, au nord. Cette dernière est un bel exemple d'architecture néoclassique britannique telle que transposée au Canada. Les lignes sévères du bâtiment, accentuées par le revêtement de pierre grise locale, sont compensées par ses proportions agréables et ses allusions simplifiées à l'Antiquité. L'édifice fut construit en 1836 d'après les dessins de John Ostell, fraîchement débarqué à Montréal, et fait aujourd'hui partie du musée.

Musée d'archéologie et d'histoire de Montréal

Le **Musée d'archéologie et d'histoire de Montréal ★★** *(9,50$; sept à juin mar-ven 10h à 17h, sam-dim 11h à 17h; juil et août lun-ven 10h à 18h, sam-dim 11h à 18h; 350 place Royale, métro Place-d'Armes, ☎872-9150, www.musee-pointe-a-calliere.qc.ca)* se trouve à l'emplacement même où Montréal fut fondée le

18 mai 1642, soit la **Pointe-à-Callière**. Là où débute la place D'Youville coulait autrefois la rivière Saint-Pierre; là où se trouve la rue de la Commune s'approchait la rive boueuse du fleuve, découpant ainsi une pointe isolée sur laquelle les premiers colons érigèrent le fort Ville-Marie, fait de terre et de pieux. Menacés par les flottilles iroquoises et par la crue des eaux, les dirigeants de la colonie décidèrent bientôt d'installer la ville sur le coteau Saint-Louis, dont la rue Notre-Dame constitue de nos jours l'épine dorsale. Le site du fort fut par la suite occupé par un cimetière et par le château du gouverneur de Callière, d'où son nom.

Le musée utilise les techniques les plus modernes pour présenter aux visiteurs un intéressant panorama de l'histoire de la ville. Un spectacle multimédia avec conversations de personnages holographiques, une visite des vestiges découverts sur le site, de belles maquettes représentant différents stades du développement de la place Royale et des expositions thématiques composent le menu de ce musée érigé pour les fêtes du 350e anniversaire de Montréal (1992) selon les plans de l'architecte Dan Hanganu.

Dirigez-vous vers la place D'Youville, à droite du musée.

La forme allongée de la **place D'Youville**, s'étendant

de la place Royale à la rue McGill, vient de ce qu'elle est aménagée sur le lit de la rivière Saint-Pierre, canalisée en 1832.

Au milieu de la place D'Youville se dresse l'ancienne caserne de pompiers n° 3, rare exemple d'architecture d'inspiration flamande au Québec. Le bâtiment abrite le **Centre d'histoire de Montréal** *(4,50$; mai à sept mar-dim 10h à 17h, sept à mai mer-dim 10h à 17h; 335 place D'Youville,* ☎*872-3207),* qui a été récemment rénové. Une belle petite exposition occupe maintenant les deux premiers étages. On y voit divers objets retraçant l'histoire de Montréal. Depuis les moments marquants comme Expo 67 jusqu'aux détails de la vie quotidienne à diverses époques, en passant par des événements comme des grèves ou la démolition de bâtiments du patrimoine architectural, on suit l'évolution de la ville grâce à des présentations animées. L'aspect sonore, entre autres, y est important. On a par exemple enregistré le témoignage de Montréalais de différentes origines qui racontent leur ville. Au dernier étage se tiennent des expositions temporaires, et l'on y a installé une passerelle vitrée d'où l'on peut observer le Vieux-Montréal.

À l'ouest de la rue Saint-Pierre se trouvait autrefois le marché Sainte-Anne, où a siégé le Parlement du Canada-Uni de 1840 à 1849. Cette année-là, les Orangistes brûlèrent l'édifice à la suite de l'adoption d'une loi compensatoire visant à la fois les victimes anglaises et françaises de la rébellion de 1837-1838. C'en fut fait de la vocation politique de Montréal.

Tournez à gauche dans la rue Saint-Pierre.

La communauté des sœurs de la Charité est mieux connue sous le nom de Sœurs Grises, sobriquet dont on avait affublé les religieuses accusées à tort de vendre de l'alcool aux Amérindiens et ainsi de les «griser». En 1747, la fondatrice de la communauté, sainte Marguerite d'Youville, prend en main l'ancien hôpital des frères Charon, fondé en 1693, qu'elle transforme en **Hôpital Général des Sœurs Grises ★** *(138 rue St-Pierre, métro Square-Victoria),* où sont hébergés les «enfants trouvés» de la ville. Seule l'aile ouest et les ruines de la chapelle subsistent de ce complexe des XVIIe et XVIIIe siècles, construit en forme de H. L'autre partie, qui composait auparavant une autre des belles perspectives classiques de la vieille ville, fut éventrée lors du prolongement de la rue Saint-Pierre en plein milieu de la chapelle. Le transept droit et une partie de l'abside, visibles sur la droite, ont été solidifiés pour recevoir une œuvre représentant les textes des lettres patentes de la congrégation.

Le petit **Musée Marc-Aurèle-Fortin** *(5$; mar-dim 11h à 17h; 118 rue St-Pierre, métro Square-Victoria,* ☎*845-6108),* pourvu de quelques salles seulement, est entièrement consacré à l'œuvre de Marc-Aurèle Fortin. Dans un style bien à lui, Fortin a peint des scènes québécoises pittoresques. Ses toiles peintes sur fond noir et ses arbres majestueux sont quelques-unes de ses marques distinctives.

Traversez la rue de la Commune pour rejoindre la promenade du Vieux-Port, en

bordure du fleuve Saint-Laurent.

Le port de Montréal est le plus important port intérieur du continent. Il s'étend sur 25 km le long du fleuve, de la Cité du Havre aux raffineries de Montréal-Est. Le **Vieux-Port de Montréal ★ ★** *(métro Place-d'Armes ou Champ-de-Mars)* correspond à la portion historique du havre, située devant la ville ancienne. Délaissé à cause de sa vétusté, il a été réaménagé entre 1983 et 1992 pour accueillir les promeneurs, à l'instar de plusieurs zones portuaires centrales nord-américaines. Le Vieux-Port de Montréal comporte un agréable parc linéaire, aménagé sur les remblais et doublé d'une promenade le long des quais offrant une «fenêtre» sur le fleuve de même que sur les quelques activités maritimes qui ont heureusement été préservées. L'agencement met en valeur les vues sur l'eau et sur le centre-ville et sur la rue de la Commune, qui dresse devant la ville sa muraille d'entrepôts néoclassiques en pierre grise, représentant l'un des seuls exemples d'aménagement dit en «front de mer» en Amérique du Nord.

Du Vieux-Port, on peut faire une excursion sur le fleuve et sur le canal de Lachine à bord du **Bateau-Mouche** *(23$; mi-mai à mi-oct, départs tlj 10h, 12h, 14h, 16h; quai Jacques-Cartier,* ☎*849-9952),* pourvu d'un toit vitré qui permet d'apprécier la beauté des panoramas environnants. Ces visites commentées sont d'une durée de 1 heure 30 min. Le Bateau-Mouche propose aussi, le soir, des croisières avec repas et soirée dansante. On peut aussi utiliser les **navettes** *(*☎*281-8000)* vers l'île Sainte-Hélène *(3,75$)* et vers Longueuil *(4$)*, qui permettent d'avoir une vue d'ensemble du Vieux-Port et du Vieux-Montréal.

Sur la droite, dans l'axe de la rue McGill, est située l'embouchure du **canal de Lachine**, inauguré en 1825. Cette voie navigable permettait enfin de contourner les infranchissables rapides de Lachine, en amont de Montréal, donnant ainsi accès aux Grands Lacs et au Midwest américain. Le canal devint en outre le berceau de la révolution industrielle canadienne, les filatures et les minoteries tirant profit de son eau comme force motrice, tout en bénéficiant d'un système d'approvisionnement et d'expédition direct, du bateau à la manufacture.

Fermé en 1959, au moment de l'ouverture de la voie maritime du Saint-Laurent, le canal a été pris en charge par le Service canadien des parcs, qui a aménagé sur ses berges une piste cyclable se prolongeant dans le Vieux-Port. Les écluses du canal, restaurées en 1991, sont adjacentes à un parc et à une audacieuse Maison des éclusiers. Le canal de Lachine est de nouveau accessible aux embarcations légères depuis sa réouverture, en 2002. Derrière les écluses se dresse le dernier des grands **silos à grains** du Vieux-Port. Cette structure de béton armé, érigée en 1905, avait suscité l'admiration de Walter Gropius et de Le Corbusier lors de leur voyage d'études. Elle est maintenant éclairée tel un monument. En face, on aperçoit l'étrange amoncellement de cubes d'**Habitat 67**, alors que, sur la gauche, se trouve la **gare maritime Iberville** (☎496-

7678), où accostent les paquebots en croisière sur le fleuve Saint-Laurent.

Le quai King-Edward, vers l'est, accueille le **Centre des sciences de Montréal ★** *(10$; mai à oct tlj 10h à 18h, oct à mai mar-dim 10h à 18h; quai King-Edward, métro Place-d'Armes,* ☎496-4724 *ou 877-496-4724)*, un complexe récréotouristique et interactif de sciences et de divertissements installé dans un bâtiment d'architecture moderne. Le centre vous invite à pénétrer les secrets du monde scientifique et technologique tout en vous amusant. Il compte trois salles d'expositions interactives où les participants peuvent prendre part à des expériences scientifiques, à des jeux d'adresse et à plusieurs activités culturelles et éducatives. Il abrite aussi un cinéma Imax et le ciné-jeu Immersion.

Tout au long du quai, une promenade permet de découvrir des vues saisissantes sur le Vieux-Montréal et le centre-ville, en arrière-plan.

Longez la promenade jusqu'au **boulevard Saint-Laurent**. Cette artère constitue la démarcation entre l'est et l'ouest de Montréal, tant sur le plan de la toponymie et des adresses civiques que sur le plan ethnique. En effet, traditionnellement, l'ouest de la ville est davantage anglophone, et l'est, davantage francophone, alors que les minorités ethniques de toutes origines se concentrent dans l'axe même du boulevard Saint-Laurent.

Remontez le boulevard Saint-Laurent jusqu'à la rue Saint-Paul. Tournez à droite puis à gauche dans l'étroite rue Saint-Gabriel.

C'est dans cette rue que Richard Dulong ouvre en 1754 une auberge. L'**Auberge Saint-Gabriel** *(426 rue St-Gabriel, métro Place-d'Armes,* ☎878-3561)*, la plus ancienne du pays encore en exploitation, n'est aujourd'hui qu'un restaurant (voir p 157). Elle occupe un groupe de bâtiments du XVIIIᵉ siècle aux solides murs de moellons.

Tournez à droite dans la rue Notre-Dame.

Après les secteurs des affaires et des entrepôts, on aborde maintenant le quartier des institutions civiques et judiciaires, où pas moins de trois palais de justice se côtoient en bordure de la rue Notre-Dame. Le nouveau **palais de justice** *(1 rue Notre-Dame Est, métro Champ-de-Mars)*, inauguré en 1971, écrase les alentours par ses volumes massifs. La sculpture de son parvis, intitulée *allegrocube*, est de l'artiste Charles Daudelin. Un mécanisme permet d'ouvrir et de fermer cette «main de la Justice» stylisée.

De son inauguration en 1926 jusqu'à sa fermeture en 1970, l'**édifice Ernest-Cormier ★** *(100 rue Notre-Dame Est, métro Champ-de-Mars)* a reçu les causes criminelles. Autrefois palais de justice, puis recyclé en conservatoire de musique, l'édifice qui porte dorénavant le nom de son architecte, l'illustre Ernest Cormier, à qui l'on doit, entre autres, le pavillon principal de l'Université de Montréal et les portes de l'Assemblée générale des Nations unies à New York, est sur le point de retourner à sa première vocation.

L'édifice comporte d'exceptionnelles torchères en

bronze, coulées à Paris aux ateliers d'Edgar Brandt. Leur installation, en 1925, marque les débuts de l'Art déco au Canada. Le hall principal, revêtu de travertin et percé de trois puits de lumière en forme de coupole, mérite une petite visite.

Le **vieux palais de justice** ★ *(155 rue Notre-Dame Est, métro Champ-de-Mars)*, doyen des palais de justice montréalais, a été érigé entre 1849 et 1856 selon les plans de John Ostell et d'Henri-Maurice Perrault à l'emplacement du premier palais de justice de 1800. Il s'agit d'un autre bel exemple d'architecture néoclassique canadienne. À la suite de la division des tribunaux en 1926, le vieux palais a hérité des causes civiles. Depuis l'ouverture du nouveau palais de justice, situé sur la gauche, le vieux palais a été transformé pour accueillir une annexe de l'hôtel de ville, situé sur la droite.

La **place Jacques-Cartier** ★ *(métro Champ-de-Mars)* a été aménagée à l'emplacement du château de Vaudreuil, incendié en 1803. L'ancienne résidence montréalaise du gouverneur de la Nouvelle-France était sans contredit la plus raffinée des demeures de la ville. Dessinée par l'ingénieur Gaspard Chaussegros de Léry en 1723, elle comportait un escalier en fer à cheval donnant sur un beau portail en pierre de taille, deux pavillons en avancée de part et d'autre du corps principal et un jardin à la française s'étendant jusqu'à la rue Notre-Dame. La forme allongée de la place Jacques-Cartier lui vient de ce que les marchands, ayant racheté la propriété, ont choisi de donner au gouvernement de la Ville

une languette de terre, à condition qu'un marché public y soit aménagé, augmentant du coup la valeur des terrains limitrophes, demeurés entre des mains privées.

Rapidement plus nombreux à Montréal qu'à Québec, ville du gouvernement et des troupes d'occupation, les marchands d'origine britannique trouveront différents moyens pour assurer leur visibilité et exprimer leur patriotisme au grand jour. Ainsi, ils seront les premiers au monde, en 1809, à ériger un monument à la mémoire de l'amiral Horatio Nelson, vainqueur de la flotte franco-espagnole à Trafalgar. On raconte qu'ils auraient même enivré des Canadiens français pour leur extorquer une contribution au financement du projet. La base de la **colonne Nelson** fut dessinée et exécutée à Londres selon les plans de l'architecte Robert Mitchell. Elle regroupe des bas-reliefs relatant les exploits du célèbre amiral à Aboukir, à Copenhague et, bien sûr, à Trafalgar. La statue de Nelson, au sommet, était à l'origine en pierre artificielle Coade, mais elle fut à maintes reprises endommagée par des activistes, jusqu'à son remplacement par une réplique en fibre de verre en 1981. La colonne Nelson est le plus ancien monument qui subsiste à Montréal.

À l'autre extrémité de la place, on aperçoit le **quai Jacques-Cartier** et le fleuve, alors que, sur la droite, à mi-course, se cache la petite **rue Saint-Amable**, où se regroupent les artistes et artisans vendant bijoux, dessins et gravures pendant la belle saison.

Sous le Régime français, Montréal avait, à l'instar de Québec et de Trois-Rivières, son propre gouverneur, qui ne doit pas être confondu avec le gouverneur de la Nouvelle-France dans son ensemble. Il en sera de même sous le Régime anglais. Il faut attendre 1833 pour qu'un premier maire élu prenne en main la destinée de la ville. Ce sera Jacques Viger, homme féru d'histoire, et il donnera à Montréal sa devise *(Concordia Salus)* et ses armoiries, formées des quatre symboles des peuples «fondateurs», soit le castor canadien-français, auquel peut se substituer la fleur de lys, le trèfle irlandais, le chardon écossais et la rose anglaise.

Après avoir logé dans des bâtiments inadéquats pendant des décennies (mentionnons simplement l'incident de l'aqueduc Hayes, édifice comportant un immense réservoir d'eau sous lequel se trouvait la salle du Conseil, et qui se fissura un jour en pleine séance; on imagine la suite), l'administration municipale put enfin emménager dans l'édifice actuel en 1878. L'**hôtel de ville** ★ *(275 rue Notre-Dame Est, métro Champ-de-Mars)*, bel exemple du style Second Empire ou Napoléon III, est l'œuvre d'Henri-Maurice Perrault, auteur du palais de justice voisin. En 1922, un incendie (encore un!) détruisit l'intérieur et la toiture de l'édifice. Elle fut rétablie en 1926 en prenant pour modèle l'hôtel de ville de Tours en France.

Des expositions se tiennent sporadiquement dans le hall d'honneur, qu'on atteint par l'entrée principale. Notons enfin que c'est du balcon de l'hôtel de ville que le général de

Montréal

Hôtel de ville

pelouses bordées d'arbres rappellent, quant à elles, que le Champ-de-Mars a été utilisé comme terrain de manœuvre

Gaulle a lancé son fameux «*Vive le Québec libre*» en 1967, pour le grand plaisir de la foule massée devant l'édifice.

Rendez-vous derrière l'hôtel de ville en passant par la jolie **place Vauquelin**, *située dans le prolongement de la place Jacques-Cartier.*

La statue de l'amiral Jean Vauquelin, défenseur de Louisbourg à la fin du Régime français, fut probablement installée à cet endroit pour faire contrepoids à la colonne Nelson, symbole du contrôle britannique sur le Canada. Descendez l'escalier qui conduit au **Champ-de-Mars**, dont le réaménagement, en 1991, a permis de dégager une partie des vestiges des fortifications qui entouraient jadis Montréal. Tout comme à Québec, Gaspard Chaussegros de Léry est responsable de cet ouvrage bastionné, érigé entre 1717 et 1745. Cependant, les murs de Montréal ne connurent jamais la bataille, la vocation commerciale et le site même de la ville interdisant ce genre de geste téméraire. Les grandes

et de parades militaires jusqu'en 1924. On remarquera aussi le dégagement qui permet une vue sur le centre-ville et ses gratte-ciel.

Retournez à la rue Notre-Dame.

Le plus humble des «châteaux» construits à Montréal, le **Château Ramezay** ★★ *(6$; mar-dim 10h à 16h30, été tlj 10h à 18h; 280 rue Notre-Dame Est, métro Champ-de-Mars, ☎861-3708)* est pourtant le seul qui subsiste. Il a été érigé en 1705 pour le gouverneur de Montréal, Claude de Ramezay, et sa famille. En 1745, il passe entre les mains de la Compagnie des Indes occidentales, qui en fait son siège nord-américain. On conserve alors dans ses voûtes les précieuses fourrures du Canada, avant qu'elles ne soient expédiées en France. À la Conquête (1760), les Britanniques s'installent au château avant d'être délogés temporairement par l'armée des insurgés américains, qui voudraient bien que le Québec se joigne aux

États-Unis en formation. Benjamin Franklin vient même résider au château pendant quelques mois, en 1775, pour convaincre les Montréalais de devenir citoyens américains.

Après avoir accueilli les premiers locaux de la succursale montréalaise de l'Université Laval de Québec, le bâtiment devient musée en 1895 sous les auspices de la Société d'histoire et de numismatique de Montréal, fondée par Jacques Viger. On y présente toujours une riche collection de mobilier, costumes et objets usuels des XVIIIe et XIXe siècles, ainsi que de nombreux objets amérindiens. La salle de Nantes est revêtue de belles boiseries d'acajou de style Louis XV, dessinées vers 1750 par Germain Boffrand et qui proviennent du siège nantais de la Compagnie des Indes occidentales.

Longez la rue Notre-Dame jusqu'à l'intersection avec la rue Berri.

À l'angle de la rue Berri se trouve le **lieu historique national Sir-George-Étienne-Cartier** ★ *(4$; début sept à fin déc et début avr à fin mai mer-dim 10h à 12h et 13h à 17h, jan à mars fermé, fin mai à début sept tlj 10h à 18h; 458 rue Notre-Dame Est, métro Champ-de-Mars, ☎283-2282)*, composé de deux maisons jumelées, habitées successivement par George-Étienne Cartier, l'un des pères de la Confédération canadienne. On y a recréé un intérieur bourgeois canadien-français du milieu du XIXe siècle. Pendant l'été et à Noël, le «théâtre de musée» vous invite à sa reconstitution interactive d'un salon bourgeois à l'étiquette bien établie. En tout temps, des bandes sonores éducatives et originales accompagnent la visite et ajoutent de l'authenticité à la visite du lieu.

L'édifice voisin, au numéro 452, est l'**ancienne cathédrale schismatique grecque Saint-Nicolas**, construite dans le style romano-byzantin vers 1910.

La rue Berri marque approximativement la frontière est du Vieux-Montréal, et donc de la ville fortifiée du Régime français, au-delà de laquelle s'étendait le faubourg Québec, excavé au XIXᵉ siècle pour permettre l'installation de voies ferrées, ce qui explique la brusque dénivellation entre le coteau Saint-Louis et les gares Viger et Dalhousie.

La **gare Viger**, que l'on aperçoit sur la gauche, a été inaugurée par le Canadien Pacifique en 1895 pour desservir l'est du pays. Sa ressemblance avec le Château Frontenac de Québec n'est pas fortuite, puisqu'elle a été dessinée pour la même société ferroviaire et par le même architecte, l'Étasunien Bruce Price. La gare de style château, fermée en 1935, comprenait également un hôtel prestigieux et de grandes verrières, aujourd'hui disparues.

La petite **gare Dalhousie** *(514 rue Notre-Dame, métro Champ-de-Mars)*, près de la maison Cartier, a été la première gare du Canadien Pacifique, entreprise formée pour la construction d'un chemin de fer transcontinental canadien. La gare a été le théâtre du départ du premier train transcontinental, à destination de Vancouver, le 28 juin 1886. Le Canadien Pacifique semble avoir eu

un faible pour les architectes étrangers, puisque c'est Thomas C. Sorby, responsable des Travaux publics en Angleterre, qui a conçu les plans de l'humble structure. Elle abrite depuis longtemps l'École nationale de cirque de Montréal, qui emménage à l'automne 2003 dans un bâtiment neuf de 20 millions, érigé dans la Cité des arts du cirque, où se trouve aujourd'hui le quartier général du Cirque du Soleil, dans le nord de l'île de Montréal. D'autres entreprises culturelles de Montréal, à savoir une compagnie de danse (O Vertigo) et une troupe théâtrale (Ubu), y déménageront en 2004. On aperçoit, du sommet de la rue Notre-Dame, l'ancien entrepôt frigorifique du port en brique brune et, au milieu du fleuve, l'île Sainte-Hélène, qui a accueilli, avec l'île Notre-Dame, l'Exposition universelle de 1967.

Tournez à droite dans la rue Berri, puis encore à droite dans la rue Saint-Paul, qui offre une belle perspective sur le dôme du marché Bonsecours. Continuez tout droit jusqu'à la chapelle Notre-Dame-de-Bonsecours.

Une première chapelle fut érigée à cet endroit en 1657, à l'instigation de sainte Marguerite Bourgeoys, fondatrice de la congrégation de Notre-Dame. La **chapelle Notre-Dame-de-Bonsecours** ★ *(400 rue St-Paul Est, métro Champ-de-Mars)* actuelle date de 1771, alors que les Messieurs de Saint-Sulpice voulurent établir une desserte de la paroisse mère dans l'est de la ville fortifiée. La chapelle a été mise au goût du jour vers 1890, au moment où l'on a ajouté la façade actuelle en pierre bossagée ainsi que

la chapelle aérienne donnant sur le port, d'où l'on bénissait autrefois les navires et leur équipage en partance pour l'Europe. L'intérieur, refait à la même époque, contient de nombreux ex-voto offerts par des marins sauvés d'un naufrage. Certains prennent la forme de maquettes de navires, suspendues au plafond de la nef.

Entre 1996 et 1998, on a effectué des fouilles sous la nef de la chapelle qui ont permis de mettre au jour plusieurs artefacts, certains datant des débuts de la colonie. Aujourd'hui le **Musée Marguerite-Bourgeoys** ★ *(6$; mai à oct tlj 10h à 17h, nov à mi-jan tlj 11h à 15h30, mi-mars à fin avr 11h à 17h, fermé mi-jan à mi-mars; 400 rue St-Paul Est, ☎282-8670)* expose ces intéressantes pièces archéologiques, mais il y a encore plus à découvrir. Attenant à la chapelle Notre-Dame-de-Bon-Secours, il nous entraîne dans les dédales de l'histoire, depuis le haut de la tour de son clocher, d'où la vue est imprenable, jusqu'aux profondeurs de sa crypte, où les vieilles pierres parlent par elles-mêmes.

Datée de 1725, la **maison Pierre du Calvet**, à l'angle de la rue Bonsecours *(au numéro 401)*, est représentative de l'architecture urbaine française du XVIIIᵉ siècle, adaptée au contexte local, puisque l'on y retrouve les épais murs de moellons noyés dans le mortier, les contre-fenêtres extérieures apposées devant des fenêtres à vantaux à petits carreaux de verre importé de France, mais surtout les hauts murs coupe-feu, imposés par les intendants afin d'éviter la propagation des flammes d'un bâtiment à l'autre. Elle abrite depuis quelques années l'une des meilleures hostelleries de Montréal: **L'Hostellerie et Restaurant Pierre du Calvet 1725** (voir p 152 et p 158).

Un peu plus haut sur la rue Bonsecours se dresse la **maison Papineau** *(440 rue Bonsecours, métro Champ-de-Mars)*, habitée autrefois par Louis-Joseph Papineau (1786-1871), avocat, politicien et chef des mouvements nationalistes canadiens-français jusqu'à l'insurrection de 1837. La maison de 1785, revêtue d'un parement de bois imitant la pierre de taille, a été l'un des premiers bâtiments du Vieux-Montréal à être restauré (1962).

La **rue Saint-Paul** fut pendant longtemps la principale artère commerciale de Montréal. Entre 1845 et 1850, on y érige le **marché Bonsecours ★ ★** *(350 rue St-Paul Est)*, un bel édifice néoclassique en pierre grise, doté de fenêtres à guillotines à l'anglaise. Il comporte un portique, dont les colonnes doriques en fonte furent coulées en Angleterre, et un dôme argenté, qui a longtemps été le symbole de la ville, à l'entrée du port. Le marché public, fermé au début des années 1960 à la suite de l'apparition des supermarchés d'alimentation, transformé en bureaux municipaux, a été rouvert en 1996. On peut donc aujourd'hui y déambuler au milieu d'une exposition et de diverses boutiques. À l'origine, l'édifice logeait également l'Hôtel de Ville de Montréal ainsi qu'une salle de concerts à l'étage. Le long de la rue Saint-Paul, on peut voir les anciens celliers du marché, récemment mis au jour, alors que, du grand balcon de la rue de la Commune,

on aperçoit le bassin Bonsecours, en partie reconstitué, où accostaient les bateaux à aubes sur lesquels prenaient place les agriculteurs venus en ville vendre leurs produits.

Rendez-vous jusqu'à la place Jacques-Cartier, puis tournez à gauche en direction du Vieux-Port.

À l'extrême sud de la place Jacques-Cartier se dresse le **pavillon Jacques-Cartier**, aux multiples pointes métalliques. Il abrite une cafétéria ainsi qu'un bar-terrasse dominé par un poste d'observation qui s'étend jusqu'à l'extrémité sud-est du quai Jacques-Cartier, sur lequel il est implanté.

Au bout du quai Jacques-Cartier, on aperçoit vers l'est la **tour de l'Horloge ★** *(mai à oct; au bout du quai de l'Horloge)*. Cette structure peinte en jaune pâle est en réalité un monument érigé en 1922 à la mémoire des marins de la marine marchande morts au cours de la Première Guerre mondiale. Il fut inauguré par le prince de Galles (futur Édouard VIII) lors de l'une de ses nombreuses visites à Montréal. Au sommet de la tour se trouve un observatoire permettant d'admirer l'île Sainte-Hélène, le pont Jacques-Cartier et l'est du Vieux-Montréal. De la place du Belvédère, située au pied de la tour, on a cette impression étrange d'être sur le pont d'un navire qui glisse lentement sur le Saint-Laurent en direction de l'Atlantique.

Pour retourner vers le métro, remontez la place Jacques-Cartier, traversez la rue Notre-Dame, la place Vauquelin puis le Champ-de-Mars jusqu'à la station du même nom.

Circuit B: Le centre-ville (une journée)

Les gratte-ciel du centre-ville donnent à Montréal son visage typiquement nord-américain. Toutefois, à la différence de la plupart des autres villes du continent, un certain esprit latin s'infiltre entre les tours pour animer ce secteur de jour comme de nuit. Les bars, les cafés, les grands magasins, les boutiques, les sièges sociaux, deux universités et de multiples collèges sont tous intégrés à l'intérieur d'un périmètre restreint au pied du mont Royal.

Au début du XXe siècle, le centre de Montréal s'est déplacé graduellement de la vieille ville vers ce qui était, jusque-là, le quartier résidentiel huppé de la bourgeoisie canadienne, baptisé **Golden Square Mile** (Mille carré doré).

De grandes artères, comme le boulevard Dorchester, aujourd'hui René-Lévesque, étaient alors bordées de demeures palatiales entourées de jardins ombragés.

Le centre-ville a connu une transformation radicale en un très court laps de temps, soit entre 1960 et 1967, période qui voit s'ériger la Place Ville-Marie, le métro, la ville souterraine, la Place des Arts et plusieurs autres infrastructures qui influencent encore le développement du secteur.

Pour commencer le circuit, montez la côte de la rue Guy (au sortir de la station de métro Guy-Concordia), puis tournez à droite dans la rue Sherbrooke.

Au cours du XXe siècle, le Golden Square Mile a connu des changements sociaux profonds qui ont modifié son visage: l'exode de la population d'origine écossaise, la pénurie de personnel domestique, l'impôt sur le revenu, la Grande Guerre, au cours de laquelle plusieurs fils de famille sont morts, et surtout le krach de 1929, qui a entraîné la ruine de plusieurs hommes d'affaires.

Conséquemment, les grandes maisons sont tombées nombreuses sous le pic des démolisseurs, et la population restante a dû trouver une forme d'habitat plus modeste. **Le Linton ★** *(1509 rue Sherbrooke Ouest, métro Guy-Concordia)*, un immeuble résidentiel prestigieux érigé dès 1907, représentait une solution avantageuse. Il a été construit dans le parc de la maison du même nom, que l'on peut encore apercevoir à l'arrière dans la petite rue Simpson. On remarquera, sur la façade du Linton, les plantureux détails de style Beaux-Arts, moulés dans la terre cuite, ainsi que la belle marquise en fonte.

L'église presbytérienne St. Andrew and St. Paul ★★ *(angle rue Redpath, métro Guy-Concordia)* est une des principales institutions de la bourgeoisie écossaise de Montréal. L'édifice, construit en 1932 selon les plans de l'architecte Harold Lea Fetherstonhaugh, est le troisième temple de la communauté et illustre la persistance du vocabulaire d'inspiration médiévale dans la construction d'édifices religieux. L'intérieur en pierre recèle de magnifiques vitraux commémoratifs. Ceux des allées proviennent de la seconde église et sont, pour la plupart, des œuvres britanniques d'importance, telles les verrières d'Andrew Allan et de son épouse, réalisées dans l'atelier de William Morris d'après des cartons du célèbre peintre préraphaélite anglais Edward Burne-Jones. Le régiment canado-écossais des Black Watch est affilié à l'église depuis sa création, en 1862.

Le **Musée des beaux-arts de Montréal ★★★** *(12$ pour les expositions temporaires, à moitié prix mer 17h30 à 21h, entrée libre pour la collection permanente; mar-dim 11h à 18h, mer jusqu'à 21h; 1380 rue Sherbrooke Ouest, métro Guy-Concordia, ☎285-2000, www.mbam.qc.ca)*, situé au cœur du centre-ville, est le plus important et le plus ancien musée québécois. Il regroupe des collections variées qui dressent un portrait de l'évolution des arts dans le monde depuis l'Antiquité jusqu'à nos jours. L'institution est installée dans deux pavillons distincts, distribués de part et d'autre de la rue Sherbrooke Ouest (le pavillon Benaiah Gibb au numéro 1379 et le pavillon Jean-Noël Desmarais au numéro 1380). Seulement un dixième de la collection permanente, qui comprend plus de 25 000 objets, est exposé. À celle-ci peuvent se joindre jusqu'à trois expositions temporaires d'envergure internationale présentées simultanément, constituant ainsi un volet appréciable des activités du musée.

Le musée rassemble des collections variées provenant pour la plupart de grandes familles du Golden Square Mile. Le pavillon Gibb regroupe l'art canadien, alors que le pavillon Desmarais s'accapare la plus grande part de la collection permanente (œuvres américaines, européennes, art africain, art précolombien, etc.). On y présente également des expositions temporaires d'envergure internationale. Parmi les salles du musée, les plus intéressantes figurent certainement la salle des miniatures, les salles du Moyen Âge et de la Renaissance ainsi que celles où sont présentées les peintures canadiennes de la première moitié du XXe siècle. Les volumes intérieurs du nouveau pavillon, parfois surprenants, méritent, eux aussi, un examen attentif.

Le petit **Musée des arts décoratifs de Montréal ★** est installé, depuis mai 1997, dans des locaux à l'intérieur du pavillon Jean-Noël Desmarais du Musée des beaux-arts et fait dorénavant partie de la collection permanente de ce musée. Ces nouveaux locaux ont été conçus par l'architecte Frank Gehry; la blancheur des murs et le plancher de bois créent une impression de dépouillement qui permet une pleine appréciation des œuvres exposées, lesquelles proviennent généralement d'expositions temporaires portant sur différents designers du monde entier. La collection est composée de meubles et d'objets décoratifs de style International (de 1935 à nos jours) de la collection «Liliane et David Stewart».

Érigée en 1892, l'**église Erskine & American ★** *(angle av. du Musée, métro Guy-Concordia)* est un excellent exemple du style néoroman tel qu'adapté par l'architecte étasunien Henry Hobson Richardson. Le grès texturé, les grands arcs encadrés de colonnettes trapues ou allongées

Montréal

démesurément, de même que les suites de petites ouvertures cintrées, sont typiques du style. L'intérieur en forme d'auditorium a été remanié en 1937 à la manière de l'école de Chicago. On peut voir dans la chapelle inférieure *(en bordure de l'avenue du Musée)* de beaux vitraux Tiffany très colorés.

La **rue Crescent** ★ *(métro Guy-Concordia)*, située immédiatement à l'est du Musée des beaux-arts de Montréal, a une double personnalité. Au nord du boulevard De Maisonneuve, elle accueille, à l'intérieur d'anciennes maisons en rangée, des antiquaires et des boutiques de luxe, alors qu'au sud on retrouve une concentration de boîtes de nuit, de restaurants et de bars, la plupart précédés de terrasses ensoleillées. Pen-

dant longtemps, la rue Crescent fut connue comme le pendant anglophone de la rue Saint-Denis. Même s'il est vrai qu'elle est toujours la favorite des visiteurs étasuniens, sa clientèle est aujourd'hui plus diversifiée.

Signe des temps, **Le Château** ★ *(1321 rue Sherbrooke Ouest, métro Guy-Concordia ou Peel)*, bel immeuble de style château, a été érigé en 1925 pour l'homme d'affaires canadien-français Pamphile du Tremblay, propriétaire du journal *La Presse*. Les architectes Ross et Macdonald ont réalisé ce qui était, à l'époque, le plus vaste immeuble résidentiel au Canada. Le chic magasin **Holt-Renfrew** *(1300 rue Sherbrooke Ouest)*, situé en face, a valu à ces mêmes architectes un prix de l'Institut Royal pour la qualité de son design. Le

magasin de 1937 est un bel exemple du style Art déco, dans sa version aérodynamique aux lignes horizontales et arrondies.

Dernier survivant des vieux hôtels de Montréal, l'**Hôtel Ritz-Carlton** ★ *(1228 rue Sherbrooke Ouest, métro Guy-Concordia ou Peel)* a été inauguré en 1911 par César Ritz luimême. Il fut pendant longtemps le lieu de rassemblement favori de la bourgeoisie montréalaise. Certains y résidaient même toute l'année, menant la belle vie entre les salons, le jardin et la salle de bal. L'édifice a été conçu par les architectes new-yorkais Warren et Wetmore, bien connus pour leur Grand Central Terminal de Park Avenue, à New York. L'hôtel, d'un luxe raffiné, a accueilli au cours de son histoire de nombreuses célébrités. Richard Burton

● ATTRAITS

1.	Le Linton	14.	Église anglicane St. George	27.	Cathédrale Christ Church
2.	Église presbytérienne St. Andrew and St. Paul	15.	Tour IBM-Marathon	28.	Square Phillips
		16.	Gare Windsor	29.	La Baie
3.	Musée des beaux-arts de Montréal	17.	Centre Bell	30.	Église St. James United
		18.	Marriott Château Champlain	31.	Église du Gesù
4.	Église Erskine & American	19.	Planétarium de Montréal	32.	Basilique St. Patrick
5.	Rue Crescent	20.	1000 De La Gauchetière	33.	Musée d'art contemporain de Montréal
6.	Le Château	21.	Cathédrale Marie-Reine-du-Monde		
7.	Maison Alcan			34.	Place des Arts
8.	Les Cours Mont-Royal	22.	Place Bonaventure	35.	Complexe Desjardins
9.	Centre Infotouriste	23.	Place Ville-Marie	36.	Monument-National
10.	Square Dorchester	24.	Place Montréal Trust	37.	Quartier chinois
11.	Windsor	25.	Tour BNP	38.	Palais des congrès de Montréal
12.	Édifice Sun Life	26.	Centre Eaton		
13.	Place du Canada				

◯ HÉBERGEMENT

1.	Auberge de jeunesse	14.	Hôtel Le Germain	26.	Novotel Montréal Centre
2.	Best Western Ville-Marie Hôtel & Suites	16.	Hôtel Renaissance Montréal	27.	Ritz-Carlton (R)
		18.	Hôtel Wyndham Montréal	28.	Travelodge Montréal Centre
3.	Château Versailles	19.	L'Abri du Voyageur	29.	Université Concordia
6.	Delta Montréal	20.	Le Centre Sheraton	30.	Université McGill
7.	Fairmont Le Reine-Élizabeth	21.	Loews Hôtel Vogue		
8.	Hilton Montréal Bonaventure	22.	Manoir Ambrose	(R) établissement avec restaurant décrit
11.	Hôtel Casa Bella	25.	Montréal Marriott Château Champlain		
12.	Hôtel de la Montagne (R)				
13.	Hôtel du Nouveau Forum				

● RESTAURANTS

1.	Ben's Delicatessen	9.	L'Actuel	17.	Marché Mövenpick
2.	Biddle's	10.	La Brûlerie Saint-Denis	18.	Mr Ma
3.	Café du Nouveau Monde	11.	La Troïka	19.	Piment Rouge
4.	Chez Georges	12.	Le Commensal	20.	Van Houtte
5.	Altitude 737	13.	Le Parchemin	21.	Wienstein 'n' Gavino's Pasta Bar Factory Co.
6.	Desjardins Sea Food	14.	Le Paris		
7.	Jardin Sakura	15.	Les Caprices de Nicolas		
8.	Julien	16.	Mangia		

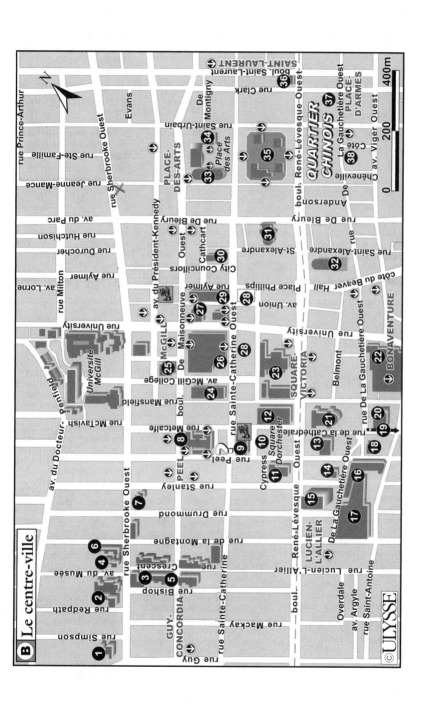

B Le centre-ville

© ULYSSE

rue Simpson
rue Redpath
av. du Musée
rue Sherbrooke Ouest
rue Prince-Arthur
rue Ste-Famille
rue Jeanne-Mance
av. du Parc
rue Hutchison
rue Durocher
rue Aylmer
av. Lorne
rue Milton
rue University
Université McGill
av. du Docteur-Penfield
rue McTavish
rue Mansfield
boul. De Maisonneuve
av. McGill College
rue Metcalfe
rue PEEL
rue Peel
rue Stanley
rue Drummond
rue de la Montagne
rue Crescent
rue Bishop
rue Mackay
rue Guy
GUY-CONCORDIA
rue Sainte-Catherine
boul. René-Lévesque
rue de la Cathédrale
boul. René-Lévesque Ouest
LUCIEN-L'ALLIER
rue Lucien-L'Allier
Overdale
av. Argyle
rue Saint-Antoine
De-La Gauchetière Ouest
rue De La Gauchetière Ouest
BONAVENTURE
SQUARE-VICTORIA
rue University
Belmont
côte du Beaver Hall
rue Saint-Alexandre
rue De Bleury
Anderson
De Chenneville
boul. René-Lévesque Ouest
QUARTIER CHINOIS
La Gauchetière Ouest
Côte
av. Viger Ouest
PLACE-D'ARMES
boul. Saint-Laurent
SAINT-LAURENT
rue Clark
rue Saint-Urbain
De Montigny
Evans
PLACE-DES-ARTS
Place des Arts
Cathcart
rue De Bleury
av. du Président-Kennedy
Ouest
City Councillors
Place Phillips
av. Union
St-Alexandre
rue Sainte-Catherine Ouest
Square Dorchester
Cypress

0   200   400m

N

et Elizabeth Taylor s'y sont mariés en 1964.

Continuez par la rue Sherbrooke jusqu'à l'entrée de la Maison Alcan.

La **Maison Alcan** ★ *(1188 rue Sherbrooke Ouest, métro Peel)*, siège mondial de la compagnie d'aluminium Alcan, représente un bel effort de conservation du patrimoine et d'invention en matière de réaménagement urbain.

Cinq bâtiments de la rue Sherbrooke, parmi lesquels on retrouve la belle **maison Atholstan** *(1172 rue Sherbrooke Ouest)*, premier exemple de style Beaux-Arts à Montréal (1894), ont été soigneusement restaurés, puis joints par l'arrière à un atrium qui relie la partie ancienne à un immeuble moderne en aluminium. Ce dernier est bordé au sud par un jardin qui permet de passer subrepticement de la rue Drummond à la rue Stanley.

En face, on aperçoit trois bâtiments dignes de mention. La **maison Baxter** *(1201 rue Sherbrooke Ouest, métro Peel)*, sur la gauche, possède un bel escalier en plusieurs volées. La **maison Forget** *(1195 rue Sherbrooke Ouest, métro Peel)*, au centre, fut construite en 1882 pour Louis-Joseph Forget, l'un des seuls magnats canadiens-français à habiter le quartier au XIXe siècle. Le bâtiment sur la droite abrite un club privé pour gens d'affaires, le **Club Mont-Royal**. L'édifice de 1905 est l'œuvre de Stanford White, de la célèbre firme new-yorkaise McKim, Mead et White, à qui l'on doit le siège social de la **Banque de Montréal** (voir p 96), sur la place d'Armes.

Pénétrez dans l'atrium par l'entrée de la rue Sherbrooke, qui donnait autrefois accès au hall de l'hôtel Berkeley. Ressortez par le jardin donnant sur la rue Stanley, et empruntez-le vers le sud. Tournez à gauche dans le boulevard De Maisonneuve puis à droite dans la rue Peel.

La **ville souterraine** de Montréal est la plus étendue du monde. Très appréciée les jours de mauvais temps, elle donne accès par des tunnels, des atriums et des places intérieures, à plus de 2 000 boutiques et restaurants, à des cinémas, à des immeubles résidentiels, à des bureaux, à des hôtels, à des gares, à la Station Centrale, à la Place des Arts et même à l'Université du Québec à Montréal (UQAM).

Les **Cours Mont-Royal** ★★ *(1455 rue Peel, métro Peel)* sont reliées, comme il se doit, à ce réseau tentaculaire qui gravite autour des stations de métro. Il s'agit d'un complexe multifonctionnel comprenant quatre niveaux de boutiques, des bureaux et des appartements aménagés dans l'ancien hôtel Mont-Royal. Ce palace des Années folles, inauguré en 1922, était, avec ses 1 100 chambres, le plus vaste hôtel de l'Empire britannique. Mis à part l'extérieur, seule une portion du plafond du hall, auquel est suspendu l'ancien lustre du casino de Monte Carlo, a été conservée lors du recyclage de l'immeuble en 1987. Il faut voir les quatre cours intérieures, hautes de 10 étages, et se promener dans ce qui est peut-être le plus réussi des centres commerciaux du centre-ville. En face, ce qui ressemble à un petit manoir écossais est en fait le siège social des distilleries Seagram

(vins Barton et Guestier, champagnes Mumm Cordon Rouge et Mumm cuvée Napa).

Poursuivez vers le sud par la rue Peel jusqu'au square Dorchester.

Le **Centre Infotouriste** *(1001 rue du Square-Dorchester, métro Peel)* abrite les comptoirs de plusieurs intervenants du domaine touristique, entre autres les bureaux d'information touristique, de la compagnie d'autocars Greyhound, du service de réservations Le Réseau et de la Librairie Ulysse.

De 1799 à 1854, le **square Dorchester** ★ *(métro Peel)* était occupé par le cimetière catholique de Montréal, le cimetière Saint-Antoine. Cette année-là, il fut transféré sur le mont Royal, où il est toujours situé. En 1872, la Ville fait de l'espace libéré deux squares de part et d'autre de la rue Dorchester (actuel boulevard René-Lévesque). La portion nord porte le nom de «square Dorchester» (anciennement le square Dominion), alors que la portion sud fut rebaptisée «place du Canada» lors du centenaire de la Confédération (1967). Plusieurs monuments ornent le square Dorchester: au centre, on peut voir une statue équestre à la mémoire des soldats canadiens tués lors de la guerre des Boers en Afrique du Sud, puis, sur le pourtour, une belle statue du poète écossais Robert Burns, une sculpture d'après *Le Lion de Belfort* de Bartholdi, offerte par la compagnie d'assurances Sun Life, et le monument du sculpteur Émile Brunet en l'honneur de Sir Wilfrid Laurier, premier ministre du Canada de 1896 à 1911. Le square est aussi le point de départ des visites guidées en autocar.

Le **Windsor** ★ *(1170 rue Peel, métro Peel)*, l'hôtel où descendaient les membres de la famille royale lors de leurs visites en terre canadienne, n'existe plus. Le prestigieux édifice de style Second Empire, construit en 1878 par l'architecte W.W. Boyinton de Chicago, a été la proie des flammes en 1957. Seule l'annexe de 1906 subsiste, transformée depuis 1986 en édifice de bureaux. La jolie Peacock Alley, de même que les salles de bal, ont cependant été conservées. Un impressionnant atrium, visible des étages supérieurs, a été aménagé pour les locataires. À l'emplacement du vieil hôtel se dresse la **tour CIBC**, belle réalisation de l'architecte Peter Dickinson (1962). Ses parois sont revêtues d'ardoise verte, respectant ainsi les couleurs dominantes des bâtiments du square, qui sont le gris beige de la pierre et le vert du cuivre oxydé.

L'**édifice Sun Life** ★★ *(1155 rue Metcalfe, métro Peel)*, érigé entre 1913 et 1933 pour la puissante compagnie d'assurances Sun Life, fut pendant longtemps le plus vaste édifice de l'Empire britannique. C'est dans cette «forteresse» de l'establishment anglosaxon, aux colonnades dignes de la mythologie antique, que l'on dissimula les joyaux de la Couronne britannique au cours de la Seconde Guerre mondiale. En 1977, le siège social de la compagnie fut déménagé à Toronto en guise de protestation contre les lois linguistiques favorables au français. Heureusement, le carillon qui sonne à 17h, chaque jour de la semaine, n'a pas été

transféré et demeure partie intégrante de l'âme du quartier.

La **place du Canada** ★ *(métro Bonaventure)*, dans la portion sud du square Dorchester, accueille le 11 novembre de chaque année la cérémonie du Souvenir, à la mémoire des soldats canadiens tués au cours de la guerre de Corée et des deux guerres mondiales. Les anciens combattants se réunissent autour du monument aux morts qui trône au centre de la place. Un monument plus imposant, à la mémoire de Sir John A. Macdonald, premier à avoir été élu premier ministre du Canada en 1867, est situé en bordure du boulevard René-Lévesque.

Avant même qu'il ne soit aménagé en 1872, le square Dorchester est devenu le point de convergence de diverses églises. Malheureusement, seuls deux des huit lieux de culte érigés dans les environs du square entre 1865 et 1875 ont survécu, dont la très jolie **église anglicane St. George** ★★ *(rue De La Gauchetière, angle rue Peel, métro Bonaventure)*, de style néogothique. Son extérieur de grès délicatement sculpté cache un intérieur revêtu de belles boiseries sombres. On remarquera l'exceptionnel plafond à charpente apparente et les boiseries du chœur, ainsi qu'une tapisserie provenant de l'abbaye de Westminster ayant servi lors du couronnement de la reine Elizabeth II.

L'élégante **tour IBM-Marathon** ★ *(1250 boul. René-Lévesque Ouest, métro Bonaventure)*, de 47 étages, qui se dresse à l'arrière-plan de l'église St. George, a été achevée en 1991 selon les

plans des célèbres architectes new-yorkais Kohn, Pedersen et Fox. Son jardin d'hiver planté de bambous est accessible au public.

En 1887, le directeur du Canadien Pacifique, William Cornelius Van Horne, demande à son ami newyorkais Bruce Price (1845-1903) d'élaborer les plans de la **gare Windsor** ★ *(angle rue De La Gauchetière et rue Peel, métro Bonaventure)*, une gare moderne qui agira comme terminal du chemin de fer transcontinental, achevé l'année précédente. Price est, à l'époque, l'un des architectes les plus en vue de l'est des États-Unis, où il conçoit des projets résidentiels pour la haute société, mais aussi des gratte-ciel, tel l'American Surety Building de Manhattan. On le chargera, par la suite, de la construction du Château Frontenac de Québec, qui lancera la vogue du style château au Canada.

L'allure massive qui se dégage de la gare Windsor, ses arcades en série, ses arcs cintrés soulignés dans la pierre et ses contreforts d'angle en font le meilleur exemple montréalais du style néoroman tel qu'adapté par l'architecte étasunien Henry Hobson Richardson. Sa construction va consacrer Montréal comme plaque tournante du transport ferroviaire au pays et amorcer le transfert des activités commerciales et financières du Vieux-Montréal vers le Golden Square Mile. Délaissée au profit de la Gare centrale après la Seconde Guerre mondiale, la gare Windsor ne fut plus utilisée que par les passagers des trains de banlieue jusqu'en 1993. Aujourd'hui elle abrite des commerces et des bureaux.

Montréal

Le **Centre Bell** *(8$; tlj, tours guidés en français 9h45 et 13h15, en anglais 11h15 et 14h45, durée 1 heure 15min; 1250 rue De La Gauchetière O., métro Bonaventure ou Lucien-L'Allier, ☎989-2841)*, érigé à l'emplacement des quais de la gare Windsor, bloque maintenant tout accès des trains au vénérable édifice. L'immense bâtiment aux formes incertaines, inauguré en mars 1996 sous le nom de Centre Molson (Bell en a acquis les droits en 2002), a succédé au Forum de la rue Sainte-Catherine en tant que patinoire du club de hockey Le Canadien. L'amphithéâtre compte 21 247 sièges, ainsi que 138 loges vitrées, vendues à fort prix aux entreprises montréalaises. La saison régulière de la Ligue nationale de hockey s'étend d'octobre à avril, et les éliminatoires peuvent se prolonger jusqu'en juin. Deux mille places sont mises en vente à la billetterie du Centre Bell le jour même de chaque match, ce qui permet d'obtenir de bons billets à la dernière minute. Le Centre Bell accueille en outre de fréquents concerts de musique populaire.

L'hôtel **Marriott Château Champlain** ★ *(1 place du Canada, métro Bonaventure)*, surnommé «la râpe à fromage» par les Montréalais à cause de ses multiples ouvertures cintrées et bombées, a été réalisé en 1966 par les Québécois Jean-Paul Pothier et Roger D'Astou. Ce dernier est un disciple de l'architecte étasunien Frank Lloyd Wright, auprès duquel il a étudié pendant quelques années. Son hôtel n'est pas sans rappeler les lignes fluides et arrondies des dernières œuvres du maître.

Planétarium de Montréal ★ *(6,50$; juin à sept tlj 13h15, 15h45 et 20h30; début sept à fin juin mar-dim 13h15, 15h45, jeu-dim 20h30; représentations de 45 min; 1000 rue St-Jacques O., métro Bonaventure, ☎872-4530)*. Le Planétarium de Montréal présente, sous un dôme hémisphérique de 20 m, des projections qui ont pour thème l'astronomie. L'Univers et ses mystères sont ici expliqués de façon à rendre accessible à tous ce monde merveilleux, trop souvent mal connu.

La tour du **1000 De La Gauchetière** *(1000 rue De La Gauchetière Ouest, métro Bonaventure)*, gratte-ciel de 51 étages, a été terminée en 1992. On y retrouve le terminus des autobus qui relient Montréal à la Rive-Sud ainsi que l'**Amphithéâtre Bell**, une patinoire intérieure ouverte toute l'année *(5$; location de patins 4,50$; dim-ven 11h30 à 21h, sam 11h30 à 19h pour tous et 19h à 22h pour les 16 ans et plus; ☎395-0555)*. Les architectes ont voulu démarquer l'immeuble de ses voisins en le dotant d'un couronnement en pointe recouvert de cuivre. Sa hauteur totale atteint le maximum permis par la Ville, soit la hauteur du mont Royal, symbole ultime de Montréal, qui ne

peut en aucun cas être dépassé.

Siège de l'archevêché de Montréal et rappel de la puissance extrême du clergé jusqu'à la Révolution tranquille, la **cathédrale Marie-Reine-du-Monde** ★★ *(boul. René-Lévesque Ouest, angle Mansfield, métro Bonaventure)* est une réduction au tiers de la basilique Saint-Pierre-de-Rome. En 1852, un terrible incendie détruit la cathédrale catholique de la rue Saint-Denis. L'évêque de Montréal à l'époque, l'ambitieux Mgr Ignace Bourget (1799-1885), profitera de l'occasion pour élaborer un projet grandiose qui surpassera enfin l'église Notre-Dame des sulpiciens et qui assurera la suprématie de l'Église catholique à Montréal. Quoi de mieux alors qu'une réplique de Saint-Pierre-de-Rome élevée en plein quartier protestant. Malgré les réticences de l'architecte Victor Bourgeau, le projet sera mené à terme, l'évêque obligeant même Bourgeau à se rendre à Rome pour mesurer le vénérable édifice. La construction, entreprise en 1870, sera finalement achevée en 1894. Les statues de cuivre des 13 saints patrons des paroisses de Montréal seront, quant à elles, installées en 1900.

Cathédrale Marie-Reine-du-Monde

L'intérieur, modernisé au cours des années 1950, ne présente plus la même cohésion qu'autrefois. Il faut cependant remarquer le beau baldaquin, réplique de celui du Bernin, exécuté par le sculpteur Victor Vincent. Dans la chapelle mortuaire, sur la gauche, sont inhumés les évêques et archevêques de Montréal, la place d'honneur étant réservée au gisant de Mgr Bourget. Un monument à l'extérieur rappelle lui aussi ce personnage qui a beaucoup fait pour rapprocher la France du Canada.

La **Place Bonaventure** ★ *(1 Place Bonaventure, métro Bonaventure)*, immense cube de béton strié sans façade, était, au moment de son achèvement en 1966, l'une des réalisations de l'architecture moderne les plus révolutionnaires de son époque. Il s'agit d'un complexe multifonctionnel du Montréalais Raymond Affleck, érigé au-dessus des voies ferrées qui mènent à la Gare centrale, où se superposent un stationnement, un centre commercial à deux niveaux relié au métro et à la ville souterraine, deux vastes halls d'exposition, des salles de vente en gros, des bureaux et, au-dessus, un hôtel intimiste de 400 chambres, aménagé autour d'un charmant jardin suspendu qui mérite une petite visite. La Place Bonaventure donne accès à la station de métro du même nom, de l'architecte Victor Prus (1964). Avec ses revêtements de brique brune et ses voûtes de béton brut, elle rappelle une basilique paléochrétienne. Au total, le **métro de Montréal** compte 65 stations réparties sur quatre lignes, empruntées par des rames de métro qui roulent sur pneumatiques

(voir le plan du métro). Chacune des stations adopte une architecture différente, parfois très élaborée.

En 1913, on perce, sous le mont Royal, un tunnel ferroviaire qui aboutit au centre-ville. Les voies souterraines courent sous l'avenue McGill College, puis se multiplient au fond d'une large tranchée à l'air libre qui s'étend entre les rues Mansfield et University. En 1938, on érige la **Gare centrale** en sous-sol, véritable point de départ de la ville souterraine. Camouflée depuis 1957 par l'**Hôtel Reine-Elizabeth**, elle présente une intéressante «Salle des pas perdus» de style Art déco aérodynamique, aussi appelé Streamlined Deco.

La **Place Ville-Marie** ★★★ *(1 Place Ville-Marie, métro Bonaventure)* voit le jour dans la portion nord de cette tranchée en 1959. Le célèbre architecte sino-étasunien Ieoh Ming Pei (pyramide du Louvre de Paris, East Building de la National Gallery de Washington) conçoit, au-dessus des voies ferrées, un complexe multifonctionnel comprenant des galeries marchandes très étendues, aujourd'hui reliées à la majorité des immeubles environnants, et différents édifices de bureaux, notamment la fameuse tour cruciforme en aluminium. Sa forme particulière, tout en permettant d'obtenir un meilleur éclairage naturel jusqu'au centre de la construction, symbolise la ville catholique dédiée à Marie.

Au milieu de l'espace public en granit, une rose des vents indique le nord géographique, alors que l'orientation de l'**avenue McGill College**, dans l'axe de

la place, suggère plutôt le nord tel que les Montréalais le perçoivent dans la vie de tous les jours. Cette artère, bordée de gratte-ciel multicolores, était encore en 1950 une étroite rue résidentielle. La large perspective qu'elle offre maintenant permet de voir le mont Royal coiffé de sa **croix** métallique. Celle-ci fut installée en 1927 pour commémorer le geste posé par le fondateur de Montréal, Paul Chomedey, sieur de Maisonneuve, lorsqu'il gravit la montagne en janvier 1643 pour y planter une croix de bois en guise de remerciement à la Vierge pour avoir épargné le fort Ville-Marie d'une inondation dévastatrice.

Traversez la Place Ville-Marie, puis empruntez l'avenue McGill College jusqu'à la rue Sherbrooke.

L'avenue McGill College a été élargie et entièrement réaménagée au cours des années 1980. On peut y voir plusieurs exemples d'une architecture postmoderne éclectique et polychrome, où le granit poli et le verre réfléchissant abondent. La **Place Montréal Trust** *(angle rue Ste-Catherine, métro McGill)* est un de ces centres commerciaux surmontés d'une tour de bureaux qui sont reliés à la ville souterraine et au métro par des corridors et des places privées.

La **tour BNP** ★ *(1981 av. McGill College, métro McGill)*, le plus réussi des immeubles de l'avenue McGill College, a été construit pour la Banque Nationale de Paris en 1981 selon les plans des architectes Webb, Zerafa, Menkès, Housden et associés (tour Elf-Aquitaine de La Défense à Paris, Banque Royale de Toronto). Ses parois de verre bleuté mettent en valeur la sculpture intitulée *La foule illuminée* du sculpteur franco-britannique Raymond Mason.

Le **Musée McCord d'histoire canadienne** ★★ *(9,50$, entrée libre sam 10h à 12h; mar-ven 10h à 18h, sam-dim 10h à 17h; 690 rue Sherbrooke Ouest, métro McGill, ☎398-7100, www.musée-mccord.qc.ca)* occupe l'ancien édifice de l'association étudiante de l'Université McGill. Le beau bâtiment d'inspiration baroque anglais, de l'architecte Percy Nobbs (1906), a été agrandi vers l'arrière en 1991. Le long de la rue Victoria, on peut voir, entre les parties nouvelles et anciennes du musée, une intéressante sculpture de Pierre Granche intitulée *Totem urbain / histoire en dentelle*. C'est le musée qu'il faut absolument voir à Montréal si l'on s'intéresse aux Amérindiens et à la vie quotidienne au Canada aux XVIIIe et XIXe siècles. On y trouve en effet une importante collection ethnographique, à laquelle s'ajoutent des collections de costumes, d'arts décoratifs, de tableaux, d'estampes et de photographies, notamment la fameuse collection «Notman» comportant 700 000 négatifs sur verre, véritable portrait du Canada de la fin du XIXe siècle.

L'Université McGill ★★ *(805 rue Sherbrooke Ouest, métro McGill)* a été fondée en 1821 grâce à un don du marchand de fourrures James McGill, ce qui en fait la plus ancienne des quatre universités de la ville. L'institution sera, tout au long du XIXe siècle, l'un des plus beaux fleurons de la bourgeoisie écossaise du Golden Square Mile. Le campus principal de l'université est

caché dans la verdure au pied du mont Royal. On y pénètre, à l'extrémité nord de l'avenue McGill College, par les portes Roddick, qui renferment l'horloge et le carillon universitaire. Sur la droite, on aperçoit deux bâtiments néoromans de Sir Andrew Taylor, conçus pour abriter les départements de physique (1893) et de chimie (1896). L'École d'architecture occupe maintenant le second édifice. Un peu plus loin se trouve l'édifice du département d'ingénierie, le Macdonald Engineering Building, un bel exemple du style néobaroque anglais avec son portail à bossages, doté d'un fronton brisé écarté (Percy Nobbs, 1908). Au fond de l'allée se dresse le plus ancien bâtiment du campus, le Arts Building de 1839. Cet austère bâtiment néoclassique de l'architecte John Ostell fut pendant trois décennies le seul pavillon de l'Université McGill. Il abrite le Moyse Hall, un beau théâtre antiquisant de 1926 (Harold Lea Fetherstonhaugh, architecte).

Revenez à la rue Sainte-Catherine Ouest.

La **rue Sainte-Catherine** est la principale artère commerciale de Montréal. Longue de 15 km, elle change de visage à plusieurs reprises sur son parcours. Vers 1870, elle était encore bordée de maisons en rangée, mais, en 1920, elle était déjà au cœur de la vie montréalaise. Depuis les années 1960, un ensemble de centres commerciaux reliant l'artère aux lignes de métro adjacentes s'est ajouté aux commerces sur rue. Le **Centre Eaton** *(rue Ste-Catherine Ouest, métro McGill)* est le dernier-né d'entre eux. Il comprend une longue

galerie à l'ancienne, bordée de cinq niveaux de magasins, de restaurants et de cinémas. Un tunnel piétonnier le relie à la Place Ville-Marie.

Le grand magasin **Eaton** *(677 rue Ste-Catherine Ouest, métro McGill)* fut une des principales «institutions» de la rue Sainte-Catherine, mais il a dû fermer ses portes en novembre 1999 pour cause de faillite. L'imposant édifice de neuf étages abrite dorénavant une succursale d'une autre chaîne de magasins à rayons, Les Ailes de la Mode. La salle à manger Art déco, au 9e étage, dessinée en 1931 par Jacques Carlu, auteur de plusieurs décors de paquebots et créateur du palais de Chaillot à Paris, sera gardée intacte puisqu'elle a été classée monument historique.

La première cathédrale anglicane de Montréal était située rue Notre-Dame, à proximité de la place d'Armes. À la suite d'un incendie en 1856, il fut décidé de reconstruire la **cathédrale Christ Church** ★★ *(angle rue University, métro McGill)* plus près de la population à desservir, soit au cœur du Golden Square Mile naissant. L'architecte Frank Wills de Salisbury, prenant pour modèle la cathédrale de sa ville d'origine, a réalisé un ouvrage flamboyant doté d'un seul clocher aux transepts. La sobriété de l'intérieur contraste avec la riche ornementation des églises catholiques que l'on retrouve dans le même circuit. Seuls quelques beaux vitraux, exécutés dans les ateliers de William Morris, ajoutent un peu de couleur.

La flèche de pierre du clocher fut démolie en

1927 et remplacée par une copie en aluminium, car elle aurait éventuellement entraîné l'affaissement de l'édifice. Le problème lié à l'instabilité des fondations ne fut pas réglé pour autant, et il fallut la construction du centre commercial Les Promenades de la Cathédrale, sous l'édifice, pour solidifier le tout (1987). Ainsi, la cathédrale anglicane Christ Church repose maintenant sur le toit d'un centre commercial. Par la même occasion, une tour de verre postmoderne, coiffée d'une «couronne d'épines», fut érigée à l'arrière. A son pied se trouve un agréable petit jardin.

Cathédrale Christ Church

C'est autour du **square Phillips** ★ *(angle rue Union et rue Ste-Catherine Ouest, métro McGill)* qu'apparurent les premier magasins de la rue Sainte-Catherine, autrefois strictement résidentielle. Henry Morgan y transporta sa Morgan's Colonial House, aujourd'hui **La Baie**, à la suite des inondations de 1886 dans la vieille ville. Henry Birks, issu d'une longue lignée de joailliers anglais, suivit bientôt, en installant sa célèbre bijouterie dans un bel édifice de grès beige, sur la face ouest du square. En 1914, on a inauguré, au centre du square Phillips, un monument à la mémoire du roi Édouard VII, œuvre du sculpteur Philippe Hébert. Le square est un lieu de détente apprécié par les clients des grands magasins.

L'église St. James United *(463 rue Ste-Catherine Ouest, métro McGill)*, une ancienne église méthodiste construite en forme d'auditorium, présentait à l'origine une façade complète donnant sur un jardin. Pour contrer la diminution de ses revenus, la communauté fit construire, en 1926, un ensemble de commerces et de bureaux sur le front de la rue Sainte-Catherine, ne laissant qu'un étroit passage pour pénétrer dans le temple. On aperçoit encore les deux clochers néogothiques en retrait de la rue.

Tournez à droite dans la rue De Bleury.

Après 40 ans d'absence, les Jésuites reviennent à Montréal en 1842 à l'invitation de Mgr Ignace Bourget. Six ans plus tard, ils fondent le collège Sainte-Marie, où plusieurs générations de garçons recevront une éducation exemplaire. L'**église du Gesù** ★★ *(1202 rue De Bleury, métro Place-des-Arts)* fut conçue, à l'origine, comme chapelle du collège. Le projet grandiose, entrepris en 1864 selon les plans de l'architecte Patrick C. Keely de Brooklyn (New York), ne put être achevé faute de fonds. Ainsi, les tours de l'église néo-Renaissance n'ont jamais reçu de clochers. Quant au décor intérieur, il fut exécuté en trompe-l'œil par l'artiste Damien Müller. On remarquera les beaux exemples d'ébénisterie que sont les sept autels principaux ainsi que les parquets marquetés qui les entourent. Les grandes toiles suspendues aux murs ont été commandées aux frères Gagliardi de Rome. Le collège des Jésuites, érigé au sud de l'église, a été démoli en 1975, mais le Gesù a heureusement pu être sauvé puis restauré en 1983. S'y trouvent aujourd'hui des salles de spectacle.

Une courte excursion facultative permet de visiter la basilique St. Patrick. Pour y aller, suivez la rue De Bleury vers le sud. Tournez à droite dans le boulevard René-Lévesque puis à gauche dans la petite rue Saint-Alexandre. Entrez dans l'église par les accès situés sur les côtés.

Fuyant la misère et la maladie de la pomme de terre, les Irlandais arrivent nombreux à Montréal entre 1820 et 1860, où ils participent aux chantiers du canal de Lachine et du pont Victoria. La construction de la **basilique St. Patrick** ★★ *(460 boul. René-Lévesque O., métro Place-des-Arts)*, pour desservir la communauté catholique irlandaise, répondait donc

Montréal

à une demande nouvelle et pressante. Au moment de son inauguration en 1847, l'église dominait la ville située en contrebas. Elle est, de nos jours, bien dissimulée entre le gratte-ciel du centre des affaires. Le père Félix Martin, supérieur des Jésuites, et l'architecte Pierre-Louis Morin se chargèrent des plans de l'édifice néogothique, style préconisé par les Messieurs de Saint-Sulpice, qui financèrent le projet. Paradoxe parmi tant d'autres, l'église catholique St. Patrick est davantage l'expression d'un art gothique français que de sa contrepartie anglo-saxonne. L'intérieur, haut et sombre, invite à la prière. Chacune des colonnes en pin qui divisent la nef en trois vaisseaux est un tronc d'arbre taillé d'un seul morceau.

Revenez à la rue Sainte-Catherine Ouest.

Autrefois situé à la Cité du Havre, le **Musée d'art contemporain de Montréal** ★ ★ *(6$; entrée libre mer 18h à 21h; mar-dim 11h à 18h; 185 rue Ste-Catherine Ouest, angle rue Jeanne-Mance, métro Place-des-Arts, ☎847-6226, www.macm.org)* a été transféré sur ce site en 1992. L'édifice tout en longueur, érigé au-dessus du stationnement de la Place des Arts, renferme huit salles où sont présentées des œuvres québécoises et internationales réalisées après 1940. L'intérieur, nettement plus réussi que l'extérieur, s'organise autour d'un hall circulaire. Au rez-de-chaussée, une amusante sculpture métallique de Pierre Granche intitulée *Comme si le temps... de la rue* représente la trame de rues montréalaise, envahie par des oiseaux casqués, dans une sorte de théâtre semi-circulaire.

Inspiré par des ensembles culturels, comme le Lincoln Center de New York, le gouvernement du Québec a fait ériger, dans la foulée de la Révolution tranquille, la **Place des Arts** ★ *(175 rue Ste-Catherine Ouest, entre les rues Jeanne-Mance et Saint-Urbain, métro Place-des-Arts),* un complexe de cinq salles consacré aux arts de la scène. La Salle Wilfrid-Pelletier, au centre, fut inaugurée en 1963 (2 982 places). Elle accueille l'Orchestre symphonique de même que l'Opéra de Montréal.

Le Théâtre Maisonneuve, sur la droite, adopte une forme cubique. Il renferme trois salles: le Théâtre Maisonneuve (1 460 places), le Théâtre Jean-Duceppe (755 places) et le Café de la Place, une petite salle intimiste de 138 places. Quant à la Cinquième Salle (350 places), elle a été aménagée en 1992 dans le cadre de la construction du Musée d'art contemporain. La Place des Arts est reliée à l'axe gouvernemental de la ville souterraine, qui s'étend du Palais des congrès jusqu'à l'avenue du Président-Kennedy. Développée par les différents ordres de gouvernement, cette portion du réseau souterrain a été baptisée ainsi par opposition au réseau privé, qui gravite autour de la Place Ville-Marie, plus à l'ouest.

Le vaste **complexe Desjardins** ★ *(rue Ste-Catherine Ouest, métro Place-des-Arts)* abrite le siège social de la Fédération des caisses populaires Desjardins depuis 1976. On y trouve également de nombreux bureaux gouvernementaux. Le complexe est doté d'une place publique intérieure, très courue durant les mois d'hiver, où sont présentés divers spectacles et où sont enregistrées des émissions de télévision. La place est entourée de boutiques et d'une aire de restauration rapide.

On quitte maintenant l'ancien secteur du Golden Square Mile pour aborder celui du **boulevard Saint-Laurent**. À la fin du XVIIIe siècle, le faubourg Saint-Laurent se développe en bordure du chemin du même nom, qui conduit à l'intérieur des terres. En 1792, on en fait la division officielle de la ville en deux quartiers est et ouest, de part et d'autre de l'artère. Puis au début du XXe siècle, les adresses des rues est-ouest sont réparties de façon à débuter au boulevard Saint-Laurent.

Entre-temps, vers 1880, la haute société canadienne-française conçoit le projet de faire de ce boulevard les «Champs-Élysées» montréalais. On démolit alors le flanc ouest pour élargir la voie et reconstruire de nouveaux immeubles dans le style néoroman de Richardson, à la mode en cette fin du XIXe siècle. Peuplé de vagues successives d'immigrants qui débarquent dans le port, le boulevard Saint-Laurent ne connaîtra jamais la gloire prévue par ses promoteurs. Le tronçon du boulevard compris entre les boulevards René-Lévesque et De Maisonneuve deviendra cependant le noyau de la vie nocturne montréalaise dès le début du XXe siècle. On y trouvait les grands théâtres, tel le Français, où se produisait Sarah Bernhardt. À l'époque de la Prohibition aux États-Unis (1919-1930), le secteur s'encanaille, attirant chaque semaine des milliers d'Étasuniens qui fréquentent les cabarets et les lupanars, nombreux dans le quartier jusqu'à la fin des années 1950.

Tournez à droite dans le boulevard Saint-Laurent.

Érigé en 1893 pour la Société Saint-Jean-Baptiste, vouée à la défense des droits des francophones, le **Monument National ★** *(1182 boul. St-Laurent, métro St-Laurent)* constituait un centre culturel dédié à la cause du Canada français. On y proposait des cours commerciaux, on y trouvait la tribune favorite des orateurs politiques, et on y présentait des spectacles à caractère religieux. Toutefois, au cours des années 1940, on y a aussi monté des spectacles de cabaret et des pièces à succès qui ont lancé la carrière de plusieurs artistes québécois, notamment les Olivier Guimond père et fils. L'édifice, vendu à l'École nationale de théâtre du Canada en 1971, a fait l'objet d'une restauration complète lors de son centenaire; à cette occasion, on a mis en valeur la plus ancienne salle de spectacle du Canada.

Traversez le boulevard René-Lévesque, puis tournez à droite dans la rue De La Gauchetière.

Le **quartier chinois ★** *(rue De La Gauchetière, métro Place-d'Armes)* de Montréal, même s'il est plutôt petit, n'en demeure pas moins un lieu de promenade agréable. Les Chinois venus au Canada pour la construction du chemin de fer transcontinen-

tal, terminé en 1886, s'y sont installés en grand nombre à la fin du XIXᵉ siècle. Bien qu'ils n'habitent plus le quartier, ils y viennent toujours les fins de semaine pour flâner et faire provision de produits exoti-ques. La rue De La Gauchetière a été transformée en artère piétonne, bordée de restaurants et encadrée par de belles portes à l'architecture d'inspiration chinoise qu'on retrouve également sur le boulevard Saint-Laurent.

À l'ouest de la rue Saint-Urbain se trouve le **Palais des congrès de Montréal** *(201 av. Viger Ouest, métro Place-d'Armes, ☎871-3170)*, masse de béton rébarbative érigée au-dessus de l'autoroute Ville-Marie, qui contribue à isoler le Vieux-Montréal du centre-ville. Une petite place le long de la rue De La Gauchetière donne accès au hall d'accueil du Palais aména-

Quartier chinois

gé sous une longue verrière. Des travaux d'agrandissement du Palais des congrès de Montréal ont pratiquement doublé son volume récemment.

Pour retourner au point de départ, remontez le boulevard Saint-Laurent jusqu'à la station de métro Place-des-Arts (angle boul. De Maisonneuve). Prenez le métro vers l'ouest jusqu'à la station Guy-Concordia.

Circuit C: Le Village Shaughnessy (une journée)

Lorsque les Messieurs de Saint-Sulpice prennent possession de l'île de Montréal en 1663, ils se réservent une partie des meilleures terres, sur lesquelles ils implanteront une ferme et un village amérindien en 1676. À la suite d'un incendie, le village est déplacé en différents endroits, avant de se fixer définitivement à Oka. Une section de la ferme, correspondant à l'actuel territoire de Westmount, est alors concédée à des colons français. Sur la portion restante, les sulpiciens aménagent un verger et un vignoble. Le lotissement de ces terres débute vers 1870: une partie d'entre elles servent à la construction de demeures bourgeoises, alors que de larges parcelles sont accordées aux communautés religieuses catholiques alliées des sulpiciens. C'est à cette époque que l'on érige la maison

Montréal

Shaughnessy, qui donnera son nom au quartier. Depuis 1960, la population du secteur a considérablement augmenté, faisant du Village Shaughnessy l'une des zones les plus densément peuplées du Québec.

De la rue Guy (station de métro Guy-Concordia), prenez la rue Sherbrooke à gauche. Le circuit débute au 1850 Sherbrooke Ouest.

Les loges maçonniques, bien que déjà présentes en Nouvelle-France, prendront de l'ampleur avec l'immigration britannique. Ces associations de libres penseurs n'ont pas la faveur du clergé canadien, qui fustige leurs vues libérales. Ironiquement, le **Temple Maçonnique ★** *(1850 rue Sherbrooke Ouest, métro Guy-Concordia)* des loges écossaises de Montréal est situé en face du Grand Séminaire, où l'on forme les prêtres catholiques. L'édifice, bâti en 1928, contribue à donner à la franc-maçonnerie son caractère mystique et secret grâce à sa façade hermétique sans fenêtres, dotée de vasques antiques et de luminaires bicéphales.

La maison de ferme des sulpiciens était entourée d'un mur d'enceinte relié à quatre tours d'angle en pierre, ce qui lui a valu le nom de Fort des Messieurs. La maison a été détruite au moment de la construction (1854-1860) du **Grand Séminaire ★★** *(2065 rue Sherbrooke Ouest, métro Guy-Concordia)*, mais deux des tours érigées au XVIIᵉ siècle selon les plans de François Vachon de Belmont, supérieur des sulpiciens de Montréal, subsistent dans les jardins ombragés de l'institution. C'est dans l'une d'elles que sainte Marguerite Bour-

geoys enseignait aux petites Amérindiennes. Les longs bâtiments néoclassiques du Grand Séminaire, œuvre de l'architecte John Ostell, se sont vu coiffer d'une toiture en mansarde par Henri-Maurice Perrault vers 1880. Un centre d'interprétation extérieur, rue Sherbrooke, dans l'axe de la rue du Fort, apporte des précisions sur la disposition des bâtiments de la ferme.

Il faut pénétrer à l'intérieur du Grand Séminaire pour voir la belle chapelle dessinée dans le style néoroman par Jean Omer Marchand en 1905. Les poutres de son plafond sont faites de cèdre de la Colombie-Britannique, alors que ses murs sont revêtus de pierres de Caen. Les 300 stalles en chêne, sculptées à la main, bordent la nef de 80 m de longueur, sous laquelle reposent les sulpiciens morts à Montréal depuis le XVIIᵉ siècle. Rappelons que la compagnie des prêtres de Saint-Sulpice a été fondée à Paris par Jean-Jacques Olier en 1641 et que son église mère est la célèbre église parisienne Saint-Sulpice, sur la place du même nom.

La congrégation de Notre-Dame, fondée par sainte Marguerite Bourgeoys en 1671, possédait un couvent et une maison d'enseignement dans le Vieux-Montréal. L'ensemble, reconstruit au XVIIIᵉ siècle, fut exproprié par la Ville au début du XXᵉ siècle en vue du prolongement du boulevard Saint-Laurent jusqu'au port. Les religieuses durent se résoudre à quitter les lieux pour s'installer dans une nouvelle maison mère. C'est alors que la congrégation fit élever le couvent de la rue Sherbrooke selon les plans de Jean Omer Marchand

(1873-1936), premier architecte canadien-français diplômé de l'École des beaux-arts de Paris. L'immense complexe, où loge depuis 1987 le **Collège Dawson ★** *(3040 rue Sherbrooke Ouest, métro Atwater)*, cégep (collège d'enseignement général et professionnel) de langue anglaise, témoigne de la vitalité des communautés religieuses québécoises avant la Révolution tranquille des années 1960. Sa chapelle néoromane, au centre, comporte un dôme de cuivre allongé rappelant l'architecture byzantine.

Le déclin de la pratique religieuse et la pénurie de nouvelles vocations ont obligé la communauté à s'installer dans des bâtiments plus modestes. Le couvent de la rue Sherbrooke fut vendu au gouvernement du Québec. L'édifice de briques jaunes, entouré d'un parc abondamment planté, est maintenant relié directement au métro et à la ville souterraine. L'ancienne chapelle, à peine modifiée, abrite la bibliothèque. C'est peut-être le plus beau de tous les cégeps du Québec.

Empruntez l'avenue Atwater vers le sud, puis tournez à gauche dans la rue Sainte-Catherine Ouest. Vous passerez devant l'ancien Forum de Montréal.

Sur l'avenue Atwater se dresse la **Place Alexis-Nihon**, un complexe multifonctionnel relié à la ville souterraine et comprenant un centre commercial, des bureaux et des appartements. Le **square Cabot**, au sud du Forum, était autrefois le terminus des autobus pour tout l'ouest de la ville.

Tournez à droite dans la rue Lambert-Closse puis à gauche dans la rue Tupper.

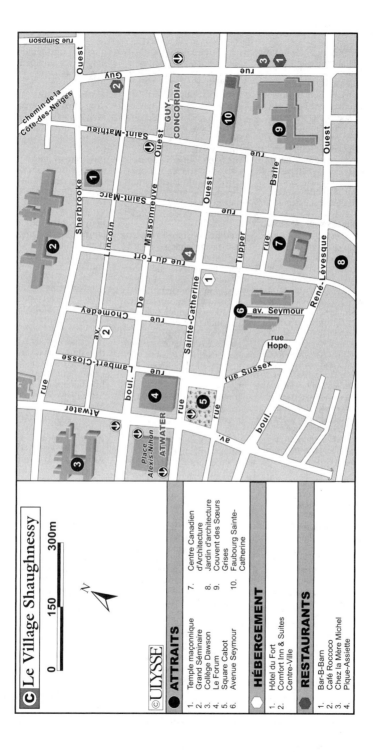

C Le Village Shaughnessy

© ULYSSE

0   150   300m

N

Entre 1965 et 1975, le Village Shaughnessy a connu une vague massive de démolition. Quantité de maisons en rangée de l'ère victorienne ont alors été remplacées par des tours d'habitation que l'on a souvent qualifiées de «cages à poules», tellement leur architecture sommaire, caractérisée par une répétition sans fin des mêmes balcons de verre ou de béton, était caricaturale.

L'**avenue Seymour** ★ *(métro Atwater)* est une des seules rues du quartier qui ait échappé à cette vague, maintenant résorbée. On peut y voir de coquettes maisons de briques et de pierres grises présentant des détails Queen Anne, Second Empire ou néoroman.

Tournez à droite dans la rue du Fort puis à gauche dans la petite rue Baile (attention aux automobiles qui circulent trop rapidement sur ces rues environnant les accès de l'autoroute Ville-Marie). Empruntez le sentier qui longe le Centre Canadien d'Architecture à l'est pour rejoindre le boulevard René-Lévesque.

Fondé en 1979 par Phyllis Lambert, le **Centre Canadien d'Architecture** ★★★ *(6$, entrée libre jeu 17h30 à 20h; oct à juin mer-dim 11h à 18h; 1920 rue Baile, métro Guy-Concordia, ☎939-7026)* est à la fois un musée et un centre d'étude de l'architecture du monde entier. Ses collections de plans, de dessins, de maquettes, de livres et de photographies d'architecture sont les plus importantes du genre au monde.

Le centre, érigé entre 1985 et 1989, comprend six salles d'exposition, une librairie, une bibliothèque, un auditorium de 217 places et une aile spéciale-

ment aménagée pour les chercheurs, sans compter les voûtes et les laboratoires de restauration. L'édifice principal en forme de *U*, réalisé par Peter Rose, assisté de Phyllis Lambert, est recouvert de calcaire gris extrait des carrières de Saint-Marc, près de Québec. Ce matériau, autrefois extrait des carrières du Plateau Mont-Royal et de Rosemont, à Montréal, donne sa couleur aux rues de la ville.

L'édifice enserre l'ancienne **maison Shaughnessy**, dont la façade donne sur le boulevard René-Lévesque Ouest. Cette maison est en fait constituée de deux habitations jumelées, construites en 1874 selon les plans de l'architecte William Tutin Thomas. Elle est représentative des demeures bourgeoises qui bordaient autrefois le boulevard Dorchester (aujourd'hui René-Lévesque). En 1974, elle fut au centre du sauvetage du quartier, éventré en plusieurs endroits. La maison, elle-même menacée de démolition, fut rachetée in extremis par Phyllis Lambert, qui y a aménagé les bureaux et les salles de réception du Centre Canadien d'Architecture. Un ancien président du Canadien Pacifique, Sir Thomas Shaughnessy, qui a habité la maison pendant plusieurs décennies, a laissé son nom au bâtiment. Les habitants du secteur, regroupés en association, ont par la suite choisi de donner son nom au quartier tout entier.

L'amusant **jardin d'architecture** ★ *(métro Guy-Concordia)* de l'artiste Melvin Charney, aménagé entre deux bretelles d'autoroute, fait face à la maison Shaughnessy. Il exprime les différentes strates de développement du quartier

à travers un segment du verger des sulpiciens, sur la gauche, et les limites de lots des demeures victoriennes indiquées par des lignes de pierre et des plantations de rosiers qui rappellent les jardins de ces maisons. Une promenade longeant la falaise qui séparait autrefois le quartier riche des quartiers ouvriers permet de contempler la basse ville (La Petite-Bourgogne, Saint-Henri, Verdun) et le fleuve Saint-Laurent. Certains points forts de ce panorama sont représentés de manière stylisée au sommet de mâts en béton.

Poursuivez par le boulevard René-Lévesque en direction est et tournez à gauche dans la rue Saint-Mathieu.

À l'instar de la congrégation de Notre-Dame, les Sœurs Grises ont dû relocaliser leur couvent et leur hôpital, autrefois situés rue Saint-Pierre, dans le Vieux-Montréal (voir p 99). Elles ont obtenu un morceau de la ferme des sulpiciens, sur lequel elles ont pu faire ériger, entre 1869 et 1874, un vaste ensemble conventuel conçu par Victor Bourgeau.

Le **Couvent des Sœurs Grises** ★★ *(1185 rue St-Mathieu, métro Guy-Concordia)* représente l'aboutissement d'une tradition architecturale québécoise développée à travers les siècles. Seule la chapelle présente une influence étrangère, soit le style néoroman, qui, avec le style néogothique, était privilégié par les Messieurs de Saint-Sulpice, par opposition aux styles néo-Renaissance et néobaroque, favorisés par l'évêché.

Tournez à droite dans la rue Sainte-Catherine Ouest.

Occupant un ancien garage recyclé, le **Faubourg Sainte-Catherine ★** *(1616 rue Ste-Catherine Ouest, métro Guy-Concordia)* regroupe des cinémas, un marché composé de petites boutiques de spécialités locales et étrangères, ainsi qu'une aire de restauration rapide aménagée sous une longue verrière.

Pour retourner à la station de métro Guy-Concordia, tournez à gauche dans la rue Guy.

Circuit D: Le mont Royal et Westmount (une journée)

Le **mont Royal** est un point de repère important dans le paysage montréalais, autour duquel gravitent les quartiers centraux de la ville. Appelée simplement «la montagne» par les citadins, cette masse trapue de 234 m de haut à son point culminant est en fait une des collines montérégiennes qui sont autant d'intru-sions de roche volcanique dans la plaine du Saint-Laurent. Ce «poumon vert» couvert d'arbres apparaît à l'extrémité des rues du centre-ville, exerçant un effet bénéfique sur les Montréalais, qui ainsi ne perdent jamais totalement contact avec la nature.

La montagne comporte en réalité trois sommets: le premier est occupé par le parc du Mont-Royal, le second par l'Université de Montréal et le troisième par Westmount, avec ses belles demeures de style anglais. À cela, il faut ajouter les cimetières catholique, protestant et juif, qui forment ensemble la plus vaste nécropole du continent nord-américain.

Pour vous rendre au point de départ du circuit, prenez l'autobus n°11 à la station de métro Mont-Royal, sur le Plateau Mont-Royal. Descendez au belvédère Camillien-Houde.

Du **belvédère Camillien-Houde ★★** *(voie Camillien-Houde)*, beau point d'observation, on embrasse du regard tout l'est de Montréal. On voit, à l'avant-plan, le quartier du Plateau Mont-Royal, avec sa masse uniforme de duplex et de triplex, percée en plusieurs endroits par les clochers de cuivre verdi des églises paroissiales, et, à l'arrière-plan, les quartiers de Rosemont ct de Maisonneuve, dominés par le Stade olympique. Par temps clair, on distingue les raffineries de pétrole de Montréal-Est dans le lointain. À des fins comparatives, mentionnons que le fleuve Saint-Laurent, visible sur la droite, fait 1,5 km de largeur à son point le plus étroit. Le belvédère Camillien-Houde est le rendez-vous des amoureux motorisés.

*Montez l'escalier de bois à l'extrémité sud du stationnement de l'observatoire, puis empruntez sur votre gauche le chemin Olmsted, qui conduit au chalet et au belvédère Kondiaronk. Vous verrez alors la **croix du mont Royal**.*

Le **parc du Mont-Royal ★★★** a été créé par la Ville de Montréal en 1870 à la suite des pressions des résidants du Golden Square Mile qui voyaient leur terrain de jeu favori déboisé par divers exploitants de bois de chauffage. Frederick Law Olmsted (1822-1903), le célèbre créateur du Central Park à New York, fut mandaté pour aménager les lieux. Il prit le parti de conserver au site son ca-

ractère naturel, se limitant à quelques points d'observation reliés par des sentiers en tire-bouchon.

Inauguré en 1876, le parc de 101 ha, concentré dans la portion sud de la montagne, est toujours un endroit de promenade apprécié par les Montréalais.

Le **chalet du parc du Mont-Royal ★★★** *(tlj 8h30 à 21h; parc du Mont-Royal, ☎872-3911)* fut conçu par Aristide Beaugrand-Champagne en 1932 en remplacement de l'ancien qui menaçait ruine. Au cours des années 1930 et 1940, des *big bands* donnaient des concerts à la belle étoile sur les marches de l'édifice. L'intérieur est décoré de toiles maroufflées représentant des scènes de l'histoire du Canada et commandées à de grands peintres québécois, comme Marc-Aurèle Fortin et Paul-Émile Borduas. Mais si l'on se rend au chalet du mont Royal, c'est d'abord pour la traditionnelle vue sur le centre-ville depuis le **belvédère Kondiaronk** (du nom du grand chef huron-wendat qui a négocié le traité de la Grande Paix en 1701), admirable en fin d'après-midi et en soirée, alors que les gratte-ciel s'illuminent.

Empruntez la route de gravier qui conduit au stationnement du chalet et à la voie Camillien-Houde. Sur la droite se trouve une des entrées du cimetière protestant Mont-Royal.

Le **cimetière protestant Mont-Royal ★★** *(voie Camillien-Houde)* fait partie des plus beaux sites de la ville. Conçu comme un éden pour les vivants visitant leurs défunts, il est aménagé tel un jardin anglais dans une vallée isolée, donnant aux visiteurs l'impression d'être à mille lieues de la ville, alors qu'ils sont en fait en son centre. On y retrouve une grande variété d'arbres fruitiers et feuillus, sur les branches desquels viennent se percher des espèces d'oiseaux absentes des autres régions du Québec. Le cimetière, créé par les églises anglicane, presbytérienne, méthodiste, unitarienne et baptiste, a ouvert ses portes en 1852. Certains de ses monuments sont de véritables œuvres d'art créées par des artistes de renom. Parmi les personnalités et les familles qui y sont inhumées, il faut mentionner l'armateur Sir Hugh Allan, les brasseurs Molson, qui possèdent le plus imposant mausolée, ainsi que de nombreux autres personnages de la petite et de la grande histoire, parmi lesquels on retrouve Anna Leonowens, gouvernante du roi de Siam au XIXe siècle, qui a inspiré les créateurs de la pièce *The King and I* (Le roi et moi).

En route vers le lac aux Castors, on remarquera, sur la gauche, la seule des anciennes maisons de ferme de la montagne qui subsiste encore, la **Maison Smith**, quartier général des Amis de la montagne.

Suivez la voie Camillien-Houde puis le chemin Remembrance vers l'ouest. Ensuite, empruntez le chemin qui mène au lac aux Castors.

Le petit **lac aux Castors** *(en bordure du chemin Remembrance)* a été aménagé en 1958 sur le site des marécages se trouvant autrefois à cet endroit. En hiver, il se trans-

forme en une agréable patinoire. Ce secteur du parc, aménagé de manière plus conventionnelle, comprend en outre des pelouses et un jardin de sculptures, contrevenant ainsi aux directives d'Olmsted le puriste, de même qu'un autre chalet avec casse-croûte, abri pour patineurs et toilettes. Le chalet du lac aux Castors ainsi que les environs du lac seront réaménagés d'ici quelques années; de plus, la patinoire sera dotée d'un système de réfrigération (les amateurs pourront donc en jouir de l'automne jusqu'au printemps).

Le **cimetière Notre-Dame-des-Neiges ★★** est une véritable cité des morts, puisque plus d'un million de personnes y ont été inhumées depuis 1855, date de son inauguration. Il succède au cimetière catholique Saint-Antoine, qui occupait le square Dominion, maintenant square Dorchester, jugé trop proche des habitations. Contrairement au cimetière protestant, le cimetière

Notre-Dame-des-Neiges présente des attributs à caractère éminemment religieux, qui identifient clairement son appartenance au catholicisme. Ainsi, deux anges du paradis encadrant un crucifix accueillent les visiteurs à l'entrée principale du chemin de la Côte-des-Neiges.

Les «deux solitudes» (les peuples d'origines française catholique et anglosaxonne protestante du Canada) demeurent donc isolées jusque dans la mort. Le cimetière peut être visité tel un *Who's Who* des personnalités du monde des affaires, des arts, de la politique et de la science au Québec. Un obélisque à la mémoire des Patriotes de la rébellion de 1837-1838 et plusieurs monuments réalisés par des sculpteurs de renom parsèment les 55 km de routes et de sentiers qui sillonnent les lieux.

Du cimetière et des chemins qui y conduisent, on jouit de plusieurs points de vue sur l'**oratoire Saint-Joseph ★★** *(entrée libre; tlj 6h30 à 21h30, messe tlj, crèche de Noël de la mi-nov à la mi-fév; 3800 chemin Reine Marie, ☎733-8211).*

Oratoire Saint-Joseph

L'énorme édifice, coiffé d'un dôme en cuivre, le second en importance au monde après celui de Saint-Pierre-de-Rome, est érigé à flanc de colline, ce qui accentue encore davantage son caractère mystique. De la grille d'entrée, il faut gravir plus de 300 marches pour atteindre la basilique. L'oratoire a été aménagé entre 1924 et 1956 à l'instigation du bienheureux frère André, portier du collège

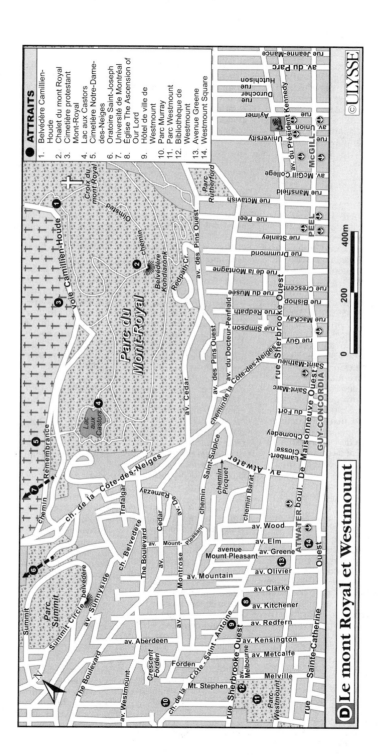

D Le mont Royal et Westmount

● ATTRAITS

1. Belvédère Camillien-Houde
2. Chalet du mont Royal
3. Cimetière protestant Mont-Royal
4. Lac aux Castors
5. Cimetière Notre-Dame-des-Neiges
6. Oratoire Saint-Joseph
7. Université de Montréal
8. Église The Ascension of Our Lord
9. Hôtel de ville de Westmount
10. Parc Murray
11. Parc Westmount
12. Bibliothèque de Westmount
13. Avenue Greene
14. Westmount Square

©ULYSSE

Notre-Dame (situé en face), à qui l'on attribue de nombreux miracles.

Ce véritable complexe religieux est donc à la fois dédié à saint Joseph et à son humble créateur. Il comprend la basilique inférieure, la crypte du frère André et la basilique supérieure, ainsi que deux musées, l'un dédié à la vie du frère André et l'autre à l'art sacré. La première chapelle du petit portier, aménagée en 1910, une cafétéria, une hostellerie et un magasin d'articles de piété complètent les installations.

L'oratoire est un des principaux lieux de dévotion et de pèlerinage en Amérique. Il accueille chaque année quelque deux millions de visiteurs. L'enveloppe extérieure de l'édifice fut réalisée dans le style néoclassique selon les plans des architectes Dalbé Viau et Alphonse Venne, mais l'intérieur est avant tout une œuvre moderne de Lucien Parent et du bénédictin français dom Paul Bellot, à qui l'on doit notamment l'abbaye de Saint-Benoît-du-Lac, dans les Cantons-de-l'Est. Il ne faut pas manquer de voir dans la basilique supérieure les verrières de Marius Plamondon, l'autel et le crucifix d'Henri Charlier, ainsi que l'étonnante chapelle dorée, à l'arrière. La basilique est dotée d'un imposant orgue du facteur Beckerath que l'on peut entendre tous les mercredis soir durant l'été. À l'extérieur, on peut aussi voir le carillon de la Maison Paccard et Frères, d'abord destiné à la tour Eiffel, et le beau chemin de croix dans les jardins à flanc de montagne, réalisé par Louis Parent et Ercolo Barbieri. L'observatoire de l'oratoire Saint-Joseph, d'où l'on embrasse du

regard l'ensemble de Montréal, est le point culminant de l'île à 263 m de hauteur. Le site de l'oratoire fera l'objet d'une grande transformation dans les années à venir.

Une succursale de l'Université Laval de Québec ouvre ses portes au Château Ramezay en 1876, après bien des démarches entravées par la maison mère, qui voulait garder le monopole de l'éducation universitaire en français à Québec. Quelques années plus tard, en 1893, elle emménage sur la rue Saint-Denis, donnant ainsi naissance au Quartier latin, où elle prend le nom de l'Université de Montréal. L'**Université de Montréal ★** *(2900 boul. Édouard-Montpetit)* obtient finalement son autonomie en 1920, ce qui permet à ses directeurs d'élaborer des projets grandioses. Ernest Cormier (1885-1980) est approché pour la réalisation d'un campus sur le flanc nord du mont Royal. Cet architecte, diplômé de l'École des beaux-arts de Paris, fut un des premiers à introduire l'Art déco en Amérique du Nord.

Les plans du pavillon central évoluent vers une structure Art déco épurée et symétrique, revêtue de briques jaune clair et dotée d'une tour centrale, visible depuis le chemin Remembrance et le cimetière Notre-Dame-des-Neiges. La construction, amorcée en 1929, est interrompue par la crise américaine, et ce n'est qu'en 1943 que le pavillon central, sur la montagne, accueille ses premiers étudiants. Depuis, une pléiade de pavillons se sont joints au pavillon central, faisant de l'Université de Montréal la seconde plus grande université de langue française

au monde, avec plus de 58 000 étudiants. L'entrée de l'université est assez éloignée du trajet suivi, aussi une visite du site constitue-t-elle une excursion supplémentaire à laquelle il faut consacrer environ une heure.

L'Université de Montréal, plus spécifiquement l'École polytechnique, qui se trouve aussi sur le mont Royal, a été le témoin d'un événement tragique qui a marqué la ville et tout le Canada. Le 6 décembre 1989, 14 étudiantes ont été froidement assassinées dans l'enceinte même de l'école par un tueur fou qui s'en prenait particulièrement aux femmes de cette école. Afin de conserver vivant le souvenir de ces femmes et de toutes les femmes victimes de violence, on a inauguré le 6 décembre 1999 la **place du 6-Décembre-1989** *(angle Decelles et Reine-Marie).* L'artiste Rose-Marie Goulet y a érigé la ***Nef pour quatorze reines***, sur laquelle sont gravés les noms des victimes de «Polytechnique».

Suivez ensuite les sentiers du parc du Mont-Royal jusqu'à la sortie menant à Westmount.

Westmount, secteur résidentiel cossu de plus de 20 000 habitants, a longtemps été considérée comme le bastion de l'élite anglo-saxonne du Québec. Après que le Golden Square Mile eut été envahi par le centre des affaires, Westmount a pris la relève. Ses rues ombragées et sinueuses, sur le versant sud-ouest de la montagne, sont bordées de demeures de styles néo-Tudor et néogeorgien, construites pour la plupart entre 1910 et 1930. Des hauteurs de Westmount, on bénéficie de beaux points de vue sur la ville, en contrebas.

Empruntez The Boulevard, puis tournez à gauche dans l'avenue Clarke (près du petit parc triangulaire) pour rejoindre la rue Sherbrooke Ouest.

L'église catholique anglaise de Westmount, l'**église The Ascension of Our Lord ★** *(angle av. Kitchener, métro Atwater)*, érigée en 1928, témoigne de la persistance du style néogothique dans l'architecture nord-américaine et de l'exactitude historique, croissante au XXe siècle, des édifices dont les formes se réfèrent à des modèles anciens. On a donc l'impression d'avoir sous les yeux une authentique église de village anglais du XIVe siècle, avec son revêtement de pierres brutes, ses lignes étirées et ses fines sculptures.

Westmount est comme un morceau de Grande-Bretagne transposé en Amérique. L'ancien **hôtel de ville de Westmount ★** *(4333 rue Sherbrooke Ouest)* adopte le style néo-Tudor, inspiré de l'architecture de l'époque d'Henri VIII et d'Elizabeth I, considéré dans les années 1920 comme le style national anglais, puisque émanant exclusivement des îles Britanniques. Celui-ci se définit, entre autres choses, par la présence d'ouvertures horizontales à multiples menaux de pierres, de *bow-windows* (oriels) et d'arcs surbaissés. À l'arrière s'étend la pelouse irréprochable d'un club de bowling sur gazon, sur laquelle se détachent, en saison, les joueurs portant le costume blanc réglementaire.

Empruntez le chemin de la Côte-Saint-Antoine jusqu'au parc Murray.

Le terme «côte» au Québec n'a, en général, rien à voir avec la dénivellation du terrain, mais réfère plutôt au système seigneurial de la Nouvelle-France. Les longs rectangles de terre distribués aux colons présentant leur «côté» face aux chemins qui relient les fermes les unes aux autres, ceux-ci ont pris le nom de «côte». La côte Saint-Antoine est un des premiers chemins de l'île de Montréal. Aménagé en 1684 par les Messieurs de Saint-Sulpice sur le tracé d'une ancienne piste amérindienne, ce chemin s'ouvre sur les plus anciennes maisons du territoire de Westmount. À l'angle de l'avenue Forden, une **borne** installée là au XVIIe siècle, discrètement identifiée par un aménagement rayonnant du trottoir, est la seule survivante d'une signalisation développée par les sulpiciens sur leur seigneurie de l'île de Montréal.

Pour ceux qui voudraient s'imprégner d'une atmosphère Mid-Atlantic, faite d'un mélange d'Angleterre et d'Amérique, le **parc Murray** *(au nord de l'avenue Mount Stephen)* offre la combinaison parfaite: terrain de football américain et courts de tennis dans un cadre champêtre. On y trouve les restes d'un bosquet naturel d'acacias, essence rarissime à cette latitude à cause du climat rigoureux. Sa présence indique que l'on se trouve là où le climat est le plus doux au Québec. La clémence de la température dépend à la fois de l'inclinaison sud-ouest du terrain et de l'influence bénéfique des rapides de Lachine, situés non loin.

Descendez l'avenue Mount Stephen pour retourner à la rue Sherbrooke Ouest.

Le **parc Westmount ★** *(4575 rue Sherbrooke Ouest)* a été créé à l'emplacement de marécages en 1895. Quatre ans plus tard, on y construisait la première bibliothèque municipale du Québec, la **Bibliothèque de Westmount**. La province avait un retard considérable en la matière, les seules communautés religieuses ayant jusque-là pris en charge ce type d'équipement culturel. L'édifice de briques rouges se rattache aux courants éclectiques, pittoresques et polychromes des deux dernières décennies du XIXe siècle.

Empruntez l'avenue Melbourne à l'est du parc pour voir de beaux exemples de maisons de style Queen Anne. Tournez à droite dans l'avenue Metcalfe, puis à gauche dans le boulevard De Maisonneuve Ouest.

À l'angle de l'avenue Clarke se dresse l'**église Saint-Léon ★**, dans la seule paroisse catholique de langue française de Westmount. Derrière une sobre et élégante façade d'inspiration néoromane se dissimule un décor d'une rare richesse, exécuté à partir de 1928 par l'artiste Guido Nincheri, à qui l'on doit par ailleurs les fresques du **Château Dufresne** (voir p 126). Nincheri a bénéficié d'une somme importante pour exécuter un ouvrage sans substitut et sans artifice.

Ainsi, le sol et la base des murs sont revêtus des plus beaux marbres d'Italie et de France, alors que la portion supérieure de la nef est en pierre de Savonnières et que les salles du chœur ont été sculptées à la main par Alviero Marchi dans le plus précieux des noyers du Honduras. Les vitraux complexes repré-

Montréal

sentent différentes scènes de la vie du Christ, incluant parfois des personnages contemporains de la construction de l'église qu'il est amusant de découvrir entre les figures de la Bible. Enfin, l'ensemble du panthéon chrétien est représenté dans le chœur et sur la voûte sous forme de fresques très colorées, réalisées selon la technique traditionnelle de l'œuf. Cette technique, qui fut notamment utilisée par Michel-Ange, consiste à faire adhérer le pigment sur la surface détrempée (la détrempe) à l'aide d'un enduit fait d'œuf. Comme chacun sait, l'œuf, une fois séché, devient très dur et résistant.

Poursuivez par le boulevard De Maisonneuve, pour traverser l'ancien quartier francophone de Westmount, avant d'aboutir à l'intersection avec l'avenue Greene.

L'**avenue Greene** *(métro Atwater)*, un petit bout de rue au cachet typiquement canadien-anglais, regroupe plusieurs des boutiques bon chic bon genre de Westmount. Outre des commerces de services, on y retrouve des galeries d'art, des antiquaires et des librairies remplies de beaux livres.

L'architecte Ludwig Mies van der Rohe (1886-1969), l'un des principaux maîtres à penser du mouvement moderne et le directeur du Bauhaus en Allemagne, a dessiné le **Westmount Square ★★** *(angle av. Wood et boul. De Maisonneuve Ouest, métro Atwater)* en 1964. Cet ensemble est typique de la production nord-américaine de l'architecte, caractérisée par l'emploi de métal noir et de verre teinté. Il comprend un centre commercial souterrain, surmonté de trois tours de

bureaux et d'appartements. Le revêtement extérieur original des espaces publics en travertin blanc veiné, matériau cher à Mies, a été remplacé par une couche de granit, davantage capable de résister aux effets dévastateurs du gel et du dégel.

Un corridor souterrain mène du Westmount Square à la station de métro Atwater.

★★★
Circuit E:
Maisonneuve
(une journée)

En 1883, la ville de Maisonneuve voit le jour dans l'est de Montréal à l'initiative de fermiers et de marchands canadiens-français. Dès 1889, les installations du port de Montréal la rejoignent, facilitant ainsi son développement. Puis, en 1918, cette ville autonome est annexée à Montréal, devenant de la sorte un de ses principaux quartiers ouvriers, francophone à 90%. Au cours de son histoire, Maisonneuve a été profondément marquée par des hommes aux grandes idées, qui ont voulu faire de ce coin de pays un lieu d'épanouissement collectif. Les frères Marius et Oscar Dufresne, à leur arrivée au pouvoir à la mairie de Maisonneuve en 1910, institueront une politique de démesure en faisant ériger de prestigieux édifices publics de style Beaux-Arts destinés à faire de «leur» ville un modèle de développement pour le Québec français. Puis, le frère Marie-Victorin fonde dans l'ancienne ville en 1931 le Jardin botanique de Montréal, aujourd'hui le second en importance au monde. Enfin, en 1971, le maire Jean Drapeau inaugure

dans le quartier Maisonneuve les travaux de l'immense complexe sportif qui accueillera les Jeux olympiques de Montréal en 1976.

De la station de métro Pie-IX, montez la côte sur le boulevard du même nom qui mène à l'angle de la rue Sherbrooke Est. Le circuit commence au Jardin botanique.

Jardin botanique, Maison de l'Arbre et Insectarium de Montréal ★★★ *(10$ entrée serres et Insectarium, basse saison 7$, billet combiné avec le Biodôme et la Tour de Montréal 24$ valide pour 2 jours; sept à mai tlj 9h à 17h, mai à sept tlj 9h à 19h; 4101 rue Sherbrooke Est, métro Pie-IX, ☎872-1400).* D'une superficie de 73 ha, le Jardin botanique de Montréal a été entrepris pendant la crise des années 1930 sur le site du Mont-de-La-Salle, la maison mère des frères des Écoles chrétiennes, grâce à une initiative du frère Marie-Victorin, célèbre botaniste québécois.

Derrière le pavillon Art déco de l'École de biologie de l'Université de Montréal s'étirent les 10 serres d'exposition ouvertes tout au long de l'année et reliées les unes aux autres, où l'on peut notamment voir une précieuse collection d'orchidées ainsi que le plus important regroupement de bonsaïs et de *penjings* hors d'Asie, dont fait partie la fameuse collection «Wu», donnée au jardin par le maître Wu Yee-Sun de Hong-Kong en 1984.

Trente jardins thématiques extérieurs, ouverts du printemps à l'automne, conçus pour instruire et émerveiller le visiteur, s'étendent au nord et à l'ouest des serres. Parmi ceux-ci, il

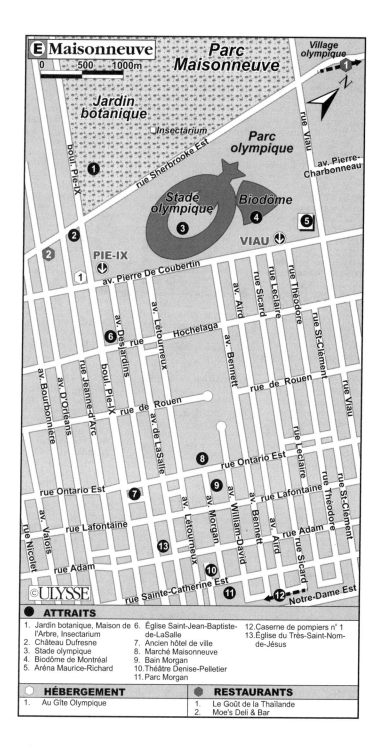

E Maisonneuve

0   500   1000m

Parc Maisonneuve

Village olympique

Jardin botanique

Insectarium

Parc olympique

rue Sherbrooke Est

boul. Pie-IX

av. Pierre-Charbonneau

rue Viau

Stade olympique

Biodôme

VIAU

PIE-IX

av. Pierre De Coubertin

rue Sicard

rue Leclaire

rue Théodore

av. Aird

rue St-Clément

av. Desjardins

rue

Hochelaga

av. Létourneux

av. Bennett

rue de Rouen

rue Viau

av. Bourbonnière

av. D'Orléans

av. Jeanne-d'Arc

boul. Pie-IX

rue de Rouen

av. de LaSalle

rue Leclaire

rue Ontario Est

rue Ontario Est

av. Lafontaine

rue Lafontaine

av. William-David

av. Bennett

av. Aird

rue Théodore

rue St-Clément

av. Valois

rue Nicolet

rue Lafontaine

av. Morgan

av. Létourneux

rue Adam

rue Sicard

rue Adam

©ULYSSE

rue Sainte-Catherine Est

Notre-Dame Est

ATTRAITS

1. Jardin botanique, Maison de l'Arbre, Insectarium
2. Château Dufresne
3. Stade olympique
4. Biodôme de Montréal
5. Aréna Maurice-Richard

6. Église Saint-Jean-Baptiste-de-LaSalle
7. Ancien hôtel de ville
8. Marché Maisonneuve
9. Bain Morgan
10. Théâtre Denise-Pelletier
11. Parc Morgan

12. Caserne de pompiers n° 1
13. Église du Très-Saint-Nom-de-Jésus

HÉBERGEMENT	**RESTAURANTS**
1. Au Gîte Olympique	1. Le Goût de la Thaïlande
	2. Moe's Deli & Bar

faut souligner une belle roseraie, le Jardin japonais et son pavillon de thé de style *sukiya*, ainsi que le très beau Jardin de Chine du Lac de rêve, dont les pavillons ont été réalisés par des artisans venus exprès de Chine. Montréal étant jumelée à Shanghai, on a voulu en faire le plus vaste jardin du genre hors d'Asie. Le soir, à la fin de l'été, le Jardin de Chine se pare de centaines de lanternes chinoises qui créent une merveilleuse féerie de lumières et de couleurs.

Il faut aussi voir le **Jardin des Premières-Nations**, inauguré en 2001. Il est l'aboutissement des efforts de plusieurs intervenants, autochtones ou non, dont le frère Marie-Victorin lui-même, qui avait pensé intégrer au Jardin botanique un jardin de plantes médicinales utilisées par les Amérindiens. Sa réalisation permet au non-initié de se familiariser avec le monde autochtone, particulièrement en regard de leur relation au monde végétal. On y apprendra, par exemple, les multiples utilisations que les Hurons-Wendats et les Mohawks faisaient du maïs. Les 11 nations autochtones du Québec sont représentées dans leur zone d'habitat naturel, soit la forêt feuillue, la forêt de conifères et le territoire nordique. Un pavillon d'exposition complète la visite.

Un arboretum occupe la partie nord du Jardin botanique. C'est dans ce secteur qu'a été érigée la **Maison de l'Arbre**, véritable outil de vulgarisation permettant de mieux comprendre la vie d'un arbre. L'exposition permanente interactive que l'on y présente reprend d'ailleurs la forme d'une moitié de

tronc d'arbre. Les modules y sont faits de bouleau jaune, arbre emblématique du Québec. La structure du bâtiment, formée d'un assemblage de poutres provenant de différentes essences, veut rappeler une forêt de feuillus. On remarquera plus particulièrement les jeux d'ombre et de lumière de la charpente sur le grand mur blanc qui suggère des troncs et des branches. À l'arrière, une terrasse permet de contempler l'étang de l'arboretum et donne accès à un charmant petit jardin de bonsaïs. On peut se rendre à la Maison de l'Arbre en montant à bord de **la Balade**, navette qui fait régulièrement le tour du Jardin botanique, ou encore y accéder directement par l'entrée nord du Jardin, située sur le boulevard Rosemont.

L'**Insectarium de Montréal** (☎872-8753) se trouve au nord des serres. D'un type nouveau, ce musée vivant invite les visiteurs à découvrir le monde fascinant des insectes, à l'aide de courts films, de jeux interactifs et d'une surprenante collection d'insectes. Surveillez les diverses activités organisées tout au long de l'année. Vous pourriez y faire une dégustation d'insectes comestibles...

Retournez au boulevard Pie-IX. Du côté ouest, tout juste au sud de la rue Sherbrooke Est, se dresse le Château Dufresne.

Le **Château Dufresne** ★★ (*2929 rue Jeanne-d'Arc, métro Pie-IX*) est constitué en réalité de deux résidences bourgeoises jumelées de 22 pièces chacune, érigées derrière une façade unique. Le château fut réalisé en 1916 pour les frères Marius et Oscar Dufresne, fabricants de chaussures et

promoteurs d'un projet d'aménagement grandiose pour Maisonneuve, auquel la Première Guerre mondiale allait mettre un terme, engendrant la faillite de la municipalité. Leur demeure, œuvre conjointe de Marius Dufresne et de l'architecte parisien Jules Renard, devait former le noyau d'un quartier résidentiel bourgeois qui n'a jamais vu le jour. Elle est une des meilleurs exemples d'architecture Beaux-Arts à Montréal. Elle abrite aujourd'hui des expositions temporaires ainsi qu'une collection de meubles et d'objets décoratifs.

Redescendez la côte du boulevard Pie-IX, puis tournez à gauche dans l'avenue Pierre-De Coubertin.

Jean Drapeau fut maire de Montréal de 1954 à 1957 puis de 1960 à 1986. Il rêvait de grandes choses pour «sa» ville. D'un pouvoir de persuasion peu commun et d'une détermination à toute épreuve, il mena à bien plusieurs projets importants, notamment la construction du métro et de la Place des Arts, ainsi que la venue à Montréal de l'Exposition universelle de 1967 et, bien sûr, des Jeux olympiques d'été de 1976. Mais, pour cet événement international, il fallait doter la ville d'équipements à la hauteur.

Qu'à cela ne tienne, on irait chercher un visionnaire parisien qui dessinerait du jamais vu. Un milliard de dollars plus tard, l'œuvre maîtresse de l'architecte Roger Taillibert, également auteur du stade du Parc des Princes, à Paris, étonne par la courbure de ses formes organiques en béton.

Le **Stade olympique** ★★★ *(5,25$, 10,25$ visite guidée et funiculaire; visites guidées en français à 11h et 14h, en anglais à 12h40 et 15h40; 4141 av. Pierre-De Coubertin, métro Pie-IX, ☎252-8687)*, de forme ovale, dispose de 56 000 places, et sa tour penchée fait 190 m de hauteur. Au loin, on aperçoit les deux tours de forme pyramidale du Village olympique, qui ont logé les athlètes en 1976. Le Stade olympique accueille, chaque année, différents événements. D'avril à septembre, l'équipe de baseball Les Expos y dispute ses matchs à domicile.

La tour du stade, qui serait la plus haute tour penchée du monde, a été rebaptisée la **Tour de Montréal**. Un funiculaire *(9$; tlj 10h à 17h)* grimpe à l'assaut de la structure, permettant de rejoindre l'observatoire d'où les visiteurs peuvent contempler l'ensemble de l'Est montréalais. Au niveau inférieur de l'observatoire sont présentées des expositions qui ont pour thème l'olympisme. On y trouve aussi une aire de détente assortie d'un bar ainsi qu'un théâtre.

Le pied de la tour abrite les piscines du Complexe olympique, alors qu'à l'arrière se profile un gros cinéma multisalles.

L'ancien vélodrome, situé à proximité, a été transformé en un milieu de vie artificiel pour les plantes et les animaux, appelé le **Biodôme de Montréal** ★★★ *(10$; tlj 9h à 17h; 4777 av.*

Pierre-De Coubertin, métro Viau, ☎868-3000). Ce muséum, rattaché au Jardin botanique, présente sur 10 000 m^2 quatre écosystèmes fort différents les uns des autres: la forêt tropicale, la forêt laurentienne, le Saint-Laurent marin et le monde polaire. Ce sont des microcosmes complets, comprenant végétation, mammifères et oiseaux en liberté,

Stade olympique

ainsi que conditions climatiques réelles.

Quant à l'**Aréna Maurice-Richard** *(2800 rue Viau, métro Viau, ☎872-6666)*, il précède de 20 ans le Parc olympique, auquel il est maintenant rattaché. Sa patinoire est la seule, dans tout l'est du Canada, à respecter les normes internationales en matière de superficie. Elle sert à l'entraînement de l'Équipe olympique canadienne de patinage de vitesse ainsi qu'à celui de plusieurs champions de patinage artistique. Depuis 1998, on peut admirer, devant l'entrée de l'aréna, une statue représentant Maurice Richard. Haute de 2,5 m, sortie de la fonderie d'art de l'Atelier du Bronze d'Inverness, elle est l'œuvre des sculpteurs Annick Bourgeau et Jules Lasalle.

Le hockey sur glace occupe une place bien particulière dans le cœur des Québécois. Plusieurs d'entre eux considèrent

Maurice «Rocket» Richard (1921-2000) comme le plus grand hockeyeur de tous les temps. Un petit musée, l'**Univers Maurice «Rocket» Richard** *(entrée libre; mar-dim 12h à 18h; 2800 rue Viau, métro Viau, ☎251-9930)*, lui est consacré en marge du Complexe olympique. Situé à l'intérieur de l'aréna qui porte son nom, il expose l'équipement sportif, les trophées et autres objets significatifs ayant appartenu à ce héros montréalais qui a joué pour le club de hockey Le Canadien de 1942 à 1960. On trouve aussi au musée une boutique de souvenirs liés au hockey.

Revenez au boulevard Pie-IX et empruntez-le vers le sud.

L'**église Saint-Jean-Baptiste-de-LaSalle** *(angle rue Hochelaga et boul. Pie-IX, métro Pie-IX)* a été construite en 1964 à l'occasion du renouveau liturgique de Vatican II. Dans un effort visant à conserver ses ouailles, le clergé catholique a chambardé les règles du culte, introduisant une architecture audacieuse qui n'atteint pas toujours son objectif. Ainsi, sous cette mitre d'évêque évocatrice, se cache un intérieur déprimant en béton brut qui donne l'impression de s'abattre sur l'assistance.

Poursuivez vers le sud par le boulevard Pie-IX, puis tournez à gauche dans la rue Ontario.

Le coup d'envoi de la politique de grandeur de l'administration Dufresne fut donné en 1911 par la construction de l'**hôtel de ville** ★ *(4120 rue Ontario Est)* selon les plans de

Montréal

l'architecte Cajetan Dufort. De 1926 à 1967, on y trouvait l'Institut du Radium, spécialisé dans le recherche sur le cancer. Depuis 1981, l'édifice abrite la maison de la culture Maisonneuve, l'un des centres culturels de quartier de la Ville de Montréal. À l'étage, un dessin «à vol d'oiseau» de Maisonneuve vers 1915 laisse voir les bâtiments prestigieux réalisés ainsi que ceux qui sont demeurés sur papier.

Le **marché Maisonneuve** ★ (*4445 rue Ontario Est*, ☎937-7754) est un des agréables marchés publics de Montréal. Depuis 1995, il loge dans un bâtiment relativement récent si on le compare avec celui, voisin, qui l'abritait autrefois. Ce dernier s'inscrit dans un concept d'aménagement urbain hérité des enseignements de l'École des beaux-arts de Paris, appelé «Mouvement City Beautiful» en Amérique du Nord. Il s'agit d'un mélange de perspectives classiques, de parcs de verdure et d'équipements civiques et sanitaires. Érigé dans l'axe de l'avenue Morgan en 1914, l'ancien marché Maisonneuve, de Cajetan Dufort, est la réalisation la plus ambitieuse initiée par Dufresne. On trouve, au centre, de la **place du Marché**, une œuvre importante du sculpteur Alfred Laliberté intitulée *La fermière*.

Empruntez l'avenue Morgan.

Malgré sa petite taille, le **Bain Morgan** ★ (*1875 av. Morgan*) en impose par ses éléments Beaux-Arts: escalier monumental, colonnes jumelées, balustrade de couronnement et sculptures pâteuses du Français Maurice Dubert. À cela, il faut ajouter un autre bronze d'Alfred Lali-

berté intitulé *Les petits baigneurs*. À l'origine, les bains publics servaient non seulement à la détente et aux plaisirs de la baignade, mais aussi à se laver, dans ces quartiers ouvriers où les maisons n'avaient pas toutes de salle de bain.

L'ancien cinéma Granada a été reconverti en salle de théâtre en 1977. Il porte dorénavant le nom de **Théâtre Denise-Pelletier** (*4353 rue Ste-Catherine Est*) afin d'honorer l'une des grandes comédiennes de la Révolution tranquille morte prématurément. La façade de terre cuite arbore un décor de la Renaissance italienne. L'intérieur d'origine (1928), réalisé par Emmanuel Briffa, et en partie conservé, est de type «atmosphérique». Au-dessus de la colonnade d'un palais mythique faisant le tour de la salle, une voûte noire était autrefois piquée de milliers d'étoiles, ce qui donnait l'impression au public d'assister à une représentation en plein air. Un projecteur créait des effets de nuages mouvants et même d'avions volant dans la nuit.

Le **parc Morgan** (*à l'extrémité sud de l'avenue Morgan*) a été aménagé en 1933 à l'emplacement de la maison de campagne d'Henry Morgan, propriétaire des magasins du même nom. Du chalet, au centre, on peut contempler une étrange perspective où le marché Maisonneuve se superpose à l'énorme silhouette du Stade olympique.

Empruntez la rue Sainte-Catherine Est vers l'ouest jusqu'à l'avenue Létourneux. Tournez à gauche.

Maisonneuve pouvait s'enorgueillir de posséder deux casernes de pompiers, dont une tout à fait originale et réalisée selon les dessins de Marius Dufresne en 1914. Celui-ci, en plus de sa formation d'ingénieur et d'homme d'affaires, s'intéressait beaucoup à l'architecture. Fort impressionné par l'œuvre de Frank Lloyd Wright, il a conçu la **caserne de pompiers n° 1** ★ (*côté sud de la rue Notre-Dame*) telle une variante de l'Unity Temple d'Oak Park, en banlieue de Chicago (1906). L'édifice compte donc parmi les premières réalisations de l'architecture moderne au Canada.

Tournez à droite dans l'avenue Desjardins. Le sol instable dans cette partie de la ville laisse voir des maisons aux inclinaisons inquiétantes.

Derrière la façade néoromane quelque peu terne de l'**église du Très-Saint-Nom-de-Jésus** ★ (*angle rue Adam et avenue Desjardins*), datant de 1906, s'élabore un riche décor polychrome auquel a contribué l'artiste d'origine italienne Guido Nincheri, dont l'atelier était situé dans Maisonneuve. On remarquera les grandes orgues des frères Casavant, réparties entre le jubé arrière et le chœur de l'église, ce qui est tout à fait inhabituel pour un temple catholique. Des tiges de métal retiennent la voûte de cette structure soumise aux mêmes caprices du sol que les maisons avoisinantes.

Circuit F:
Les îles Sainte-Hélène et Notre-Dame (une journée)

Lorsque Samuel de Champlain aborde l'île de Montréal en 1611, il trouve, en face, un petit archipel rocailleux. Il baptise la plus grande de ces îles du nom de son épouse, Hélène Boulé. L'**île Sainte-Hélène** est par la suite rattachée à la seigneurie de Longueuil. La baronne y fait ériger une maison de campagne entourée d'un jardin vers 1720. À noter qu'en 1760 l'île sera le dernier retranchement des troupes françaises en Nouvelle-France, sous le commandement du chevalier François de Lévis.

L'importance stratégique des lieux est connue de l'armée britannique, qui aménage un fort dans la partie est de l'île au début du XIXe siècle. La menace d'un conflit armé avec les Étasuniens s'étant amenuisée, l'île Sainte-Hélène est louée à la Ville de Montréal par le gouvernement canadien en 1874. Elle devient alors un parc de détente relié au Vieux-Montréal par un service de traversier et, à partir de 1930, par le pont Jacques-Cartier.

Au début des années 1960, Montréal obtient l'Exposition universelle de 1967. On désire l'aménager sur un vaste site attrayant et situé à proximité du centre-ville. Un tel site n'existe pas. Il faut donc l'inventer de toutes pièces en doublant la superficie de l'île Sainte-Hélène et en créant l'île Notre-Dame à l'aide de la terre excavée des tunnels du métro. D'avril à novembre 1967, 45 millions de visiteurs fouleront le sol des deux îles et de la Cité du Havre, qui constitue le point d'entrée du site. «L'Expo», comme l'appellent encore familièrement les Montréalais, fut plus qu'un ramassis d'objets hétéroclites. Ce fut le réveil de Montréal, son ouverture au monde et, pour ses visiteurs venus de partout, la découverte d'un nouvel art de vivre, celui de la minijupe, des réactés, de la télévision en couleurs, des hippies, du *flower power* et du rock revendicateur.

Il n'est pas facile de se rendre du centre-ville à la Cité du Havre. Le meilleur moyen consiste à emprunter la rue Mill, puis le chemin des Moulins, qui court sous l'autoroute Bonaventure jusqu'à l'avenue Pierre-Dupuy. Celle-ci conduit au pont de la Concorde, qui franchit un bras du fleuve Saint-Laurent pour atteindre les îles. On peut également s'y rendre avec l'autobus n° 168 à partir du métro McGill.

Tropique Nord, Habitat 67 et le parc de la Cité du Havre ★★

sont construits sur une pointe de terre créée pour les besoins du port de Montréal, qu'elle protège des courants et de la glace, et qui offre de beaux points de vue sur la ville et sur l'eau. À l'entrée se trouvent le siège de l'administration du port ainsi qu'un groupe d'édifices qui abritait autrefois l'Expo-Théâtre et le Musée d'art contemporain. Un peu plus loin, on aperçoit la grande verrière de Tropique Nord, ce complexe d'habitation dont les appartements donnent sur l'extérieur, d'un côté, et sur un jardin tropical intérieur, de l'autre.

On reconnaît ensuite Habitat 67, cet ensemble résidentiel expérimental réalisé dans le cadre de l'Exposition universelle pour illustrer les techniques de préfabrication du béton et annoncer un nouvel art de vivre. Son architecte, Moshe Safdie, n'avait que 23 ans au moment de l'élaboration des plans. Habitat 67 se présente tel un gigantesque assemblage de cubes contenant chacun une ou deux pièces. Les appartements d'Habitat 67 sont toujours aussi prisés et logent plusieurs personnalités québécoises.

Le parc de la Cité du Havre comprend 12 panneaux retraçant brièvement l'histoire du fleuve Saint-Laurent. La piste cyclable menant aux îles Notre-Dame et Sainte-Hélène passe tout près.

Traversez le pont de la Concorde.

Le parc Jean-Drapeau ★★

(métro Jean-Drapeau) englobe les îles Sainte-Hélène, qui avait à l'origine une superficie de 50 ha., et Notre-Dame. Les travaux d'Expo 67 ont porté la superficie de l'île sainte-Hélène à plus de 120 ha. La portion originale de cette île correspond au territoire surélevé et ponctué de rochers, composés d'une pierre d'un type particulier à l'île appelée «brèche», une pierre très dure et ferreuse qui prend une teinte orangée avec le temps lorsqu'elle est exposée à l'air. En 1992, la portion ouest de l'île Sainte-Hélène a été réaménagée en un vaste amphithéâtre en plein air où sont présentés des spectacles à grand déploiement. Sur une belle place en bordure de la rive faisant face à Montréal, on

Montréal

aperçoit **L'Homme**, important stabile d'Alexander Calder réalisé pour Expo 67.

À proximité de l'entrée de la station Jean-Drapeau se dresse l'œuvre de l'artiste mexicain Sebastián intitulée **La porte de l'amitié**. Cette sculpture, offerte à la Ville de Montréal par la Ville de México en 1992, fut installée à cet emplacement trois ans plus tard pour commémorer la signature des accords de libre-échange entre le Canada, les États-Unis et le Mexique (ALÉNA).

Empruntez les sentiers qui convergent vers le centre de l'île.

À l'orée du parc Hélène-de-Champlain original, on peut voir le chalet des baigneurs et ses piscines extérieures, aménagées pendant la crise des années 1930. On notera le revêtement en pierre de brèche du chalet. L'île, au relief complexe, est dominée par la **tour Lévis**, simple château d'eau aux allures de donjon érigé en 1936.

Suivez les indications vers le fort de l'île Sainte-Hélène.

À la suite de la guerre de 1812 entre les États-Unis et la Grande-Bretagne, le **Fort de l'île Sainte-Hélène** ★★ *(métro Jean-Drapeau)* est construit afin que l'on puisse défendre adéquatement Montréal si jamais un nouveau conflit devait éclater. Les travaux effectués sous la supervision de l'ingénieur militaire Elias Walker Durnford sont achevés en 1825. L'ensemble en pierre de brèche se présente tel un *U* échancré, entourant une place d'armes qui sert de nos jours de terrain de parade à la Compagnie Franche

de la Marine et au 78e régiment des Fraser Highlanders. Ces deux régiments factices en costumes d'époque font revivre les traditions militaires françaises et écossaises du Canada, pour le grand plaisir des visiteurs. De la place d'armes, on bénéficie d'une belle vue sur le port et sur le pont Jacques-Cartier, inauguré en 1930, qui chevauche l'île et sépare le parc de verdure de La Ronde.

Le **Musée Stewart** ★★ *(6$; sept à mai mer-lun 10h à 17h, fin mai à début sept tlj 10h à 18h; métro Jean-Drapeau, ☎861-6701)*, installé dans l'arsenal du fort, est voué à l'histoire de la découverte et de l'exploration du Nouveau Monde. On y présente un ensemble d'objets des siècles passés, parmi lesquels on retrouve d'intéressantes collections de cartes, d'armes à feu, d'instruments scientifiques et de navigation, rassemblées par l'industriel montréalais David Stewart et son épouse Liliane. Des animateurs en costumes d'époque accompagnent la visite.

Le **Festin des Gouverneurs** (voir p 162), un restaurant qui accueille principalement les groupes sur réservation, occupe les voûtes des anciennes casernes. On y recrée l'ambiance d'un repas de fête à l'époque de la Nouvelle-France.

La Ronde ★ *(32$; horaire: ☎397-7777; métro Jean-Drapeau, ☎872-7044, www.la ronde.com)*, ce parc d'attractions aménagé à l'occasion de l'Exposition universelle de 1967 sur l'ancienne île Ronde, ouvre chaque année ses portes aux jeunes et aux moins jeunes. Pour les Montréalais, la visite an-

nuelle à La Ronde est presque devenu un pèlerinage. Un concours international d'art pyrotechnique s'y tient pendant les mois de juin et de juillet.

Empruntez le chemin qui longe la rive sud de l'île en direction de la Biosphère.

Construit comme pavillon des sports en 1938, le **Restaurant Hélène-de-Champlain** ★ rappelle, par son style inspiré de l'architecture de la Nouvelle-France, la maison d'été de la baronne de Longueuil, autrefois située dans les environs. Derrière le restaurant, une belle roseraie, créée à l'occasion d'Expo 67, agrémente la vue des convives, alors qu'en face se trouve l'**ancien cimetière militaire** de la garnison britannique, stationnée sur l'île Sainte-Hélène de 1828 à 1870. La plupart des pierres tombales originales ont disparu. Un monument commémoratif installé en 1937 les remplace.

Bien peu de pavillons d'Expo 67 ont survécu à l'usure du temps et aux changements de vocation des îles. L'un des rares survivants est l'ancien pavillon étasunien, qui représente un véritable monument à l'architecture moderne. Il s'agit du premier dôme géodésique complet à avoir dépassé le stade de la maquette. Son concepteur est le célèbre ingénieur Richard Buckminster Fuller (1895-1983).

La Biosphère ★★ *(8,50$; fin juin à début sept tlj 10h à 18h, début sept à fin juin mer-lun 10h à 17h; métro Jean-Drapeau, ☎283-5000)* de 80 m de diamètre, à structure tubulaire en aluminium, a malheureusement perdu son revêtement translucide en acryli-

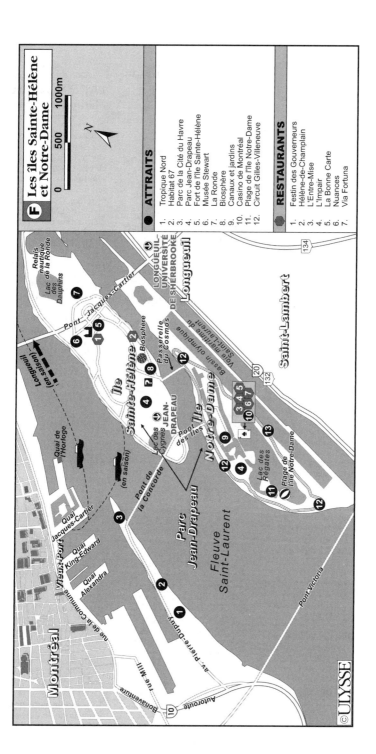

Les îles Sainte-Hélène et Notre-Dame

0 500 1000m

N

ATTRAITS

1. Tropique Nord
2. Habitat 67
3. Parc de la Cité du Havre
4. Parc Jean-Drapeau
5. Fort de l'île Sainte-Hélène
6. Musée Stewart
7. La Ronde
8. Biosphère
9. Canaux et jardins
10. Casino de Montréal
11. Plage de l'île Notre-Dame
12. Circuit Gilles-Villeneuve

RESTAURANTS

1. Festin des Gouverneurs
2. Hélène-de-Champlain
3. L'Entre-Mise
4. L'Impair
5. La Bonne Carte
6. Nuances
7. Via Fortuna

© ULYSSE

que lors d'un incendie en 1978. Elle abrite de nos jours un centre d'observation environnementale portant sur le fleuve Saint-Laurent, les Grands Lacs et les différents écosystèmes canadiens. L'exposition permanente vise à sensibiliser le public dans les domaines du développement durable et de la conservation de l'eau en tant que ressource précieuse. On y trouve quatre salles interactives dotées d'écrans géants et de maquettes tactiles pour explorer tout en s'amusant. Un «restaurant-terrasse» avec vue panoramique sur l'ensemble des îles complète le musée.

Traversez le pont du Cosmos pour vous rendre à l'île Notre-Dame.

L'**île Notre-Dame** est sortie des eaux du fleuve Saint-Laurent en l'espace de 10 mois, grâce aux 15 millions de tonnes de roc et de terre transportés sur le site depuis le chantier du métro. Comme il s'agit d'une île artificielle, on a pu lui donner une configuration fantaisiste en jouant autant avec la terre qu'avec l'eau. Ainsi l'île est traversée par d'agréables **canaux** et **jardins** ★★ *(métro Jean-Drapeau et autobus n°167)*, aménagés à l'occasion des Floralies internationales de 1980. Il est possible de louer des embarcations pour sillonner les canaux et admirer les fleurs qui se mirent dans les eaux.

Le **Casino de Montréal** ★ *(entrée libre, stationnement et vestiaire gratuits; tlj 24 heures sur 24; métro Jean-Drapeau et autobus n°167, ☎392-2746)* est aménagé dans ce qui fut les pavillons de la France et du Québec lors de l'Exposition universelle de 1967. Le bâtiment principal, correspondant à l'ancien **pavillon de la France** ★, a été conçu en aluminium par l'architecte Jean Faugeron, puis rénové au coût de 92,4 millions de dollars en 1993 pour abriter le Casino. Les galeries supérieures offrent une vue imprenable sur le centre-ville et sur le fleuve Saint-Laurent. Le bâtiment à l'allure d'une pyramide tronquée que l'on voit immédiatement à l'ouest est l'ancien **pavillon du Québec** ★. Il a été intégré au Casino après avoir été exhaussé et revêtu d'un parement de verre doré en 1996.

À proximité se trouve l'accès à la **plage de l'île Notre-Dame** *(7,50$; fin juin à fin août tlj 10h à 19h; ☎872-6120)*, qui donne l'occasion aux Montréalais de se prélasser sur une vraie plage de sable, même au milieu du fleuve Saint-Laurent. Le système de filtration naturel permet de garder l'eau du petit lac intérieur propre, sans devoir employer d'additifs chimiques. Le nombre de baigneurs que la plage peut accueillir est cependant rigoureusement contrôlé afin de ne pas déstabiliser ce système.

D'autres équipements de sport et de loisir s'ajoutent à ceux déjà mentionnés, soit le **bassin d'aviron**, aménagé à l'occasion des Jeux olympiques de 1976, et le **circuit Gilles-Villeneuve** *(métro Jean-Drapeau et autobus n°167)*, où l'on dispute chaque année le Grand Prix du Canada, course de formules 1 faisant partie du circuit mondial.

Pour retourner au centre-ville de Montréal, prenez le métro à la station Jean-Drapeau.

Circuit G: Le Quartier latin (trois heures)

Le Quartier latin, ce quartier universitaire qui gravite autour de la rue Saint-Denis, est apprécié pour ses théâtres, ses cinémas et ses innombrables cafés-terrasses d'où l'on peut observer la foule bigarrée d'étudiants et de fêtards. Son histoire débute en 1823, alors que l'on inaugure l'église Saint-Jacques, première cathédrale catholique de Montréal. Ce prestigieux édifice de la rue Saint-Denis a tôt fait d'attirer dans ses environs la crème de la société canadienne-française, composée surtout de vieilles familles nobles demeurées au Canada après la Conquête (1760). En 1852, un incendie ravage le quartier, détruisant du même coup la cathédrale et le palais épiscopal de Mgr Bourget. Reconstruit péniblement dans la seconde moitié du XIXe siècle, le secteur conservera sa vocation résidentielle, jusqu'à ce que l'Université de Montréal s'y installe en 1893. S'amorce alors une période d'ébullition culturelle, qui sera à la base de la Révolution tranquille des années 1960. L'Université du Québec, créée en 1969, a pris la relève de l'Université de Montréal (UQAM), déménagée sur le versant nord du mont Royal, l'UQAM assurant de la sorte la prospérité du Quartier latin.

Le circuit débute à la sortie de la station de métro Sherbrooke.

L'**Institut de tourisme et d'hôtellerie du Québec (ITHQ)** *(3535 rue St-Denis, métro Sherbrooke)* loge paradoxa-

© ULYSSE

● ATTRAITS

1. Institut de tourisme et d'hôtellerie du Québec (ITHQ)
2. Square Saint-Louis
3. Mont-Saint-Louis
4. Maison Fréchette
5. Le Saint-Jacques
6. Bibliothèque Nationale
7. Théâtre Saint-Denis
8. Université du Québec à Montréal (UQAM)
9. Chapelle Notre-Dame-de-Lourdes
10. Place Émilie-Gamelin
11. Ancienne École des hautes études commerciales
12. Square Viger
13. Union Française
14. Église Saint-Sauveur

⬡ HÉBERGEMENT

1. Auberge de l'Hôtel de Paris (Hôtel de Paris)
2. Auberge Le Jardin d'Antoine
3. Crowne Plaza Métro Centre
4. Hôtel de l'Institut
5. Hôtel Gouverneur Place Dupuis
6. Hôtel Lord Berri
7. Le Chasseur
8. Manoir Sherbrooke
9. Pierre et Dominique
10. Résidences de l'UQAM

▇ RESTAURANTS

1. La Brioche Lyonnaise
2. La Brûlerie Saint-Denis
3. La Paryse
4. La Sila
5. Le Commensal
6. Le Pèlerin
7. Le Piémontais
8. Les Gâteries
9. Mikado
10. Zyng

G Le Quartier latin

lement dans l'édifice considéré par plusieurs comme le plus laid de Montréal. Implanté à l'est du square Saint-Louis, en bordure de la rue Saint-Denis, il fait partie d'un ensemble médiocre conçu entre 1972 et 1976, à la veille des Jeux olympiques. On y donne cependant des cours de cuisine, de tourisme et d'hôtellerie de tout premier ordre.

Traversez la rue Saint-Denis pour vous rendre au square Saint-Louis.

À la suite de l'incendie de 1852, on aménage un réservoir d'eau au sommet de la côte à Barron. En 1879, le réservoir est démantelé et son site converti en parc de verdure sous le nom de **square Saint-Louis** ★★ *(métro Sherbrooke)*. Des entrepreneurs érigent alors autour du square de belles demeures victoriennes d'inspiration Second Empire, qui constituent ainsi le noyau du quartier résidentiel de la bourgeoisie canadienne-française. Ces ensembles forment l'un des rares paysages urbains montréalais où règne une certaine harmonie. À l'ouest, la **rue Prince-Arthur** débouche sur le square.

Tournez à gauche dans l'**avenue Laval**, l'une des seules rues de la ville où l'on puisse encore sentir pleinement l'ambiance de la Belle Époque. Délaissées par la bourgeoisie canadienne-française à partir de 1920, les maisons seront reconverties en pensions avant de retrouver la faveur des artistes québécois qui ont entrepris de les restaurer une par une. Le poète Émile Nelligan (1879-1941) a habité le numéro 3688 avec sa famille au tournant du XXe siècle.

La maison de l'Union des écrivains québécois, au numéro 3492, occupe l'ancienne maison du cinéaste Claude Jutra, à qui l'on doit des films comme *Mon oncle Antoine*. Plusieurs autres artistes tels que la chanteuse Pauline Julien et son conjoint le poète et politicien Gérald Godin, l'écrivain Michel Tremblay, le romancier Yves Navarre et le pianiste André Gagnon habitent ou ont habité dans les environs du square Saint-Louis et de l'avenue Laval.

Le **Mont-Saint-Louis** ★ *(244 rue Sherbrooke Est, métro Sherbrooke)*, un ancien collège pour garçons dirigé par les frères des Écoles chrétiennes, a été construit dans l'axe de l'avenue Laval en 1887. Il est un des exemples les plus probants du style Second Empire tel qu'adapté pour les grandes institutions montréalaises: longue façade ponctuée de pavillons, murs de pierres grises bossagées, ouvertures à arcs segmentaires et toitures en mansarde. L'institution a fermé ses portes en 1970, et l'édifice fut transformé en immeuble résidentiel en 1987. À cette occasion, un stationnement fut aménagé discrètement sous le jardin.

Le journaliste, poète et député Louis Fréchette (1839-1908) a habité la **maison Fréchette** *(306 rue Sherbrooke Est, métro Sherbrooke)* de style Second Empire. Il a hébergé Sarah Bernhardt ici à quelques reprises pendant ses tournées nord-américaines.

Tournez à droite dans la rue Saint-Denis, et descendez la côte à Barron en direction de l'Université du Québec.

La montée du Zouave, sur la droite, aujourd'hui la **Terrasse Saint-Denis**, était le lieu de rencontre favori des poètes et des écrivains québécois au tournant du XXe siècle. L'ensemble de maisons a été aménagé à l'emplacement de la demeure du sieur de Montigny, fier zouave pontifical.

L'architecte montréalais Joseph-Arthur Godin fut un des précurseurs de l'architecture moderne en Amérique du Nord. En 1914, il entreprend d'ériger trois immeubles de rapport, à structure de béton armé apparente, dans les environs du Quartier latin, dont **Le Saint-Jacques** ★ *(1704 rue St-Denis, métro Berri-UQAM)*. À ce concept d'avant-garde, Godin marie de subtiles courbes Art nouveau qui donnent grâce et légèreté à ces bâtiments. L'entreprise fut cependant un échec commercial qui entraîna la faillite de Godin et mit un terme à sa carrière d'architecte.

La **Bibliothèque nationale du Québec** ★ *(1700 rue St-Denis, métro Berri-UQAM)* fut d'abord aménagée pour les Messieurs de Saint-Sulpice, qui voyaient d'un mauvais œil la construction d'une bibliothèque municipale ouverte à tous sur la rue Sherbrooke. Même si de nombreux ouvrages étaient encore à l'Index, donc interdits de lecture par le clergé, cette ouverture était vue comme de la concurrence déloyale. Autrefois connue sous le nom de Bibliothèque Saint-Sulpice, cette succursale de la Bibliothèque nationale du Québec fut dessinée par l'architecte Eugène Payette en 1914 dans le style Beaux-Arts. Ce style, synthèse de l'architecture française de la Renaissance et du classicisme, était enseigné à l'École des beaux-arts de Paris, d'où son nom en Amérique. À l'intérieur, on peut voir de belles verrières réalisées par Henri Perdriau en 1915. La Bibliothèque nationale s'apprête cependant à emménager dans un tout nouveau bâtiment dont vous pourrez voir le chantier si vous déambulez à l'angle de la rue Berri et du boulevard De Maisonneuve. La nouvelle Bibliothèque nationale du Québec devrait être inaugurée à la fin de l'année 2004. Elle regroupera sous un même toit les collections de l'ancienne Bibliothèque nationale et de la Bibliothèque centrale de Montréal.

Le **Théâtre Saint-Denis** *(1594 rue St-Denis, métro Berri-UQAM, ☎790-1111)* possède deux salles de spectacle parmi les plus courues de la ville. Au cours de l'été, on y présente le festival d'humour Juste pour rire. Depuis son ouverture, en 1914, le théâtre a vu défiler tous les grands noms du showbiz français et québécois, et même du monde entier. Modernisé à plusieurs reprises, il fut une nouvelle fois complètement rénové en 1989. On remarquera le haut de la salle originale, qui dépasse la façade de granit rose, ajoutée lors de la dernière rénovation.

À l'angle du boulevard De Maisonneuve et de la rue Saint-Denis se trouvent les bureaux de l'**Office national du film du Canada (ONF)**. L'ONF dispose d'une **cinérobothèque** *(5$ pour 2 heures, 3$ pour une heure; mar-dim 12h à 21h; 1564 rue St-Denis, ☎496-6887),* qui permet à une centaine d'usagers de visionner des films différents. De plus, ce complexe abrite une salle de cinéma *(5$; tlj; l'horaire paraît au début de*

chaque mois) où l'on projette différents documentaires et films. On peut aussi y louer tous les films des archives de l'ONF.

Un peu plus loin vers l'ouest, la **Cinémathèque québécoise** *(5$ exposition, 7,50$ film et exposition, entrée libre mer 18h à 20h30; mer 15h à 20h30, jeu-dim 15h à 18h; 335 boul. De Maisonneuve Est, ☎842-9768)* accueille les cinéphiles. Elle possède une collection de 25 000 films canadiens, québécois et étrangers, ainsi que des centaines d'appareils témoignant des débuts du cinéma. La Cinémathèque a fait l'objet en 1997 d'une importante rénovation et d'un agrandissement. En face se dresse la salle de concerts de l'Université du Québec, la **Salle Pierre-Mercure** du centre Pierre-Péladeau.

Contrairement à la plupart des campus universitaires nord-américains, composés de pavillons disséminés dans un parc, le campus de l'**Université du Québec à Montréal (UQAM)** ★ est intégré à la ville à la manière des universités de la Renaissance en France ou en Allemagne. Il est en outre relié à la ville souterraine et au métro. L'université occupe l'emplacement des premiers bâtiments de l'Université de Montréal et de l'église Saint-Jacques, reconstruite après l'incendie de 1852. Seuls le mur du transept droit et le clocher néogothique, dessiné par Victor Bourgeau, ont été intégrés au pavillon Judith-Jasmin de 1979, pour devenir l'emblème de l'institution. L'UQAM fait partie du réseau de l'Université du Québec, fondé en 1969 et réparti dans différentes villes du Québec. Ce lieu de haut savoir, en pleine expansion, accueille chaque an-

née plus de 40 000 étudiants.

Tournez à gauche dans la rue Sainte-Catherine Est.

L'artiste Napoléon Bourassa habitait une grande maison située rue Saint-Denis (n°1242): remarquez sur la façade la «tête à Papineau». La **chapelle Notre-Dame-de-Lourdes** ★ *(430 rue Ste-Catherine Est, métro Berri-UQAM),* érigée en 1876, est l'œuvre de sa vie. Elle a été commandée par les Messieurs de Saint-Sulpice, qui voulaient assurer leur présence dans ce secteur de la ville. Son vocabulaire romano-byzantin est en quelque sorte le résumé des carnets de voyage de son auteur. Il faut voir les fresques très colorées de Bourassa qui ornent l'intérieur de la petite chapelle.

La **place Émilie-Gamelin** ★ *(angle rue Berri et rue Ste-Catherine Est, métro Berri-UQAM)* honore la mémoire de la fondatrice des sœurs de la Providence, dont l'asile occupait le site jusqu'en 1960. L'espace, autrefois baptisé square Berri, fut aménagé en 1992 dans le cadre des fêtes du 350ᵉ anniversaire de Montréal; il est le dernier-né des grands squares publics montréalais. En fond de scène, on retrouve de curieuses sculptures métalliques de l'artiste Melvin Charney, à qui l'on doit également le jardin du **Centre Canadien d'Architecture** (voir p 118).

Au nord de la place se trouve la gare d'autocars (Station Centrale), aménagée au-dessus de la station de métro Berri-UQAM, où trois des quatre lignes du métro convergent. À l'est, la **Place Dupuis**, regroupant des commerces, des bureaux et un

Montréal

hôtel, occupe l'ancien grand magasin Dupuis Frères. Sur la rue Sainte-Catherine Est, on peut encore apercevoir certains magasins chers aux Montréalais, tels que Archambault. La section de la rue Sainte-Catherine Est située entre les rues Amherst et Papineau est appelée le **Village Gay**.

Tournez à droite dans la rue Saint-Hubert puis encore à droite dans l'avenue Viger Est.

Symbole de l'ascension sociale d'une certaine classe d'hommes d'affaires canadiens-français au début du XXe siècle, l'**ancienne École des hautes études commerciales** ★ *(535 av. Viger, métro Berri-UQAM ou Champ-de-Mars)* va modifier en profondeur le milieu de l'administration et de la finance à Montréal, jusque-là dominé par les Canadiens d'origine britannique. L'architecture Beaux-Arts très parisienne de cet imposant bâtiment de 1908, caractérisée par des colonnes jumelées, des balustrades, un escalier monumental et des sculptures pâteuses, témoigne de la francophilie de ses promoteurs. En 1970, l'École des hautes études commerciales (HEC) a rejoint le campus de l'Université de Montréal sur le flanc nord du mont Royal. Ce magnifique édifice renferme aujourd'hui les Archives nationales du Québec.

Le **square Viger** *(av. Viger Est, métro Berri-UQAM ou Champ-de-Mars)* est le premier square autour duquel la bourgeoisie canadienne-française va se regrouper au cours des années 1850, avant de lui préférer le square Saint-Louis à partir de 1880. Défiguré par l'aménagement de l'auto-

route Ville-Marie en sous-sol (1977-1979), il a été réaménagé en trois sections réalisées par autant d'artistes, qui ont préféré un design touffu à la sobriété du square du XIXe siècle. À l'arrière-plan, on aperçoit l'ancienne **gare Viger** (voir p 103), aux allures de château fort.

L'**Union française** *(429 av. Viger Est, métro Berri-UQAM ou Champ-de-Mars)*, l'association culturelle française de Montréal, est installée dans cette ancienne demeure patricienne depuis 1909. On y organise des conférences et des salons sur la France et ses régions. Chaque année, le 14 Juillet est célébré dans le square Viger, en face. La maison, attribuée à l'architecte Henri-Maurice Perrault, fut construite en 1867 pour l'armateur Jacques-Félix Sincennes, fondateur de la Richelieu and Ontario Navigation Company. Elle est un des premiers exemples d'architecture Second Empire à avoir été réalisé à Montréal.

À l'angle de la rue Saint-Denis se dresse l'**église Saint-Sauveur** *(329 av. Viger Est, métro Berri-UQAM ou Champ-de-Mars)*, église néogothique construite en 1865 selon les plans des architectes Lawford et Nelson. De 1922 à 1995, elle a été le siège de la communauté syrienne catholique de Montréal. On remarquera son chœur en hémicycle, dont les fenêtres sont ornées de beaux vitraux de l'artiste Guido Nincheri.

Circuit H: Le Plateau Mont-Royal (trois heures)

S'il existe un quartier typique à Montréal, c'est bien le Plateau Mont-Royal. Rendu célèbre par les écrits de Michel Tremblay, l'un de ses illustres fils, «le Plateau», comme l'appellent ses résidants, c'est le quartier des intellectuels fauchés autant que des jeunes professionnels et des vieilles familles ouvrières francophones. Ses longues rues sont bordées des fameux duplex et triplex montréalais, dont les longs et étroits appartements sont accessibles par des escaliers extérieurs aux contorsions amusantes. Ces derniers aboutissent à des balcons en bois ou en fer forgé, qui sont autant de loges fleuries d'où l'on observe le spectacle de la rue.

Le Plateau Mont-Royal est délimité à l'ouest par le mont Royal, à l'est et au nord par les voies ferrées du Canadien Pacifique, et au sud par la rue Sherbrooke. Il est traversé par quelques artères bordées de cafés et de théâtres, comme les rues Saint-Denis et Papineau, mais conserve dans l'ensemble une douce quiétude. Une visite de Montréal serait incomplète sans une excursion sur le Plateau Mont-Royal, ne serait-ce que pour flâner sur ses trottoirs et mieux saisir l'âme de Montréal.

Le circuit débute à la sortie du métro Mont-Royal. Dirigez-vous vers la droite sur l'avenue du Mont-Royal Est, principale artère commerciale du quartier.

Le **monastère des pères du Très-Saint-Sacrement ★** *(500 av. du Mont-Royal Est, métro Mont-Royal)* et son église Notre-Dame-du-Très-Saint-Sacrement ont été érigés à la fin du XIXe siècle pour la communauté des pères du même nom. Derrière une façade quelque peu austère se cache une église des plus colorées au décor italianisant, réalisée selon les plans de JeanZéphirin Resther. Ce lieu saint voué à l'Exposition et à l'Adoration perpétuelle de l'Eucharistie est ouvert à la prière et à la contemplation tous les jours de la semaine. On y présente à l'occasion des concerts de musique baroque.

Suivez l'avenue du Mont-Royal vers l'est.

On côtoie sur l'**avenue du Mont-Royal** la population bigarrée du quartier qui magasine dans des commerces hétéroclites, allant des boulangeries artisanales aux magasins de babioles à un dollar, en passant par les boutiques où l'on vend disques, livres et vêtements d'occasion.

Tournez à droite dans la rue Fabre, où vous verrez de bons exemples de l'habitat type montréalais.

Ces maisons, construites entre 1900 et 1925, comprennent respectivement de deux à cinq logements, tous accessibles par des entrées individuelles donnant sur l'extérieur. On notera les détails d'ornementation qui varient d'un immeuble à l'autre, tels que les vitraux Art nouveau, les parapets et les corniches de brique et de tôle, les balcons aux colonnes toscanes ainsi que le fer ornemental qui s'exprime en frisettes et en torsades.

Tournez à gauche dans la rue Rachel Est.

À l'extrémité de la rue Fabre, on aperçoit le **parc Lafontaine** *(métro Sherbrooke)*, principal espace vert du Plateau Mont-Royal, créé en 1908 à l'emplacement d'un ancien champ de tir militaire. Des monuments honorant la mémoire de Sir Louis-Hippolyte Lafontaine, de Félix Leclerc et de Dollard des Ormeaux y ont été élevés. D'une superficie de 40 ha, le parc est agrémenté de deux petits lacs artificiels et de sentiers ombragés que l'on peut emprunter à pied ou à vélo. Des terrains de pétanque et des courts de tennis sont mis à la disposition des amateurs. En hiver, une grande patinoire éclairée est entretenue sur les étangs. On y trouve également le Théâtre de Verdure, où sont présentés des concerts d'été. La fin de semaine, le parc est envahi par les gens du quartier qui viennent profiter des belles journées ensoleillées.

Les églises paroissiales du Plateau Mont-Royal, conçues pour accueillir les familles nombreuses des ouvriers canadiens-français, sont immenses. L'**église de l'Immaculée-Conception** *(angle av. Papineau et rue Rachel, métro Sherbrooke ou Mont-Royal)* fut construite en 1895 dans le style néoroman selon les plans d'Émile Tanguay. Son intérieur décoré de toiles marouflées et de statues de plâtre est typique de l'époque. Quant à ses

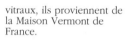

vitraux, ils proviennent de la Maison Vermont de France.

Tournez à droite dans l'avenue Papineau puis encore à droite dans la rue Sherbrooke Est.

La longue **place Charles-de-Gaulle** *(angle av. Émile-Duployé et rue Sherbrooke, métro Sherbrooke)*, située en bordure de la rue Sherbrooke, est dominée par un obélisque élevé à la mémoire du général de Gaulle, réalisé par l'artiste français Olivier Debré. L'œuvre en granit bleu de Vire, extrait des carrières de Saint-Michel-de-Montjoie en Normandie, fait 17 m de hauteur. Elle a été donnée par la Ville de Paris à la Ville de Montréal en 1992, à l'occasion du 350e anniversaire de sa fondation.

En face, on aperçoit l'**hôpital Notre-Dame**, l'un des principaux hôpitaux de la ville. Un peu plus à l'ouest, au 3700 de l'avenue Calixa-Lavallée, se trouve la jolie **école Le Pla**

Montréal

teau (1930). L'édifice Art déco des architectes Perrault et Gadbois abrite aussi la salle qui a accueilli l'Orchestre symphonique de Montréal à ses débuts. Un sentier, au nord de l'école, donne accès aux étangs du parc Lafontaine.

De retour à la rue Sherbrooke Est, on peut voir la **Bibliothèque centrale de Montréal** *(1210 rue Sherbrooke Est)*, inaugurée en 1917 par le maréchal Joffre. La modeste taille de l'édifice, en comparaison de la population à desservir, même au début du XXe siècle, s'explique par les réticences du clergé à voir s'ouvrir une bibliothèque laïque. De nos jours, heureusement, un réseau de 27 succursales de quartiers s'ajoute à la bibliothèque. On y trouve, entre autres, une salle complète consacrée à la généalogie des familles canadiennes-françaises (la salle Gagnon, au sous-sol). La Bibliothèque centrale de Montréal s'apprête cependant à emménager dans un tout nouveau bâtiment

dont vous pourrez voir le chantier si vous déambulez à l'angle de la rue Berri et du boulevard De Maisonneuve. La nouvelle Bibliothèque nationale du Québec devrait être inaugurée à la fin de l'année 2004. Elle regroupera sous un même toit les collections de l'ancienne Bibliothèque nationale et de la Bibliothèque centrale de Montréal.

Le monument en l'honneur de Sir Louis-Hippolyte Lafontaine (1807-1864), qui a donné son nom au parc, se trouve de l'autre côté de la rue. Considéré comme le père du gouvernement responsable au Canada, Lafontaine fut aussi l'un des principaux défenseurs du français dans les institutions du pays.

Empruntez la rue Cherrier, qui se détache de la rue Sherbrooke Est en face du monument à Lafontaine.

La rue Cherrier formait autrefois, avec le square Saint-Louis, à son extrémité ouest, le noyau du

quartier résidentiel bourgeois canadien-français. Au numéro 840, on peut voir l'**Agora de la danse**, où sont regroupés les studios de diverses compagnies de danse. L'édifice de briques rouges, terminé en 1919, abritait auparavant la Palestre nationale, centre sportif pour les jeunes du quartier et lieu de nombreuses assemblées publiques houleuses au cours des années 1930.

Tournez à droite dans la rue Saint-Hubert, bordée de beaux exemples d'architecture vernaculaire. Puis tournez à gauche dans la rue Roy afin d'apercevoir l'église Saint-Louis-de-France de 1936, construite pour remplacer l'église originale, détruite par le feu en 1933.

À l'angle de la rue Saint-Denis et de la rue Roy s'élève l'**ancien Institut des sourdes-muettes** *(3725 rue St-Denis, métro Sherbrooke)*, un vaste bâtiment de pierres grises composé de nombreuses ailes, érigées par étapes entre 1881 et 1900. L'ensemble de style

● ATTRAITS

1. Monastère des pères du Très-Saint-Sacrement
2. Parc Lafontaine
3. Église de l'Immaculée-Conception
4. Place Charles-de-Gaulle
5. Ancien Institut des sourdes-muettes
6. Église Saint-Jean-Baptiste

◯ HÉBERGEMENT

1. Auberge de la Fontaine
2. B & B Bienvenue
3. Gîte du Parc Lafontaine
4. Gîte sympathique
5. Vacances Canada 4 Saisons Collège Français

▣ RESTAURANTS

1. 917	17. L'Académie	33. Le Piton de la Fournaise
2. Ambala	18. L'Anecdote	34. Lélé da Cuca
3. Aux 2 Marie	19. L'Express	35. Los Altos
4. Bières & Compagnie	20. L'Harmonie d'Asie	36. Misto
5. Cactus	21. La Binerie Mont-Royal	37. Modigliani
6. Café Cherrier	22. La Brûlerie Saint-Denis	38. Ouzeri
7. Café El Dorado	23. La Colombe	39. Psarotaverna du Symposium
8. Café Rico	24. La Gaudriole	40. P'tit Plateau
9. Casa Tapas	25. La Prunelle	41. Souvenirs d'Afrique
10. Chez Claudette	26. La Raclette	42. Tampopo
11. Chu Chai	27. La Selva	43. Toasteur
12. Continental	28. Laloux	44. Toqué
13. Côté Soleil	29. Le Goût de la Thaïlande	45. Vents du Sud
14. Crêperie Bretonne Ty-Breiz	30. Le jardin de Panos	46. Vintage
15. Fruit Folie	31. Le Margaux	
16. Khyber Pass	32. Le Nil Bleu	

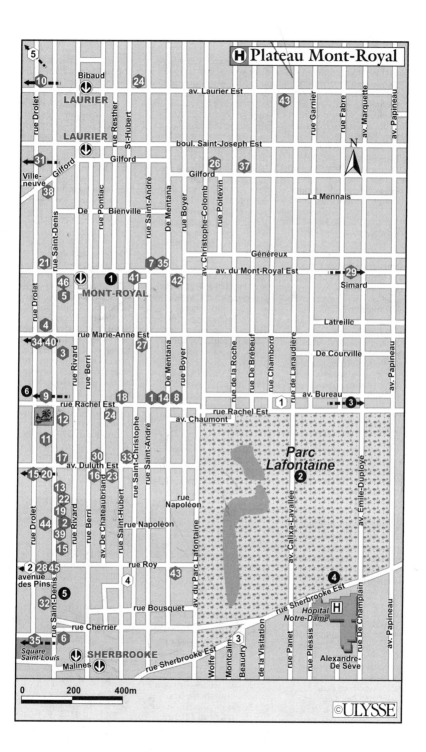

Second Empire couvre un quadrilatère complet et est typique de l'architecture institutionnelle de l'époque au Québec. Il accueillait autrefois les sourdes-muettes de la région. L'étrange chapelle, aux colonnes de fonte, de même que la sacristie, avec ses hautes armoires et son surprenant escalier à vis, sont accessibles sur demande depuis l'entrée de la rue Berri.

Empruntez la rue Saint-Denis vers le nord.

La section de la **rue Saint-Denis** entre le boulevard De Maisonneuve, au sud, et le boulevard Saint-Joseph, au nord, est bordée de nombreux cafés-terrasses et de belles boutiques installées à l'intérieur d'anciennes demeures Second Empire de la deuxième moitié du XIXe siècle. On y trouve également plusieurs librairies et restaurants qui sont devenus au fil des ans de véritables institutions de la vie montréalaise.

Tournez momentanément à gauche dans la rue Rachel Est pour voir l'église Saint-Jean-Baptiste et les bâtiments institutionnels qui l'avoisinent.

L'**église Saint-Jean-Baptiste** ★★ *(309 rue Rachel, métro Mont-Royal)*, consacrée sous le vocable du saint patron des Canadiens français, est un gigantesque témoignage de la foi solide de la population catholique et ouvrière du Plateau Mont-Royal au tournant du XXe siècle, laquelle, malgré sa misère et ses familles nombreuses, a réussi à amasser des sommes considérables pour la construction d'églises somptueuses. L'extérieur fut édifié en 1901 selon les plans de l'architecte Émile

Vanier. Quant à l'intérieur, il fut repris, à la suite d'un incendie, selon des dessins de Casimir Saint-Jean, qui en fit un chef-d'œuvre du style néobaroque à voir absolument. Le baldaquin de marbre rose et de bois doré du chœur (1915) protège l'autel de marbre blanc d'Italie, faisant face aux grandes orgues Casavant du jubé, lesquelles comptent parmi les plus puissantes de la ville. L'église, qui peut accueillir 3 000 personnes assises, est le lieu de fréquents concerts.

En face de l'église, on peut voir l'**ancien collège Rachel**, construit en 1876 dans le style Second Empire. Enfin, à l'ouest de l'avenue Henri-Julien, se trouve l'**ancien hospice Auclair** de 1894, avec son entrée semi-circulaire sur la rue Rachel. La rue Drolet au sud de la rue Rachel présente de bons exemples de l'architecture ouvrière des années 1870 et 1880 sur le Plateau, avant l'avènement de l'habitat vernaculaire, à savoir le duplex et le triplex dotés d'escaliers extérieurs tels qu'on a pu en apercevoir sur la rue Fabre.

Retournez à la rue Saint-Denis, et remontez-la jusqu'à l'avenue du Mont-Royal. Tournez à droite pour reprendre le métro à la station Mont-Royal.

Circuit I:
Le Sault-au-Récollet
(trois heures)

Vers 1950, le quartier du Sault-au-Récollet formait encore un village agricole isolé de la ville sur le bord de la rivière des Prairies. De nos jours, il est facile

de s'y rendre par le métro, dont la station Henri-Bourassa constitue le terminus nord. L'histoire du «Sault» est cependant très ancienne, puisque, dès 1610, M. des Prairies emprunta la rivière qui porte désormais son nom, en pensant qu'il s'agissait du fleuve Saint-Laurent. Puis, en 1625, le récollet Nicolas Viel et son guide amérindien Ahuntsic se noyèrent dans les rapides du cours d'eau, d'où le nom «Sault-au-Récollet».

En 1696, les sulpiciens y installèrent la mission huronne du fort Lorette. Au XIXe siècle, le Sault-au-Récollet devient un lieu de villégiature apprécié par les Montréalais qui ne désirent pas trop s'éloigner de la ville pendant la belle saison, ce qui explique la présence de quelques maisons d'été ayant survécu au récent développement.

À la sortie du métro Henri-Bourassa, suivez le boulevard du même nom vers l'est. Tournez à gauche dans la rue Saint-Hubert, puis à droite dans le boulevard Gouin Est; de là part le circuit.

Mgr Ignace Bourget, second évêque de Montréal, a courtisé plusieurs communautés religieuses françaises au cours des années 1840, afin qu'elles implantent des maisons d'enseignement dans la région de Montréal.

La communauté des Dames du Sacré-Cœur est de celles qui ont accepté de faire le grand voyage. Ces religieuses# s'installent en 1856 en bordure de la rivière des Prairies, où elles construisent un couvent pour l'éducation des filles. L'ancien externat (1858), au 1105 du boulevard Gouin Est, est tout ce qui reste du complexe

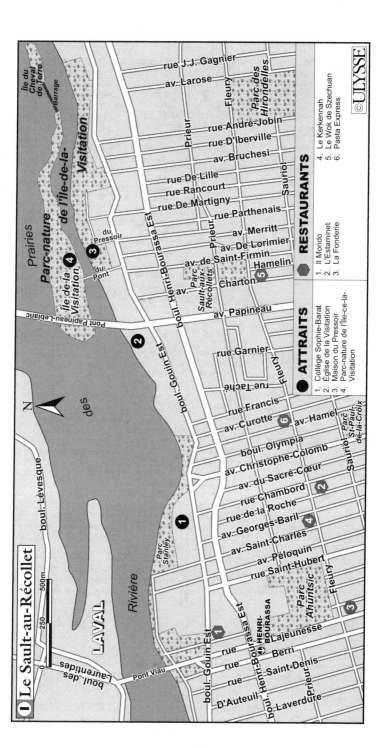

Le Sault-au-Récollet

ATTRAITS

1. Collège Sophie-Barat
2. Église de la Visitation
3. Maison du Pressoir
4. Parc-nature de l'Île-ce-la-Visitation

RESTAURANTS

1. Il Mondo
2. L'estaminet
3. La Fonderie
4. Le Kerkennah
5. Le Wok de Szechuan
6. Pasta Express

©ULYSSE

primitif. À la suite d'un incendie, le couvent fut reconstruit par étapes. Le bâtiment, à l'allure d'un austère manoir anglais, est la plus intéressante de ces nouvelles installations (1929). Le **Collège Sophie-Barat** *(1105 et 1239 boul. Gouin Est, métro Henri-Bourassa)* porte le nom de la fondatrice de la communauté des Dames du Sacré-Cœur.

Avant d'atteindre l'église de la Visitation, on aperçoit quelques demeures ancestrales, comme la **maison David-Dumouchel**, au n° 1737, construite en 1839 pour un menuisier du Sault-au-Récollet. Cette maison est pourvue de hauts murs coupe-feu, même si aucun autre édifice ne lui est mitoyen, preuve que cette composante d'abord strictement utilitaire était devenue au XIXe siècle un élément du décor de la maison, symbole de prestige et d'urbanité.

L'**église de la Visitation** ★★ *(1847 boul. Gouin Est)* est la plus ancienne église qui subsiste sur l'île de Montréal. Elle fut construite entre 1749 et 1752, mais fut considérablement remaniée par la suite. Sa très belle façade palladienne, ajoutée en 1850, est l'œuvre de l'Anglais John Ostell, auteur de la douane, maison de la place Royale, et du vieux palais de justice, rue Notre-Dame. Le degré de raffinement atteint ici est tributaire de la féroce compétition que se livraient les paroissiens du Sault-au-Récollet et ceux de Sainte-Geneviève, plus à l'ouest, qui venaient de se doter d'une église du même style.

L'intérieur de l'église de la Visitation forme un des ensembles les plus remarquables de la sculpture sur bois au Québec. Les travaux de décoration entrepris en 1764 ne furent terminés qu'en 1837. Philippe Liébert, originaire de Nemours, en France, exécuta les premiers éléments du décor, entre autres les portes abondamment sculptées du retable, précieuses œuvres de style Louis XV. Mais c'est à David-Fleury David que revient la part du lion, car on lui doit la corniche, les pilastres Louis XVI et la voûte finement ciselée. De beaux tableaux ornent l'église, dont *La Visitation de la Vierge*, acquis par le curé Chambon en 1756 et attribué à Mignard.

À l'extrémité de la rue Lambert, on aperçoit l'ancien noviciat Saint-Joseph abritant aujourd'hui le **collège du Mont-Saint-Louis** *(1700 boul. Henri-Bourassa Est)*. Le bâtiment néoclassique de 1853 a été agrandi par l'ajout d'un pavillon Second Empire en 1872. Le noyau du village du Sault-au-Récollet se trouve le long du boulevard Gouin Est, à l'est de l'avenue Papineau. Certains de ses bâtiments méritent d'être mentionnés: la maison Boudreau, au n°1947, fut construite dès 1750; l'ancien magasin général, au n° 2010, est un petit édifice Second Empire de type urbain, transposé en milieu rural; et enfin, la fière maison Persillier-Lachapelle, érigée vers 1830, au n° 2086, est l'ancienne demeure d'un meunier prospère et constructeur de ponts.

Tournez à gauche dans la rue du Pressoir.

Vers 1810, Didier Joubert érige un pressoir à cidre sur sa propriété du Sault-au-Récollet, aujourd'hui connu comme la **Maison du Pressoir** ★ *(entrée libre; avr à oct tlj 11h à 17h; 10865 rue du Pressoir, ☎280-6783)*. L'état des recherches actuelles permet d'affirmer qu'il s'agit de l'unique exemple de bâtiment en pieux maçonnés qui subsiste sur l'île de Montréal. Le bâtiment restauré en 1982 abrite une exposition sur la fabrication du cidre et sur l'historique du pressoir et de la mission des sulpiciens.

Revenez sur vos pas en empruntant le boulevard Gouin vers l'ouest. Tournez à droite dans la rue du Pont pour rejoindre l'île de la Visitation.

Le **parc-nature de l'Île-de-la-Visitation** ★★ comprend une vaste superficie de terrain en bordure de la rivière des Prairies, ainsi que l'île elle-même, longue bande de terre fermée à chacune de ses extrémités par des digues qui contrôlent le niveau et le débit de l'eau, éliminant du coup le fameux sault qui a donné son nom au secteur. On traverse la digue depuis la rue du Pont, en bordure de laquelle les sulpiciens firent ériger de puissants moulins sous le Régime français. Il ne subsiste malheureusement plus que de maigres vestiges de ces installations.

La digue qui se trouve à l'extrémité est de l'île supporte la centrale hydroélectrique Rivière-des-Prairies, aménagée en 1928 par la Montreal Island Power. Son barrage contient une trappe à poissons qui en fait un lieu de prédilection pour la pêche à l'alose, espèce qui prolifère dans les eaux de la rivière.

Circuit J: L'ouest de l'île (une journée)

Seul véritable circuit riverain parmi ceux que l'on retrouve sur l'île de Montréal, l'ouest de l'île permet de découvrir de vieux villages ainsi que les plus beaux panoramas sur le fleuve Saint-Laurent et les lacs Saint-Louis et des Deux Montagnes. Bien que la plupart des agglomérations qui s'y trouvent aient été fondées par des colons français, nombre d'entre elles sont aujourd'hui peuplées d'une majorité d'anglophones. Aussi ne faut-il pas s'étonner d'entendre davantage la langue de Shakespeare que celle de Molière dans les commerces et le long des rues résidentielles, qui ne sont pas sans rappeler celles des banlieues étasuniennes aisées. Rappelons que toutes ces anciennes villes devenues arrondissements font dorénavant partie de la grande ville de Montréal.

Ce circuit ne fait pas partie des circuits pédestres urbains, car il s'étend sur près de 50 km. Il peut cependant être parcouru à bicyclette, puisqu'une bonne part du trajet longe soit une piste cyclable bien aménagée, soit des routes à vitesse réduite. Il est même possible de se rendre au point de départ du circuit en suivant la piste du canal de Lachine depuis le Vieux-Montréal. Les automobilistes qui partent du centre-ville devront quant à eux emprunter l'autoroute 20 Ouest puis, brièvement, l'autoroute 138 en direction du pont Mercier.

Prenez la sortie de la rue Clément à LaSalle. Tournez à droite dans la rue Clément, à gauche dans la rue Saint-Patrick, puis immédiatement à gauche dans l'avenue Stirling pour rejoindre la rive du fleuve. Tournez à droite dans le chemin LaSalle.

★★
Lachine

En 1667, les Messieurs de Saint-Sulpice concèdent des terres dans l'ouest de l'île de Montréal à l'explorateur Robert Cavelier de La Salle. Celui-ci, obsédé par l'idée de trouver un passage vers la Chine, «découvrira» finalement la Louisiane, à l'embouchure du Mississippi. Par dérision, les Montréalais désigneront dorénavant ses terres du nom de «La Chine», nom qui est devenu officiel par la suite. En 1689, les habitants de Lachine ont été victimes du pire massacre iroquois du Régime français. Mais plutôt que de quitter les lieux, la population augmenta, et deux forts furent construits pour la protéger en raison de l'emplacement stratégique de Lachine, en amont des rapides du même nom qui entravent toujours la navigation sur le fleuve Saint-Laurent. Aussi les précieuses fourrures de l'hinterland, destinées au marché européen, devaient-elles être débarquées à Lachine et transportées à pied jusqu'à Montréal, située en aval des rapides. Dans les années qui suivirent l'ouverture du canal de Lachine en 1825, plusieurs industries s'installèrent à Lachine, qui a alors connu une urbanisation importante. Aujourd'hui, son industrie vieillissante est heureusement compensée par son site enchanteur, qui attire toujours une population enthousiaste.

Le **moulin Fleming** *(entrée libre; juin tlj 11h30 à 18h, juil et août mar-dim 11h30 à 18h; parc Stinson, ☎367-1000)*, même s'il est situé sur le territoire de la ville de LaSalle, est étroitement lié au développement de Lachine, dont il faisait partie autrefois. Construit en 1816 pour un marchand écossais, il adopte la forme conique des moulins étasuniens. Une exposition raconte son histoire.

Le fort Rémy, l'une des deux enceintes de Lachine, était situé à proximité. Il fut érigé pour protéger la première église en pierre du village, construite en 1703 et aujourd'hui disparue. L'ancienne usine de produits pharmaceutiques Burrows-Welcome, visible à l'ouest, abrite l'hôtel de ville de LaSalle.

Suivez le boulevard LaSalle jusqu'au chemin du Musée. Tournez à gauche pour rejoindre le stationnement du musée de Lachine, qui fait face au chemin LaSalle.

Le **Musée de Lachine** ★ *(entrée libre; fin mars à mi-déc mer-dim 11h30 à 16h30; 110 chemin LaSalle, ☎634-3471, poste 346)* loge dans un ancien comptoir de traite et dans l'ancien entrepôt de fourrures percé de meurtrières: ce sont les plus vieilles structures qui subsistent dans toute la région de Montréal. Leur construction remonte à 1670. À cette époque, Lachine constituait le dernier lieu habité de la vallée du Saint-Laurent, avant les contrées sauvages à l'ouest, ainsi que le point d'arrivée des cargaisons de fourrures, qui ont représenté pendant longtemps la principale richesse naturelle du Canada et la véritable raison d'être de sa colonisation par la France. Le bâtiment a été érigé

Montréal

pour Jacques LeBer et Charles LeMoyne, riches marchands de Montréal. Depuis 1948, il abrite un musée historique, mais aussi un centre d'art où l'on présente des œuvres contemporaines d'artistes locaux, ainsi qu'un pavillon montrant des expositions multidisciplinaires et multiculturelles.

Empruntez le chemin LaSalle en face du musée. Tournez à droite dans le chemin du Canal puis à gauche dans le chemin du Musée, qui devient ensuite le boulevard Saint-Joseph.

Trois étroites langues de terre aménagées de main d'homme forment l'**embouchure du canal de Lachine ★★** *(parc Monk)*, à la manière d'un estuaire évasé et tentaculaire. Le **parc René-Lévesque**, accessible depuis le chemin du Canal, permet de découvrir le majestueux lac Saint-Louis. Il est parsemé de plusieurs sculptures contemporaines, notamment *Les Forces vives* de Georges Dyens, en hommage à l'ancien premier ministre du Québec, dont le parc porte aujourd'hui le nom. Le Yachting Club occupe la seconde bande de terre, alors que la **promenade du Père-Marquette** et le **parc Monk** s'inscrivent entre l'entrée initiale du canal, inauguré en 1825, et l'élargissement de 1848. Notez que le canal de Lachine est rouvert à la navigation légère et qu'à l'embouchure se trouve un nouveau centre d'interprétation qui explique l'histoire du canal.

En suivant la promenade du Père-Marquette, il est possible d'atteindre le lieu historique national du Commerce-de-la-fourrure-à-Lachine.

La traite des fourrures a représenté, pendant près de deux siècles, la principale activité économique de la région montréalaise. Lachine a joué un rôle primordial dans l'acheminement des peaux vers le marché européen, au point où la fameuse Compagnie de la Baie d'Hudson en fit le centre névralgique de ses opérations. Le **lieu historique national du Commerce-de-la-fourrure-à-Lachine ★** *(2,50$; mi-avr à mi-oct lun 13h à 18h, mar-dim 10h à 12h30 et 13h à 18h, mi-oct à début déc mer-dim 9h30 à 12h30 et 13h à 17h, fermé déc à avr; 1255 boul. St-Joseph,* ☎637-7433) occupe l'ancien entrepôt de la compagnie, érigé en 1803. On y présente divers objets de traite et des exemples de fourrures et de vêtements fabriqués avec ces peaux. Une exposition interactive ramène le visiteur directement au XIXᵉ siècle. De leur côté, des expositions temporaires retracent la vie des trappeurs, des «voyageurs» et des communautés amérindiennes qui, au XVIIᵉ siècle, effectuaient la plupart des prises, ainsi que celle des dirigeants des puissantes compagnies françaises et anglaises qui se livraient une lutte pour le monopole de ce commerce lucratif.

Reprenez le boulevard Saint-Joseph en direction ouest. Poursuivez en direction de Pointe-Claire.

★
Pointe-Claire

L'une des premières missions implantées sur le pourtour de l'île de Montréal par les Messieurs de Saint-Sulpice, Pointe-Claire, est devenue une banlieue aisée qui a cependant conservé son noyau de village initial. Le chemin du Bord-du-Lac, qui traverse les municipalités de l'ouest de l'île, de Lachine jusqu'à Sainte-Anne-de-Bellevue, en passant par Pointe-Claire, était jusqu'en 1940 la seule route pour se rendre de Montréal à Toronto en voiture.

Tournez à gauche dans la rue Sainte-Anne pour atteindre la pointe Claire, qui avance dans le lac Saint-Louis, où sont regroupés les bâtiments institutionnels du village traditionnel.

L'**église Saint-Joachim ★** *(1 rue St-Joachim)*, de style néogothique, date de 1882, et son clocher, fort original, domine l'ensemble institutionnel. Il s'agit de l'une des dernières œuvres de Victor Bourgeau, à qui l'on doit des dizaines d'églises dans la région de Montréal. Son intérieur flamboyant en bois polychrome, orné de nombreuses statues, mérite une petite visite. Le **couvent des sœurs de la Congrégation de Notre-Dame** a été construit en 1867 sur la portion sud de la pointe balayée par les vents. Quant au **moulin**, pour lequel on ne pouvait trouver meilleur emplacement, a été érigé dès 1709 par les Messieurs de Saint-Sulpice.

Reprenez le chemin du Bord-du-Lac en direction de Beaconsfield et de Baie d'Urfé. Ces deux municipalités forment le cœur du *West Island* anglophone. On y trouve cependant des propriétés anciennes ayant appartenu à de grandes familles canadiennes-françaises.

Jean-Baptiste de Valois, descendant direct de la famille royale de France, s'est installé au Canada en 1723. Son fils, Paul Urgèle Gabriel, fit construire

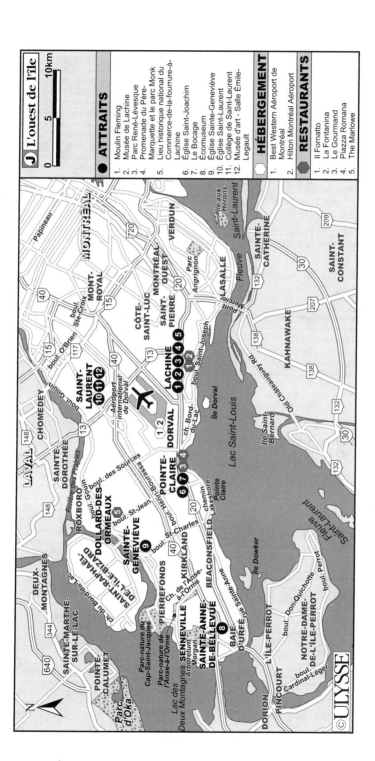

J L'ouest de l'île

0 5 10km

● ATTRAITS

1. Moulin Fleming
2. Musée de Lachine
3. Parc René-Lévesque
4. Promenade du Père-
   Marquette et le parc Monk
5. Lieu historique national du
   Commerce-de-la-fourrure-à-
   Lachine
6. Église Saint-Joachim
7. Le Bocage
8. Écomuseum
9. Église Sainte-Geneviève
10. Église Saint-Laurent
11. Collège de Saint-Laurent
12. Musée d'art - Salle Émile-
    Legault

⬡ HÉBERGEMENT

1. Best Western Aéroport de
   Montréal
2. Hilton Montréal Aéroport

⬣ RESTAURANTS

1. Il Fornatto
2. La Fontanina
3. Le Gourmand
4. Piazza Romana
5. The Marlowe

© ULYSSE

Le Bocage ★ *(26 ch. du Bord-du-Lac, Beaconsfield)* en 1810. Notons que les maisons à façade en pierre de taille étaient chose rarissime en milieu rural au début du XIXe siècle et que celle-ci faisait donc état du statut particulier du propriétaire de la demeure. En 1874, cette dernière fut vendue à Henri Menzies, qui transforma la propriété en vignoble. L'expérience fut un échec lamentable en raison du sol peu propice, mais surtout à cause de l'exposition du site aux vents froids comme aux vents chauds. Menzies a eu davantage de succès en rebaptisant le domaine «Beaconsfield» en l'honneur du premier ministre britannique Disraeli, fait Lord Beaconsfield par la reine Victoria. Puis, de 1888 à 1966, la maison a accueilli un club privé avant de devenir le chalet du club nautique de Beaconsfield.

★
Sainte-Anne-de-Bellevue

Tout comme Lachine, Sainte-Anne-de-Bellevue possède un centre plus ou moins dense, aggluptiné le long de la route panoramique qui prend ici le nom de «rue Sainte-Anne». On y trouve de nombreuses boutiques et des restaurants qui sont, pour la plupart, dotés d'agréables terrasses donnant sur l'eau à l'arrière des immeubles. On peut alors apercevoir les maisons de l'île Perrot, en face. Le village doit son existence à l'écluse qui permet, de nos jours, aux embarcations de plaisance de passer du lac Saint-Louis au très beau lac des Deux Montagnes, dans lequel se déverse la rivière des Outaouais. Le vieux village avoisine, à

l'est, une banlieue confortable et des institutions telles que l'hôpital militaire, le cégep anglophone John Abbott et le collège Macdonald.

L'**Écomuséum** *(6$; tlj 9h à 16h; de Montréal, prendre l'autoroute 40 Ouest, sortie 41, et suivre le chemin Ste-Marie; 21125 chemin Ste-Marie, ☎457-9449)* a pour mission de faire connaître la faune et la flore de la plaine du Saint-Laurent, et il présente, dans un vaste parc bien aménagé, quelques espèces animales comme le renard et l'ours noir. On y trouve également une volière d'oiseaux aquatiques.

Sainte-Anne-de-Bellevue se trouve sur la pointe occidentale de l'île de Montréal, soit à 50 km de Pointe-aux-Trembles, située à l'extrémité est. L'**écluse de Sainte-Anne-de-Bellevue** *(mi-mai à mi-oct; 170 rue Ste-Anne, ☎457-5546)* est bordée par une agréable promenade qui permet d'observer le fonctionnement des portes et le remplissage des bassins, dans lesquels se pressent les embarcations de «marins d'eau douce» et autres capitaines du dimanche. Une minuscule plage et une aire de pique-nique se trouvent à proximité. L'église Sainte-Anne (1853-1875) et le couvent font face à l'écluse, au nord des ponts.

*Suivez la courbe de la rue Sainte-Anne, puis tournez à gauche dans le **chemin Senneville** ★★.*

Cette route traverse **Senneville**, la plus rurale de toutes les agglomérations de l'île de Montréal. On y voit en effet les dernières fermes de l'île ainsi que de vastes propriétés sur la rive du lac des Deux Mon-

tagnes. Le cadre champêtre se prête merveilleusement bien aux balades à bicyclette. On traverse ensuite Pierrefonds, où se trouvent deux parcs régionaux: le parc-nature de L'Anse-à-l'Orme et le parc-nature du Cap-Saint-Jacques.

À Pierrefonds, le chemin Senneville prend le nom de «boulevard Gouin», qu'il conserve ensuite à travers tout le reste de l'île jusqu'à la pointe est.

★
Sainte-Geneviève

Le vieux village de Sainte-Geneviève constitue une enclave francophone dans le territoire de Pierrefonds. Son origine remonte à 1730, alors que l'on construit un fortin pour défendre le portage des rapides du Cheval-Blanc, sur la rivière des Prairies, que longe le village. Au XIXe siècle, les «cageux», ces solides gaillards qui descendent par voie d'eau les trains de bois (aussi appelés les «cages») en direction de Québec, où se trouvent alors les plus importants chantiers navals, s'arrêtent à Sainte-Geneviève. Les cages y sont reformées en radeaux afin de «passer» les nombreux rapides de la rivière des Prairies. Cette méthode de flottage du bois sera graduellement remplacée par le transport ferroviaire à partir de 1880.

L'**église Sainte-Geneviève** ★★ *(16037 boul. Gouin Ouest)* est le seul bâtiment de la famille Baillargé de Québec dans la région de Montréal. Thomas Baillargé, qui en a conçu les plans en 1836, lui a donné une imposante façade néoclassique à deux clochers, qui a influencé l'architecture des églises catholiques de toute la région au cours des années 1840 et 1850. L'intérieur s'inspire d'une église de Rotterdam, de l'architecte Guidici, aujourd'hui disparue. On remarquera le tabernacle et son tombeau d'Ambroise Fournier, ainsi que la *Sainte Geneviève* du chœur d'Ozias Leduc. L'église est encadrée par le couvent de Sainte-Anne et par le presbytère, et possède un chemin de croix extérieur en fonte bronzée, réalisé par l'Union artistique de Vaucouleurs, en France.

Continuez par le boulevard Gouin. Après avoir traversé la portion est de Pierrefonds, vous atteindrez Roxboro.

Plus loin se trouvent deux parcs régionaux: le parc-nature du Bois-de-Liesse et le Bois-de-Saraguay.

Tournez à droite dans le boulevard O'Brien, puis prenez la voie d'embranchement qui conduit au boulevard Sainte-Croix, pour suivre ce dernier jusqu'à la fin du circuit.

★
Saint-Laurent

Le secteur résidentiel de Saint-Laurent est concentré sur le cinquième du territoire de ce qui était autrefois une municipalité autonome. Tout le reste est accaparé par un vaste parc industriel qui en faisait la seconde ville en importance au Québec sur ce plan. Saint-Laurent s'est développée à l'intérieur des terres à la suite de la signature du traité de la Grande Paix avec les tribus iroquoises en 1701. La venue des pères, des frères et des sœurs de Sainte-Croix en 1847, à l'instigation de Mgr Ignace Bourget, second évêque de Montréal, va permettre la croissance du village dominé par les institutions de cette communauté originaire du Mans, en France.

L'**église Saint-Laurent** ★ *(805 boul. Ste-Croix)*, construite en 1835, s'inspire de la basilique Notre-Dame de Montréal, inaugurée six ans plus tôt. Malheureusement, les pinacles ainsi que les créneaux de la façade et des bas-côtés ont été supprimés dès 1868, et le magnifique décor intérieur néogothique, exécuté par François Dugal et Janvier Archambault entre 1836 et 1845, a été altéré lors de la frénétique vague de renouveau de Vatican II, au début des années 1960. Il s'agissait pourtant du plus ancien décor néogothique subsistant dans une église catholique.

C'est dans la maison située au 696 du boulevard Sainte-Croix que furent hébergés les pères et les frères de Sainte-Croix à leur arrivée au Canada en 1847. Dès 1852, ils emménageront dans leur collège, situé de l'autre côté de la rue. L'édifice a cependant été modifié et agrandi à plusieurs reprises. Au cours de son histoire, le **collège de Saint-Laurent** ★ *(625 boul. Ste-Croix, métro Du Collège)* s'est démarqué par son avant-gardisme. Ainsi, il n'a pas hésité à former des gens d'affaires à une époque où l'on privilégiait la prêtrise, le droit, la médecine ou le notariat. Au cours des années 1880, on y a créé un musée de sciences naturelles, qui sera logé dans une tour octogonale en 1896. La même année, le collège se dote d'un auditorium de 300 places pour les représentations de théâtre des élèves. En 1968, le collège devient cégep dans la foulée de la Révolution tranquille, et les prêtres qui ont fondé et piloté l'institution pendant plus de 100 ans n'ont plus que quelques jours pour faire leurs valises...

Musée d'art de Saint-Laurent et **Salle Émile-Legault** ★★ *(3$, mer entrée libre; mer-dim 12h à 17h; 615 boul. Ste-Croix, métro Du Collège,* ☎ *747-7367)*. En 1928, la direction du collège de Saint-Laurent décide de construire une nouvelle chapelle, car l'ancienne déborde d'élèves. Entre-temps, un ancien diplômé de l'institution, alors président du comité exécutif de la Ville de Montréal, propose le rachat et la reconstruction, à Saint-Laurent, de l'église presbytérienne St. Andrew and St. Paul, située sur le boulevard Dorchester (aujourd'hui René-Lévesque) à l'emplacement de l'Hôtel Reine-Élizabeth. L'édifice, exproprié par la société ferroviaire du Canadien National en 1926, doit être détruit pour faire place aux voies ferrées de la Gare centrale. Le projet est accepté malgré son caractère inusité.

En 1930-1931, le temple protestant, dessiné en 1866 selon les plans de l'architecte Frederick Lawford, est démonté pierre par pierre et remonté à Saint-Laurent, avec quelques modifications apportées par Lucien Parent. Ainsi, le sous-sol est exhaussé pour permettre l'aménagement d'un auditorium moderne. Cette salle jouera au cours des années 1930 et 1940 un grand rôle dans l'évolution des arts au Québec grâce, notamment, aux Compagnons de Saint-Laurent, une troupe de théâtre fondée par le père Paul-Émile Legault en 1937, au sein de laquelle plusieurs comédiens québécois ont appris leur métier. La chapelle a, quant à elle, accueilli une multitude de concerts.

En 1968, lors de la transformation du collège en cégep, la chapelle perd son utilité. Le Musée d'art de Saint-Laurent, fondé quelques années plus tôt par Gérard Lavallée, s'y installe en 1979. Il présente des collections de meubles québécois, d'outils et de tissus traditionnels. On peut en outre y voir plusieurs objets d'art religieux des XVIIIe et XIXe siècles.

Pour reprendre l'autoroute, suivez le boulevard Sainte-Croix vers le sud jusqu'à la jonction avec l'autoroute 40. Pour retourner au centre-ville de Montréal, poursuivez vers le sud par le chemin Lucerne, tournez à gauche dans la rue Jean-Talon et enfin à droite dans le chemin de la Côte-des-Neiges.

Parcs

Circuit D: Le mont Royal et Westmount

Tout au long de l'année, le **parc du Mont-Royal ★★★** *(on s'y rend par l'avenue du Parc, puis en empruntant la voie Camillien-Houde)*, ce vaste espace vert en plein cœur de la ville, accueille les Montréalais qui y pratiquent une foule d'activités de plein air. En été, on y entretient des sentiers de randonnée pédestre et de vélo de montagne. En hiver, pour le plaisir de tous, les sentiers se transforment en pistes de ski de fond; la glace du lac aux Castors devient une belle grande patinoire et les

côtes de la montagne inspirent de superbes glissades. Pendant la belle saison, le secteur à l'est du parc, le long de l'avenue du Parc, s'anime tous les dimanches au son des tam-tam.

Circuit F: Les îles Sainte-Hélène et Notre-Dame

Le **parc Jean-Drapeau ★★** *(☎872-6120)* englobe l'île Sainte-Hélène et l'île Notre-Dame. En été, les Montréalais s'y rendent nombreux, par les jours de beau temps, pour goûter les plaisirs de sa plage ou de sa piscine. Des sentiers de randonnée et des voies cyclables sillonnent le parc, et révèlent plusieurs beaux paysages. Durant la saison hivernale, une foule d'activités y sont également organisées, telles que le ski de fond, la glissade, la pêche sous la glace et le patinage.

Circuit I: Le Sault-au-Récollet

Le **parc-nature de l'Île-de-la-Visitation ★★** *(2425 boul. Gouin Est, ☎ 280-6733)* attire bon nombre de Montréalais en mal de nature, que ce soit pour y pique-niquer ou profiter de ses courts sentiers. Baignant dans la rivière des Prairies, il offre de magnifiques paysages. Sur le site, deux bâtiments historiques, la **Maison du Pressoir** *(☎280-6783)* et la **Maison du Meunier** *(☎280-6709)*, sont ouverts aux visiteurs. En hiver, il est possible de s'y adonner au ski de randonnée et à la glissade.

Activités de plein air

Aux quatre coins de l'île de Montréal se trouvent des parcs offrant la possibilité de s'adonner à mille et une activités. Les parcs **Angrignon** *(3400 boul. des Trinitaires)*, **Lafontaine**, du **Mont-Royal**, **Jeanne-Mance** *(av. de l'Esplanade, entre avenue du Mont-Royal et avenue Duluth)* et **René-Lévesque** *(à l'extrémité ouest du canal de Lachine)* s'avèrent bien agréables pour se détendre dans une atmosphère paisible. En toutes saisons, les Montréalais profitent de ces îlots de verdure, le temps de se détendre loin de l'activité urbaine tout en restant au cœur même de leur ville.

Vélo

Montréal offre environ 400 km de voies cyclables que l'on découvre avec ravissement. On peut se procurer une carte des pistes cyclables aux bureaux d'information touristique, ou encore acheter dans les librairies de voyage le guide *Le Québec cyclable* des Guides de voyage Ulysse.

Les abords du **canal de Lachine** ont été réaménagés dans le but de mettre en valeur cette voie de communication si importante au cours du XIXe siècle et au début du XXe siècle, et une piste cyclable fort agréable longe le canal. Très prisée des Montréalais, surtout le dimanche, elle conduit les cyclistes jusqu'au **parc René-Lévesque**, cette mince bande de terre qui avance dans le lac Saint-Louis et d'où la vue est splendide.

En partant du Vieux-Montréal, on peut se rendre aux **îles Notre-Dame et Sainte-Hélène**. La piste traverse d'abord un secteur où sont établies diverses usines, puis passe par la Cité du Havre et va jusqu'aux îles (on traverse le fleuve par le pont de la Concorde). Il est facile de circuler d'une île à l'autre. Les îles, joliment paysagées, constituent un havre de détente où il fait bon se promener en contemplant, au loin, la silhouette de Montréal.

Location de vélos

La Cordée
2159 rue Ste-Catherine Est
métro Papineau
☎524-1106
Comptez de 18$ à 35$ pour la journée (un dépôt de 250$ à 300$ est exigé).

Rafting

Vous recherchez une activité rafraîchissante par les chaudes journées d'été? La jeune et dynamique entreprise **Les descentes sur le St-Laurent** (*8912 boul. LaSalle, LaSalle,* ☎767-2230 *ou* 800-324-7238) vous propose trois circuits à travers les rapides de Lachine. Faisant appel au sens du travail en équipe, le rafting garantit rires et éclaboussures. Tout en naviguant à travers les petites îles, en direction des rapides, les guides vous rapporteront les anecdotes ayant marqué la région. Pour ceux qui préfèrent une expérience

plus paisible, une croisière d'une durée d'environ une heure est également organisée. Une navette assure le transport entre le Centre Infotouriste (*1001 rue du Square-Dorchester*) et le point de départ, situé à LaSalle. Des vêtements de rechange sont requis.

Patin

En hiver, dans plusieurs parcs, des patinoires sont aménagées pour le plus grand plaisir de tous. Parmi les plus belles, mentionnons celle du **lac aux Castors** (*parc du Mont-Royal*), celle du **parc Lafontaine** (*entre les rues Sherbrooke et Rachel*) et celle du **Vieux-Port** (*333 rue de la Commune Ouest,* ☎496-PORT).

La plus longue patinoire de Montréal se trouve à l'**île Notre-Dame**. Elle s'étire sur 1,6 km et permet à tous de s'adonner aux plaisirs du patin.

L'**Amphithéâtre Bell** (*5$; 1000 rue De La Gauchetière Ouest,* ☎395-0555), situé dans la plus haute tour de bureaux de Montréal, le 1000 De La Gauchetière, renferme une grande patinoire de 900 m^2 de superficie. La patinoire est entourée de comptoirs d'alimentation et d'aires de repos, et une mezzanine la surplombe. Au-dessus de la patinoire, il y a une superbe coupole vitrée qui diffuse les rayons du soleil. Des patins peuvent être loués sur place pour la somme de 4$.

Forfaits aventure

Si vous séjournez à Montréal et que vous soyez envahi par un désir de grands espaces, participer à l'une des activités organisées par **Globe-Trotteur Aventure Canada** (*4764 Papineau,* ☎849-8768 *ou* 888-598-7688, *www.aventurecanada. com*) pourrait vous satisfaire. Cette jeune entreprise propose divers forfaits, hiver comme été, d'équitation, de canot, de camping et de motoneige dans différentes régions autour de la métropole. Ces forfaits comprennent le transport et la location d'équipement, ce qui est bien pratique pour les voyageurs. Un guide expérimenté accompagne ces sorties qui durent d'une demi-journée à 24 jours. En été, une grille horaire fixe et garantie vous permet de planifier vos excursions.

Hébergement

Il se trouve à Montréal une myriade d'hôtels et d'auberges de toutes catégories. Notez que le coût de location des chambres varie grandement d'une saison à l'autre. Ainsi, durant la haute saison (l'été), les chambres sont plus dispendieuses. Les semaines du Grand prix automobile, en juin, et du Festival de jazz, début juillet, sont parmi les plus demandées de l'année; il est recommandé de réserver longtemps à l'avance si vous prévoyez séjourner à Montréal pendant cette période. En outre, les prix sont généralement moins élevés la fin de semaine qu'en semaine.

Au Centre Infotouriste de Montréal, il existe un comptoir du Service de réservation qui s'occupe gratuitement des réservations de chambres d'hôtel des visiteurs:

Hospitalité Canada
1001 rue du Square-Dorchester
☎393-9049 ou 800-665-1528

La Fédération des Agricotours publie, chaque année, le guide des *Gîtes et Auberges du Passant au Québec*, dans lequel se trouvent le nom et l'adresse des membres de cette fédération qui propose des chambres aux voyageurs. Les chambres ont été sélectionnées en fonction des critères de qualité de la fédération. Elles sont généralement économiques. Ce guide est en vente au Québec, en France, en Belgique et en Suisse.

Réseau de Gîte Montréal Centre-ville
$$ pdj
3458 av. Laval
☎289-9749 ou 800-267-5180
≈287-7386

Gîtes Montréal est une association regroupant une centaine de gîtes touristiques, pour la plupart des maisons victoriennes situées dans le Quartier latin. Afin de s'assurer du niveau de confort des chambres, l'organisme prend le soin de visiter chacun des gîtes. Il est nécessaire de réserver.

Relais Montréal Hospitalité
$$ pdj
3977 av. Laval
☎287-9635 ou 800-363-9635
≈287-1007

Relais Montréal Hospitalité possède également une banque d'adresses d'une trentaine de gîtes touristiques qui ont tous été soigneusement inspectés. Ces gîtes sont situés partout à Montréal, mais surtout sur l'avenue Laval. Les chambres sont propres et confortables.

Circuit A: Le Vieux-Montréal

Auberge Alternative
dortoir $
chambre double $$
bc, C, 🐾
358 rue St-Pierre
☎282-8069
www.auberge-alternative.qc.ca
L'Auberge Alternative a ouvert ses portes en avril 1996. Tenue par un jeune couple, elle est située dans un immeuble rénové datant de 1875. Les 34 lits des chambres et des dortoirs sont rudimentaires mais confortables, et les salles de bain sont très propres. Murs aux couleurs gaies, beaucoup d'espace, vaste salle de «repos-cuisinette» avec murs de pierres et vieux planchers de bois. L'ambiance est conviviale. Buanderie à votre disposition et accès 24 heures sur 24.

🚣 Les Passants du SansSoucy
$$$ pdj
≡, ⊛
171 rue St-Paul Ouest, métro Place-d'Armes
☎842-2634
≈842-2912
Les Passants du SansSoucy est une charmante auberge située dans une maison construite en 1723 et rénovée il y a une dizaine d'années. Elle est d'autant plus fréquentée qu'elle propose de coquettes chambres meublées d'antiquités. Réservations requises.

Hôtel Place d'Armes
$$$$ pdj
◯, ℜ, ≡, ⊛
701 côte de la Place d'Armes
☎842-1887 ou 888-450-1887
≈842-6469
www.hotelplacedarmes.com
Parmi les nouveaux hôtels-boutiques qui ont pris d'assaut le Vieux-Montréal, l'un des premiers ouverts, l'Hôtel Place d'Armes, se dresse à l'un des angles de la place du même nom, devant laquelle s'élève aussi la magnifique basilique Notre-Dame. Certaines des chambres offrent donc une vue attrayante sur cette dernière ou, de l'autre côté, sur la ville. Mais, si vous vous lassez de la vue extérieure, vous pourrez toujours admirer le décor intérieur, de tout aussi bon goût. Les boiseries foncées et les tons crème lui donnent une allure classique fort réussi. Certaines chambres sont même pourvues d'un mur de briques. Équipées de lecteurs CD, de l'accès à l'Internet haute vitesse et de salles de bain modernes, toutes les chambres sont confortables et pratiques. En plus du petit déjeuner, vins et fromages sont offerts dans le hall d'entrée à l'heure de l'apéro.

Marriott SpringHill Suites Vieux-Montréal
$$$$ pdj
C, ℜ, ≈ ≡, ⊘
445 rue St-Jean-Baptiste
☎875-4333 ou 866-875-4333
≈875-4331
www.springhillsuites.com
Niché dans une petite rue du Vieux-Montréal, le nouveau Marriott SpringHill Suites Vieux-Montréal est pourtant imposant. Il compte 124 suites, toutes équipées d'une cuisinette, d'un sofa, d'une table de travail et de prises pour modem. Vieux-Montréal oblige, les suites ne sont pas très grandes, et leur

décor, similaire de l'une à l'autre, rappelle celui des grandes chaînes, mais elles restent tout de même confortables. L'hôtel s'est associé, pour la restauration, à ses voisins de l'**Auberge Saint-Gabriel** (voir p 157), et un passage intérieur relie entre eux les deux établissements.

XIXe Siècle
$$$$ pdj
≡, ®
262 rue St-Jacques O.
☎*985-0019*
≈*985-0059*
www.hotelxixsiecle.com
Établi dans une ancienne banque à l'architecture Second Empire, le XIXe Siècle exhibe un charme certain, celui du XIXe siècle sans doute, mais rehaussé d'attributs modernes. Ses chambres sont spacieuses, alors que leur haut plafond et leurs grandes fenêtres ajoutent à cette impression d'espace. Des couleurs chaudes, des meubles qui ont du style, de jolis tissus et de belles salles de bain donnent à chacune un décor confortable et douillet. Dans la salle où est servi le petit déjeuner, le noir et le blanc se marient, tandis que, dans le hall, quelques fauteuils et une bibliothèque accueillent les visiteurs.

Auberge du Vieux-Port
$$$$ pdj
≡, ®, ℂ, ℑ
97 rue de la Commune Est
☎*876-0081 ou 888-660-7678*
≈*876-8923*
www.aubergeduvieuxport.com
Située juste en face du Vieux-Port de Montréal, l'Auberge du Vieux-Port, qui a ouvert ses portes en août 1996, est un bijou à découvrir. Le hall, chic et agréablement décoré, laisse voir les murs de pierres du bâtiment historique, érigé en 1882. La

construction et la division des chambres ont mis en valeur les nombreuses poutres en bois et les murs de pierres de l'édifice. Toutes les chambres sont décorées dans un esprit historique, et le résultat est tout à fait remarquable. Au sous-sol, où un restaurant sert de la cuisine française, on peut voir une partie des anciennes fortifications de la vieille ville. Chaque chambre dispose d'un téléphone avec boîte vocale, et il est interdit d'y fumer.

Auberge Bonaparte
$$$$ pdj
≡, ®, ®
447 rue Saint-François-Xavier
☎*844-1448*
≈*844-0272*
www.bonaparte.ca
Le restaurant **Le Bonaparte** (voir p 157), bien connu pour sa délicieuse cuisine française, se double maintenant d'une auberge. Une trentaine de chambres logent donc sur ses étages supérieurs. Elles offrent toutes un bon confort ainsi qu'une décoration agréable, bien que leur lit pourrait avoir l'air plus douillet. Celles situées à l'arrière de l'édifice, qui date de 1886, ont vue sur le jardin des sulpiciens, derrière la basilique Notre-Dame. Le petit déjeuner est servi au restaurant.

Hôtel Inter-Continental Montréal
$$$$-$$$$$
≈, ⊘, △, ®, ⊖, ≡, 🐾
360 rue St-Antoine Ouest
☎*987-9900 ou 800-361-3600*
≈*847-8730*
www.montreal.interconti.com
Tout près du Palais des congrès, l'hôtel Inter-Continental s'élève aux abords du Vieux-Montréal. Relié au Centre de commerce mondial et à plusieurs boutiques, il est aisément

reconnaissable à sa jolie tourelle aux multiples fenêtres, dans laquelle le salon des suites a été aménagé. Les 357 chambres, garnies de meubles aux lignes harmonieuses, sont décorées sans surcharge et avec goût, et comprennent entre autres une salle de bain spacieuse. L'hôtel offre aussi tous les services nécessaires aux gens d'affaires: ordinateur, fax, photocopieur. L'accueil est empressé et poli.

St-Paul Hotel
$$$$$
⊘, ®, ≡
355 rue McGill
☎*380-2222 ou 866-380-2202*
≈*380-2200*
www.hotelstpaul.com
Les 96 chambres et les 24 suites du St-Paul Hotel ont pour cadre un magnifique édifice historique entièrement rénové. Le décor intérieur est pourtant on ne peut plus moderne. Différents matériaux s'y côtoient pour créer un effet saisissant. Albâtre et feu, fourrure et vinyle, carrelage noir et tissus crème, chaque chambre, chaque agencement a été soigneusement créé. On est loin de la sobriété et du classique ici, on donne plutôt dans l'audace et l'avant-garde du design. Ce qui en fait un lieu unique où les gens nantis et à la page aiment se retrouver. D'autant plus qu'on a réussi à y créer, somme toute, des lieux sobres et invitants. L'espace autour du lit, par exemple, est délimité, dans certaines chambres, par un drapé qui donne un effet des plus douillets. Le restaurant de l'hôtel, le **Cube** (voir p 158), jouit déjà d'une renommée internationale.

Hostellerie et Restaurant Pierre du Calvet 1725
$$$$$ pdj
≡, 🐾, ℜ
405 rue Bonsecours
☎282-1725
≠282-0456
www.pierreducalvet.ca
Non loin du métro Champ-de-Mars, l'Hostellerie et Restaurant Pierre du Calvet 1725 loge dans une des plus vieilles maisons de Montréal (1725). Elle se cache discrètement à l'angle des rues Bonsecours et Saint-Paul, et a été entièrement rénovée ces dernières années, comme beaucoup d'anciennes maisons du quartier. Ses chambres charmantes et raffinées sont toutes munies d'un foyer, aux murs lambrissés de jolies boiseries anciennes et rehaussées de vitraux et d'antiquités. En outre, les salles de bain sont recouvertes de marbre d'Italie. Par ailleurs, une jolie cour intérieure et une salle de séjour ont été aménagées pour permettre aux clients de s'affranchir du grouillement de la foule. Le petit déjeuner est servi dans une salle victorienne; le service y est attentionné et soigné. Bref, cette hostellerie, située au cœur historique de la ville, est un vrai petit bijou qui rendra votre séjour tout à fait inoubliable.

Circuit B:
Le centre-ville

Auberge de jeunesse
$
≡, ℂ
1030 rue Mackay
métro Lucien-L'Allier
☎843-3317
www.hostellingmontreal.com
L'Auberge de jeunesse, située à deux pas du centre-ville, propose 250 lits répartis dans des chambres logeant de 4 à 10 personnes ainsi qu'une quinzaine de chambres privées. Les chambres sont toutes équipées de salles de bain complètes. Cette auberge compte parmi les moins chères à Montréal. Il est interdit d'y fumer. On y trouve un service de consignation des bagages, une cuisine, une buanderie, une salle de télévision et une table de billard.

Université Concordia
$
bc
7141 rue Sherbrooke Ouest
☎848-4757
≠848-4780
Il est possible de louer des chambres aux résidences de l'Université Concordia, situées à l'ouest du centre-ville, à 15 min d'autobus du métro Vendôme. De la mi-mai à la mi-août, on peut louer une chambre à la nuitée, à la semaine ou au mois.

Université McGill
$
mi-mai à mi-août
bc, ℂ, ℝ
3935 rue University, métro McGill
☎398-6367
≠398-4854
Si vous désirez loger au centre-ville même, vous pouvez opter pour les résidences de l'Université McGill, situées sur le flanc du mont Royal. Elles renferment environ 1 100 chambres de un ou deux lits réparties dans six pavillons. Bien qu'elles soient petites, ces chambres ont une grande commode, et certaines offrent une vue magnifique sur le mont Royal. La plupart des chambres sont équipées d'un mini-frigo, et toutes les fenêtres s'ouvrent. Il y a deux cuisinettes et deux grandes salles de bain par étage. Sur le campus, on peut profiter de la piscine, d'un gymnase et d'un court de tennis (frais supplémentaires).

L'Abri du voyageur
$-$$
bc, ≡
9 rue Ste-Catherine Ouest
☎849-2922
www.abri-voyageur.ca
L'Abri du voyageur est un hôtel parfait pour les jeunes voyageurs. Il est situé sur la trépidante rue Sainte-Catherine, presque à l'angle du boulevard Saint-Laurent, une localisation idéale pour qui voudrait fréquenter le Montréal nocturne! On n'y trouve que quatre salles de bain pour ses deux étages, mais les chambres sont toutes munies d'un lavabo. Celles-ci sont simples mais propres, et l'accueil est souriant.

Manoir Ambrose
$$ pdj
bc/bp, ≡
3422 rue Stanley
☎288-6922
www.manoirambrose.com
Le Manoir Ambrose se compose de deux maisons victoriennes placées côte à côte, construites sur une rue tranquille. On y compte 22 petites chambres, dont 15 munies d'une salle de bain privée, réparties dans une sorte de dédale aux quatre coins de la demeure. L'hôtel, dont la décoration n'a rien de celle d'un manoir, vous semblera suranné et vous fera peut-être sourire, mais les chambres sont bien tenues, et l'accueil est sympathique. Une laverie est mise à la disposition des voyageurs, moyennant des frais de 5$.

Hôtel du Nouveau Forum
$$ pdj
bc/bp, ≡, ℜ
1320 rue St-Antoine Ouest
☎989-0300 ou 888-989-0300
≠931-3090
www.nouveau-forum.com
Érigé juste à côté du Centre Bell et pas très loin du Vieux-Montréal, le petit Hôtel du Nouveau Forum,

qui a ouvert ses portes en juin 1996, propose une quarantaine de petites chambres sans prétention mais convenables. Il est aménagé dans une maison historique dont la façade de pierres a été restauré. L'intérieur a été quant à lui entièrement remis à neuf. L'atmosphère aseptisée des couloirs et de la salle à manger est heureusement réchauffée par un personnel très sympathique et un petit déjeuner des plus copieux. Un téléphone public se trouve sur chaque étage, et les clients peuvent communiquer avec la réception par interphone. Chambres avec douche seulement.

Hôtel Casa Bella
$$ pdj
bc/bp, ≡
264 rue Sherbrooke Ouest
☎849-2777 ou 888-453-2777
⇰849-3650
www.hotelcasabella.com
Situé rue Sherbrooke, près de la Place des Arts, à côté d'un terrain vacant, le charmant Hôtel Casa Bella, une maison centenaire, offre un bon rapport qualité/prix au centre-ville. Les 20 chambres sont jolies, et l'on sent qu'un effort a été porté à la décoration. Le petit déjeuner est servi aux chambres. Le stationnement et un service de buanderie sont offerts sans frais supplémentaires. L'accueil courtois ajoute aux qualités de l'endroit.

Hôtel de la Montagne
$$$
ℜ, ≈, ≡, ⊛
1430 rue de la Montagne
☎288-5656 ou 800-361-6262
⇰288-9658
www.hoteldelamontagne.com
Outre ses 135 chambres réparties sur 19 étages, l'Hôtel de la Montagne dispose d'un excellent restaurant et d'un bar au personnel chaleureux.

Hôtel Renaissance Montréal
$$$
⊘, ≈, ✪, ℜ, ≡ △, ⚞, ⚲
3625 av. du Parc
☎288-6666 ou 800-363-0735
⇰288-2469
www.renaissancehotels.com
Touristes et gens d'affaires fréquentent les 459 chambres tout équipées de l'Hôtel du Parc. L'hôtel est situé à côté du Centre la Cité, où l'on trouve des boutiques ainsi qu'un centre de conditionnement physique très complet avec piscine extérieure chauffée à longueur d'année. Des frais de 10$ par jour pourront cependant vous être demandés pour y avoir accès. Certaines chambres offrent une vue sur le mont Royal.

Château Versailles
$$$$ pdj
ℜ, ⊛, ⊘, ≡, ℜ, △
1659 rue Sherbrooke Ouest
☎933-3611 ou 888-933-8111
⇰933-8401
www.versailleshotels.com
Installé dans le bâtiment constitué du Château et de la Tour de Versailles, l'hôtel Château Versailles a rouvert en avril 2000 après avoir fait l'objet d'une importante rénovation. Il a en effet été racheté et reconverti en un charmant hôtel-boutique. Les 65 chambres ont conservé certains attributs du bâtiment ancien, tels que moulures, foyer, lustres, etc., agencés à des éléments de décor victorien et à des accessoires modernes. Il s'en dégage une belle atmosphère de détente.

Hôtel Wyndham Montréal
$$$$ pdj
≈, △, ⊘, ℜ, ≡
1255 rue Jeanne-Mance
☎285-1450 ou 800-361-8234
⇰285-1243
www.wyndham.com
L'Hôtel Wyndham Montréal, l'ancien Méridien, est intégré au complexe Des-

jardins. Au rez-de-chaussée se trouvent une galerie de boutiques, des salles de cinéma et des restaurants. Situé en face de la Place des Arts, il bénéficie d'un emplacement avantageux au centre-ville, particulièrement pendant le Festival de jazz, qui se tient juste à côté. Ses chambres, vastes et de bon confort, répondent à ce que l'on attend d'un hôtel de cette catégorie et sont munies de plusieurs accessoires qui faciliteront votre séjour.

Novotel Montréal Centre
$$$$
⊘, ℜ, △, ⚲, ≡, ✪
1180 rue de la Montagne
☎861-6000 ou 800-221-4542
⇰861-0992
www.novotel.com
La chaîne hôtelière Novotel, d'origine française, a pignon sur rue à Montréal. Elle vise à répondre aux besoins de sa clientèle de gens d'affaires en proposant des chambres comprenant un bureau de travail spacieux et une prise pour modem. Elle s'adresse également à une clientèle familiale en offrant des rabais aux enfants. L'accent est mis sur la sécurité. L'hôtel propose des chambres non-fumeurs.

🏨 Hilton Montréal Bonaventure
$$$$
⚲, ⊘, ℜ, ≈, ≡, ⚞
1 Place Bonaventure
☎878-2332 ou 800-267-2575
www.hiltonmontreal.com
À l'hôtel Bonaventure Hilton, on retrouve dans les 395 chambres plusieurs petits avantages (séchoir électrique, machine à café), ce qui en fait un endroit idéal pour la détente aux limites du centre-ville et du Vieux-Montréal. Il est possible de se baigner, même au cours de l'hiver, dans la piscine extérieure chauffée. L'hôtel dispose d'un charmant jardin et

Montréal

d'un accès à la ville souterraine.

Le Centre Sheraton
$$$$$
⊛, ≈, ⊘, △, &, ✿, ℜ, ≡
1201 boul. René-Lévesque Ouest
☎*878-2000 ou 800-325-3535*
⇌*878-3958*
Le Centre Sheraton s'élève
sur plus de 30 étages et
dispose de 825 chambres;
il a donc une très grande
capacité d'accueil. En entrant, prenez le temps de
profiter du très beau hall
orné de baies vitrées et de
plantes tropicales. Les
chambres, quant à elles,
présentent une jolie décoration et offrent plusieurs
petits avantages (machine
à café, séchoir électrique,
étages fumeurs ou non).

Le Reine-Élizabeth
$$$$$
&, ℜ, ≈, ⊘, ≡
900 boul. René-Lévesque Ouest
☎*861-3511 ou 800-441-1414*
⇌*954-2256*
www.fairmont.com
Le Fairmont Le Reine-Éli-
zabeth fait partie des
institutions hôtelières du
centre-ville montréalais qui
se sont démarquées au
cours des ans. L'hôtel,
comptant 1 050 chambres,
a récemment été incorporé
à la chaîne des hôtels Fairmont. Son hall orné de
boiseries est splendide. Au
rez-de-chaussée se trouve
une galerie de boutiques,
d'où, grâce aux couloirs
souterrains, on rejoint aisément la gare ferroviaire
ainsi que la ville souter-
rainne.

Ritz-Carlton
$$$$$
⊘, ℜ, ≡, C, ⊛, ℑ
1228 rue Sherbrooke Ouest
☎*842-4212 ou 800-363-0366*
⇌*842-2268*
www.ritzcarlton.com
Le Ritz-Carlton fut inauguré en 1912 et n'a cessé
depuis de s'embellir, afin
d'offrir à sa clientèle un
confort toujours supérieur

tout en conservant son
élégance et son charme
d'antan. Dignes d'un éta-
blissement de grande
classe, les chambres sont
décorées de superbes
meubles anciens et offrent
un excellent confort. Un
excellent restaurant (**Café
de Paris**, voir p 160) se
double en été d'un
agréable jardin où l'on
peut casser la croûte (**Jardin du Ritz**, voir p 160).

☙ Loews Hôtel Vogue
$$$$$
⊛, ℜ, ⊘, ≡
1425 rue de la Montagne
☎*285-5555 ou 800-465-6654*
⇌*849-8903*
www.loewshotels.com
Au premier abord, le bâtiment de verre et de béton
sans ornement qui abrite
le Loews Hôtel Vogue
peut sembler dénué de
grâce. Le hall, agrémenté
de boiseries aux couleurs
chaudes, donne une idée
plus juste du luxe et de
l'élégance de l'établissement. Mais avant tout, ce
sont les vastes chambres,
garnies de meubles aux
lignes gracieuses, qui révèlent le confort de cet hôtel.

Hôtel Le Germain
$$$$$
ℜ, ≡, ⊘, 🐕
2050 rue Mansfield
☎*849-2050 ou 877-333-2050*
⇌*849-1437*
www.hotelboutique.com
En plein cœur de l'animé
centre-ville se dresse une
ancienne tour à bureaux
reconvertie en hôtel:
l'Hôtel Le Germain. Cet
établissement fait partie de
la nouvelle vague d'hôtels-
boutiques, où le service est
personnalisé et où une
attention particulière a été
portée à la décoration.
Chaque chambre est amé-
nagée avec soin, dans un
style minimaliste où rè-
gnent les tons terreux et
crème, les meubles en bois
d'acajou ou en osier et les
jolis accessoires. Le tout

donne un effet des plus
reposants. L'usage qu'on fit
d'abord de l'édifice n'est
pas pour autant délaissé
puisqu'il se retrouve dans
certains détails architectu-
raux, tels les plafonds en
béton, ou fonctionnels,
comme les tables de travail
équipées d'accès Internet
et de fauteuils ergonomi-
ques. Les chambres occu-
pant l'angle du bâtiment
jouissent d'une belle fenestration. Mais c'est sans
doute le restaurant de
l'hôtel qui offre la plus
belle vue, puisque, devant
l'un de ses murs, entièrement vitré, se déroule la
rue Président-Kennedy.

Circuit C: Le Village
Shaughnessy

Hôtel du Fort
$$$
⊘, ≡, ℝ
1390 rue du Fort, métro Atwater
☎*938-8333 ou 800-565-6333*
www.hoteldufort.com
L'Hôtel du Fort offre
confort, sécurité et service
personnalisé. Chacune des
127 chambres est munie
d'une cuisinette équipée
d'un four à micro-ondes,
d'un frigo, d'une cafetière,
d'un séchoir électrique,
d'un minibar et d'une prise
pour modem. Toutes les
fenêtres des chambres
s'ouvrent.

Circuit E:
Maisonneuve

Au Gîte Olympique
$$ pdj
2752 boul. Pie-IX
☎*254-5423 ou 888-254-5423*
⇌*254-4753*
www.dsuper.net/~olympique
Bien qu'il soit situé sur le
passant boulevard Pie-IX,
Au Gîte Olympique béné-
ficie de cinq chambres
tranquilles et d'une vue
prenante sur le Stade
olympique. Deux salons

sont mis à la disposition des visiteurs, qui peuvent s'y détendre ou faire connaissance avec d'autres voyageurs. À l'arrière s'étend une large terrasse où l'on sert le petit déjeuner pendant la belle saison. Situé à deux pas du métro Pie-IX et près des principaux attraits de l'est de la ville.

Circuit G:
Le Quartier latin

Auberge de l'Hôtel de Paris
$
bc
901 rue Sherbrooke Est
métro Sherbrooke
☎*522-6861 ou 800-567-7217*
≈*522-1387*
www.hotel-montreal.com
L'Auberge de l'Hôtel de Paris, qui appartient à l'Hôtel de Paris, est divisée en dortoirs comptant 4, 8 ou 14 lits pour un total de 40 lits. On fournit couverture, draps et oreiller. La cuisine commune, bien qu'elle soit petite, dispose du nécessaire pour permettre de se faire à manger, et il y a une terrasse extérieure d'où la vue est agréable. Il y a quatre douches et toilettes, une laverie tout près et pas de couvre-feu.

Pierre et Dominique
$$ pdj
bc
271 rue du square St-Louis
☎*286-0307*
www.pierdom.qc.ca
Le square Saint-Louis est un agréable parc entouré de superbes maisons victoriennes. Le gîte touristique Pierre et Dominique y a pignon sur rue. Ce logement chez l'habitant non-fumeurs propose des chambres confortables et décorées avec beaucoup de goût.

Le Chasseur
$$ pdj
bc/bp, ≡
1567 rue St-André
☎*521-2238 ou 800-451-2238*
Près du Village Gay, le gîte touristique Le Chasseur propose, avec le sourire, des chambres décorées avec goût. Pendant la belle saison, la terrasse permet de se soustraire à l'activé de la ville et de se détendre un peu.

Hôtel de Paris
$$
≡, ℜ, ℂ, 🐾
901 rue Sherbrooke Est
métro Sherbrooke
☎*522-6861 ou 800-567-7217*
≈*522-1387*
www.hotel-montreal.com
L'Hôtel de Paris, une belle maison construite en 1870, compte 39 chambres. Bien que rénové, l'hôtel conserve un cachet particulier avec ses magnifiques boiseries dans l'entrée, et les chambres sont confortables.

Manoir Sherbrooke
$$-$$$ pdj
bc/bp, ⊛
157 rue Sherbrooke Est
☎*285-0895 ou 800-203-5485*
≈*284-1126*
Le Manoir Sherbrooke, installé dans une ancienne demeure en pierres, propose 35 chambres au décor tout de simplicité. L'accueil est poli et efficace.

Auberge Le Jardin d'Antoine
$$$ pdj
≡, ⊛
2024 rue St-Denis
☎*843-4506 ou 800-361-4506*
≈*281-1491*
www.hotel-jardin-antoine.qc.ca
Réparties sur trois étages, les quelque 25 chambres de l'Auberge Le Jardin d'Antoine sont décorées avec soin, certaines exhibant mur de briques et plancher de bois franc. Plusieurs suites confortables et bien équipées sont

disponibles. Le jardin, à l'arrière, est assez petit, mais les balcons sont ornés de bacs à fleurs, et l'effet est tout de même agréable.

Hôtel de l'Institut
$$$ pdj
≡, ℜ, ⌖
3535 rue St-Denis
métro Sherbrooke
☎*282-5120 ou 800-361-5111*
≈*873-9893*
www.hotel.ithq.qc.ca
L'Hôtel de l'Institut occupe les étages supérieurs de l'Institut de tourisme et d'hôtellerie du Québec (ITHQ), une école de niveau collégial renommée. Les chambres offrent un confort élevé, car l'hôtel est tenu par les étudiants qui y font leurs stages et qui y suivent certains cours pratiques, et leur travail fait l'objet d'un suivi par des professeurs qui les forment pour les grands hôtels. Service de conciergerie complet. Situé au cœur de la rue Saint-Denis et de ses nombreuses terrasses et boutiques, et tout près de la rue piétonnière Prince-Arthur, qui fourmille de restaurants et de cafés.

Crowne Plaza Métro Centre
$$$$
ℜ, ⊘, ≈, ✪, ≡, △, ⊛, 🐾
505 rue Sherbrooke Est
métro Sherbrooke
☎*842-8581 ou 800-561-4644*
≈*842-8910*
www.crowneplaza-montreal.com
Les 318 chambres spacieuses du Crowne Plaza Métro Centre, au décor moderne, sont toutes munies d'une cafetière, d'un téléviseur couleur et de deux téléphones. L'hôtel se dresse près du Quartier latin, où se trouvent de nombreux restaurants, bars et boutiques. De nombreux services d'affaires sont disponibles, entre autres la messa-

Montréal

gerie vocale et un service de secrétariat.

Circuit H: Le Plateau Mont-Royal

Vacances Canada 4 Saisons Collège Français
$
bc
5155 de Gaspé, métro Laurier
☎*270-4459*
⇄*278-7508*
Contrairement aux résidences universitaires, les chambres de Vacances Canada 4 Saisons sont ouvertes toute l'année (550 lits en été, 220 en hiver). Les hôtes ont droit à un stationnement en été. Il y a aussi une possibilité de louer au mois un studio, qui comprend salle de bain privée et cuisinette, pour 300$ tout inclus.

Gîte du parc Lafontaine
$-$$ pdj
bc, ℂ
début juin à fin août
1250 rue Sherbrooke Est
☎*522-3910 ou 877-350-4483*
www.hostelmontreal.com
Le Gîte du parc Lafontaine est une maison de chambres centenaire. Les clients peuvent profiter de chambres meublées, d'une cuisine, d'un salon, d'une buanderie, d'une terrasse, d'un accueil sympathique et surtout d'une situation géographique fort avantageuse: à deux pas du parc Lafontaine et non loin de la rue Saint-Denis.

B & B Bienvenue
$$ pdj
bc/bp
3950 av. Laval
☎*844-5897 ou 800-227-5897*
⇄*844-5894*
www.bienvenuebb.com
À deux pas de l'avenue Duluth se trouve le B & B Bienvenue. Situé sur une rue tranquille, cet établissement dispose de huit chambres avec grand lit plutôt petites mais décorées de façon charmante. Il est installé depuis une dizaine d'années dans une maison joliment entretenue d'où se dégage une atmosphère paisible et amicale. Le petit déjeuner, très copieux, est servi dans une agréable salle à manger.

Auberge de la Fontaine
$$$ pdj
⊛, &, ≡, ℝ
1301 rue Rachel Est
☎*597-0166 ou 800-597-0597*
⇄*597-0496*
www.aubergedelafontaine.com
Si vous cherchez un endroit sachant allier charme, confort et tranquillité, allez loger à l'Auberge de la Fontaine, qui, en plus de proposer des chambres décorées avec goût, se trouve en face du beau parc Lafontaine. Un sentiment de calme et de bien-être vous envahira dès l'entrée. Avec autant de qualités, l'auberge est vite devenue populaire, et les réservations sont fortement recommandées.

Près des aéroports

Aéroport de Dorval

Best Western Aéroport de Montréal
$$-$$$ pdj
≈, ☉, △, ℜ, ≡, ✿
13000 chemin de la Côte-de-Liesse
☎*631-4811 ou 800-361-2254*
⇄*631-7305*
www.bwdorval.com
Les chambres du Best Western sont agréables et économiques. L'hôtel offre à ses clients un service aussi rare qu'intéressant: on peut y garer sa voiture pour près de trois semaines. Un service de navette pour l'aéroport y est offert gratuitement.

Hilton Montréal Aéroport
$$$
≈, △, ☉, ℜ, ✹, &, ≡, ℝ
12505 chemin de la Côte-de-Liesse
☎*631-2411 ou 800-567-2411*
⇄*631-0192*
Le Montréal Aéroport Hilton propose des chambres agréables à proximité de l'aéroport.

Aéroport de Mirabel

Château de l'Aéroport-Mirabel
$$$
≡, ≈, △, ✿, ℜ, &
12555 rue Commerce A4
☎*(450) 476-1611 ou 800-361-0924*
⇄*476-0873*
www.chateaumirabel.com
Directement accessible de l'aéroport de Mirabel, le Château de l'Aéroport-Mirabel est bien équipé, et les chambres sont confortables.

Restaurants

Montréal jouit d'une réputation plus qu'enviable sur le plan gastronomique, réputation qui n'est d'ailleurs pas surfaite. Toutes les cuisines du monde y sont représentées dans des établissements de toute taille. Et qui plus est, on peut toujours y dénicher une table qui saura devenir mémorable, quel que soit son budget. La sélection qui suit est classée selon l'ordre des circuits proposés afin de faciliter la découverte de la perle rare, peu importe où l'on en est dans son exploration des quartiers montréalais.

Circuit A:
Le Vieux-Montréal

Bio train
$
lun-ven 5h à 17h
410 rue St-Jacques Ouest
☎842-9184
Le Bio train est le restaurant libre-service que privilégient les gens d'affaires du quartier pour sa cuisine santé. Le midi, les plats sont servis rapidement.

Titanic
$
lun-ven 9h30 à 16h30
445 rue St-Pierre
☎849-0894
Voici un restaurant tout petit et très achalandé à découvrir pour le déjeuner. Installé dans un demi-sous-sol, Titanic propose une myriade de sandwichs sur pain baguette et de salades aux accents de la Méditerranée: feta et autres fromages, poissons fumés, pâtés, légumes marinés... Délicieux!

Chez Delmo
$$
mar-sam
211 rue Notre-Dame Ouest
☎849-4061
Chez Delmo est spécialisé dans les plats de poisson et les fruits de mer. Il faut essayer son exceptionnelle bouillabaisse. La première salle, où se trouvent les deux longs comptoirs à huîtres, est la plus agréable.

La Gargote
$$
351 place D'Youville
☎844-1428
Le restaurant La Gargote ne correspond peut-être pas à l'idée qu'on se fait généralement d'un tel endroit. Mais il correspond exactement à ce que l'on s'attend d'un petit restaurant français où se retrouvent habitués et curieux.

Son décor est chaleureux, sa cuisine savoureuse, et ses prix sont abordables.

Stash's Café Bazar
$$
200 rue St-Paul Ouest
☎845-6611
Autrefois situé à l'ombre de la basilique Notre-Dame, le Stash's Café Bazar fut contraint à déménager un coin de rue plus loin à la suite d'un fâcheux incendie. Décoré sans artifice, ce charmant petit restaurant polonais s'avère tout indiqué pour les amateurs de pirojkis farcis avec du fromage, de la saucisse et de la choucroute. La vodka y est excellente.

Le Petit Moulinsart
$$
139 rue St-Paul Ouest
☎843-7432
Le Petit Moulinsart est un sympathique bistro belge qui prend des allures de petit musée consacré aux personnages de bandes dessinées des aventures de *Tintin*, créé par Georges Rémi dit Hergé. Bibelots et affiches en tout genre évoquant ces personnages décorent les murs, le menu et les tables de l'établissement. Le service est sympathique mais lent. Outre le plat traditionnel de moules et de frites, ne manquez pas de goûter au sorbet du Colonel Sponz et à la salade du Capitaine Haddock.

Modavie
$$-$$$
1 rue St-Paul Ouest
☎287-9582
À l'angle du boulevard Saint-Laurent et de la rue Saint-Paul, le restaurant Modavie présente aux passants ses fenêtres surmontées d'auvents. De son beau décor où se côtoient le moderne et l'antique, se dégage une douce atmosphère. On y mange des plats de viande, de pâtes

et de poisson inspirés des cuisines méditerranéennes.

Le Bonaparte
$$$
ouverture à 7h pour le petit déjeuner, à 12h pour le déjeuner et à 17h30 pour le dîner
443 rue St-François-Xavier
☎844-4368
Le menu varié du restaurant français Le Bonaparte réserve toujours de délicieuses surprises. Les convives les dégustent dans une des trois salles de l'établissement, toutes richement décorées dans le style Empire. La plus grande offre la chaleur d'un foyer en hiver, tandis qu'une autre, appelée La Serre, dégage une ambiance feutrée grâce à la présence de nombreuses plantes vertes.

Soto
$$$
500 rue McGill
☎864-5115
Dans le grand espace d'un des beaux immeubles fin XIXe de la rue McGill, le Soto sert une excellente cuisine japonaise présentée comme elle se doit, pour le plaisir des yeux en introduction au plaisir du goût. Des formules avantageuses sont proposées le midi, qui permettent de savourer une palette de plats (sushis, makis, sashimis ou tempuras) sans alourdir l'addition. Plus cher le soir, mais trouve-t-on quelque part une bonne cuisine japonaise à prix doux? *Itadakimasu!*

Vieux Saint-Gabriel
$$$
426 rue St-Gabriel
☎878-3561
On va au Vieux Saint-Gabriel d'abord et avant tout pour profiter d'un décor enchanteur, car le restaurant est aménagé dans une maison qui, déjà en 1754, abritait une auberge (voir p 100), l'endroit évo-

Montréal

quant les premières années de la Nouvelle-France. Le menu, quant à lui, est sans extravagance et présente des plats français et italiens.

Chez Queux
$$$-$$$$
158 rue St-Paul
☎866-5194
Profitant d'un site des plus agréables face à la place Jacques-Cartier, Chez Queux sert une délicieuse cuisine française. Le service et le décor raffinés en font un endroit tout indiqué pour faire un excellent repas.

Cube
$$$$
355 rue McGill
☎876-2823
Le restaurant Cube du **St-Paul Hotel** (voir p 151) vous invite à rencontrer son chef réputé, Claude Pelletier, qui vous en fera voir de toutes les couleurs et de toutes les saveurs. Le restaurant est des plus populaires depuis son ouverture à l'été 2001. La faune branchée de Montréal le fréquente assidûment, non seulement pour sa cuisine exceptionnelle, mais aussi pour voir et être vue, dans un décor étonnant, de surcroît, où, comme à l'hôtel, différents matériaux se côtoient pour donner des effets inattendus. À l'étage, son acolyte le Bar Cru sert les tartares, des carpaccios, etc., dans une ambiance *lounge*. Cube fait incontestablement partie des lieux *in* à Montréal.

Hostellerie et Restaurant Pierre du Calvet 1725
$$$$
405 rue Bonsecours
☎282-1725
L'ancien fleuron de la restauration montréalaise, le restaurant les Filles du Roy, a fait place à une magnifique hostellerie

(voir p 152) abritant l'une des meilleures salles à manger de Montréal. Cet établissement est en effet particulièrement recommandé pour sa délicieuse cuisine française imaginative, dont le menu, à base de gibier, de volaille, de poisson et de bœuf, change toutes les deux semaines. De plus, son cadre élégant, ses antiquités, ses plantes ornementales et la discrétion de son service vous feront passer une soirée des plus agréables.

Circuit B:
Le centre-ville

Ben's Delicatessen
$
990 boul. De Maisonneuve Ouest
☎844-1000
Au début du XXe siècle, un immigrant lithuanien adapta une recette de chez lui (la viande fumée) aux besoins des travailleurs, et implanta à Montréal la recette du sandwich dit *smoked meat*. C'est ainsi que vit le jour le restaurant Ben's Delicatessen. Au fil des ans, ce restaurant est devenu une institution montréalaise où se presse une foule bigarrée. On peut même y aller après la fermeture des bars! Les tables usées et bancales, ainsi que les photographies jaunies par le temps, donnent au restaurant des allures austères.

La Brûlerie Saint-Denis
$
2100 rue Stanley, Maison Alcan
☎985-9159
La Brûlerie Saint-Denis, située au centre-ville, sert les mêmes délicieux cafés, repas légers et desserts que les autres bistros du même nom. Bien que le café ne soit pas torréfié sur place, il arrive directement de la maison mère de la rue Saint-Denis.

Biddle's
$-$$
2060 rue Aylmer
☎842-8656
Rendez-vous du jazzman Charlie Biddle (décédé le 4 février 2003), le Biddle's reçoit régulièrement des musiciens. Une clientèle de gens d'affaires et d'amateurs de dîners musicaux y savoure de délicieux plats de côtes levées ou d'ailes de poulet, tout en appréciant une musique qui ne couvre pas les conversations. Une terrasse permet de profiter du trop court été.

Mangia
$-$$
1101 boul. De Maisonneuve Ouest
☎848-7001
Manger une nourriture raffinée et de qualité à peu de frais dans un beau décor n'est pas toujours facile au centre-ville de Montréal. Mangia constitue une solution à cette problématique, avec sa boutique de «prêt-à-manger». Salades et pâtes, toutes plus appétissantes les unes que les autres, vendues au poids, sandwichs et repas plus élaborés, comme le steak aux poivrons, sont proposés sur le menu.

Marché Mövenpick
$-$$
1 Place Ville-Marie
☎861-8181
Le Marché Mövenpick est un concept unique réunissant tout à la fois un marché traditionnel et une cafétéria, où vous devez présenter à chaque cuistot un carton sur lequel il indique vos choix, que vous payerez en sortant. Plusieurs options s'offriront à vous, dès lors que des comptoirs de mets variés des quatre coins du monde, de tous les prix et à base d'ingrédients on ne peut plus frais sollicitent vos papilles à qui mieux

mieux. La nourriture est excellente (compte tenu du fait qu'il s'agit de restauration rapide) et comprend aussi bien des potages asiatiques que du *bami goreng* indonésien, des pizzas sur mesure, du poisson, des fruits de mer, des biftecks, des soupes, des salades et des desserts. Notez toutefois que l'endroit peut devenir très affairé, et qu'on a parfois du mal à trouver une table. Cette chaîne de restauration suisse gagne de plus en plus de terrain en Amérique du Nord.

 Le Commensal
$$
1204 av. McGill College
☎*871-1480*

Le restaurant Le Commensal a opté pour une formule buffet. Les plats, tous végétariens, sont vendus au poids. Son décor moderne et chaleureux, ainsi que ses grandes fenêtres sur le centre-ville, en font un endroit agréable. Ouvert tous les jours, jusque tard le soir.

Café du Nouveau Monde
$$
84 rue Ste-Catherine Ouest
☎*866-8669*

Quel bel ajout dans ce secteur que ce Café du Nouveau Monde, où il fait bon simplement prendre un verre, un café ou un dessert dans le décor déconstructiviste du rez-de-chaussée ou encore un bon repas à l'étage, où l'atmosphère rappelle les brasseries parisiennes. Le menu s'associe au décor et propose les classiques de la cuisine française de bistro. Service impeccable, belle présentation et cuisine irréprochable, que demander de plus?

Jardin Sakura
$$
2114 rue de la Montagne
☎*288-9122*

Avec une telle appellation, on pourrait s'attendre à retrouver un décor beaucoup plus raffiné au Jardin Sakura, d'autant plus que le mot *sakura* désigne la belle fleur des cerisiers japonais. Le restaurant propose une cuisine japonaise tout à fait respectable, bien que les sushis ne soient pas toujours d'égale qualité. Le service est des plus attentionnés, mais est difficilement fait en français.

Le Paris
$$
1812 rue Ste-Catherine Ouest
☎*937-4898*

Le Paris est le restaurant tout indiqué pour savourer quelques-unes des spécialités de la cuisine française, particulièrement si vous aimez le boudin, le foie de veau ou le maquereau au vin blanc, tout en désirant en prime profiter d'une ambiance décontractée et sympathique. Côté décoration, l'endroit n'a pas changé depuis des années. La carte des vins, quant à elle, est bien garnie et au goût du jour.

L'Actuel
$$-$$$
lun-sam
1194 rue Peel
☎*866-1537*

L'Actuel, le plus belge des restaurants montréalais, ne désemplit pas midi et soir. On y trouve deux salles, dont une grande assez bruyante et très animée où se pressent des garçons affables parmi les gens d'affaires. La cuisine propose évidemment des moules, mais aussi plusieurs autres spécialités.

Wienstein 'n' Gavino's Pasta Bar Factory Co.
$$-$$$
1434 rue Crescent
☎*288-2231*

Le Wienstein 'n' Gavino's Pasta Bar Factory Co. exhibe un beau décor aux murs de briques apparentes, aux sols carrelés à la méditerranéenne et aux conduits de ventilation visibles au plafond, le tout dans un édifice flambant neuf que l'on perçoit volontiers comme s'il faisait partie du décor montréalais depuis nombre d'années déjà. Chaque table se voit garnie d'une miche de pain français tout frais qu'on peut tremper dans de l'huile d'olive et aromatiser d'ail grillé. Côté menu, les pizzas sont respectables, mais sans éclat ni grande distinction, tandis que les plats de pâtes sont franchement délicieux, surtout ceux au gorgonzola et à l'aneth. Le vivaneau rouge en papillotte ne donne pas non plus sa place.

Altitude 737
$$-$$$
mar-sam dès 17h
1 Place Ville-Marie
☎*397-0737*

Situé au 46ᵉ étage de la Place Ville-Marie, le restaurant Altitude 737 est pourvu de grandes fenêtres qui permettent de jouir d'une vue imprenable sur Montréal et ses environs. On y sert un buffet de cuisine française. Notez toutefois qu'ici les prix sont aussi élevés que le restaurant lui-même (à 737 pieds d'altitude).

Chez Georges
$$-$$$
lun-sam
1415 rue de la Montagne
☎*288-6181*

Chez Georges s'est fait connaître grâce à sa renommée cuisine française, traditionnelle et savou-

Montréal

reuse. Service attentionné et efficace. C'est le rendez-vous des gens d'affaires du quartier.

Le Parchemin
$$-$$$
lun-sam
1333 rue University
☎*844-1619*
Occupant l'ancien presbytère de la Christ Church Cathedral, Le Parchemin se caractérise par un décor chic et une atmosphère feutrée. On y propose une cuisine française soigneusement apprêtée qui comblera le plus fin gourmet. La table d'hôte, quant à elle, avec ses quatre services et son vaste choix, est plus qu'honorable.

Julien
$$$
lun-sam
1191 rue Union
☎*871-1581*
Un classique à Montréal, Julien est reconnu pour servir une des meilleures bavettes à l'échalote en ville. Mais on ne s'y rend pas uniquement pour savourer une bavette, car les plats y sont tous plus succulents les uns que les autres. D'ailleurs, ici tout est impeccable: le service, la décoration et même la carte des vins. Réservations recommandées.

Mr Ma
$$$
1 Place Ville-Marie (angle Cathcart et Mansfield)
☎*866-8000*
Dans deux salles, dont une laisse entrer agréablement la lumière du jour, Mr Ma propose une cuisine sichuanaise sans trop de fioriture mais d'un bon rapport qualité/prix, spécialement pour ce secteur du centre-ville. Les plats de fruits de mer constituent un choix judicieux.

La Troïka
$$$
2171 rue Crescent
☎*849-9333*
La Troïka est un restaurant russe dans la plus pure tradition. Dans un décor tout en tentures, en recoins et en souvenirs, un accordéoniste épanche sa nostalgie du pays. Les repas sont excellents et authentiques.

Desjardins Sea Food
$$$-$$$$
1175 rue Mackay
☎*866-9741*
Desjardins Sea Food compte depuis longtemps parmi les meilleures tables de fruits de mer de Montréal. Tout y est frais, délicieux et d'une grande finesse, dans un décor feutré où la moquette, les nappes blanches, les fleurs et le cristal donnent le ton. Une oasis de paix bien éclairée et entourée de grandes baies vitrées en plein centre-ville où vous trônerez sur de confortables chaises à haut dossier et bien rembourrées devant des plats à faire rêver. Service professionnel, il va sans dire, et prix à la clé, mais non excessifs.

Le Jardin du Ritz
$$$$
1228 rue Sherbrooke Ouest
☎*842-4212*
Le Jardin du Ritz est l'endroit rêvé pour se soustraire aux chaleurs estivales ainsi qu'à l'activité grouillante du centre-ville. On y déguste les classiques de la cuisine française, et l'on prend le thé devant un étang entouré de fleurs et de verdure où s'ébattent des canards. Clientèle diversifiée. Ouvert seulement pendant la belle saison, Le Jardin est le prolongement de l'autre restaurant de l'hôtel, Le Café de Paris. Prendre un repas dans ce jardin vous

assure d'un moment de pur bonheur.

Café de Paris
$$$$
1228 rue Sherbrooke Ouest
☎*842-4212*
Le Café de Paris est le restaurant réputé du magnifique **Hôtel Ritz-Carlton** (voir p 154). Son riche décor, aux tons chauds de bleu et d'ocre, est d'une beauté distinguée. Le menu, composé avec soin, propose de délicieux plats.

Les Caprices de Nicolas
$$$$
fermé le midi
2072 rue Drummond
☎*282-9790*
Les Caprices de Nicolas s'inscrit au palmarès des meilleurs restaurants de Montréal. On y mange une cuisine très raffinée, française et innovatrice jusqu'au bout des doigts. Heureuse formule: pour le prix d'une bouteille de vin, on peut prendre différents vins au verre pour accompagner chacun des plats. Service irréprochable mais sans prétention et décor de jardin intérieur.

Le Lutétia
$$$$
mar-sam
1430 rue de la Montagne
☎*288-5656*
Le chic décor victorien qu'arbore le restaurant de l'**Hôtel de la Montagne** (voir p 153), Le Lutétia, ne vous laissera sans doute pas indifférent, pas plus que son menu, qui comprend tous les classiques de la cuisine française: côtelette d'agneau, entrecôte, filet mignon.

Piment Rouge
$$$$
1170 rue Peel
☎*866-7816*
Le Piment Rouge apprête de délicieues spécialités chinoises et sichuanaises, servies dans un cadre

agréable. Le service se veut efficace et sympathique.

Circuit C: Le Village Shaughnessy

Bar-B-Barn
$-$$
1201 rue Guy
☎931-3811
Au restaurant Bar-B-Barn, on peut déguster de délicieuses côtes levées sucrées et grillées à point. Ce plat n'a rien de très raffiné, d'autant moins qu'il faut le manger avec les doigts, mais il fait le plaisir de bon nombre de Montréalais gourmands. Les fins de semaine, il faut s'armer de patience car les files d'attente sont souvent longues.

Pique-Assiette
$-$$
2051 rue Ste-Catherine Ouest
☎932-7141
Le Pique-Assiette présente un décor à l'indienne et offre une ambiance tranquille. Le menu propose d'excellents currys et spécialités de tandouri, dont s'accommodent malheureusement assez mal les estomacs délicats, car la cuisine est ici très épicée. Le buffet indien du midi vaut vraiment la peine. Amateur de pain *nan*, sachez qu'il est offert ici à volonté. Les bières anglaises accompagnent très bien ces mets.

Café Roccoco
$$
1650 av. Lincoln
☎938-2121
Le Café Roccoco est un charmant petit restaurant hongrois surtout fréquenté par... des Hongrois. La nourriture se veut convenable et renferme une bonne dose de paprika. Ses tentures et nappes roses et écarlates confèrent aux lieux de doux airs

d'Europe de l'Est que des chandelles sur chaque table rendraient encore plus romantiques. Excellent choix de gâteaux.

Chez la Mère Michel
$$$-$$$$
fermé sam midi, dim, lun midi
1209 rue Guy
☎934-0473
Chez la Mère Michel, tenu par beaucoup pour un des meilleurs restaurants en ville, est l'incarnation même de la cuisine française par excellence. Installé dans une adorable vieille maison de la rue Guy, il renferme trois salles à manger intimes et décorées avec un goût exquis. À l'avant, banquettes et chaises garnies de riches tissus imprimés invitent les clients à prendre place autour de tables fort bien mises, tandis qu'à l'arrière un chaleureux foyer et une profusion de plantes campent le décor. Le chef Micheline choisit des ingrédients venant tout droit du marché pour créer de délicieuses spécialités régionales françaises ainsi qu'une table d'hôte saisonnière à cinq services. Le personnel est par ailleurs cordial et attentif, et l'impressionnante cave de l'établissement recèle certaines des meilleurs bouteilles que l'on puisse trouver à Montréal.

Westmount (Circuit D), Notre-Dame-de-Grâce et Côte-des-Neiges

Pizzafiore
$
3518 rue Lacombe
☎735-1555
En entrant à la Pizzafiore, on aperçoit le cuisinier à côté du four à bois où sont cuites les pizzas. Il en prépare pour tous les

goûts et à toutes les sauces, garnies des ingrédients les plus variés. L'endroit est plaisant, aussi est-il souvent envahi par les gens du quartier et les universitaires.

Al Dente Trattoria
$$
apportez votre vin
5768 av. Monkland
☎486-4343
Établi sur l'avenue Monkland depuis déjà nombre d'années, Al Dente est un petit restaurant italien chaleureux et fort accueillant. Son menu révèle un bon choix de pizzas, de soupes et de salades fraîches, mais aussi un assortiment complet de pâtes et de sauces que vous pouvez marier à votre guise. Quant au décor, il est simple, et l'atmosphère invite à la détente. On y vient aussi bien pour la nourriture que pour le service sans façon.

Aux Deux Gauloises
$$
5195 ch. de la Côte-des-Neiges
☎737-5755
La cuisine du restaurant français Aux Deux Gauloises élabore une variété de crêpes, toutes plus savoureuses les unes que les autres. Ambiance agréable et service sympathique.

Le Claremont
$$
5032 rue Sherbrooke Ouest
☎483-1557
Le Claremont est un endroit pour le moins animé. Son menu recherché propose une vaste sélection de plats ainsi qu'un des meilleurs et des plus frais pistous qui soient et un délicieux potage *mulligatawny*, à moins que vous ne préfériez, comme beaucoup, vous contenter d'une boisson et d'un plat de *nachos* rehaussé d'une *salsa* maison. La musique forte que diffusent les

Montréal

haut-parleurs ne fait pas de cet endroit le lieu rêvé pour un dîner en tête-à-tête, mais, si vous cherchez à mettre un peu de piquant dans votre journée, vous ne serez pas déçu. Le décor est par ailleurs rehaussé d'expositions temporaires présentant des œuvres d'artistes et de photographes locaux.

La Louisiane
$$-$$$
mar-dim dès 17h30
5850 rue Sherbrooke Ouest
☎369-3073

Manger à La Louisiane, c'est en quelque sorte s'évader dans les bayous. Vous pouvez commencer par d'authentiques beignets cajuns, enchaîner avec un plat épicé (étouffée d'écrevisses ou crevettes «magnolia») et terminer par une portion de célestes bananes Foster. D'immenses tableaux illustrant des scènes de rue de La Nouvelle-Orléans ornent les murs, tandis que des airs de jazz flottent dans l'air.

Kaizen
$$$$
4120 rue Ste-Catherine O.
☎932-5654

Le meilleur restaurant japonais de Westmount, où l'on peut déguster les classiques du pays du soleil levant. On peut déplorer un service un peu gauche dans la langue de Molière et des prix très élevés... mais les portions s'avèrent gargantuesques! Alors il vaut la peine de partager un plat, ce qui ne froissera pas le personnel.

Circuit E:
Maisonneuve

Moe's Deli & Bar
$$
3950 rue Sherbrooke Est
☎253-6637

Le Moe's Deli & Bar est particulièrement couru pour son «5 à 7», pendant lequel on s'accoude sur le bar, mais sa salle à manger reste très souvent bondée. Son menu est extrêmement varié, ce qui n'est pas toujours synonyme de qualité, mais ici les plats, salades, grillades et sandwichs sont généralement bons. Pour les estomacs courageux, on propose une série de desserts assez audacieux. La musique forte et le décor de pub anglais contribuent à créer une atmosphère animée. Situé à deux pas du Stade olympique.

Circuit F:
Les îles Sainte-Hélène
et Notre-Dame

Hélène de Champlain
$$$
☎395-2424

À l'île Sainte-Hélène, le restaurant Hélène de Champlain bénéficie d'un site enchanteur, sans doute un des plus beaux à Montréal. La grande salle, pourvue d'un foyer et offrant une vue sur la ville et le fleuve, s'avère des plus agréables. Chaque coin de la salle à manger possède un charme bien à lui, et l'on peut y profiter des paysages qui varient au gré des saisons. La cuisine n'y est pas gastronomique, mais on mange bien. Le service est empressé et courtois.

Festin des Gouverneurs
$$$$
Fort de l'île Sainte-Hélène
☎879-1141

Au Festin des Gouverneurs, on recrée un festin tel qu'on en organisait en Nouvelle-France au début de la colonisation. Des personnages en costumes d'époque et des plats de la cuisine québécoise traditionnelle font revivre aux convives ces soirées de fête. Seuls les groupes sont reçus, aussi les réservations sont-elles nécessaires.

Nuances
$$$$
tlj 17h30 à 23h
Casino de Montréal, île Notre-Dame
☎392-2708
☎800-665-2274, poste 4322

Juché au cinquième étage du Casino de Montréal, le Nuances compte parmi les meilleures tables de la ville, voire du Canada. Dans un riche décor où se côtoient acajou, laiton, cuir et vue sur les lumières de la ville, cet établissement de prestige propose une cuisine raffinée et imaginative. Ainsi, on notera sur le menu la brandade crémeuse de homard en millefeuille et la brochette de caille grillée, comme entrée, ainsi que le magret de canard rôti, la longe d'agneau du Québec ou la polenta rayée entourée d'une grillade mi-cuite de thon, pour la suite. Les desserts, savoureux, sont quant à eux présentés de façon spectaculaire. Le cadre feutré et classique de ce restaurant ayant remporté plusieurs honneurs prestigieux depuis son ouverture convient bien aux dîners d'affaires, mais aussi aux occasions spéciales et aux grandes demandes... Il est à noter que le Casino possède également quatre autres restaurants à formules plus économiques: le **Via Fortuna** *($$)*, un restaurant italien, **L'Impair** *($)*, avec buffet, **La Bonne Carte** *($$)*, avec buffet et menu à la carte, et le casse-croûte **L'Entre-Mise** *($)*.

Circuit G:
Le Quartier latin

La Brioche Lyonnaise
$
1593 rue St-Denis
☎*842-7017*
La Brioche Lyonnaise est à la fois une pâtisserie et un café. Le choix de pâtisseries, de gâteaux et de friandises y est des plus variés. L'endroit est d'autant plus intéressant que tout y est délicieux à souhait.

La Paryse
$
302 rue Ontario Est
☎*842-2040*
Dans un décor rappelant les années 1950, le restaurant La Paryse se voit régulièrement envahi par une foule jeune et bigarrée. En jetant un coup d'œil sur le menu, on comprend pourquoi: ses délicieux hamburgers et frites maison sont servis en généreuses portions!

Le Pèlerin
$
330 rue Ontario Est
☎*845-0909*
Situé près de la rue Saint-Denis, Le Pèlerin attire une clientèle hétéroclite qui aime discuter tout en grignotant, dans une atmosphère jeune et sympathique. Le mobilier de bois imitant l'acajou et les expositions d'œuvres d'art moderne parviennent à créer une ambiance amicale.

Le Commensal
$-$$
1720 rue St-Denis
☎*845-2627*
Le bien connu restaurant végétarien Le Commensal propose de bons petits plats santé vendus au poids. Les larges baies vitrées qui ornent la façade, pas plus que les murs de briques et les différents paliers, ne réussissent à rendre l'endroit chaleureux, mais on y mange bien, dans une atmosphère décontractée.

Zyng
$-$$
1748 rue St-Denis
☎*284-2016*
Autres adresses:
1254 rue Ste-Catherine Est
☎*522-9964*
1371 av. du Mont-Royal Est
☎*523-8883*
Cette chaîne torontoise de sympathiques restos où l'on sert des nouilles et des *dim-sum* apporte un brin de fraîcheur et de design dans ce coin trop commercial de la rue Saint-Denis. Fraîcheur du décor, fraîcheur de l'amusant menu et fraîcheur des plats, où les légumes occupent une place de choix dans les «bols repas». Les saveurs de Chine, du Japon, de la Thaïlande, de la Corée et du Vietnam se donnent ici rendez-vous et se prêtent aux combinaisons les plus originales.

Le Piémontais
$$
lun-sam
1145A rue De Bullion
☎*861-8122*
Tous les vrais amateurs de cuisine italienne connaissent et vénèrent Le Piémontais. L'étroitesse des lieux et la proximité des tables les unes par rapport aux autres rendent l'endroit très bruyant, mais la douceur d'un décor où dominent le rose, la gentillesse, la bonne humeur et

l'efficacité du personnel, ainsi que la poésie que l'on découvre dans son assiette, procurent une expérience inoubliable.

La Sila
$$$-$$$$
2040 rue St-Denis
☎*844-5083*
La Sila sert une cuisine italienne traditionnelle dans un cadre élégant, rehaussé d'un bar invitant et d'une terrasse extérieure où vous pourrez vous installer par les chaudes soirées d'été.

Circuit H: Le Plateau
Mont-Royal

L'Anecdote
$
801 rue Rachel Est
☎*526-7967*
L'Anecdote propose des hamburgers et des sandwichs étagés végétariens à base d'ingrédients de qualité. On y trouve un décor évoquant les années 1950: de vieilles pubs de Coke et des affiches de films ornent les murs.

La Binerie Mont-Royal
$
367 av. du Mont-Royal Est
☎*285-9078*
Dans un décor formé de quatre tables et d'un comptoir, La Binerie Mont-Royal est un petit resto de quartier d'aspect modeste. Mais elle a bonne réputation grâce à sa spécialité, les fèves au lard (les «binnes»), et au roman d'Yves Beauchemin (*Le Matou*), auquel elle sert de toile de fond.

La Brûlerie Saint-Denis
$
3967 rue St-Denis
☎*286-9158*
La Brûlerie Saint-Denis importe son café des quatre coins du monde et propose un des plus grands choix de moutures

Montréal

à Montréal. Les grains sont torréfiés sur place, ce qui donne à l'endroit un arôme tout à fait particulier. Des repas légers et des desserts y sont également proposés.

Café Rico
$
969 rue Rachel Est
☎*529-1321*
www.caferico.qc.ca
Le Café Rico est un petit torréfacteur qui se fait un devoir de n'utiliser que du café équitable certifié. Faites donc un saut dans ce sympathique café de la rue Rachel au décor nonchalant avec ses quelques tables, son hamac et ses plantes vertes, pour goûter et humer leurs savoureux mélanges. Pour l'accompagner, vous devrez vous contenter d'un simple sandwich ou d'un biscuit, mais en revanche vous pourrez vous attarder des heures dans cette ambiance conviviale qui sert de lieu de rassemblement à plus d'un militant.

Fruit Folie
$
tlj dès 7h
3817 rue Saint-Denis
☎*840-9011*
On accourt au Fruit Folie pour ses petits déjeuners spectaculaires, délicieux et proposés à prix imbattables. Bien entendu la plupart des assiettes débordent de fruits, c'est la folie! Vous devrez probablement patienter si vous faites la grasse matinée le dimanche et arrivez après 11h, surtout si vous convoitez les tables de la terrasse. Fruit Folie sert aussi des repas simples, des pâtes et des salades pour le déjeuner et le dîner.

Aux 2 Marie
$-$$
4329 rue St-Denis
☎*844-7246*
Une faune typique du Plateau fréquente le charmant petit café Aux 2 Marie.

Lélé da Cuca
$-$$
fermé le midi
apportez votre vin
70 rue Marie-Anne Est
☎*849-6649*
Au restaurant Lélé da Cuca, on peut goûter de délicieux plats mexicains et brésiliens. Du local exigu, qui ne peut accueillir qu'une trentaine de personnes, se dégage une ambiance détendue et sans façon.

🌴 Tampopo
$-$$
4449 Mentana
☎*526-0001*
La minuscule salle du Tampopo ne dérougit pas. Pratiquement à toute heure, on y trouve quantité de gens du Plateau et d'ailleurs venus se rassasier d'un bon plat de cuisine asiatique. Les copieuses soupes tonkinoises côtoient sur la carte une série de plats de nouilles. Derrière le comptoir, les cuistots s'affairent devant d'énormes woks dans lesquels ils font sauter légumes, viandes et fruits de mer pour les servir juste à point. Prenez place sur de petits tabourets devant ce comptoir ou par terre sur une natte à l'une des trois tables basses, et ne manquez pas de savourer aussi le décor aux accents orientaux!

917
$$
fermé le midi
apportez votre vin
917 rue Rachel Est
☎*524-0094*
Pour une bonne cuisine française à prix abordable,

pensez au 917. Les grands miroirs qui ornent ses murs, ses tables rapprochées ainsi que ses garçons en tablier lui confèrent une ambiance bistro qui sied tout aussi bien à sa cuisine. Les abats, rognons et ris de veau, y sont particulièrement bien réussis. Des délices qui fondent dans la bouche!

Bières & Compagnie
$$
4350 rue St-Denis
☎*844-0394*
Laissez-vous tenter par un excellent repas: saucisses, grillades, moules, hamburgers à la viande d'autruche, de bison, ou de caribou. Avec une des 115 bières locales ou importées pour l'accompagner, vous aurez tout pour jouir de l'atmosphère musicale dans laquelle baigne l'établissement.

Cactus
$$
4461 rue St-Denis
☎*849-0349*
Au Cactus, on propose des mets mexicains raffinés, mais servis en petites portions. Sa petite terrasse est très populaire pendant la belle saison.

Café El Dorado
$$
921 av. du Mont-Royal Est
☎*598-8282*
Dans un décor curviligne spectaculaire se presse la foule branchée du Plateau Mont-Royal pour prendre un café ou faire un petit repas rapide, mais toujours de qualité. Une mention spéciale doit être accordée au Café El Dorado pour ses excellents desserts.

🌴 Chu Chai
$$
4088 rue St-Denis
☎*843-4194*
Le Chu Chai ose innover, et il faut l'en féliciter. Tant de restaurants ressemblent

à tous les autres! Ici, on a imaginé une cuisine thaïlandaise végétarienne qui donne dans le pastiche: crevettes végétariennes, poisson végétarien et même bœuf ou porc végétarien. L'imitation est extraordinaire, au point qu'on passe la soirée à se demander comment c'est possible. La chef peut vous expliquer qu'il s'agit vraiment de produits végétaux comme le seitan, le blé, etc. Le résultat est délicieux et ravit la clientèle diversifiée qui se presse dans sa salle modeste ou sur la terrasse. Le midi, le restaurant propose une table d'hôte économique. Notez aussi qu'il y a un comptoir de restauration rapide: c'est sur le pouce, mais c'est la même nourriture de qualité qui y est servie!

Côté Soleil
$$
fermé lun en hiver
3979 rue St-Denis
☎*282-8037*
Ce restaurant propose chaque jour un menu différent qui ne déçoit jamais. Voilà de la bonne cuisine française, inventive à l'occasion, à petit prix, tellement qu'on n'hésitera pas à dire qu'il s'agit probablement du meilleur rapport qualité/prix du secteur. Le service empressé, toujours souriant, se fait dans un décor simple mais chaleureux. Pendant la belle saison s'y ajoutent deux terrasses... ensoleillées: l'une sur la rue animée et l'autre dans le joli jardin.

La Gaudriole
$$
825 av. Laurier Est
☎*276-1580*
Dans une salle quelque peu exiguë où le confort peut laisser à désirer, on sert une excellente cuisine dite «métissée», renouvelant une cuisine française qui

avait depuis des siècles puisé aux apports du monde entier. Le menu se renouvelle constamment, ce qui permet à la fois de servir toujours frais et de faire profiter les clients de la créativité du chef Marc Vézina.

Ouzeri
$$
4690 rue St-Denis
☎*845-1336*
L'Ouzeri s'est donné pour objectif d'offrir à sa clientèle une cuisine grecque recherchée: mission accomplie. La cuisine est excellente et recèle plusieurs surprises, comme la moussaka végétarienne et les pétoncles au fromage fondu. Avec son plafond très haut et ses longues fenêtres, cet établissement constitue un endroit agréable où l'on risque de s'éterniser, surtout quand la musique nous plonge dans la rêverie.

Vents du Sud
$$
apportez votre vin
323 rue Roy Est
☎*281-9913*
Ah! les vents du sud! Chauds, doux, porteurs de mille et une odeurs alléchantes... Au cœur de l'hiver, si vous ne venez pas à bout du froid et surtout si vous avez besoin d'un bon repas copieux, pensez à ce petit resto basque. La cuisine basque, où règnent la tomate, le poivron rouge et l'oignon, est consistante et savoureuse. Et, si vous avez encore besoin de vous réchauffer à la fin du repas, le sympathique patron se fera un plaisir de vous expliquer les règles du jeu de pelote basque!

Khyber Pass
$$
apportez votre vin
506 av. Duluth Est
☎*849-1775*
L'exotique et chaleureux restaurant Khyber Pass propose une cuisine traditionnelle afghane. Les entrées ouvrent la voie à un amalgame de saveurs étonnantes et recherchées. Les bouchées de citrouille nappées d'une sauce au yogourt, menthe et ail, ainsi que les raviolis bouillis, couverts d'une sauce aux tomates et aux lentilles, sont particulièrement réussis. L'agréable découverte se poursuit avec un choix de grillades d'agneau, de bœuf et de poulet, dont la marinade se marie parfaitement au parfum du riz qui les accompagne. Le service est attentionné, et, l'été, une terrasse est mise à la disposition des clients.

Café Cherrier
$$-$$$
3635 rue St-Denis
☎*843-4308*
Lieu de rencontre par excellence de tout un contingent de professionnels dans la quarantaine, la terrasse et la salle du Café Cherrier ne désemplissent pas. L'atmosphère de brasserie française y est donc très animée avec beaucoup de va-et-vient, ce qui peut donner lieu à d'agréables rencontres. Le menu affiche des plats de bistro généralement savoureux, mais on doit parfois déplorer un service approximatif.

Continental
$$-$$$
fermé le midi
4169 rue St-Denis
☎*845-6842*
Quelle subtile mise en scène que celle du Continental! L'établissement séduit carrément, certains soirs, avec son personnel

Montréal

attentif et courtois, sa clientèle branchée et son décor «années 1950» contemporéanisé. Le menu varié vous réserve toujours quelques agréables surprises. La cuisine peut être sublime, et les présentations se révèlent toujours des plus soignées.

 Laloux
$$-$$$
250 av. des Pins Est
☎*287-9127*
Établi dans une superbe demeure, le Laloux est aménagé comme un chic et élégant bistro parisien. On peut y déguster une cuisine nouvelle qui ne déçoit jamais, l'une des meilleures à Montréal.

 Misto
$$-$$$
929 av. du Mont-Royal Est
☎*526-5043*
Le Misto est un restaurant italien couru par une clientèle branchée qui vient y manger une délicieuse cuisine italienne imaginative. Dans ce grand et chaleureux local paré de briques et décoré dans les tons de vert, l'atmosphère bruyante et les tables très rapprochées n'enlèvent rien au service attentionné et sympathique.

La Raclette
$$-$$$
apportez votre vin
1059 rue Gilford
☎*524-8118*
Restaurant de quartier très prisé par les belles soirées d'été en raison de son attrayante terrasse, La Raclette plaît aussi pour son menu, où l'on retrouve des plats tels que la raclette (bien sûr), mais aussi l'émincé de porc zurichois ou le saumon à la moutarde de Meaux et le clafoutis aux cerises. Les personnes ayant un solide appétit peuvent opter pour le menu «dégustation», qui comprend l'entrée, la

soupe, le plat principal, le dessert et le café.

P'tit Plateau
$$$
apportez votre vin
mar-sam
330 rue Marie-Anne Est
☎*282-6342*
Mignon restaurant de quartier, le P'tit Plateau offre une ambiance familiale et un service attentif. Cuisine simple et sans prétention.

 L'Express
$$$
3927 rue St-Denis
☎*845-5333*
Lieu de rencontre par excellence des yuppies vers 1985, L'Express demeure très apprécié pour son décor de wagon-restaurant, son atmosphère de bistro parisien animé, que peu ont su reproduire, et son menu toujours invitant. Il a su acquérir ses lettres de noblesse au fil des années.

Psarotaverna du Symposium
$$$
3829 rue St-Denis
☎*842-0867*
La Psarotaverna du Symposium transporte sa clientèle instantanément en mer Égée, avec son décor bleu et blanc ainsi que l'âme chaleureuse et insulaire du service. Le poisson (thazard, daurade, pageot) et les fruits de mer en sont les spécialités. Essayez la délicieuse *moussaka* et le *saganaki*. Au dessert, il ne faut pas manquer le délicieux *galatoboureco*, à base de lait.

Le Piton de la Fournaise
$$$
apportez votre vin
835 av. Duluth Est
☎*526-3936*
Le charmant et tout petit restaurant Le Piton de la Fournaise pétille de vie et éveille les sens. On y apprête avec ingéniosité une cuisine réunionnaise qui

n'en finit pas de surprendre par ses parfums, ses épices et ses textures. Afin que l'expérience du Piton de la Fournaise soit un succès, il est suggéré d'avoir tout son temps devant soi.

 Toqué
$$$$
fermé le midi
3842 rue St-Denis
☎*499-2084*
Si la gastronomie vous intéresse, le Toqué est sans contredit l'adresse à retenir à Montréal. Le chef, Normand Laprise, insiste sur la fraîcheur des aliments et officie dans la cuisine, où les plats sont toujours préparés avec grand soin, puis admirablement bien présentés. Il faut voir les desserts, de véritables sculptures modernes. De plus, le service est classique, la carte des vins est bonne, son nouveau décor est élégant, et les prix élevés n'intimident pas les convives. L'une des tables les plus originales de Montréal.

Circuit I: Le Sault-au-Récollet

Pasta Express
$
1501 rue Fleury Est
☎*384-3174*
Le petit restaurant Pasta Express est fréquenté par les gens du quartier. On y déguste une cuisine italienne sans prétention, et les plats de pâtes s'avèrent toujours délicieux et peu chers.

Le Wok de Szechuan
$
1950 rue Fleury Est
☎*382-2060*
Vous l'aurez sûrement deviné: Le Wok de Szechuan est un restaurant chinois qui propose à une clientèle d'Asiatiques et de

gens du quartier une bonne cuisine sichuanaise.

Il Mondo
$$-$$$
10724 av. Millen
☎ *389-8446*

Le restaurant Il Mondo, établi dans un local ordinaire, n'a l'air de rien de l'extérieur, mais il ne faut pas se fier à cette première impression, car son menu révèle des plats toujours savoureux. On dit d'ailleurs qu'il se prépare ici les meilleures sauces à Montréal, et il suffit d'essayer quelques plats pour s'en convaincre. Le service est attentionné.

Circuit J:
L'ouest de l'île

Lachine

Il Fornetto
$
1900 boul. St-Joseph
☎ *637-5253*

Situé aux abords du port de plaisance de Lachine, Il Fornetto est idéal pour ceux qui aiment se promener après un copieux repas. Il rappelle les trattorias avec son ambiance bruyante et son service sympathique. Les pizzas cuites au four à bois sont à essayer.

Pointe-Claire

Le Gourmand
$
fermé sam et dim midi
42 rue Ste-Anne
☎ *695-9077*

Établi dans une vieille maison en pierre tout à fait ravissante, Le Gourmand est l'endroit tout indiqué pour savourer une soupe chaude par un frais midi d'automne, ou encore une salade fraîche et un thé

glacé par un torride après-midi d'été. Le menu du soir affiche des mets français, cajuns et californiens. Son comptoir de charcuterie fine vous permettra en outre de faire des provisions en vue d'un pique-nique au bord du lac Saint-Louis.

Sorties

Bars et discothèques

Du coucher du soleil jusque tard dans la nuit, Montréal vit aux rythmes parfois endiablés, parfois plus romantiques de ses bars. Envahis par des individus de tout âge, ces bars ont été conçus pour répondre aux goûts les plus variés. Des bars-terrasses de la rue Saint-Denis aux établissements underground du boulevard Saint-Laurent, en passant par les bars plus chics de la rue Crescent, sans oublier les bars gays du Village, il en existe de toutes sortes: à vous de les découvrir!

L'Air du Temps Jazz
191 rue St-Paul Ouest
☎ *842-2003*

L'Air du Temps Jazz fait partie des plus célèbres bars de jazz à Montréal. Au cœur du Vieux-Montréal, il offre un fantastique décor ancien orné d'une profusion de pièces antiques. L'endroit étant souvent bondé, il faut arriver tôt pour bénéficier d'un bon

siège. Les droits d'entrée varient selon les spectacles.

Balattou
4372 boul. St-Laurent
☎ *845-5447*

Le Balattou est sans doute la boîte africaine la plus populaire de Montréal. Elle est sombre, enfumée, bondée, chaude, trépidante et bruyante. Des spectacles sont présentés en semaine seulement, pour lesquels le droit d'entrée varie.

Belmont sur le Boulevard
4483 boul. St-Laurent
☎ *845-8443*

Au Belmont sur le Boulevard s'entasse une clientèle composée de jeunes cadres. La fin de semaine, l'endroit est littéralement envahi.

Bily Kün
354 av. du Mont-Royal Est
☎ *845-5392*

Le Bily Kün, second bar de la microbrasserie du «Cheval Blanc», propose un vaste choix de bières, notamment la marque maison, d'excellente qualité et à bon prix. Avec un décor original orné de cous d'autruches empaillés, l'atmosphère est sympathique et surtout branchée!

Café Campus
57 rue Prince-Arthur Est
☎ *844-1010*

Le Café Campus est installé dans un grand local de la rue Prince-Arthur et est réparti sur trois étages. On n'y vient pas pour le décor, des plus quelconques, mais bien pour danser jusqu'aux petites heures de la nuit. Le premier étage propose une table de billard qui voit passer plusieurs joueurs. Surtout fréquenté par une clientèle estudiantine, le «Campus» présente de bons concerts de rock et de blues. Plusieurs talents locaux s'y produisent, et quelques événements cégépiens s'y tiennent année après année. Chacune des soirées est dictée par une teneur musicale particulière: 100% francophone, alternatif des années 1980, rock contemporain, etc.

Café Sarajevo
2080 rue Clark
☎284-5629
Le Café Sarajevo présente des formations gitanes les jeudi, vendredi et samedi, et des musiciens de jazz les autres soirs de la semaine. Clientèle mixte d'étudiants bohèmes et, il va sans dire, de Yougoslaves, dans un décor typique de bar champêtre. Tout en sirotant une bière ou un rouge hongrois, pourquoi ne pas essayer quelques spécialités des Balkans, comme le *bourek* (viande roulée dans une pâte *filo*), le *pleckavica* (hamburger) et les *cevapcici* (boulettes de viande), servis avec de l'*ajvar* (tartinade au piment rouge). Une agréable terrasse, aménagée à l'arrière, vous accueille en outre durant la belle saison. Quant au charismatique propriétaire des lieux, Osman, il ressemble à s'y méprendre à Sean Connery! Droit d'entrée en fin de soirée pour les spectacles.

Le Cheval Blanc
809 rue Ontario Est
☎522-0211
Le Cheval Blanc est une vieille taverne montréalaise qui semble ne pas avoir été rénovée depuis les années 1940, ce qui lui confère tout son cachet! Différentes bières sont brassées sur place et alternent avec les saisons.

Les Deux Pierrots
104 rue St-Paul Est
☎861-1270
Véritable institution montréalaise, Les Deux Pierrots a toujours su répondre aux exigences de ses clients en matière de divertissement. Si votre idéal de soirée consiste à vous mettre debout sur votre chaise et à danser sur des airs populaires chantés par un chansonnier tout en buvant de la bière, alors c'est l'endroit rêvé pour vous. Si, par contre, ce n'est pas votre tasse de thé, nous vous suggérons quand même d'aller y faire un tour. Rires et plaisir garantis. Mieux vaut toutefois y aller en groupe même si la convivialité est au rendez-vous dans cette «boîte à chansons» en plein cœur du Vieux-Montréal. En été, ce bar dispose d'une agréable terrasse.

Le Diable vert
4557 rue St-Denis
☎849-5888
Le Diable vert est l'endroit par excellence pour se laisser aller sur une vaste piste de danse. Très populaire auprès des étudiants, il n'est pas rare qu'on doive y faire la queue. Prévoyez 2$ pour l'entrée (vestiaire inclus) les mercredis et jeudis soirs et 3$ les vendredis et samedis soirs.

Le Dogue
4177 rue St-Denis
☎845-8717
Le Dogue est l'endroit rêvé pour danser, danser et danser. Sa musique, des classiques d'Elvis à la plus récente «bombe» de Rage Against the Machine, assouvit une clientèle très jeune, enthousiaste et avide de bière peu coûteuse. Ses deux tables de billard, toutefois encombrantes, divertissent quelques adeptes invétérés. Dans ce bar littéralement

bondé sept jours sur sept, il est fortement recommandé d'arriver tôt.

Les Foufounes Électriques
87 rue Ste-Catherine Est
☎844-5539
Autrefois haut lieu de la marginalité de Montréal, Les Foufounes Électriques ne sont plus ce qu'elles étaient. Le décor composé de graffitis et de sculptures étranges est toujours le même, mais le bar a vu sa clientèle changer et sa musique devenir un peu plus commerciale. Si l'ensemble s'est transformé et que sa faune inusitée a quitté ce lieu de rencontre, l'endroit est toujours bondé et sa musique jamais reposante.

Hurley's Irish Pub
Hurley's Medieval
1225 rue Crescent
☎861-4111
Discrètement cachés au sud de la rue Sainte-Catherine parmi l'innombrable quantité de restaurants et de bars de la rue Crescent, le Hurley's Irish Pub et le Hurley's Medieval réussissent à recréer une atmosphère digne des traditionnels pubs irlandais, grâce notamment à d'excellents musiciens amateurs de folklore irlandais (The Paddingtons, Jim et Gary) et à la qualité exceptionnelle d'une célèbre bière noire de renommée mondiale.

L'Île Noire Pub
342 rue Ontario Est
☎982-0866
L'Île Noire Pub est un très beau bar dans le plus pur style écossais. Les bois précieux dont on a usé abondamment confèrent à l'endroit un charme feutré et une ambiance raffinée. Le personnel, très professionnel, vous conseillera dans le choix de whiskies, dont la liste est impressionnante. Aussi, on y

LE QUÉBEC
AU GRÉ DES SAISONS

«Mon pays ce n'est pas un pays, c'est l'hiver» chante Vigneault en
parlant du Québec, et il ne fait aucun doute que cette longue
saison caractérise ce pays du Nord, mais, en réalité,
le Québec vit au rythme des quatre saisons, chacune d'elles
étant très marquée: la crue des eaux et le réveil spectaculaire de
la nature au printemps, le soleil et la chaleur souvent torride de
l'été, l'explosion de couleurs de l'été des Indiens en automne, le
froid et les chutes de neige en hiver. Aussi les Québécois ont-ils
su apprendre à assumer pleinement les multiples facettes de
leur coin de terre, profitant en toute saison des montagnes, des
forêts, des innombrables lacs et rivières,
du majestueux fleuve...

Un fleuve. Difficile de désigner de ce nom tous les cours d'eau étroits qui baignent
les grandes villes, quand on est né au bord du Saint-Laurent. Être héritière de
l'espace, quelle espérance!»

- Denise Bombardier, *Tremblement de cœur*

«Vois, les fleurs
ont recom-
mencé.
Dans l'étable
crient les
nouveau-nés
Viens voir la
vieille barrière
rouillée
Endimanchée d[e]
toiles d'arai-
gnées
Les bourgeons
sortent de la m[e]
Papillons ont d[e]
manteaux d'or
Près du ruissea[u]
sont alignées l[es]
fées
Et les crapauds
chantent la
liberté»
- Félix Leclerc,
*L'hymne au
printemps*

Les paysages
des basses
terres du Saint-
Laurent portent
toujours l'em-
preinte du sys-
tème seigneurial
français, qui divi-
sait les terres en
longs et étroits
rectangles pour
permettre au plus
grand nombre
possible de
colons d'avoir
accès au cours
d'eau. Derrière
des maisons rap-
prochées les
unes des autres
qui s'alignent le
long des rangs,
les champs
s'étendent à
perte de vue.

«Pêcheur, un homme libre, aussi libre qu'on peut dire. Il a la mer entière où voyager pour son pain. Mais la misère est là quand même.»
- Yves Thériault, *La mort d'eau*

La faune du Québec est très riche. Fréquemment, surtout dans les parcs, on peut apercevoir de magnifiques animaux se ravitailler près des plans d'eau: orignaux, ratons laveurs, renards, cerfs, hérissons, etc.

Les îles de la Madeleine, éloignées et empreintes de mystère avec leurs paysages sculptés par le vent et la mer

Contrée de lacs et de rivières, le Québec se prête à merveille à la pratique de toutes les activités nautiques possibles et imaginables: canot, kayak, planche à voile, navigation de plaisance, pêche, rafting...

Maison de campagne, résidence secondaire, chalet au bord de l'eau... quelle que soit l'appellation choisie, il s'agit là du rêve de bien des citadins cherchant à passer l'été à la campagne pour ainsi fuir la chaleur et l'humidité qui envahissent alors les villes.

Quand arrive l'automne, la forêt québécoise se pare de ses plus beaux atours et d'innombrables coloris embrasent le paysage. C'est alors que survient le mythique et romantique été des Indiens.

Une fois les cours d'eau gelés, on instal[le] de petites cabanes à mêm[e] la glace, on perce celle-ci e[t] on s'adonne à [la] pêche blanche. En Mauricie, o[n] parle plutôt de «pêche aux pe[tits] poissons des chenaux».

Apprivoiser l'hiver, conquérir ses quelques arpents de neige, voilà la tâche à laquelle s'attelle le Québécois depuis toujours. Parmi les inventions qui lui ont permis de relever le défi, figure la motoneige. Autre moyen de transport devenu loisir, le traîneau à chiens est utilisé depuis la nuit des temps par les Inuits.

propose un bon choix de bières en fût importées. Les prix sont y malheureusement élevés.

Jello Bar
151 rue Ontario Est
☎285-2621
Le Jello Bar est installé dans un local garni d'un curieux mélange de meubles et de bibelots rescapés des années 1960 et 1970, où l'on propose 32 choix différents de cocktails de martini à être bus tranquillement sur fond de musique blues ou jazz. De plus, d'excellents spectacles musicaux s'y tiennent régulièrement.

Loft
1405 boul. St-Laurent
☎281-8058
Très grande discothèque au sombre décor «techno» rehaussé de mauve et où seule la musique alternative a sa place, le Loft attire une clientèle dont l'âge varie entre 18 et 30 ans. On peut y voir des expositions temporaires parfois intéressantes. Certains amateurs y viennent pour les tables de billard. La terrasse sur le toit est fort agréable.

Le Magellan
330 rue Ontario Est
☎845-0909
Situé juste à côté de L'Île Noire Pub, Le Magellan est un petit bar chaleureux invitant au voyage. Boiseries, rideaux aux accents africains, hublots, vieux atlas et récits de voyage à consulter rangés dans une bibliothèque avec globe terrestre et objets hétéroclites, le tout sur un fond de musique du monde, jazz, ou selon l'humeur des artistes qui y sont quelquefois invités. On peut y manger *(Café Le Pèlerin; $)*; le sandwich au brie qu'on y sert est excellent.

Newtown
1476 rue Crescent
☎284-6555
Le pilote de formule 1 préféré des Québécois, Jacques Villeneuve, a ouvert au centre-ville le Newtown, un établissement qui attire beaucoup de monde. On peut y manger au beau restaurant, y danser à la disco ou y prendre un verre dans l'ambiance feutrée du *lounge*. On se presse aux portes de cet énorme complexe au splendide design intérieur, pour voir et être vu.

Le P'tit bar
3451 rue Saint-Denis
☎281-9124
Tout juste en face du square Saint-Louis, le P'tit bar est le lieu parfait pour parler littérature, philosophie, photographie, etc. L'ancien rendez-vous du regretté Gérald Godin, célèbre poète québécois, satisfera les amateurs de chansons françaises. Des expositions de photos composent le sobre décor de l'établissement, et l'on peut y entendre des chansonniers québécois ou d'expression française.

Quartier Latin Pub
318 rue Ontario E.
☎845-3301
L'Île Noire et Le Magellan feraient-ils ombrage à leur voisin, le Quartier Latin Pub? Peut-être pas puisque celui-ci a, à maintes reprises, été choisi comme lieu de tournage de nombreuses séries télévisées québécoises. C'est peut-être son décor savamment étudié, un peu froid, qui lui fait honneur. C'est peut-être aussi sa clientèle aussi étudiée que son décor: jeune trentaine BCBG, presque aussi réelle que dans une publicité de bière. Terrasse en saison.

Saint-Sulpice
1680 rue St-Denis
☎844-9458
Aménagé dans une vieille maison dont il occupe les trois étages, le Saint-Sulpice est décoré avec goût. Il dispose de terrasses à l'arrière et à l'avant, parfaites pour profiter des soirées d'été.

Sherlock's
1010 rue Ste-Catherine Ouest
☎878-0088
Le Sherlock's offre un très beau décor rappelant les pubs anglais, bustes de Sherlock Holmes en plus; il a l'avantage d'être très grand et très bien fréquenté! Tout y est cependant assez cher. Une quinzaine de tables de billard sont mises à la disposition des clients.

Pub Sir Winston Churchill
1459 rue Crescent
☎288-3814
Au Pub Sir Winston Churchill, un bistro de style anglais, se presse une clientèle qui vient draguer. Il dispose de pistes de danse et de tables de billard.

Le Sphinx
1428 rue Stanley
☎843-5775
Si vous vous sentez animé d'un désir de vous vêtir de noir et de vous trémousser sur une piste de danse bondée de gens qui, comme vous, sont sombrement vêtus, alors le Sphinx vous ouvre ses ailes. Chaînes, grillages, métal et velours rouge décorent ce bar plutôt grand. Musique techno-industrielle, alternative et «gothique». On peut y faire une partie de billard, mais la table est rarement libre, occupée sans doute par quelque Lestat ou Marilyn Manson... Un incontournable du genre à Montréal.

Montréal

Swimming
3643 boul. St-Laurent
☎282-7665
En entrant au Swimming, le passage obligé dans le vestibule vétuste d'un immeuble du début du XXe siècle rend encore plus saisissante la vue, à l'étage, de cette immense salle de billard. De chaque côté du grand bar rectangulaire, se côtoient tables et joueurs à perte de vue dans un environnement de colonnes de béton verni surmontées d'étranges polyèdres et délibérément mises en évidence. Le plafond en tôle gaufrée rappelle le Montréal industriel du début du XXe siècle et la vocation originelle du bâtiment.

Thursday's
1449 rue Crescent
☎288-5656
Le Thursday's est un bar très populaire, particulièrement auprès de la population anglophone de Montréal. Il s'agit d'un bar de rencontre très prisé des gens d'affaires et des professionnels.

Upstairs Jazz Club
1254 rue MacKay
☎931-6808
Situé en plein centre-ville, l'Upstairs présente des spectacles de blues et de jazz tous les jours de la semaine. En été, une terrasse murée, à l'arrière du bar, fait le bonheur des amateurs de couchers de soleil.

Pub Le Vieux-Dublin
1219A rue University
☎861-4448
Le Pub Le Vieux-Dublin est une boîte irlandaise où vous pourrez profiter d'un impressionnant choix de bières pression que vous dégusterez au son de la musique celtique. Un chansonnier anime ces soirées on ne peut plus arrosées.

Whisky Café
5800 boul. St-Laurent
☎278-2646
On a tellement soigné la décoration du Whisky Café que même les toilettes des hommes sont en voie de devenir une attraction touristique. Les tons chauds utilisés dans un contexte moderne, les grandes colonnes recouvertes de boiseries, les chaises style «années 1950», tout cela contribue à une sensation de confort et de classe. La clientèle de 20 à 35 ans, aisée et bien élevée, coule une jeunesse dorée.

Zinc Café Bar Montréal
1148 av. du Mont-Royal Est
☎523-5432
Cherchez-vous un bon endroit où discuter de tout et de rien en buvant un «picon bière»? Le Zinc Café Bar Montréal sert une variété de boissons hors du commun, et cela, dans un chaleureux local.

Bars et discothèquesgays

Cabaret L'Entre-Peau
1115 rue Ste-Catherine Est
☎525-7566
Au Cabaret L'Entre-Peau, on présente des spectacles de travestis. La clientèle est mixte et enjouée.

Sky Pub et Sky Club
1474 rue Ste-Catherine Est
☎529-6969
Bar gay très fréquenté de Montréal, le Sky Pub bénéficie d'un décor design qui manque d'unité. On peut déplorer sa musique trop forte et souvent banale. En été, sa terrasse sur la rue Sainte-Catherine permet d'observer le va-et-vient; en toute saison, quand la soirée avance, on peut toujours opter pour le Sky, à l'étage, où se déhanche une clientèle plus jeune. Sur deux niveaux s'étend l'une des plus grandes boîtes gays de Montréal, le Sky Club, avec ses pistes de danse qui permettent d'offrir une variété de styles musicaux. Bien entendu, le pari de maintenir l'atmosphère dans une telle immensité n'est pas toujours tenu, mais, en général, la clientèle, plutôt jeune, s'amuse bien ici. En été, terrasse sur le toit. Un seul reproche: le droit d'entrée élevé qui varie de manière imprévisible.

Théâtres et salles de spectacle

La vie culturelle est intense à Montréal. Tout au long de l'année, des expositions et des spectacles sont organisés afin de permettre aux Montréalais de découvrir diverses facettes de la culture. C'est ainsi que des spectacles et des films de tous les pays, des expositions d'oeuvres d'artistes de toutes tendances, ainsi que des festivals pour tous les âges et tous les goûts, y sont présentés. Les hebdomadaires *Voir*, *Ici*, *Mirror* et *Hour*, distribués gratuitement, donnent un aperçu des principaux événements qui se tiennent à Montréal.

Les droits d'entrée aux spectacles varient grandement d'une salle à l'autre. La plupart des salles offrent cependant des prix réduits aux étudiants.

Place des Arts
260 boul. De Maisonneuve Ouest
☎285-4200
☎842-2112 (pour réservation)
métro Place-des-Arts
Elle dispose de cinq salles: la Salle Wilfrid-Pelletier, le Théâtre Maisonneuve, le Théâtre Jean-Duceppe, le Théâtre du Café de la

Place et la Cinquième Salle, ouverte en 1992. L'Orchestre Symphonique de Montréal (☎842-2112), l'Orchestre de chambre I Musici de Montréal (☎982-6037) ainsi que les Grands Ballets Canadiens (☎849-0269) y donnent également leurs représentations.

Spectrum

318 rue Ste-Catherine Ouest
☎861-5851
métro Place-des-Arts
Les spectacles débutent généralement vers 21h. Pour entrer, il faut compter un minimum de 10$. Tout comme au Club Soda, les spectacles après 23h sont, en général, gratuits pendant le Festival de jazz.

Théâtre Saint-Denis

1594 rue St-Denis
☎849-4211
métro Berri-UQAM

Billetteries

Deux principaux réseaux de billetterie distribuent les billets de spectacles, de concerts et d'autres événements. Pour ce faire, ils offrent un service de vente par téléphone. Des frais de service, variant d'un spectacle à l'autre, sont ajoutés au prix du billet. Il est possible de payer par carte de crédit.

Admission
☎790-1245
☎800-361-4595

Tel-spec
☎790-1111

Cinémas

Montréal compte plusieurs salles de cinéma au centre-ville. Des rabais sont offerts pour les représentations en matinée ainsi que le mardi et le mercredi.

Quelques salles où l'on présente des films en français

Le Parisien
480 rue Ste-Catherine Ouest
☎866-0111
métro McGill

Quartier Latin
350 rue Émery
☎849-4422
métro Berri-UQAM

Quelques salles de cinéma de répertoire

La Cinémathèque québécoise
335 boul. De Maisonneuve Est
☎842-9763
métro Berri-UQAM

Ex-Centris
3536 boul. St-Laurent
☎847-3536
métro St-Laurent et autobus n° 55

Impérial
1430 rue De Bleury
☎848-0300
métro Place-des-Arts
C'est le plus ancien cinéma de Montréal.

Office national du film
1564 rue St-Denis
☎496-6895
métro Berri-UQAM
On y trouve une cinérobothèque où chacun peut visionner les films produits par l'ONF. Un robot alimente chaque appareil. Ce concept est unique au monde.

Une salle où l'on projette des films hors de l'ordinaire

Le cinéma Imax
Vieux-Port de Montréal, sur la rue de la Commune, à l'angle du boulevard St-Laurent
☎496-4629
métro Champ-de-Mars ou Place-d'Armes
On y présente des films sur écran géant.

Festivals

Durant l'été, la fièvre des festivals emporte Montréal. Du mois de mai au mois de septembre se succèdent une foule de festivals, chacun portant sur un thème différent. Une chose est certaine: il y en a pour tous les goûts.

Le **Tour de l'île** se tient le premier dimanche de juin. L'événement attire quelque 30 000 cyclistes qui vont ensemble parcourir un trajet de 50 km sur l'île de Montréal. Les inscriptions débutent au début avril et sont au coût de 22$ par adulte, de 10$ par enfant (de 7 à 14 ans) ou aîné et de 16,50$ pour les membres de Vélo Québec. On trouve les formulaires d'inscription à Tour de l'île de Montréal, 1251 rue Rachel Est, H2J 2J9, ☎521-8356.

Le mois de juin est marqué par un événement d'envergure internationale qui captive une foule nombreuse d'amateurs de formules 1 venus de tous les coins du monde: le **Grand Prix Air Canada** *(pour réserver des places,* ☎350-0000*)*, qui a lieu au début du mois de juin sur le circuit Gilles-Villeneuve de l'île Notre-Dame. Il s'agit sans conteste de l'un des événements les plus courus de l'été. Durant ces trois journées, on peut assister à diverses courses automobiles, notamment la vrombissante et spectaculaire course des voitures de formule 1.

Le **Concours international d'art pyrotechnique** (☎397-2000) s'amorce à la mi-juin et se poursuit jusqu'à la fin juillet. Les meilleurs artifi-

Montréal

ciers du monde y présentent des spectacles pyro-musicaux d'une grande qualité. Les représentations ont lieu à 22h les samedis de juin, et l'horaire varie en juillet (mercredi, samedi ou dimanche). Une foule de Montréalais se pressent alors à la Ronde (il faut se procurer des billets au coût de 29$ ou 38$, mis en vente au ☎790-1245), sur le pont Jacques-Cartier ou sur le bord du fleuve (c'est alors gratuit) afin d'apprécier les innombrables fleurs de feux qui colorent pendant une demi-heure le ciel de leur ville.

Pendant les journées du **Festival international de jazz de Montréal** *(☎871-1881)*, sur le quadrilatère entourant la Place des Arts, se dressent les scènes où sont présentés de multiples spectacles rythmés sur des airs de jazz. De la fin juin au début juillet, cette partie de la ville et bon nombre de salles de spectacle seront prises d'une activité trépidante. Ces journées sont l'occasion de descendre dans les rues pour se laisser emporter par l'atmosphère joyeuse émanant de ces excellents spectacles en plein air présentés gratuitement, auxquels les Montréalais participent en grand nombre.

L'humour et la fantaisie seront à l'honneur durant le **Festival Juste pour rire** *(☎790-4242)*, à la mi-juillet. Des salles de spectacle accueillent alors des humoristes venant de divers pays. Ainsi, la portion de la rue Saint-Denis située dans le Quartier latin est fermée à la circulation, des spectacles ayant lieu dans la rue ainsi qu'au Théâtre Saint-Denis. Vous verrez alors plusieurs artistes s'y produire.

Les **FrancoFolies** *(☎523-3378)* sont organisées dans le but de promouvoir la chanson francophone. Durant les journées de ce festival, à la fin de juillet, des artistes provenant d'Europe, des Antilles françaises, du Québec, du Canada français et d'Afrique présentent des spectacles où l'on peut découvrir les talents et les spécialités de chacun.

Débutant au cours de la dernière semaine du mois d'août et s'étendant jusqu'à la fête du Travail (début septembre), le **Festival international des films du monde** *(☎848-3883)* se tient dans diverses salles de cinéma de la ville. Pendant ces jours de compétition cinématographique, des films provenant de différents pays sont présentés au public montréalais. À l'issue de la compétition, bon nombre de prix sont décernés aux films les plus méritoires; mentionnons la catégorie la plus prestigieuse: le Grand Prix des Amériques. Durant ces journées, des films sont présentés de 9h à minuit, pour le plus grand plaisir des cinéphiles. Des projections en plein air sont également présentées sur la place des Arts.

Présenté au complexe Ex-Centris à la mi-octobre, le **Festival international du nouveau cinéma et des médias de Montréal** *(☎847-9272)* a pour vocation la diffusion et le développement du cinéma d'auteur et de la création numérique.

L'hiver donne à Montréal l'occasion d'organiser une autre fête, cette fois pour célébrer les plaisirs et les activités de la blanche saison. La **Fête des Neiges** *(☎872-6120)* a lieu dans le parc Jean-Drapeau durant le mois de février. Des to-boggans géants et des patinoires sont installés pour le plus grand plaisir des familles montréalaises. Le concours de sculptures sur neige attire également bon nombre de curieux.

Événements sportifs

Le Centre Bell
1260 rue De La Gauchetière Ouest
☎989-2841
Les parties de hockey de la célèbre équipe du Canadien de Montréal sont présentées au Centre Bell. On y joue 42 matchs durant la saison régulière. Puis débutent les séries éliminatoires, aux termes desquelles l'équipe gagnante remporte la légendaire coupe Stanley. À l'automne 2002, le Centre Molson a changé de nom pour devenir le Centre Bell.

Le Stade olympique
4141 av. Pierre-De Courbertin
métro Pie-IX
☎252-4679
Dès le printemps, les Expos reçoivent au Stade olympique les diverses équipes de la Ligue nationale de base-ball.

Casino

Avec ses 2 700 machines à sous et sa centaine de tables de jeu (blackjack, roulette, baccara, poker, etc.), le **Casino de Montréal** *(entrée libre; tlj 9h à 5h; métro Jean-Drapeau et autobus n°167, ☎392-2746)* constitue à n'en point douter un élément important de la vie nocturne montréalaise. À la suite de l'ajout d'une seconde aile en 1996, aménagée dans l'ancien pavillon du Québec d'Expo 67, il figure maintenant sur la liste des 10 plus importants casinos du monde en termes d'équipements de jeu.

L'addition, toujours en 1996, d'un cabaret où sont présentés divers spectacles (André-Philippe Gagnon, Liza Minelli, Jean-Pierre Ferland, etc.) a amené une vitalité nouvelle à l'animation de l'endroit.

Achats

Qu'il s'agisse de créations québécoises ou d'articles d'importation, les boutiques montréalaises vendent une foule de marchandises toutes plus intéressantes les unes que les autres. Pour vous aider dans votre magasinage, nous avons dressé une liste de boutiques qui se démarquent par la qualité, l'originalité ou les bas prix de leurs produits.

Ville souterraine

La construction de la Place Ville-Marie, en 1962, avec sa galerie marchande au sous-sol, marque le point de départ de ce que l'on appelle la «ville souterraine». Le développement de cette «cité sous la cité» est accéléré par la construction du métro, qui débute en 1966. Rapidement, la plupart des commerces, des édifices de bureaux et quelques hôtels du centre-ville sont stratégiquement reliés au réseau piétonnier souterrain et, par extension, au métro.

Aujourd'hui, on dénombre cinq zones importantes formant cette ville souterraine, devenue entre-temps la plus grande du monde. La première est située en plein cœur du réseau du métro, autour de la station Berri-UQAM. S'y trouvent les accès aux bâtiments de l'Université du Québec à Montréal (UQAM) ainsi que ceux menant à la Place Dupuis et à la gare d'autocars (Station Centrale).

La seconde, entre les stations Place-des-Arts et Place-d'Armes, formée de la Place des Arts, du Musée d'art contemporain, des complexes Desjardins et Guy-Favreau ainsi que du Palais des congrès, constitue un ensemble culturel exceptionnel.

La troisième dessert, à la station Square-Victoria, le centre des affaires. La quatrième, qui est aussi la plus fréquentée et la plus importante, peut être identifiée aux stations McGill, Peel et Bonaventure. Elle englobe les centres commerciaux La Baie, les Promenades de la Cathédrale, la Place Montréal Trust et les Cours Mont-Royal, ainsi que la Place Bonaventure, le 1000 De La Gauchetière, la Gare centrale et la Place Ville-Marie.

Finalement, on peut noter une cinquième zone, dans le secteur commercial entourant la station Atwater, qui avoisine le Westmount Square et la Place Alexis-Nihon (voir le plan détaillé du Montréal souterrain).

Grands magasins et boutiques de mode

Au centre-ville, plusieurs centres commerciaux disposent d'une bonne sélection de créations de couturiers. Des vêtements signés Jean-Claude Chacok, Cacharel, Guy Laroche, Lily Simon, Adrienne Vittadini, Mondi, Ralph Lauren et bien d'autres y sont présentés.

La Baie
585 rue Ste-Catherine Ouest
☎281-4422

Ogilvy
1307 rue Ste-Catherine Ouest
☎842-7711

Simons
977 rue Ste-Catherine Ouest
☎282-1840

Westmount Square
4 Westmount Square
☎932-0211

Création québécoise

Parce que nul n'est besoin de parcourir les rues de Paris pour découvrir de grandes créations, **Revenge** (3852 rue St-Denis, ☎843-4379) propose aux deux sexes vêtements et accessoires amoureusement créés par des designers québécois pleins de talents.

Jeans

Le jean se vend sous toutes ses formes à Montréal, et souvent à bien meilleur prix qu'en Europe.

Articles de plein air

La Cordée (2159 rue Ste-Catherine Est, ☎524-1106) a ouvert ses portes en 1953 pour fournir de l'équipement aux scouts et guides de la région. Depuis, elle dessert une vaste clientèle d'amateurs et de professionnels qui recherchent de l'équipement de plein air de qualité.

L'entreprise **Kanuk** (485 rue Rachel Est, ☎527-4494) fabrique des sacs à dos, des sac de couchage et des vêtements de plein air. Aménagé près d'une de leurs manufactures, leur vaste entrepôt de la rue Rachel vous permet d'y

Montréal

acheter leurs produits.
Parmi ceux-ci, retenez les
manteaux d'hiver, coupés
sport en plusieurs modèles
différents.

Librairies

On trouve à Montréal des
librairies aussi bien francophones qu'anglophones.
Les livres québécois, canadiens et américains s'y
vendent à bon prix. Pour
ceux qui s'intéressent à la
littérature québécoise, les
librairies disposent d'une
large sélection.

Librairies générales

Champigny
4380 rue St-Denis
☎ *844-2587*

Chapter's
(francophone et anglophone)
1171 rue Ste-Catherine Ouest
☎ *849-8825*

Librairie Gallimard
3700 boul. St-Laurent
☎ *499-2012*

Librairie Paragraphe
(anglophone)
2220 McGill College
☎ *845-5811*

Librairie Renaud-Bray
5252 ch. de la Côte-des-Neiges
☎ *342-1515*
4301 rue St-Denis
☎ *499-3656*
5117 av. du Parc
☎ *276-7651*
1474 rue Peel
☎ *287-1011*
1376 rue Ste-Catherine Ouest
☎ *876-9119*
1155 Ste-Catherine Est
☎ *527-4477*

Coles
(francophone et anglophone)
1 Place Ville-Marie
☎ *861-1736*
625 rue Ste-Catherine, Promenades
de la Cathédrale
☎ *289-8737*

Librairies spécialisées

Librairie Allemande
(livres en allemand)
3488 ch. de la Côte-des-Neiges
☎ *933-1919*

Librairie C.E.C. Michel Fortin
(éducation, langues)
3714 rue St-Denis
☎ *849-5719*

Librairie Las Américas
(livres en espagnol)
10 rue St-Norbert
☎ *844-5994*

**Librairie du Musée
des beaux-arts**
(arts)
1390 rue Sherbrooke Ouest
☎ *285-1600*

Librairie Olivieri
*(littérature étrangère, sciences
humaines, art)*
5219 ch. de la Côte-des-Neiges
☎ *739-3639*
(art contemporain)
185 rue Ste-Catherine Ouest
☎ *847-6903*

Librairie Ulysse
(voyage)
4176 rue St-Denis
☎ *843-9447*
560 av. du Président-Kennedy
☎ *843-7222*
1001 rue du Square-Dorchester
☎ *843-9447, poste 2243*

Disques et cassettes

Certains grands magasins
se font un point d'honneur
de proposer la plus grande
sélection de disques com-
pacts dans une grande
sélection de style musi-
caux et au meilleur prix.
Parmi ceux-ci, mentionn-
ons :

Archambault Musique
500 rue Ste-Catherine Est
☎ *849-6201*
175 rue Ste-Catherine Ouest
Place des Arts
☎ *281-0367*

HMV
1020 rue Ste-Catherine Ouest
☎ *875-0765*

Artisanat d'ici

Parmi les pièces d'artisanat
d'ici, il faut inclure tant les
créations québécoises que
canadiennes, amérindien-
nes ou inuites. Tous les
ans, juste avant Noël, se
tient, à la Place Bonaventure *(901 rue De La Gauchetière Ouest)*, le **Salon des
métiers d'art du Québec**. Une
belle exposition, qui est
l'occasion pour les artisans
québécois d'exposer et de
vendre les fruits de leur
travail. Sinon, si vous
voulez vous procurer des
pièces d'artisanat québé-
cois, allez fouiner au **Rouet**
(136 rue St-Paul Est, ☎*875-
2333; av. McGill College,*
☎*843-5235)*. Plusieurs
artisans (émailleurs, sculpteurs, potiers, etc.) y vendent leur production toute
l'année.

La **Guilde canadienne des
métiers d'arts** *(1460 rue
Sherbrooke Ouest,* ☎*849-
6091)* dispose d'une bou-
tique où sont présentées
des pièces d'artisanat québécois et canadien. En
outre, deux petites galeries
ont en montre des pièces
d'art inuites et amérindiennes.

Le **marché Bonsecours** *(390
rue St-Paul Est,* ☎*878-2787)*
est l'endroit où aller magasiner si vous êtes friand
d'artisanat, si vous aimez
les produits des métiers
d'art ou si vous préférez
les objets très design.
Parmi les galeries où l'on
se doit de faire un saut,
mentionnons la Galerie
des Métiers d'Art du Qué-
bec et la Galerie de
l'Institut de Design Mon-
tréal.

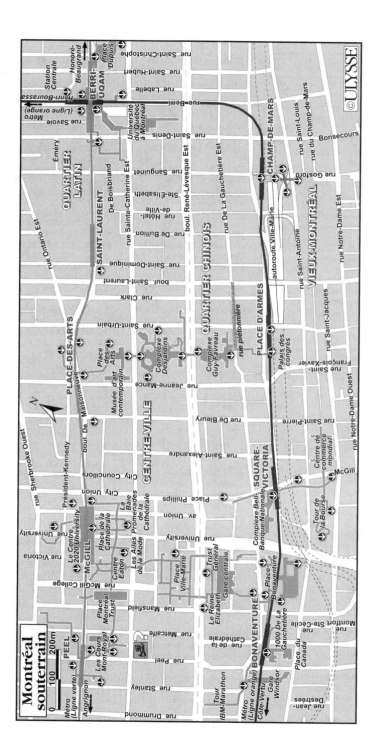

Montréal souterrain

Métro (Ligne verte) Angrignon — PEEL

Métro (Ligne orange) Côte-Vertu — BONAVENTURE

Métro (Ligne orange) Henri-Bourassa — BERRI-UQAM

0 100 200m

N

QUARTIER LATIN

SAINT-LAURENT

QUARTIER CHINOIS

PLACE-DES-ARTS

CENTRE-VILLE

PLACE D'ARMES

VIEUX-MONTRÉAL

CHAMP-DE-MARS

SQUARE-VICTORIA

McGILL

BONAVENTURE

Place Christophe — rue Saint-Christophe
Place Dupuis
Station Centrale
Honoré-Beaugrand
rue Saint-Hubert
rue Labelle
rue Savoie
Émery
Université du Québec à Montréal
rue Saint-Denis
De Boisbriand
rue Sanguinet
Ste-Elisabeth
rue Hôtel-de-Ville
boul. René-Lévesque Est
De Bullion
rue Saint-Dominique
boul. Saint-Laurent
rue Clark
rue Saint-Urbain
rue Ontario Est
Place des Arts
Complexe Desjardins
Complexe Guy-Favreau
rue piétonnière
Palais des congrès
rue De La Gauchetière Est
autoroute Ville-Marie
rue Saint-Louis
rue du Champ-de-Mars
rue Gosford
Bonsecours
rue Notre-Dame Est
rue Saint-Antoine
rue Saint-Jacques
rue Saint-François-Xavier
rue Saint-Pierre
rue Notre-Dame Ouest
Centre de commerce mondial
McGill
Tour de la Bourse
rue Jeanne-Mance
Musée d'art contemporain
boul. De Maisonneuve
rue Sherbrooke Ouest
rue De Bleury
rue Saint-Alexandre
rue Président-Kennedy
City Councillors
rue Université
Place Phillips
Complexe Bell-Banque Nationale
rue University
rue Victoria
Le Centre 2020 University
rue University
La Baie
Place de la Cathédrale
Les Ailes de la Mode
Centre Eaton
Les Promenades de la Cathédrale
av. Union
rue McGill College
Place Ville-Marie
Trust Général
Gare centrale
Place Bonaventure
1000 De La Gauchetière
rue Montfort Ste-Cécile
Place Montréal Trust
Les Cours Mont-Royal
rue Stanley
rue Peel
rue Metcalfe
rue Mansfield
Le Reine-Elizabeth
rue de la Cathédrale
Place du Canada
Gare Windsor
Tour IBM-Marathon
rue Drummond
rue Jean-Després

© ULYSSE

Bagels

Comment parler des boulangeries de Montréal sans parler des *bagels*?... Ces petits pains, qui font partie à l'origine de l'alimentation casher, font la réputation de Montréal à travers le monde. Il semblerait en effet qu'ils soient meilleurs ici qu'ailleurs. Peu importe, car ils sont souvent délicieux et toujours appréciés. Diverses boulangeries, surtout dans Outremont et le Mile-End, en préparent plusieurs variétés dans leur four à bois. Mentionnons entre autres la **Fairmount Bagel Bakery** (*74 Fairmount O.*, ☎277-0667), ouverte 24 heures sur 24, et le **Bagel Shop** (*158 St-Viateur O.*, ☎270-2972).

Épiceries fines

La boulangerie **Première Moisson** n'est pas ce que l'on pourrait appeler une boulangerie artisanale puisqu'il s'agit d'une chaîne de plusieurs boutiques. Cependant, c'est dans chacune d'elles que l'on prépare la délicieuse fournée du jour, cuite, s'il vous plaît, au four à bois! On y vend aussi des charcuteries, des gâteaux, du chocolat et de délicieux plats préparés. En plus d'une succursale dans les trois marchés publics, on en trouve, entre autres, une à la Gare centrale et une au 1271 de l'avenue Bernard Ouest.

Fromagerie Hamel (*220 rue Jean-Talon Est*, ☎272-1161). On trouve une panoplie de petits commerces dignes de mention autour du marché Jean-Talon, mais la Fromagerie Hamel, un des plus grands spécialistes en ville, se démarque par la qualité et le vaste choix de ses produits fins ainsi que par l'excellence de son service. À la moindre hésitation, vous serez invité à goûter les produits. Bref, malgré le très grand achalandage, on s'y sent toujours traité aux petits oignons.

La Queue de Cochon (*1328 av. Laurier Est*, ☎527-2252; *6400 rue St-Hubert*). Les fins gourmets apprécieront sans contredit les excellents produits de la petite charcuterie artisanale La Queue de Cochon. On y retrouve, entre autres, plusieurs variétés de terrines, du boudin blanc ou noir, une gamme de saucissons et saucisses, ainsi que quelques plats préparés. Il va sans dire que les produits dérivés du cochon sont à l'honneur ici et que le propriétaire (un Vendéen), aidé de sa famille, saura vous les faire découvrir de sorte que vous ne pourrez plus vous en passer.

Idées de cadeaux

Les boutiques des musées montréalais sont véritablement une continuité des institutions qu'elles côtoient. Les objets d'art, reproduits en série, sont tout de même dignes des plus beaux salons. Deux bonnes adresses à retenir:

Boutique du Musée d'art contemporain
185 rue Ste-Catherine Ouest
☎*847-6226*

Boutique du Musée des beaux-arts de Montréal
1390 rue Sherbrooke Ouest
☎*285-1600*

Si vous cherchez une idée originale pour un cadeau, la boutique-resto **Céramique** (*4201B rue St-Denis*, ☎*848-1119*; *95 rue de la Commune E.*, ☎*868-1611*) vous offre la possibilité de peindre vous-même une pièce de céramique ou de verre tout en étant confortablement installé devant un léger repas ou une boisson. Le personnel expérimenté est là pour vous conseiller.

Pinocchio et Capucine, accompagnés de Babar et de Milou, attendent les enfants chez **Franc Jeu** (*4152 rue St-Denis*, ☎*849-9253*) afin de leur montrer leur vaste sélection de jouets pour les 7 à 77 ans.

Jouer n'est plus le monopole des tout-petits grâce au **Valet d'cœur** (*4408 rue St-Denis*, ☎*499-9970*), qui recèle mille et un jeux pour les enfants de tout âge. Vastes choix de casse-têtes en trois dimensions, jeux de dames ou d'échecs, jeux de société...

Bijouteries

Véritable institution à Montréal, **Birks** (*1240 rue du Square-Phillips*, ☎*397-2511*) a tout pour combler l'amant romantique en quête d'un diamant, pour fêter les noces d'or, pour qui cherche un anneau de mariage ou pour toutes ces occasions spéciales qui méritent d'être soulignées par un beau bijou.

Si vous préférez des bijoux plus design, il faut plutôt opter pour **Kyose** (*Cours Mont-Royal, rue Ste-Catherine Ouest*, ☎*849-6552*; *393 rue St-Jacques, Centre mondial du commerce*, ☎*847-7572*) ou **Oz Bijoux** (*3915 rue St-Denis*, ☎*845-9568*).

Laval

L'une des villes les plus importantes au Québec avec ses 350 000 habitants, Laval occupe une grande île au nord de Montréal, l'île Jésus, située entre le lac des Deux Montagnes, la rivière des Prairies et la rivière des Mille Îles.

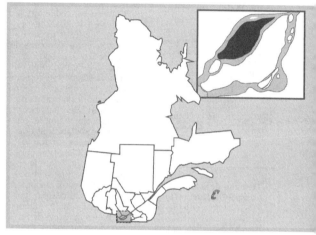

Ses riches terres arables attirèrent très tôt les colons français qui, après avoir signé un traité de paix avec les Amérindiens, fondèrent en 1706 Saint-François-de-Sales, le premier village de l'île Jésus. La ville de Laval telle qu'on la connaît aujourd'hui est née en 1965 de la fusion des 14 villages agricoles que comptait alors l'île Jésus.

Désormais grande banlieue résidentielle et industrielle, Laval a su également préserver certaines richesses de son patrimoine architectural ainsi que de grands espaces servant à l'agriculture ou aux activités de plein air.

Pour s'y retrouver sans mal

Grâce à son réseau routier étendu, le territoire de Laval est aisément accessible depuis Montréal. Un seul circuit est proposé à Laval: **Le tour de l'île Jésus.**

En voiture

Le circuit que nous vous proposons débute à la hauteur du pont Pie-IX, qui prolonge le boulevard du même nom à Montréal. Laval demeure toutefois accessible, au départ de Montréal, par le pont Papineau (prolongement de l'avenue Papineau), le pont Viau (rue Lajeunesse), l'autoroute des Laurentides, le pont Lachapelle (boulevard Laurentien) et l'autoroute 13.

Pour suivre le trajet proposé dans les pages qui suivent, empruntez le boulevard Lévesque vers l'est à la sortie du pont Pie-IX. Cette route vous fera découvrir les anciens villages de Saint-Vincent-de-Paul et de Saint-François-de-Sales, et vous mènera jusqu'au bout de l'île Jésus.

Après avoir atteint ce point, le boulevard Lévesque bifurque soudainement vers l'ouest et devient le boulevard des Mille-Îles, qui longe la rivière du même nom. Au-delà du boulevard des

Laurentides, cette artère change une fois de plus de nom pour se transformer en boulevard Sainte-Rose à l'intérieur de l'ancien village portant aussi ce nom.

Le tour de l'île Jésus se poursuit ensuite par le boulevard des Érables, le chemin du Bord-de-l'Eau, le boulevard Lévesque Ouest puis le boulevard des Prairies, se relayant pour longer la rivière des Prairies à travers Laval-sur-le-Lac, Sainte-Dorothée, Chomedey et Laval-des-Rapides. Une incursion à l'intérieur des terres permet alors d'accéder à de fort populaires attraits comme le Cosmodôme et le Centre de la Nature.

Transport en commun

Terminus de la Société de transport de Laval (STL)
10765 rue Lajeunesse (métro Henri-Bourassa, à l'angle du boulevard Henri-Bourassa et de la rue Lajeunesse, à Montréal)
☎*(450) 688-6520*

Terminus Le Carrefour
3000 boul. Le Carrefour
☎*(450) 681-4388*

Renseignements pratiques

Indicatif régional: **450**

Renseignements touristiques

Tourisme Laval
2900 boul. St-Martin O., Chomedey
☎*682-5522 ou 877-465-2825*
≠*682-7304*
www.tourismelaval.com

Attraits touristiques

Le tour de l'île Jésus (une journée)

D'abord concédée aux jésuites en 1636, d'où son nom, l'île Jésus passe ensuite entre les mains de Mgr de Laval, évêque de Nouvelle-France, qui confiera la seigneurie au Séminaire de Québec. Le Séminaire mûrit de grands projets pour l'île, mais peu d'entre eux voient le jour. Il fonde malgré tout quelques villages sur son pourtour. C'est pourquoi le circuit proposé suit la rive de l'île, car il permet de voir les noyaux anciens de villages dominés par leur église paroissiale. Ailleurs, de belles maisons de ferme, dont quelques-unes du Régime français, bordent la route.

Saint-Vincent-de-Paul

Le boulevard Lévesque Est longe la rivière des Prairies jusqu'à son embouchure. Il traverse d'abord l'ancien village de Saint-Vincent-de-Paul, fondé en 1743 à l'instigation de l'intendant de la Nouvelle-France, Gilles Hocquart. Saint-Vincent-de-Paul est aussi connu pour son collège privé, fondé par les frères maristes (le collège Laval), et pour son ancien pénitencier.

L'**église Saint-Vincent-de-Paul** ★ *(à l'angle de la rue de la Fabrique)* actuelle fut érigée entre 1853 et 1857 selon les plans de Victor Bourgeau. Son intérieur néoclassique, doté de

belles colonnes corinthiennes et d'un plafond à caissons, n'a pas trop souffert d'une simplification du décor dans les années 1960. Le parvis offre de belles vues sur la rivière des Prairies. Par temps clair, on aperçoit même la tour du Stade olympique et les gratte-ciel du centre-ville de Montréal dans le lointain.

Le **pénitencier** ★ *(on ne visite pas; 180 montée St-François)* a vu le jour en 1873. Au fil des ans, le complexe s'est étendu à l'est de la montée Saint-François afin de pouvoir accueillir différents types de clientèles. On remarque les sévères bâtiments néoclassiques et Second Empire du XIXe siècle renfermant des cellules aux murs de pierres taillées.

Poursuivez vers l'est par le boulevard Lévesque.

Saint-François-de-Sales

Cette paroisse, fondée dès 1706 par le Séminaire de Québec, est la plus ancienne de l'île Jésus. Elle est située à l'extrémité est de l'île, à l'endroit où ont débarqué les premiers colons. Une ville aménagée selon un plan quadrillé devait voir le jour dans le Bout-de-l'Île au XVIIIe siècle. Les guerres et la trop faible population en ont empêché la réalisation.

La **Berge du Vieux-Moulin** *(à l'est de la montée du Moulin).* Un petit parc a été aménagé à l'emplacement du vieux moulin à eau construit par le Séminaire en 1716. On en distingue encore les fondations dans un îlot en face du parc. On y a une belle vue sur l'église de Rivière-des-

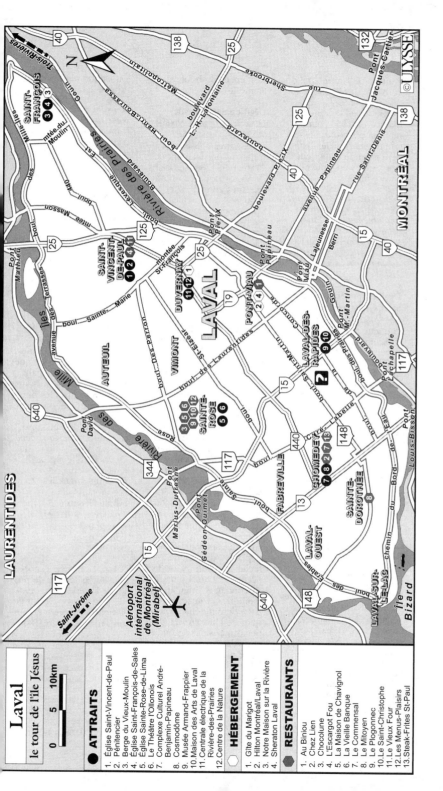

Laval
le tour de l'île Jésus

0 5 10km

● ATTRAITS

1. Église Saint-Vincent-de-Paul
2. Pénitencier
3. Berge du Vieux-Moulin
4. Église Saint-François-de-Sales
5. Église Sainte-Rose-de-Lima
6. Le Théâtre l'Ollonois
7. Complexe Culturel André-Benjamin-Papineau
8. Cosmodôme
9. Musée Armand-Frappier
10. Maison des Arts de Laval
11. Centrale électrique de la Rivière-des-Prairies
12. Centre de la Nature

◯ HÉBERGEMENT

1. Gîte du Marigot
2. Hilton Montréal/Laval
3. Notre Maison sur la Rivière
4. Sheraton Laval

⬣ RESTAURANTS

1. Au Biniou
2. Chez Lien
3. Chocolune
4. L'Escargot Fou
5. La Maison de Chavignol
6. La Vieille Banque
7. Le Commensal
8. Le Mitoyen
9. Le Plogonnec
10. Le Saint-Christophe
11. Le Vieux Four
12. Les Menus-Plaisirs
13. Steak-Frites St-Paul

©ULYSSE

Prairies, de l'autre côté de la rivière des Prairies.

Au Bout-de-l'Île, une **croix** plantée en 1950 commémore la première messe dite dans l'île Jésus, par le père Lejeune, supérieur des jésuites en Nouvelle-France (1636).

Poursuivez par le boulevard Lévesque Est, qui bifurque soudainement vers l'ouest, délaisse la rivière des Prairies pour la rivière des Mille Îles et, enfin, change de nom pour devenir le boulevard des Mille-Îles.

L'**église Saint-François-de-Sales** (*7070 boul. des Mille-Îles, ☎666-3563*), humble et coquette à la fois, est le troisième lieu saint de sa paroisse. Elle fut érigée en 1847 et dotée d'une nouvelle façade néogothique en 1894. Son cimetière campagnard, à l'arrière, rappelle les origines rurales de Laval.

En route vers Sainte-Rose, on aperçoit, sur l'autre rive, Terrebonne et son île des Moulins (voir p 279). Au-delà du boulevard des Laurentides, le boulevard des Mille-Îles prend le nom du boulevard Sainte-Rose.

★
Sainte-Rose

Patrie du grand organisateur de la colonisation des Laurentides, le **curé Antoine Labelle**, Sainte-Rose a conservé ses charmes d'autrefois. Le vieux Sainte-Rose possède une étonnante concentration de bâtiments néoclassiques dotés de façades en pierre de taille à chaînages d'angle. Des galeries d'art, des commerces d'antiquaires et de sympathiques restaurants ont été aménagés dans les anciennes

résidences du boulevard Sainte-Rose.

L'**église Sainte-Rose-de-Lima** ★ (*219 boul. Ste-Rose, ☎625-1963*) succède à deux autres églises construites respectivement en 1746 et en 1788. Les plans de Victor Bourgeau furent exécutés entre 1852 et 1856, soit à la même époque où s'élevait l'église Saint-Vincent-de-Paul de l'autre côté de l'île Jésus. L'intérieur néoclassique a intégré certains éléments provenant de la seconde église, entre autres le maître-autel de Philippe Liébert (1799).

C'est aussi à la hauteur du quartier Sainte-Rose que l'on a accès au **parc de la Rivière-des-Mille-Îles** (voir p 182).

Préparez-vous à pagayer car **Le Théâtre L'Ollonois** montera, pour la septième saison, à l'été 2003, la pièce dont vous êtes le moussaillon: ***Les Aventures du Capitaine Dubord: le trésor inestimable de S. Lamy*** (*34,95$; juin à sept mar-sam; parc de la Rivière-des-Mille-Îles; 345 boul. Ste-Rose, ☎514-990-9398 ou 877-565-5664*). À bord d'un rabaska (grand canot amérindien) et en compagnie du capitaine, les spectateurs se déplacent d'île en île à la recherche d'un trésor. Ils découvrent ainsi plusieurs personnages énigmatiques, loufoques et imaginaires, issus de différentes époques de l'histoire du Québec ou tirés des légendes et mythes traditionnels. Cette pièce captivante et instructive est bien encadrée par une troupe dont les comédiens se font à leur tour historiens, conteurs et biologistes. Le Théâtre L'Ollonois a raflé plusieurs prix, dont celui de la meilleure attraction

touristique régionale de l'année 2000.

Poursuivez vers l'ouest par le boulevard Sainte-Rose. À l'extrémité ouest de l'île Jésus, celui-ci devient le boulevard des Érables. Vous êtes alors à Laval-sur-le-Lac, ancien lieu de villégiature d'où l'on bénéficie de quelques percées visuelles sur le lac des Deux Montagnes. Vous y verrez plusieurs maisons cossues.

La route bifurque pour revenir au bord de la rivière des Prairies en direction est. Elle devient alors le chemin du Bord-de-l'Eau, qui donne accès à Sainte-Dorothée.

Sainte-Dorothée

À Sainte-Dorothée, vous emprunterez alors ce que l'on appelle maintenant la **Route des Fleurs**. Jouissant des terres parmi les plus fertiles du Québec, Sainte-Dorothée s'est en effet bâti, au fil des ans, une réputation enviable: celle de «capitale horticole du Québec». Elle regroupe ainsi plusieurs producteurs de fleurs annuelles et vivaces, notamment les **Serres Sylvain Cléroux** (*1570 rue Principale, ☎627-2471*), le plus grand producteur de fleurs annuelles au Québec.

Sainte-Dorothée s'enorgueillit également de posséder l'un des économusées du Québec, celui de la fleur: **Fleurineau** (*1270 rue Principale, ☎689-8414*). Comme dans tous les économusées, le savoir-faire traditionnel est ici à l'honneur. Dans ce cas-ci, il s'agit de fleurs séchées. On peut y recueillir les trucs du métier, admirer les savants arrangements floraux et choisir ses bouquets préférés dans la boutique.

Toujours sur la Route des Fleurs, le **Paradis des Orchidées** *(entrée libre; sam-dim 10h à 17h; 1280 montée Champagne, Sainte-Dorothée, ☎689-2244)* mérite également une visite. Cette serre impressionnante produit 50 espèces et 500 variétés d'orchidées.

Chomedey

Complexe Culturel André-Benjamin-Papineau *(entrée libre; mai à sept tlj; 5475 boul. St-Martin O., ☎978-6828)*. Historique à plus d'un titre, cette splendide maison en pierre des champs fut le lieu de résidence d'André-Benjamin Papineau, un des participants à la révolte des Patriotes de 1837. Entièrement restaurée dans les années 1970, plusieurs activités sont organisées sur place.

Le **Cosmodôme** ★ *(11,50$ visite libre; fin juin à début sept tlj 10h à 18h, début sept à fin juin mar-dim 10h à 18h; 2150 autoroute 15, sortie boul. St-Martin O., ☎978-3600, www.cosmodome.org)* est un musée consacré à l'espace. La visite débute par une présentation multimédia très intéressante qui retrace l'histoire de la découverte de l'espace. Grâce à un parcours balisé de 42 stations, les visiteurs peuvent maintenant agrémenter leur découvertes à l'aide d'un radioguide. La deuxième partie illustre les façons d'y accéder et expose les principes de physique régissant la vie dans le cosmos. On y retrouve des installations interactives faisant appel à toutes sortes de techniques de muséologie. Pour sa part, la troisième partie aborde les télécommunications et le «village global». La partie suivante, consacrée à la Terre, explique les grands phénomènes terrestres

comme les saisons et la géologie. La section 5 possède la pièce de résistance du musée: un morceau de roche lunaire. Cet échantillon est un don de la NASA, conférant une reconnaissance internationale au musée lavallois. Puis la visite se termine par l'observation d'un modèle réduit du système solaire, où toutes les planètes sont représentées à l'échelle, ce qui permet de comparer la petitesse de la Terre avec la grandeur du système solaire.

Aux astronautes en herbe, le Cosmodôme propose un camp spatial *(une demi-journée à 6 jours; ☎800-565-2267)*. En plus de participer à de multiples activités et ateliers scientifiques, les «jeunes recrues» auront entre autres la chance de prendre part à une mission spatiale et de s'entraîner sur les simulateurs de la NASA.

Revenez sur vos pas; prenez le chemin du Bord-de-l'Eau, qui deviendra ensuite le boulevard Lévesque Ouest, puis, à la hauteur de Laval-des-Rapides, empruntez le boulevard des Prairies.

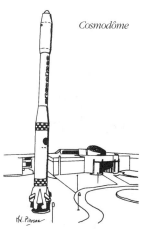

Cosmodôme

Laval-des-Rapides

Consacré à l'infiniment petit, le **Musée Armand-Frappier** *(6$ visites libres; 8$ visites guidées; sept à juin lun-ven 10h à 17h, juil et août tlj 10h à 17h; 531 boul. des Prairies, ☎686-5641)* retrace, par le biais du parcours de cet éminent chercheur, l'histoire de la tuberculose à travers les siècles. Il a aussi pour objectif d'éveiller l'intérêt des jeunes pour la science en général. Par la thématique du jardin zoologique, la nouvelle exposition, MicroZoo, explore le monde des micro-organismes.

La **Maison des Arts de Laval** *(1395 boul. de la Concorde O., Laval-des-Rapides, ☎662-4440)* se veut la vitrine artistique de la ville. Ses salles polyvalentes accueillent expositions et spectacles.

De retour au boulevard des Prairies, poursuivez votre route vers l'est. Une fois de plus, l'artère changera bientôt de nom pour redevenir le boulevard Lévesque.

Duvernay

La **centrale électrique de la Rivière-des-Prairies** *(visites gratuites; mi-mai à fin juin, lun-ven, 5 visites guidées par jour; fin juin à début sept, mer-dim, 5 visites; 3400 rue du Barrage, par le boulevard Lévesque, ☎800-365-5229)* enjambe la rivière du même nom entre les ponts Papineau et Pie-IX. Construite en 1929, elle est un bon exemple de centrale dite «au fil de l'eau», c'est-à-dire qu'elle produit de l'électricité sans réservoir. On a profité de sa rénovation dans les années 1980 pour y ajouter, côté lavallois, une passerelle pour les pêcheurs. Les visites guidées permettent de se

Laval

familiariser avec le fonctionnement d'une centrale électrique; en outre, un centre d'interprétation raconte l'histoire de la centrale et explique la production de l'électricité.

Plus loin, l'avenue du Parc donne accès au **Centre de la Nature** (voir ci-dessous).

Parcs

Le **Bois Duvernay** ★ *(10$/saison; 2830 St-Elzéar, Vimont, ☎661-1766),* au cœur de la ville, offre 25 km de sentiers de ski de fond à travers une érablière et des zones agricoles. Il est particulièrement réputé pour ses nombreuses espèces d'oiseaux.

Le **Bois Papineau** ★ *(3235 boul. St-Martin, Duvernay, ☎662-4901)* dispose d'un pavillon qui ajoute au confort des lieux. On peut y observer la flore et la faune et, en hiver, y pratiquer le ski de fond ou la raquette.

Le **parc de la Rivière-des-Mille-Îles** ★ *(345 boul. Ste-Rose, ☎622-1020)* exploite habilement la multitude d'îles qui parsèment cette portion de la rivière. D'une baie tranquille, qui sert également d'aire de jeux et de détente, on peut partir à la découverte en canot, en kayak ou en rabaska (location sur place) et faire escale dans l'une des nombreuses îles pour y pique-niquer ou contempler la faune et la flore particulièrement abondantes dans ce milieu humide. Une partie du parc est d'ailleurs reconnue comme refuge faunique.

L'été, à la brunante, le parc propose trois randonnées thématiques. En rabaska, à la lueur des flambeaux, la *Randonnée Contes et légendes,* animée par un conteur, plonge les participant dans le monde fantastique québécois. Toujours en rabaska, accompagné d'un guide-interprète de la nature, la *Randonnée au castor* permet l'observation du rongeur dans son habitat. Enfin, un historien-interprète personnifie un coureur des bois dans la *Croisière historique.* À bord d'un ponton, le personnage relate l'histoire de la région.

À la mi-août se tient la plus importante descente de rivière du Québec. Lors de cet événement, plus de 1 500 pagayeurs prennent d'assaut la rivière des Mille Îles, et ce, de Saint-Eustache à Rosemère.

Le centre d'interprétation sur les divers écosystèmes de la rivière qui se trouve dans le pavillon est ouvert seulement l'été.

Le gel hivernal favorise la pratique des sports tels que la randonnée, la raquette et le ski de fond. De plus, une patinoire de 1 km *(9b à 20b)* est aménagée sur la rivière glacée, et l'on peut dévaler deux glissoires.

Le **Centre de la Nature** ★★ *(toute l'année; 901 av. du Parc, ☎662-4942),* un parc de 47 ha arraché à une carrière désaffectée, est l'exemple parfait de la réhabilitation d'un espace perdu en milieu urbain. Au fil de son existence, il est devenu un lieu de vie et d'activité de première importance. En plus de magnifiques jardins, il offre aux visiteurs un lac artificiel superbe se prêtant bien au canot ou au

kayak. En hiver, le lac se transforme en une immense surface glacée pour la joie des patineurs. Les nombreux sentiers qui jalonnent le Centre de la Nature sont accessibles, l'hiver venu, aux adeptes de ski de fond. Au nombre des autres attraits du parc, on compte la Ferme des animaux, le Jardin de la sculpture et une immense plaine gazonnée où se tiennent concerts, compétitions sportives et expositions.

Activités de plein air

Randonnée pédestre

Il est possible de faire de courtes randonnées sur certaines des îles du **parc de la Rivière-des-Mille-Îles** *(entrée libre en été, mi-mai à fin sept tlj 9b à 18b; 345 boul. Ste-Rose, ☎622-1020).* Les parcours offrent des points d'observation qui révèlent la vie de cet environnement insulaire.

Ski de fond

Si en été on navigue entre les îles du **parc de la Rivière-des-Mille-Îles** *(3$; fin déc à mi-mars tlj 9b à 17b; 345 boul. Ste-Rose, ☎622-1020),* en hiver on y skie. Le réseau compte près de 20 km de sentiers faciles.

Le **Bois Duvernay** *(entrée libre; 2830 boul. St-Elzéar Est, ☎669-7288 ou 661-1766)* compte huit sentiers faciles à parcourir (25 km de pistes). Les skieurs peuvent y observer quelques espèces d'oiseaux grâce aux mangeoires installées pour les attirer.

Les nombreux sentiers qui jalonnent le **Centre de la Nature** *(toute l'année; 901 av. du Parc,* ☎662-4942) sont accessibles, l'hiver venu, aux adeptes de ski de fond.

Le **Bois Papineau** *(3235 boul. St-Martin, Duvernay,* ☎662-4901) dispose d'un pavillon qui ajoute au confort des lieux. On peut, en hiver, y pratiquer le ski de fond ou la raquette.

Le **parc des Prairies** *(angle 15ᵉ Avenue et boul. Cartier, Laval-des-Rapides;* ☎662-4902) propose 5 km de sentiers de ski de fond. On peut également y pratiquer la raquette.

Vélo

Un vaste réseau de pistes cyclables longeant les berges et les parcs de Laval permet de visiter l'île Jésus tout en découvrant ses richesses naturelles. Trois pistes donnent accès à la rive nord de Montréal. Un plan du réseau est offert par Tourisme Laval.

Croisières

Parc de la Rivière-des-Mille-Îles
13$
mai et juin sam-dim, juil et août tlj, sept sam et dim départ à la Marina de Venise
110 rue Venise, Ste-Rose
réservations requises
☎622-1020

Le parc de la Rivière-des-Mille-Îles vous invite à naviguer à travers l'histoire, les îles, la faune et la flore de l'archipel de la rivière des Mille Îles. Cette croisière d'une heure et demie est bien animée, instructive et interactive.

Hébergement

Gîte du Marigot
65$ pdj
⊛, *bc/bp*
128 boul. Lévesque E.
☎668-0311
www.gitedumarigot.com
Maison coquette et colorée, aux murs ornés de masques africains et de tapisseries sud-américaines, le Gîte du Marigot dispose de cinq chambres spacieuses, chacune empreinte d'un cachet particulier. Doté d'un petit jardin d'inspiration asiatique et d'un solarium, l'endroit incite tant à la détente qu'à la convivialité dans le respect de l'intimité des invités. Près de Montréal, le Gîte du Marigot offre un agréable séjour à quiconque fuit l'ambiance aseptisée des grandes chaînes d'hôtels.

Notre Maison sur la Rivière
75$ pdj
≡, ☖, ≈, *bc*
6125 rue Dessureaux
☎666-4095
Dans une vaste demeure au charme solennel, bordée par la rivière des Mille Îles, on propose deux chambres confortables. La vue est magnifique, et, selon la saison, on peut apercevoir plusieurs espèces d'oiseaux. Le petit déjeuner, varié et raffiné, composé entre autres de gelées de fleurs et de fruits, de terrine de lapin et de crêpes, invite à la découverte. Une salle de séjour, avec des jouets pour enfants, est mise à la disposition des invités et de leurs mômes; des collations et des breuvages y sont offerts. La maison accueille aussi des musiciens qui partagent leurs talents dans le cadre de concerts intimes.

Hilton Montréal/Laval
239$
≡, ☖, ⊛, ℜ, ≈, △, ⚙
2225 autoroute des Laurentides
☎682-2225 ou 800-363-7948
≈682-8492
www.hilton.com
Le Hilton Montréal/Laval propose 170 chambres spacieuses et confortables.

Sheraton Laval
239$
≡, ℜ, ≈, ☖, ⚙, ✿, △
2440 autoroute des Laurentides
☎687-2440 ou 800-667-2440
≈687-0655
www.sheraton-laval.com
Le Sheraton Laval est un établissement hôtelier de 241 chambres disposant de tous les services habituels; vous y trouverez, entre autres, deux salles à manger, un bar et une piscine intérieure. Les chambres sont confortables.

Laval

Restaurants

Chocolune
$
274 boul. Ste-Rose
☎**628-7188**
Chocolune, comme son joli nom le suggère, est une chocolaterie. On y fabrique sur place, d'une manière artisanale, différents produits au chocolat de même que des pâtisseries qu'on peut déguster au salon de thé attenant ou acheter à la boutique.

Le Vieux Four
$$
5070 boul. Lévesque E.
☎**661-7711**
Le Vieux Four est reconnu pour sa très bonne pizza cuite... au four à bois.

Steak-Frites St-Paul
$$-$$$
2125 boul. Le Carrefour, Chomedey
☎**682-6224**
La formule proposée par le Steak-Frites St-Paul est simple: on sert principalement du steak et des frites. Seules les sauces permettent de varier le menu. Moules et pâtés de gibier se retrouvent toutefois aussi sur la carte. On peut ainsi goûter d'autres bons plats pas chers.

Le Commensal
$$-$$$
3180 boul. St-Martin O.
☎**978-9124**
Restaurant de la chaîne du même nom, Le Commensal propose une variété infinie de mets végétariens regroupés dans un buffet attrayant. Comptoir de mets à emporter.

L'Escargot Fou
$$-$$$
mar-dim 17h à 22h
5303 boul. Lévesque E.,
St-Vincent-de-Paul
☎**664-3105**
Dans son joli restaurant, le chef Olivier Delcol met en valeur sa créativité en préparant les moules selon plus d'une centaine de recettes. L'agencement des saveurs se révèle raffiné et subtil. On y sert également une fine cuisine régionale. Pendant la saison estivale, on peut déguster son repas sur la terrasse. Le service sympathique confère de la chaleur à ce petit restaurant branché.

Le Plogonnec
$$-$$$
fermé lun
1 boul. Ste-Rose
☎**625-1510**
Le Plogonnec est installé dans une mignonne demeure en brique. On y sert une fine cuisine française. Ne pouvant accueillir qu'une quarantaine de personnes, il est idéal pour les repas intimes.

La Maison de Chavignol
$$-$$$
3 av. des Terrasses
☎**628-0161**
La Maison de Chavignol ne manque pas de charme avec sa terrasse fleurie à l'avant. On a su préserver le cachet historique de cette superbe demeure en pierres datant de 1810, tant à l'intérieur, où règne une délicieuse ambiance intime, qu'à l'extérieur. La cuisine française proposée, variée et inventive, est servie – chose rare dans ce type de restaurant – sept jours par semaine. Le menu «douceurs du soir» réserve quelques succulentes surprises. Parmi celles-ci, mentionnons le feuilleté de crottin de Chavignol avec salade de mâche et beurre acidulé aux aroma-

tes, les noisettes de lapin et ses rognons poêlés au fumet de porto et au thym, ou encore l'escalope de saumon frais en chausson et son navarin de pétoncles au basilic. Réservations fortement recommandées.

La Vieille Banque
$$-$$$$
205 boul. Ste-Rose
☎**625-4083**
La Vieille Banque est un bon restaurant servant de la pizza cuite au four à bois et de la fine cuisine italienne. Comme son nom le laisse supposer, ce resto occupe une ancienne institution bancaire.

Chez Lien
$$$
1216 boul. du Curé-Labelle
☎**681-3307**
Chez Lien est un bon restaurant vietnamien sans prétention. Décor plutôt moderne.

Au Biniou
$$$
100 boul. de la Concorde E.
☎**667-3170**
D'allure champêtre, le Biniou propose une fine cuisine française selon un menu quotidiennement repensé. Les crêpes bretonnes sont l'une des spécialités incontournables de la maison.

Les Menus-Plaisirs
$$$$
244 boul. Ste-Rose
☎**625-0976**
C'est dans une spacieuse demeure datant du début du XXe siècle qu'est établi le charmant resto Les Menus-Plaisirs. À l'intérieur, plusieurs petites salles permettent de recevoir beaucoup de monde... dans un cadre qui reste intime. Une vaste pièce, bien aérée en été, attend aussi les convives à l'arrière. Elle donne sur la cour, transformée en une

splendide terrasse avec clôture couverte de lierre et jolie cascade. Grâce à de grands auvents et à un système de génération de chaleur, on peut s'y attabler souvent jusqu'à la fin du mois d'octobre, un plaisir qui, au Québec, n'a rien de menu... La table d'hôte à cinq services constitue une bonne affaire. S'y côtoient terrine de sanglier, aiguillettes d'autruche, rôtisson de caribou, médaillon de saumon et autres spécialités de fine cuisine régionale. Un bon choix de fondues est aussi proposé. La carte des vins, quant à elle, est fort impressionnante.

 Le Mitoyen
$$$$
fermé lun (sauf pour les groupes), mar-dim dès 18h
652 Place publique, Ste-Dorothée
☎689-2977
Le Mitoyen, pourvu de foyers, offre une ambiance des plus chaleureuses. L'endroit est d'autant plus agréable que l'on y mange divinement. Les plats, issus des traditions culinaires françaises mais concoctés à partir de produits du terroir québécois, sont préparés avec art. Laissez-vous tenter par le menu gastronomique, une expérience inoubliable. Ce restaurant figure parmi les bonnes tables du Québec.

Le Saint-Christophe
$$$$
94 boul. Ste-Rose
☎622-7963
Le Saint-Christophe domine le boulevard Sainte-Rose depuis un léger promontoire qui met en valeur la belle maison victorienne qui l'abrite. À l'intérieur, les petits salons confèrent une intimité feutrée. L'été, une terrasse

fleurie accueille les convives. L'établissement allie gastronomie française et spécialités régionales dans une cuisine dont le raffinement a mérité de multiples éloges.

Sorties

Théâtres et salles de spectacle

Maison des Arts de Laval
1395 boul. de la Concorde O.
☎667-2040
Les salles polyvalentes de la Maison des Arts de Laval accueillent expositions, spectacles et concerts.

Salle André-Mathieu
475 boul. de l'Avenir
☎667-2040 ou 677-2040
La Salle André-Mathieu du cégep Montmorency est une salle de spectacle à part entière. L'acoustique et la vue sur la scène y sont excellentes. On y présente des artistes d'ici et de l'étranger, ainsi que des spectacles et des pièces de théâtre.

La Maison des Jardins
693 chemin du Bord-de-l'Eau, Sainte-Dorothée
☎689-3000
≈689-2811
L'historique Maison des Jardins propose des concerts intimes ponctués de petites bouchées et douceurs.

Divertissements

La **Récréathèque** *(900 boul. du Curé-Labelle, ☎688-8880)*

est un vaste complexe récréatif intérieur où l'on retrouve une multitude d'activités tarifées, entre autres le patin à roues alignées, le tennis, le billard, les quilles, le mini-golf, le racquetball, et un jeu laser appelé Q-2000.

Achats

Au **Marché Public 440** *(3535 autoroute 440, ☎682-1440)*, on retrouve la gamme habituelle des comptoirs alimentaires propres à ce type d'établissement: fromagerie, boucherie, poissonnerie, etc. En saison, les maraîchers prennent possession des comptoirs extérieurs pour y proposer leurs produits frais, ajoutant ainsi un cachet champêtre à l'ensemble.

La **Fromagerie du Vieux-Saint-François** *(4740 boul. des Mille-Îles, ☎666-6810)* produit, avec du lait de chèvre, des fromages et yaourts qu'on peut goûter sur place. Le visiteur peut surveiller, à travers une baie vitrée, la fabrication artisanale du fromage.

Carrefour Laval
3003 boul. Le Carrefour
☎ 687-2560
Le Carrefour Laval, l'un des plus importants centres commerciaux du Québec, abrite les boutiques de 300 détaillants.

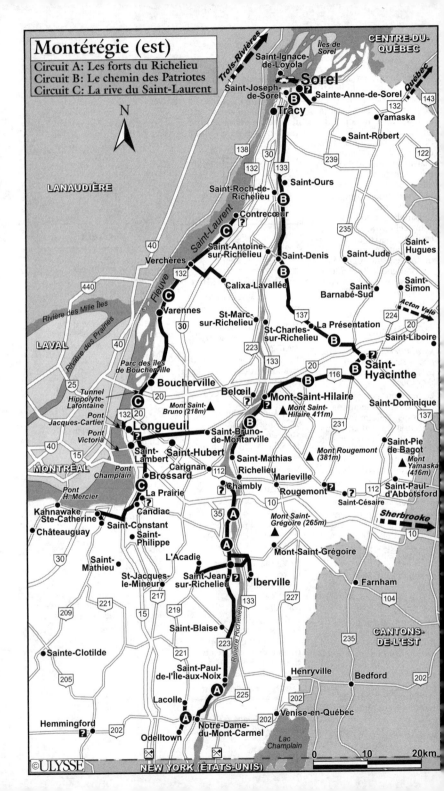

Montérégie

L es collines Montérégiennes, soit les monts Brome, Rougemont, Saint-Bruno, Saint-Grégoire, Saint-Hilaire, Shefford et Yamaska, en plus de la montagne de Rigaud, constituent les seules dénivellations d'importance de ce plat pays.

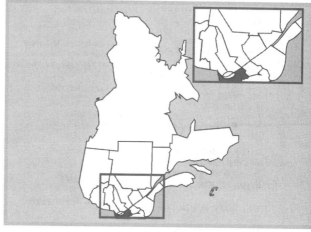

D isposées ici et là sur le territoire, ces collines massives, qui ne s'élèvent qu'à environ 400 m, furent longtemps considérées comme d'anciens volcans. En réalité, ce sont plutôt des roches métamorphiques qui devinrent apparentes à la suite de la longue érosion des terres avoisinantes.

R iche d'histoire, la Montérégie est donc d'abord et avant tout une belle plaine très propice à l'agriculture, située entre l'Ontario, la Nouvelle-Angleterre et les contreforts des Appalaches. Sa position géographique, tout juste au sud de Montréal, et ses multiples voies de communication naturelles, dont la majestueuse rivière Richelieu, lui octroyèrent longtemps un rôle militaire et stratégique d'importance.

L es nombreuses fortifications qu'on peut maintenant visiter dans la région ont ainsi été des avant-postes servant à protéger la colonie contre les Iroquois, les Anglais puis les Américains. La nation américaine y connut d'ailleurs, en 1812, la première défaite militaire de sa jeune histoire. Les Patriotes et les Britanniques s'y affrontèrent aussi, à Saint-Charles-sur-Richelieu et à Saint-Denis, lors de la rébellion de 1837-1838.

Pour s'y retrouver sans mal

On atteint la région depuis l'île de Montréal en empruntant l'un des ponts qui franchissent le Saint-Laurent. La Montérégie comprend deux territoires distincts: la Rive-Sud d'abord, vaste plaine ponctuée de rivières au sud et à l'est de Montréal, et la pointe ouest, qu'enserrent le lac Saint-François et la rivière des Outaouais. Cinq circuits en voiture sont proposés: **Circuit A: Les forts du Richelieu ★★**, **Circuit B: Le chemin des Patriotes ★★**, **Circuit C: La rive du Saint-**

Laurent ★, Circuit D: Vaudreuil-Soulanges ★ et Circuit E: Le Sud-Ouest ★.

Circuit A: Les forts du Richelieu

En voiture

À partir de Montréal, prenez le pont Champlain, puis continuez par l'autoroute 10 en direction de Chambly, sur la rive ouest du Richelieu, jusqu'à la sortie du boulevard Fréchette. De Chambly, vous n'aurez qu'à suivre la route 223 Sud, puis les routes 202 et 221, pour compléter le circuit.

En traversier

Saint-Paul-de-l'Île-aux-Noix–Île-aux-Noix
mi-mai à mi-novembre
☎(450) 291-5700

Gare routière

Saint-Jean-sur-Richelieu
600 boul. Pierre-Caisse
☎(450) 359-6024

Circuit B: Le chemin des Patriotes

En voiture

De Montréal, prenez le pont Champlain, puis continuez par l'autoroute 10 jusqu'à ce que vous ayez traversé la rivière Richelieu, pour suivre la route 133 Nord, aussi appelée «chemin des Patriotes». Vous longerez ainsi la rive est du Richelieu, de Saint-Mathias à Mont-Saint-Hilaire, où vous emprunterez la route 116 puis la route 231 jusqu'à Saint-Hyancinthe. D'ici, la route 137 Nord vous mènera à Saint-Denis et la route 133 jusqu'à Sorel.

En traversier

St-Denis–St-Antoine-sur-Richelieu
mi-mai à mi-nov
☎(450) 787-2759

St-Marc-sur-Richelieu–St-Charles-sur-Richelieu
mi-mai à mi-nov
☎(450) 584-2813

St-Roch-de-Richelieu–St-Ours
mi-mai à mi-nov
☎(450) 785-2161

Sorel–St-Ignace-de-Loyola
toute l'année
☎(450) 743-3258 ou 836-4600

Gares routières

Saint-Hyacinthe
1330 rue Calixa-Lavallée
☎(450) 773-3287

Sorel
191 rue du Roi
☎(450) 743-4411

Gare ferroviaire

Saint-Hyacinthe
1450 rue Sicotte
☎800-361-5390

Circuit C: La rive du Saint-Laurent

En voiture

Au départ de Montréal, traversez le pont Mercier, puis prenez la route 132 Est, principal axe routier du circuit. Vous rejoindrez ainsi Sainte-Catherine, puis longerez le fleuve Saint-Laurent jusqu'à Contrecœur. Vous aurez aussi l'occasion de faire un crochet par Saint-Bruno et Calixa-Lavallée.

En traversier

Bateau-passeur Longueuil–Île Charron
mi-mai à début oct
☎(450) 442-9575

Navette fluviale Longueuil–Montréal
mi-mai à début oct
☎(514) 281-8000

Gare routière

Longueuil
120 place Charles-Lemoyne
☎(450) 670-3422

Transports en commun

STRSM
100 place-Charles-Lemoyne
☎(450) 463-0131
station de métro et d'autobus, station Longueuil-Université de Sherbrooke

Circuit D: Vaudreuil-Soulanges

En voiture

De Montréal, suivez l'autoroute 20 Ouest jusqu'à Vaudreuil-Dorion, début du circuit. Par la route 342, vous aurez accès à Como, Hudson, Rigaud et Pointe-Fortune (pour vous rendre à Saint-Lazare, dirigez-vous vers le sud à Hudson). D'ici, empruntez la route 342 ou l'autoroute 40 jusqu'à la route 201, qui aboutit à Coteau-du-Lac, d'où vous longerez le fleuve Saint-Laurent vers l'est jusqu'à Pointe-des-Cascades. Dirigez-vous alors vers le nord pour aller visiter l'île Perrot.

En traversier

Hudson–Oka
mi-mai à mi-nov
☎(450) 458-4732

Montérégie

Circuit E: Le Sud-Ouest

En voiture

Au départ de Montréal, traversez le pont Mercier et continuez par la route 138 jusqu'à l'intersection avec la route 132, que vous suivrez jusqu'à Saint-Timothée (faites quelques kilomètres de plus si vous désirez vous rendre à Salaberry-de-Valleyfield). D'ici, dirigez-vous vers le sud, franchissez le canal de Beauharnois et poursuivez jusqu'à la rivière Châteauguay. Longez-la vers le sud jusqu'à Ormstown, d'où les routes 201 et 202 se chargeront de vous mener à bon port en fin de circuit.

Renseignements pratiques

Indicatif régional: **450**

Renseignements touristiques

Bureau régional

Association touristique régionale de la Montérégie
11 ch. Marieville, Rougemont, J0L 1M0
☎*(450) 469-0069*
☎*(514) 990-4600*
☎*866-469-0069*
⇌*(450) 469-1139*
www.tourisme-monteregie.qc.ca

Circuit A: Les forts du Richelieu

Saint-Jean-sur-Richelieu
31, rue Frontenac, J3B 7X2
☎*542-9090 ou 888-781-9999*
⇌*542-9091*

Circuit B: Le chemin des Patriotes

Mont-Saint-Hilaire
1080 ch. des Patriotes Nord, J3H 5W1
☎*536-0395 ou 888-736-0395*
⇌*536-3147*
www.vallee-du-richelieu.ca

Saint-Hyacinthe
parc des Patriotes,
2090 rue Cherrier, J2S 8R3
☎*774-7276 ou 800-849-7276*
⇌*774-9000*
www.tourismesainthyacinthe.qc.ca

Sorel-Tracy
92 ch. des Patriotes, J3P 2K7
☎*746-9441 ou 800-474-9441*
⇌*746-0447*

Circuit C: La rive du Saint-Laurent

Longueuil
205 ch. Chambly, J4H 3L3
☎*670-7293*
⇌*670-5887*
www.gensdaffaires.longueuil.qc.ca

Circuit D: Vaudreuil-Soulanges

Vaudreuil-Dorion
331 rue Saint-Charles
(maison Valois)
bureau saisonnier
☎*424-8620*

Noms des nouvelles villes fusionnées

Saint-Jean-sur-Richelieu
Fusion de Saint-Jean-sur-Richelieu, Saint-Luc, Iberville, Saint-Athanase et L'Acadie.

Lacolle
Fusion de Lacolle et Notre-Dame-du-Mont-Carmel.

Saint-Hyacinthe
Fusion de Saint-Hyacinthe, ville de Sainte-Rosalie, paroisse de Sainte-Rosalie, Saint-Hyacinthe-le-Confesseur, Saint-Thomas-d'Aquin et Notre-Dame-de-Saint-Hyacinthe.

Longueuil
Fusion de Boucherville, Brossard, Greenfield Park, LeMoyne, Longueuil, Saint-Bruno-de-Montarville, Saint-Hubert et Saint-Lambert.

Salaberry-de-Valleyfield
Fusion de Salaberry-de-Valleyfield, Saint-Timothée et Grande-Île.

Beauharnois
Fusion de Beauharnois, Maple Grove et Melocheville.

Circuit E:
Le Sud-Ouest

Salaberry-de-Valleyfield
980 boul. Monseigneur-
Langlois, J6S5X6
☎377-7676 ou 800-378-7648
≈377-3727
www.tourisme-suroit.qc.ca

Kahnawake
C.P. 720, Kahnawake, J0L 1B0
☎632-7500
≈638-5958
www.kahnawake.com/tourism

Attraits
touristiques

★★

Circuit A:
Les forts du Richelieu
(deux jours)

Ce circuit, qui conduit de Chambly jusqu'à la frontière canado-étasunienne, permet d'explorer le réseau défensif créé le long de la rivière Richelieu sous le Régime français et renforcé à la suite de la Conquête. Ce chapelet de forts servait à contrôler l'accès au Richelieu, longtemps la principale voie de communication entre Montréal, la Nouvelle-Angleterre et New York, via le lac Champlain et le fleuve Hudson.

★★
Chambly
(19 700 hab.)

La ville de Chambly occupe un site privilégié en bordure du Richelieu, qui s'élargit à cet endroit pour former le bassin de Chambly. Celui-ci se trouve à l'extrémité des rapides qui entravaient autrefois la navigation sur la rivière, faisant du lieu un élément clé du système défensif de la Nouvelle-France.

Dès 1665, le régiment de Carignan-Salières, sous le commandement du capitaine Jacques de Chambly, y construit un premier fort de pieux pour repousser les Iroquois de la rivière Mohawk, qui effectuent alors de fréquentes incursions jusqu'à Montréal. En 1672, le capitaine de Chambly reçoit la seigneurie qui portera son nom en guise de remerciement pour services rendus à la colonie.

Le bourg qui se formera graduellement autour du fort connaîtra une période florissante au moment de la guerre canado-étasunienne de 1812-1814, alors qu'une importante garnison britannique y est stationnée. Puis, en 1843, on inaugure le canal de Chambly, qui permettra de contourner les rapides du Richelieu, facilitant ainsi le commerce entre le Canada et les États-Unis.

Suivez la rue Bourgogne jusqu'à l'étroite **rue Richelieu** ★, que vous empruntez en direction du fort. Après avoir longé le parc des Rapides, où il est possible d'admirer de près le barrage de Chambly, vous retrouvez, de part et d'autre de la rue, plusieurs demeures monumentales construites dans la première moitié du XIXe siècle.

Maison John-Yule *(27 rue Richelieu).* D'origine écossaise, John Yule émigre au Canada en compagnie de son frère William à la fin du XVIIIe siècle. Ce dernier deviendra, quelques années plus tard, seigneur de Chambly. Quant à John Yule, il fait prospérer ses moulins à farine et à carder, disséminés dans la région. Il fait construire cette confortable maison d'inspiration palladienne en 1816.

Atelier du peintre Maurice Cullen *(28 rue Richelieu).* Érigée en 1920 sur les fondations du manoir seigneurial de William Yule, cette maison a servi d'atelier au peintre canadien Maurice Cullen (1866-1934).

Manoir De Salaberry *(18 rue Richelieu).* Le colonel Charles-Michel d'Irumberry de Salaberry est bien connu pour sa victoire décisive sur l'armée américaine lors de la guerre de 1812-1814. Salaberry et sa femme, Julie Hertel de Rouville, sont issus de la noblesse française et choisissent de demeurer au Canada malgré la Conquête. Ils emménagent dans cette grande maison construite vers 1814 afin d'administrer la seigneurie de Chambly, dont ils détiennent environ le tiers à cette époque. Mélange d'architecture palladienne et française, le manoir De Salaberry est l'une des plus élégantes propriétés de la région.

Maison Ducharme *(10 rue Richelieu).* À la suite de la guerre de 1812-1814, de nombreuses infrastructures militaires ont été érigées dans les environs du fort Chambly. Plusieurs ont été démolies depuis, alors que d'autres ont été recyclées. C'est le cas de la maison Ducharme, ancienne caserne de soldats bâtie en 1814 et transformée en résidence à la fin du XIXe siècle, devenue aujourd'hui un gîte touristique (voir p 224).

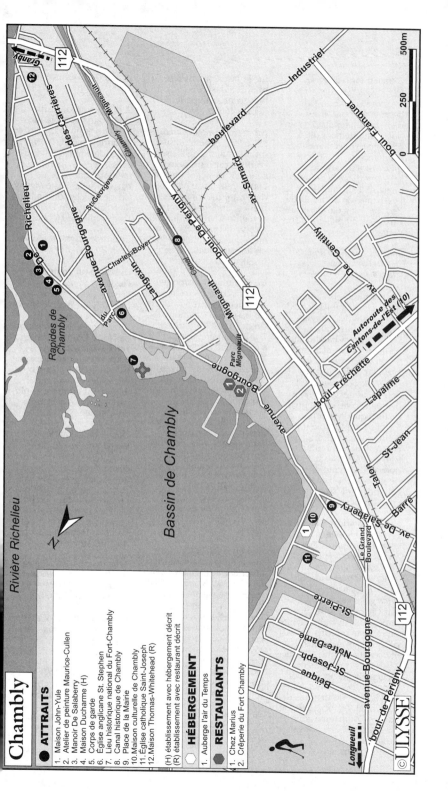

Chambly

● ATTRAITS

1. Maison John-Yule
2. Atelier de peinture Maurice-Cullen
3. Manoir De Salaberry
4. Maison Ducharme (H)
5. Corps de garde
6. Église anglicane St. Stephen
7. Lieu historique national du Fort-Chambly
8. Canal historique de Chambly
9. Place de la Mairie
10. Maison culturelle de Chambly
11. Église catholique Saint-Joseph
12. Maison Thomas-Whitehead (R)

(H) établissement avec hébergement décrit
(R) établissement avec restaurant décrit

HÉBERGEMENT

1. Auberge l'air du Temps

RESTAURANTS

1. Chez Marius
2. Crêperie du Fort Chambly

© ULYSSE

Rivière Richelieu

Rapides de Chambly

Bassin de Chambly

Autoroute des Cantons-de-l'Est (10)

Longueuil

112

L'ancien **corps de garde** (*8 rue Richelieu*) de 1814 avoisine la maison Ducharme au nord. Il est doté d'un portique palladien en bois, seul élément qui le distingue véritablement de l'architecture du Régime français. Il abrite une exposition sur la présence anglaise à Chambly. À l'extrémité de la rue Richelieu, on aperçoit le fort de Chambly, au milieu de son parc.

Tournez à gauche dans la rue du Parc, puis reprenez la rue Bourgogne à droite.

De nombreux Britanniques, civils et militaires, de même que des réfugiés loyalistes américains, s'installent à Chambly au cours de la première moitié du XIXe siècle. L'**église anglicane St. Stephen** ★ (*2004 rue Bourgogne*) est construite dès 1820 pour desservir cette communauté ainsi que la garnison du fort. Le temple, conçu par l'entrepreneur local François Valade, reprend la forme des églises catholiques de l'époque. L'intérieur, sobre et blanc, est cependant plus proche du culte anglican.

Le **lieu historique national du Fort-Chambly** ★ ★ ★ (*5$; mi-mai à fin juin 10h à 17h, fin juin à début sept 10h à 18h, sept à mi-oct fins de semaine; 2 rue De Richelieu, ☎658-1585, www.parcscanada.gc.ca/fortchambly*). Le fort Chambly est le plus important ouvrage militaire du Régime français qui soit parvenu jusqu'à nous. Il a été construit entre 1709 et 1711 selon les plans de l'ingénieur Josué Boisberthelot de Beaucours, à l'instigation du marquis de Vaudreuil. Le fort, défendu par les Compagnies franches de la Marine, devait protéger la Nouvelle-France contre une éven-

tuelle invasion anglaise. Il remplace les trois forts de bois ayant occupé le site depuis 1665.

Au moment de la Conquête, le fort, devenu désuet, fut remis aux Anglais sans combat, car il ne pouvait soutenir un siège. Ceux-ci l'utilisèrent jusqu'en 1760, date où il fut complètement abandonné. Un citoyen de Chambly, Joseph-Octave Dion, sauva le fort au cours des années 1880 en le consolidant et en y installant sa demeure.

Ce monument historique s'inscrit dans un cadre spectaculaire en bordure du bassin de Chambly, là où débutent les rapides. Sur le plan architectural, il s'agit d'une fortification bastionnée comportant des échauguettes en bois. L'intérieur du fort abrite un centre d'interprétation qui explique le rôle du fort dans les conflits des siècles derniers de même que les activités de la garnison française de 1665 à 1760 et le peuplement de la seigneurie de Chambly. De nombreux objets et vestiges retrouvés lors des fouilles archéologiques témoignent du quotidien des occupants de la fortification.

Reprenez la rue Bourgogne à droite jusqu'au **Canal historique de Chambly** (*entrée libre; stationnement 4$; 1840 rue Bourgogne, ☎447-4888*) d'où vous surplomberez l'embouchure. À cet endroit et sur tout le parcours de cet étroit canal de 19 km de longueur, vous pourrez observer les éclusiers actionner les portes et les ponts des neuf écluses qui correspondent à une dénivellation graduelle de 22 m entre Chambly et Saint-Jean. Le canal, inauguré en 1843, est exclusivement consacré à la navi-

gation de plaisance depuis 1973.

À la jonction de la rue Bourgogne et de la rue Martel se trouve la **place de la Mairie**, aménagée en 1912, devant laquelle se dresse le monument à la mémoire du héros de la bataille de la Châteauguay, Charles-Michel d'Irumberry de Salaberry, un bronze de Louis-Philippe Hébert.

Empruntez la rue Martel, qui longe le bassin de Chambly.

La **Maison culturelle de Chambly** (*56 rue Martel*). Le Service des loisirs de Chambly est installé dans cet ancien couvent des Dames de la congrégation de Notre-Dame, érigé en 1885. Avec sa toiture à deux versants et sa longue galerie de bois, il est typique des couvents qui trônent au cœur de la plupart des villes et villages du Québec.

L'**église catholique Saint-Joseph** (*164 rue Martel*) a été construite en 1881 sur une partie des murs de la première église de 1784, gravement endommagée par un incendie. En face prend place la dernière œuvre connue du sculpteur Louis-Philippe Hébert, la statue du curé Migneault.

Rebroussez chemin et reprenez la rue Martel puis la rue Bourgogne en direction de Saint-Jean-sur-Richelieu.

La **maison Thomas-Whitehead** (*2592 rue Bourgogne*). À la sortie de Chambly, on aperçoit une jolie maison de bois peinte en bleu, érigée en 1815. Très peu de ces maisons de bois, autrefois fort répandues dans les villages et dans les faubourgs des grandes villes, ont survécu aux multiples incendies qui ont affligé le Québec. Un ta-

Montérégie

bleau de 1934 du peintre Robert Pilot représentant la maison Thomas-Whitehead en hiver (*Blue House*, Musée des Beaux-Arts de Montréal) a servi de toile de fond lors de la restauration du bâtiment en 1985.

Un peu à l'est de Chambly, on trouve la ville de **Rougemont**. Bien qu'elle fasse partie de la Montérégie, nous l'avons intégrée au circuit «Le verger» des **Cantons-de-l'Est** (voir p 239).

Poursuivez par la route 223 Sud jusqu'à Saint-Jean-sur-Richelieu.

★
**Saint-Jean-sur-Richelieu
(37 850 hab.)**

Cette ville industrielle fut pendant longtemps une importante porte d'entrée au Canada à partir des États-Unis, ainsi qu'un relais indispensable sur la route de Montréal, grâce à son port sur le Richelieu, très fréquenté à partir de la fin du XVIIIᵉ siècle, à son chemin de fer, le premier au Canada, qui la relie à La Prairie dès 1836, et au canal de Chambly, inauguré en 1843. Au milieu du XIXᵉ siècle, Saint-Jean-sur-Richelieu voit prospérer de nombreuses entreprises liées à ces voies de communication, parmi lesquelles on pouvait compter plusieurs fabriques de poteries et de faïences dont les théières, cruches et assiettes allaient devenir une spécialité de la région. L'architecture de la ville reflète ce passé industriel avec ses manufactures, ses édifices commerciaux, son habitat ouvrier et ses belles demeures victoriennes.

Saint-Jean a cependant des origines plus anciennes.

Elle a grandi autour du fort Saint-Jean, dont l'établissement remonte à 1666. En 1775, celui-ci fut attaqué à plusieurs reprises par l'armée des insurgés américains, qui durent finalement battre en retraite à l'arrivée des troupes britanniques. Le fort, maintes fois reconstruit, a abrité le Collège militaire royal de Saint-Jean jusqu'en 1994. Aujourd'hui, il loge le campus du Fort Saint-Jean, une institution de niveau universitaire.

On entre à Saint-Jean par la **rue Richelieu**, principale artère commerciale de la ville. Celle-ci a été la proie des flammes à deux reprises au cours de son histoire. Elle fut reconstruite aussitôt après l'incendie de 1876, ce qui lui confère une certaine homogénéité architecturale peu commune au Québec.

L'ensemble des attraits de la ville est situé dans un périmètre restreint qu'il est possible de parcourir à pied depuis la rue Richelieu. Remontez la rue Saint-Jacques jusqu'à l'intersection avec la rue De Longueuil.

La **cathédrale Saint-Jean-L'Évangéliste** (*angle St-Jacques et De Longueuil*). Le corps de la cathédrale date de 1827, mais ses extrémités ont été complètement réorganisées en 1861, au moment où façade et chevet ont été intervertis. La façade actuelle, avec son clocher de cuivre, date cependant du début du XXᵉ siècle. Le lieu saint n'a été élevé au rang de cathédrale qu'en 1933, ce qui explique son humble apparence.

À l'extrémité nord de la rue De Longueuil, on aperçoit le palais de justice néoclassique, érigé en 1854 d'après un modèle en

pierres calcaires grises fort répandu à l'époque. Empruntez la rue De Longueuil vers le sud jusqu'à la place du Marché.

Le **Musée du Haut-Richelieu** ★ (*4$; fin juin à début sept tlj 9h30 à 17h, début sept à fin juin mar-dim 9h30 à 17h; 182 rue Jacques-Cartier N., ☎347-0649*) est situé à l'intérieur de l'ancien marché public érigé en 1859. Le musée présente, outre différents objets liés à l'histoire du Haut-Richelieu, une intéressante collection de poteries et faïences produites dans la région au cours du XIXᵉ siècle, dont de belles pièces de la compagnie Farrar et de la St. Johns Stone Chinaware Company.

La **maison Macdonald** (*166 rue Jacques-Cartier N.*). Cette demeure bourgeoise apparaît pour la première fois sur une carte en 1841. Elle a été mise au goût du jour par l'ajout d'un toit en mansarde et d'un décor Second Empire vers 1875.

Inaugurée en 1817, l'**église St. James** (*angle Jacques-Cartier et St-Georges*) est l'un des plus anciens temples anglicans de la Montérégie. Son architecture d'inspiration américaine nous rappelle qu'à cette époque Saint-Jean accueillait une importante communauté de réfugiés loyalistes en provenance des États-Unis.

La **Maison des Arts et de la Culture** (*228 rue Richelieu*) a plusieurs missions, mais sa plus importante demeure de diffuser l'art et la culture sur une base régionale. On y retrouve donc principalement des salles d'exposition où l'on présente les œuvres de divers artistes des environs.

La **voie ferrée** *(à l'extrémité sud de la rue Jacques-Cartier N.)*. Il ne subsiste plus rien des installations de la première voie ferrée du Canada, mais son souvenir est encore bien vivant dans l'esprit des résidants de Saint-Jean. Nous sommes en 1836, lorsque la compagnie Champlain and St. Lawrence Railroad met en service la liaison entre Saint-Jean et La Prairie. Celle-ci est assurée par la locomotive *Dorchester*, construite en Angleterre et acheminée à Saint-Jean sur une barge. Même si elle ne pouvait tirer plus de deux wagons à la fois, cette locomotive à vapeur marquait une évolution notable des communications au pays. La vénérable *Dorchester* est aujourd'hui exposée au **Musée ferroviaire canadien de Saint-Constant** (voir p 205).

Iberville (9 880 hab.)

En face de Saint-Jean, sur l'autre rive du Richelieu, se trouve Iberville, que l'on rejoint par le pont Gouin.

Cette excursion facultative débute à la sortie du pont Gouin. Tournez à gauche dans la 1re Rue, qui longe le Richelieu.

L'**église Saint-Athanase** *(1re Rue)*. Du parvis de l'église élevée en 1914, on bénéficie d'une belle vue d'ensemble sur Saint-Jean-sur-Richelieu.

En 1835, William Plenderleath Christie hérite de la seigneurie familiale. La même année, il entreprend la construction de l'imposant **manoir Christie** ★ *(on ne visite pas; 375 1re Rue)*, d'inspiration georgienne et visible à travers les arbres. Il s'agit d'une grande maison en pierre à la toiture surmontée d'un élégant

lanternon. Les Christie n'habiteront que sporadiquement leur propriété d'Iberville, puisqu'on les retrouvera tantôt à Londres, tantôt à Bath. Leur ancien domaine n'en demeure pas moins l'un des plus évocateurs du régime seigneurial.

Retournez à Saint-Jean-sur-Richelieu par le pont Gouin. Poursuivez par la rue Saint-Jacques jusqu'à la route 219 Sud. Suivez les indications vers L'Acadie. Éloignée temporairement des rives du Richelieu, cette autre excursion facultative permet d'explorer l'intérieur des terres et l'un de ses villages les plus charmants.

★
L'Acadie (5 300 hab.)

Au cours de la guerre de Sept Ans entre la France et l'Angleterre, l'Acadie (une partie de la Nouvelle-Écosse et du Nouveau-Brunswick d'aujourd'hui) est mise à sac. En 1755, les Acadiens, qui occupent les meilleures terres, sont déportés vers de lointaines contrées. Entre 1764 et 1768, certains d'entre eux, de retour d'exil, viennent s'établir aux abords de la Petite Rivière. Ils formeront la «Petite Acadie», à l'origine du village de L'Acadie. Au début du XIXe siècle s'ajoute à cette communauté un contingent de familles suisses, qui s'installent au lieudit de la Grande-Ligne.

L'**église Sainte-Marguerite-de-Blairfindie** ★★ *(308 ch. du Clocher)*, le presbytère et la vieille école de L'Acadie forment l'un des ensembles institutionnels les plus pittoresques et les mieux conservés de toute la Montérégie. La paroisse catholique de Sainte-Marguerite a été constituée canoniquement en 1784. Il faudra

cependant attendre 1801 avant que ne soit inaugurée l'église actuelle en pierre. Celle-ci, avec son plan en croix latine, son clocher à deux lanternons et ses ouvertures ordonnancées selon les préceptes de l'abbé Conefroy, est un modèle d'architecture québécoise traditionnelle. Remarquez le chemin couvert (1822) qui permet de se rendre du presbytère à l'église à l'abri des intempéries.

Le beau décor intérieur en bois, de style Louis XV, a été réalisé entre 1802 et 1809 sous la direction de Jean-Georges Finsterer, artisan de la région. On trouve également dans l'église plusieurs tableaux, dont *Marie au tombeau* et *Saint René* de Louis Dulongpré (vers 1802). Le cimetière recèle une autre œuvre d'intérêt, soit une *Madone* avec Jésus enfant du sculpteur Philippe Hébert (monument Roy, 1897).

En 1822, on construit le **presbytère** actuel *(310 ch. du Clocher)*, qui comprenait également, à l'origine, l'école et la salle des habitants. Sa longue galerie de bois, son étage dégagé du sol et ses larmiers débordants en font un autre bâtiment typique. En 1838, Sir John Colborne installe au presbytère son quartier général afin de mater la rébellion qui s'active dans la vallée du Richelieu.

La **vieille école** *(14 ch. du Clocher)* pour filles, qui a accueilli par la suite le logement du sacristain, a été construite en 1831 à l'instigation du curé de la paroisse.

Revenez sur vos pas, et prenez à droite le chemin des Vieux-Moulins pour rejoindre la route 219 Sud.

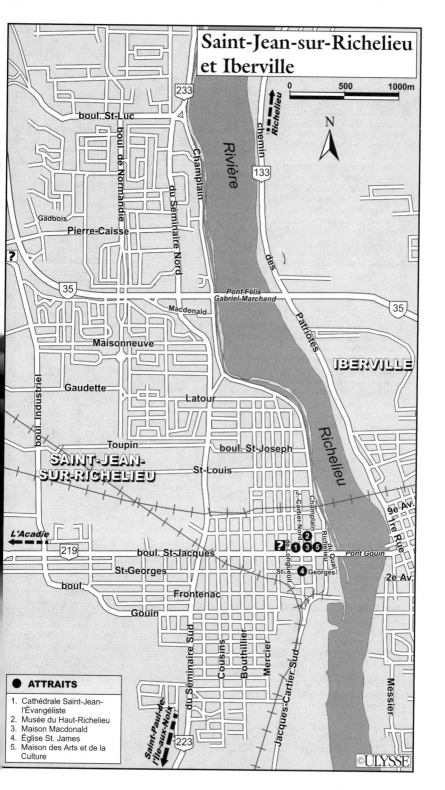

Saint-Jean-sur-Richelieu
et Iberville

0   500   1000m

N

boul. St-Luc

233

Champlain

Rivière

chemin

Richelieu

boul. de Normandie

du Séminaire Nord

133

Gadbois

Pierre-Caisse

?

35

Pont-Félix-
Gabriel-Marchand

Macdonald

Maisonneuve

Patriotes

des

35

Gaudette

IBERVILLE

boul. Industriel

Latour

Richelieu

Toupin

boul. St-Joseph

SAINT-JEAN-
SUR-RICHELIEU

St-Louis

L'Acadie

219

9e Av.

1re Rue

J.-Cartier-Nord

Champlain

de Longueuil

du Quai

Richelieu

2
? 1 3 5

Pont Gouin

boul. St-Jacques

St-Georges

St-

4 Georges

2e Av.

boul.

Frontenac

Gouin

du Séminaire Sud

Coussins

Bouthillier

Mercier

Jacques-Cartier-Sud

Messier

Saint-Paul-de-
l'Île-aux-Noix

223

● ATTRAITS

1. Cathédrale Saint-Jean-
   l'Évangéliste
2. Musée du Haut-Richelieu
3. Maison Macdonald
4. Église St. James
5. Maison des Arts et de la
   Culture

©ULYSSE

En parcourant le **chemin des Vieux-Moulins** ★, on peut apercevoir quelques belles maisons de ferme du XIXᵉ siècle dans un cadre champêtre. Parmi celles-ci, la **ferme Roy** *(on ne visite pas; 777 ch. des Vieux-Moulins)* constitue un rare ensemble de bâtiments à vocation agricole en pierre et en bois datant de la première moitié du XIXᵉ siècle. Le site comprend, outre la maison de moellons construite pour Joseph Roy en 1805, la remise, l'étable en pierre à deux étages et la grange en bois.

Afin de commémorer la venue des ancêtres acadiens dans ce joli village, la famille Delisle a créé le **Centre d'interprétation «Il était une fois... une petite colonie»** ★ *(5$; mi-juin à mi-sept mer-dim 10h à 17h; 2500 route 219, ☎347-9756)*. Des guides costumés vous accueillent pour vous faire découvrir des bâtiments décorés et meublés à l'ancienne. On retrouve aussi une mini-ferme, un four à pain extérieur traditionnel ainsi qu'une jolie boutique d'artisanat. Une agréable façon de découvrir le mode de vie des colons.

Il y a quelques années, un certain M. Bertrand a pris goût au reconditionnement de vieilles machines agricoles. Ce qui au départ était un simple passe-temps est vite devenu une véritable passion. Devant le problème d'espace pour entreposer ses nombreuses pièces de collection, M. Bertrand décida d'acheter une fermette sur le bord de la rivière L'Acadie. De là naquit le **Musée René Bertrand** *(6$; fin juin à début sept tlj 10h à 17h, sept et oct sam-dim 13h à 17h; 2864 route 219, ☎346-1630, ≈359-1153)*. On y trouve au-

jourd'hui, en plus de nombreux instruments aratoires, une vaste collection d'objets antiques qui ne manqueront pas de raviver autant les souvenirs des plus vieux que la curiosité des plus jeunes. En plus d'un petit parc d'attractions où sont proposés des balades en tracteur, vous trouverez sur place un excellent petit restaurant servant des plats concoctés selon des recettes anciennes ainsi qu'une agréable aire de pique-nique.

Empruntez la route 219 Nord vers Saint-Jean-sur-Richelieu, puis reprenez la route 223 Sud, qui longe le Richelieu.

Saint-Paul-de-l'Île-aux-Noix (1 950 hab.)

Ce village est surtout connu pour son fort, édifié sur l'île aux Noix, au milieu de la rivière Richelieu. Le premier occupant de l'île, le cultivateur Pierre Joudernet, payait sa rente seigneuriale sous la forme d'un sac de noix, d'où le nom donné aux lieux. Vers la fin du Régime français, l'île acquit une grande importance stratégique en raison de la proximité du lac Champlain et des colonies américaines. En 1759, les Français entreprirent de fortifier l'île, mais les ressources manquèrent, tant et si bien que la prise du fort par les Britanniques se fit sans difficulté. En 1775, l'île devint le quartier général des forces révolutionnaires américaines qui tentaient alors d'envahir le Canada. Puis, au cours de la guerre de 1812-1814, le fort reconstruit servit de base pour l'attaque de Plattsburg par les Britanniques.

Du centre d'accueil (61ᵉ Avenue), où vous devez laisser votre voiture, prenez le bac qui conduit sur l'île.

Le **lieu historique national du Fort-Lennox** ★★ *(5,75$; mi-mai à fin juin lun-ven 10h à 17h, sam-dim 10h à 18h; fin juin à début sept lun-dim 10h à 18h; début sept à début oct sam-dim 10h à 18h, en semaine sur réservation; 1 61ᵉ Avenue, J0J 1G0, ☎291-5700, www.parcscanada.gc.ca/fortlennox)* occupe le tiers de l'île aux Noix, dont il a transformé la configuration. Il a été construit entre 1819 et 1829, sur les ruines des forts précédents, par les Britanniques qui voyaient alors les Américains ériger le fort Montgomery, de l'autre côté de la frontière. Derrière l'enceinte bastionnée en terre et entourée de larges fossés, on trouve une poudrière, deux entrepôts, le corps de garde, le logis des officiers, une caserne et 17 casemates. Le bel ensemble en pierre de taille présente les traits de l'architecture coloniale néoclassique de l'Empire britannique.

Les forces britanniques ont quitté le fort en 1870. Parcs Canada y présente de nos jours une intéressante reconstitution de la vie militaire au XIXᵉ siècle ainsi que deux expositions retraçant l'histoire du fort. Veuillez noter qu'une activité appelée «Les Beaux dimanches au fort Lennox» a cours durant les mois de juillet et d'août. Des groupes musicaux, des troupes de théâtre et des activités de reconstitution historique s'y déroulent.

Reprenez la route 223 Sud en direction de Lacolle.

Saint-Bernard-de-Lacolle

Le **Blockhaus-de-la-Rivière-Lacolle** ★ *(entrée libre; fin mai à début sept tlj 10h à 17h30, début sept à début oct sam-dim 10h à 17h30; 1 rue Principale,* ☎*246-3227),* une construction de bois équarri à deux étages, dotée de meurtrières, se trouve à l'extrême sud de la municipalité de Saint-Paul-de-l'Île-aux-Noix. Sa construction remonte à 1782, ce qui en fait l'une des plus anciennes structures de bois de la Montérégie. C'est aussi l'un des rares ouvrages du genre qui subsistent au Québec.

Nous sommes ici à 10 km seulement de la frontière canado-étasunienne. Bien que les relations entre le Canada et les États-Unis soient des plus cordiales depuis plusieurs décennies, ce ne fut pas toujours le cas. Le blockhaus, qui était au premier rang du système défensif du Richelieu à la fin du XVIIIe siècle, jouait un rôle de sentinelle. Ses occupants devaient prévenir les soldats des forts voisins de l'arrivée imminente de troupes d'outre-frontière. Au cours des années 1930, le blockhaus, alors à l'abandon, fut sauvé par un habitant de Lacolle, Richard Patterson, qui en fit un musée portant sur l'histoire militaire de la région.

Tournez à droite dans la route 202 Ouest pour aller rejoindre l'autoroute 15 Nord. Deux courtes excursions facultatives permettent de visiter le village de Lacolle (route 221 Nord) et l'église d'Odell-town, à Notre-Dame-du-Mont-Carmel (route 221 Sud).

Blockhaus-de-la-Rivière-Lacolle

H. Pierson

Lacolle (1 392 hab.)

La **gare de Lacolle**. Derrière le village se trouve l'ancienne gare du Napierville Junction Railway (Canadien National), construite en 1930 dans le style des manoirs de la province française. Comme elle constituait le premier arrêt du côté canadien de la frontière, on lui a donné une importance qui dépasse grandement celle de l'agglomération où elle est située.

Odelltown

Hameau de quelques dizaines d'habitants seulement, Odelltown fait aujourd'hui partie de la municipalité de Notre-Dame-du-Mont-Carmel. L'endroit a été le théâtre d'un épisode décisif de la rébellion de 1837-1838, lorsque des Patriotes, réfugiés aux États-Unis tout proches, tentèrent une percée en prenant d'assaut la région de Lacolle. Ils proclamèrent le secteur «république du Bas-Canada». Celle-ci ne survécut néanmoins que sept jours, puisque les Patriotes durent battre en retraite devant l'arrivée des troupes britanniques commandées par Colborne.

L'**église** et les **écuries d'Odelltown** *(243 route 221).* Le grand nombre de familles loyalistes d'origine hollandaise dans la région explique la présence de cette petite église méthodiste à Odelltown, confession adoptée par la majorité de ces familles à leur arrivée au Canada. Le temple en pierre a été construit à partir de 1823. Il a été doté d'ouvertures en ogive vers 1860. Quant aux écuries de bois, elles datent probablement de 1835. La communauté méthodiste s'éteignant tranquillement depuis le début du XXe siècle, l'église n'est utilisée qu'une seule fois par année.

Revenez à la route 202 Ouest, qui mène à l'autoroute 15 Nord, en direction de Montréal.

Circuit B: Le chemin des Patriotes (trois jours)

Second noyau de peuplement en Nouvelle-France après les rives du fleuve Saint-Laurent, la vallée du Richelieu recèle de nombreux vestiges des anciennes seigneuries concédées en bordure de la rivière aux XVIIe et XVIIIe siècles. Au début du XIXe siècle, la région est l'une des plus peuplées du Québec; aussi n'est-il pas surprenant d'y retrouver l'un des premiers foyers de contestation ayant mené à la rébellion armée de 1837-1838. La vallée conserve plusieurs témoignages éloquents de ces événements, parmi les plus tragiques de l'histoire du Québec.

Saint-Mathias
(3 729 hab.)

Au cours de la guerre d'Indépendance américaine, Saint-Mathias a été le théâtre d'événements marquants, alors qu'Ethan Allen et ses Green Mountain Boys, originaires du Vermont, s'emparèrent du village afin de convaincre ses habitants de se joindre aux États-Unis. Enfin, durant la rébellion de 1837-1838, Saint-Mathias connut une nouvelle période d'intense activité avec l'installation du quartier général de la milice des Patriotes.

Seul véritable témoin de l'activité commerciale de Saint-Mathias au XIXe siècle, le **magasin Franchère** *(54 ch. des Patriotes)* a été construit en 1822 pour les frères Joseph et Timothée Franchère. Ce dernier fut emprisonné en 1838 pour sa participation à la rébellion. Le magasin, qui abritait également deux logements à l'origine, aurait d'ailleurs accueilli plusieurs réunions des Patriotes.

Remarquable pour son décor intérieur et pour son enclos de pierres qui enserre le cimetière, l'**église Saint-Mathias ★★** *(79 ch. des Patriotes)* présente en outre une silhouette charmante, reflet de l'architecture québécoise traditionnelle. Sa construction, par le maître maçon François Châteauneuf, remonte à 1784. Quant au décor intérieur, il a été exécuté entre 1821 et 1833 par René Saint-James et Paul Rollin, exception faite du maître-autel et de la chaire, belles pièces de style Louis XV sculptées dès

1795 par Louis-Amable Quévillon. Chose rare pour une église de cette époque, on retrouve des tribunes dans les transepts et un double jubé à l'arrière. En outre, la voûte en bois est délicatement travaillée et ornée de médaillons dorés, réalisés par Jean-Baptiste Baret. Au centre du retable prend place une belle toile de Louis Dulongpré, *L'élection de saint Mathias dans le collège des apôtres* (1811).

Poursuivez en direction nord par le chemin des Patriotes. À mesure que vous approchez du mont Saint-Hilaire, la silhouette de la plus haute des collines Montérégiennes (403 m) s'impose dans le paysage.

★
Mont-Saint-Hilaire
(13 000 hab.)

Campée devant l'énorme masse du mont Saint-Hilaire, cette petite municipalité de la vallée du Richelieu tire ses origines de la seigneurie de Rouville, concédée à Jean-Baptiste Hertel en 1694. Celle-ci demeurera entre les mains de la famille Hertel jusqu'en 1844, alors qu'elle sera vendue au

major Thomas Edmund Campbell, secrétaire du gouverneur britannique, qui y exploitera une ferme modèle dont l'existence sera maintenue jusqu'en 1942.

Légèrement défiguré par l'aménagement de stationnements et l'ajout d'une grille ostentatoire, le **manoir Rouville-Campbell ★** *(25 ch. des Patriotes S.)*, d'allure médiévale, n'en demeure pas moins l'une des plus splendides résidences seigneuriales du Québec, aujourd'hui transformée en hôtel (voir p 224). Il a été construit en 1854 selon les plans de l'architecte d'origine britannique Frederick Lawford, à qui l'on doit également une partie du décor intérieur de l'église de Saint-Hilaire. Le manoir de la famille Campbell est l'un des premiers et des plus intéressants exemples du style néo-Tudor en Amérique, style qui se caractérise par l'emploi de l'arc brisé surbaissé, de fenêtres à meneaux et de *bay-windows*, et par un plan irrégulier associé au mouvement pittoresque. On remarquera, en outre, les parements de brique, fort rares au Québec avant 1860, et la présence de belles cheminées à mitrons torsadés. Le sculpteur Jordi Bonet sauva

Manoir Rouville-Campbell

le manoir, laissé à l'abandon depuis 1955, lorsqu'il en fit son atelier en 1969. Au cours des années 1980, la maison et les écuries ont été recouvertes d'une hôtellerie. En face du manoir Rouville-Campbell se dresse le **monument aux Patriotes de Mont-Saint-Hilaire.**

L'**église Saint-Hilaire** ★★ *(260 ch. des Patriotes N.)* devait à l'origine arborer deux tours en façade surmontées d'autant de flèches. À la suite de disputes internes, la base des tours fut érigée vers 1830, et un seul clocher, disposé au centre de la façade, fut finalement installé. Quant au décor intérieur, de style néogothique, il fut aménagé sur une longue période, soit de 1838 à 1928; mais c'est l'œuvre du peintre Ozias Leduc (1864-1955), exécutée à la fin du XIXe siècle, qui attire davantage l'attention. Cet artiste, originaire de Mont-Saint-Hilaire, est l'auteur de l'ensemble des belles toiles marouflées aux tons pastel qui ornent le temple de même que des dessins des vitraux et des lampes de la nef.

Le presbytère (1798) avoisine l'église au nord, tandis que le **couvent des sœurs des Saints-Noms-de-Jésus-et-de-Marie**, avec son étrange avancée arrondie, se trouve derrière elle.

Le **Musée d'art de Mont-Saint-Hilaire** ★ *(4$; mar 10h à 20h30, mer-sam 10h à 17h, dim 13h à 17h; 150 rue du Centre-Civique, ☎536-3033, www.mamsh.qc.ca)* a pour objectifs de promouvoir et diffuser les arts visuels contemporains, mais aussi de mettre en valeur des œuvres d'artistes célèbres qui ont vécu dans la municipalité. On pense entre autres à Ozias Leduc, Paul-Émile Borduas et Jordi Bonet.

Poursuivez par la route 133 Nord. Tournez à droite dans la route 116 Est (suivez les indications vers le Centre de conservation de la nature de Mont-Saint-Hilaire). Prenez à droite la rue Fortier, qui devient le chemin Ozias-Leduc. Enfin, tournez à gauche dans le chemin de la Montagne, puis dans le chemin des Moulins. Le joli chemin de la Montagne est bordé de nombreux vergers de pommiers. Leurs propriétaires vendent d'ailleurs pommes, jus, cidre et compote en saison (septembre et octobre) dans des kiosques installés au bord de la route.

Centre de conservation de la nature de Mont-Saint-Hilaire ★★, voir p 220.

On délaisse momentanément la vallée du Richelieu pour effectuer une visite à Saint-Hyacinthe, surnommée la «capitale agroalimentaire du Québec». Pour s'y rendre, il faut reprendre la route 116 Est pendant une vingtaine de kilomètres. Vous entrerez alors dans la ville par la rue Girouard en passant sous la **porte des Anciens Maires**, *monument d'allure médiévale situé en bordure de la rivière Yamaska.*

★★
Saint-Hyacinthe
(39 350 hab.)

Saint-Hyacinthe a vu le jour à la fin du XVIIIe siècle autour des moulins de la rivière Yamaska et du domaine de Jacques-Hyacinthe Delorme, seigneur de Maska. Grâce à la fertilité des terres environnantes, elle s'est développée rapidement, attirant nombre d'institutions religieuses, de commerces et d'industries. La transformation et la distribution des produits agricoles jouent encore un rôle prédominant dans l'économie de la ville. On y trouve par ailleurs la seule faculté de médecine vétérinaire francophone d'Amérique ainsi que des instituts de recherche agroalimentaire et d'insémination. Chaque année, on y tient en juillet une importante foire agricole régionale (voir p 230).

Saint-Hyacinthe s'est aussi fait une spécialité de la construction de grandes orgues. Les frères Casavant ont établi leur célèbre **manufacture d'orgues** *(900 rue Girouard E.)* à l'écart de la ville en 1879. On y fabrique encore chaque année une quinzaine d'orgues électropneumatiques, que les experts de la maison vont installer un peu partout à travers le monde. Des visites guidées sont organisées à l'occasion. Les facteurs d'orgues Guilbault-Thérien *(2430 rue Crevier)* construisent, quant à eux, des orgues à traction mécanique selon des modèles français et allemands du XVIIIe siècle depuis 1946.

La **rue Girouard Ouest** ★ est le principal axe de la haute ville de Saint-Hyacinthe. De la porte des Anciens Maires, érigée en 1927 pour honorer la mémoire des 11 premiers magistrats de la ville, jusqu'à l'église Notre-Dame-du-Rosaire, on traverse un secteur résidentiel cossu, reflet du succès des entrepreneurs locaux.

La grande maison blanche, dotée de lucarnes et d'un clocheton (vers 1860), au numéro 2500, constitue la portion originale du **monastère du Précieux-Sang**, qui abrite une communauté de religieuses cloîtrées. Le monastère, maintes fois agrandi, comprend des

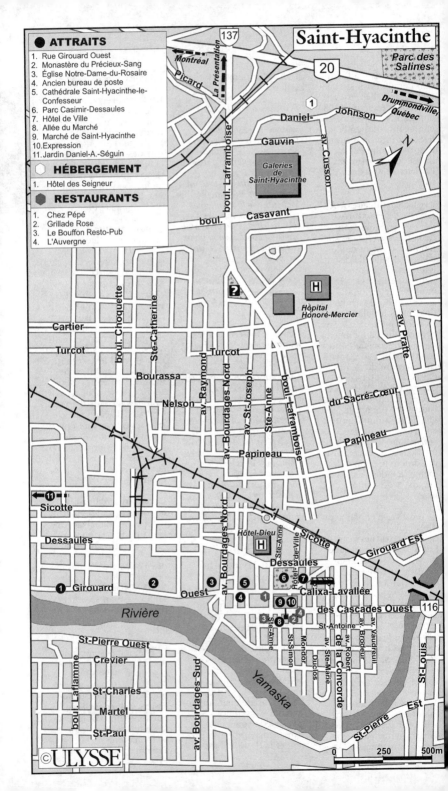

Saint-Hyacinthe

ATTRAITS
1. Rue Girouard Ouest
2. Monastère du Précieux-Sang
3. Église Notre-Dame-du-Rosaire
4. Ancien bureau de poste
5. Cathédrale Saint-Hyacinthe-le-Confesseur
6. Parc Casimir-Dessaules
7. Hôtel de Ville
8. Allée du Marché
9. Marché de Saint-Hyacinthe
10. Expression
11. Jardin Daniel-A.-Séguin

HÉBERGEMENT
1. Hôtel des Seigneur

RESTAURANTS
1. Chez Pépé
2. Grillade Rose
3. Le Bouffon Resto-Pub
4. L'Auvergne

© ULYSSE

ailes de briques peintes en rouge et en blanc, qui contrastent étrangement avec la vocation de l'édifice.

L'**église Notre-Dame-du-Rosaire ★** *(2000 rue Girouard O.)*, élevée par le célèbre architecte Victor Bourgeau en 1858, remplace le premier temple érigé à cet endroit en 1785 et dont on peut encore voir une des cloches convertie en monument près de l'entrée principale. L'église est une belle réussite de Bourgeau, dont le style personnel constitue une synthèse de l'art baroque des églises du Régime français (ailerons) et du néoclassicisme de la première moitié du XIXᵉ siècle (pilastres toscans). L'intérieur, d'une grande sobriété, comprend une chapelle d'axe, derrière le chœur, réservée aux dominicains. Ceux-ci sont responsables de la cure de la paroisse depuis 1873. Leur monastère voisin est un intéressant exemple d'éclectisme français. Il a été construit en 1892 selon les plans du peintre et architecte montréalais Napoléon Bourassa.

Les deux immeubles de pierres bossagées, qui ont abrité l'**ancien bureau de poste** *(1915 rue Girouard O.)* et la **douane** *(1995 rue Girouard O.)* de Saint-Hyacinthe pendant de nombreuses années, forment l'un des rares ensembles du genre à avoir survécu à la vague de modernisation des années 1960. Ils abritent de nos jours des logements et des bureaux.

La **cathédrale Saint-Hyacinthe-le-Confesseur ★** *(1900 rue Girouard O.)* est un édifice d'allure trapue malgré ses flèches qui culminent à 50 m. Elle a été construite en 1880 et remaniée en 1906 selon les

plans des architectes Perrault et Venne de Montréal, lesquels lui ont donné sa façade néoromane et son curieux intérieur rococo. On y remarquera les énormes chapiteaux à cornes des colonnes de la nef, les riches chandeliers qui pendent de la voûte ainsi que le trône épiscopal, qui occupe l'emplacement habituellement réservé à l'autel, au fond du chœur.

Poursuivez par la rue Girouard vers l'est.

Le **parc Casimir-Dessaulles** *(rue Girouard O., angle av. du Palais)* a été aménagé en 1876 à l'emplacement des vestiges du domaine seigneurial. Il est rapidement devenu le lieu de prédilection de la bourgeoisie locale, qui y a fait construire plusieurs maisons imposantes. À l'est se trouve l'**hôtel de ville** *(700 av. de l'Hôtel-de-Ville)*, installé dans l'ancien hôtel Yamaska, remodelé et agrandi en 1923, alors qu'au nord on aperçoit le nouveau **palais de justice.**

Descendez dans la basse ville par l'avenue Mondor. Tournez à droite dans la rue des Cascades Ouest.

La **rue des Cascades ★** est la principale artère commerciale de Saint-Hyacinthe. Elle a été la proie des flammes en 1876, mais fut reconstruite aussitôt. On y découvre aujourd'hui plusieurs boutiques et cafés fort agréables. Au numéro 1555 se trouve la **place du Marché**, délimitée dès 1796 par le seigneur de Maska. L'édifice du marché (1877) représente le cœur de cette cité, dont la vocation agricole ne s'est jamais démenti malgré la diversification du dernier siècle.

L'**allée du Marché**, à l'ouest de la place du même nom, est une intervention heureuse de reconstruction à la suite d'un incendie dévastateur survenu en 1970, qui a détruit plusieurs dizaines de bâtiments entre les rues Saint-François et Sainte-Anne. Les architectes Courchesne et Bergeron ont créé un ensemble multifonctionnel relié par une rue piétonne, aidant ainsi à revitaliser le centre-ville.

Témoin du XIXᵉ siècle, le **marché de Saint-Hyacinthe** *(1555 rue des Cascades O.)* est le plus ancien au Québec à avoir conservé son affectation. Il est le symbole de la vocation agroalimentaire de la ville.

Expression *(toute l'année, mar-ven 10h à 17h, mer jusqu'à 21h, sam-dim 13h à 17h; 495 rue St-Simon, à l'étage, ☎773-4209, www.expression.qc.ca)*, un organisme qui a pour mission de promouvoir et diffuser l'art contemporain, s'est installé dans les locaux situés à l'étage du marché central de Saint-Hyacinthe. La salle d'exposition, considérée comme l'une des plus belles du Québec, accueille une dizaine d'expositions chaque année.

D'abord créé pour remplir une mission pédagogique (lieu de pratique pour les étudiants en aménagement paysager de l'Institut agroalimentaire, situé juste en face), le **jardin Daniel-A.-Séguin ★** *(7$; tlj mi-juin à début sept 10h à 17h; 3215 rue Sicotte, ☎778-6504, poste 215, ou 778-0372, www.ita.qc.ca/jardinsdas)* est ouvert au public depuis 1995. Grâce à ses visites guidées, ses panneaux explicatifs et ses ateliers, les amateurs d'horticulture y trouveront de précieux conseils pour parfaire leurs connaissances et ensuite les appliquer à leur propre jardin.

Reprenez la rue Sicotte, et tournez à gauche dans le boulevard Choquette. Continuez par ce boulevard, et tournez à droite dans le boulevard Casavant Ouest. Continuez et tournez à gauche dans le boulevard Laframboise (route 137) en direction de La Présentation et de Saint-Denis.

La Présentation
(1 855 hab.)

L'**église de La Présentation** ★★ *(551 ch. de l'Église)* se démarque des autres lieux saints érigés en Montérégie à la même époque par sa façade en pierre de taille finement sculptée, achevée en 1819. On y remarquera les inscriptions rédigées en ancien français au-dessus des entrées. Le vaste presbytère dissimulé dans la verdure ainsi que la maison du sacristain, plus modeste, complètent ce paysage typique des paroisses rurales du Québec.

L'intérieur de l'église en blanc et or a été réalisé entre 1823 et 1847 par le sculpteur François Dugal et ses associés. On y retrouve quelques toiles intéressantes provenant d'églises parisiennes, acquises à la suite des Ventes révolutionnaires, entre autres *La Présentation de la Vierge au temple*, *L'Annonciation* et *L'Assomption d'Antoine Renou* (vers 1775), ainsi que *La communion de sainte Claire*, au-dessus de l'autel latéral gauche, attribuée au frère Luc (vers 1665).

Poursuivez par la route 137 Nord jusqu'à Saint-Denis. Tournez à gauche dans le *chemin des Patriotes, qui longe le Richelieu (route 133 Sud).*

★
Saint-Denis
(2 110 hab.)

Au cours des années 1830, Saint-Denis fut le lieu de grands rassemblements politiques et le siège des Fils de la Liberté, ces jeunes Canadiens français qui voulaient faire du Bas-Canada (le Québec d'aujourd'hui) un pays indépendant. Plus important encore, Saint-Denis a été le théâtre de l'unique victoire des Patriotes sur les Britanniques lors de la rébellion de 1837-1838. En effet, le 23 novembre 1837, les troupes du général Gore durent se replier sur Sorel après une lutte acharnée contre les Patriotes, mal équipés mais bien décidés à l'emporter sur l'ennemi. Toutefois, les troupes britanniques se vengèrent quelques semaines plus tard. Surprenant ses citoyens endormis, ils pillèrent et brûlèrent maisons, commerces et industries de Saint-Denis.

Le bourg de Saint-Denis, fondé en 1758, a connu une intense période d'industrialisation au début du XIXe siècle. On y trouvait, entre autres, la plus importante chapellerie au Canada, où l'on confectionnait les fameux hauts-de-forme en peau de castor, portés par les hommes d'Europe et d'Amérique, de même que plusieurs poteries et faïenceries. La répression qui a suivi la rébellion a mis un terme à cette expansion économique, et, dès lors, Saint-Denis a retrouvé sa vocation de simple village agricole.

Le **parc des Patriotes**. Un monument dévoilé en 1913 honore la mémoire des Patriotes de Saint-Denis au centre de cet agréable square, qui fut autrefois la place Royale, avant de devenir la place du marché, puis un parc public au début du XXe siècle.

La **Maison nationale des Patriotes** ★ *(5$; mai à sept tlj 10h à 17h, nov mar-ven 10h à 17h; 610 ch. des Patriotes, ☎787-3623)*. Au sud du parc s'élève une ancienne auberge en pierre construite en 1810. Le bâtiment de forme irrégulière a les caractéristiques des maisons urbaines de la fin du XVIIIe siècle (murs coupe-feu dotés de corbeaux, étage sur rez-de-chaussée, occupation maximale du terrain), dont c'est l'un des rares exemples en dehors de Montréal et Québec.

Depuis 1988, le bâtiment abrite un intéressant centre d'interprétation portant sur la rébellion de 1837-1838 et sur l'histoire des Patriotes. On y décrit les principales batailles de la rébellion et les causes de cette insurrection qui a profondément marqué la région du Richelieu et le Québec tout entier. Deux intéressantes festivités y ont lieu: la **fête du Vieux Marché** *(parc des Patriotes, mi-août; ☎787-2401 ou 787-3229)*, une reconstitution d'un marché public d'autrefois avec une centaine d'artisans en costumes d'époque qu'on a même le plaisir d'observer à l'œuvre, et la **fête des Patriotes** *(3e dim de novembre; ☎787-3623)*, un rassemblement populaire commémorant le jour de 1837 où près de 800 Patriotes peu armés ont mis en déroute les troupes du général Gore.

L'**église Saint-Denis** ★ *(636 ch. des Patriotes)*, érigée de 1793 à 1796 selon les plans

Montérégie

de François Cherrier, curé de la paroisse, est plus imposante que la plupart de ses contemporaines villageoises, comme en témoigne la double rangée de fenêtres des longs pans servant à éclairer les galeries latérales, une idée nouvelle à l'époque. Elle a malheureusement été considérablement remaniée en 1922, notamment par l'ajout de l'actuelle façade surmontée de hautes flèches de cuivre.

Quoique fort modifié lui aussi, l'intérieur de l'église Saint-Denis conserve davantage d'éléments susceptibles d'intéresser le visiteur, comme le retable de Louis-Amable Quévillon (1804) et la chaire d'Urbain Desrochers (1818). L'église Saint-Denis renferme plusieurs tableaux importants provenant de la collection «Desjardins», parmi lesquels figurent des œuvres confisquées aux églises de Paris à la Révolution, comme *La Nativité* d'Antoine Coypel, *L'éducation de la Vierge* d'Otto Van Veen et *Le Martyre de saint Barthélemy* de Jacques-Antoine Delaistre, qui ornait autrefois l'église Saint-Eustache de Paris.

En face de l'église s'élève la **maison Cherrier** *(639 ch. des Patriotes)*, cette confortable demeure que François Cherrier, curé de Saint-Denis de 1763 à 1809, se fit construire au moment de sa retraite.

Reprenez la route 133 Nord, soit le chemin des Patriotes, en direction de Saint-Ours.

À la sortie du village, aux environs de la rue Phaneuf, on se trouve à l'emplacement du champ de bataille de 1837. La maison Pagé, au numéro 553 du chemin des Patriotes, a été le théâtre des premières

escarmouches entre Patriotes et troupes britanniques. Dans la maison Dormicour *(549 ch. des Patriotes)*, six soldats britanniques ont été soignés par les demoiselles Dormicour.

Saint-Ours (1 620 hab.)

Les descendants des seigneurs de Saint-Ours habitent toujours le manoir seigneurial sur les terres qui ont été concédées par Louis XIV, en 1672, à leur ancêtre Pierre de Saint-Ours, capitaine dans le régiment de Carignan-Salières. Le petit village qui avoisine la maison du seigneur a déjà été un port très fréquenté sur le Richelieu. Seul témoin de cette effervescence, l'écluse a été reconstruite en 1933.

L'**écluse de Saint-Ours** *(1,50$; mi-mai à mi-oct; 2930 ch. des Patriotes, ☎447-4888)*. La rivière Richelieu a longtemps été une voie de communication vitale entre Montréal et New York, via le lac Champlain et le fleuve Hudson. Jusqu'au début du XIXe siècle, cette rivière était redoutée car elle permettait à l'ennemi de pénétrer dans le territoire québécois. Cependant, une paix durable s'étant installée à la suite de la guerre de 1812-1814 entre la Grande-Bretagne et les États-Unis, le Richelieu devint alors un lien économique important pour l'importation de produits étasuniens et l'exportation de biens canadiens.

La première écluse de Saint-Ours, destinée à faciliter la circulation des marchandises sur le Richelieu entre le Canada et les États-Unis, a été achevée en 1849, mais elle fut reconstruite au XXe siècle.

Poursuivez par la route 133 Nord, soit le chemin des Patriotes, jusqu'à Sorel, où elle prend le nom de «chemin Saint-Ours» puis de «rue de la Reine».

Sorel (24 964 hab.)

On rejoint ici l'embouchure de la rivière Richelieu, qui se jette dans le fleuve Saint-Laurent à Sorel. Cette ville, où industrie lourde et construction navale dominent encore le paysage, doit son nom à Pierre de Saurel, capitaine dans le régiment de Carignan-Salières, à qui le territoire fut concédé en 1672. L'agglomération elle-même doit sa configuration actuelle au gouverneur britannique Frederick Haldimand, qui voulut en faire une cité modèle peuplée d'Anglo-Saxons. Son rattachement au Domaine royal en 1781, le plan en damier de 1783, les rues baptisées en l'honneur des membres de la famille royale britannique de l'époque (Augusta, Charlotte, George, etc.), de même que la mission anglicane ouverte dès 1784, avaient pour but d'attirer à Sorel, un temps rebaptisée «William-Henry», nombre de loyalistes américains. Ce fut un échec retentissant.

Au cours des années 1860, Sorel a connu une croissance phénoménale, avec l'ouverture de plusieurs chantiers navals, qui sont toujours en activité. La ville a repris son nom d'origine à la même époque, mais l'orthographe en fut modifié.

La **maison des Gouverneurs** *(90 ch. St-Ours)*, recouverte de stuc blanc, a été érigée en 1781 pour loger le commandant du régiment de Brunswick, cantonné à Sorel pour contrer la menace d'une invasion américaine. Ce régiment, formé de mercenaires allemands et suisses, était alors sous le commandement du général von Riedesel, qui s'empressa de faire agrandir la maison pour la rendre plus confortable. C'est à l'occasion du jour de Noël 1781 que Riedesel et sa famille installent dans la maison des Gouverneurs le «premier arbre de Noël en Amérique». Une sculpture en forme de sapin a été installée devant l'édifice pour commémorer l'événement.

De 1784 à 1860, la maison servira de résidence estivale aux gouverneurs généraux du Canada. Au cours de cette période, on y héberge divers personnages illustres dont Lord Dorchester, le duc de Kent (père de la reine Victoria) et le prince William-Henry (futur Guillaume IV).

Poursuivez en direction du centre de la ville par la rue de la Reine.

Le **Carré Royal** *(angle Charlotte et de la Reine)* est un agréable espace de verdure au centre de Sorel, improprement désigné du nom de «Carré Royal», une mauvaise traduction de *Royal Square*, délimité en 1791 et aménagé par la suite sur le modèle du drapeau britannique, l'*Union Jack*.

À l'est du square, on peut voir l'**église anglicane Christ Church** *(79 rue du Prince)* et son presbytère au décor néogothique, élevés en 1842. La mission de Sorel, dont la fondation remonte à 1784, est la doyenne des églises anglicanes du Québec.

Dans les environs de la **place du Marché** *(à l'extrémité de la rue de la Reine)*, avec,

en son centre, l'édifice du marché reconstruit en 1937 dans le style Art déco, on trouve quelques boutiques et cafés attrayants. Le quartier baigne dans une étrange ambiance portuaire sur fond de grues, de hangars et de navires.

La paroisse catholique de Sorel a été créée dès 1678 par Mᵍʳ de Laval. L'**église Saint-Pierre** ★ *(170 rue George)* a été entreprise en 1826, mais considérablement modifiée au fil des ans. Parmi les éléments d'origine figurent les portails en pierre de taille de la façade et, à l'intérieur, la division de la nef en trois vaisseaux soutenus par de belles colonnes corinthiennes, une solution inhabituelle pour l'époque. On remarquera également les stalles du chœur, qui proviendraient de la vieille église Notre-Dame de Montréal, détruite en 1830.

Ouvert au public depuis 1995, le **Centre d'interprétation du patrimoine de Sorel** ★ *(3$; juil et août tlj 10h à 19h, sept à juin merven 10h à 17h, sam-dim 13h à 17h; 6 rue St-Pierre, ☎780-5740 ou 877-780-5740)* est l'endroit par excellence pour se familiariser avec l'histoire et le patrimoine de la région de Sorel. On y trouve deux expositions (l'une permanente et l'autre temporaire), un belvédère, une boutique vendant des créations artisanales des gens du coin et un restaurant. Le volet permanent, avec son exposition «Un pays entre deux eaux», relate les 350 ans de Sorel.

Une excursion facultative vous permet de vous rendre à Sainte-Anne et dans les îles de Sorel afin d'explorer le «Pays du Survenant». De la rue George, empruntez le boulevard Fiset vers le sud. Tournez

à gauche dans la rue de l'Hôtel-Dieu, qui devient la rue de la Rive. Empruntez le chemin du Chenal-du-Moine, qui traverse Sainte-Anne-de-Sorel.

Sainte-Anne-de-Sorel (2 950 hab.)

Ce village est davantage tourné vers la chasse et la pêche que toute autre communauté de la Montérégie, grâce essentiellement à la proximité des îles de Sorel, véritable paradis pour la faune aquatique. L'écrivaine Germaine Guèvremont (1893-1968), qui habitait l'une des îles, a fait connaître cet archipel peu développé, au milieu du Saint-Laurent, dans son roman *Le Survenant*.

L'**église Sainte-Anne** ★ *(572 ch. du Chenal-du-Moine)* renferme 14 fresques magnifiques du peintre québécois Marc-Aurèle de Foy Suzor-Coté (1869-1937), dont la carrière fut influencée à la fois par le souci du détail de Fantin-Latour et par la palette impressionniste de Monet.

Le meilleur moyen d'explorer les **îles de Sorel** ★ *(deux types de croisières sont proposées: Croisière des îles de Sorel, 1665 ch. du Chenal-du-Moine, et excursions et expéditions en canot; ☎743-7227 ou 800-361-6420)* est de s'embarquer sur un des bateaux de passagers qui sillonnent l'archipel et sa vingtaine d'îles. Les croisières d'une heure et demie débutent au chenal du Moine.

Les îles sont de formidables lieux d'observation des oiseaux aquatiques, particulièrement au printemps et à l'automne. Seules quelques maisons sur pilotis, dotées de quais individuels, ponctuent ce paysage plutôt plat qui offre, çà et là, des percées sur les vastes étendues du lac Saint-Pierre, en aval. À l'extrémité de l'île d'Embarras, accessible en voiture, deux restaurants servent de la gibelotte, une sorte de fricassée de poisson typique de la région.

Retournez à Sorel. Pour rentrer à Montréal, reprenez la rue de l'Hôtel-Dieu vers l'ouest. Tournez à gauche dans la rue du Roi, puis prenez à droite le chemin Saint-Ours, qui mène à l'autoroute 30, que vous emprunterez en direction de Montréal.

Circuit C: La rive du Saint-Laurent (deux jours)

En Montérégie, la rive du fleuve Saint-Laurent fait partie de la couronne de banlieues qui encercle l'île de Montréal. Toutes ces municipalités sont d'anciens villages agricoles ou de petites villes industrielles qui ont connu une croissance effrénée avec l'exode des populations urbaines vers la banlieue au cours des 40 dernières années. Dans certains cas, ces villes ont su préserver des noyaux urbains qui présentent un intérêt certain, à l'intérieur desquels on retrouve églises, musées et maisons anciennes. Tout au long de ce circuit, la vue sur Montréal, de l'autre côté du fleuve, est omniprésente et peut être admirée sous plusieurs angles.

Sainte-Catherine (10 399 hab.)

L'**écluse de Sainte-Catherine** ★ *(entrée libre, sauf pour accéder à la plage en saison; avr à déc tlj)* de la voie maritime du Saint-Laurent permet de contourner les infranchissables rapides de Lachine, visibles à gauche. Les navires se retrouvent 9 m plus haut d'un bassin à l'autre. On s'y rend pour observer leur passage, mais également pour contempler la vue exceptionnelle sur les gratte-ciel de Montréal et le majestueux Saint-Laurent. En été, un **parc-plage** sur la presqu'île à Boquet accueille les baigneurs.

Une excursion facultative permet de se rendre à Saint-Constant, essentiellement pour y voir le Musée ferroviaire canadien, accessible en reprenant la route 132 Est puis en tournant à droite dans la rue Saint-Pierre (route 209 Sud).

Saint-Constant (22 000 hab.)

Cette municipalité recèle une institution muséale d'envergure, le Musée ferroviaire canadien, ainsi qu'un écomusée qui fait figure de précurseur dans sa catégorie.

Le **Musée ferroviaire canadien** ★★ *(12$; fin juin à début sept tlj 10h à 18h, sept et oct sam-dim 9h à 17h; 110 rue St-Pierre, ☎632-2410, www.exporail.org)* présente une importante collection de matériel ferroviaire, des locomotives, des wagons et des véhicules d'entretien. On peut y admirer la fameuse locomotive *Dorchester*, mise en service en 1836 sur la première voie ferrée du pays, entre Saint-Jean-sur-Richelieu et La Prairie, plusieurs wagons luxueux du XIXᵉ siècle ayant appartenu au Canadien Pacifique de même que des locomotives de l'étranger, comme la puissante *Chateaubriand* de la Société nationale des chemins de fer français (S.N.C.F.), mise en service en 1884.

L'**Écomusée de Saint-Constant** *(3$; début mai à début sept mar-ven 9h à 17h, sam-dim 10h à 19h; sept à mai sur réservation; 66 rue Maçon, ☎632-3656)* est davantage un lieu de sensibilisation à l'environnement naturel et bâti de la région, conçu pour la population locale, qu'un véritable musée destiné au grand public. Néanmoins, le visiteur qui s'intéresse de près aux outils et métiers traditionnels, aux coutumes locales, à la généalogie et à l'écologie de la région y trouvera quantité d'informations précieuses.

Retournez à Sainte-Catherine. Empruntez le boulevard Marie-Victorin vers l'est (en sortant du site de l'écluse, tournez à gauche). Vous longerez la voie maritime du Saint-Laurent et traverserez la ville de Candiac avant d'arriver à La Prairie. Empruntez le boulevard Salaberry, puis tournez à gauche dans la rue Desjardins, qui prend le nom de Saint-Laurent dans le Vieux-La Prairie. Tournez à gauche dans le chemin de Saint-Jean.

★ La Prairie (18 800 hab.)

La seigneurie de La Prairie a été concédée aux jésuites en 1647. Ceux-ci en firent d'abord un lieu de repos pour leurs missionnaires et un village pour les Iroquois convertis. Les colons français, de plus en plus nombreux à s'installer dans les environs, forcèrent les jésuites à déplacer leur mission afin de soustraire leurs protégés à la mauvaise influence des

Blancs. L'emplacement stratégique de La Prairie amena les autorités à fortifier le village à partir de 1684. Très peu de vestiges subsistent toutefois de l'enceinte de pierre et de bois démantelée par les Américains au moment de l'invasion de 1775.

Au début du XIXe siècle, La Prairie connaît une effervescence nouvelle lorsqu'elle devient un maillon important de la route qui permet l'acheminement des marchandises vers les États-Unis et, en particulier, vers le port américain de Portland, libre de glace en hiver. On y aménage un quai en 1835, où accostent les vapeurs reliant la Rive-Sud à Montréal. L'année suivante voit l'inauguration du premier chemin de fer du Canada, qui relie Saint-Jean-sur-Richelieu et La Prairie. Malheureusement, un incendie déclenché par une locomotive dévaste le village en 1846, effaçant ainsi presque toute trace des bâtiments du Régime français et mettant du même coup un terme à un avenir prometteur. Toutefois, grâce à la prospérité des briqueteries (appelées «briquades» par les résidants), l'économie connaîtra un certain redressement, et un nouveau quartier ouvrier verra le jour vers 1880 dans les environs de la rue Sainte-Rose, le «Fort neuf», baptisé ainsi par opposition au vieux village autrefois fortifié.

L'**église de la Nativité de la Sainte Vierge** ★ *(155 ch. de St-Jean)*, entreprise en 1840, comporte une haute façade néoclassique dessinée par l'architecte Victor Bourgeau et surmontée d'un élégant clocher à péristyle qui domine les environs. À l'arrière de l'église, on remarquera les élégants volumes de l'abside et de la sacristie, de même qu'un caveau doté d'une porte en fer très ancienne et une partie de l'enclos de l'ancien cimetière.

En face de l'église, le bâtiment d'angle *(120 ch. de St-Jean)* et la **maison Aubin** de 1824 *(150 ch. de St-Jean)* sont de bons exemples de la persistance de l'architecture du Régime français après la Conquête.

Le **Musée du Vieux-Marché** *(entrée libre; lun-ven 9h à 17h, sam-dim 13h à 17h; 249 rue Ste-Marie, ☎659-1393)*. Un sentier d'interprétation que l'on emprunte en face de l'église conduit jusqu'à l'arrière de l'ancien édifice du marché (1863). Ce bâtiment de briques abritait à l'origine, outre un marché, le service des incendies au rez-de-chaussée et une salle de spectacle à l'étage. Un coquet musée portant sur l'histoire de La Prairie l'occupe aujourd'hui.

Les **rues du Vieux-La Prairie** ★★ revêtent un caractère urbain rarement atteint dans les villages du Québec au XIXe siècle. Plusieurs des maisons ont été soigneusement restaurées depuis que le secteur a été classé arrondissement historique par le gouvernement du Québec en 1975. Une promenade, le long des rues Saint-Ignace, Sainte-Marie, Saint-Jacques et Saint-Georges permet d'en apprécier les particularités. Certaines maisons de bois rappellent les habitations des faubourgs de Montréal aujourd'hui disparues *(240 et 274 rue St-Jacques)*. D'autres maisons s'inspirent de l'architecture du Régime français (toits à deux versants, murs coupe-feu, lucarnes), à cette différence près qu'elles sont partiellement ou totalement construites en brique plutôt qu'en pierre *(234 et 237 rue St-Ignace, 166 rue St-Georges)*. Enfin, la maison en pierre revêtue de bois, au numéro 238 de la rue Saint-Ignace, serait le seul véritable témoin du Régime français qui subsiste dans le Vieux-La Prairie.

Revenez au chemin de Saint-Jean.

En tournant à gauche, on aboutit sur un square doté d'un kiosque à musique et d'une plaque commémorant la bataille de La Prairie (1691), qui a opposé colons français et bandes amérindiennes à la solde des Britanniques.

Reprenez le chemin de Saint-Jean en sens inverse. Tournez à droite dans la rue Saint-Laurent puis encore à droite dans la rue Saint-Henri. Empruntez l'autoroute 15 (route 132), qui traverse Brossard, avant d'atteindre Saint-Lambert (sortie du boulevard Simard). Tournez à gauche dans le chemin Riverside (en anglais «Riverside Drive»).

Saint-Lambert (22 000 hab.)

Le développement de Saint-Lambert est intimement lié à la construction du pont Victoria au milieu du XIXe siècle. La présence ferroviaire y a attiré une importante communauté anglophone qui lui a légué une saveur vaguement britannique. On y trouve également quelques maisons de ferme plus anciennes, disséminées le long du fleuve Saint-Laurent et restaurées par une population cultivée.

Le **pont Victoria** ★ est le plus ancien des ponts qui relient l'île de Montréal à la terre ferme. Il a été construit péniblement par des centaines d'ouvriers irlandais et canadiens-français entre 1854 et 1860 pour la compagnie ferroviaire du Grand Tronc, qui y faisait passer ses trains. Il s'agissait, au départ, d'un pont tubulaire conçu par le célèbre ingénieur anglais Robert Stephenson. Seuls les piliers aux arêtes effilées, destinées à briser les glaces, sont d'origine, puisque la structure du pont Victoria a été modifiée à quelques reprises, notamment pour y permettre la circulation automobile. Sa longueur (2 742 m), exceptionnelle pour l'époque, a fait dire aux chroniqueurs du XIXe siècle qu'il s'agissait de la huitième merveille du monde...

L'**écluse de Saint-Lambert** ★ *(entrée libre; mi-avr à fin sept tlj du lever au coucher du soleil; dans l'axe du boulevard Sir-Wilfrid-Laurier)* joue le rôle de porte d'entrée de la voie maritime du Saint-Laurent, qui s'amorce ici et prend fin 3 800 km plus loin vers l'ouest, à l'extrémité des Grands Lacs. La voie maritime permet aux navires de franchir les obstacles naturels du Saint-Laurent afin d'approvisionner directement le centre du continent. Son inauguration en 1959 a entraîné la fermeture du canal de Lachine (rouvert en 2002 pour la navigation légère) et a contribué au déclin économique du sud-ouest de Montréal.

L'**avenue Victoria**. Des bâtiments, comme la **maison Dawson** *(581-585 av. Victoria)*, construite en 1891 dans le style Queen Anne, donnent à la principale artère commerciale de Saint-Lambert un cachet britannique jalousement préservé par les habitants de la municipalité. En parcourant les rues avoisinan-

tes, on peut voir plusieurs maisons victoriennes, telle la **maison Terroux** *(15 av. Upper-Edison)*, érigée en 1890.

Le **Musée Marsil** *(2$; mar-ven 10b à 17b, sam-dim 11b à 17b; 349 ch. Riverside; ☎923-6601)* présente des expositions temporaires à caractère autant artistique qu'historique ainsi qu'une intéressante collection de costumes et de tissus. Il est installé dans la maison Marsil, dont le carré de pierres date vraisemblablement de 1750. Celui-ci a été bardé d'un cercle de fer destiné à retenir la maçonnerie à une époque ultérieure. La toiture à larmiers débordants, la galerie et les lucarnes appartiennent, quant à elles, à l'architecture rurale québécoise du début du XIXe siècle.

Le long du chemin Riverside, on peut voir d'autres maisons du même genre. Au numéro 405, la **maison Auclair** (vers 1750), moins transformée que la maison Marsil, illustre mieux l'humble architecture rurale du Régime français avec son petit carré de pierres sans galerie, ses rares ouvertures disposées irrégulièrement et sa toiture à pentes raides, dépourvue de lucarnes. Celle-ci est surmontée de deux cheminées, dont une fausse, appelée «menteuse». La **maison Mercille**, au numéro 789 (vers 1775), plus imposante que ses voisines de la même époque, comporte une laiterie attenante au corps principal, dont la fenêtre est dotée d'une grille à «étripe-chats». Chemin faisant, on jouit de belles vues sur les îles Notre-Dame et Sainte-Hélène, qui ont accueilli l'Exposition universelle de 1967, de même que sur les

gratte-ciel du centre-ville de Montréal.

Une excursion facultative à l'intérieur des terres, dans la municipalité de Saint-Bruno-de-Montarville, permet de voir le mont Saint-Bruno, l'une des collines Montérégiennes. Pour vous y rendre, empruntez le boulevard Sir-Wilfrid-Laurier (route 116), puis tournez à gauche dans le chemin de la Rabastalière. Sinon, poursuivez en direction de Longueuil par le chemin Riverside, qui devient ensuite la rue Saint-Charles Ouest. Vous côtoierez alors sur une distance de 1 km (avant d'arriver dans le centre de la ville), un enchevêtrement de voies élevées qui mènent au pont Jacques-Cartier, ainsi qu'un quartier de tours modernes qui gravitent autour de la station de métro Longueuil.

Saint-Bruno-de-Montarville (25 500 hab.)

Adossée au mont Saint-Bruno, cette municipalité est une oasis de verdure. Elle compte en moyenne 24 m² d'espace vert par habitant, en excluant son parc de conservation qui s'étend sur plus de 8 km². La ville faisait autrefois partie de la seigneurie de Boucherville. Le long du chemin de la Rabastalière, on trouve encore quelques vieilles maisons de ferme, mais l'ensemble de la ville présente une allure de banlieue moderne. Certains lotissements des années 1960, planifiés par l'urbaniste Jean-Claude La Haye, ont des qualités rarement présentes dans ce type de développement, comme la préservation des arbres et des ruisseaux ainsi que la construction de maisons à l'architecture soignée sur de larges parcelles.

Montérégie

Autrefois situé près de l'église catholique, le **Vieux-Presbytère** *(expositions: entrée libre; mer-dim 13h à 16h30, ven 19h à 22h, juin à août fermé sam-dim; 15 rue des Peupliers, ☎ 441-8354)* fut érigé vers 1851. L'architecture de cette ancienne habitation de curé ressemble aux vieilles maisons d'époque situées aux environs de Montréal. En effet, la pierre des champs mouchetée ainsi que des cheminées doubles, ancrées dans des pignons, ornent sa façade. L'intérieur est constitué presque entièrement de bois de pin. En 1960, l'existence du Vieux-Presbytère fut menacée par l'apparition d'un deuxième presbytère rattaché à l'église, celui-là plus moderne et moins coûteux à entretenir. Pour éviter de détruire cette pittoresque demeure, Mgr Gilles Gervais, curé de la paroisse, ainsi qu'un groupe de citoyens firent pression en faveur de sa conservation. Le Vieux-Presbytère a été classé monument national le 6 décembre 1966 par la Commission des monuments historiques. Il fut donc démoli, pierre par pierre, et reconstruit dans le parc qui entoure le lac du Vilain. On y présente aussi des expositions qui changent régulièrement.

Parc du Mont-Saint-Bruno ★, voir p 220.

★
Longueuil
(137 100 hab.)

Depuis 2002, la nouvelle grande ville de Longueuil regroupe huit anciennes municipalités: Boucherville, Brossard, Greenfield Park, Saint-Bruno-de-Montarville, Saint-Hubert, Saint-Lambert, Le Moyne et l'ancienne ville de Longueuil (laquelle est dorénavant connue sous le nom d'arrondissement Vieux-Longueuil). Cette dernière, située en face de Montréal, est la plus peuplée de la Montérégie. Elle faisait autrefois partie de la seigneurie de Longueuil, concédée à Charles Le Moyne (1624-1685) en 1657. Celui-ci est à l'origine d'une dynastie ayant joué un rôle de premier plan dans le développement de la Nouvelle-France. Parmi ses 14 enfants, plusieurs seront célèbres, dont Pierre Le Moyne d'Iberville (1661-1706), premier gouverneur de la Louisiane, Jean-Baptiste Le Moyne de Bienville (1680-1768), fondateur de La Nouvelle-Orléans, et Antoine Le Moyne de Châteauguay (1683-1747), gouverneur de la Guyane.

Le fils aîné, Charles Le Moyne de Longueuil, hérita de la seigneurie. Entre 1685 et 1690, il fait construire, sur le site de l'actuelle cathédrale Saint-Antoine-de-Padoue, un véritable château fort comprenant quatre tours d'angle, une église et plusieurs corps de logis. En 1700, Longueuil est élevée au rang de baronnie par Louis XIV, un cas unique dans l'histoire de la Nouvelle-France. Le baron de Longueuil voit au développement de ses terres, dont la superficie croît sans cesse jusqu'à atteindre les berges de la rivière Richelieu.

Au XIXe siècle, Longueuil connaît une croissance continue grâce à l'implantation du chemin de fer (1846) et à la venue de nombreux estivants qui érigent de belles villas sur la rive du fleuve. Puis la ville accueille, au début du XXe siècle, une petite usine à l'origine de la puissante firme Pratt et Whitney, créant ainsi un important noyau industriel spécialisé dans la mécanique et l'avionnerie. Longueuil peut être considérée comme l'une des premières composantes de la banlieue de Montréal, grâce à la construction du pont Jacques-Cartier, entre Montréal et la Rive-Sud, inauguré dans les années 1930.

La **rue Saint-Charles** est la principale artère commerciale de Longueuil. À l'est de l'**hôtel de ville** *(300 rue St-Charles O.)* se trouvent plusieurs cafés et restaurants agréables. Près de l'église catholique, l'ancien **Foyer Saint-Antoine des Sœurs Grises**, conçu en 1877 par Victor Bourgeau, abrite maintenant des organismes artistiques et sociaux.

L'**église Saint-Antoine-de-Padoue ★★** *(rue St-Charles, angle ch. Chambly)*. Le château de Longueuil occupait autrefois cet emplacement. Après avoir été assiégé par les insurgés américains lors de l'invasion de 1775, il a été réquisitionné par l'armée britannique. En 1792, alors qu'une garnison y était stationnée, un incendie éclata, détruisant une bonne partie de l'ensemble érigé au XVIIe siècle. Les ruines sont mises à profit en 1810 lors de la construction de la seconde église catholique. Quelques années plus tard, la rue Saint-Charles est percée en plein centre du site du château. Ainsi ont disparu les derniers vestiges d'un édifice unique en Amérique du Nord. Des fouilles archéologiques, effectuées au cours des années 1970, ont permis de retracer l'emplacement exact du château et de mettre au jour une partie de ses fondations, visibles à l'est de l'église.

L'église de 1810 a été démolie en 1884 pour faire place à l'édifice actuel,

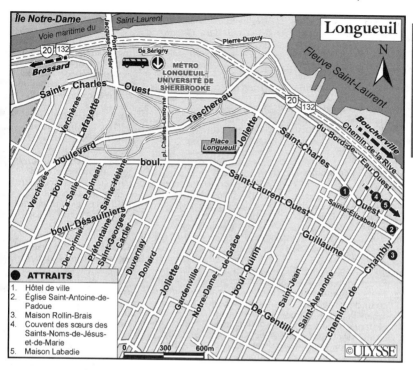

ATTRAITS

1. Hôtel de ville
2. Église Saint-Antoine-de-Padoue
3. Maison Rollin-Brais
4. Couvent des sœurs des Saints-Noms-de-Jésus-et-de-Marie
5. Maison Labadie

©ULYSSE

l'église Saint-Antoine-de-Padoue, achevée en 1887 selon les plans des architectes Perrault et Mesnard de Montréal. L'extérieur s'inspire de l'art gothique flamboyant, mais demeure proche de l'éclectisme victorien.

La **maison Rollin-Brais** *(205 ch. Chambly)*, datant de la fin du XVIIIᵉ siècle et comportant des murs de pierres irréguliers, abrite le bureau d'information touristique de Longueuil. Au cours de son histoire, elle fut notamment une auberge et une forge.

Le **couvent des sœurs des Saints-Noms-de-Jésus-et-de-Marie** ★ *(visites sur rendez-vous; 80 rue St-Charles E., ☎651-8104)*, admirablement restauré, abrite toujours les sœurs des Saints-Noms-de-Jésus-et-de-

Marie, une communauté religieuse fondée à Longueuil en 1843 par la bienheureuse mère Marie-Rose. Le bâtiment comprend une résidence érigée en 1769, mais les principaux travaux de construction ont été effectués entre 1844 et 1851.

À l'est du couvent, on peut voir la **maison Labadie** *(90 rue St-Charles E.)*, construite en 1812 sur un terrain qui faisait autrefois partie du domaine seigneurial. C'est dans cette maison qu'a été fondée la communauté des sœurs des Saints-Noms-de-Jésus-et-de-Marie, vouée à l'éducation des jeunes filles. La maison voisine *(100 rue St-Charles E.)* aurait été construite en 1749.

Poursuivez vers l'est en direction de Boucherville par la rue Saint-Charles Est, qui

prend ensuite le nom de «boulevard Marie-Victorin». Le long du parcours, vous bénéficierez de vues imprenables sur le pont Jacques-Cartier.

★
**Boucherville
(36 198 hab.)**

Contrairement à nombre de seigneuries de la Nouvelle-France qui sont concédées à des militaires ou à des marchands, la seigneurie de Boucherville est remise par l'intendant Talon à un colon de Trois-Rivières, Pierre Boucher, en 1672. Plutôt que de spéculer ou d'utiliser ses terres comme réserve de chasse, Boucher fait des efforts soutenus pour développer sa seigneurie, ce qui lui vaudra d'être anobli par le roi. Dès la fin du XVIIᵉ siècle, Boucherville comprend un bourg fortifié, des moulins et une église. Peu de bâtiments de cette époque ont survécu, du fait d'un incendie majeur qui a détruit une bonne partie de l'agglomération en 1843. La seigneurie de Boucherville demeurera entre les mains de la famille Boucher jusqu'à l'abolition du régime seigneurial, en 1854.

Parc des Îles-de-Boucherville, voir p 220.

Comme ses deux voisines, la **maison Louis-Hippolyte-Lafontaine** *(entrée libre; jeu-ven 19h à 21h, sam-dim 13h à 17h; 314 boul. Marie-Victorin, ☎449-8347)* a été déménagée dans le parc de la Brocquerie en 1964. Elle était précédemment située au cœur du village de Boucherville. Louis-Hippolyte Lafontaine, ardent défenseur des Canadiens français et premier ministre du Canada-Uni en 1842, puis de 1848 à 1850, y a habité dans sa jeunesse. La demeure, dont la construction remonte à 1766, abrite de nos jours un centre d'exposition comprenant une section sur l'histoire de la maison. Quant au parc, il faisait autrefois partie du domaine de la famille Sabrevois de Bleury, au milieu duquel on trouvait la villa La Brocquerie, érigée vers 1735 mais malheureusement incendiée en 1971.

Le **manoir de Boucherville** ★ *(468 boul. Marie-Victorin)* est l'un des rares manoirs datant du Régime français à avoir survécu dans la région de Montréal. La grande maison en pierre a été érigée pour François-Pierre Boucher de Boucherville, troisième seigneur des lieux, en 1741. La famille de Boucherville a vécu dans le manoir jusqu'à la fin du XIXᵉ siècle.

L'**église Sainte-Famille** ★ ★ *(560 boul. Marie-Victorin)* de Boucherville forme, avec le couvent (1890) et le presbytère (1896), un ensemble harmonieux autour d'une place publique dont la création remonte au XVIIᵉ siècle. L'église est une œuvre majeure de l'architecture vernaculaire du Québec. Elle a été construite en 1801 selon les plans de l'abbé Pierre Conefroy, curé de la paroisse. Ce dernier ne se contentera pas d'en esquisser les formes; il rédigera un véritable devis, repris par la suite à travers le Québec. Ainsi, l'église de Boucherville, avec ses trois portails en façade et son plan en croix latine aux dimensions importantes, servira de modèle à l'architecture religieuse des villages québécois jusqu'en 1830. Endommagée lors de la conflagration de 1843, elle sera rénovée la même année.

Le beau décor intérieur a été exécuté entre 1844 et 1850 par Louis-Thomas Berlinguet, mais il comprend aussi des œuvres plus anciennes, comme les toiles de Jean-Baptiste Roy-Audy, peintes vers 1820, et surtout le tabernacle du maître-autel (1745), véritable chef-d'œuvre de la sculpture baroque en Nouvelle-France, dû à Gilles Bolvin. On remarquera en outre le buffet d'orgue réalisé en 1847, l'un des plus anciens que l'on ait conservés au Québec.

★
**Varennes
(15 809 hab.)**

La ville de Varennes est longtemps demeurée une petite communauté agricole isolée, spécialisée dans la culture maraîchère.

Depuis les années 1950 cependant, elle a vu s'installer d'importantes industries chimiques et pétrolières à l'est du vieux village. Hydro-Québec y a également ouvert un centre de recherche en 1967, l'IREQ.

Situé à l'entrée du vieux village, le **calvaire de bois** *(2511 rue Ste-Anne)* est l'un des plus anciens monuments du genre qui subsistent au Québec. Le calvaire actuel a succédé en 1829 à un calvaire du XVIIIᵉ siècle dont on a récupéré certaines des statues.

La **basilique** et les **chapelles votives** ★ *(rue Ste-Anne)*. Les chapelles votives servent notamment de reposoir pendant les processions de la Fête-Dieu. Autrefois nombreuses le long des routes du Québec, plusieurs d'entre elles ont disparu à la suite de la baisse de la pratique religieuse. Celles de Varennes sont cependant toujours fréquentées par les pèlerins et ouvertes au culte pendant la saison estivale. La plus ancienne, de type néoclassique, a été bâtie en 1832; la seconde a été érigée selon les plans de Victor Bourgeau en 1862 dans le style néogothique, identifiable à sa flèche et à ses ouvertures à arcs ogivaux. On y trouve une ornementation très élaborée pour ce genre d'édifice. Quant à la vaste église néoromane qui domine le village, elle comporte une haute façade à deux clochers, derrière laquelle le visiteur découvrira un intérieur richement orné.

**Verchères
(5 125 hab.)**

C'est ici qu'en 1692 la célèbre héroïne Madeleine de Verchères prit la tête du

Montérégie

fortin de pieux, qui tenait lieu de village, pour le défendre contre les Iroquois qui attaquaient de toutes parts. Sa brillante victoire résonna à travers la colonie, élevant le moral des colons en cette période de guerre et de disette. Par la suite, Verchères s'est développée lentement au gré des récoltes. Depuis quelques décennies cependant, elle a connu, à l'instar de Varennes, une industrialisation massive.

Le **moulin** *(rue Madeleine)*. Jusqu'au milieu du XIXe siècle, Verchères pouvait s'enorgueillir de posséder sept moulins à vent pour moudre le grain. Aujourd'hui, il n'en subsiste que deux, dont celui-ci, érigé en 1730, qui a été transformé en salle d'exposition par la municipalité. Son apparence actuelle lui vient de ce qu'il a servi de poste de signalisation maritime de 1913 à 1949.

Un imposant **monument à la mémoire de Madeleine de Verchères**, coulé dans le bronze par Louis-Philippe Hébert, se dresse fièrement en face du fleuve, à côté du moulin, traduisant les sentiments des résidants de Verchères pour ce personnage presque mythique qu'est devenue avec les années la frêle mais courageuse adolescente du XVIIe siècle.

L'**église Saint-François-Xavier** *(rue Madeleine)* a été élevée en 1787 sur le site de la première église de 1724. La façade fut mise au goût du jour à la fin du XIXe siècle, lui donnant ainsi un petit air néoroman. L'intérieur, décoré par Louis-Amable Quévillon, offre davantage d'intérêt. On y retrouve un chœur à fond plat décoré en arc de triomphe (1808) de même

que des tableaux français du XVIIIe siècle provenant des églises parisiennes, acquis pendant les Ventes révolutionnaires.

Calixa-Lavallée (482 hab.)

Non loin de la municipalité de Verchères se trouve la ville portant le nom du musicien Calixa Lavallée (1842-1891), compositeur de l'hymne national du Canada.

Contrecœur (5 891 hab.)

Les géants de la métallurgie, comme la firme Sidbec-Dosco, hantent le paysage de cette ville située au centre de la «région de l'Acier». Le noyau du village a quant à lui conservé quelques bâtiments intéressants dans un cadre champêtre.

La **maison Lenoblet-duPlessis** *(entrée libre; fin juin à fin août tlj 10h à 19h; 4752 boul. Marie-Victorin, ☎587-5750 ou 587-5988)*. Cette maison de 1794 a été considérablement transformée à la fin du XIXe siècle dans le but de lui donner un air victorien. Elle a longtemps appartenu au notaire Alexis Le Noblet-Duplessis (1780-1840), qui y a accueilli les Patriotes pour les nombreuses réunions secrètes ayant mené à la rébellion armée de 1837-1838. De nos jours, la maison, devenue propriété municipale, abrite un musée retraçant l'histoire de l'édifice et de la ville. Elle est située au milieu du beau **parc Cartier-Richard**, doté d'une promenade et d'un belvédère d'où l'on peut admirer le fleuve Saint-Laurent.

Pour rentrer à Montréal, empruntez l'autoroute 30. Vous

pourrez alors vous diriger soit vers le pont-tunnel Louis-Hippolyte-Lafontaine, soit vers les ponts Jacques-Cartier et Champlain. Chemin faisant, vous pouvez vous arrêter à l'Électrium d'Hydro-Québec, situé à l'intérieur des limites municipales de Sainte-Julie (sortie 128).

L'**Électrium d'Hydro-Québec** ★ *(entrée libre; début juin à fin août tlj 9h30 à 16h; le reste de l'année lun-ven 9h30 à 16h, dim 13h à 16h; autoroute 30, sortie 128, ☎652-8977 ou 800-267-4558)* intéressera particulièrement les jeunes visiteurs. Il propose des jeux interactifs ainsi que différents exemples d'application de l'électricité.

Circuit D: Vaudreuil-Soulanges (une journée)

Cette région forme une pointe triangulaire isolée du reste de la Montérégie. Elle est délimitée à l'ouest par la frontière de l'Ontario, au nord et à l'est par la rivière des Outaouais ainsi que par les très beaux lacs des Deux Montagnes et Saint-Louis, renommés pour les activités aquatiques que l'on y pratique, et enfin au sud par le fleuve Saint-Laurent, qui s'élargit à cet endroit pour former le lac Saint-François. Ne soyez pas surpris si vous entendez parler du pays du Suroît, car la région porte aussi le même nom que ce vent du sud-ouest.

Vaudreuil-Dorion (18 595 hab.)

La pointe ouest est incluse dans le réseau des vieilles seigneuries du Régime français, ce qui lui a valu d'être rattachée au Québec plutôt qu'à la province voisine, l'Ontario, lors de la création du Haut et du Bas-Canada en 1791. Les seigneuries de Vaudreuil et de Soulanges, concédées en 1702, se sont développées péniblement, étant situées en amont des infranchissables rapides de Lachine. Ainsi, bien que cette région soit à proximité de Montréal, on n'y retrouve qu'une faible population avant la fin du XVIIIe siècle. La ville de **Dorion** s'est développée grâce à des marchands d'origine allemande. La seigneurie de **Vaudreuil** fut concédée à François de Rigaud, marquis de Vaudreuil, au début du XVIIIe siècle. Affairé par son poste de gouverneur de Montréal, il n'aura que peu de temps à consacrer aux affaires de sa seigneurie, qu'il vend, en même temps que son château de la rue Saint-Paul, à Michel Chartier de Lotbinière, avant de rentrer en France en 1763. Ce dernier fera davantage d'efforts pour mettre en valeur son domaine. Par mariage, la seigneurie passe ensuite entre les mains de Robert Unwin Harwood, qui attirera dans la région des colons d'Angleterre. Ceux-ci s'établiront surtout dans les villages de Como et de Hudson, qui ont conservé une certaine saveur britannique.

La **maison Trestler** ★ *(3,50$; lun-ven 9h à 17h, dim 13h à 16h, concerts mer 20h en été seulement; 85 ch. de la Commune, ☎455-6290, www.trestler.qc.ca)* est magnifiquement située en bordure du lac des Deux Montagnes. Cette maison en pierre, d'une longueur inhabituelle (44 m), fut construite par étapes entre 1798 et 1806. Mercenaire dans le régiment Hesse-

Hanau, son propriétaire, Jean-Joseph Trestler, est arrivé au Canada en 1776. Dix ans plus tard, il s'installe à Dorion, alors qu'il s'implique dans la traite des fourrures tout en étant marchand général. La maison a été partiellement convertie en centre culturel par ses propriétaires actuels en 1976. Elle est le lieu de plusieurs concerts et conférences.

Revenez au boulevard Saint-Henri. Tournez à droite, en direction de Vaudreuil, où il devient l'avenue Saint-Charles. Pour vous rendre à la maison Valois-Génus, faites un crochet par la rue Saint-Charles.

La Ville de Dorion a acquis la **maison Valois-Génus** *(331 av. St-Charles)*, érigée en 1796 pour le capitaine de milice Joachim Génus, afin d'en faire une galerie d'art, où sont exposées des œuvres d'artistes locaux. Le bâtiment est représentatif d'un type architectural aujourd'hui presque complètement disparu de nos villes et de nos campagnes, celui de la maison en pièce sur pièce posée sur un haut solage en maçonnerie.

Érigée entre 1783 et 1789, l'**église Saint-Michel** ★★ *(14 av. St-Charles)* a été dotée d'une nouvelle façade néogothique en 1856 afin de la mettre au goût du jour. Son plan en croix latine, avec abside à pans coupés, s'apparente à celui des premières églises du Régime français. L'intérieur retient davantage l'attention pour ses caractéristiques uniques, à savoir la présence de l'ensemble le plus complet de mobilier liturgique sculpté par Philippe Liébert au XVIIIe siècle (chaire, maître-autel, chandeliers, tombeaux, statues), la préservation du

banc seigneurial, alors qu'il a été éliminé de la plupart des autres églises du Québec, et la conservation du décor polychrome peint en trompe-l'œil par F.E. Meloche en 1883.

Le **Musée régional de Vaudreuil-Soulanges** ★ *(3$; lun-ven 9h30 à 16h30, mar aussi 19h à 21h30, sam-dim 13h à 16h30; 431 av. St-Charles, ☎455-2092)*, fondé en 1953, est l'un des plus anciens musées régionaux du Québec, témoin de la vitalité culturelle de Vaudreuil à cette époque. Il est installé dans l'ancien collège Saint-Michel (1857), autrefois dirigé par les clercs de Saint-Viateur. Le beau bâtiment, au toit mansardé, abrite les collections d'objets usuels et d'outils artisanaux des XVIIIe et XIXe siècles, de même que d'intéressantes pièces d'art sacré accompagnées de peintures et de gravures anciennes.

Poursuivez par l'avenue Saint-Charles en direction de Vaudreuil-sur-le-Lac. Vous atteignez maintenant la rive du lac des Deux Montagnes, que vous suivrez jusqu'à Rigaud.

★
Hudson
(5 249 hab.)

Hudson est une jolie ville à majorité anglophone, peuplée de cadres d'entreprises qui habitent de belles maisons anciennes ou modernes. En toute saison, il est très agréable d'explorer la ville avec ses nombreuses boutiques, ses charmants restaurants et ses petites rues au cachet de la Nouvelle-Angleterre.

Le samedi, du printemps à l'automne, ne manquez pas le **Finnegan's Market** *(775 Main Rd., ☎458-4377)*, un marché très animé qui

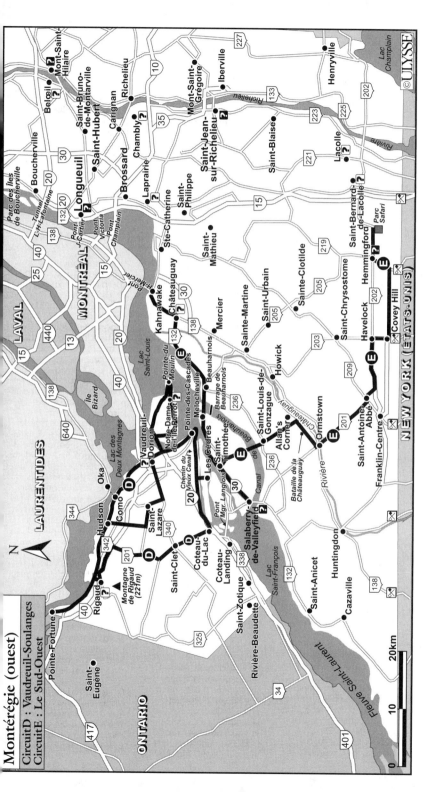

Montérégie (ouest)

CircuitD : Vaudreuil-Soulanges
CircuitE : Le Sud-Ouest

N
LAURENTIDES

ONTARIO

NEW YORK (ÉTATS-UNIS)

© ULYSSE

0   10   20km

Pointe-Fortune
Saint-Eugène
Rigaud
Montagne de Rigaud (221m)
Hudson
Oka
Como
Saint-Lazare
Saint-Clet
Coteau-du-Lac
Coteau-Landing
Saint-Zotique
Rivière-Beaudette
Saint-Anicet
Cazaville
Huntingdon
Salaberry-de-Valleyfield
Les Cèdres
Saint-Timothée
Pont Mgr. Langlois
Chemin du Vieux Canal
Vaudreuil-Dorion
Notre-Dame-de-l'Île-Perrot
Pointe-des-Cascades
Melocheville
Barrage de Beauharnois
Beauharnois
Kahnawake
Châteauguay
Mercier
Sainte-Martine
Howick
Saint-Louis-de-Gonzague
Allan's Corner
Bataille de la Châteauguay
Ormstown
Franklin-Centre
Saint-Antoine-Abbé
Ormstown
Saint-Chrysostome
Havelock
Hemmingford
Covey Hill
Parc Safari
Saint-Bernard-de-Lacolle
Lacolle
Saint-Blaise
Henryville
Iberville
Saint-Jean-sur-Richelieu
Mont-Saint-Grégoire
Chambly
Carignan
Richelieu
Saint-Bruno-de-Montarville
Saint-Hubert
Brossard
Laprairie
Saint-Philippe
Saint-Mathieu
Ste-Catherine
Sainte-Clotilde
Saint-Urbain
Longueuil
Belœil
Mont-Saint-Hilaire
Boucherville
Parc des Îles de Boucherville
MONTRÉAL
LAVAL
Lac Saint-Louis
Lac des Deux Montagnes
Île Bizard
Lac Saint-François
Fleuve Saint-Laurent
Lac Champlain
Rivière Richelieu
Rivière Châteauguay
Pointe-du-Moulin
Saint-Louis
Pont H-Mercier
Pont Champlain
Pont Victoria
Pont J.-Cartier
Pont L-H-Lafontaine
Tunnel L-H-Lafontaine
Pont

se tient en plus grande partie à l'extérieur. Antiquités, produits artisanaux et plantes, entre autres, font partie des articles qui y sont offerts. C'est davantage un marché champêtre qu'un marché aux puces.

Saint-Lazare (9 840 hab.)

Plus qu'un simple jardin, comme on aurait pu le croire, les **Jardins d'Henriette ★** *(7$; début juin à mi-sept ven-dim 10h à 16h; 2196 ch. St-Louis, ☎455-3884)* sont le résultat d'une folle aventure que Mme Miral a entreprise en 1990. Reconstituer un tableau du célèbre peintre Monet n'est pas chose simple, mais les résultats sont saisissants.

Rigaud (6 280 hab.)

Les fils du marquis de Vaudreuil reçurent en concession la seigneurie de Rigaud en 1732. Le village ne s'est toutefois développé qu'après l'arrivée des clercs de Saint-Viateur, qui ont ouvert le **collège Bourget** en 1850. En plus de sa vocation éducative, Rigaud accueille les pèlerins dans son sanctuaire aménagé à flanc de colline.

Empruntez la rue Saint-Jean-Baptiste (route 342). Tournez à gauche dans la rue Saint-Pierre. Suivez les indications vers le sanctuaire.

Le **sanctuaire Notre-Dame-de-Lourdes ★** *(début mai à fin sept tlj 9h à 17h; 20 rue de Lourdes, ☎451-4631 ou 451-0655)*. Miné par la maladie, le frère Ludger Pauzé c.s.v. creusa à l'été 1874 une petite niche dans un rocher, où il plaça une statuette de la Vierge afin de témoigner sa confiance envers Marie. Dès lors débuta le culte marial à Rigaud. Une première

chapelle octogonale, d'où l'on jouit d'une belle vue d'ensemble sur la région, fut érigée en 1887. À cela s'ajoutèrent par la suite diverses installations permettant d'organiser des célébrations en plein air qui attirent encore les foules, notamment la nouvelle chapelle, où l'on célèbre la messe depuis 1954. Non loin du sanctuaire se trouvent les Guérets, un étrange amoncellement de cailloux laissé sur place lors du retrait de la mer de Champlain à l'ère des glaciations. Une légende veut cependant que ce lit de pierres ait été autrefois un champ de pommes de terre que Dieu, ulcéré parce que son propriétaire y travaillait le dimanche, aurait changé en un champ de cailloux, surnommé le «champ du Diable».

Une excursion facultative à Pointe-Fortune, au départ de Rigaud, permet de vous rendre jusqu'à la frontière avec l'Ontario. Il faut alors tourner à gauche dans la rue Saint-Jean-Baptiste.

Revenez sur vos pas. Empruntez l'autoroute 40 Est jusqu'à la sortie 17. Suivez la route 201 Sud en passant par Saint-Clet pour vous rendre à Coteau-du-Lac, situé sur la rive nord du Saint-Laurent. Tournez à droite dans le chemin du Fleuve.

Pointe-Fortune (446 hab.)

À proximité d'une colossale demeure palladienne en pierre, malheureusement abandonnée, se trouve le **barrage de Carillon**, aménagé sur la rivière des Outaouais. Il est situé à cheval sur la frontière entre le Québec et l'Ontario. Les eaux calmes et hautes du côté de l'Ontario contrastent avec le courant plus agité de la

rivière, d'ailleurs très basse, du côté québécois. Un traversier relie Pointe-Fortune à Carillon, sur la rive nord de la rivière des Outaouais.

Revenez sur vos pas en empruntant l'autoroute 40, puis suivez la route 201 jusqu'à Coteau-du-Lac.

★ Coteau-du-Lac (4 559 hab.)

Un étranglement du fleuve à Coteau-du-Lac, compliqué par la présence d'une série de rapides, empêche toute navigation. On y enregistre en outre la plus importante dénivellation sur tout le parcours du Saint-Laurent, soit 25 m pour une distance de 12,8 km. Coteau-du-Lac devint par conséquent un point de ralliement et de portage avant même l'arrivée des Européens. On y a en effet retrouvé plusieurs vestiges de la civilisation amérindienne, entre autres trois squelettes vieux de 6 000 ans. À la fin du Régime français (1759), les autorités ont aménagé un «rigolet» à l'extrémité d'une avancée de terre, simple endiguement formé de piles de roches parallèles au rivage. Dans ce premier canal, des bateliers tiraient des bateaux à fond plat remplis de fourrures. Sur cette même pointe, les Britanniques ont aménagé, en 1779, le premier canal à écluses en Amérique du Nord. Cette œuvre de l'ingénieur militaire William Twiss sera doublée d'un fort en 1812.

Le **lieu historique national de Coteau-du-Lac ★** *(4$; mi-mai à début sept mer-dim 10h à 17h, début sept à mi-oct sam-dim 10h à 17h, fermé les jours fériés sauf le 1er*

Montérégie

*juil; 308A ch. du Fleuve,
☎763-5631).* On peut y
voir les vestiges des ca-
naux français et britanniques de même que ceux
du fort érigé pour dé-
fendre cet important pas-
sage. Les visiteurs franchissent d'abord le poste d'accueil, où l'on peut contempler une maquette fort
instructive représentant les
lieux à leur apogée. Puis
un parcours du site permet
de voir les ruines des installations ainsi qu'une reconstitution extérieure du
blockhaus érigé par les
Britanniques à l'extrémité
de la pointe. On y a une
belle vue sur les rapides
du Saint-Laurent.

*Reprenez le chemin du Fleuve
vers l'est (direction Les Cèdres
et Pointe-des-Cascades). À
3 km de Coteau-du-Lac, on
aperçoit à gauche, à l'écart
de la route, une ancienne
centrale hydroélectrique aux
allures de château germani-
que, aujourd'hui transformée
en résidence (on ne visite
pas). Ce rare édifice, érigé en
1899, servait à approvisionner en électricité les installations du canal de Soulanges,
qui s'étire sur la rive nord du
fleuve entre Coteau-Landing
et Pointe-des-Cascades.*

Les Cèdres
(4 168 hab.)

Le bourg des Cèdres a été
fondé par le seigneur
Pierre-Jacques de Joybert
de Soulanges en 1720. Des
gravures du début du XIXᵉ
siècle laissent voir un village prospère aux nombreux
bâtiments. On ne trouve
cependant nulle trace de
ce glorieux passé de nos
jours, à l'exception de la
maison Pierre-Charay de
1793, transformée en galerie d'art *(1037 ch. du
Fleuve).* À l'est des Cèdres,
une plaque commémore la
bataille de 1776, au cours
de laquelle le régiment

King's Liverpool, secondé
par différentes tribus amérindiennes, délogea les
troupes des insurgés amé-
ricains, installées aux Cèdres durant quelques mois.

*Suivez le chemin du Fleuve
jusqu'à Pointe-des-Cascades.
Tournez à gauche dans la
rue Centrale puis immédiatement à droite dans le chemin
du Canal.*

Pointe-des-Cascades
(750 hab.)

L'existence de ce village,
situé à l'embouchure de la
rivière des Outaouais, est
liée au canal de Soulanges,
aujourd'hui désaffecté.
L'endroit fut visité dès
1684 par le baron de
La Hontan, alors que sévissait dans la région une
guerre sanglante entre
Français et Iroquois. Un
premier «rigolet» fut aménagé par les Français en
1749, suivi d'un petit canal
à écluses en 1805, baptisé
«canal Cascades». Ce canal
et celui de Coteau-du-Lac
furent remplacés par le
premier canal de Beau-
harnois, inauguré en 1845
sur la rive sud du fleuve
Saint-Laurent. Le canal de
Soulanges, aménagé sur le
site du canal Cascades,
succéda au canal de Beau-
harnois en 1899; il cessa
de fonctionner au moment
de l'ouverture de la voie
maritime du Saint-Laurent
(actuel canal de Beauhar-
nois) en 1959.

Différentes ancres et autres
pièces de gréement des
XVIIIᵉ, XIXᵉ et XXᵉ siècles,
découvertes dans les environs du canal de Soulan-
ges, ont été disposées
dans le **parc des Ancres**
*(entrée libre; fin mai à début
oct mar-dim 13h à 17h; 76
ch. du Canal,* ☎455-3546).*
Un petit musée attenant
explique l'histoire mou-
vementée de la navigation
sur le fleuve Saint-Laurent

entre les lacs Saint-Louis et
Saint-François, et il éclaire
le visiteur sur l'hydrographie complexe de cette
portion du Québec.

La **Pointe des Cascades** ★
*(droit d'entrée, stationnement
payant; à l'extrémité est du
chemin du Canal;* ☎455-
8855 ou 866-494-8855).* Un
terrain de camping et un
théâtre d'été aménagé
dans un entrepôt de bois
occupent l'ancien poste de
commandement du canal
de Soulanges. On y voit de
beaux bâtiments de
brique, dessinés par l'ingénieur Thomas Monroe
en 1900, deux phares ainsi
que trois des cinq écluses
du canal.

*Revenez à la rue Centrale.
Tournez à droite dans la
route 338 Est puis encore à
droite dans l'autoroute 20.
Traversez le pont de la rivière
des Outaouais pour vous
rendre à l'île Perrot (sortie du
boulevard Don Quichotte).
Suivez le boulevard Perrot,
puis tournez à gauche dans
le boulevard Don Quichotte.*

Notre-Dame-
de-l'Île-Perrot
(5 841 hab.)

La seigneurie de l'île Perrot
fut concédée à François-
Marie Perrot, gouverneur
de Montréal, en 1672.
Celui-ci établit alors un
poste de traite des fourrures au fief de Brucy. La
seigneurie passe ensuite
entre les mains de Charles
Le Moyne, avant d'être
vendue à Joseph Trottier
Desruisseaux en 1703. Ce
dernier fait aménager une
ferme à la pointe du Mou-
lin. Puis sa veuve assure
la construction de la première église de l'île Perrot
en 1740. Plus près de
Montréal et non contrainte
par les rapides qui entravent la circulation sur le
fleuve en amont, la sei-

gneurie de l'île Perrot a connu un développement plus considérable que les autres concessions de la pointe ouest accordées sous le Régime français.

Le **Parc historique de la Pointe-du-Moulin** ★ *(entrée libre; mi-mai à fin août tlj 9h à 17h, début sept à mi-oct sam-dim; 2500 boul. Don Quichotte, ☎453-5936).* De l'aire d'accueil très moderne, à l'entrée du site, on gagne le parc boisé, duquel on jouit, par temps clair, de belles vues sur le centre-ville de Montréal, par-delà le lac Saint-Louis. À l'extrémité de la pointe se trouvent le moulin à vent, érigé en 1708, ainsi que la maison du meunier. Des guides expliquent le fonctionnement du moulin, qui d'ailleurs est encore fonctionnel, ainsi que l'histoire des lieux. On y trouve aussi un centre d'interprétation du patrimoine et des aires de piquenique.

Revenez au boulevard Perrot. Tournez à gauche, puis encore une fois à gauche dans la rue de l'Église.

L'**église Sainte-Jeanne-de-Chantal** ★★ *(rue de l'Église)* est souvent décrite comme la représentation idéale d'une église canadienne-française dans la région de Montréal. En effet, ses dimensions modestes, rappelant les premières églises du Régime français, de même que son décor intérieur exubérant d'esprit Louis XV et Louis XVI, en font un excellent exemple d'architecture québécoise traditionnelle. Le gros œuvre a été achevé en 1786, puis l'édifice fut décoré entre 1812 et 1830 sous la direction de Joseph Turcault et de Louis-Xavier

Leprohon. Une chapelle commémorative, érigée en 1953 avec les pierres de la première église de la Pointe-du-Moulin (1753), tourne le dos au fleuve. Elle intègre dans ses murs la plaque de l'intendant Hocquart, accordant au seigneur de l'île Perrot la permission d'établir une paroisse sur ces terres (1740), de même que d'étranges mascarons de

Parc historique de la Pointe-du-Moulin

grès rouge, ramenés de France vers 1945 par le colonel Roger Maillet. La chapelle domine un cimetière en gradins, unique au Québec.

Retournez à l'autoroute 20 pour rentrer à Montréal.

Circuit E: Le Sud-Ouest (une journée et demie)

Ce circuit couvre l'ensemble de la portion de la Montérégie appelée le Sud-Ouest. Il serpente à travers la région afin d'inclure la rive du lac Saint-Louis, une partie de la vallée de la rivière Châteauguay ainsi que les contre-

forts des Appalaches, à la frontière avec l'État de New York. Sujet de belles balades automnales, le Sud-Ouest est une région agricole où l'on pratique les cultures maraîchères et fruitières. On retrouve notamment de nombreux vergers le long de la frontière canado-étasunienne. Les vieilles seigneuries établies le long du lac et de la rivière Châteauguay sont de tradition française, alors que les cantons, formés à l'intérieur des terres au début du XIXᵉ siècle, sont encore majoritairement anglophones.

Kahnawake (6 200 hab.)

Les jésuites implantent en 1667 une mission pour les Iroquois convertis à La Prairie. Après quatre déménagements, la mission se fixe définitivement sur le site du Sault-Saint-Louis en 1716. La mission Saint-François-Xavier est aujourd'hui devenue Kahnawake, nom qui signifie «là où il y a des rapides». Au fil des ans, des Iroquois mohawks, venus de l'État de New York, se sont joints aux premiers habitants de la mission, modifiant le paysage linguistique de l'endroit, tant et si bien que l'anglais constitue de nos jours la langue d'usage sur la réserve, cela même si ses habitants ont pour la plupart conservé les patronymes d'ascendance française donnés par les jésuites.

L'**enceinte**, l'**église Saint-François-Xavier** et le **musée** ★★ *(Main Street)*. Sous le Régime français, on obligeait les bourgs et les missions à s'entourer de fortifications. Très peu de ces murailles ont survécu, même partiellement, au temps et aux pressions du développement. L'enceinte de la mission de Kahnawake, en partie debout, représente donc un cas quasi unique au nord du Mexique. Elle a été entreprise en 1720 selon les plans de l'ingénieur du roi, Gaspard Chaussegros de Léry, afin de protéger l'église et le couvent des jésuites, érigés en 1717. On peut encore voir le corps de garde, la poudrière et le logement des officiers (1754).

L'église Saint-François-Xavier fut remaniée en 1845 selon les plans du jésuite Félix Martin, puis redécorée au fil des ans par Vincent Chartrand (entre 1845 et 1847), à qui l'on doit une partie du mobilier, et par Guido Nincheri, auteur de la voûte polychrome (XXe siècle). On y trouve aussi la tombe de Kateri Tekakouitha, cette jeune Amérindienne béatifiée en 1980. Le couvent abrite le Musée de la mission Saint-François-Xavier, où l'on admire dans un joyeux fouillis quelques objets ayant appartenu aux jésuites.

Empruntez le chemin Saint-Bernard en direction de Châteauguay (à proximité de la croix de chemin métallique et de l'école). Tournez à gauche dans le chemin du Christ-Roi (après l'usine d'épuration des eaux) puis à droite dans la rue Dupont. Tournez à gauche dans le boulevard De Salaberry Nord, puis longez la rivière Châteauguay jusqu'au pont Laberge, que vous devez traverser pour croiser l'église Saint-Joachim. Tournez à droite dans le boulevard D'Youville, derrière l'église, là où se trouve le stationnement.

Châteauguay
(42 200 hab.)

La seigneurie de Châteauguay fut concédée à Char-

les Le Moyne en 1673. Celui-ci fait aussitôt ériger le château de Guay sur l'île Saint-Bernard, à l'embouchure de la rivière Châteauguay. Cent ans plus tard, un village se dessine autour de l'église Saint-Joachim. Les chemins et boulevards qui longent la rivière et le lac Saint-Louis sont toujours parsemés de jolies maisons de ferme construites entre 1780 et 1840, époque où la seigneurie appartenait aux Sœurs Grises.

Une première église est érigée à Châteauguay en 1735. Il s'agit alors de la paroisse la plus à l'ouest de toute la rive sud du fleuve Saint-Laurent. L'**église Saint-Joachim ★★** *(boul. D'Youville)* est construite en 1775 afin de desservir plus facilement un nombre grandissant de paroissiens. Ses deux tours massives, coiffées de clochers argentés, et sa façade de moellons exécutée dans le style Jésuite lui confèrent une prestance rarement atteinte par les églises villageoises avant la seconde moitié du XIXe siècle. L'intérieur demeurera toutefois plutôt sobre. Sous une fausse voûte surbaissée, on découvre un élégant retable de Philippe Liébert (1802), au milieu duquel est accroché un *Saint Joachim* du même artiste. Les autres tableaux sont attribués à Joseph Légaré. L'**hôtel de ville** avoisine l'église au nord. Il occupe l'ancien couvent des sœurs de la congrégation de Notre-Dame (1886).

Poursuivez par le boulevard D'Youville afin de longer la rivière Châteauguay jusqu'au lac Saint-Louis.

La **route de Léry ★** *(ch. du Lac-Saint-Louis).* Sur la droite, on aperçoit l'**île Saint-Bernard**, qui appar-

tient toujours aux Sœurs Grises *(on ne visite pas).* La grande maison en pierre, sur la rive, est le manoir seigneurial (manoir D'Youville), construit pour les religieuses en 1774 à l'emplacement du château de Guay. À l'arrière-plan, on entrevoit l'ancien moulin à vent, érigé par Charles Le Moyne dès 1683 et transformé depuis en oratoire (1865). L'île ayant été pendant des siècles un important lieu de sépulture amérindien, on y a retrouvé nombre de squelettes et d'objets en pierre dure. La route sinueuse longe ensuite le lac Saint-Louis tout en traversant le village de Léry, ancien centre de villégiature de riches Montréalais. De vieilles maisons de ferme y sont disposées en alternance avec des résidences secondaires et de belles demeures victoriennes entourées d'arbres *(36 ch. du Lac-St-Louis).*

Le chemin du Lac-Saint-Louis rejoint la route 132 Ouest à Maple Grove. Poursuivez par cette route en direction de Beauharnois.

Beauharnois
(6 665 hab.)

La seigneurie de Villechauve a été concédée au marquis de Beauharnois, quinzième gouverneur de la Nouvelle-France, en 1729. À la fin du XVIIIe siècle, le marchand Alexander Ellice s'en porte acquéreur. Il fait alors construire un moulin à scie sur la rivière Saint-Louis, dont subsistent quelques vestiges. En 1863, la famille Kilgour ouvre une importante manufacture de meubles à Beauharnois, transformant le village en une véritable petite ville industrielle. Ses vastes bâtiments de briques dominent encore la rive ouest du cours d'eau.

Vue de la rivière Saint-Louis, l'**église Saint-Clément** ★ *(au sommet de la côte du chemin St-Louis)* évoque des images de carte postale. Sa façade néoromane, attribuée à Victor Bourgeau, est érigée devant une nef simple achevée en 1845. L'intérieur de l'église, avec ses 14 colonnes corinthiennes, a l'allure d'un temple romain. Le sculpteur Nicolas Many, de Beauharnois, a orné le chœur d'un très beau maître-autel (1852). Une grille de bronze isole le sanctuaire d'un déambulatoire conduisant au petit **Musée Nicolas Manny** *(entrée libre; ouvert aux heures de messe, ☎429-3871)*, où sont exposées des sculptures, des toiles et des photographies d'archives racontant l'histoire de Beauharnois.

Melocheville (2 366 hab.)

C'est à Melocheville que furent construites les écluses qui permirent de dompter le canal de Beauharnois, ainsi que la centrale hydroélectrique de Beauharnois, la troisième en importance au Québec.

La **centrale hydroélectrique de Beauharnois** ★★ *(entrée libre; mi-mai à début sept tlj; visites guidées à 9h30, 11h15, 13h et 14h45; 80 boul Edgar-Hébert, ☎800-365-5229)* était autrefois le fleuron de la puissante entreprise d'électricité Montreal Light Heat and Power, propriété de l'intraitable Sir Herbert Holt. Construite par étapes entre 1929 et 1956, elle atteint une longueur exceptionnelle de 864 m. L'électricité produite à Beauharnois est distribuée à travers le Québec, mais aussi aux États-Unis pen-

dant l'été, alors que les besoins locaux se font moins importants. La centrale, devenue propriété d'Hydro-Québec, est ouverte aux visiteurs. Lors des visites guidées, on peut voir la très longue salle des turbines de même que les ordinateurs de la salle de contrôle.

La route 132 passe devant la centrale avant de s'engouffrer sous le canal de Beauharnois, inauguré en 1959. Celui-ci est le dernier d'une série de canaux aménagés sur les rives du Saint-Laurent afin de contourner les nombreux rapides à cet endroit et de résoudre le problème de navigation posé par une dénivellation de 25 m entre les lacs Saint-Louis et Saint-François.

Le **Parc archéologique de la Pointe-du-Buisson** ★ *(4$; mi-mai à début sept lun-ven 10h à 17h, sam-dim 10h à 18h; mi-sept à mi-oct sam-dim 12h à 17h; 333 rue Edmond, ☎429-7857)*. La pointe du Buisson a été habitée sporadiquement pendant des millénaires par les Amérindiens, ce qui en fait un site riche en artefacts autochtones (pointes de flèche, vases de cuisson, harpons, etc.). Pendant l'été, on peut y voir un chantier de fouilles, actif depuis 1977, un centre d'interprétation de même qu'un camp de pêche préhistorique reconstitué. Des sentiers écologiques et des aires de pique-nique complètent les aménagements.

Parc régional des îles de Saint-Timothée, voir p 221.

Pour vous rendre à Salaberry-de-Valleyfield, prenez l'autoroute 30 Est.

Salaberry-de-Valleyfield (26 970 hab.)

Cette ville industrielle est née vers 1845 autour d'un moulin à scie et à papier, racheté quelques années plus tard par la Montreal Cotton Company (filature). Grâce à cette industrie, Salaberry-de-Valleyfield a connu à la fin du XIXe siècle une ère de prospérité qui en fit l'une des principales villes du Québec de l'époque. Son vieux noyau commercial et institutionnel de la rue Victoria témoigne de cette période faste, tout en lui donnant davantage l'allure d'une vraie ville que Châteauguay, pourtant plus peuplée de nos jours. L'agglomération est coupée en deux par le vieux canal de Beauharnois, en fonction de 1845 à 1900 (à ne pas confondre avec l'actuel canal de Beauharnois, qui passe au sud de la ville).

Le **parc Delpha-Sauvé** *(à proximité des rues Victoria et Ellice)* est aménagé sur une langue de terre longue de 2 km, située entre le canal et la baie Saint-François, dans laquelle il avance. Au centre du parc se trouvent une immense piscine ainsi que l'**Écomusée des Deux-Rives** *(3$; en été mer-dim 13h à 20h, début sept à début oct ven-dim 13h à 18h; 75 rue St-Jean-Baptiste, ☎370-4855)*. Ce musée ethnographique raconte l'histoire de la région, en particulier la vie ouvrière au tournant du XXe siècle à Salaberry-de-Valleyfield et à Beauharnois.

Siège d'un évêché depuis 1892, la ville de Salaberry-de-Valleyfield a été dotée de l'actuelle **cathédrale Sainte-Cécile** ★ *(31 rue de la Fabrique)* en 1934, à la suite de l'incendie du lieu saint précédent. Il s'agit d'une œuvre colossale exécutée dans le style néogothique tardif, plus élancée et plus proche des modèles historiques, à laquelle l'architecte Henri Labelle a joint des éléments d'esprit Art déco. En façade, on remarquera une statue de sainte Cécile, patronne des musiciens, ainsi que les lourdes portes d'entrée en bronze, garnies de bas-reliefs racontant la vie de Jésus et exécutés par Albert Gilles. La plupart des fines boiseries de l'intérieur sont l'œuvre du sculpteur Villeneuve, de Saint-Romuald. Les hautes verrières des Fondateurs (côté gauche) et des Fondatrices (côté droit), sorties des ateliers de Guido Nincheri, méritent un examen attentif.

Le pont Monseigneur-Langlois, à l'ouest de Salaberry-de-Valleyfield, permet de relier le circuit du Sud-Ouest à celui de Vaudreuil-Soulanges. Afin de poursuivre le présent circuit du Sud-Ouest, retournez à Saint-Timothée. Tournez à droite en direction du village de Saint-Louis-de-Gonzague, de l'autre côté du canal de Beauharnois; vous traverserez ensuite le village pour rejoindre les berges de la rivière Châteauguay.

Le **lieu historique national de la Bataille-de-la-Châteauguay ★** *(4$; mi-mai à fin août mer-dim 10h à 17h; début sept à mi-oct sam-dim 10h à 17h, fermé les jours fériés sauf le 1ᵉʳ juil; 2371 ch. Rivière-Châteauguay N.,* ☎*829-2003, www.parcscanada.gc.ca/chateauguay).* Lors de la guerre d'Indépendance des États-Unis, en 1775-1776, les Américains avaient tenté une première fois de s'approprier le Canada, colonie britannique depuis 1759. La peur des Canadiens français

d'être un peuple noyé dans une mer anglo-saxonne, à une époque où l'ensemble de la colonie canadienne était encore très majoritairement française, explique l'échec de cette première tentative. En 1812-1813, les Américains essaient de nouveau de prendre le Canada. Cette fois, c'est la fidélité de l'élite canadienne à la couronne d'Angleterre, mais aussi la bataille décisive de la Châteauguay, qui ont fait échouer le projet. En octobre 1813, les troupes du général Hampton, fortes de 2 000 hommes, se massent à la frontière. Elles pénètrent dans le territoire canadien, à la faveur de la nuit, en longeant la rivière Châteauguay. Mais Charles Michel d'Irumberry de Salaberry, seigneur de Chambly, les y attend à la tête de 300 miliciens et de quelques dizaines d'Amérindiens. Le 26 octobre, la bataille s'engage. La ruse qu'use de Salaberry aura raison des Américains, qui battent bientôt en retraite, mettant ainsi fin à une série de conflits et inaugurant une période d'amitié durable entre les deux pays.

Un **centre d'interprétation** a été érigé à proximité du champ de bataille. On peut y voir les uniformes des belligérants, les objets trouvés lors de fouilles de même qu'une maquette du site indiquant le positionnement des troupes.

Longez la rivière Châteauguay jusqu'à Ormstown.

★
Ormstown
(1 575 hab.)

Cette localité fondée par des colons britanniques est sans contredit l'un des plus beaux villages de toute la

Montérégie. On y trouve plusieurs églises de dénominations diverses, telle l'**église anglicane St. James**, construite en pierre (1837). Les maisons de la rive ouest de la Châteauguay arborent une palette de couleurs spécifique, composée du rouge de la brique, du blanc des abondantes décorations de bois et du vert (ou du noir) des persiennes. Le village d'Ormstown s'est fait une spécialité de l'élevage des chevaux. Aussi y trouve-t-on un **hippodrome** de même que quelques petits centres équestres propriétés de vieilles familles anglo-saxonnes.

Traversez la rivière Châteauguay, et empruntez la route 201 en direction de Saint-Antoine-Abbé.

Saint-Antoine-Abbé
(1 700 hab.)

En délaissant la vallée de la rivière Châteauguay, on gagne les contreforts des Appalaches, cette chaîne de montagnes qui court le long de la côte est de l'Amérique du Nord, depuis la Géorgie jusqu'à la Gaspésie. Située à l'extrême sud du Québec, la région était autrefois surtout peuplée de loyalistes. Il s'y trouve une grande concentration de vergers de pommiers. À l'automne, les Montréalais viennent y cueillir eux-mêmes leurs pommes dans l'une des nombreuses exploitations où on les encourage à le faire (moyennant un léger déboursé). De plus, des fermiers, installés dans des kiosques au bord de la route, vendent divers produits de la pomme (beurre, tartes, sirop, gelée, cidres et pommes, bien sûr). Le joli village de **Franklin**, au sud-ouest de Saint-Antoine-Abbé, est aussi un important centre de pomoculture.

*Suivez la route 202 Est jusqu'à Havelock. Tournez à droite en direction de **Covey Hill**. Du haut de cette colline, l'ensemble de la vallée du Saint-Laurent autour de Montréal est visible par temps clair. Tournez à gauche dans la route rurale qui longe la frontière canado-étasunienne (direction Hemmingford). Au bout de la route, la frontière se trouve sur la droite. Pour rentrer à Montréal, suivez les indications vers Saint-Bernard-de-Lacolle jusqu'à l'échangeur de l'autoroute 15, que vous emprunterez en direction nord.*

Parcs

Circuit B: Le chemin des Patriotes

Il faut prévoir au moins trois heures pour visiter le **Centre de la nature du mont Saint-Hilaire** ★★ *(4$; tlj 8h jusqu'à une heure avant le coucher du soleil; 422 ch. des Moulins, Mont-Saint-Hilaire, ☎467-1755).*

Aménagé dans la partie supérieure de la montagne, ce centre est un ancien domaine privé que le brigadier Andrew Hamilton Gault a légué à l'Université McGill de Montréal en 1958. On y fait de la recherche scientifique, et on y permet les activités récréatives à longueur d'année sur la moitié du domaine (randonnée pédestre, ski de fond), qui fait 11 km² au total. Le domaine a été reconnu en tant que réserve de la biosphère par l'UNESCO en 1978, car il est constitué

d'une forêt mature qui fut quasi inexploitée au cours des siècles. À l'entrée, on trouve un centre d'interprétation portant sur la formation des collines Montérégiennes ainsi qu'un jardin de plantes indigènes.

Le petit lac Hertel, où viennent se reposer les oiseaux migrateurs, est situé au fond d'une vallée autour de laquelle prennent place les sommets, accessibles par un réseau de 24 km de pistes. Du sommet baptisé «Pain de sucre», on bénéficie d'un panorama exceptionnel sur la vallée du Richelieu.

Circuit C: La rive du Saint-Laurent

Autrefois le mont Saint-Bruno était un lieu de villégiature prisé de la bourgeoisie montréalaise anglo-saxonne. Plusieurs familles, comme les Birks, les Drummond ou les Meredith, y ont érigé de belles résidences secondaires, aujourd'hui enclavées dans le **parc du mont Saint-Bruno** ★ *(3,50$, stationnement inclus; tlj 8h jusqu'au coucher du soleil; 330 ch. des 25 E., St-Bruno-de-Montarville, ☎653-7544).* Au sommet du mont se trouvent deux lacs, le lac Seigneurial et le lac du Moulin, à proximité duquel s'élève un moulin à eau du XIXᵉ siècle. Le parc est un agréable lieu de promenade et de détente. Des sentiers d'auto-interprétation et des promenades guidées ont pour but de le faire connaître aux visiteurs. Pendant l'hiver, on peut y faire du ski de randonnée; des pistes totalisant près de 27 km y sont aménagées, le long desquelles se trouvent de petits refuges chauffés.

On accède au **parc des Îles-de-Boucherville** *(tlj 8h au coucher du soleil; 55 Île-Ste-Marguerite, Boucherville, J4B 5J6, ☎928-5088)* par l'autoroute 20, sortie 89, ou par le bateau-passeur partant de Longueuil *(promenade René-Lévesque)* ou de Montréal *(promenade du Parc Bellerive)*. Certaines des îles sont encore de nos jours parsemées de fermes, mais l'ensemble de l'archipel, relié par des bacs à câble, est accessible aux visiteurs. Le parc est voué aux activités de plein air. Aussi, durant la saison estivale, le cyclisme et la randonnée sont-ils à l'honneur. Les sportifs ont alors tout le loisir de sillonner le parc, les bacs à câble les menant d'une île à l'autre.

On y trouve aussi un terrain de golf et des aires de pique-nique. Riche en oiseaux de toutes sortes, ce site s'avère très prisé des ornithologues amateurs. Pour visiter les îles sous un tout autre angle, il est possible de se promener en canot. Quatre circuits totalisant 28 km permettent aux canoteurs de découvrir maints aspects des côtes des îles. Le parc est ouvert toute l'année.

Circuit D: Vaudreuil-Soulanges

Prenez la route 132 Ouest pour ensuite suivre les indications à partir de Saint-Anicet. Vous vous retrouverez ainsi à la **réserve nationale de faune du Lac-Saint-François** ★★ *(entrée libre; ch. de la Pointe Fraser, ☎370-6954).* Situé sur la rive sud du fleuve Saint-Laurent, ce territoire est un milieu humide reconnu par la Convention Ramsar (liste mondiale des milieux remarquables). Il offre aux visiteurs la possibilité d'observer 220 espèces d'oiseaux, 600 plantes et plus de 40 espèces de mammifères différents. De mai à octobre, on propose des excursions guidées en canot rabaska ainsi que des randonnées pédestres avec guide-interprète.

Circuit E:
Le Sud-Ouest

Sur la rive sud du fleuve Saint-Laurent, à proximité de la ville de Salaberry-de-Valleyfield, se trouve le complexe récréotouristique de la plage du **parc régional des îles de Saint-Timothée** *(7$; mi-juin à début sept 10h à 17h, sam-dim 10h à 19h; juil tlj 10h à 19h; 240 rue St-Laurent, ☎377-1117)*. Populaire depuis nombre d'années, l'endroit propose une série d'activités de toutes sortes: baignade, patin à roues alignées, cours de kayak, tournois de volley-ball, location de canots, de pédalos, etc. Un endroit intéressant pour les familles et les groupes, mais moins pour les personnes qui recherchent le calme et la tranquillité.

Sur la rive nord du lac Saint-François, près de la frontière avec l'Ontario, s'étend une autre plage très appréciée. Il s'agit de la **plage de Saint-Zotique** *(7$; mi-juin à fin août tlj 9h à 20h; autoroute 20 O., sortie 6, ☎267-9335 ou 267-3003)*. La baignade y est agréable, et l'on offre aussi plusieurs activités pour les petits comme pour les grands.

Activités
de plein air

Randonnée pédestre

La Montérégie renferme des collines qui ont été longtemps considérées comme d'anciens volcans. En réalité, il s'agit de roches métamorphiques qui n'ont pu perforer la couche superficielle de la croûte terrestre. Au plan de la randonnée pédestre, ces collines sont idéales pour ceux qui désirent pratiquer leur sport favori sans trop de difficulté, et la plupart sont facilement accessibles par la route. Voici la liste de quelques-uns des meilleurs endroits où marcher.

Le **parc des îles-de-Boucherville** *(55 Île Ste-Marguerite, pont-tunnel Louis-Hyppolite-Lafontaine, sortie 89, ☎ 928-5088)*, situé au milieu du fleuve Saint-Laurent, a beaucoup à offrir en matière de flore et de faune. Plus de 170 espèces de poissons et 40 espèces d'oiseaux y ont été recensés à ce jour.

Niché au centre de la charmante municipalité de Saint-Bruno, le **parc du mont Saint-Bruno** *(330 ch. des 25 E., ☎653-7544)* dispose d'un réseau d'agréables sentiers. On y croise de nombreux lacs, et plusieurs aires de pique-nique et de détente sont aménagées pour la convenance des promeneurs.

Centre de la nature du mont Saint-Hilaire *(422 ch. des Moulins, ☎467-1755)*. Avec 400 m d'altitude, le mont Saint-Hilaire offre plusieurs possibilités de randonnée grâce à ses nombreux sentiers. Et, en prime, les points de vue que l'on découvre au bout de nos peines en valent l'effort. Entre autres, le Pain de sucre permet une vue sans pareille sur la région montérégienne.

Les Étangs Garand *(834 route 104, ☎346-8580)*, à Saint-Grégoire, est un lieu de randonnée tout à fait sympathique au milieu d'érablières et de vergers.

La **réserve nationale de faune du Lac-Saint-François** *(☎370-6954)* est une réserve faunique incontournable. Le milieu marécageux, les canaux et les étangs cachent une flore et une faune uniques. Certaines espèces qu'on y rencontre ne se retrouvent nulle part ailleurs au Canada.

Vélo

Le vélo a gagné en popularité depuis les dernières années. C'est pourquoi la Montérégie, conjointement avec les Cantons-de-l'Est, a redoublé d'efforts pour répondre à une demande croissante d'amateurs en instaurant un réseau de pistes cyclables surprenant. La Montérégiade, inaugurée en 1993, fait la jonction entre la Montérégie et les Cantons-de-l'Est. Cela constitue la première démarche pour la création d'un vaste corridor qui permettra, une fois terminé, de rejoindre l'Appalachian Trail aux États-Unis.

Voici de plus quelques suggestions de pistes

cyclables dans la région qui vous permettront de pratiquer votre activité préférée en toute sécurité tout en admirant au passage un site historique, un agréable cours d'eau et bien d'autres charmants paysages aux allures champêtres.

Circuit A: Les forts du Richelieu

Bande du canal de Chambly (*1840 rue Bourgogne; ☎447-8888; 39 km, de Chambly à St-Jean*). En longeant le canal historique de Chambly et le Richelieu, vous aurez le plaisir de voir les éclusiers à l'œuvre et les plaisanciers se dorer au soleil, avec un magnifique point de vue sur le Richelieu. Si la chance vous sourit, peut-être apercevrez-vous une variété d'oiseaux aquatiques comme le colvert ou le héron.

Circuits des Pommes (*☎469-0069; 49 km*). Un circuit qui n'aurait pas pu s'appeler autrement. Ce qui fait le charme de cette piste, ce sont les nombreuses découvertes qu'elle permet tout le long du trajet et qui nous donne mille excuses pour reprendre notre souffle. Petit conseil: attention aux dégustations de vin et de cidre. N'oubliez pas que conduite et alcool ne font pas bon ménage.

Circuit de Covey Hill (*☎469-0069; 90,7 km*). Trajet partagé avec les automobilistes qui vous fait faire une boucle à travers la jolie vallée de Covey Hill. Vous traverserez des champs et des vergers ainsi que de mignonnes petites municipalités. Les résidants racontent que l'endroit bénéficierait d'un microclimat et que le soleil y bril-

lerait plus que dans le reste du Québec.

Circuit C: La rive du Saint-Laurent

Circuit des Riverains (*☎670-7293; 55 km*). Îlot de nature entre le fleuve Saint-Laurent et les municipalités de la Rive-Sud. Le circuit permet un point de vue unique sur Montréal et le fleuve Saint-Laurent.

Circuit D: Vaudreuil-Soulanges et Circuit E: Le Sud-Ouest

Le **circuit des Deux Lacs** (*☎377-7676; 70 km*) fait le tour du pays du Suroît en longeant le lac des Deux Montagnes, en traversant la jolie ville de Hudson et en suivant le fleuve Saint-Laurent du côté de Melocheville.

Cueillette de fruits

La cueillette de fruits! Quoi de plus plaisant comme activité pour mettre le nez dehors et se retrouver avec les êtres aimés! C'est aussi très économique puisque l'on fait provision de nos fruits préférés à un prix imbattable. La Montérégie, appelée aussi le «Jardin du Québec», regorge d'endroits pour la cueillette. Il est facile de se procurer une liste d'adresses où l'on peut cueillir des fruits, mais les villes de Saint-Hilaire, Rougemont et Saint-Grégoire sont reconnues pour leurs pommes. Attention, en haute saison, c'est-à-dire les fins de semaine de septembre et

d'octobre, sortir cueillir des pommes peut tourner au véritable cauchemar. Surtout dans la région de Saint-Hilaire, où la circulation sur les petites routes devient infernale.

Kayak

Circuit A: Les forts du Richelieu

Kayak et cetera (*1577 boul. Bourgogne, Chambly, derrière la Maison culturelle, ☎658-2031*). Location de kayaks et de canots. Cours pour les jeunes de 12 ans et plus, et pour les adultes de tous niveaux.

Motomarine

Chambly

Pour les amateurs de sensations fortes, il est possible de louer des motomarines pour se divertir sur le bassin de Chambly (*1737 av. Bourgogne, ☎447-0617*).

Croisières

Circuit A:
Les forts du Richelieu

Croisières Richelieu
18$, durée: 1 heure 30 min
fin juin à début sept tlj 13h30
à 15h
rue du Quai, St-Jean-sur-Richelieu
☎ *346-2446 ou 800-361-6420*
La croisière longe le Riche-lieu jusqu'à Saint-Paul-de-l'Île-aux-Noix. On peut admirer au passage les somptueuses demeures qui bordent la rivière.

Circuit D:
Vaudreuil-Soulanges

Croisières Bellevue
15$, durée: 1 heure 30 min
fin juin à début sept
départs 13h30 et 15h30
Sainte-Anne-de-Bellevue
☎ *888-455-5245*
Départ au canal Sainte-Anne. Croisière sur les lacs Saint-Louis et des Deux Montagnes.

Ski de fond

Bien sûr, la Montérégie, ce ne sont ni les Laurentides ni les Cantons-de-l'Est. Toutefois, il y a toujours les collines Montérégien-nes, qui offrent un réseau de sentiers de ski de fond fort intéressant. Il peut être très agréable de skier sur des dénivellations un peu moins fortes à l'occasion. En outre, c'est plus près de la grande ville. Voici une liste d'endroits qui pour-ront plaire à plusieurs, idéals pour les familles.

Centre de la nature
du Mont-Saint-Hilaire
4$
3 sentiers - 10 km
422 ch. des Moulins
Mont-Saint-Hilaire
☎ *467-1755*

Parc du Mont-Saint-Bruno
10,50$ par pers.
location
9 sentiers - 35 km
330 ch. des 25 E., Saint-Bruno
☎ *653-7544*

Base de Plein-air des Cèdres
7$
location
6 sentiers - 50 km
1677 ch. St-Dominique, Les Cèdres
☎ *452-4736 ou 452-2434*

Patin

En hiver aussi il faut s'amuser! Et pour le plaisir des Montérégiens, les nombreux plans d'eau qui ponctuent la région deviennent des patinoires naturelles extraordinaires en hiver. On retrouve donc à travers plusieurs municipalités voisines d'un cours d'eau, comme le Richelieu, le lac des Deux Montagnes, le lac Saint-Louis, le lac Saint-Francois ou le canal de Beauhar-nois, des endroits où une patinoire a été aménagée, avec abri pour chausser ses patins. Voici quelques municipalités qui possè-dent des patinoires exté-rieures:

Chambly
☎ *658-0321*

Saint-Jean-sur-Richelieu
☎ *542-9090*

Tracy
☎ *746-1522*

Naturisme

La Montérégie cache l'un des plus beaux centres naturistes du Québec, dont la réputation a d'ailleurs dépassé les frontières. **La Pommerie** *(2914 route 209, St-Antoine-Abbé, ☎826-4723)* est située au beau milieu d'un grand verger rempli de pommiers dans la très belle région de Saint-Antoine-Abbé. D'ailleurs pour nous le prouver, chacune des subdivisions du terrain porte le nom d'une variété de pommes: secteurs Macintosh, Melba, Délicieuse, etc. On se croirait vraiment au para-dis avant qu'Ève n'ait cueilli la première pomme...

Hébergement

Circuit A:
Les forts du Richelieu

Chambly

Auberge L'air du Temps
$$ pdj
124 rue Martel
☎ *658-1642 ou 888-658-1642*
≈ *658-2830*
airdutemps.qc.ca
L'air du Temps, cette char-mante maison située juste en face du bassin de Chambly, a été rénovée avec goût, même si l'on a un peu exagéré l'usage des tons pastel. Une grande chambre est proposée au rez-de-chaussée, alors que les quatre autres ont été aménagées dans l'ancien grenier. Accueil sympa-thique.

Maison Ducharme
$$ pdj
≈
10 rue De Richelieu
☎447-1220
⇰447-1018
Dans une ancienne caserne du début du XIXe siècle (voir p 190), on a aménagé à deux pas du fort Chambly cet agréable gîte touristique. Décorée avec beaucoup de raffinement, la Maison Ducharme nous plonge, dans un luxe suranné, à une époque où l'on prenait, plus qu'aujourd'hui, le temps de vivre et où chaque détail intérieur était soigné. Disposant d'un vaste terrain au bord de la rivière Richelieu, tout en rapides à cet endroit, il fait bon en été se prélasser dans son jardin à l'anglaise et profiter de la piscine.

Saint-Jean-sur-Richelieu

Notez que les prix peuvent être plus élevés durant le Festival de montgolfières.

Auberge des Trois Rives
$$
≈, ℜ
297 rue Richelieu
☎358-8077
L'Auberge des Trois Rives est un sympathique établissement aménagé dans une maison rustique. Le rez-de-chaussée renferme un restaurant, et une terrasse offre une vue agréable sur l'eau. Deux étages se partagent 10 chambres décorées de façon modeste mais chaleureuses.

Auberge Harris
$$-$$$
≡, 🐾, ⊛, ⊘, C, ≈, R, △
576 rue Champlain
☎348-3821 ou 800-668-3821
⇰348-7725
www.aubergeharris.com
Située au bord de la rivière Richelieu, l'Auberge Harris dispose de 77 chambres modernes réparties dans deux parties différentes, dont l'une est de type motel.

Comfort Inn
$$$
≡, 🐾, ≈
700 rue Gadbois
☎359-4466 ou 888-825-4466
⇰359-0611
www.choicehotels.ca
À l'entrée de la ville, on trouve un hôtel appartenant à la chaîne Comfort Inn. Ainsi établi au bord de l'autoroute, il manque certes de cachet, mais les chambres sont agréables et tranquilles.

Relais Gouverneur
$$$-$$$$
≡, ≈, R, ℜ, △
725 boulevard du Séminaire Nord
☎348-7376 ou 800-667-3815
⇰348-9778
www.relaisgouverneurst-jean.com
Le Relais Gouverneur Saint-Jean-sur-Richelieu se dresse à l'entrée de la ville en bordure du Richelieu. Les chambres sont spacieuses et claires. Ses installations comprennent une piscine intérieure, un bar de même qu'un étage non-fumeurs. Le service est courtois.

Circuit B: Le chemin des Patriotes

Belœil

Hostellerie Rive Gauche
$$$
≡, ⊛, ℑ, ℜ
1810 boulevard Richelieu
☎467-4477 ou 888-608-6565
⇰467-0525
hostellerierivegauche.com
À la sortie 112 de l'autoroute 20 Est, au bord de la rivière Richelieu, se trouve l'Hostellerie Rive Gauche. Cette hostellerie, comptant 22 chambres enjolivées de tons chauds et de toile de lin, offre une vue sur l'eau. Deux courts de tennis sont mis à la disposition de la clientèle. On y trouve une salle à manger chaleureuse (voir p 228).

Mont-Saint-Hilaire

Auberge Montagnard
$$-$$$
≡, ⊛, ≈, ℜ
439 boulevard Laurier
☎467-0201 ou 800-363-9109
⇰467-0628
L'Auberge Montagnard est située au bord d'un boulevard bruyant en face du mont Saint-Hilaire. Elle propose des chambres au décor démodé mais confortables. Le personnel est sympathique.

Manoir Rouville-Campbell
$$$$
≡, ≈, ℜ
125 chemin des Patriotes Sud
☎446-6060 ou 800-714-1214
⇰446-4878
www.manoirrouville campbell.com
Le Manoir Rouville-Campbell a ce petit quelque chose qui confère à certains établissements une atmosphère unique et même, à la limite, mystique. Quand on entre

dans le manoir, on a l'impression que le temps s'est arrêté il y a plus d'un siècle. Il faut dire que l'endroit, maintenant vieux de près de 150 ans, a vu plusieurs pages de l'histoire du Québec se tourner. D'abord la demeure d'un seigneur au temps de la colonie, il appartint au major Campbell et à sa descendance pendant plusieurs années, pour ensuite être vendu à une entreprise de construction et finalement être racheté par le célèbre artiste Jordi Bonet afin de le sauver de la décrépitude. C'est aujourd'hui Yvon Deschamps, célèbre humoriste québécois, qui en est propriétaire. Le manoir est reconverti en hôtel de luxe depuis 1987. Pour une expérience de la vie de seigneur, c'est l'endroit tout indiqué. La salle à manger, le bar et les jardins avec vue sur le Richelieu ajoutent un plus à ce lieu d'hébergement déjà magique. On y trouve aussi une salle de spectacle: La Boîte à Yvon.

Saint-Hyacinthe

Hôtel des Seigneurs
$$$$
≡, **🏇**, ⊛, ⊘, ≈, ℝ, ℜ
1200 rue Daniel-Johnson Ouest
☎*774-3810 ou 866-734-4638*
⇌*774-6955*
www.hoteldesseigneurs.com
Établi dans un bâtiment qui se dresse au bord de l'autoroute, l'Hôtel des Seigneurs offre de nombreux services afin de rendre le séjour des visiteurs le plus agréable possible. Ainsi, des courts de tennis et de squash sont mis à leur disposition. Le hall est orné de plantes et d'une fontaine créant une atmosphère paisible, et les chambres sont jolies.

Saint-Marc-sur-Richelieu

Auberge Handfield
$$-$$$
≡, **🏇**, ⊛, ⊘, ℜ, ≈, ✪, ℜ, △
555 boulevard Richelieu
☎*584-2226*
⇌*584-3650*
www.aubergehandfield.com
Installée dans une fort jolie maison construite en face de la rivière Richelieu, l'Auberge Handfield est un havre de détente. Elle met à la disposition des visiteurs des équipements tels que le relais santé (spa) et le bateau-théâtre *L'Escale*. Son jardin, aménagé avec soin, offre une superbe vue. La décoration des chambres, quoique modeste, s'avère chaleureuse.

🏮 Hostellerie Les Trois Tilleuls
$$$-$$$$
≡, ⊛, ⊘, ℜ, ≈, ℝ, ✪, ℜ, △
290 boulevard Richelieu
☎*856-7787 ou 800-263-2230*
⇌*584-3146*
L'Hostellerie Les Trois Tilleuls est membre de la prestigieuse association des Relais & Châteaux. Construite au bord de la rivière Richelieu, elle bénéficie d'un site champêtre d'une grande tranquillité. On doit le nom de l'établissement à trois fiers arbres ombrageant la propriété. Les chambres, décorées de meubles rustiques, disposent toutes d'un balcon donnant sur la rivière. À l'extérieur, des jardins et un belvédère sont mis à la disposition de la clientèle, qui a aussi accès à la piscine chauffée.

Circuit D: Vaudreuil-Soulanges

Vaudreuil-Dorion

Château Vaudreuil Suite Hôtel
$$$$$
≡, ⊛, ⊘, ℜ, ≈, ℜ, △
21700 Transcanadienne
☎*455-0955 ou 800-363-7896*
⇌*455-6617*
www.chateau-vaudreuil. com
Situé devant le lac des Deux Montagnes, l'hôtel moderne et d'allure grandiose qu'est le Château Vaudreuil constitue un bon choix dans la région. Les chambres offrent un bon confort.

Sainte-Marthe

🏮 Auberge des Gallant
$$$
≡, **🏇**, ⊛, ⊘, ℜ, ≈, ✪, ℜ, △
1171 chemin St-Henri
☎*459-4241 ou 800-641-4241*
⇌*459-4667*
www.gallant.qc.ca
Située au cœur d'un refuge d'oiseaux et de chevreuils, l'Auberge des Gallant offre un grand luxe dans un cadre champêtre des plus agréables. Les chambres sont confortables sans être extraordinaires. Toutefois, pas une minute ne passe sans qu'une attention soit portée à votre confort.

Hudson

Auberge Willow Place
$$ pdj
≡, ℜ
208 Main Road
☎*458-7006*
⇌*458-4615*
willowplaceinn.com
L'Auberge Willow Place est agréablement située sur la rive du lac des Deux Montagnes. Son cachet vieillot et son ambiance feutrée en font un bon choix dans la région.

Montérégie

Restaurants

Circuit A:
Les forts du Richelieu

Carignan

 **Au Tournant
de la Rivière**
$$$$
fermé lun-mar
5070 rue De Salaberry
☎658-7372
Le restaurant Au Tournant de la Rivière propose un menu gastronomique reconnu par les critiques. Cela fait maintenant plus de 20 ans que cet établissement est ouvert; toutefois, il se maintient chaque année parmi les meilleures tables du Québec. On y propose de succulents plats de cuisine française. Un incontournable pour les amateurs de gastronomie.

Chambly

Crêperie du Fort Chambly
$-$$
1717 Bourgogne
☎447-7474
Au bord du bassin de Chambly, cette maison de bois aux allures maritimes qu'est la Crêperie du Fort Chambly invite à profiter du beau paysage environnant. On y sert bien sûr des crêpes mais aussi des fondues au fromage. Terrasse au bord de l'eau et service sympathique. Brunch le dimanche.

Chez Marius
$-$$
1737 Bourgogne
☎658-6092
Le casse-croûte Chez Marius fait partie des incontournables de la région.

Tout en savourant une délicieuse combinaison hamburger-poutine, remarquez les photos illustrant l'histoire du restaurant ainsi que celle de Chambly. En été, une terrasse riveraine est mise à votre disposition.

La Maison Bleue
$$$-$$$$
fermé lun
2592 Bourgogne
☎447-1112
Dans ce qui était la grande maison de bois de **Thomas Whitehead** (voir p 192), on a aménagé un restaurant luxueux aux allures champêtres: La Maison Bleue. Grandes cheminées, planchers de bois peints qui craquent sous les pas, mobilier ancien et accueil comme chez la grand-tante. À l'étage, des salons privés peuvent être réservés, sauf l'été, pour des réunions familiales ou d'affaires. Cuisine française classique.

Richelieu

Aux Chutes du Richelieu
$$$-$$$$
fermé lun-mar
486 1ʳᵉ Rue
☎658-6689
Aux Chutes du Richelieu propose une excellente cuisine française et italienne. Les crêpes Suzette font partie des péchés mignons à expier. De plus, vous pourrez admirer les chutes du Richelieu.

Saint-Jean-
sur-Richelieu

 Manneken Pis
$
320 rue De Champlain
☎348-3254
Avec un nom comme Manneken Pis, les gaufres ne sont pas loin, et quelles délicieuses gaufres au chocolat si fin! Les cafés,

torréfiés sur place, s'avèrent eux aussi excellents, et c'est avec plaisir qu'on les déguste sur la terrasse devant la petite marina. On propose aussi des sandwichs et salades.

Le Samuel II
$$-$$$
291 rue Richelieu
☎347-4353
Bien apprécié des gens de la région, Le Samuel II a toujours attiré une clientèle fidèle de connaisseurs appréciant son imaginative cuisine québécoise. S'ouvrant sur le canal de la rivière Richelieu, les grandes baies vitrées permettent de voir défiler les bateaux de plaisance tout en dégustant un délicieux repas. On en ressort toujours enchanté.

 Chez Noeser
$$$$
fermé lun-mer
apportez votre vin
236 rue De Champlain
☎346-0811
Il y a quelques années, Denis et Ginette Noeser ont quitté Montréal et leur restaurant de la rue Saint-Denis pour s'installer à Saint-Jean-sur-Richelieu et y ouvrir un sympathique restaurant offrant un service des plus agréables et une délicieuse cuisine française classique: Chez Noeser. Durant l'été, une terrasse est mise à la disposition de la clientèle.

Lacolle

Brochetterie Pharos
$$
7 rue de l'Église
☎246-3897
La Brochetterie Pharos ne serait qu'une brochetterie grecque comme tant d'autres si elle n'avait pas été aménagée dans une église. De plus en plus, partout au Québec, des églises sont recyclées en

restaurants, en appartements de luxe, etc. Signe que les temps changent, et cette brochetterie le symbolise bien.

Circuit B: Le chemin des Patriotes

Saint-Bruno-de-Montarville

La Rabastalière
$$$
fermé lun
125 de la Rabastalière
☎*461-0173*
La Rabastalière, aménagée dans une chaleureuse maison centenaire, prépare une savoureuse cuisine française classique et présente un menu gastronomique. Ce dernier est composé de six services et varie chaque semaine. Une verrière est également mise à la disposition des gens qui désirent manger en toute quiétude par une journée ensoleillée. Le service est sympathique et le menu excellent.

Saint-Hyacinthe

À Saint-Hyacinthe, deux adresses sont connues de tous, et elles ont le même propriétaire. Sans être de la haute gastronomie, **Chez Pépé** *($$-$$$; 1705 rue Girouard O., ☎773-8004)* et **Grillade Rose** *($$; 494 rue St-Simon, ☎778-0582)* proposent des plats honnêtes dans un décor avec terrasse très agréable. Le concept semble s'inspirer des nouvelles chaînes de restaurants très répandues au Canada anglais. Chacun des restaurants s'est développé autour d'un thème: Pépé, c'est l'Italie avec son choix de pâtes, et Grillade Rose évoque Santa Fe avec ses grillades et ses *nachos*.

Le Bouffon Resto-Pub
$-$$
485 rue Ste-Anne
☎*778-9915*
Haut lieu de fréquentation maskoutaine, Le Bouffon Resto-Pub est un typique pub irlandais digne des meilleurs établissements outre-mer. Dans un décor chaleureux garni de boiseries, Le Bouffon se distingue avec plus de 150 bières importées, scotchs et portos. Repas du midi, 5 à 7 endiablés, repas du soir et soirées animés ne sont que les quelques possibilités qu'offre ce restaurant. En été, on y trouve trois terrasses sur deux niveaux, garnies d'arbres et de fleurs. Durant la saison froide, un coin foyer avec des divans vous attend à l'étage.

L'Auvergne
$$$
fermé lun et fin juil à début août
1475 rue des Cascades Ouest
☎*774-1881*
L'Auvergne figure depuis longtemps parmi les bonnes tables de la région. Aménagé dans deux petites salles, il fait une fine cuisine française. Les dimanches, sauf en été, on sert le brunch dès 10h.

Belœil

Petite ville sympathique quelque peu huppée au bord du Richelieu, avec vue imprenable sur le mont Saint-Hilaire, Belœil est l'endroit où les jeunes et moins jeunes de la région se donnent rendez-vous pour un repas intime ou une virée entre copains.

Le Trait d'Union
$-$$
919 boulevard Wilfrid-Laurier
☎*446-5740*
Rendez-vous branché des Belœillois, Le Trait d'Union, petit bistro sans prétention, vous promet des moments agréables avec son ambiance décontractée et sa jolie terrasse. On y sert des petits plats santé à prix très abordables. Ouvert aussi pour le petit déjeuner la fin de semaine.

Crêperie du Vieux-Belœil
$$
fermé lun
940 boulevard Richelieu
☎*464-1726*
La Crêperie du Vieux-Belœil apprête, dans un décor champêtre, de généreuses crêpes maison avec de la farine blanche ou de sarrasin, servies entre autres avec fruits de mer, jambon ou fromage, selon vos préférences.

Restaurant Ostéria
$$
914 boulevard Wilfrid-Laurier
☎*464-7491*
L'Ostéria, situé dans le vieux Belœil, est un petit restaurant coquet où l'on sert de la fine cuisine italienne, du veau, du gibier ainsi qu'un copieux brunch le dimanche. La terrasse, attenante au restaurant, est invitante et, particularité plutôt rare pour un restaurant gastronomique, on propose un menu pour enfants.

Lian Yuan
$$
255 boulevard Wilfrid-Laurier
☎*467-6767*
Le Lian Yuan fait honneur à la cuisine chinoise sichuanaise. Vous y trouverez, entre autres, de délicieuses boulettes de pâtes baignant dans une sauce piquante de même que des crevettes sautées avec légumes. Le décor est moderne, simple et accentué d'un bel éclairage.

Hostellerie Rive Gauche
$$$-$$$$
1810 boulevard Richelieu
☎467-4477 ou 888-608-6565
La très agréable salle à manger de l'Hostellerie Rive Gauche est installée sous une verrière. On y sert des spécialités françaises très bien apprêtées dans un décor chaleureux. On peut tout aussi bien déguster son repas avec vue sur la montagne et la rivière ou près du foyer.

Danvito
$$$-$$$$
fermé dim
154 boulevard Wilfrid-Laurier
☎464-5166
Dans le quartier plus commercial de Beloeil se cache une bonne petite adresse qui attire la clientèle d'affaires avec sa fine cuisine italienne et son cachet méditerranéen: le Danvito. On y propose le traditionnel spaghetti *carbonara* et un succulent *manicotti fiorentina*. Le décor est simple et aéré.

Saint-Marc-sur-Richelieu

Auberge Handfield
$$$-$$$$
555 boulevard Richelieu
☎584-2226
Le restaurant de l'Auberge Handfield abrite une vaste salle à manger ornée de poutres de bois et d'une cheminée. Tout en profitant d'une ambiance champêtre, on peut y savourer une délicieuse cuisine régionale québécoise. Au printemps, on peut aussi essayer les délices du temps des sucres.

Hostellerie Les Trois Tilleuls
$$$$
290 boulevard Richelieu
☎856-7787 ou 800-263-2230
Au restaurant de l'Hostellerie Les Trois Tilleuls, on peut savourer certains trésors de la gastronomie française. Le menu, composé avec art, présente des mets traditionnels qui ne manquent pas de raffinement. La salle à manger offre une agréable vue sur la rivière. En été, la terrasse s'avère des plus charmantes.

Saint-Antoine-sur-Richelieu

Le Champagne
$$$$
fermé dim-mar
1000 chemin du Rivage
☎787-2966
Le Champagne se présente comme un vieux château dont l'architecture serait inspirée d'une résidence marocaine. L'intérieur est magnifiquement garni de boiseries et de tables garnies d'argenterie, de verrerie fine et de vaisselle signée, disposées harmonieusement sur des nappes brodées. Vous y dégusterez une savoureuse cuisine française. Réservations requises.

Circuit C: La rive du Saint-Laurent

Saint-Lambert

Café-Passion
$
476 rue Victoria
☎671-1405
Le Café-Passion est situé au cœur de Saint-Lambert. Ouvert depuis peu, il semble déjà attirer un lot d'habitués. Bien que l'endroit soit agréable, il n'offre rien d'exceptionnel. Le décor est au goût du jour et la nourriture un peu fade. Peut-être parce que des établissements comme celui-là, on en retrouve de plus en plus. Toutefois, l'endroit est agréable et honnête, et il représente une bonne option pour un repas peu coûteux.

Au Vrai Chablis
$$$-$$$$
fermé dim-lun
52 rue Aberdeen
☎465-2795
Au Vrai Chablis, des professionnels de la restauration vous convient à une expérience gastronomique plus que satisfaisante. Le menu, qui change quotidiennement, propose des spécialités françaises extrêmement bien apprêtées par un chef reconnu, soit Bernard Jacquin.

Longueuil

Relais Terrapin
$$
295 rue St-Charles Est
☎677-6378
À Longueuil, le Relais Terrapin a su conserver sa réputation au fil des ans. On y sert toujours une cuisine française de qualité.

Lou Nissart
$$
fermé dim-lun
260 St-Jean
☎442-2499
Au cœur du Vieux-Longueuil se trouve un charmant petit restaurant. En effet, le Lou Nissart est un endroit où il fait bon se retrouver entre amis afin de savourer une cuisine provençale. Terrasse.

Charcuterie du Vieux-Longueuil
$
193 rue St-Charles Ouest
☎670-0643
Pour un bon sandwich, la Charcuterie du Vieux-Longueuil constitue un excellent choix malgré le service un peu expéditif.

Restaurant l'Incrédule
$$-$$$
288 rue St-Charles Ouest
☎674-0946
Le restaurant L'Incrédule propose un choix intéressant de repas de type bistro. De plus, vous y trouverez un excellent choix de bières importées, de scotchs et de portos.

Saint-Hubert

Bistro des bières belges
$-$$
2088 De Montcalm
☎465-0669
Le Bistro des bières belges, comme son nom l'indique avec poésie, dispose d'un choix d'une soixantaine de bières belges. Le menu est issu, lui aussi, de la tradition flamande. Réservations requises la fin de semaine.

Circuit D: Vaudreuil-Soulanges

Rigaud

Sucrerie de la Montagne
$$$$
300 rang St-Georges
☎451-5204
La Sucrerie de la Montagne fait presque partie des attraits touristiques de la région. On y sert une cuisine traditionnelle du temps des sucres, avec les éternelles «oreilles de criss» et les «œufs dans le sirop». De plus, une troupe de folklore s'occupe de l'ambiance en jouant des rigaudons et des airs de quadrilles. Ouverte toute l'année, cette cabane à sucre vous offre des soirées endiablées.

Pierre de Rigaud
$$$
jan à mars
dîners gastronomiques pour groupe de 30 personnes et plus
apportez votre vin
437 Grande Ligne
☎451-4205
Le restaurant Pierre de Rigaud propose une fine cuisine régionale dans une atmosphère chaleureuse et décontractée. Service de traiteur toute l'année.

Hudson

 Clémentine
$$-$$$
398 rue Principale
☎458-8181
Le Clémentine est sans contredit une adresse à connaître pour ceux qui recherchent les meilleures tables du Québec. Membre des Toques blanches internationales, ce petit restaurant situé au cœur du village, dans une magnifique maison aux allures champêtres, propose une cuisine québécoise évolutive. Le service est courtois et amical.

Auberge Willow Place
$$$
208 Main Road
☎458-7006
Sur la rive du lac des Deux Montagnes, l'Auberge Willow Place propose un menu de steaks et de grillades. L'ambiance feutrée dans laquelle baigne un décor de style anglo-saxon plaît à coup sûr. De plus, grâce au jeune personnel courtois et à la beauté du cadre environnant, votre repas dans cet établissement vous laissera le souvenir d'un moment de détente inestimable. Terrasse en saison. Le menu de pub (et la bière) se révèle plutôt cher, mais la vue qu'on y a vaut bien une petite folie.

Sorties

Bars et discothèques

Saint-Bruno-de-Montarville

Bar 1250
1250 Roberval
☎653-1900
Le Bar 1250 est un bar qui attire une clientèle jeune et sans prétention. La musique est rock'n'roll le mercredi et le jeudi, alors que, la fin de semaine, elle a une tendance plus populaire. Trois tables de billard sont à la disposition de la clientèle.

Chambly

Bistro Le Vieux Bourgogne
1718 Bourgogne
☎447-9306
Le Bistro Le Vieux Bourgogne attire une clientèle jeune, venue écouter un chansonnier fredonner quelques airs célèbres de la musique francophone.

Saint-Mathias

Super 9
9 rue Dufour
☎658-5170
On recommande le Super 9 pour deux raisons: très peu de discothèques sont aménagées dans une ancienne grange, et il s'agit bien d'une adresse où tous les jeunes de la région se retrouvent la fin de semaine depuis plusieurs générations. Il faut s'attendre à une discothèque de village avec laser, voiture de sport et tout le tra-la-la, mais il

Montérégie

demeure que l'ambiance n'y manque pas.

Saint-Hyacinthe

Le Bilboquet
1850 rue des Cascades O.
☎771-6900
Le Bilboquet fait partie des endroits que l'on aime dès que l'on franchit le pas de la porte. Le Bilboquet, c'est non seulement un fabricant de bière artisanale, la Métayer blonde, brune ou rousse (toutes délicieuses, soit dit en passant), et un lieu de rencontre décontracté et intimiste où l'on sert des repas légers à l'intérieur ou sur la terrasse, mais aussi l'endroit à Saint-Hyacinthe où l'on encourage la relève artistique en invitant de jeunes musiciens, en décorant des œuvres des gens du coin, en offrant des pièces de théâtre et des soirées de poésie, et en réunissant un cercle littéraire. Bref, c'est un endroit hyper-sympathique sans prétention avec de beaux projets «plein la tête».

Le Bouffon Resto-Pub
485 rue Ste-Anne
☎778-9915
Le Bouffon Resto-Pub est une autre bon endroit à fréquenter pour des soirées animées (voir p 227).

Théâtres et salles de spectacle

Upton

Unique en Amérique du Nord, le concept théâtral de **La Dame de cœur** *(juin à début sept, fermé lun-mar; 611 rang de la Carrière,* ☎549-5828; *www.damedecoeur.com)* ne manquera pas d'émerveiller jeunes et moins jeunes. Situé sur un magnifique site historique, le Théâtre de la Dame de Cœur présente un spectacle multidisciplinaire avec des marionnettes géantes et des effets visuels saisissants. La salle de spectacle extérieure, avec son immense toiture, renferme des sièges pivotants munis de bretelles chauffantes pour éviter l'inconfort des soirées fraîches. Vous vivrez sans contredit un retour unique dans l'imaginaire de vos rêves d'enfant.

Fêtes et festivals

Saint-Jean-sur-Richelieu

Le **Festival de montgolfières** *(deuxième semaine d'août;* ☎347-9555, *www.montgolfieres.com)* se tient à Saint-Jean-sur-Richelieu. Le ciel se couvre alors d'une centaine de montgolfières multicolores. Les envolées ont lieu tous les jours à 6h et à 18h, si le temps le permet. De l'animation, des expositions et des spectacles font partie des festivités pendant ces journées.

Chambly

Une très belle idée que cette **fête de Saint-Louis** *(fin août;* ☎658-1585) sur le site du fort Chambly. On a le plaisir de déambuler au milieu des campements d'époque de la milice et d'un marché à l'ancienne, ou encore d'assister aux démonstrations de la Compagnie Franche de la Marine. De plus, les restaurants de la région préparent pour l'occasion un menu inspiré de la gastro-

nomie du temps de la colonisation.

Grâce à l'importante entreprise de bière artisanale Unibroue, mise sur pied entre autres par Robert Charlebois, le célèbre chanteur, Chambly est de plus en plus associée à la bière. C'est la raison pour laquelle on a décidé de créer la **Fête Bières et Saveurs** *(fin août et début sept;* ☎658-7310, *www.bassinenfete.com/bieresetsaveurs).* C'est l'occasion de déguster, toujours sur le site enchanteur du fort Chambly, une variété de bières des quatre coins du monde.

Saint-Hyacinthe

L'**Exposition régionale agricole et alimentaire de Saint-Hyacinthe** *(dernières semaines de juil;* ☎773-9307, *www.expo-agricole.com)* est l'occasion d'aller voir des manèges, des concours d'animaux, des machines agricoles, de même que des épreuves de tirs de tracteurs.

Saint-Denis

La **fête des Patriotes** *(3e dim de nov;* ☎787-3623) est un ralliement populaire organisé à Saint-Denis dans le but de commémorer la seule victoire des Patriotes, qui a eu lieu le 23 novembre 1837.

Sorel

La gibelotte est un mets typique de la région fait à base de poisson. Le **Festival de la gibelotte de Sorel** *(début juil;* ☎746-0283 ou 877-746-0283, *www.festivalgibelotte.qc.ca)* ne cesse d'innover afin de maintenir l'intérêt pour ce plat.

Montérégie

Salaberry-de-Valleyfield

Valleyfield est l'hôte des **Régates internationales de Valleyfield** *(début juil; ☎371-6144 ou 888-371-6144, www.regates.ca)*. La compétition propose diverses catégories de courses d'hydroplanes, au cours desquelles les plus rapides peuvent parfois atteindre une vitesse de près de 240 km/h.

Kahnawake

Différents événements traditionnels autochtones (danses, chants, etc.) sont organisés dans le cadre du **Pow Wow** *(deuxième fin de semaine de juil; ☎632-8667)*. La plupart des activités ont lieu sur l'île Kateri Tekakouitha.

Achats

La Montérégie est de plus en plus reconnue pour ces petites adresses que l'on se passe entre amis ou que l'on garde précieusement pour ses escapades de fin de semaine. Il est presque devenu coutume de sortir de la ville afin de se diriger en Montérégie pour la cueillette de fruits en saison, pour trouver de précieuses antiquités ou encore simplement pour faire l'achat et la dégustation de produits agricoles.

Saint-Grégoire

Spécialisée en arrangements de fleurs séchées de toute beauté, la jeune propriétaire des **Jardins de Versailles** *(fin juin à l'Action de grâce tlj 10h à 17h; oct à fin juin mer-dim 10h à 17h;* 399 rang Versailles, route 227, ☎346-6775)* se fait un plaisir de vous faire visiter son jardin ainsi que le séchoir où fleurs et légumes se côtoient pour finir en diapason dans un magnifique arrangement. Ateliers proposés.

Iberville

La Maison sous les Arbres *(2024 route 133 S., ☎347-1639)*. Imaginez un «salon d'habitation» aménagé dans une demeure. Vous magasinerez vos accessoires de salle de bain dans la salle de bain, ceux de cuisine dans la cuisine, et ainsi de suite. Pour ceux qui adorent fouiner dans la maison des autres.

Victor, Christiane et leur fille Stéphanie, de chaleureux Alsaciens d'origine, sont propriétaires du **Vignoble Dietrich-Jooss** *(mar-dim 10h à 17h; 407 Grande Ligne, ☎347-6857)* depuis 1986. Leur vin a déjà remporté plusieurs prix d'excellence dans diverses compétitions prestigieuses, preuve qu'il est possible de faire un vin de haut calibre en pays québécois. Dégustation.

Hudson

Le **Marché Finnigan** *(boutique dim 11h à 17h, marché public sam seulement mai à nov 9h à 16h; 775 rue Principale, ☎458-4377)*, ce célèbre marché en plein air où l'on propose non seulement des antiquités mais aussi une foule d'autres trouvailles, est un incontournable dans la région. Quel plaisir de déambuler à travers tous ces trésors qui sont pour la plupart vendus à un prix abordable!

Saint-Antoine-Abbé

Léger et frais, l'hydromel est la boisson tout indiquée par les belles journées d'été, et les **Vins Mustier Gerzer, Hydromel** *(toute l'année; 3299 rte. 209, ☎826-4609)*, dans la magnifique région de Saint-Antoine-Abbé, sont passés maîtres dans sa fabrication. D'ailleurs, à cet endroit, l'abeille est à l'honneur avec une grande variété de produits à base de miel. Dégustation.

Sainte-Marie-de-Monnoir

Semblerait-il que l'autruche soit la viande de l'avenir? En attendant, ça vaut la peine d'y goûter. Aménagée pour recevoir des visiteurs avec une aire de repos et un kiosque de souvenirs, la **Ferme l'Autruche Dorée** *(visites 4$; avr à sept mer-dim 10h à 17h, oct sam-dim 10h à 17h; 505 Ruisseau St-Louis O., ☎460-2446)* vend des produits de l'autruche.

Otterburn Park

Ce qui fait la renommée de la **Chocolaterie La Cabosse D'Or** *(en été tlj 9h à 22h; reste de l'année sam-mer 9h à 18h et jeu-ven 9h à 21h; 973 ch. Ozias-Leduc, ☎464-6937, www.lacabossedor.com)*, c'est bien sûr le chocolat belge de première qualité, mais c'est encore l'aspect enchanteur digne des contes notre enfance, comme Hensel et Gretel. On y retrouve une splendide maison avec boutique, terrasse et salon de thé. Les hôtesses, vêtues en costume traditionnel, vous accueilleront avec le sourire.

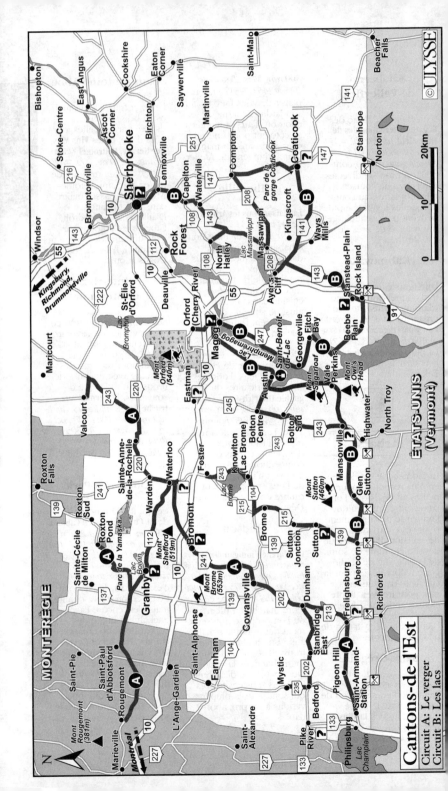

Cantons-de-l'Est

Circuit A: Le verger
Circuit B: Les lacs

© ULYSSE

20km
10   0

MONTÉRÉGIE

ÉTATS-UNIS (Vermont)

Cantons-de-l'Est

L'une des belles régions

du Québec, les Cantons-de-l'Est sont situés à l'extrême sud du territoire québécois, à même les contreforts des Appalaches. Leur riche patrimoine architectural et leurs paysages montagneux leur confèrent un cachet particulier qui rappelle à bien des égards la Nouvelle-Angleterre.

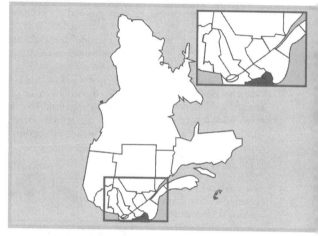

Entre de gracieux vallons et des montagnes aux sommets arrondis se cachent de petits villages fort pittoresques, caractérisés par une architecture très souvent d'inspiration anglo-saxonne.

Comme en témoignent toujours de nombreux toponymes tels que Massawippi et Coaticook, cette vaste région fut d'abord parcourue et habitée par les Abénaquis. Par la suite, lorsque la Nouvelle-France passa sous domination anglaise et que prit fin la guerre d'Indépendance des États-Unis, de nombreux colons américains restés fidèles à la Couronne britannique (les loyalistes) vinrent s'installer dans la ré-

gion que l'on nommait alors «Eastern Townships».

Les loyalistes furent suivis, tout au long du XIXᵉ siècle, de grands contingents d'immigrants provenant des îles Britanniques, surtout des Irlandais, et de colons de souche française venant des régions surpeuplées des basses terres du Saint-Laurent.

Même si aujourd'hui la population est à plus de 90% francophone, l'apport anglo-saxon reste très présent, notamment dans le patrimoine architectural. Dans plusieurs villes et villages s'élèvent

de majestueuses églises anglicanes bordées de belles résidences du XIXᵉ siècle, de style victorien ou vernaculaire américain. Restés très attachés aux Cantons-de-l'Est, les Anglo-Québécois y ont conservé de prestigieuses institutions, comme l'Université Bishop de Lennoxville.

Les fermes laitières agrémentent toujours le paysage, mais les Cantons-de-l'Est constituent aujourd'hui une région dynamique dotée de deux universités et de plusieurs industries de pointe.

Située à environ une heure de route de Montréal, la région est devenue un lieu de villégiature très populaire. Ses montagnes offrent en hiver de belles pistes aux skieurs, alors que ses lacs et rivières invitent aux activités nautiques en été. Mais on la visite également pour sa gastronomie, sa route des vins ou simplement ses divers festivals et activités familiales.

Comme son nom l'indique, la région est divisée en cantons. Les cantons sont des entités territoriales différentes des seigneuries, à la fois par leur forme plus ou moins carrée plutôt qu'allongée et par leur mode d'administration inspiré d'un modèle de développement britannique. Le canton est créé sur demande de la communauté qui désire s'y installer plutôt qu'à partir d'une concession à un seul individu.

Pour la plupart constitués au début du XIXe siècle, les cantons ont comblé les espaces laissés vacants par le régime seigneurial français, généralement des sites montagneux éloignés des berges déjà peuplées du Saint-Laurent et de ses affluents, lesquels constituaient à l'époque les principales voies de communication de la colonie. Les Cantons-de-l'Est forment la région où ce mode de peuplement du territoire s'est le plus répandu au Québec.

En 1966, à la suite de la division du Québec en régions administratives, le territoire des Cantons-de-l'Est prit l'appellation d'«Estrie». Trente ans plus tard toutefois, l'association touristique de la région prenait la décision de retourner à l'appellation originale. D'ailleurs, l'attachement profond des gens de la région à celle-ci avait fait en sorte qu'elle n'avait jamais été délaissée. Ainsi le terme «Cantons-de-l'Est» désigne-t-il aujourd'hui la réalité touristique de la région. L'appellation «Estrie», quant à elle, demeure utilisée pour désigner la région administrative.

Pour s'y retrouver sans mal

Situés au sud-est de Montréal, les Cantons-de-l'Est sont en concurrence avec les Laurentides, au nord-ouest, en tant que «terrain de jeu» favori des Montréalais. Trois circuits sont proposés pour découvrir les Cantons-de-l'Est: **Circuit A: Le verger** ★, **Circuit B: Les lacs** ★★★ et **Circuit C: L'arrière-pays** ★.

Circuit A: Le verger

En voiture

De Montréal, traversez le pont Champlain et suivez l'autoroute 10 (autoroute des Cantons-de-l'Est) jusqu'à la sortie 29. Empruntez la route 133 Sud. À

proximité de Philipsburg et de la frontière canado-étasunienne, gardez la gauche pour pouvoir tourner dans la petite route qui mène à Saint-Armand-Ouest et à Frelighsburg. La route 213 prend la relève jusqu'à Dunham, où vous pourrez soit tourner à gauche dans la route 202 pour aboutir à Mystic, soit suivre en direction nord la route 202 puis la route 241 pour rejoindre Waterloo. Delà, la route 112 mène à Rougemont en passant par Granby, et la route 220 cède le pas à la route 243 pour vous conduire à Valcourt.

Circuit B: Les lacs

En voiture

De Montréal, empruntez l'autoroute des Cantons-de-l'Est (autoroute 10) jusqu'à la sortie 90. Suivez ensuite la route 243 vers le sud. Assurez-vous de prendre le tournant à gauche, en direction de Knowlton, afin de longer la rive est du lac Brome. À Knowlton, la route 104 mène à l'intersection avec la route 215, où vous tournerez à gauche vers Brome et Sutton. D'ici, en suivant la route 139 puis la route 243, vous atteindrez Bolton Sud, d'où vous pourrez vous rendre à Saint-Benoît-du-Lac par la route 245. En faisant le tour du lac Memphrémagog tout en contournant sa pointe nord pour suivre la route 247, vous vous retrouverez à Rock Island. La dernière portion de ce circuit se fait par la route 143, avec un crochet par la route 141 pour Coaticook puis par la route 208 jusqu'à Sherbrooke.

Noms des nouvelles villes fusionnées

Cookshire–Eaton
Fusion de Cookshire, Eaton, Newport et Sawyerville.

Eastman
Fusion de Stukely et Eastman.

Sutton
Fusion de la ville et du canton de Sutton.

Sherbrooke
Fusion de Sherbrooke, Rock Forest, Fleurimont, Bromptonville (en partie), Lennoxville, Deauville, Stoke (en partie) et Saint-Élie-d'Orford (en partie).

Gares routières

Sutton
28 rue Principale (station Esso)
☎*(450) 538-2452*

Magog
67-A rue Sherbrooke (Terminus Café)
☎*(819) 843-4617*

Sherbrooke
20 rue King Ouest
☎*(819) 569-3656*

Circuit C: L'arrière-pays

De Sherbrooke, empruntez la route 108 jusqu'à Birchton puis la route 210 en direction d'Eaton Corner. Le noyau du village se trouve de part et d'autre de la route 253 Sud. Au départ de Cookshire, prenez la route 212 jusqu'à Saint-Augustin-de-Woburn. D'ici, grimpez vers le nord par la route 161 en longeant la rive est du lac Mégantic, puis rendez-vous jusqu'à Ham-Nord, d'où les routes 216 et 255 se succèdent à destination de Danville.

Gare routière

Lac-Mégantic
6630 rue Salaberry
(Dépanneur 6630 Fatima)
☎*(819) 583-0112*

Renseignements pratiques

On trouve deux indicatifs régionaux différents dans les Cantons-de-l'Est. Tel qu'indiqué devant chaque numéro de téléphone, ce sera le **819** ou le **450**.

Renseignements touristiques

Bureau régional

Tourisme Cantons-de-l'Est
20 rue Don-Bosco S.,
Sherbrooke, J1L 1W4
☎*(819) 820-2020 ou
800-355-5755
≈(819) 566-4445
www.tourismecantons.qc.ca*

Circuit A: Le verger

Bromont
15 Boul. Bromont, J2L 2K4
☎*(450) 534-2006 ou
877-276-6668
www.granby-bromont.com*

Granby
650 rue Principale, J2G 8L4
☎*(450) 372-7273 ou
800-567-7273
www.granby-bromont.com*

Rougemont
11 ch. Marieville, J0L 1M0
☎*(450) 469-0069 ou
866-469-0069*

Circuit B: Les lacs

Magog
55 rue Cabana J1X 2C4
☎*(819) 843-2744 ou
800-267-2744
www.tourisme-memphremagog.com*

Sherbrooke
3010 King O., J1L 1Y7
☎*(819) 821-1919 ou
800-561-8331
www.sders.com/tourisme*

Sutton
11-B rue Principale S.,
C.P. 1049, J0E 2K0
☎*(450) 538-8455 ou
800-565-8455
www.sutton-info.qc.ca*

Cantons-de-l'Est

Circuit C:
L'arrière-pays

Lac-Mégantic
3295 rue Laval N., G6B 1A5
☎*(819) 583-5515 ou*
800-363-5515
www.tourisme-megantic.com

Attraits
touristiques

Circuit A: Le verger
(une journée)

On trouve trois concentrations de vergers dans les environs de Montréal: la région de Saint-Joseph-du-Lac, la région de Saint-Antoine-Abbé et celle, plus vaste bien que plus dispersée, de la portion occidentale des Cantons-de-l'Est. Il y a quelques années, des vignobles se sont ajoutés aux pommeraies traditionnelles, faisant d'un segment de ce circuit une route des vins québécoise. En automne, les citadins viennent s'y balader le dimanche pour admirer les couleurs chatoyantes des arbres, observer les vendanges et cueillir des pommes dans l'un des multiples vergers où l'on est invité à le faire soi-même. De plus, des pomiculteurs proposent leurs produits au bord de la route (beurre de pomme, cidre, jus, tartes), alors que les viticulteurs privilégient les visites guidées de leur propriété, suivies d'une dégustation.

Saint-Armand
(1 292 hab.)

Ce village était autrefois un important carrefour ferroviaire, comme en témoigne sa gare, aujourd'hui recyclée en **hôtel de ville** *(414 ch. Luke).* Il s'agit d'un bâtiment en brique de style néo-Renaissance érigé en 1865, ce qui en fait l'une des plus anciennes gares subsistant au Canada. De même, le pont couvert du ruisseau Groat (1845) est l'un des premiers ponts de ce type à avoir été construit au pays. La route sinueuse traverse ensuite Pigeon Hill avant d'atteindre le charmant hameau de Frelighsburg.

★
Frelighsburg
(1 048 hab.)

L'architecture traditionnelle des Cantons-de-l'Est se distingue de celle du reste du Québec par ses racines anglo-américaines, qui se traduisent par l'emploi fréquent de la brique rouge et des revêtements en clin de bois peint en blanc. Les fenêtres à guillotine dominent. Ce type de fenestration, comportant deux panneaux qui glissent verticalement l'un sur l'autre, est le plus souvent divisé en petits carreaux (trois ou quatre de large et de quatre à huit de haut) dans le cas des maisons antérieures à 1860, alors que les maisons victoriennes plus récentes présentent de grandes plaques de verre, libres de toute compartimentation.

Le bourg de Frelighsburg a grandi autour de son **moulin** *(on ne visite pas; 12 route 237 N.)* en pierre, érigé dès 1790 par deux pionniers loyalistes. En 1839, celui-ci est agrandi par son nou-

veau propriétaire, Abram Freligh, originaire de l'État de New York, qui laissera son nom au village. Le moulin est visible sur la gauche, à travers les arbres. Il a été transformé en résidence en 1967.

L'**église anglicane** ★ de Frelighsburg occupe un emplacement de choix au sommet d'une colline dominant le village. Son plan allongé et son clocher élevé sur le côté de la nef, au pied duquel se trouve l'entrée principale, sont des éléments inusités dans les Cantons-de-l'Est. Ce temple a été construit en 1884 dans le style néogothique préconisé par l'Église d'Angleterre. Les murs de brique rouge avec encadrements en brique jaune, surmontés d'une toiture d'ardoise, forment un ensemble polychrome qui n'est pas sans rappeler les églises villageoises de l'Ontario.

Suivez la route 213 Nord en direction de Dunham.

★
Dunham
(3 370 hab.)

Dans les villages québécois fondés par des Canadiens français, traditionnellement catholiques, une seule église, assez imposante, est érigée au centre de l'agglomération. Dans les villages des Cantons-de-l'Est où la population est souvent répartie entre anglicans, presbytériens, méthodistes, baptistes et parfois même luthériens et unitariens, les petits temples de dénominations diverses foisonnent. Aussi la rue Principale de Dunham est-elle bordée de plusieurs clochers, entre lesquels sont érigées des demeures bourgeoises bien entretenues. Le canton de Dunham étant le plus ancien du Bas-Canada, on y trouve certaines des premières maisons bâties dans la région. L'**All Saints Anglican Church**, construite en pierre entre 1847 et 1851, s'inscrit dans l'axe de la route 202 Ouest, surnommée «la route des vins».

Tournez à gauche dans la route 202 Ouest pour parcourir la route des vins. Une excursion facultative à Stanbridge East, à Bedford et à Mystic est également proposée à partir de cette route. Reprenez ensuite la route 213 Nord en direction de Cowansville.

★
La Route des vins

Le visiteur européen pourra trouver bien prétentieux d'entendre parler de «Route des vins» (route 202 Ouest) pour décrire le parcours entre Dunham et Stanbridge East, mais l'expérience québécoise en matière de viticulture est tellement surprenante et la concentration de vignobles dans cette région si unique au Québec que l'enthousiasme l'a emporté sur la mesure. Pas de châteaux ni de vieux comtes distingués ici, mais plutôt des exploitants viticulteurs qui doivent parfois aller jusqu'à louer des hélicoptères pour sauver leurs vignes du gel. Les pales des hélices créent en effet une circulation d'air qui empêche le gel au sol à des moments critiques (mois de mai). La région bénéficie tout de même d'un microclimat et d'un sol propice à la culture de la vigne (ardoise). La ma-

jorité des vins ne sont vendus qu'à la propriété.

Vous pouvez visiter le vignoble de **L'Orpailleur** *(1086 route 202, Dunham, ☎450-295-2763)*, où sont, entre autres, élaborés un vin blanc sec et un apéritif rappelant le Pineau des Charentes, l'Apéridor. On y produit aussi La Marquise, un délicieux vin blanc à haute teneur en alcool; La Part des Anges, un mélange de vin blanc et de cognac au goût de noisette, ainsi qu'un Ice Wine (vin de glace), très réputé. Tous sont fortement conseillés. L'Orpailleur a aussi ouvert un économusée de la vigne.

Le **Domaine des côtes d'Ardoises** *(879 route 202, Dunham, J0E 1M0, ☎450-295-2020)* est l'un des rares vignobles québécois qui produit un vin rouge. Encore une fois, on a droit à l'accueil chaleureux du vigneron.

Le vignoble **Les Blancs Coteaux** *(1046 ch. Bruce, route 202, Dunham, ☎450-295-3503)*, en plus de faire un vin de qualité, dispose d'une jolie boutique d'artisanat.

Stanbridge East (860 hab.)

Ce charmant village est surtout connu pour son musée régional. Le long de ses rues ombragées, on peut aussi voir de grandes maisons entourées de jardins. On remarquera tout particulièrement l'**église anglicane St. James the Apostle**, en brique po-

lychrome, dont le plan cruciforme est plutôt inhabituel au Québec (vers 1880).

Le **Musée Missisquoi ★** *(3,50$; fin mai à mi-oct tlj 10h à 17h; 2 rue River, ☎450-248-3153)* se consacre à la conservation et à la diffusion du patrimoine régional, principalement loyaliste. Les 12 000 objets de la collection sont répartis dans trois bâtiments d'époque: le **moulin Cornell** de 1832, la **Bill's Barn** (grange à Bill), qui renferme des voitures anciennes et des instruments aratoires, et enfin le **magasin général Hodge**, qui a conservé ses comptoirs du début du XXe siècle.

Poursuivez par la route 202 Ouest jusqu'à Bedford.

Bedford (2 748 hab.)

Cette autre petite ville aux accents américains et loyalistes est renommée pour son ardoise grise et verte. On peut y voir de belles maisons de brique rouge entourées de verdure, la plupart datant de la deuxième moitié du XIXe siècle, ainsi que la jolie **église anglicane St. James**, également en brique (vers 1840). Le pont des Rivières, un pont couvert, au nord-ouest du village, fait 41 m de longueur. Il a été érigé en 1884 et est l'un des rares exemples de pont en bois du type Howe au Québec, caractérisé par l'assemblage en croix des poutrelles.

Si l'architecture régionale vous intéresse, procurez-vous la brochure intitulée *Promenade historique – Circuit patrimonial*, au 1 rue Principale *(lun-ven 9h à 16h30)* ou au restaurant L'Interlude *(48 rue Princi-*

Cantons-de-l'Est

pale); ceux qui désirent faire la visite à vélo peuvent en emprunter un gratuitement au reataurant. Vous visiterez 10 impressionnants bâtiments datant du XIXe et du début du XXe siècle dans les environs de Bedford.

Pour vous rendre à Mystic, tournez à droite dans la route 235 Nord. Le hameau est situé sur votre gauche, à l'écart de la route principale.

★
Mystic

Mystic est un véritable morceau de Nouvelle-Angleterre transplanté au Québec. Sa population est encore largement anglophone.

Le village, déjà très attrayant de par la nature qui l'entoure, se démarque aussi grâce à un bâtiment historique des plus originaux. La grange Walbridge (1885) est en effet dodécanale (12 côtés), formée de pans se rejoignant en un toit en pignon. Ainsi, un petit détour par Mystic vous permettra d'admirer ce beau bâtiment rouge et de faire une halte à l'ancien magasin général, aujourd'hui une auberge abritant le restaurant et chocolatier l'œuf.

Revenez à Dunham, pour poursuivre le circuit principal.

Cowansville
(12 076 hab.)

Cowansville, autre communauté loyaliste, regroupe de belles demeures victoriennes en bois et en brique ainsi que quelques bâtiments publics et commerciaux d'intérêt qui témoignent du passé prospère de la ville. Au numéro 225 de la rue Principale, on peut notamment voir

l'ancienne **Eastern Townships Bank**, aujourd'hui transformée en centre communautaire et récréatif. L'édifice, érigé en 1889, comporte un toit mansardé, associé au style Second Empire, alors aussi populaire dans le monde anglo-saxon que dans le monde francophone. Non loin de là se trouve la **Trinity Church**, petite église anglicane néogothique de 1854 entourée de son cimetière.

Empruntez la route 241 Nord à l'est de Cowansville.

Bromont
(4 381 hab.)

Centre de villégiature prisé des Montréalais, Bromont s'est développée au cours des années 1960. Cette petite ville s'est acquis sa renommée grâce à son mont transformé en station de ski alpin, à ses installations sportives et à son titre d'hôte des compétitions de sport équestre des Jeux olympiques de 1976.

Pour les gourmands au fin palais, le **Musée du Chocolat** *(1,25$; juin à oct lun-ven 10h à 18h, sam-dim 9h à 17h30; nov à mai lun-ven 10h à 18h, sam-dim 9h à 17h30; 679 rue Shefford, ☎450-534-3893)* est une occasion en or pour se familiariser avec ce péché mignon. On y découvre l'histoire du chocolat depuis l'arrivée des Espagnols en Amérique du Sud, le processus de modification des fèves en poudre de cacao et quelques œuvres d'art ayant pour support principal... le chocolat! Si vos papilles gustatives n'en peuvent plus, vous pourrez acheter toutes sortes de délicieuses confiseries faites sur place. Des repas légers y sont également servis.

Centre équestre de Bromont, voir p 255.

Station de ski Bromont, voir p 256.

★
Waterloo
(4 327 hab.)

Waterloo est une petite ville charmante. Les rues Western, Clark Hill, Lewis et Foster sont, encore ici, bordées de maisons cossues. Ironiquement, les maisons des familles anglo-saxonnes sont plus vastes que celles des familles canadiennes-françaises même si leurs familles étaient traditionnellement beaucoup moins nombreuses. L'**église St. Luke**, au numéro 420 de la rue Court, daterait de 1821, ce qui en ferait l'un des plus anciens exemples du style néogothique au Canada.

Une excursion facultative est proposée à Valcourt, village où Joseph-Armand Bombardier a développé puis commercialisé la motoneige. De nos jours, le Ski-Doo n'est plus que l'un des produits de la multinationale Bombardier, entre autres renommée pour son matériel de transport en commun (wagons de trains et de métro) et ses avions (Canadair, Challenger, Global Express).

Pour vous y rendre, suivez la route 241 jusqu'à Warden, puis prenez à droite la route 220 en direction de Sainte-Anne-de-la-Rochelle, pour ensuite tourner à gauche dans la route 243 et suivre les indications vers Valcourt.

Valcourt
(3 479 hab.)

Bombardier n'est pas le seul mécanicien québécois à avoir développé un véhicule motorisé capable de circuler sur des surfaces enneigées. Le besoin est né du fait que, jusqu'au début des années 1950, nombre de routes du Québec n'étaient pas déneigées en hiver. Il fallait pour se déplacer renouer avec les moyens de transport ancestraux, soit le traîneau tiré par un cheval, l'automobile étant, à toutes fins utiles, peu recommandable. Bombardier est cependant le seul à avoir réussi à rentabiliser son invention, grâce notamment à un lucratif contrat avec l'armée au cours de la Seconde Guerre mondiale. L'entreprise s'est par la suite diversifiée et a connu une croissance considérable, sans toutefois délaisser son patelin de Valcourt, où se trouve toujours le siège social.

Le **Musée J.-Armand-Bombardier** ★ *(5$; début mai à début sept tlj 10h à 17h, début sept à fin avr mar-dim 10h à 17h; 1001 av. Joseph-Armand-Bombardier, ☎450-532-5300)* retrace l'histoire du développement de l'autoneige puis de la motoneige par Bombardier, et sa commercialisation à travers le monde. On peut y voir différents prototypes de même que les modèles de motoneiges fabriqués depuis 1960. Des visites de l'usine sont également proposées aux groupes.

De Waterloo, suivez la route 112 Ouest jusqu'à Granby.

Granby
(45 441 hab.)

Se trouvant à quelques kilomètres du verdoyant parc de la Yamaska, Granby, «la princesse des Cantons-de-l'Est», respire l'air frais de la campagne environnante. Outre ses résidences témoignant de l'architecture victorienne, elle renferme de grandes avenues et de nombreux parcs ornés de fontaines et de sculptures.

Traversée par la rivière Yamaska Nord, Granby se veut également le point de rencontre des pistes cyclables de la Montérégiade et de l'Estriade. Son dynamisme et sa jeunesse se reflètent à travers ses multiples festivals, notamment le célébrissime Festival international de la chanson, grâce auquel la francophonie a découvert plusieurs excellents interprètes. La ville de Granby est aussi connue pour son zoo de type traditionnel, ouvert en 1953.

Vous pourrez observer quelque 250 espèces d'animaux provenant de divers pays, notamment d'Amérique du Nord et d'Afrique, au **Zoo de Granby** ★★ *(21,95$; début juin à fin août tlj 10h à 19h, fin août à mi-oct 10h à 18h; autoroute 10, sortie 68 ou 74 et suivez les indications, 525 rue St-Hubert; ☎450-472-6290 ou 877-472-6290, www.zoo-granby. com).* Malheureusement aménagé à l'ancienne mode, le zoo offre très peu d'aires où les animaux sont en liberté, la majorité étant dans des cages. La visite demeure cependant intéressante, surtout pour les jeunes enfants. D'autant plus qu'on retrouve maintenant sur le site un parc aquatique, l'Amazoo.

Parc de la Yamaska, voir p 253.

Centre d'interprétation de la nature du lac Boivin, voir p 253.

Reprenez la route 112 Ouest en direction de Rougemont.

Roxton Pond
(3 479 hab.)

Devant la curiosité tenace des passants, les propriétaires d'une ferme d'élevage ont aménagé un sentier de 1 km présentant 125 variétés d'oiseaux multicolores provenant de toutes les parties du monde. Sous vos yeux, les éleveurs nourriront à la main les oiselets. Le **Zoo et refuge d'oiseaux exotiques Icare** *(9$; juin à oct 10h à 17h; 2699 route 139, ☎450-375-6118)* est un bon endroit où se procurer un ara au plumage enflammé!

Rougemont
(2 500 hab.)

Bien que située en dehors de la zone touristique des Cantons-de-l'Est (elle appartient plutôt à la Montérégie), la petite ville de Rougemont s'y rattache par sa vocation de capitale de la pomme québécoise. Le village est situé en contrebas de la plus petite des collines Montérégiennes, le mont Rougemont.

À la **Cidrerie Michel Jodoin** *(entrée libre; lun-ven 9h à 17h, sam-dim 10h à 16h; 1130 rang de la Petite Caroline, ☎450-469-2676),* on produit un cidre de grande qualité, alcoolisé ou non, dont le secret réside dans le vieillissement qui s'effectue dans des fûts de chêne: le résultat est convaincant. Sur place, il est possible de goûter différents cidres et, bien sûr, d'en acheter. Des visites de l'établissement sont aussi offertes.

Ainsi se termine le circuit A: Les vergers. Pour retourner à Montréal, suivez la route 112 Ouest jusqu'à la jonction avec la route 227 Sud. Tournez à gauche afin de rejoindre l'autoroute des Cantons-de-

Cantons-de-l'Est

l'Est (10). Pour accéder au circuit B: Les lacs, poursuivez vers l'est par la route 112 jusqu'à Waterloo. De là, tournez à droite pour prendre la route 220 direction sud jusqu'à Knowlton.

Circuit B: Les lacs (deux jours)

Un trajet sinueux autour des trois lacs les plus courus des Cantons-de-l'Est, les lacs Brome, Memphrémagog et Massawippi, définit ce circuit aux multiples panoramas, aux villages plus coquets les uns que les autres et aux auberges chaleureuses dont le style n'est pas sans rappeler celles de la Nouvelle-Angleterre. Il est idéal pour un séjour pas trop loin de Montréal, pendant lequel on pourra pratiquer différents sports nautiques et faire de l'escalade ou des randonnées en forêt pendant l'été, et du ski ou de la raquette en hiver.

★★ Knowlton (5 073 hab.)

Voilà ce que l'on entend par une impression de Nouvelle-Angleterre. Ce petit village d'estivants fortunés qui se marie admirablement au paysage recèle quelques boutiques et restaurants mignons qui viennent agrémenter la balade du visi-

teur. Alors que, dans les villages de tradition canadienne-française, l'accent est mis d'abord et avant tout sur l'église paroissiale catholique et le presbytère, les bâtiments civiques prennent ici davantage d'importance. On remarquera notamment l'ancien **palais de Justice**, au numéro 15 de la rue St. Paul. Érigé en 1859, dans le style néogrec, selon les plans de l'architecte Timothy E. Chamberlain, il servait autrefois de palais de justice. Ce bâtiment abrite désormais la Société historique du comté de Brome. L'architecture loyaliste, où le rouge de la brique se mêle au blanc du bois et au vert foncé des persiennes, est visible tout autour. Procurez-vous la brochure *Promenade à pied historique* à l'**Auberge Knowlton/ Restaurant Le Relais** (voir p 259) pour obtenir de plus amples renseignements au sujet des nombreux bâtiments historiques du village.

Le **lac Brome ★**, de forme circulaire, est populaire auprès des amateurs de planche à voile, qui bénéficient d'une aire de stationnement et d'une petite plage en bordure de la route à l'approche de Knowlton. Le canard du Lac Brome est reconnu pour sa saveur et est au menu des auberges et restaurants de la région en saison.

Le **Musée du comté de Brome ★** *(3,50$; mi-mai à mi-sept lun-sam 10h à 16h30, dim 11h à 16h30; 130 rue Lakeside, ☎450-243-6782)*, réparti dans cinq bâtiments loyalistes, raconte l'histoire et la vie des gens de la région. On y trouve, outre les habituelles collections de meubles et de photographies, un magasin général reconstitué, une cour de justice du XIXe siècle et, chose plus rare, une intéressante collection militaire dont un avion de la Première Guerre mondiale.

Le village de Knowlton fait maintenant partie de la municipalité de Lac-Brome, qui ceinture le lac. Au bout du chemin Lakeside, tournez à droite dans la route 104 Ouest, puis à gauche dans la route 215 Sud en direction de Brome et de Sutton Junction pour rejoindre Sutton.

★ Sutton (3 366 hab.)

Une des principales stations de sports d'hiver de la région, Sutton est située en contrebas du mont du même nom. On trouve aussi dans la région quelques terrains de golf bien aménagés pour combler les sportifs pendant l'été. Parmi les églises de Sutton, on remarque plus particulièrement la **Grace Church** anglicane, en pierre, de style néogothique et érigée en 1850. Son clocher a malheureusement perdu son ouverture en ogive.

Empruntez la route 139 Sud en direction du minuscule hameau d'Abercorn, situé à moins de 3 km de la frontière canado-étasunienne (État du Vermont). De là, prenez à gauche la route secondaire qui suit le creux de la très belle vallée

Grange ronde

de la rivière Missisquoi et traverse Glen Sutton et Highwater avant d'aboutir à Mansonville.

Mont Sutton ★, voir p 256.

Mansonville (1 767 hab.)

Mansonville a grandi autour d'une scierie fondée par Henry Ruiter en 1803. Après avoir porté le même nom que le comté de Potton, dans les limites duquel il est situé, le village a été rebaptisé Mansonville en l'honneur de l'un de ses citoyens. On y trouve une grange ronde (derrière l'école), un *green*, sorte de tapis de verdure de forme rectangulaire comme on en trouve fréquemment en Nouvelle-Angleterre, ainsi que plusieurs églises de dénominations diverses, parmi lesquelles il faut mentionner l'**église anglicane St. Paul's** de 1854, remaniée à la fin du XIXe siècle. Il existe même à Mansonville un temple maçonnique.

Prenez à gauche la route de Vale Perkins (elle passe devant le bureau de poste pour ensuite longer la maison Manson, sur votre gauche). Empruntez le chemin de terre qui remonte vers Bolton et Saint-Benoît-du-Lac. On risque toutefois de s'y embourber au printemps, pendant la fonte des neiges ou à la suite de fortes pluies, alors que la chaussée se transforme en boue. Si cela risque d'être le cas, empruntez plutôt la route 243 Nord au départ de Mansonville jusqu'à Bolton Centre.

À Vale Perkins même, on aperçoit à droite le mont Owl's Head, nom anglais qui se traduirait par «tête de hibou». Plus loin, on passe devant une petite chapelle ukrainienne des plus pittoresques. La route panoramique longe ensuite les monts Sugar Loaf (pain de sucre) et Éléphant, à proximité duquel on a trouvé des amoncellements de pierres appelés «cairns» ainsi qu'une grande pierre plate sur laquelle sont gravés des pétroglyphes aux origines mystérieuses. Certains associent ces vestiges archéologiques aux colons loyalistes; certains, aux tribus amérindiennes du coin; d'autres enfin aux... Phéniciens qui seraient venus jusqu'ici, en des temps fort reculés!!! Du haut de la colline qui domine Knowlton's Landing, on découvre avec ravissement le lac Memphrémagog, joyau des Cantons-de-l'Est.

Mont Owl's Head ★, voir p 257.

★★ Le lac Memphrémagog

Long de 44,5 km, mais d'une largeur variant entre seulement un et deux kilomètres, le lac Memphrémagog n'est pas sans rappeler les lochs écossais. Il possède même son propre monstre marin, baptisé «Memphré», que plusieurs jurent avoir aperçu depuis 1798 (eh oui!). La portion sud du lac, non visible depuis Magog, à son extrémité nord, est située en territoire étasunien. Le nom du lac vient de la langue abénaquise («lac vaste»), tout comme celui du lac Massawippi et de la rivière Missisquoi. Les amateurs de voile y seront au paradis, puisqu'il s'agit de l'un des meilleurs endroits pour pratiquer ce sport au Québec.

Tournez à droite dans la route d'Austin et encore à droite dans le chemin Fisher, qui conduit à l'abbaye de Saint-Benoît-du-Lac.

★★ Saint-Benoît-du-Lac

Le territoire de cette municipalité correspond exclusivement au domaine de l'**abbaye de Saint-Benoît-du-Lac**, fondée en 1913 par des moines bénédictins chassés de leur abbaye de Saint-Wandrille-de-Fontenelle, en Normandie. L'ensemble comprend le monastère, l'hôtellerie, la chapelle abbatiale et les bâtiments de ferme. Seuls quelques corridors de même que la chapelle sont accessibles au public. On ne manquera pas d'écouter le chant grégorien pendant les vêpres, à 17h tous les jours de la semaine.

La construction des bâtiments de l'abbaye fut entreprise en 1937 selon les plans du moine bénédictin dom Paul Bellot (1876-1944). Cet éminent architecte, préoccupé par le renouveau de l'architecture religieuse au XXe siècle, a aussi dessiné les plans du dôme de l'oratoire Saint-Joseph, à Montréal, ainsi que ceux de l'abbaye de Solesme, en France, à laquelle il était rattaché. S'inspirant à la fois des formes pures et fonctionnelles du Moyen Âge et des matériaux modernes, il a créé un édifice étrange que l'on pourrait qualifier d'expérimental. La chapelle est, quant à elle, une œuvre de l'architecte montréalais Dan Hanganu, érigée en 1990 dans le respect du style original de l'édifice. Des portes extérieures de la chapelle, on peut goûter quelques instants la vue sur le lac dont bénéficient les moines à longueur d'année.

Cantons-de-l'Est

L'hôtellerie accueille séparément hommes et femmes qui désirent se recueillir pendant quelque temps. De plus, les moines font l'élevage de bovins charolais et exploitent deux vergers (production de cidre) ainsi qu'une fromagerie (fromages l'Ermite et Mont Saint-Benoît). Rendez-vous à la boutique, au sous-sol du bâtiment principal, où vous trouverez une dizaine d'excellents fromages et de produits dérivés de la pomme, tels le cidre, le vinaigre et les sauces qui n'ont rien à envier aux produits maison *(lun-sam 9h30 à 11h et 11h45 à 17h30; ☎819-843-4336 ou 877-343-4336).*

En revenant sur ses pas, le long du chemin Fisher, on aperçoit à gauche un petit chemin conduisant à une belle **grange ronde**, construite en 1907 par Damase Amédée Dufresne. On ne peut la visiter, mais, de l'extérieur, on constate tout de même qu'il s'agit de l'un des plus beaux spécimens québécois de ce modèle développé aux États-Unis pour contrer les vents violents, mais aussi pour empêcher le diable de se cacher dans un coin...

Au carrefour se trouvent l'**église Saint-Augustin-de-Cantorbéry**, du hameau d'Austin, autrefois église épiscopalienne, ainsi que le monument en l'honneur du plus illustre citoyen d'Austin, Reginald Aubrey Fessenden, inventeur du principe de la transmission de la voix humaine par ondes radio.

Tournez à droite dans la route qui conduit à Magog. Entre les maisons, on bénéficie de beaux points de vue sur le lac et l'abbaye. Tournez à droite dans la route 112.

★
Magog
(14 612 hab.)

Principal centre de services entre Granby et Sherbrooke, Magog est une ville qui a beaucoup à offrir aux amateurs de sport. Elle occupe un site admirable à l'extrémité nord du lac Memphrémagog. Sa vocation culturelle n'est pas à dédaigner non plus, puisqu'elle possède un théâtre où sont présentées plusieurs avant-premières ainsi qu'un complexe musical en pleine nature au mont Orford. L'industrie textile, qui occupait autrefois une grande place dans la vie des habitants, a beaucoup diminué au profit du tourisme. La rue Principale, bordée de boutiques et de restaurants, est agréable à parcourir à pied.

Théâtre du Vieux-Clocher, voir p 272.

Parc de récréation du Mont Orford ★★, voir p 253.

Centre d'Arts Orford ★, voir p 272.

Empruntez la route 247 Sud, qui longe la rive est du lac Memphrémagog, en direction de Georgeville.

★
Georgeville
(988 hab.)

C'est au milieu des paysages ondulés de Georgeville, synonymes de douces vacances, que fut tourné en grande partie *Le Déclin de l'Empire américain* du cinéaste Denys Arcand. Le petit village de Georgeville est depuis longtemps un lieu de villégiature où les vieilles familles anglo-saxonnes aiment se retrouver. Les Molson, par exemple, possèdent une

île dans les environs. Au XIXe siècle, les traversiers en provenance de Newport, aux États-Unis, sise à l'extrémité sud du lac, ou de Knowlton's Landing, sur sa rive ouest, aboutissaient tous à Georgeville, où étaient érigés d'importants hôtels en bois qui ont, malheureusement, tous flambé. Seule la fort agréable Auberge Georgeville est encore là. La vieille école, le centre culturel et l'église St. George (1866) sont d'autres bâtiments présentant un intérêt patrimonial certain. On ne manquera pas de se rendre jusqu'au quai, d'où l'on jouit d'une belle vue sur l'abbaye de Saint-Benoît-du-Lac.

Fitch Bay

En poursuivant par la route 247, on atteint le vieux **pont couvert Narrows** *(prenez le chemin Merril à droite, puis tournez à gauche dans le chemin Ridgewood).* Les ponts couverts coûtaient plus cher à construire, mais duraient beaucoup plus longtemps en raison de la protection qu'ils offraient contre le vieillissement; aussi en existe-t-il plusieurs au Québec. Franchissant la baie Fitch, ce pont d'une longueur de 28 m fut bâti en 1881. Juste à côté, on aperçoit un petit parc où l'on trouve des tables de pique-nique.

Les routes environnantes sont agréables à parcourir, plus particulièrement **Magoon Point Road**, qui offre des panoramas sur le lac, et la **route de Tomifobia**, que l'on croirait tout droit sortie des toiles des régionalistes américains, tel Grant Wood. On atteint **Beebe Plain** par la route 247 Sud. Cette ville est renommée pour ses carrières de granit, qui ont connu, ces dernières années, un regain de popularité avec la construction de plusieurs gratte-ciel nord-américains postmodernes revêtus de ce matériau aux teintes parfois rosées, parfois bleutées.

★
Rock Island
(1 110 hab.)

Notez que les villages de Rock Island, Stanstead Plain et Beebe Plain forment maintenant une seule municipalité connue sous le nom de Stanstead. Chevauchant la frontière canado-étasunienne, Rock Island est l'un des plus étranges villages qu'il soit donné de voir au Québec. En se promenant sur tel ou tel bout de rue, on est tantôt aux États-Unis, tantôt au Canada. Des affiches en français, on passe soudainement aux écriteaux en anglais. Au bout d'un mât planté sur la pelouse de M. Thériault flotte l'unifolié canadien, alors que, chez son voisin immédiat, le *Stars and Stripes* américain se déploie dans un esprit patriotique mais pacifique. Plusieurs beaux bâtiments de pierres, de briques et de bois font de Rock Island un endroit agréable à visiter à pied.

L'édifice de l'**Opéra-bibliothèque Haskell ★** *(angle des rues Church et Caswell)*, connu officiellement sous le nom de Haskell Free Library and Opera House, est à la fois une bibliothèque et une salle de spectacle. Il fut érigé à cheval sur la frontière canado-étasunienne afin de symboliser l'amitié entre les deux pays. L'architecte James Ball s'est inspiré de l'opéra de Boston, aujourd'hui disparu, pour concevoir ce monument inauguré en 1904. Une ligne noire traversant

en diagonale l'intérieur de l'édifice indique l'emplacement exact de la frontière, qui correspond au 45e parallèle.

Remontez vers Stanstead Plain par la route 143 Nord (rue Main, puis rue Dufferin).

★
Stanstead Plain
(883 hab.)

Stanstead Plain, communauté prospère, regroupe quelques-unes des plus belles maisons des Cantons-de-l'Est. Les distilleries des années 1820 et, plus tard, l'exploitation des carrières de granit ont en effet permis à plusieurs habitants de la région d'amasser des fortunes importantes au XIXe siècle. On remarquera plus particulièrement la **maison Butters**, de style néo-Renaissance dans le genre des villas toscanes (1866), ainsi que la maison Colby, décrite ci-dessous. Le **collège de Stanstead** (1930), le **couvent des ursulines** – institution inusitée dans la région – de même que les églises méthodistes et anglicanes méritent que l'on s'y attarde.

Le **Musée Colby-Curtis ★** *(4$; mi-juin à mi-sept mar-dim 11h à 17h; reste de l'année mar-ven 10h à 12h et 13h à 17h, sam-dim 12h30 à 16h30; 535 rue Dufferin, ☎819-876-7322)* est en fait une maison-musée ayant conservé la totalité de son mobilier d'origine. Elle constitue un témoignage éloquent de la vie bourgeoise de la région dans la seconde moitié du XIXe siècle. La demeure, revêtue de granit gris, a été construite en 1859 pour l'avocat James Carroll Colby, qui l'a baptisée Carrollcroft.

Poursuivez par la route 143 Nord, puis tournez à gauche en direction d'Ayer's Cliff (route 141).

Ayer's Cliff
(1 021 hab.)

Lieu de villégiature, Ayer's Cliff est un important centre équestre. On y tient également, à la fin de l'été, une foire agricole régionale qui attire de plus en plus de Montréalais. Il est recommandé de poursuivre par la route 141 pendant quelques kilomètres vers l'ouest afin de contempler la portion sud du lac Massawippi, avant de revenir sur ses pas pour reprendre la route 143 en direction de North Hatley.

Une excursion facultative en direction de Coaticook et de Compton est possible en choisissant plutôt de poursuivre par la route 141 vers l'est.

Coaticook
(9 030 hab.)

Coaticook, mot d'origine abénaquise signifiant «rivière de la terre aux pins», est une petite ville industrielle. Elle est entourée de nombreuses fermes laitières qui en font le bassin laitier du Québec. Sa vieille gare présente un certain intérêt.

Au centre du quartier résidentiel de Coaticook, le **Musée Beaulne ★** *(5$; mi-mai à mi-sept mar-dim 10h à 17h, mi-sept à mi-mai mer-dim 13h à 16h; 96 rue de l'Union, ☎819-849-6560)* fait figure de château. Il s'agit en fait de l'ancienne demeure de la famille Norton construite en 1912. Certaines pièces ont conservé leur apparence bourgeoise du tournant du XXe siècle, alors que d'autres accueillent les collections de

Cantons-de-l'Est

tissus et de costumes du Musée Beaulne. La maison, d'allure pittoresque, se présente comme un assemblage de composantes des styles Queen Anne et Shingle américains au milieu d'un grand jardin à l'anglaise.

Parc de la Gorge de Coaticook ★, voir p 253.

Remontez vers Compton par la route 147 Nord.

Compton
(2 991 hab.)

Le principal attrait du village de Compton est la maison natale de Louis-Stephen Saint-Laurent, premier ministre du Canada de 1948 à 1957, surtout connu pour avoir contribué à la fondation de l'OTAN. On retrouve aussi plusieurs vergers dans ce secteur.

Le **lieu historique national Louis-S.-Saint-Laurent** *(4$; mi-mai à fin sept tlj 10h à 17h, 6790 route Louis-S.-St-Laurent, ☎819-835-5448)* célèbre la mémoire de l'ancien premier ministre canadien. Les marchandises du magasin général du père de l'ancien premier ministre offrent un aperçu de la ruralité du début du XXᵉ siècle. Les visiteurs peuvent aussi entendre des bribes de conversation autour du poêle et assister à un spectacle multimédia qui évoque les principaux faits d'armes de la vie de Louis S. Saint-Laurent et les grands événements de l'histoire canadienne et mondiale. La visite de la maison familiale permet de découvrir un mode de vie aujourd'hui disparu et d'admirer plus de 2 500 objets ayant appartenu à la famille Saint-Laurent. Théâtre et plusieurs activités spéciales tout au long de la saison. Le lieu historique national Louis-S.-Saint-Laurent fait partie d'une région dynamique au décor des plus enchanteurs où nombre de vacanciers font escale. Vous y trouverez aussi un très beau jardin et une boutique.

Revenez au circuit principal en empruntant la route 208 jusqu'à Massawippi. Tournez à droite dans la route 143 en direction de North Hatley.

★★
North Hatley
(812 hab.)

Les paysages enchanteurs de North Hatley ont eu tôt fait d'attirer les riches villégiateurs américains, qui s'y sont fait construire de luxueuses villas entre 1890 et 1930. La plupart d'entre elles bordent toujours la portion nord du lac Massawippi, qui, à l'instar du lac Memphrémagog, rappelle un loch écossais. De belles auberges et des restaurants gastronomiques contribuent au charme de l'endroit, lui assurant la réputation d'un lieu de villégiature des plus raffinés. On notera, au centre du village, la minuscule **église Unie** de style Shingle, qui fait davantage penser à une chapelle de culte catholique qu'à un temple protestant.

Le **Manoir Hovey** ★ *(ch. Hovey)*, grande villa construite en 1900 sur le modèle de Mount Vernon, résidence de George Washington en Virginie, était autrefois la demeure estivale de l'Étasunien Henry Atkinson, qui recevait chez lui chaque été artistes et politiciens de son pays. La maison sert de nos jours d'auberge (voir p 264).

Reprenez la route 108 vers Lennoxville.

Ancienne mine de cuivre, la **Mine Capelton** *(17,75$, incluant tout l'équipement nécessaire à la visite; visite commentée toutes les heures: mi-mai à fin juin ainsi que sept et oct sam-dim 10h à 15h, juil à août tlj 10h à 15h; 800 route 108, ☎819-346-9545)* fut, vers les années 1880, l'un des complexes miniers les plus imposants et les plus avancés technologiquement du Canada, voire du Commonwealth. Creusée à main d'homme, elle s'enfonce jusqu'à 135 m sous la surface de la montagne Capel. En plus de son intérêt géologique tout à fait fascinant, la visite, d'une durée d'environ deux heures, se veut un contact exceptionnel avec la vie des mineurs et la première révolution industrielle. La température oscillant autour des 9°C, des vêtements chauds sont conseillés. On trouve sur les lieux un joli sentier de randonnée avec belvédères et panneaux d'interprétation.

Reprenez la route 143 vers Lennoxville.

Manoir Hovey

★
Lennoxville
(4 856 hab.)

Lennoxville, petite ville toujours majoritairement anglophone, se distingue par la présence des prestigieuses maisons d'éducation de langue anglaise que sont l'Université Bishop et le Bishop's College. Fondée aux abords de la route reliant Trois-Rivières à la frontière canado-étasunienne, elle prit le nom de Lennoxville en l'honneur de Charles Lennox, quatrième duc de Richmond, qui fut gouverneur du Haut et du Bas-Canada en 1818. Il faut quitter la route principale (route 143) et parcourir les rues secondaires pour découvrir les bâtiments institutionnels, de même que les belles maisons Second Empire et Queen Anne cachées dans la verdure.

Les modifications et ajouts apportés à l'**église anglicane St. George** *(rue Queen)* entre 1847 et 1896 lui ont donné une allure pittoresque qui en fait l'une des plus coquettes églises des Cantons-de-l'Est.

Jefferson Davis, ancien président de la Confédération américaine et principal responsable de la sécession sudiste aux États-Unis (1861), aimait séjourner avec sa famille dans la **maison Cummings** *(33 rue Belvédère)*, un bâtiment de briques construit en 1864.

La maison Speid, érigée en 1862, loge depuis 1988 le **Centre culturel et du Patrimoine Uplands** *(entrée libre; fin juin à début sept mar-dim 13h à 16h30; début sept à fin juin jeu-ven et dim 13h à 16h30; fermé jan; 9 rue Speid, ☎819-564-0409)*, où

est raconté, à l'aide de différentes expositions thématiques, le riche passé de la région.

Une des trois universités de langue anglaise au Québec, l'**Université Bishop** ★ *(College Road)* est une petite institution offrant un enseignement personnalisé, dans un cadre enchanteur, à quelque 1 300 étudiants provenant de tous les coins du Canada. Elle a été fondée en 1843 à l'instigation du pasteur Lucius Doolittle. À l'arrivée, on aperçoit le **McGreer Hall**, élevé en 1876 selon les plans de l'architecte James Nelson, puis modifié pour lui donner un air médiéval par les architectes Taylor et Gordon de Montréal. La **chapelle anglicane St. Mark**, érigée à sa gauche, a été reconstruite en 1891 à la suite d'un incendie. Son intérieur, long et étroit, comporte de belles boiseries en chêne ainsi que des vitraux réalisés par la maison Spence and Sons de Montréal.

La **Galerie d'art Bishop-Champlain** *(entrée libre; mar-dim 12h à 17h, fermé juil et août; sur le campus de l'Université Bishop, ☎819-822-9600, poste 2687)* présente des expositions multidisciplinaires en plus de posséder une collection permanente de 150 œuvres, entre autres des toiles de paysagistes canadiens du XIXᵉ siècle.

Revenez à la route 143 en direction de Sherbrooke.

★★
Sherbrooke
(78 125 hab.)

Principale agglomération de la région, Sherbrooke est surnommée la reine des Cantons-de-l'Est. Elle

est implantée sur une série de collines de part et d'autre de la rivière Saint-François, ce qui accentue son aspect désordonné. Malgré sa vocation plutôt industrielle, la ville possède plusieurs bâtiments d'intérêt, pour la plupart concentrés sur la rive ouest. Sherbrooke est née au début du XIXᵉ siècle autour d'un moulin et d'un petit marché, comme tant d'autres villages des Cantons-de-l'Est. Cependant, sa désignation pour l'implantation d'un palais de justice, destiné à desservir l'ensemble de la région, allait la distinguer des communautés environnantes dès 1823. La venue du chemin de fer en 1852 et la concentration, dans son centre, d'institutions comme le siège de l'Eastern Township Bank, allaient modifier le paysage de Sherbrooke par la construction de prestigieux édifices victoriens. Aujourd'hui, la ville accueille notamment une importante université de langue française, fondée en 1952 afin de faire contrepoids à l'Université Bishop de Lennoxville. Malgré son nom, qu'elle porte en l'honneur de Sir John Coape Sherbrooke, gouverneur de l'Amérique du Nord britannique à l'époque de sa fondation, la ville est depuis longtemps à forte majorité francophone (95%).

La route 143 débouche sur la rue Queen, dans les limites de Sherbrooke. Tournez à gauche dans la rue King Ouest, puis à droite dans la rue Wellington, où il est recommandé de garer sa voiture pour effectuer le reste de la visite de la ville à pied.

L'**hôtel de ville** ★ *(145 rue Wellington N.)* occupe l'ancien palais de justice (le troisième) construit en

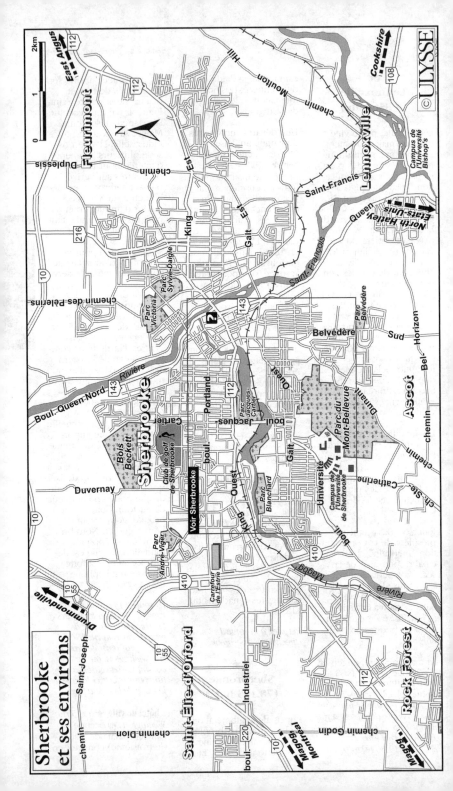

Sherbrooke et ses environs

© ULYSSE

East Angus
112

Fleurimont

chemin Duplessis

112

216

10

Drummondville
10 55

Saint-Joseph

chemin Dion

Saint-Élie-d'Orford

boul.
10
220

Industriel

Magog
Montréal
10

Rock Forest

chemin Godin

112

Bromont
Magog
Bobby

Rivière
410

Magog

Carrefour de l'Estrie
410

Parc André-Viger

Voir Sherbrooke

Club de golf de Sherbrooke

Bois Beckett

Sherbrooke

Duvernay

Boul.-Queen-Nord
143

Rivière

chemin des Pèlerins

Parc Victoria

Parc Sylvie-Daigle

143

King

Galt Est

chemin Moulton

Hill

Cookshire
108

King
Ouest

Parc Blanchard

boul. Cartier

boul. Jacques-Cartier

Portland

Parc Jacques-Cartier

112

Ouest

Galt

Belvédère

Parc Belvédère

Sud

Bel-Horizon

Ascot

Dunant

chemin

Parc du Mont-Bellevue

Université
Campus de l'Université de Sherbrooke

ch. Ste-Catherine

410

Saint-Francis

Lennoxville

Queen

North Hatley, États-Unis

Campus de l'Université Bishop's

N

0   1   2km

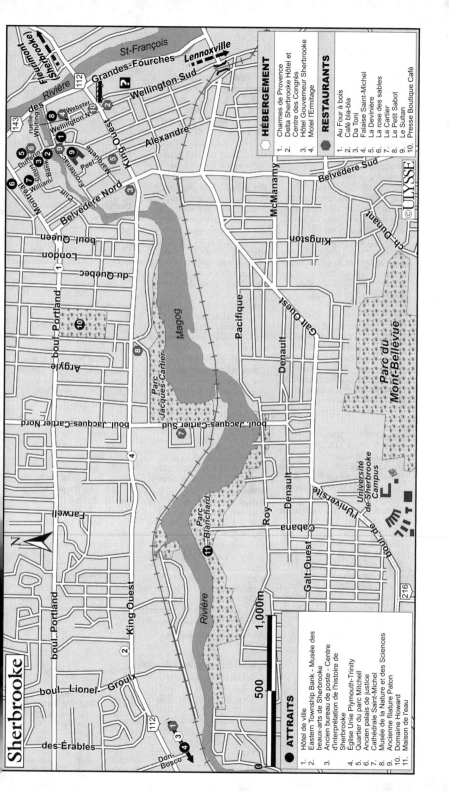

Sherbrooke

ATTRAITS

1. Hôtel de ville
2. Eastern Township Bank - Musée des beaux-arts de Sherbrooke
3. Ancien bureau de poste - Centre d'interprétation de l'histoire de Sherbrooke
4. Église Unie Plymouth-Trinity
5. Quartier du parc Mitchell
6. Ancien palais de justice
7. Cathédrale Saint-Michel
8. Musée de la Nature et des Sciences
9. Ancienne filature Paton
10. Domaine Howard
11. Maison de l'eau

HÉBERGEMENT

1. Charmes de Provence
2. Delta Sherbrooke Hôtel et Centre des Congrès
3. Hôtel Gouverneur Sherbrooke
4. Motel l'Ermitage

RESTAURANTS

1. Au Four à bois
2. Café bla-bla
3. Da Toni
4. Falaise Saint-Michel
5. La Devinière
6. La rose des sables
7. Le Cartier
8. Le Petit Sabot
9. Le Sultan
10. Presse Boutique Café

© ULYSSE

1904. L'édifice de granit, conçu par l'architecte en chef du département des Travaux publics, Elzéar Charest, témoigne de la persistance du style Second Empire au Québec grâce à sa connotation française. On y reconnaît les arcs segmentaires, les pavillons d'angles coiffés de hautes toitures à crêtes ainsi que les œils-de-bœuf, typiques du style. Le jardin qui s'étale devant l'hôtel de ville, baptisé «square Strathcona», a été aménagé sur le site de la place du marché, qui a contribué au développement de Sherbrooke à ses débuts.

Tournez à gauche dans la rue Frontenac, puis à droite dans la rue Dufferin. Vous franchirez alors le pont qui domine les fougueux rapides de la rivière Magog, apprivoisés au XIXᵉ siècle afin de fournir une force motrice aux nombreux moulins établis en bordure de la rivière.

Importante institution financière du XIXᵉ siècle, aujourd'hui amalgamée à la banque CIBC, l'ancienne **Eastern Townships Bank ★★** *(241 rue Dufferin)* fut créée par la bourgeoisie des Cantons-de-l'Est, incapable d'obtenir du financement des banques montréalaises pour le développement de projets locaux. Son siège sherbrookois fut érigé en 1877 selon les plans de l'architecte James Nelson de Montréal, qui travaillait alors à l'édification des bâtiments de l'Université Bishop. On peut en parler comme de l'édifice Second Empire le plus achevé au Québec en dehors des villes de Montréal et de Québec. À la suite d'un don de la banque CIBC et des multiples travaux de rénovation favorisant la conservation des œuvres, l'édifice abrite, depuis le milieu des années 1990, le

Musée des Beaux-Arts de Sherbrooke *(4$; mar-dim 13h à 17h, mer jusqu'à 21h; fin juin à début sept 11h à 17h, mer jusqu'à 21h; 241 rue Dufferin, ☎819-821-2115)*. Au fond de la salle accueillant les visiteurs, l'œuvre de Gérard Gendron représentant un trésor sur la place publique trace un parallèle entre l'institution que logeait autrefois l'édifice et sa vocation artistique d'aujourd'hui. Outre son énorme collection d'art naïf, le musée présente des œuvres contemporaines des artistes de la région. Des bénévoles se trouvent sur place pour répondre aux questions sur les expositions qui s'y renouvellent tous les deux mois.

L'**ancien bureau de poste** *(275 rue Dufferin, ☎819-821-5406)* voisin, édifié en 1885 selon les plans de l'architecte François-Xavier Berlinguet, forme avec la banque un ensemble d'une grande richesse architecturale. Il loge en outre le **Centre d'interprétation de l'histoire de Sherbrooke** *(6$; mar-ven 9h à 12h et 13h à 17h; juil et août mar-ven 9h à 17h, sam-dim 10h à 17h; 275 rue Dufferin, ☎819-821-5406)*, qui, en plus de disposer de deux salles d'exposition, organise des circuits permettant de se familiariser avec l'architecture et l'histoire de la ville. Des cassettes audio sont également offertes en location *(6$)* pour effectuer des visites à pied ou en automobile.

L'**église Unie Plymouth-Trinity** *(380 rue Dufferin)*, que l'on dirait tout droit sortie d'un village de Nouvelle-Angleterre, tant par son gabarit que par ses matériaux (briques rouges, bois peint en blanc), a été dessinée en 1851 par William Footner.

Elle était d'abord destinée à la secte congrégationaliste. À la suite de la fusion de plusieurs communautés protestantes sous l'emblème de l'Église Unie en 1925, l'église a été rebaptisée de son nom actuel.

Poursuivez en direction du parc Mitchell.

Quartier du parc Mitchell ★★. Autour du square, agrémenté d'une fontaine du sculpteur George Hill (1921), se trouvent certaines des plus belles maisons de Sherbrooke. Au numéro 428 de la rue Dufferin s'élève la **maison Morey** *(on ne visite pas)*, représentative de cette architecture victorienne bourgeoise qu'affectionnaient les marchands et les industriels originaires des îles Britanniques ou des États-Unis. Elle a été construite en 1873.

Faites le tour du parc, puis empruntez la rue Montréal. Tournez à gauche dans la rue Williams.

Situé dans l'axe de la rue Court, l'**ancien palais de justice ★** *(rue Williams)*, le second de Sherbrooke, a été converti en manège militaire pour le régiment des Sherbrooke Hussards à la fin du XIXᵉ siècle. L'édifice, construit en 1839 selon les plans de William Footner, comporte une belle façade néoclassique qui n'est pas sans rappeler celle du marché Bonsecours de Montréal (voir p 104), d'ailleurs du même architecte.

Revenez à la rue Dufferin en empruntant la rue Bank. Tournez à droite, et montez la côte de la rue Marquette en direction du Séminaire et de la cathédrale.

Vue d'une certaine distance, la **cathédrale Saint-Michel** (*rue Marquette*) présente l'aspect des églises abbatiales d'Europe juchées sur un promontoire, donnant à Sherbrooke un air médiéval qui contraste avec son passé néoclassique. De près, cependant, on constate qu'il s'agit d'un temple fort récent et incomplet. Entreprise par l'architecte Louis-Napoléon Audet en 1917, la cathédrale néogothique ne sera finalement consacrée qu'en 1958. Son intérieur entièrement blanc renferme des œuvres modernes, entre autres une belle statue de la Vierge exécutée par Sylvia Daoust. Le vaste palais épiscopal voisin, siège de l'archevêché de Sherbrooke, a fait pâlir d'envie plus d'un ecclésiastique.

Le Séminaire Saint-Charles de 1898 loge aujourd'hui le **Musée de la Nature et des Sciences** ★ (*7,50$; mar-dim 10h à 17h; 225 rue Frontenac, ☎819-564-3200*). Autrefois un musée des prêtres du Séminaire de Sherbrooke, il se concentre maintenant sur les sciences naturelles et vise surtout les jeunes. En plus d'expositions temporaires, le musée possède une collection permanente de 65 000 objets amassés par les prêtres ainsi qu'une exposition permanente qui explique le cycle annuel des saisons dans le sud du Québec.

Poursuivez par la rue Marquette en direction de la rue Belvédère Nord, où se trouve l'ancienne filature Paton.

À l'instar de plusieurs villes de Nouvelle-Angleterre, Sherbrooke possédait autrefois une importante industrie textile, mise en place dans la seconde moitié du XIXe siècle. La

filature Paton ★ (*à l'extrémité de la rue Marquette*) était la plus importante des usines textiles de la région. Ouverte en 1866, elle a fonctionné jusqu'en 1977. Cette année-là, on envisagea sa démolition. Cependant, après quelques visites outre-frontière, où plusieurs de ces complexes industriels ont été recyclés en habitations et en commerces, la municipalité décida de conserver plusieurs de ses bâtiments pour créer un ensemble multifonctionnel. La Paton est aujourd'hui un modèle de conservation du patrimoine industriel et de réaménagement de tels espaces, en plus de constituer un nouveau pôle de développement dans le centre ville de Sherbrooke.

Pour retourner à la rue Wellington, tournez à gauche dans la rue King. Les attraits décrits ci-dessous sont situés dans d'autres quartiers, et il est plus facile de s'y rendre en voiture ou en autobus.

On trouve au **Domaine Howard** (*maisons fermées au public; 1300 boul. Portland*) les serres municipales ainsi qu'un beau jardin entourant deux demeures en pierre du début du XXe siècle, aujourd'hui converties en locaux administratifs.

La **Maison de l'eau** (*entrée libre; mer à dim 8h30 à 16h30, fin mai à début sept tlj 8h30 à 19h; 755 rue Cabana, ☎819-821-5893*), située au bord de la rivière Magog dans le parc Blanchard, présente des expositions et propose un réseau riverain d'une douzaine de kilomètres de sentiers accessibles en vélo, à pied ou en skis de fond.

Une excursion facultative mène à deux attraits des

environs de la petite ville de Stoke. Du centre-ville de Sherbrooke, prenez la rue King vers l'est. Tournez à gauche dans le boulevard Saint-François, puis empruntez le chemin Beauvoir.*

Stoke (Bromptonville) (2 500 hab.)

Juché sur une montagne, le paisible **Sanctuaire de Beauvoir** (*entrée libre; 169 ch. Beauvoir, ☎819-569-2535*) offre, outre ses multiples sentiers permettant les promenades contemplatives, une très belle vue sur les environs de Sherbrooke. Le sanctuaire est situé à Bromptonville, municipalité aujourd'hui fusionnée à la ville Sherbrooke.

Suivez le chemin Beauvoir, puis empruntez l'autoroute 10 vers l'est pour aller prendre la route 216 Nord jusqu'au rang 3.

Le centre d'interprétation de l'abeille de la **Ferme Lune de Miel** (*5$; tlj début mai à début nov 10h à 17h, début nov à fin avr 10h à 14h; 252 rang 3 E., ☎819-346-2558*) révèle tous les secrets de l'apiculture. Durant la visite d'une heure, vous pourrez voir les impressionnantes créatures à l'œuvre dans la ruche géante et déguster différentes saveurs de miel.

Pour retourner à Montréal, reprenez l'autoroute 10 vers l'ouest.

Circuit C: L'arrière-pays (deux jours)

Le plus isolé des territoires des Cantons-de-l'Est présente une alternance de plaines et de montagnes. De longs rubans de routes désertes relient entre eux des villages loyalistes au charme suranné. Éloignées des grands centres, ces communautés ont conservé, dans bien des cas, une population à majorité anglophone. Les environs du mont Mégantic furent colonisés au début du XIXe siècle par des Écossais originaires des îles Hébrides. La langue celtique y était encore parlée couramment il y a 100 ans. L'arrivée des Canadiens français de la vallée de la rivière Chaudière (Beauce) remonte à la fin du XIXe siècle.

★
Eaton Corner
(2 820 hab.)

Eaton, ou Eaton Corner, tire son nom de son emplacement, à la croisée de deux chemins qui ont joué un rôle majeur dans la colonisation de la région, soit le chemin de Sherbrooke et celui en provenance des États-Unis. Des colons loyalistes défrichèrent les terres du canton d'Eaton à partir de 1793. Le village d'Eaton Corner connaît la prospérité jusqu'en 1850, alors qu'il est délaissé au profit des villages traversés par des cours d'eau pouvant alimenter l'industrie. Contourné par les chemins de fer des Cantons-de-l'Est, le village s'endort lentement, phénomène qui ne sera pas étranger à la préservation de son patrimoine architectural.

Le **Musée de la Société d'histoire du comté de Compton** ★ *(2$; début juin à fin août mer-dim 13h à 17h, sept sam-dim 13h à 17h; route 253, ☎819-875-5256)* est installé dans l'ancienne église congrégationaliste érigée en 1841. Le bel édifice néoclassique en bois renferme des meubles loyalistes de même que des documents et des photographies racontant la vie des premiers colons à l'est de Sherbrooke. L'hôtel de ville, qui lui fait face, occupe l'ancienne académie d'Eaton Corner. De 1863 à 1889, on y formait les instituteurs anglophones pour les écoles de village des Cantons-de-l'Est.

Remontez par la route 253 Nord jusqu'à Cookshire, puis suivez la route 212 Est. Vous traverserez alors les villages d'Island Brook, de West Ditton et de La Patrie. La route offre de belles vues sur le mont Mégantic. Poursuivez jusqu'à Notre-Dame-des-Bois.

Notre-Dame-des-Bois
(706 hab.)

Cette petite localité, établie au cœur des Appalaches à plus de 550 m d'altitude, est en quelque sorte la porte d'entrée du mont Mégantic et de son observatoire, ainsi que du mont Saint-Joseph et de son sanctuaire, tous deux inclus dans le parc du Mont Mégantic.

Au départ de Notre-Dame-des-Bois, suivez la route en face de l'église vers Val-Racine. Après 3,3 km, prenez à gauche (après la rivière aux Saumons). Avant que la route ne commence son ascension, vous trouverez, sur votre gauche, un comptoir d'information touristique. Au bout de quelques kilomètres, vous arriverez en face d'un embranchement: sur la gauche, c'est la route de l'observatoire et, sur la droite, la route non revêtue du sanctuaire du mont Saint-Joseph.

Au XIXe siècle, un modeste **sanctuaire** fut construit au sommet du mont Saint-Joseph, et il est encore possible de s'y rendre. Une antenne du gouvernement du Québec gâche maintenant quelque peu le charme de ce site, mais la vue dont on jouit depuis le sommet est extraordinaire, surtout en fin d'après-midi.

L'**ASTROlab du Parc du Mont Mégantic** ★★ *(à compter de 10$; mi-mai à mi-juin sam 12h à 17h et 20h à 23h, dim 12h à 17h; fin juin à fin août tlj 12h à 19h30 et 20h à 23h; fin août à mi-oct sam 12h à 17h et 20h à 23h, dim 12h à 17h; 189 route du Parc, ☎819-888-2941 ou 866-888-2941)* est un centre d'interprétation de l'astronomie. Vous pourrez découvrir, à travers les différentes salles de ce musée interactif et son spectacle multimédia, l'histoire de l'astronomie, de ses premières heures aux technologies les plus récentes. Une visite guidée au sommet du mont Mégantic d'une durée approximative de 1 heure 15 min présente toutes les installations de l'observatoire. Célèbre pour son observatoire, le mont Mégantic (voir p 253) fut choisi en fonction de sa position stratégique, à

ASTROlab du Parc du Mont Mégantic

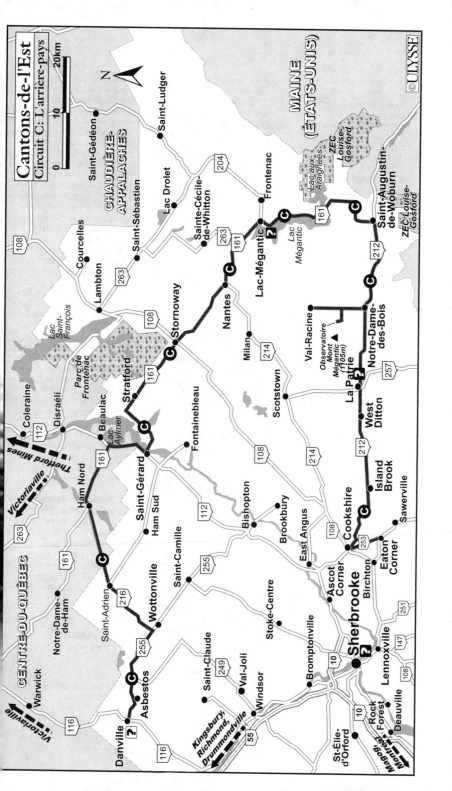

Cantons-de-l'Est
Circuit C: L'arrière-pays

© ULYSSE

N

0   10   20km

CHAUDIÈRE-APPALACHES

Saint-Gédéon

Saint-Ludger

Courcelles

Lambton

Saint-Sébastien

Lac Drolet

Saint-Cécile-de-Whitton

Frontenac

204

263

161

161

Lac-Mégantic

Lac Mégantic

ZEC Louise-Gosford

MAINE (ÉTATS-UNIS)

Lac aux Araignées

161

Saint-Augustin-de-Woburn

ZEC Louise-Gosford

212

Nantes

Stornoway

108

Lac Saint-François

Parc de Frontenac

Milan

214

Scotstown

Notre-Dame-des-Bois

257

Val-Racine

Observatoire Mont Mégantic (1105m)

La Patrie

West Ditton

212

Stratford

161

Beaulac

Lac Aylmer

Disraéli

112

Coleraine

Thetford Mines

Victoriaville

263

161

Ham Nord

Notre-Dame-de-Ham

CENTRE-DU-QUÉBEC

Warwick

116

Victoriaville

Danville

Asbestos

255

Saint-Adrien

216

Wottonville

Saint-Gérard

Ham Sud

Saint-Camille

255

Fontainebleau

112

Bishopton

Brookbury

East Angus

108

Stoke-Centre

Saint-Claude

249

Val-Joli

Windsor

Saint-Élie-d'Orford

10

Kingsbury, Richmond, Drummondville

55

Bromptonville

10

Ascot Corner

Birchton

Sherbrooke

Lennoxville

147

108

251

Rock Forest

Deauville

Magog, Montréal

Cookshire

253

Eaton Corner

Sawerville

Island Brook

108

214

environ égale distance des universités de Montréal et Laval, ainsi que de son éloignement des sources lumineuses urbaines. Deuxième sommet en importance des Cantons-de-l'Est, il s'élève à 1 105 m. Lors du **Festival d'astronomie populaire du mont Mégantic**, au cours de la deuxième semaine de juillet, les passionnés d'astronomie peuvent observer la voûte céleste à l'aide du plus puissant télescope de l'est de l'Amérique du Nord. Autrement, ce dernier n'est mis à la disposition que des chercheurs. Toutefois, le grand public a accès au nouvel observatoire populaire muni d'un télescope de 60 cm. En été, des «observations-causeries» proposent une présentation sur écran géant et une observation du ciel.

Revenez à la route 212 Est. Rendez-vous jusqu'à Woburn, où vous emprunterez la route 161 Nord, qui longe le beau lac Mégantic.

Le **lac Mégantic ★★**, vaste nappe d'eau cristalline s'étendant sur 17 km, est riche en poissons de toutes sortes, notamment en truites, et attire bon nombre de vacanciers voulant profiter des plaisirs de la pêche ou tout simplement des plages. Cinq municipalités établies autour du lac, dont la plus connue est Lac-Mégantic, accueillent les visiteurs qui viennent profiter de la belle nature de cette région montagneuse.

★
Lac-Mégantic
(5 864 hab.)

La ville de Lac-Mégantic fut fondée en 1885 par des Écossais originaires des îles Hébrides. Les sols

relativement pauvres ne fournissant pas de revenus suffisants, les habitants se tournèrent bientôt vers l'exploitation des ressources forestières. De nos jours, la pratique de nombreux sports attire dans la région des milliers de visiteurs toute l'année. La ville occupe un beau site en bordure du lac Mégantic.

L'**église Sainte-Agnès ★** (*4872 rue Laval*), érigée en 1913, renferme une belle verrière conçue en 1849 pour l'église catholique Immaculate Conception de Mayfair, à Londres, en Angleterre.

*Vous traverserez ensuite les villages de Nantes, de Stornoway, de Stratford et de Saint-Gérard. La route longe le **parc de récréation de Frontenac** (voir p 517), puis contourne le lac Aylmer avant de rejoindre les routes 216 et 255, qui conduisent à Asbestos.*

Stratford
(786 hab.)

Ouvert depuis 1994, le **Pavillon de la Faune** (*9$; juin à août tlj 10h à 18h, sept tlj 10h à 17h, oct à mai sur réservation; 856 ch. Stratford, ☎418-443-2300*), situé sur les rives du lac Aylmer, offre des visites éducatives. Une centaine d'animaux naturalisés, groupés par famille, sont présentés dans leur habitat naturel. Le tout donne une impression de réel aux visiteurs grâce aux jeux d'éclairage et aux décors peints à la main.

Parc de récréation de Frontenac ★, voir p 517.

Asbestos
(6 968 hab.)

Asbestos est l'un des principaux centres d'extraction

d'amiante au monde. On peut notamment y voir une impressionnante mine à ciel ouvert de 2 km de diamètre et de 350 m de profondeur. Ces dernières années, l'amiante a été bannie de plusieurs produits aux États-Unis et ailleurs dans le monde à cause des poussières nocives qu'il dégage lorsqu'il n'est pas traité adéquatement, ce qui a ralenti de beaucoup l'activité des mines. L'industrie de l'amiante recherche actuellement de nouveaux débouchés pour le minerai filamenteux, d'une grande utilité dans le combat des incendies et dans la fabrication de divers produits incombustibles.

Un circuit en autobus permet de découvrir la **Mine d'amiante Jeffrey** (*8$; fin mai à fin juin et sept dim 13h, début juil à fin août mer-dim 13h; boul. St-Luc, ☎819-839-2911*). L'attrait le plus spectaculaire est sans aucun doute la flotte de gargantuesques camions CAT 789 de 125 tonnes dont les roues font 2 m de diamètre.

Au **Musée minéralogique et d'histoire minière** (*1$; fin juin à fin août mer-dim 11h à 17h; 345 boul. St-Luc, ☎819-879-6444 ou 879-5308*), on peut voir des échantillons d'amiante provenant de différentes mines du Québec et de l'étranger.

★
Danville
(4 599 hab.)

Ce joli village ombragé a conservé plusieurs demeures victoriennes et édouardiennes dignes d'intérêt, témoins d'une époque où Danville accueillait de riches familles montréalaises pendant l'été.

Parcs

Circuit A: Le verger

Le **parc de la Yamaska** *(3,50$; tlj 8h au crépuscule; 1780 boul. David-Bouchard, Roxton Pond, ☎450-776-7182)* a été aménagé autour du réservoir Choinière. Ce dernier, créé artificiellement, est aujourd'hui un site agréable pour la baignade. En hiver, les visiteurs peuvent emprunter les sentiers de ski de fond, qui s'étendent sur 40 km, sans oublier les voies cyclables l'été.

Situé à quelques kilomètres du centre-ville de Granby, le **Centre d'interprétation de la nature du lac Boivin** *(entrée libre; tlj 8h30 à 16h30; 700 rue Drummond, ☎450-375-3861)* propose quatre sentiers de randonnée pédestre de moins de 6 km longeant le marécage du lac. On peut aussi observer, à partir d'une tour d'observation et d'une cache, des plantes aquatiques, des animaux et une multitude d'oiseaux provenant des milieux humides. L'observation s'avère plus fructueuse en matinée, alors que les sentiers sont plus tranquilles. En hiver, les circuits sont également accessibles en «trottinette des neiges». Des expositions temporaires sont présentées tout au long de l'année au chalet d'accueil.

Circuit B: Les lacs

Le **parc du Mont Orford ★★** *(3,50$; 3321 ch. du Parc, Canton-d'Orford, ☎819-843-9855 ou 877-843-9855)* couvre plus de 58 km² et comprend, en plus du mont Orford, les abords des lacs Stukely et Fraser. En été, il dispose de deux plages, d'un magnifique terrain de golf *(comptez 30$ pour un parcours)*, d'emplacements de camping, situés au cœur de la forêt, et de quelque 50 km de sentiers de randonnée pédestre (la plus belle piste est celle menant au mont Chauve). En outre, le parc s'adapte aux besoins des amateurs de sports d'hiver et propose des sentiers de ski de fond ainsi que 33 pistes de ski alpin.

Le **parc de la Gorge de Coaticook ★** *(prix variable selon l'activité; début mai à fin juin tlj 10h à 17h; fin juin à début sept tlj 9h à 20h; début sept à fin oct tlj 10h à 17h; nov à mai jeu-ven 18h à 21h, sam 13h à 16h et 18h à 21h, dim 11h à 17h; 135 rue Michaud et 400 rue St-Marc, Coaticook, ☎888-524-6743)* protège une portion de la rivière Coaticook où elle a creusé dans le roc une gorge impressionnante qui atteint par endroits jusqu'à 50 m de profondeur. Des sentiers sillonnent sur tout le territoire, permettant au visiteur d'apprécier la gorge sous tous ses aspects. La passerelle suspendue, qui a réussi à en faire frissonner plus d'un, traverse la gorge tout en la surplombant.

Circuit C: L'arrière-pays

Surtout connu du public pour son célébrissime observatoire (voir p 250), le **parc du Mont Mégantic** *(3,50$; tlj 9h à 17h, jusqu'à 23h lors des soirées d'astronomie; animaux domestiques non admis; 189 route du Parc, Notre-Dame-des-Bois, ☎819-888-2941 ou 866-888-2941)*, d'une superficie de 58,8 km², témoigne des différents types de végétation montagneuse des Cantons-de-l'Est et abrite en fait deux monts, le mont Mégantic et le mont Saint-Joseph. De lourdes infrastructures ne risquent pas de venir gâcher la tranquillité de ce parc, dont la mission première est éducative. Les marcheurs et les skieurs pourront profiter de ses sentiers d'interprétation, de ses refuges et des plates-formes de camping, et observer, avec un peu de chance, jusqu'à 125 espèces d'oiseaux qui y trouvent refuge. On y pratique également la raquette en hiver et le vélo de montagne en été.

Activités de plein air

Randonnée pédestre

Le **Sentier de l'Estrie** *(☎450-297-0654)* propose une longue randonnée de plus de 160 km qui sillonne les zones de Chapman, Kingsbury, Brompton, Orford, Bolton, Glen, Echo et Sutton. Il est à noter que le sentier traverse principalement des terrains privés. Les propriétaires ont accordé un droit de passage exclusif aux membres de la Corporation du Sentier de l'Estrie. Vous pouvez vous procurer le topoguide du Sentier de l'Estrie au coût de 30$, qui inclut la carte de membre vous permettant de circuler sur le sentier.

Cantons-de-l'Est

Le sirop d'érable

Lors de l'arrivée des premiers colons en Amérique, la tradition du sirop d'érable était bien établie à travers les différentes cultures indigènes. Il est en fait impossible de retracer exactement la découverte du sirop d'érable par les Amérindiens. Les Iroquois ont cependant une légende expliquant la venue du doux sirop. Ils racontent que Woksis, le Grand Chef, partait chasser un matin de printemps. Il prit donc son tomahawk à même l'arbre où il l'avait planté la veille. La nuit avait été froide, mais la journée s'annonçait douce. Ainsi, de la fente faite dans l'arbre, un érable, se mit à couler de la sève. Celle-ci coula dans un seau qui, par hasard, se trouvait sous le trou.

À l'heure de préparer le repas du soir, la squaw de Woksis eut besoin d'eau. Elle vit le seau rempli de sève et pensa que cela lui éviterait un voyage à la rivière. Elle était une femme intelligente et consciencieuse qui méprisait le gaspillage. Elle goûta l'eau et la trouva un peu sucrée, mais tout de même bonne. Elle l'utilisa pour préparer son repas. À son retour, Woksis sentit l'arôme sucré de l'érable et sut de très loin que quelque chose de spécialement bon était en train de cuire. La sève était devenue un sirop et rendit leur repas exquis. C'est ainsi, comme le dit la légende, que naquit cette douce tradition.

Les Amérindiens n'avaient cependant pas les matériaux nécessaires pour chauffer un chaudron à très haute température. Ils utilisaient donc des pierres chauffées qu'ils déposaient dans l'eau pour la faire bouillir. Une autre méthode consistait à laisser l'eau d'érable geler la nuit et ensuite à enlever la couche de glace le lendemain; et ainsi de suite, jusqu'à ce qu'il ne reste qu'un épais sirop. Le sirop d'érable constituait un élément marquant de l'alimentation amérindienne, de leur culture et de leur religion. Les méthodes de fabrication du sirop que l'on connaît maintenant nous viennent des Européens qui les ont enseignées aux Amérindiens.

Aujourd'hui, la production acéricole, grâce à la technologie, se fait de façon bien différente. La saison des sucres a lieu au printemps, lorsque les températures nocturnes sont encore au-dessous de zéro et que les journées sont chaudes, ce qui permet à la sève de monter et en plus grande quantité. C'est pourquoi la température joue un rôle clé dans la fabrication du sirop d'érable. On commence par entailler les érables en perçant un trou d'environ 2,5 cm de profondeur, à 1 m du sol. On y glisse ensuite un bec qui permet soit d'y accrocher un seau, soit d'y brancher un système de tubulures qui conduit l'eau d'érable à la sucrerie. Si l'on choisit le seau, on devra passer récolter l'eau d'érable chaque matin. Évidemment, le système de tubulures est plus répandu, et seulement les petites érablières utilisent encore la manière traditionnelle de ramassage.

Rendue à la sucrerie, l'eau d'érable est portée à ébullition dans les «bouilleuses». On fait bouillir l'eau d'érable pour la réduire en sirop. Lorsque l'eau d'érable a atteint 107 °C, elle devient du sirop d'érable. Si l'on poursuit l'évaporation jusqu'à 114,5 °C, on obtient de la tire d'érable, un régal sur la neige. Il est également possible d'obtenir d'autres produits, comme du sucre d'érable, du beurre d'érable ou des bonbons à l'érable, mais ces derniers exigent une préparation plus délicate.

Le printemps venu, les Québécois se donnent rendez-vous à la cabane à sucre pour déguster les éternelles «oreilles de crisse», les œufs dans le sirop et l'incontournable tire sur la neige.

Circuit B: Les lacs

Le **Parc d'environnement naturel de Sutton** (☎450-538-4085 ou 800-565-8455) est aussi une destination populaire en été grâce à son réseau de 77 km. La randonnée Roundtop attire les marcheurs d'un peu partout grâce à ses magnifiques panoramas.

Le **parc du Mont Orford** (☎819-843-9855 ou 877-843-9855) est un site incontournable en fait de randonnée dans les Cantons-de-l'Est. Plusieurs sections du Sentier de l'Estrie le traversent. Il s'agit d'un excellent choix pour les marcheurs, puisqu'il possède un réseau de près de 80 km de sentiers comportant différents degrés de difficulté. Nous recommandons particulièrement les randonnées du **Mont Chauve** et du **Mont Orford**.

Circuit C: L'arrière-pays

Huit sentiers totalisant 60 km sillonnent le **parc du Mont Mégantic**. Traversant le massif du mont Mégantic et les crêtes des monts Victoria et St-Joseph, le sentier des trois sommets est certainement l'un des plus beaux que la région possède. De plus, ce réseau est relié à celui des **Sentiers frontaliers** (☎819-549-2037 ou 800-363-5515), qui sillonne un territoire chevauchant la frontière canado-étasunienne.

Vélo

Circuit A: Le verger

La piste cyclable **L'Estriade** a été aménagée sur une ancienne voie ferrée. Longue de 21 km, elle relie Granby, Bromont et Waterloo.

La **Station de vélo de montagne de Bromont** (*150 rue Champlain, Bromont,* ☎450-534-2006 ou 450-534-2200 ou 866-bromont) propose près de 100 km de pistes, pour la plupart intermédiaires ou expertes. Vous pourrez aussi profiter du service de télésiège.

Circuit B: Les lacs

Le **parc du Mont Orford** (3,50$; Magog, ☎819-843-9855 ou 877-843-9855), quoique moins important que Bromont en ce qui a trait au vélo de montagne, propose trois sentiers totalisant près de 40 km. Les sentiers sont bien répartis entre les trois degrés de difficulté: facile, difficile et très difficile.

Équitation

Circuit A: Le verger

Le **Centre équestre de Bromont** (*100 rue Laprairie, Bromont,* ☎450-534-3255) a accueilli les compétitions de sport équestre des Jeux olympiques de 1976, pour lesquelles des écuries et des manèges (intérieurs et extérieurs) ont été construits. Depuis lors, une partie des installations est mise à la disposition des personnes qui désirent suivre des cours.

Pêche

Circuit A: Le verger

Les mordus de la pêche à la mouche peuvent désormais se faire plaisir à longueur d'année... en plein centre-ville de **Granby**! Les rapides et les sources chaudes font en sorte que cette portion de la rivière Yamaska Nord résiste aux froids rigoureux des hivers québécois. Depuis le début des années 1990, l'ensemencement et la création d'aménagement favorisent la survie de la truite. En plus du permis de pêche, un droit d'accès à la rivière est requis.

Baignade

Circuit B: Les lacs

Pour ceux qui veulent passer une journée rafraîchissante au bord du très beau lac Brome, la **Plage Domaine des Érables** (6$; 688 Bondville, route 215, Lac-Brome, ☎888-242-8888), située à même le terrain de camping du même nom, met à votre disposition un terrain avec tables de pique-nique. Possibilité également de louer une chaloupe ou un pédalo.

Croisières

Circuit B: Les lacs

Les **Croisières Memphrémagog** (croisières régulières 15$, mi-mai à fin sept dès 10b;

croisières d'une journée, réservations requises, 55$, juin à sept 9h; quai de Magog, ☎819-843-8068 ou 888-842-8068) proposent une excursion de près de deux heures sur le magnifique lac Memphrémagog, dont les rives touchent à la fois les frontières du Québec et des États-Unis. Une deuxième croisière, d'une durée d'une journée, quitte le quai vers 9h en direction du Vermont, où elle fait une brève escale à Newport. À l'automne, les croisières sont encore plus spectaculaires, alors que les Appalaches arborent leurs couleurs les plus vives! Les tarifs incluent un léger goûter. Réservations requises.

Golf

Circuit B: Les lacs

Entretenu rigoureusement, le golf **Venise** (32$; 1519 ch. de la Rivière, Canton-de-Magog, ☎819-864-9891) compte parmi les plus beaux sites de la région. Son parcours Bleu est particulièrement recommandé aux golfeurs aimant les difficultés stimulantes.

Très prisé pour son gazon de qualité, le golf **Owl's Head** (45$; 181 ch. Owl's Head, Mansonville, ☎450-292-3666 ou 800-363-3342) est incontestablement le plus apprécié des amateurs de golf de la région. De plus, il est doté d'une fort chic *club house* et offre une vue superbe sur la montagne qui lui a donné son nom. Les chances d'obtenir un départ sont meilleures en semaine.

Classé dans la catégorie des golfs de montagne, le golf du **Manoir des Sables**

(35$; 90 av. des Jardins, Orford, ☎819-847-4299) propose un défi de taille moyenne. Le site, encore jeune, s'annonce toutefois très prometteur.

Le golf **Dufferin Heights** (35$; 4115 route 143, Stanstead, ☎819-876-2113), aménagé il y a plus de 75 ans, essouffle même les golfeurs les plus assidus. Son terrain vallonné offre une vue splendide sur la chaîne de montagnes des Appalaches ainsi que sur les lacs Massawippi et Memphrémagog.

Ski alpin

Circuit A: Le verger

Les skieurs trouveront à la **Station de ski Bromont** (39$; 150 rue Champlain, Bromont, ☎450-534-2200 ou 866-276-6668) 45 pistes dont 20 sont éclairées, permettant aux amateurs de faire du ski en soirée les vendredis et samedis jusqu'à 22h30 et le reste de la semaine jusqu'à 22h. Le mont n'offre cependant qu'un dénivelé d'au plus 405 m.

Circuit B: Les Lacs

La **Station de ski du mont Sutton ★** (41$; 671 ch. Maple, Sutton, ☎450-538-2545) dispose de 53 pistes de ski alpin sur un dénivelé de 460 m. Réputée parmi les amateurs de sous-bois, cette station n'a rien à envier à ses consœurs québécoises et étasuniennes.

Figurant parmi les plus belles stations de ski du Québec, le **Mont Orford ★** (36$; Magog, ☎819-843-6548 ou 800-567-2772) propose

52 pistes qui sauront plaire à tous. Son dénivelé est de 540 m.

Le **Mont Owl's Head ★** *(32$; ch. du Mont Owl's Head, Mansonville, ☎450-292-3342, ☎800-363-3342)* est l'une des plus belles stations de ski des Cantons-de-l'Est en raison des panoramas qu'il offre sur le lac Memphrémagog et les montagnes environnantes. Cette station saura surtout plaire aux amateurs de descente ainsi qu'aux skieurs débutants ou intermédiaires, puisque l'on peut y déplorer le manque de pistes de très haut calibre.

Ski de fond

Circuit B: Les lacs

Tout comme pour le ski alpin et la randonnée pédestre, la région de Sutton possède un superbe réseau de sentiers de ski de fond. Le réseau de **Sutton-en-Haut** *(6,95$; 297 rue Maple, Sutton-en-Haut, ☎450-538-2271)* compte 15 sentiers qui s'entrecroisent, permettant de varier les parcours durant la journée.

Le **parc du Mont Orford** *(10$; Magog-Orford, ☎819-843-9855)*, lui aussi, abrite un centre de ski de fond s'étant acquis une solide réputation. Avec ses 13 sentiers couvrant près de 80 km, ce centre saura plaire aux skieurs de tous types.

Circuit C: L'arrière-pays

Avec 82 km de sentiers, le **Centre de ski de Fond Bellevue** *(8$; 70 ch. Lay, Melbourne, ☎819-826-3869)* constitue une agréable

surprise. On y trouve 15 sentiers répartis également entre les trois degrés de difficulté (facile, difficile, très difficile).

En plus de son célèbre observatoire et de ses conditions de neige exceptionnelles, le parc du Mont Mégantic propose huit sentiers de ski de fond. Les **Sentiers du Mont Mégantic** *(8$; ch. de l'Observatoire, 189 route du Parc, Notre-Dame-des-Bois, ☎819-888-2941 ou 866-888-2941)* offrent l'une des plus longues saisons de ski au Québec. Grâce à son altitude, vous pourrez même, avec un peu de chance, y skier au mois de mai!

Patin

Circuit A: Le verger

Le **lac Boivin** se transforme en patinoire durant la saison froide (anneau de 1 km). Le soir, des lumières éclairent les patineurs sur fond musical. Composez le ☎(450) 375-3861 pour connaître l'état de la glace; l'entrée se trouve au 700 de la rue Drummond, à Granby.

Circuit B: Les lacs

Le **Domaine Howard** *(1300 boul. Portland, Sherbrooke)*, entouré de vieilles demeures sherbrookoises, offre la plus charmante patinoire que la ville possède. Les plus jeunes pourront également glisser le long des petites pentes qui bordent le parc.

Forfaits-aventure

Circuit B: Les lacs

Jeune entreprise dynamique, l'école d'aventure **Adrénaline** *(☎819-843-0045 ou 888-475-3462)* possède un personnel expérimenté et offre une multiplicité d'activités touchant le tourisme d'aventure. En hiver, des départs réguliers ont lieu pour des expéditions de traîneaux à chiens, de l'escalade de glace, de la pêche blanche ainsi que des randonnées en raquettes. En été, les activités proposées vont de l'initiation à l'escalade de roches au kayak de rivière, en passant par le rafting panoramique. Bref, une foule d'activités garantissant des sensations fortes! Les tarifs incluent la présence d'instructeurs et l'équipement requis. Sur demande, des activités personnalisées peuvent également être organisées.

Hébergement

Circuit A: Le verger

Dunham

Pom-Art B&B
$$ pdj
677 ch. Hudon
☎*(450) 295-3514*
☎*888-537-6627*
Pom-Art, une ferme à bardeaux bleus érigée en 1820 et entourée de vergers, est située près du lac Selby, aux abords du village de Dunham. Le décor fait un peu vieillot (surtout le tapis à longues mèches),

mais le prix est raisonnable, et les hôtes, Denis et Lise, vous réservent un accueil chaleureux, sans parler d'un petit déjeuner exceptionnel où les pommes de la région sont à l'honneur. La plus spacieuse des trois chambres proposées offre une vue sur les montagnes de la région.

Le Temps des Mûres
$$ pdj
bp/bc, ≈
202 ch. Vail
☎(450) 266-1319
☎888-708-8050
⇒(450) 266-1303
Situé dans une érablière de 160 ha le long d'une route panoramique bordée de grands arbres, Le Temps des Mûres constitue l'endroit dont vous avez toujours rêvé pour jouir d'une authentique atmosphère campagnarde à prix très raisonnable. Cette jolie fermette de brique à pignons propose cinq chambres douillettes, chacune avec planchers de bois et couettes moelleuses. Le petit déjeuner complet est servi sur une longue table de bois à l'usage de tous les convives. Les enfants sont les bienvenus.

Cowansville

Le Passe-Partout
$$ pdj
bp/bc
167 route Pierre-Laporte
☎(450) 260-1678
www.passepartout.ca
Grâce à des hôtes serviables et à une ambiance décontractée, Le Passe-Partout possède toutes les qualités essentielles à une visite agréable. Même si vous passez peu de temps à visiter la ville industrielle de Cowansville, ce gîte demeure à une courte distance des attraits touristiques. Érigée en 1865, cette ancienne ferme abrite quatre petites chambres

pourvues de planchers de bois, d'un ventilateur au plafond et d'un décor unique, telles que la chambre «Japonaise» aux tons rouge et noir et celle aux éclatantes teintes de bleu et de jaune.

Bromont

Camping Parc Bromont
$
≈
24 rue Lafontaine
☎(450) 534-2712
www.campingbromont.com
Le Camping Bromont possède toutes les commodités pour rendre un séjour agréable: douches, buanderie, piscine, sentiers pédestres et... le traditionnel minigolf! La plupart des sections sont boisées à 60% et permettent ainsi une certaine intimité aux campeurs.

Casa Bromont
$$ pdj
1208 rue Shefford
☎(450) 534-2429
www.casabromont.com
Mélanie et Sassan, deux jeunes hôtes enthousiastes, ont transformé leur casa en un gîte accueillant de trois chambres. L'établissement est situé dans une propriété tranquille de 1 ha et offre même l'accès à un étang où l'on peut se baigner. La chambre «Zen», de couleur bourgogne, est équipée d'une baignoire à pattes et d'un cabinet de toilette à même la chambre (à déconseiller aux timides!). La «Sahara», pour sa part, est munie d'une grande baignoire (dans la chambre) et d'un cabinet de toilette séparé, tandis que la chambre «Green Dream», confortable et reposante, est pourvue de beaux planchers de bois et d'une salle de bain privée dans le couloir. Au petit déjeuner, dégustez des œufs provenant du poulailler, des produits mai-

son, un plat chaud et un express.

Auberge Bromont
$$$
≡, ≈, ℜ
95 rue Montmorency
☎(450) 554-3133
☎877-946-5325
www.aubergebromont.com
L'Auberge Bromont a été construite près des installations sportives de la ville (terrain de golf et piste de ski). Achetée par les propriétaires du Château Bromont en 2002, l'Auberge Bromont est actuellement en rénovation, ce dont ses 50 chambres avaient grandement besoin. Quoique celles-ci restent inachevées pour le moment, l'endroit déborde de potentiel grâce à un superbe emplacement sur un site entouré de grands arbres, ainsi qu'à l'accueil chaleureux.

Hôtel le Menhir
$$$
≡, ℂ, ℑ, ≈
125 boul. Bromont
☎(450) 534-3790
☎800-461-3790
⇒(450) 534-1933
www.hotellemenhir.com
Au bord de la route menant au mont Bromont se dresse l'Hôtel le Menhir. Quelque 40 chambres, adéquatement meublées, accueillent les visiteurs. Les personnes qui le désirent peuvent également profiter de forfaits incluant petit déjeuner et journée de ski ou de golf.

Château Bromont
$$$$
≡, ⊛, ℑ, ✿, ≈, △, ℜ, ⊘, ♿, ℝ
90 Stanstead
☎(450) 534-3433
☎800-304-3433
⇒(450) 534-0514
www.chateaubromont.com
Le Château Bromont propose plusieurs types de chambres, de celles à deux niveaux dont le lit est situé soit au pied, soit au som-

met d'un escalier en coli-
maçon (malheureusement,
le décor de certaines de
ces chambres est plutôt
froid) aux suites élégantes
et aux suites junior. Ces
dernières demeurent les
plus agréables, décorées
de riches tons neutres et
pourvues de balcons. Tous
les convives ont droit à un
peignoir et à un choix
d'oreillers. De plus, un
nouveau relais santé (spa)
y sera bientôt aménagé.

Granby

Parc de la Yamaska
$
1780 boul. David-Bouchard
☎*(450) 776-7182*
Depuis l'été 2002, le parc
de la Yamaska s'est doté
d'emplacements de cam-
ping pour accueillir les
tentes, sans oublier les
voies cyclables qui le sillonnent. D'un aménage-
ment classique, ils
n'offrent pas une grande
intimité, mais sont situés
non loin de l'agréable
plage du parc, un lieu de
détente idéale pour les
familles.

Le Granbyen
$$-$$$
≡, ⊛, ≈, ℜ
700 rue Principale
☎*(450) 378-8406*
☎*800-267-8406*
Tout à fait typique des
hôtels bâtis le long de la
route afin d'accueillir les
voyageurs pour une nuit
seulement, le motel Le
Granbyen propose des
chambres correctes mais
sans caractère.

Hôtel le Castel de l'Estrie
$$
≡, ⊛, ≈, ℜ, ℑ
901 rue Principale
☎*(450) 378-9071*
☎*800-363-8953*
⇔*(450) 378-9930*
www.castel.qc.ca
L'hôtel le Castel de l'Estrie
occupe un bâtiment aux
allures démodées. Toute-

fois les chambres sont
d'une bonne grandeur et
propres, quoique le décor
manque de charme.

Circuit B: Les lacs

Autour du lac Brome

Camping Domaine des Érables
$
688 ch. Bondville, route 215,
Lac Brome
☎*(450) 242-8888*
☎*888-242-8888*
Bien entretenu et situé sur
les berges du lac Brome, le
Camping Domaine des
Érables offre toutes les
commodités avec sa la-
verie, ses douches, son
dépanneur, etc. Bref, ceux
qui ne jurent que par le
camping sauvage sont
tenus de s'abstenir.

Auberge Joli Vent
$$ pdj
≈, ℜ
667 ch. Bondville, Foster
☎*(450) 243-4272*
⇔*(450) 243-0202*
www.aubergedujolivent.com
La belle demeure de
l'Auberge Joli Vent béné-
ficie d'un site agréable,
bien qu'elle se trouve au
bord de la route. Ses
chambres, modestement
meublées, ont un cachet
rustique.

Knowlton

La Venise Verte
$$ pdj
bp/bc, ≈
58 rue Victoria
☎*(450) 243-1844*
www.laveniseverte.com
Cette coquette habitation
de briques (1884), voisine
de la très chic Auberge
Lakeview Inn, constitue un
bon choix. Les propriétai-
res, Sylvie et Pierre, ont
aménagé quatre chambres
dont trois sont pourvues
de planchers de bois franc.
Les chambres sont toutes
jolies et décorées avec

simplicité d'un mélange
d'antiquités et de meubles
modernes; les lits sont
recouverts de couettes
moelleuses et les murs
sont colorés de teintes
apaisantes de bleu, de
beige et de pain d'épice.
Les petits déjeuners sont
composés de produits
biologiques.

Auberge Knowlton
$$$ pdj
ℜ
286 ch. Knowlton
☎*(450) 242-6886*
⇔*(450) 242-1055*
L'Auberge Knowlton, un
établissement de 12 cham-
bres en plein cœur du
village, fut érigée en 1849
et a très bien survécu au
passage du temps. Récem-
ment rénovées, chacune
des chambres est unique
et propose couettes, affiches artistiques, carrelage
neuf dans les salles de
bain, système de chauffage
individuel et ventilateur au
plafond. Elles sont agréablement décorées d'anti-
quités, de reproductions et
de meubles récupérés,
dont plusieurs peuvent
être achetés. Les chambres
sont plutôt petites, mais
assez grandes pour y dé-
plier le sofa-lit. Le seul hic
au tableau: l'auberge est
située sur une route pas-
sante où les poids lourds
roulent tôt le matin. Si
vous désirez dormir jus-
qu'à une heure raison-
nable, optez pour une
chambre à l'arrière. La
chambre n° 3, notre pré-
férée, est pourvue d'un
plafond cathédrale et de
murs vert sauge.

Auberge Lakeview Inn
$$$$$ ½ p
⊛, ≈, ℜ, ⊗, ≡
50 rue Victoria
☎*(450) 243-6183*
☎*800-661-6183*
⇔*(450) 243-0602*
www.quebecweb.com/lakeview
L'Auberge Lakeview Inn,
bien située dans le centre

de Knowlton mais à l'écart de l'artère principale, propose une atmosphère tout à fait victorienne. En effet, les travaux de rénovation ont fait renaître le cachet de noble ancienneté de ce monument historique dont la construction remonte à la deuxième moitié du XIXe siècle. Douillet et romantique, l'endroit est décoré de boiseries et de papier peint fleuri de style victorien. Malheureusement, les chambres standards restent minuscules, et leur salle de bain peut à peine contenir une douche. Les studios, aux meubles de style antique, sont plus chers, mais en valent la peine. L'établissement abrite aussi un pub des plus confortables ainsi qu'une salle à manger traditionnelle.

Sutton

Auberge Le St-Amour
$$-$$$
ℜ, ℂ
1 rue Pleasant
☎/≈(450) 538-6188
☎888-538-6188
www.auberge-st-amour.com
L'Auberge Le St-Amour est établie dans une imposante résidence d'architecture Second Empire (1902) à bardeaux verts. Située au cœur de la ville, elle compte huit chambres et une suite à deux chambres munie d'une cuisinette, chacune décorée de murales rappelant les impressionnistes. Malheureusement, la plupart des chambres sont très sombres malgré les murales fleuries. De plus, elles sont pourvues de tapis de moquette qualité, tandis que les autres ont un plancher en contreplaqué un peu rugueux. La chambre n° 8 compte parmi les plus attrayantes grâce à une

murale au soleil de style Van Gogh et une banquette sous la fenêtre; les chambres n°s 9 et 7 demeurent aussi acceptables.

🌴 **Dessine-Moi un Mouton**
$$$ pdj
≈, ℑ
212 ch. Maple
☎(450) 538-1515
Dessine-Moi un Mouton, une jolie maison à bardeaux bleus et blancs située sur une vaste propriété aux abords du village, est l'endroit rêvé pour vous gâter après une journée de ski. Attention: ici les tarifs sont un peu plus élevés que ceux de la plupart des autres gîtes touristiques de la région. Marc, le chef-cuisinier, et Ginette, l'artiste à qui l'on doit tous les petits moutons peints sur les lieux, ont créé une oasis d'une élégance discrète, supérieure à celle des condos du village, à quelques kilomètres d'ici, en plus d'être complètement différente. Deux chambres et un studio, romantiques et confortables, sont décorés avec style de tons crème et blanc, et sont munis de terrasses privées. La pièce «Courrier Sud» est répartie sur deux niveaux: au rez-de-chaussée se trouve une «banquette-lit», et à l'étage une chambre à coucher a vue sur la piscine. Toutes les salles de bain sont équipées de baignoires profondes, et les châlits sont recouverts d'une jolie literie. Le samedi, Marc propose un souper intime *(60$ par personne, apportez votre vin)* dans une salle à manger de six tables, agréable, bien aérée et simplement décorée. Les enfants sont les bienvenus; informez-vous au sujet des animaux domestiques.

Auberge La Paimpolaise
$$$
≡, ⊛, ≈, ℜ
615 rue Maple
☎(450) 538-3213
☎800-263-3213
≈(450) 538-3970
www.paimpolaise.com
Établie près des pistes de ski, l'Auberge La Paimpolaise se compose de deux bâtiments distincts. Ainsi, l'entrée se trouve dans une petite maison de bois imitant les chalets suisses, alors qu'une longue annexe de béton renferme les chambres, d'ailleurs plutôt austères. L'endroit, bien ordinaire, attire une clientèle essentiellement constituée de skieurs.

Mansonville

La Chouette Auberge
$$ pdj
≈
560 route de Mansonville
☎/≈(450) 292-3020
La Chouette Auberge est entourée d'un vaste terrain. La maison, chaleureuse à souhait, dispose d'un salon garni d'un foyer où vous pourrez vous détendre. Piscine intérieure.

Vale Perkins (Knowlton's Landing)

🌴 **Aubergine Relais de campagne**
$$ pdj
ℜ
160 rue Cooledge
☎(450) 292-3246
L'Aubergine Relais de campagne, un ancien relais datant de 1816, tout en brique rouge et comportant une longue galerie, est fort agréable durant les soirées d'été. Cette auberge est d'autant plus plaisante qu'elle offre une vue magnifique sur le lac Memphrémagog.

Eastman

Auberge du Fenil
$$$ pdj
ℜ, ☺, △, ≈
96 ch. Mont Bon-Plaisir
☎*(450) 297-3362*
☎*888-530-3362*
www.aubergedufenil.qc.ca
Située en pleine campagne, l'Auberge du Fenil dispose de 18 chambres tranquilles, décorées avec goût. S'y rattache également un excellent restaurant *($$$)*, où l'on concocte une fine cuisine française et régionale.

Spa Eastman
$$$$ pc
bc/bp, ☺, ≈, ℜ, ℨ, ≡, ☺
895 ch. des Diligences
☎*(450) 297-3009*
☎*800-665-5272*
≈*(450) 297-3370*
www.spa-eastman.com
Niché dans la belle campagne des Cantons-de-l'Est, le Spa Eastman est encensé par certains qui le classent parmi les meilleurs établissements de ce genre. Toute une gamme de soins du corps y sont proposés, à la carte ou en forfait, à la journée ou en séjour, mais toujours dispensés avec professionnalisme. Et pour l'esprit, quoi de mieux qu'une marche en forêt ou un brin de lecture au coin du feu… Vous pouvez aussi choisir d'y demeurer, sans utiliser les services du centre de santé, pour la beauté et la tranquillité de l'endroit. Un grand pavillon principal et cinq pavillons plus petits abritent 45 chambres bien décorées et confortables, dont le luxe varie. Le restaurant, qui sert les trois repas, propose, bien sûr, une cuisine santé.

Bolton Centre

L'Iris bleu
$$-$$$ pdj
ℜ
895 ch. Missisquoi
☎*(450) 292-3530*
☎*877-292-3530*
www.irisbleu.com
Le gîte touristique L'Iris bleu occupe une coquette maison. Le décor des trois chambres, composé de rideaux de dentelle, de papier peint fleuri et de meubles antiques, parvient à créer une atmosphère chaleureuse. Vous serez accueilli par les sympathiques propriétaires, qui s'affaireront à rendre votre séjour plaisant. Il est aussi possible d'y déguster, le soir, une délicieuse cuisine méditerranéenne *($$)* dans la coquette salle à manger.

Saint-Benoît-du-Lac

Abbaye de Saint-Benoît-du-Lac
☎*(819) 843-4080*
www.st-benoit-du-lac.com
Si vous désirez vous reposer en paix loin de tout, vous pouvez vous rendre à l'abbaye et demander l'hospitalité, que les moines vous accorderont s'ils ont de la place. De petites chambres, meublées d'un simple lit, seront alors mises à votre disposition. Vous payez selon votre générosité.

Magog

À Tout Venant
$$ pdj
624 rue Bellevue O.
☎*(819) 868-0419*
☎*888-611-5577*
www.atoutvenant.com
L'auberge À Tout Venant a été achetée par un couple de Lyon. Comme ses cinq chambres demeurent très rapprochées les unes des autres, l'insonorisation n'est pas assurée. La plus agréable d'entre elles est la petite (et moins chère)

chambre «Soleil», décorée d'antiquités et de planchers de bois; la chambre avec solarium, «Abricot», est aussi très acceptable. Dommage que les autres (la «Rose», par exemple) soient si «froufrou»! La salle à manger est ensoleillée et attrayante.

Au Virage
$$
bp/bc
172 Merry N.
☎*(819) 868-5828*
Située au cœur de Magog, près de plusieurs autres gîtes, l'auberge Au Virage reste un choix très acceptable. Les hôtes, Louise et Jean, habitent dans la résidence attenante si bien que le décor de l'auberge demeure quasi-minimaliste. Les cinq chambres sont plutôt petites (celles avec salles de bain privées sont plus grandes) et décorées soit de tons discrets, soit de bourgogne et pêche et d'œuvres d'art un peu insolites. Quelques antiquités, des planchers de bois et des tissus fleuris réchauffent l'ambiance. Les petits déjeuners sont assez élaborés et servis à la table commune, question d'encourager les convives à bavarder!

L'Ancestrale
$$-$$$
bp/bc, ⊛
200 rue Abbott
☎*(819) 847-5555*
www.ancestrale.qc.ca
L'Ancestrale propose un décor simple mais un peu encombré… Un vrai chez-soi! La plus agréable des quatre chambres est «La Rêveuse», une mini-suite intime située au rez-de-chaussée et munie d'une baignoire à remous et d'une terrasse privée. Les petits déjeuners sont très simples mais nutritifs, tels des céréales avec lait de soja et des œufs brouillés avec légumes. L'hôte est

très serviable et prend son travail au sérieux.

Hôtel du Grand Lac
$$-$$$ pdj
≡, ☉, △, ☖, ℝ
40 Merry S.
☎(819) 847-4039
☎800-267-4039
www.grandlac.com
L'Hôtel du Grand Lac est installé dans un bâtiment de brique et d'aluminium qui n'a rien du charme auquel on peut s'attendre d'une auberge de campagne. Vous pourrez cependant profiter de chambres bien tenues et garnies de meubles neufs.

L'Auberge L'Étoile-sur-le-Lac
$$$
≡, ☉, ≈, ℜ, ℑ, ℂ, ⊛
1150 rue Principale
☎(819) 843-6521
☎800-567-2727
www.etoile-sur-le-lac.com
Situé le long de l'autoroute, aux abords de Magog, ce vaste hôtel n'a pas l'air de grand-chose à première vue, mais ses 50 chambres sont très acceptables. Chacune des nouvelles chambres «de luxe» est pourvue d'une grande terrasse avec vue sur le lac, de couettes, d'une baignoire profonde et de meubles neufs… jolis mais pas tout à fait luxueux. Toutes les chambres standards donnent aussi sur le lac.

Austin

Aux Jardins Champêtres
$$-$$$ pdj
≈
1575 ch. des Pères
☎(819) 868-0665
☎877-868-0665
www.auxjardinschampetres.com
Les cinq chambres de cette auberge sont manifestement adjacentes à la salle à manger, donc si vous ne dînez pas ici, soyez averti que l'endroit sera probablement bruyant jusqu'à minuit. Les chambres de style campagnard, chacune avec planchers de bois, étaient sur le point d'être rénovées quand nous les avons visitées. Déjà petites, elles le seront sûrement encore plus lorsque les salles de bain privées y seront installées.

Orford

Camping Stukely
$
3321 ch. du Parc
accès par l'autoroute 10 ou 55, sortie 118, en direction du parc du Mont Orford
☎(819) 843-9855
☎877-843-9855
www.sepaq.com
Localisé dans le parc du Mont Orford, le Camping Stukely, situé aux abords du lac du même nom, se trouve en plein cœur d'une végétation dense. Ainsi les sentiers de randonnée pédestre et les pistes pour vélo de montagne sont accessibles à partir du site. En soirée, durant la saison chaude, le centre communautaire se transforme en salle de cinéma. Le camping possède également une plage et fait la location d'embarcations.

L'Auberge La Grande Fugue
$-$$
mai à oct
3166 ch. du Parc
☎(819) 843-8595
☎800-567-6155
Située à même le site du Centre d'Arts Orford, L'Auberge La Grande Fugue fait la location de petits refuges en pleine nature. Une cuisine communautaire est également mise à la disposition des hôtes.

Motel de la Pente Douce
$$ pdj
≈, ℂ
1787 ch. de la Rivière-aux-Cerises
☎(819) 843-1234
☎800-567-3530
www.moteldelapentedouce.qbc.net
Le petit Motel de la Pente Douce est d'aspect quelconque, mais il a l'avantage d'être situé près du mont Orford et propose des chambres adéquates.

Gîte de la Maison Hôte
≈
$$ pdj
2037 ch. du Parc
☎(819) 868-2604
En 1999, Christiane et Bernard ont habilement transformé cette habitation à bardeaux en gîte touristique et sont devenus des hôtes parfaits. Leurs quatre chambres impeccables proposent des planchers de bois franc, des literies attrayantes et une véritable atmosphère campagnarde. Certaines chambres offrent même un panorama sur le mont Orford. Les convives raffolent des sublimes petits déjeuners à cinq services; en saison, ils sont composés de fleurs comestibles et servis sur la terrasse. Le Gîte de la Maison Hôte est le refuge idéal dans la région de Magog/Orford, nettement supérieur à la plupart des établissements du centre-ville de Magog.

Auberge Estrimont
$$$$
≈, ☉, △, ℜ, ℂ, ≡, ⊛, ℑ
44 av. de l'Auberge
☎(819) 843-1616
☎800-567-7320
⇔(819) 843-4180
www.estrimont.qc.ca
Construite près du mont Orford, l'Auberge Estrimont propose des chambres et de petits condos (appartements) répartis sur un terrain donnant sur la forêt. Les condos, tout en bois, sont tous pourvus

d'un balcon et d'un foyer, parfaits pour tirer profit au maximum de votre séjour en ces lieux.

Manoir des Sables
$$$$-$$$$$
⊛, ℂ, ≡, ℜ, △, ⊘, ≈, ℑ, ✿
90 av. des Jardins
☎*(819) 847-4747*
☎*800-567-3514*
≈*(819) 847-3519*
www.manoirdessables.com
À l'ombre du mont Orford se dresse le très luxueux et moderne Manoir des Sables. On y retrouve une foule de services et installations dont des piscines extérieure et intérieure, un parcours de golf à 18 trous, des courts de tennis et un relais santé (spa). Plusieurs des chambres possèdent un foyer, et celles du dernier étage offrent une vue splendide sur le lac et le terrain de 60 ha. Une chambre dans la section «Privilège» assure un service exemplaire et inclut le petit déjeuner continental. Les chambres standards (dont certaines sont peintes d'un joli ton de bleu) et de luxe (identiques aux premières, en plus de grands lits et foyers) sont pourvues de meubles plutôt moches, surtout pour un établissement de premier choix. Les salles de bain, toutefois, sont reluisantes et agréables.

Village Mont Orford
$$$$$
≈, ℂ, ℑ
4969 ch. du Parc
☎*(819) 847-2662*
☎*800-567-7315*
≈*(819) 847-3635*
www.village-mont-orford.com
Le Village Mont Orford est constitué de plusieurs bâtiments, chacun comprenant quelques jolis condos (appartements) tout équipés. À environ 200 m du Village, un télésiège quadruple donne accès aux pistes du mont Orford.

Georgeville

Auberge Georgeville
ℜ
$$$$$ pdj
71 ch. Channel
☎*(819) 843-8683*
≈*(819) 843-5045*
www.aubergegeorgeville.com
L'Auberge Georgeville, située dans le minuscule village (au bord du lac Memphrémagog) du même nom, est établie dans un imposant manoir victorien (1898) à bardeaux roses. Le service cordial, la véranda panoramique, les escaliers de bois, les antiquités et les merveilleux arômes provenant de la cuisine et des salles à manger confortables créent une ambiance chaleureuse à cachet historique. Les 10 chambres minuscules sont pourvues de planchers de bois et sont décorées à la Laura Ashley; chacune est équipée d'une salle de bain privée avec douche. De plus, la salle à manger jouit d'une excellente réputation depuis plusieurs années (voir p 269).

Ayer's Cliff

Auberge Ripplecove Inn
$$$$$
≡, ⊛, ≈, ℜ, ℑ
700 rue Ripplecove
☎*(819) 838-4296*
☎*800-668-4296*
≈*(819) 838-5541*
www.ripplecove.com
Regardant vers le lac Massawippi, l'Auberge Ripplecove Inn, avec son verdoyant terrain d'environ 6 ha, offre un cadre champêtre merveilleusement paisible permettant de pratiquer diverses activités de plein air. Son élégant salon de style victorien et ses chambres distinguées assurent le confort dans une intimité sans pareille. Aussi les chambres les plus luxueuses possèdent-elles leur propre foyer et bai-

gnoires à remous. L'endroit devient absolument féerique en saison hivernale. Le restaurant de l'auberge se spécialise dans une cuisine française de qualité (voir p 269).

Coaticook

La Brise des Nuits
$$ pdj
142 Cutting
☎*(819) 849-4667*
Le gîte touristique La Brise des Nuits constitue une bonne adresse où séjourner. Les chambres sont agréablement décorées, et l'accueil est très chaleureux.

Way's Mills

L'Eau Vive
$$-$$$ pdj
bc/bp, ℜ
698 ch. Madore
☎*(819) 838-5631*
www.eauvive.ca
Après une dizaine de minutes de route de campagne, on arrive à un tout petit village d'une vingtaine de maisons que dominent paisiblement deux églises. On y retrouve le gîte touristique L'Eau Vive, situé au bord de la coquette rivière Niger. Ce gîte propose un bon confort, un accueil chaleureux et une table remarquable, le tout dans une superbe maison d'époque, loin des bruits et du stress de la ville.

Waterville

La Mère Veilleuse
$$ pdj
ℑ
710 rue Principale S.
☎*(819) 837-3075*
Il était une fois une maison abandonnée; arriva un couple charmant et enchanté qui l'embrassa de sa patience. Naquit alors La Mère Veilleuse. Tous vécurent heureux et eurent

plusieurs centaines de visiteurs (et continuent toujours à accueillir les gens). De magnifiques chambres spacieuses, garnies de meubles anciens, confèrent une grande qualité à ce gîte touristique. L'accueil personnalisé et amical rend les séjours inoubliables.

North Hatley

Le Chat Botté B&B
$$-$$$ pdj
☺
550 ch. de la Rivière
☎ *(819) 842-4626*
www.lechatbotte.ca
Ceux qui souffrent d'allergies ne pourront malheureusement pas profiter de cet attrayant gîte puisque Nico, l'accueillante propriétaire, adore les chats! Artiste, elle a orné sa demeure victorienne de ses propres tableaux (qui sont simplement saisissants) et a décoré ses trois chambres avec style et originalité. La plus petite pièce est très bien réussie, aux tons d'ocre brun, alors que la plus grande demeure plus romantique, avec des tons crème, foyer au gaz et baignoire à même la chambre. Toutes les pièces proposent des planchers de bois, de somptueuses literies, des lits de plume et une touche de romantisme. Les petits déjeuners à trois services sont offerts dans une salle douillette décorée de lambris et munie de tables individuelles.

 Tapioca
$$$ pdj
680 rue Sherbrooke
☎ *(819) 842-2743*
www.tapioca.qc.ca
Grâce à Marielle, la chaleureuse propriétaire des lieux, vous vous sentirez comme chez vous dès que vous mettrez les pieds

dans cette belle demeure à bardeaux blancs. Ses cinq chambres sont décorées avec simplicité et goût afin de miser sur leurs caractéristiques naturelles, telles les planchers de bois et les très grandes fenêtres. Deux chambres partagent une vaste terrasse, alors qu'une troisième est équipée d'un balcon «à la Juliette». Des tons doux et des accessoires en osier donnent à l'endroit une atmosphère de légèreté et de gaieté. Chacune des chambres abrite une salle de bain complète attenante; toutefois, certains seront peut-être déçus par l'absence d'extravagances comme une baignoire à remous ou une baignoire profonde. Les petits déjeuners sont élégants et servis sur des tables individuelles.

Auberge La Raveaudière
$$$ pdj
≡
11 Hatley Centre
☎ *(819) 842-2554*
⇌ *(819) 842-1304*
www.laraveaudiere.com
La Raveaudière est établie dans une ancienne ferme (1870) rénovée, située sur un vaste terrain à courte distance à pied du centre du village. La salle de séjour, très grande mais tout de même accueillante, est décorée de murs bourgogne, d'un tapis persan sur planchers de bois foncé et de grandes fenêtres avec vue sur le jardin. Malheureusement, les sept chambres, toutes aux angles intéressants et aux couleurs ensoleillées, ont l'air légèrement défraîchies et auraient besoin d'un changement de style. Le petit déjeuner complet est composé de délices maison et peut être dégusté sur la terrasse arrière. Accueil chaleureux.

Auberge Hatley
$$$$
≡, ☻, ≈, ℜ, ℑ
325 ch. Virgin
☎ *(819) 842-2451*
☎ *800-336-2451*
⇌ *(819) 842-2907*
www.aubergehatley.com
L'Auberge Hatley occupe une superbe demeure construite en 1903. Membre de la réputée association Relais & Châteaux, l'Auberge Hatley compte 25 chambres, chacune au décor unique, raffiné et rustique comprenant papier peint fleuri, courtepointes, antiquités et, malheureusement, moquette. Trop cher pour vous? Vous pouvez simplement prendre le déjeuner dans la grande salle à manger ensoleillée et y admirer un joli panorama. Aujourd'hui, la salle de séjour spacieuse, donnant sur le lac, et les chambres se parent de beaux meubles antiques qui créent une atmosphère chaleureuse. Entourée d'un vaste jardin, au cœur duquel a été aménagée une piscine, l'auberge est un véritable havre de détente.

Manoir Hovey
$$$$$
≈, ☻, ☺, ℜ, ℑ
575 ch. Hovey
☎ *(819) 842-2421*
☎ *800-661-2421*
⇌ *(819) 842-2248*
www.manoirhovey.com
Bâti en 1900, le Manoir Hovey reflète bien l'époque où de riches familles choisissaient North Hatley pour y passer leurs vacances dans de belles demeures de campagne (voir p 244). Transformé en auberge il y a plus de 40 ans, le manoir offre, aujourd'hui encore, un grand confort. Il compte 40 chambres garnies de beaux meubles anciens; et la plupart de celles-ci font face au lac Massawippi. La

vaste étendue de pelouse au bord du lac, derrière la propriété, est idéale pour la relaxation insouciante des jours d'été. Bref, cet agréable endroit déborde de cachet: c'est l'endroit parfait pour une fin de semaine en amoureux… ou même avec grand-mère!

Lennoxville

Motel La Paysanne
$$
≡, ≈, 🐕
42 rue Queen
☎*(819) 569-5585*
www.paysanne.com
Grâce à son joli bâtiment noir et blanc, La Paysanne fait figure de chic motel. Outre son aspect extérieur, il a l'avantage d'être situé à l'entrée de la ville et d'être facilement accessible. Ses chambres, toutes décorées avec simplicité, sont plutôt grandes.

Sherbrooke

Motel l'Ermitage
$$
®, ≡, ℂ, ≈, 🐕
1888 rue King O.
☎*(819) 569-5551*
☎*888-569-5551*
≈*(819) 569-1446*
Le bâtiment de briques et de bois du Motel l'Ermitage, qui s'allonge à l'entrée de la ville, est bien joli pour un lieu d'héberge-ment de cette catégorie. Les visiteurs peuvent profi-ter d'un stationnement et de chambres relativement confortables mais au décor austère.

Charmes de Provence
$$ pdj
350 rue du Québec, angle boul. Portland
☎*(819) 348-1147*
www.charmesdeprovence.com
À l'accueillant Charmes de Provence, vous vous en doutez, il n'y a pas que les volets bleus et les murs

jaunes qui arborent fière-ment les couleurs de la Provence: les petits déjeu-ners rappellent également les saveurs méditerranéen-nes. On peut d'ailleurs jouer à la pétanque dans la cour...

Hôtel Gouverneur Sherbrooke
$$-$$$
≡, ≈, ℜ
3131 rue King O.
☎*(819) 565-0464*
☎*888-910-1111*
≈*(819) 565-5505*
www.gouverneur.com
En entrant dans la ville, vous ne manquerez pas d'apercevoir l'Hôtel Gou-verneur Sherbrooke. Des soins ont été portés à la décoration; aussi les longs couloirs sont-ils égayés de quelques lithographies et de fleurs et les chambres garnies d'un mobilier mo-derne et élégant.

Delta Sherbrooke Hôtel et Centre de Congrès
$$$$$
≡, ≈, ®, ☺, △, ℜ, ☺, 🐕, ♿
2685 rue King O.
☎*(819) 822-1989*
☎*800-268-1133*
≈*(819) 822-8990*
www.deltasherbrooke.com
L'immeuble aux tons rosés du Delta Sherbrooke Hôtel et Centre de Congrès s'élè-ve à l'entrée de la ville. Il propose une foule d'instal-lations telles que piscine intérieure, baignoire à re-mous et salle d'exercices.

Circuit C: L'arrière-pays

Notre-Dame-des-Bois

Camping Altitude
$
121 route du Parc
☎*(819) 888-2206*
Situé sur la route du Parc, à moins de 2 km du mont Mégantic, le paisible Cam-ping Altitude met à la disposition des amoureux

de la nature une quinzaine d'emplacements gravillon-nés et éloignés les uns des autres. Camping sauvage: toilettes sèches et robinet d'eau de source.

Aux Berges de l'Aurore
$$-$$$ pdj
$$$$$ ½p
début mai à fin oct
139 route du Parc
☎*(819) 888-2715*
www.auberge-aurore.qc.ca
Aux Berges de l'Aurore occupe une coquette mai-son dans un cadre pai-sible, en pleine nature, et propose quatre chambres simples. L'auberge est fermée durant l'hiver.

Lac-Mégantic

L'Eau-Berge
$$
3550 boul. Stearns
☎*(819) 583-1340*
☎*800-678-1340*
L'Eau Berge, donnant sur le lac Mégantic, plaira aux personnes qui cherchent un endroit charmant au centre de la ville. L'au-berge dispose de cham-bres essentiellement meu-blées d'un lit et d'une petite commode, sans grand confort mais tout à fait adéquates pour le prix.

Restaurants

Circuit A: Le verger

Frelighsburg

Aux deux clochers
$-$$
mar-dim
2 rue de l'Église (angle rue Princi-pale)
☎*(450) 298-5086*
Le bistro Aux deux clo-chers est situé sur un joli site champêtre. Vous pour-

Cantons-de-l'Est

rez goûter une cuisine classique, toujours délicieuse, ou seulement prendre un repas léger. Les samedis et dimanches, le petit déjeuner y est servi.

Dunham

La Rumeur affamée
$
mer-dim
3809 rue Principale
☎*(450) 295-2399*
Allez faire un tour à La Rumeur affamée pour déguster un ou plusieurs fromages (un peu chers), pâtés ou délices maison. Associé à son voisin, le Bistrot Seeley (voir ci-dessous).

Le Tire-Bouchon de l'Orpailleur
$-$$
fin juin à mi-oct, mer-dim
1086 route 202
☎*(450) 295-2763*
Au restaurant du vignoble L'Orpailleur, on propose, en été seulement, une courte carte de qualité. Une agréable terrasse donne sur le vignoble et permet de contempler de jolis paysages tout en mangeant. Le service est des plus sympathiques. Il vaut mieux réserver.

Picolletto
$$-$$$
jeu-lun soir
3698A rue Principale
☎*(450) 295-2664*
Sur la Route des vins vous accueille le Picolletto. On y prépare une délicieuse cuisine française dans une maison de pierre au décor rustique et chaleureux.

Bistrot Seeley
$$$
mar-sam (dîner), mar-ven (déjeuner)
3809 rue Principale
☎*(450) 295-1512*
Récemment établi dans un joli bâtiment de briques rouges datant du XIXᵉ

siècle (une ancienne halte pour diligences), le Bistrot Seeley est un attrayant restaurant qui fait la fierté de ses propriétaires. À l'intérieur, on a préservé les murs de briques qui servent de supports aux œuvres d'artistes des environs. Le menu comporte surtout des pâtes et un vaste choix de salades. En saison, profitez d'une terrasse dans la cour arrière. Bonne sélection de bières de microbrasseries régionales.

Bedford

La Table Tournante
38 rue Principale
☎*(450) 248-4664*
Ce petit endroit sympathique, avec planchers et tables de bois, murs de briques et bon nombre de plantes vertes, est un ajout récent à la rue principale de Bedford. Tous les jours, à l'heure du dîner, on y propose une table d'hôte de quatre plats composée de fruits de mer, agneau, canard, volaille, bœuf et veau... Tant pis pour les végétariens! Aussi ouvert pour le déjeuner et le brunch de fin de semaine.

Bromont

Musée du Chocolat
$
679 rue Shefford
☎*(450) 534-3893*
Du chocolat pour déjeuner? Pourquoi pas! Ce petit café propose aussi un menu de déjeuners comprenant des quiches, des sandwichs et des pâtés.

⚜ Les Délices de la Table
$$$
jeu-lun midi
641 rue Shefford
☎*(450) 534-1646*
Les Délices de la Table, un petit restaurant-traiteur aux allures champêtres avec ses murs jaune soleil, ses rideaux de dentelle et ses

nappes aux motifs de fleurs et de fruits, est le genre d'endroit où l'on se sent bien dès qu'on franchit la porte. Vous pourrez déguster, tout en étant entouré d'une clientèle d'habitués, de délicieux plats à base de produits régionaux, préparés avec soin et raffinement par le chef, qui est aussi le propriétaire des lieux. Il est préférable de réserver car l'établissement, en plus d'être petit, est de plus en plus fréquenté.

L'Étrier Rest-O-Bar
$$$
mar-dim soir
547 rue Shefford
☎*(450) 534-3562*
L'Étrier Rest-O-Bar prépare une cuisine de qualité grâce à laquelle il s'est créé une clientèle d'habitués. Le restaurant est situé un peu à l'écart de la ville et bénéficie d'un cadre peu recherché mais plaisant.

La Jardinière
$$$
Auberge Bromont
95 rue Montmorency
☎*(450) 534-1199*
☎*888-276-6668*
Le chef de La Jardinière propose une cuisine française préparée à partir de produits régionaux tels que le canard provenant des élevages du Lac Brome et l'agneau de Saint-Grégoire. En été, vous pourrez profiter de la terrasse et de la magnifique vue sur le mont Bromont qu'elle offre. Le dimanche, un brunch est proposé.

Les Quatre Canards
$$$$
90 rue Stanstead
☎*(450) 534-3433*
☎*800-304-3433*
Le restaurant du Château Bromont (voir p 258) jouit de la même excellente réputation que

l'hôtel. Une belle salle à manger où trônent de grandes fenêtres sert de cadre à des repas finement apprêtés et servis. La spécialité du chef, le canard, est aussi celle de la région. Vous pourrez y goûter diverses autres mets de la cuisine français ou de la fine cuisine québécoise.

Waterloo

Manoir Parmelee
$$$
apportez votre vin
700 rue Western
☎ *(450) 539-2140*
Au Manoir Parmelee, on a parfois l'impression d'être en train de dîner chez une tante un peu excentrique: le restaurant occupe le rez-de-chaussée d'une résidence privée d'architecture victorienne, nichée sur une avenue résidentielle de Waterloo. Un gros matou se promène allègrement un peu partout. L'éclairage demeure trop présent, tandis que le service est plus ou moins raffiné. Pour une vingtaine de dollars, on déguste un dîner à quatre services, dont le plat principal d'un menu qui comprend une délicieuse crêpe aux fruits de mer et une généreuse assiette de foies de canard. Cuisine française oblige, les végétariens n'ont pas de chance. Malgré les petites excentricités, le Manoir Parmelee se veut un endroit sympathique à bon prix pour dîner entre amis. Réservations requises. Comptant seulement.

Granby

Ben la Bédaine
$
599 rue Principale
☎ *(450) 378-2921*
Le nom très évocateur de Ben la Bédaine vous fera peut-être sourire, mais sachez qu'il s'agit en fait

d'un véritable temple de la frite!

Casa du spaghetti
$$
604 rue Principale
☎ *(450) 372-3848*
La Casa du spaghetti est un bon choix pour ceux qui disposent de ressources limitées et qui apprécieraient un plat de pâtes ou une pizza cuite au four à bois.

Chez Plumet
$$$-$$$$
mar-sam
1507 rue Principale
☎ *(450) 378-1771*
Malgré son décor un peu quelconque, le restaurant Chez Plumet, ouvert depuis plus de 40 ans, demeure un classique pour les Granbyens. Son ambiance est en effet très chaleureuse et quoiqu'un peu traditionnel son menu propose une cuisine française de qualité. Le magret de canard qu'on y sert se veut particulièrement succulent!

La Maison de chez nous
$$$-$$$$
mer-dim soir ou sur rendez-vous
847 rue Mountain
☎ *(450) 372-2991*
Le patron de La Maison de chez nous a renoncé à sa cave à vins afin de permettre certaines économies à sa clientèle, qui peut désormais apporter son vin. Autre choix significatif de la maison, la cuisine québécoise est mise à l'honneur dans ce qu'elle a de meilleur et de plus recherché. Un brunch est offert le dimanche matin dès 10h30.

Cowansville

McHaffy
$$$-$$$$
351 rue Principale
☎ *(450) 266-7700*
Un incontournable de la région estrienne, le restaurant McHaffy, dont le menu est renouvelé tous les deux mois, propose une fine cuisine d'influence internationale créée à partir de produits de la région. Le tout peut s'accompagner de vin des Blancs Coteaux, choisi par Alain Bélanger, l'un des meilleurs sommeliers québécois. Le midi, on peut aussi manger plus légèrement tout en profitant d'une agréable terrasse. Il ne faut surtout pas manquer le «festival du canard», de la fin septembre à la mi-octobre, alors que le chef Pierre Johnston crée d'excellents plats pour l'occasion.

Circuit B: Les lacs

Knowlton

Knowlton Pub
$
267 Knowlton Road
☎ *(450) 242-6862*
Le Knowlton Pub est sans doute l'un des lieux les plus fréquentés des Cantons-de-l'Est. On y retrouve beaucoup d'anglophones, et, pour ne pas les dépayser, semble-t-il, on y fait jouer la radio FM anglophone de Montréal, dont les publicités tapageuses ne cadrent pas avec le paysage si champêtre. En période d'affluence, le service devient d'une extrême lenteur. En période calme, son ambiance de vieux pub anglais ainsi que sa grande terrasse sont agréables.

Cantons-de-l'Est

Café Inn
$$
264 ch. Knowlton
☎ *(450) 243-0069*
Un bon endroit pour le petit déjeuner ou le déjeuner. En été, lorsque la terrasse est ouverte, profitez d'une jolie vue sur le lac Brome (chose rare à Knowlton). La maison se spécialise dans les tartines, ou canapés froids, et les pizzas à croûte mince. Le dîner est servi les vendredis et samedis soir.

Le Relais
$$$
286 ch. Knowlton
☎ *(450) 242-2232*
Comme le veut la tradition dans cette région, le canard du Lac Brome est à l'honneur au restaurant de l'Auberge Knowlton, Le Relais. On y propose confit, magret, brochettes, en plus d'une excellente salade au canard chaud qui fait agréablement changement. La salle à manger décontractée et ensoleillée est entourée de fenêtres et décorée d'un bric-à-brac de style campagnard. On y sert aussi une vaste sélection de plats principaux sans canard, tels hamburgers, quiches, steaks et pâtes végétariennes, ainsi que des vins régionaux. Un bon choix.

Aux Trois Canards
$$$
en hiver, fermé lun-mar
78 Lakeside
☎ *(450) 242-5801*
C'est avec plaisir que vous constaterez que la cuisine du restaurant Aux Trois Canards est aussi alléchante que la mignonne habitation à bardeaux jaunes et bleus qui l'abrite. Évidemment, la spécialité de la maison est le canard (le canard à l'orange est particulièrement sublime), mais le menu propose aussi d'autres plats d'inspiration française. En plus

d'une table d'hôte du soir, on y trouve un menu de style bistro pour le déjeuner et le dîner à très bas prix (*$-$$*) qui propose des plats traditionnels comme la tourte au canard. Le service est excellent.

Sutton

L'International Pâtisserie Café
$
10 rue Principale S.
☎ *(450) 538-1717*
Demandez à n'importe qui en ville de vous suggérer un bon endroit où casser la croûte, et l'on vous enverra probablement à L'International Pâtisserie Café. Quelle déception d'y trouver un décor peu appétissant, une atmosphère bruyante et un nuage de fumée! Toutefois, les plats du déjeuner (soupes, salades et sandwichs) sont bons et offerts à prix raisonnables. Le service est gentil.

Tartinizza
$$
ven-dim
19 Principale N.
☎ *(450) 538-5067*
Les propriétaires, Marie et Michel, ont récemment vendu leur populaire restaurant français à Montréal afin de se la couler douce à la campagne, et Tartinizza fait partie intégrante de leur nouvel exil. On se spécialise dans les pizzas à croûte mince et les sandwichs, servis dans un endroit douillet pourvu de planchers de bois et de murs jaunes. Bonne sélection de bières de microbrasseries.

Mocador
$$
17 rue Principale Nord
☎ *(450) 538-2426*
Vous remarquerez, sur la rue Principale, la charmante maison, dotée d'une jolie baie vitrée, du restaurant Mocador. L'endroit, où

l'on peut prendre un repas simple, est idéal pour passer un moment de détente.

À la Fontaine
$$$
30 rue Principale Sud
☎ *(450) 538-3045*
Vous pourrez savourer une succulente cuisine française traditionnelle À la Fontaine tout en profitant d'une très agréable terrasse.

Il Duetto
$$$
tlj dès 17h
227 ch. Élie
☎ *(450) 538-8239*
☎ *888-660-7223*
Situé dans une contrée rurale calme et bien caché parmi les collines aux alentours de Sutton, le restaurant Il Duetto propose une fine cuisine italienne. Les pâtes maison y sont fraîches, et les plats principaux s'inspirent de la gastronomie des différentes régions italiennes. On peut également savourer des vins italiens sur la terrasse, ou bien choisir le menu dégustation à cinq services (*$$$$$*) pour se faire une bonne idée de la variété de la cuisine italienne.

Magog

La Grosse Pomme
$$
270 rue Principale O.
☎ *(819) 843-9365*
Le sympathique restaurant La Grosse Pomme sert une bonne cuisine de type bistro. Durant la soirée, l'endroit attire jeunes et moins jeunes qui viennent prendre un verre et bavarder.

Les Toits Bleus
$$$
apportez votre vin
1321 ch. Gendron, 12 km au sud de Magog
☎ *(819) 847-0988*
☎ *888-847-0988*
Le restaurant dont on parle le plus dans les Cantons-

de-l'Est se nomme Les Toits Bleus, géré par un couple français (monsieur vient d'Orléans, madame du Périgord). La maison de ferme qui l'abrite, datant des années 1880, vous transportera vers la campagne française dont vous rêvez. En été, dînez sur la terrasse, au clair de lune; en hiver, réservez une table près du foyer dans la salle à manger d'origine, qui est beaucoup plus confortable que la récente annexe. Pour vous rendre à la salle à manger, vous passerez par la cuisine où la chaleur et les arômes vous renverseront. La table d'hôte est composée de trois à six plats, comprenant de l'agneau délicieux, élevé sur place et servi en tranches minces succulentes, un magret de canard (le chef, Claude, préfère le canard de l'Outaouais à celui du Lac Brome), et du cerf dans une sauce au vin rouge. Un menu pour enfants y est proposé. Puisque ce resto est très populaire, réservez à l'avance, et n'oubliez pas votre vin!

Le Saint-Tropez
$$$
211 rue Merry S.
☎*(819) 843-2017*
Avoisinant la marina du lac Memphrémagog, Le Saint-Tropez propose les meilleures tables avec vue sur le lac. En effet, ce dernier est si populaire, surtout au coucher du soleil, que le propriétaire a disposé les tables des trois élégantes salles à manger de façon à ce qu'elles offrent un panorama sur les eaux. La cuisine de la maison, de style international, est aussi populaire, et la table d'hôte saisonnière à quatre services offre un bon rapport qualité/prix. Terrasse au bord du lac en saison.

Georgeville

Auberge Georgeville
$$$$
71 ch. Channel (route 247)
☎*(819) 843-8683*
☎*888-843-8686*
Le restaurant de l'Auberge Georgeville ne cesse de faire jouir les fins gourmets qui s'y attablent. Le chef crée en effet des plats savoureux à partir de produits régionaux qui débordent de saveur et de fraîcheur. S'ajoute à cela le plaisir de se retrouver dans une vieille maison plus que centenaire située au bord du lac Memphrémagog.

Ayer's Cliff

🏨 Auberge Ripplecove
$$$$
700 rue Ripplecove
☎*(819) 838-4296*
☎*800-668-4296*
Reconnu comme établissement «quatre diamants», le restaurant de l'Auberge Ripplecove propose une fine cuisine gastronomique de grande distinction. Son atmosphère victorienne et son décor élégant en font un endroit excellent pour un repas romantique. En outre, il dispose d'une excellente cave à vins.

North Hatley

Pilsen
$$-$$$
55 rue Principale
☎*(819) 842-2971*
Grâce à son menu de style pub (et plus) à prix raisonnable, à ses tables près de la rue avec vue sur le lac et à son étroite terrasse qui flotte littéralement au-dessus de la rivière, le Pilsen est depuis longtemps l'endroit préféré des gens du coin. Malheureusement, le pub au niveau inférieur est un refuge pour les fumeurs, mais les non-

fumeurs seront sûrement prêts à braver la boucane pour profiter d'un superbe environnement. Les salades et les hamburgers sont savoureux.

Café Massawippi
$$$$
mer-dim
3050 ch. Capelton
☎*(819) 842-4528*
Cette petite maison au-delà du centre de North Hatley abrite une véritable trouvaille. On y propose une table d'hôte quotidienne (trois services) des plus inspirées, mariant des crevettes géantes aux fruits de la passion, des médaillons de caribou au cacao, et du lapin à une marmelade de figues, presque toujours de manière très réussie. Le tout est assaisonné de musique et d'un décor éclectique, et d'une touche originale. La carte des vins et le service sont tous deux excellents.

🏨 Auberge Hatley
$$$$
325 ch. Virgin
☎*(819) 842-2451*
☎*800-336-2451*
Honorée à maintes reprises, la cuisine du restaurant de l'Auberge Hatley est sans conteste l'une des meilleures que l'on puisse goûter dans les Cantons-de-l'Est. Le repas gastronomique, savamment dosé, saura plaire aux plus fins palais. La salle à manger offre en outre une décoration fort belle et une vue magnifique sur le lac Massawippi. Réservations requises.

🏨 Manoir Hovey
$$$$
575 ch. Hovey
☎*(819) 842-2421*
☎*800-661-2421*
Garnie de meubles anciens et d'un foyer, la salle à manger du Manoir Hovey vous promet une am-

Cantons-de-l'Est

biance feutrée où vous passerez une excellente soirée. Sa cuisine a mérité bien des éloges.

Lennoxville

Pub le Lion d'Or
$
2 rue du Collège
☎(819) 565-1015
Le Pub le Lion d'Or dispose d'une jolie terrasse tapageuse, surtout lorsque les étudiants sont en fête! On y propose trois bières brassées sur place: une blonde, une foncée douce et une foncée amère. La nourriture servie est simple et assez typique des pubs de style anglais.

Café Fine Gueule
$-$$
fermé fin juin à mi-août
170 rue Queen
☎(819) 346-0031
Le Café Fine Gueule occupe une superbe maison de pierres où vous pourrez manger des plats simples dans une ambiance détendue.

Sherbrooke

Presse Boutique Café
$-$$
4 rue Wellington N.
☎(819) 822-2133
Une clientèle relaxe fréquente le Presse Boutique Café. Outre les expositions d'arts visuels et les concerts de musiciens de la région et d'ailleurs, on peut y profiter d'un bon choix de bières importées, d'un menu simple (salades, croque-monsieur, sandwichs, etc.) et de plats végétariens. De plus, deux postes Internet mis à la disposition des clients (6$/h, 1$/10 min).

Le Cartier
$$
255 boul. Jacques-Cartier S.
☎(819) 821-3311
Le restaurant Le Cartier s'est acquis une grande popularité en bien peu de temps. Donnant sur le parc Jacques-Cartier, à quelques minutes de voiture de l'Université de Sherbrooke, ce petit restaurant respire aisément grâce à ses grandes baies vitrées. Ses menus santé abordables en font un endroit familial chic, cependant suffisamment intime pour les dîners entre amis. Bonne sélection de bières provenant des microbrasseries québécoises.

Café bla-bla
$$
2 rue Wellington S.
☎(819) 565-1366
Le Café bla-bla propose un menu varié et une bonne sélection de bières importées.

La rose des sables
$$
270 rue Dufferin
☎(819) 346-5571
Au restaurant La rose des sables, vous pourrez savourer une bonne cuisine marocaine.

Le Sultan
$$
205 rue Dufferin
☎(819) 821-9156
Le Sultan se spécialise, quant à lui, dans la cuisine libanaise. Les grillades sont excellentes.

Au Four à bois
$$-$$$
3025 rue King O.
☎(819) 822-2722
Le restaurant Au Four à bois dispose d'une mezzanine, idéale pour accueillir les groupes. On y prépare de délicieuses pizzas cuites au four et apprêtées de diverses façons. L'endroit est sympathique.

Le Petit Sabot
$$-$$$
1410 rue King O.
☎(819) 563-0262
Le Petit Sabot est établi dans une maison bleue joliment décorée qui a bien du cachet. Vous pourrez savourer une cuisine agréablement différente où le gibier est à l'honneur.

La Devinière
$$-$$$
fermé dim-lun
17 rue Peel
☎(819) 822-4177
La Devinière est une bonne adresse à retenir si vous désirez vous offrir de délicieux plats de cuisine internationale.

Falaise Saint-Michel
$$$
100 rue Webster
☎(819) 346-6339
Sur une petite rue plutôt morose, la Falaise Saint-Michel fait figure de trésor caché. Spécialisée dans la préparation d'une cuisine régionale raffinée, elle présente une variété de plats d'une grande qualité. En outre, elle a l'avantage de posséder une cave à vins particulièrement bien garnie.

Da Toni
$$$$
15 Belvédère N.
☎(819) 346-8441
La réputation du luxueux restaurant Da Toni, situé en plein cœur du centre-ville, n'est plus à faire. En effet, depuis 25 ans, on y déguste, dans un décor classique, de la fine cuisine française ou italienne arrosée d'un vaste choix de vins. La table d'hôte propose cinq excellents services, et ce, à bon prix. Quoiqu'un peu bruyante, une terrasse permet de siroter un verre durant la période estivale.

Circuit C:
L'arrière-pays

Danville

Le Temps des cerises
$$$
79 rue du Carmel
☎*(819) 839-2818*
☎*800-839-2818*
Le Temps des cerises sert
une cuisine raffinée que
l'on déguste dans un cadre
particulier. En effet, il est
installé dans une ancienne
église de confession pro-
testante, ce qui lui confère
une atmosphère distinc-
tive.

Notre-Dame-des-Bois

 Aux Berges de l'Aurore
$$$$
mai à oct jeu à sam, sauf fin
juin à début sept mer-dim
139 route du Parc
☎*(819) 888-2715*
Situé à proximité du ver-
doyant mont Mégantic,
l'intime et fort charmant
restaurant Aux Berges de
l'Aurore sert une excel-
lente cuisine québécoise.
Assaisonnés d'herbes sau-
vages fraîchement cueillies
dans la campagne environ-
nante, ses plats sont des
plus originaux. Dès la
première bouchée, on
comprend pourquoi sa
table a reçu le prix du
«Mérite de la fine cuisine
estrienne»!

Lac-Mégantic

L'extra sur la Rive
$$
fermé lun
3502 rue Agnès
☎*(819) 583-2565*
De type bistro, le restaurant L'extra sur la Rive
constitue un lieu incon-
tournable dans la région.
Reconnues par les gour-
mets et les critiques,
l'ambiance amicale et la
cuisine exceptionnelle
plaisent à tout coup.

Sorties

Bars et discothèques

Knowlton

Knowlton Pub
267 Knowlton Road
☎*(819) 242-6862*
Le Knowlton Pub s'est ac-
quis une réputation telle
que même les Montréalais
en quête de dépaysement
s'y rendent pour passer
une soirée entre amis.

Magog

Microbrasserie Le Memphré
12 rue Merry S.
☎*(819) 843-3405*
Cette confortable micro-
brasserie à l'éclairage discret, avec sofas installés en
face d'un bon feu en hiver,
propose des verres d'India
Pale Ale et de Scotch Ale.
Les propriétaires étaient
sur le point d'y ajouter un
restaurant lors de notre
visite.

Le Chat du Moulinier
101 rue du Moulin
☎*(819) 868-5678*
L'endroit demeure idéal
pour l'écoute du jazz dans
une atmosphère géniale.

Café St-Michel
50 rue Principale O.
Le Café St-Michel est un
petit restaurant-bar aux
airs de «boîte à chansons»,
fort convivial. Outre son
choix non négligeable de
bières importées, on peut
y entendre, du vendredi au
dimanche, des musiciens
au style diversifié. Deux
ordinateurs sont également
mis à la disposition des
inconditionnels de la Toile
moyennant des frais de 4$
la demi-heure.

La Grosse Pomme
270 rue Principale O.
☎*(819) 843-9365*
À la fois bistro et pub, La
Grosse Pomme est, chaque
soir, envahie par une foule
animée.

North Hatley

Pilsen
55 rue Principale
☎*(819) 842-2971*
Le Pilsen accueille une
clientèle de vacanciers qui
viennent discuter tout en
prenant une bière et en
contemplant le lac Massa-
wippi.

Sherbrooke

Café du Palais
184 Wellington Nord
☎*(819) 566-8977*
On va au Café du Palais
pour danser. Certains soirs,
des spectacles y sont présentés.

King Hall
286 rue King O.
Le sympathique bar King
Hall propose une intéres-
sante sélection de bières
provenant de diverses
contrées.

Cantons-de-l'Est

Théâtres et salles de spectacle

Sherbrooke

Deux mensuels sont distribués gratuitement: *Visages* et *Fusions*. On y trouve le calendrier complet des activités culturelles et un point de vue moins conventionnel sur la région.

Salle Maurice-O'Bready
2500 boul. Université
☎*(819) 820-1000 ou 821-7742*
Le centre culturel de l'Université de Sherbrooke abrite la Salle Maurice-O'Bready, où vous pourrez assister à des concerts de musique, tant classique que rock, à des pièces de théâtre et à d'autres spectacles.

Vieux-Clocher de Sherbrooke
1590 Galt O.
☎*(819) 822-2102*
Ancienne église reconvertie en salle de spectacle, le Vieux-Clocher de Sherbrooke accueille les mélomanes et les fidèles du divertissement. Se donnant la même vocation que son prédécesseur de Magog (voir ci-dessous), cette salle d'environ 500 places offre des «spectacles-découvertes» de jeunes artistes québécois ainsi que d'artistes bien établis. Vous trouverez aussi la liste des représentations qui l'animent dans le quotidien sherbrookois *La Tribune*.

Orford

Centre d'Arts Orford
3165 ch. du Parc
☎*(819) 843-9871*
☎*800-567-6155*
Le Centre d'Arts Orford propose des stages de perfectionnement aux jeunes musiciens pendant l'été. Un festival annuel (voir ci-dessous) est également présenté sur le site, qui regroupe plusieurs bâtiments modernes des années 1960 conçus par l'architecte Paul-Marie Côté. La salle d'exposition qui complète l'ensemble est l'ancien pavillon «L'Homme et la Musique» d'Expo 67, conçu par les architectes Desgagné et Côté.

Magog

Le Vieux-Clocher
64 rue Merry N.
☎*(819) 847-0470*
Aménagé dans une vieille église protestante de 1887, le Théâtre du Vieux-Clocher sert au rodage de maints spectacles qui ont, par la suite, un très grand succès au Québec et en France. Vous pouvez assister aux spectacles en réservant vos places à l'avance. L'endroit est petit mais sympathique.

Fêtes et festivals

Le **Festival international de la chanson de Granby** *(mi-sept;* ☎*450-375-7555 ou 888-375-3424)* a déjà couronné le talent de jeunes artistes québécois dans le domaine de la chanson francophone. Des auteurs-compositeurs et interprètes aussi connus que Luc de La Rochelière, Jean Leloup et Fabienne Thibault s'y sont fait connaître.

Quelques journées de festivités sont organisées dans le cadre de la **Traversée internationale du lac Memphrémagog** *(mi-juil; Magog,* ☎*819-843-5000)*. Animation ambulante, spectacles d'artistes québécois, expositions de toutes sortes et chansonniers sont alors de la partie. Le couronnement des célébrations a lieu avec l'arrivée des nageurs en provenance de Newport (É.-U.). Le périple de 42 km est entrepris par des athlètes considérés parmi les meilleurs au niveau international. La Traversée en sera à sa 25e édition en 2003.

Pendant les mois de juillet et d'août, le **Festival Orford** *(3165 ch. du Parc, Orford,* ☎*819-843-3981 ou 888-310-3665)* propose depuis plus de 50 ans une série de concerts présentant des ensembles musicaux formés de virtuoses connus internationalement. Plusieurs excellents concerts sont également donnés gratuitement par de jeunes musiciens venus perfectionner leur art au Centre d'Arts Orford durant l'été. Du plus haut calibre, le festival se veut un délice absolu pour les mélomanes et autres amoureux de la musique.

L'**Expo Brome** attire les foules depuis 1856. Tenue la fin de semaine de la fête du Travail (la fin de semaine précédant le premier lundi de septembre), cette véritable foire agriculturelle offre produits régionaux, expositions de bétail, concours et jeux *(*☎*450-242-3976)*.

Townshippers Day se veut une célébration annuelle de la culture et de l'héritage des anglophones des Cantons-de-l'Est. On y offre de la musique, de l'histoire, de l'art, de la danse, des activités pour enfants et des délices culinaires régionales *(mi-sept;* ☎*866-566-5717)*.

L'un des festivals à ne pas manquer dans les Cantons-de-l'Est est **Le Canard en fête**

(☎450-242-2982), un festival qui dure plusieurs fins de semaine en septembre et octobre.

Achats

Circuit A: Le verger

Rougemont

Cidrerie Michel Jodoin
tlj
1130 rang de la Petite-Caroline
☎*(450) 469-2676*
☎*888-469-2676*
Michel Jodoin, aidé de toute sa famille, produit sans contredit l'un des meilleurs cidres du Québec. Des études l'ayant mené jusqu'en Champagne, en Bretagne et en Normandie, et le goût unique des variétés de pommes québécoises, lui ont permis de créer un cidre absolument succulent. Sur place, on vous offre une visite guidée des installations où l'on vous expliquera que le cidre met un minimum de deux ans à vieillir en fût de chêne pour acquérir le maximum de ses qualités. Dégustation sur place.

Vinaigrerie artisanale Pierre Gingras
sam-dim 10h à 17h, lun-ven 9h à 17h
1132 rang de la Grande-Caroline
☎*(450) 469-4954*
Il semble que le vinaigre de cidre ait un effet thérapeutique miraculeux. Un peu chaque jour dans votre eau, et adieu les problèmes d'articulation. Chose certaine, celui de la Vinaigrerie artisanale Pierre Gingras, aromatisé de diverses façons, reste un

indispensable dans la cuisine, ne serait-ce que pour réussir de sublimes vinaigrettes maison. Dégustation, vente de produits de la pomme et visite guidée.

Circuit B: Les lacs

Knowlton

Polo Ralph Lauren Factory Outlet
45 ch. Lakeside
☎*(450) 243-0052*
Pour un petit village, Knowlton propose un bon nombre de jolies boutiques, surtout dans le domaine de la mode. La boutique Polo Ralph Lauren offre de bons rabais sur la marchandise de ce populaire couturier américain.

Canards du Lac Brome
lun-ven 8h à 16h, sam-dim dès 10h
40 ch. Centre
☎*(450) 242-3825*
Il est un peu navrant d'apprendre que le canard servi dans les bons restaurants de la région n'est pas celui tiré des eaux du lac Brome. Au lieu de passer leurs journées à se prélasser sur le lac, les canards sont élevés par milliers (1,7 million par année) dans des granges en aluminium aux abords du centre du village. Pour vous procurer de la saucisse, du foie gras, du confit ou un oiseau frais, rendez-vous aux Canards du Lac Brome.

Sutton

Musée du Chocolat Belge
mar-sam
8 rue Principale S.
☎*(450) 538-0139*
Avez-vous remarqué que, de nos jours, tous les bons chocolatiers tentent de transformer ce qui jadis était une expérience sensuelle en une séance éducative? Pourquoi pas! À condition de faire preuve d'indulgence! M. Henquin crée de véritables œuvres d'art, comme des boîtes style marqueterie en chocolat qui sont trop belles pour être croquées. Démonstrations gratuites *(mi-juin à mi-oct, mar, ven à dim 13h30)*.

Magog

Les Trésors de la Grange
début mai à début nov, ven 13h à 16h, sam-dim 10h à 16h
790 Ch. des Pères
Cette grange de 130 ans située aux abords de Magog, sur le chemin de l'abbaye, est un endroit agréable (et plein de courants d'air) où est exposé de l'artisanat régional, tel qu'objets de bois, vitraux, bijoux et jolies curiosités, ainsi que tableaux et antiquités. Prix raisonnables.

Sherbrooke

La ville de Sherbrooke possède plusieurs centres commerciaux, le plus apprécié des gens de la région étant incontestablement le Carrefour de l'Estrie, situé boulevard Portland, dans l'ouest de la ville. À la suite de sa construction, la promenade de la rue Wellington fut en quelque sorte boudée, voire désertée par les consommateurs, mais, depuis le retrait des marquises, on peut

désormais y admirer les façades des bâtiments (notamment celle du Théâtre du Granada, construit en 1929).

Le Juke Box
87 rue Wellington N.
☎*(819) 564-2070*
C'est entre quelques boutiques de vêtements et papeteries que vous trouverez Le Juke Box, un dis-

quaire d'occasion offrant un bon choix de musique alternative et de *comic-books* américains.

La Randonnée
2325 rue King O.
☎*(819) 566-8882*
Tout au haut de la rue King, la boutique La Ran-

donnée se spécialise dans les articles de plein air. Il s'agit d'un bon endroit où compléter votre équipement avant d'entreprendre un périple dans la région!

Lanaudière

La région de Lanaudière s'étend juste au nord-est de Montréal, de la plaine du Saint-Laurent jusqu'au début du plateau laurentien. Sauf pour la zone englobée dans la région métropolitaine de Montréal, Lanaudière constitue une région paisible de lacs et de rivières, de terres cultivées, de forêts sauvages et de grands espaces.

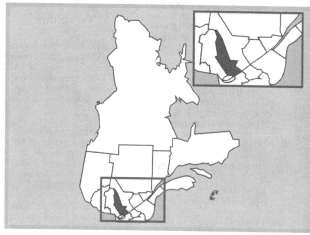

On explore donc Lanaudière pour s'y détendre et y pratiquer des activités sportives telles que le ski, la motoneige, le canot, la marche, la chasse et la pêche. Cette région ayant été l'une des premières zones de colonisation de la Nouvelle-France, on s'y rend également pour découvrir son héritage architectural.

Depuis plus de 25 ans, Lanaudière est l'hôte, chaque été, d'un événement d'envergure: le Festival international de Lanaudière. Les mélomanes du Québec s'y donnent rendez-vous pour assister à des concerts de musique classique et populaire d'artistes du monde entier. En plus des spectacles dans les salles et les églises de la région, on peut assister à des concerts sous les étoiles, dans un amphithéâtre à ciel ouvert. Cet amphithéâtre offre une acoustique remarquable et peut contenir 10 000 personnes dont 2 000 peuvent prendre place, confortablement assis, sous la section couverte. La ville de Joliette possède également l'un des plus intéressants musées régionaux du Québec, riche d'une collection d'art québécois et d'art religieux.

Pour s'y retrouver sans mal

La région s'étend des rives du Saint-Laurent, contrée d'anciennes seigneuries aujourd'hui intégrées à la couronne de banlieues de la grande région montréalaise, jusqu'en pays amérindien, sauvage et montagneux. En conséquence, deux circuits très contrastés sont proposés au départ de Montréal: **Circuit A: La plaine ★★** et **Circuit B: La Matawinie ★**.

Circuit A: La plaine

En voiture

L'autoroute 25, dans le prolongement du boulevard Pie-IX, permet de se diriger vers Terrebonne, premier arrêt sur le circuit. Par la suite, il vous faudra emprunter la route 344 Est pour atteindre L'Assomption. Le circuit dévie alors vers Joliette par la route 343 Nord, puis revient vers Berthierville par la route 158 Est.

Le retour vers Montréal se fait par l'adorable route 138 Ouest, ou chemin du Roy, qui longe le fleuve Saint-Laurent et permet de s'arrêter à Lanoraie, Saint-Sulpice et Repentigny.

Gares routières

Terrebonne
Galeries de Terrebonne

Joliette
250 rue Richard
(restaurant Point d'Arrêt)
☎(450) 752-2255

Repentigny
435 boul. Iberville

(devant l'hôtel de ville)
☎(450) 654-2315

Gare ferroviaire

Joliette
380 rue Champlain
☎800-361-5390

Circuit B: La Matawinie

En voiture

L'autoroute 25 Nord, dans le prolongement du boulevard Pie-IX, rejoint la route 125 Nord, qui mène vers Rawdon, Chertsey, Notre-Dame-de-la-Merci et Saint-Donat.

Un circuit facultatif, au départ de Rawdon, vous conduira à la découverte de Saint-Alphonse-Rodriguez et de Saint-Jean-de-Matha par la route 337.

Enfin, au départ de Notre-Dame-de-la-Merci, un autre itinéraire optionnel vous permet la découverte de Saint-Côme, Sainte-Émélie-de-l'Énergie et Saint-Gabriel-de-Brandon par la route 347. De

même, une excursion jusqu'à Saint-Michel-des-Saints vous est proposée au départ de Saint-Émélie-de-l'Énergie par la route 131.

Gares routières

Rawdon
3228 1ʳᵉ Avenue
(devant la Patate à gogo)
☎(450) 834-2000

Saint-Donat
751 rue Principale (Dépanneur Boni-Soir)
☎(819) 424-1361

Renseignements pratiques

Sauf indication contraire, l'**indicatif régional** de Lanaudière est le **450**. Notez que l'indicatif régional des municipalités de Saint-Donat et de Saint-Michel-des-Saints est le **819**.

Renseignements touristiques

Bureau régional

Tourisme Lanaudière
3645 rue Queen, Rawdon, J0K 1S0
☎*834-2535 ou 800-363-2788*
≠*834-8100*
www.tourisme-lanaudiere.qc.ca

Circuit A: La plaine

Berthierville
760 rue Gadoury
☎*836-1621*

Joliette
500 rue Dollard
☎*759-5013 ou 800-363-1775*

Noms des nouvelles villes fusionnées

Lavaltrie
Fusion de Lavaltrie et Saint-Antoine-de-Lavaltrie.

Terrebonne
Fusion de Terrebonne, Lachenaie et La Plaine.

Repentigny
Fusion de Repentigny et Le Gardeur.

Terrebonne
1091 boul. Moody
☎*964-0681*

Circuit B:
La Matawinie

Rawdon
3590 rue Metcalfe
☎*834-2282*

Saint-Donat
536 rue Principale
☎*424-2833 ou 800-783-6628*

Attraits touristiques

Circuit A: La plaine (deux jours)

Marie-Charlotte Tarieu Taillant de Lanaudière, fille du seigneur de Lavaltrie, épouse en 1813 Barthélemy Joliette. Ces deux personnages, beaucoup plus qu'un simple couple de jeunes mariés, légueront un héritage précieux aux habitants de la région. Leur nom d'abord, mais également un esprit d'entreprise peu commun à l'époque chez les Canadiens français, qui stimulera la création de manufactures et de banques contrôlées localement, à laquelle il faut aussi ajouter le développement d'une agriculture spécialisée.

Empruntez l'autoroute 25, dans le prolongement du boulevard Pie-IX. Prenez à droite la sortie de «Terrebonne-centre-ville» (sortie 22). Tournez immédiatement à droite dans le boulevard Moody, puis à gauche dans la rue Saint-Louis. Vous pourrez garer votre voiture le long de la rue des Braves (sur votre droite), en face de l'île des Moulins.

★★
Terrebonne
(44 758 hab.)

Cette municipalité, située en bordure de la bouillonnante rivière des Mille Îles, tire son nom de la fertilité des terres qui l'entourent. De nos jours, elle est incluse dans la couronne de banlieues qui ceinture Montréal, mais le quartier ancien, réparti entre haute et basse villes, a conservé de beaux bâtiments résidentiels et commerciaux. Terrebonne est certainement le meilleur endroit au Québec pour comprendre ce qu'était une seigneurie prospère au XIXe siècle.

La ville a été fondée en 1707 et a très tôt vu s'ériger les premières minoteries et scieries qui feront sa renommée. En 1802, la seigneurie de Terrebonne est acquise par Simon McTavish, directeur de la Compagnie du Nord-Ouest, spécialisée dans le commerce des fourrures, qui s'en sert comme point de départ pour ses lucratives expéditions commerciales dans le Nord québécois. Des moulins à carder et à fouler la laine s'ajoutent alors à ceux du Régime français pour former un véritable complexe pré-industriel. La famille Masson poursuit le développement de la seigneurie à partir de 1832 en reconstruisant la plupart des moulins.

Dès le milieu du XIXe siècle, il existe à Terrebonne un collège qui offre un enseignement commercial en français, chose rarissime dans le Québec d'alors, où la prêtrise et les professions dites libérales (médecin, avocat, notaire) sont à l'honneur. Le XXe siècle s'annonce prometteur, mais, le 1er décembre 1922, une grande partie de la basse ville est détruite par un incendie, ne laissant debout que les bâtiments des rues Saint-François-Xavier et Sainte-Marie.

Le puissant banquier montréalais Joseph Masson acquiert la seigneurie de Terrebonne lors d'une vente aux enchères en 1832, mais les années de trouble qui suivront ne lui permettront pas de la développer comme il l'aurait souhaité. Sa veuve, Sophie Raymond, procédera à des travaux majeurs à partir de 1848. Elle fait alors ériger, rue Saint-Louis, l'imposant **manoir Masson ★** *(901 rue St-Louis)* selon les plans de l'architecte français Pierre-Louis Morin (1811-1886). Ce bel édifice néoclassique revêtu de calcaire gris est la plus vaste résidence seigneuriale du Québec. En 1903, une chapelle vient s'ajouter au manoir, devenu entre-temps propriété d'une communauté religieuse.

Le manoir abrite aujourd'hui l'école secondaire Saint-Sacrement. La rue Saint-Louis constitue l'épine dorsale de la haute ville bourgeoise. On y trouve plusieurs demeures imposantes outre le manoir Masson, entre autres

Île des Moulins

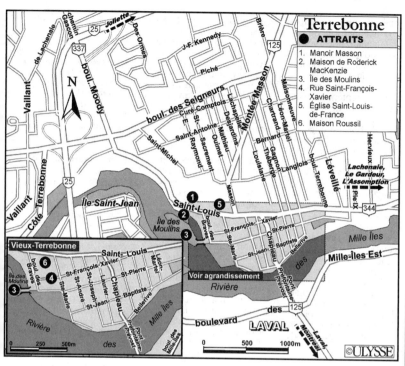

la **maison de Roderick Mac-Kenzie** *(906 rue St-Louis)*, l'un des principaux actionnaires de la Compagnie du Nord-Ouest, cette maison ayant aussi servi de siège social à l'entreprise.

Le bâtiment de pierres revêtu de stuc, érigé en 1807, est doté d'un élégant portique dorique en bois. Un peu plus loin sur la rue Saint-Louis, on peut voir de bons exemples d'architecture victorienne en bois (au numéro 938) et en brique (au numéro 939).

Retournez à la rue des Braves, qui mène à l'île des Moulins.

Sur l'**île des Moulins** ★★ *(entrée libre, 3$ pour le spectacle mer-dim; fin juin à début sept tlj 13b à 21b; au bas de la rue des Braves, ☎471-0619)* est concentré

l'ensemble exceptionnel de moulins et autres installations pré-industrielles de la seigneurie de Terrebonne. La plupart de ces bâtiments, intégrés à un grand parc de promenade, sont aujourd'hui recyclés à des fins communautaires et publiques. À l'entrée du site, on longe d'abord les anciennes minoterie (1846) et scierie (reconstruite en 1986), qui renferment la Bibliothèque municipale, puis on arrive au Centre d'accueil et d'interprétation de l'île des Moulins, aménagé dans l'ancien bureau seigneurial. Ce bâtiment revêtu de pierres de taille aurait été construit en 1848 selon les plans de Pierre-Louis Morin.

Le bâtiment de trois étages que l'on aperçoit ensuite sur la gauche est la vieille boulangerie, élevée en 1803 pour la Compagnie

du Nord-Ouest, qui y fabriquait les biscuits et les galettes destinés aux voyageurs qui amassaient les fourrures dans le nord et l'ouest du Canada. Cette installation compte parmi les premières boulangeries à grande échelle d'Amérique du Nord et constitue le bâtiment le plus ancien de l'île. Au bout de la promenade, on accède au grand moulin, érigé en 1850 pour Sophie Raymond. On y produisait des étoffes de laine, vendues dans toute la région. Il abrite maintenant le Centre culturel de Terrebonne.

Au retour, empruntez la petite rue Saint-François-Xavier, à l'est de la rue des Braves.

Rue Saint-François-Xavier, on trouve plusieurs restaurants et galeries d'art aménagés dans de pittoresques maisons qui ont échappé aux flammes lors de la conflagration de 1922. Certaines d'entre elles, construites dans la seconde moitié du XVIIIe siècle, ont été restaurées avec soin. Elles présentent les traits des maisons de faubourg, très basses, dont la structure de bois est érigée directement en bordure d'un étroit trottoir.

Remontez la rue Sainte-Marie, d'où vous bénéficierez d'une perspective intéressante sur l'église Saint-Louis-de-France.

L'église Saint-Louis-de-France *(825 rue St-Louis)*. La belle façade en pierre grise de cette église catholique (1878) est dominée par un clocher et deux tours argentées, teintes typiques des églises québécoises. Elle cache cependant un intérieur quelque peu décevant, refait au goût du jour en 1955.

Tournez à gauche dans la rue Saint-Louis.

Les **maisons Roussil** *(870 et 886 rue St-Louis)*, jumelles, ont été construites vers 1825 par le maître menuisier Théodore Roussil. Lors de la rébellion de 1837-1838, on y aurait emprisonné les insurgés locaux avant de les transférer à la prison du Pied-du-Courant, à Montréal.

Quittez Terrebonne par la route 344 Est (dans le prolongement de la rue Saint-Louis), en direction de Lachenaie puis de Le Gardeur, pour atteindre L'Assomption.

★
L'Assomption
(16 204 hab.)

Cette petite ville a grandi de part et d'autre d'un portage établi en 1717 par le sulpicien Pierre Le Sueur dans un méandre de la rivière L'Assomption. Le sentier, parcouru par les voyageurs portant leur embarcation d'une rive à l'autre, permettait d'éviter un détour de 5 km par voie d'eau. D'abord baptisée simplement «Le Portage», l'agglomération constituait un carrefour sur la route du Nord, fréquentée par les trappeurs et les commerçants de fourrures. Elle était alors incluse dans la seigneurie de Saint-Sulpice, concédée aux Messieurs de Saint-Sulpice de Paris en 1647.

La proximité des moulins à carder de Terrebonne et les fréquentes visites des coureurs des bois amenèrent les femmes de L'Assomption à confectionner une ceinture en laine portée par les Canadiens français pour se distinguer des Écossais, nombreux au sein de la Compagnie du Nord-Ouest. Ainsi est née la célèbre **ceinture fléchée**, l'un des symboles du Québec dont L'Assomption a détenu le monopole de 1805 à 1825.

On entre à L'Assomption par la rue Saint-Étienne. Il est possible de garer sa voiture en face de l'église.

L'église de L'Assomption-de-la-Sainte-Vierge ★ *(153 rue du Portage)*. Derrière la monumentale façade de Victor Bourgeau (1863) se trouvent la nef et le chœur, élevés en 1819, où prennent place le tabernacle, le retable et la belle chaire baroque exécutée par Urbain Brien dit Desrochers en 1834. Le décor de la voûte a été repris par Bourgeau dans l'esprit de celui de La Prairie.

Empruntez la rue du Portage, qui longe le presbytère. Cette rue correspond au portage

original de Pierre Le Sueur. À l'angle du boulevard L'Ange-Gardien, on aperçoit l'ancien bureau seigneurial des Sulpiciens *(402 boul. L'Ange-Gardien)* et le bâtiment qui a longtemps abrité le magasin Le Roux, spécialisé dans la vente de ceintures fléchées *(195 rue du Portage)*. Tournez à droite dans le boulevard L'Ange-Gardien.

La **maison Archambault** *(351 boul. L'Ange-Gardien)*. Il subsiste peu d'exemples autour de Montréal de ces maisons dont le rez-de-chaussée servait d'atelier, alors que l'étage, accessible par un long escalier, était consacré à l'habitation. Celle-ci, érigée vers 1780, a vu naître Francis Archambault (1880-1915), vedette de l'opéra à Londres, New York et Boston au tournant du XXe siècle.

Le **collège de L'Assomption** ★ *(270 boul. L'Ange-Gardien)* pour garçons a été fondé en 1832 par les notables de L'Assomption. Le bâtiment de moellons (1869) au toit mansardé et couronné d'un superbe dôme argenté datant de 1882 est un bon exemple de l'architecture institutionnelle du XIXe siècle au Québec. Le pavillon éclectique, à l'est, a été ajouté en 1892. Parmi les nombreuses personnalités qui y ont étudié, il faut mentionner Sir Wilfrid Laurier, premier ministre du Canada de 1896 à 1911.

L'**Oasis du vieux palais de justice** *(entrée libre toute l'année; horaire variable; réserver pour visites guidées; 255 rue St-Étienne, ☎589-3266)*. À l'origine composé de trois maisons séparées, construites entre 1811 et 1822, ce long bâtiment a longtemps abrité une cour de justice et un bureau d'enregistrement. Victor Bourgeau, qui a dessiné la cour de justice, à l'étage de la portion centrale, ne s'est pas contenté de modifier la forme des ouvertures; il a aussi dessiné l'ensemble du mobilier et des boiseries. À noter que cette salle est toujours intacte, même si la Cour n'y siège plus depuis 1929.

En face du vieux palais de justice, on peut voir le site de la première église de L'Assomption (1724), les restes du manoir seigneurial et la **maison Seguin** *(284 rue St-Étienne)*, une intéressante demeure bourgeoise de style Second Empire érigée en 1880.

Reprenez la rue Saint-Étienne vers l'ouest (en direction de l'église). En passant, on peut admirer la **maison Le Sanche** (1812) *(349 rue St-Étienne)*, de type urbain, avec ses murs coupe-feu et son implantation en bordure du trottoir.

Empruntez le boulevard L'Ange-Gardien puis la route 343 Nord, qui longe la rivière L'Assomption. Chemin faisant, on remarquera plusieurs maisons au toit en mansarde, disposées perpendiculairement à la route afin de se protéger des vents dominants.

Saint-Paul-de-Joliette
(3 590 hab.)

Ce minuscule village possède quelques maisons charmantes dominées par une église, dont la sobriété n'a d'égale que son importance sur le plan architectural. La fondation de Saint-Paul en 1786 est redevable à l'effort de colonisation de l'intérieur des terres à la fin du XVIIIᵉ siècle. Depuis ce temps, la petite communauté agricole vit au rythme des saisons.

L'extérieur de l'**église Saint-Paul ★** *(entrée libre; tlj 9h à 17h; 8 boul. Brassard,* ☎ *756-2791)* est, à quelques détails près, comme au premier jour de son inauguration en 1804. Réalisée selon les plans de l'abbé Pierre Conefroy de Boucherville, auteur du célèbre devis qui allait influencer les bâtisseurs d'églises pendant 30 ans, cette église est représentative de l'architecture religieuse traditionnelle du Québec, sobre mais élégante.

Par contre, le décor intérieur a connu plusieurs périodes de travaux qui en ont modifié l'apparence au fil des ans, jusqu'à lui donner une configuration des plus originales. Ses composantes les plus anciennes sont le retable et le maître-autel (1821) de Chrysostome Perrault, artisan originaire de Saint-Jean-Port-Joli. Victor Bourgeau a refait la chaire et la voûte après 1850, dans le goût néoclassique, caractérisé notamment par des surfaces compartimentées en larges caissons. L'utilisation de piliers dans la nef ainsi que la combinaison des surfaces blanches et dorées confèrent à ce temple la légèreté d'une salle de bal.

Poursuivez par la route 343 Nord, qui prend le nom de boulevard Manseau à Joliette, le long duquel on aperçoit quelques belles demeures victoriennes. Vous pouvez garer votre voiture autour de la vaste place Bourget afin d'explorer à pied les rues de Joliette. Le centre-ville s'étend autour du boulevard Manseau.

★
Joliette
(17 994 hab.)

Au début du XIXᵉ siècle, le notaire Barthélemy Joliette (1789-1850) ouvre de grands chantiers d'exploitation forestière dans la portion nord de la seigneurie de Lavaltrie, encore vierge. En 1823, il fonde autour de ses scieries «sa» ville, qu'il nomme «L'Industrie», nom synonyme de progrès et de prospérité. L'agglomération croît si rapidement qu'en quelques années elle éclipse ses rivales, Berthier et L'Assomption. En 1864, elle est rebaptisée Joliette en l'honneur de son fondateur. Parmi les autres projets ambitieux menés à bien par le notaire Joliette, il faut mentionner la construction du premier chemin de fer appartenant à des intérêts canadiens-français et la fondation d'une banque où était imprimé un papier-monnaie portant la marque des Joliette-Lanaudière.

De nos jours, Joliette est un important centre de services pour l'ensemble de Lanaudière. On y trouve un évêché ainsi que deux institutions culturelles de renom, le Musée d'art de Joliette et l'Amphithéâtre, où se tient en partie le célèbre Festival international de Lanaudière, un festival de musique classique et populaire.

Au centre de la **place Bourget**, on trouvait autrefois l'édifice du marché et l'hôtel de ville, dons de M. Joliette. Depuis leur démolition s'y trouve une esplanade entourée de commerces. Au fond, le **palais de justice**, dont la construction en 1862 allait confirmer le statut de Jo-

Lanaudière

liette comme capitale régionale, adopte le plan du modèle néoclassique propagé par le ministère des Travaux publics à l'époque.

Empruntez le boulevard Manseau en direction de la cathédrale.

Au numéro 400 du boulevard Manseau se trouve un étrange bâtiment blanc de 1858 qui logeait autrefois **l'Institut**, premier centre culturel du Québec, dans lequel étaient réunies bibliothèque municipale et salle de spectacle. Le style néogrec américain de la façade aurait été choisi en guise de contestation de la puissance coloniale britannique.

La **cathédrale Saint-Charles-Borromée** *(2 rue St-Charles-Borromée N.)*, quant à elle, était à l'origine une simple église paroissiale, ce qui explique sa façade modeste à un seul clocher. Mais il ne faut pas s'y tromper, car les proportions de l'édifice, érigé selon les plans des architectes Perrault et Mesnard de 1888 à 1892, sont tout de même impressionnantes et rappellent celles des églises néoromanes de Montréal construites à la même époque. À l'intérieur, on peut voir quelques belles toiles, dont *Saint Charles au milieu des pestiférés de Milan*, un tableau d'Antoine Plamondon d'après Mignard, donné à la paroisse par M. Joliette en 1847; et huit fresques d'Ozias Leduc tapissent la voûte du transept.

À l'arrière de la cathédrale, on remarquera le **palais épiscopal**, témoin éloquent de la toute-puissance de l'Église au Québec avant la Révolution tranquille. Au numéro 20 de la rue Saint-Charles-Borromée Sud se

trouve l'ancien séminaire, aujourd'hui transformé en cégep (collège d'enseignement général et professionnel).

La **maison provinciale des clercs de Saint-Viateur** ★ *(132 rue St-Charles-Borromée N.)*. Joliette doit son dynamisme culturel aux clercs de Saint-Viateur, qui s'y sont installés au milieu du XIXe siècle. En 1939, ils entreprennent la construction de leur nouvelle maison d'après des croquis du père Wilfrid Corbeil, dont s'inspirera l'architecte montréalais René Charbonneau. L'édifice n'est pas sans rappeler les monastères allemands du Moyen Âge, avec ses massives arches néoromanes et sa lourde tour en pierre. La chapelle, au centre, est souvent décrite comme une adaptation moderne de l'église allemande de Frielingsdorff. Ses magnifiques vitraux, dessinés par Marius Plamondon, tout comme les sculptures des bancs et le chemin de croix, plongent le visiteur dans une atmosphère de mystère et de recueillement.

Le **Musée d'art de Joliette** ★★ *(4$; en été mar-dim 11h à 17h, le reste de l'année mer-dim 12h à 17h; 145 rue Wilfrid-Corbeil, ☎756-0311, www.bw.qc.ca/musee.joliette)*. Le père Wilfrid Corbeil c.s.v. a fondé ce musée exceptionnel à partir de la collection des clercs de Saint-Viateur, amassée au cours des années 1940 pour illustrer l'évolution des arts au Québec et dans le monde. Le plus important musée régional du Québec loge dans le bâtiment quelque peu rébarbatif de la rue Wilfrid-Corbeil depuis 1976. On peut y voir des œuvres majeures de peintres québécois et canadiens tels que Marc-

Aurèle de Foy Suzor-Coté, Jean-Paul Riopelle et Emily Carr, mais aussi des œuvres d'artistes européens et américains comme Henry Moore et Karel Appel. Une section est consacrée à l'art religieux québécois et une autre, plus surprenante encore, à l'art religieux du Moyen Âge et de la Renaissance, époques représentées par de belles pièces allemandes, françaises et italiennes.

L'Amphithéâtre de Lanaudière se trouve en périphérie de la ville. Pour vous y rendre, empruntez la rue Saint-Charles-Borromée Sud puis la rue Saint-Antoine. Tournez à gauche dans le boulevard Base-de-Roc.

L'**Amphithéâtre de Lanaudière** *(1575 boul. Base-de-Roc, ☎759-7636)*. On doit la création du Festival international de Lanaudière au père Fernand Lindsay c.s.v. Le festival présente chaque année, en juillet et en août, les vedettes de l'art lyrique et du concert. En 1989, un amphithéâtre en plein air de 2 000 places a été érigé afin d'augmenter la capacité d'accueil de l'événement, jusque-là confiné aux églises des environs. Le sculpteur Georges Dyens a complété l'aménagement du site par des allées et des sculptures raffinées.

À proximité du site de l'amphithéâtre se trouve l'accès à la route 158 Est, que l'on emprunte en direction de Saint-Thomas et de Berthierville.

Autour de Saint-Thomas, on remarquera les fermes spécialisées dans la culture du tabac. Les terres sablonneuses de la région ont favorisé cette forme d'agriculture, mais le déclin de l'industrie du tabac

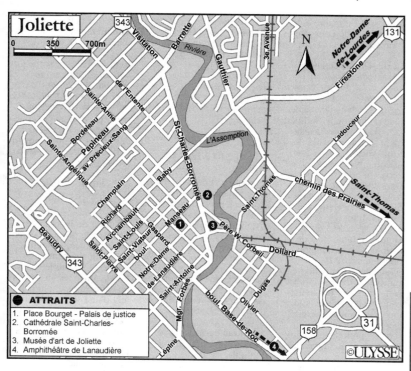

Joliette

0   350   700m

ATTRAITS

1. Place Bourget - Palais de justice
2. Cathédrale Saint-Charles-Borromée
3. Musée d'art de Joliette
4. Amphithéâtre de Lanaudière

©ULYSSE

Lanaudière

en Amérique du Nord a durement affecté plusieurs fermiers qui tentent aujourd'hui de se recycler. Certaines exploitations ont conservé les traditionnels séchoirs à tabac, ces petites structures cubiques en bois coiffées d'un toit pentu qui ponctuent le paysage.

★
Berthierville
(4 162 hab.)

La seigneurie d'Autray, de dimensions restreintes, a été concédée à Jean Bourdon, ingénieur du roi en 1637. Ce territoire correspond au secteur de Berthier-en-Bas, ou Berthierville, située le long de la rive du fleuve Saint-Laurent. La seigneurie de Berthier, beaucoup plus vaste, a été concédée au

sieur de Berthier en 1672 avant de changer de mains plusieurs fois. Elle correspond en partie à Berthier-en-Haut, ou Berthier. L'ensemble de ces terres ont été acquises en 1765 par James Cuthbert, aide de camp du général Wolfe lors de la bataille des plaines d'Abraham, à Québec, et ami du duc de Kent, qui les a surtout exploitées comme lieu de détente et de loisirs.

Le **pont couvert Grandchamps** *(sur la droite, à proximité de la route 158)*, en bois, de type Town, qui traverse la rivière Bayonne, a été construit en 1883, ce qui en fait l'un des doyens de ce genre de structure popularisé aux États-Unis à la fin du XIXe siècle. On couvrait ces ponts de bois, réalisés à peu de frais par les populations locales,

afin d'éviter le pourrissement de la structure du tablier.

L'**église Sainte-Geneviève** ★ ★ *(780 av. Montcalm)* constitue l'un des trésors de Lanaudière. Sa construction en 1781 en fait l'une des plus anciennes de la région. Mais c'est le décor intérieur de style Louis XVI, réalisé par Amable Gauthier et Alexis Millette entre 1821 et 1830, qui en fait vraiment un édifice exceptionnel. D'une richesse peu commune pour l'époque, il comprend le beau maître-autel de la première église, exécuté par Gilles Bolvin en 1759, le retable en coquille et la voûte ornée de fins losanges, ainsi que plusieurs tableaux parmi lesquels figurent une *Sainte Geneviève*, toile française du XVIIIe siècle disposée au-dessus du maître-autel, et six toiles de Louis Dulongré peintes en 1797.

La **chapelle des Cuthbert** *(entrée libre; début juin à début sept tlj 10h à 18h; accès par la rue de Bienville,* ☎*836-7336).* La chapelle seigneuriale de la famille Cuthbert (1786), connue officiellement sous le vocable de Saint Andrew, est le premier temple protestant à avoir été érigé au Québec. Dans les années qui ont suivi la conquête britannique, l'architecture d'inspiration française était encore la seule à régner, faute d'architectes et de main-d'œuvre d'origine britannique, ce qui explique la configuration catholique de ce bâtiment conçu et élevé par le maçon Antoine Selton et le menuisier Vadeboncœur. Depuis 1978, le bâtiment sert de centre culturel aux résidants de Berthierville.

Gilles Villeneuve, champion de course automobile mort tragiquement en 1982 lors des essais de qualification du Grand Prix de Belgique, était originaire de Berthierville. Le **Musée Gilles-Villeneuve** *(6$; tlj 9h à 17h; 960 av. Gilles-Villeneuve,* ☎*836-2714 ou 800-639-0103, www.gilles.ville-neuve.com)* est consacré à la carrière de l'illustre pilote de Formule 1 chez Ferrari. Depuis quelques années, son fils Jacques a pris la relève. En 1997, il a remporté le titre de champion du monde de la Formule 1. Le musée consacre donc maintenant un nouveau volet à la carrière de Jacques Villeneuve.

Plus loin, vous pouvez emprunter la route 158 afin d'atteindre l'île Dupas et le village de **Saint-Ignace-de-Loyola**, d'où part le traversier menant à Sorel, sur la rive sud du Saint-Lau-

rent *(en été, départ toutes les 30 min le jour et toutes les heures le soir; durée de la traversée: 10 min;* ☎*836-4600).*

Empruntez la route 138 Ouest en direction de Lanoraie, de Lavaltrie et de Saint-Sulpice.

Lanoraie
(2 012 hab.)

La route 138 correspond au premier chemin du Roy, aménagé à partir de 1734 entre Montréal et Québec. Auparavant, les voyageurs étaient contraints de parcourir la distance en canot sur le fleuve Saint-Laurent. On peut apercevoir plusieurs maisons anciennes le long de cette route entre Berthierville et Lavaltrie.

Au **Coteau-du-Sable**, situé au nord-est du village de Lanoraie, se trouve un important site archéologique amérindien. Les Iroquois sédentaires y ont bâti au XIVe siècle une «maison longue» dont on a retrouvé les fondations. De nombreux objets fabriqués par les Amérindiens ont également été découverts sur le site depuis le début du XXe siècle.

Lavaltrie
(11 457 hab.)

En 1672, l'intendant Talon accorde une seigneurie à Séraphin Margane de Lavaltrie, lieutenant du régiment de Carignan-Salières, auquel ce village situé en bordure du fleuve Saint-Laurent doit aujourd'hui son nom. Louis Riel, chef de la résistance métisse au Manitoba, y a fait quant à lui ses études dans la seconde moitié du XIXe siècle.

Dans une belle demeure face au fleuve, sur le chemin du Roy, a été aménagée la **Galerie Archambault** *(entrée libre; mer et sam 14h à 18h, jeu-ven 14h à 20h, dim 13h à 17h; 1303 rue Notre-Dame,* ☎*586-2202, www.galeriearchambault. com).* Ouverte depuis plus de 20 ans, elle présente des œuvres d'une cinquantaine de peintres et sculpteurs québécois.

Saint-Sulpice
(3 495 hab.)

À l'instar de l'ensemble du Québec, le développement de Lanaudière s'est effectué graduellement du fleuve vers l'intérieur des terres. Ainsi, les Messieurs de Saint-Sulpice, qui héritent d'une seigneurie en 1647, commenceront par s'établir en bordure du Saint-Laurent avant d'aller fonder L'Assomption. Des habitants de cette ville iront s'installer à Joliette, et ainsi de suite. C'est donc ici, à Saint-Sulpice, que tout a commencé. Il ne subsiste malheureusement plus de traces de ces premiers établissements.

L'**église Saint-Sulpice** ★ *(1095 rue Notre-Dame).* L'église actuelle, la troisième du lieu, a été construite en 1832, mais a été mise au goût du jour en 1873 par Victor Bourgeau, qui lui a donné un nouveau décor d'inspiration gothique anglais. La voûte comporte un plafond à poutres apparentes, comme on en retrouve alors dans les églises anglicanes et presbytériennes. On remarquera le tabernacle du maître-autel, une œuvre majeure provenant de la seconde église, réalisé par François-Noël Levasseur vers 1750. À l'arrière de l'église, on a transporté une jolie chapelle en bois (1830) qui servait autrefois de reposoir pendant les processions de la Fête-Dieu.

Poursuivez par la route 138 Ouest en direction de Repentigny.

Repentigny (56 460 hab)

La ville de Repentigny porte le nom de son premier seigneur, Pierre Le Gardeur de Repentigny. Elle bénéficie d'un site agréable entre l'embouchure de la rivière L'Assomption et le majestueux fleuve Saint-Laurent.

L'**église de la Purification-de-la-Bienheureuse-Vierge-Marie ★** *(445 rue Notre-Dame E.)* est la plus ancienne église du diocèse de Montréal puisqu'elle a été érigée dès 1723. On y retrouve certaines caractéristiques des lieux saints de la Nouvelle-France, comme l'abside à pans coupés et l'orientation générale de l'édifice, son profil étant parallèle au fleuve. La façade, refaite en 1850, arbore maintenant deux tours au lieu de l'unique clocher, autrefois planté au sommet de la toiture. L'intérieur, gravement endommagé lors d'un incendie en 1984, a retrouvé sa simplicité du Régime français lors de la restauration qui a suivi. On remarquera le beau maître-autel de style Louis XV, sculpté par Philippe Liébert en 1761.

Les **moulins à vent** *(460 et 861 rue Notre-Dame Est).* Il est pour le moins surprenant d'apercevoir ces deux structures d'un autre âge au milieu des stations-service et des cottages de l'après-guerre. Le moulin du sieur Antoine Jetté, au numéro 861, a été érigé en

1823. Il a servi à moudre le grain jusqu'en 1915 et est maintenant utilisé comme remise. Quant au moulin de François Grenier, bâti en 1819, il est aujourd'hui abandonné. Les deux bâtiment ont perdu leurs mécanismes et leurs ailes...

Pour rentrer à Montréal, poursuivez par la rue Notre-Dame, à Repentigny, qui n'est en fait que le prolongement de la rue du même nom à Montréal.

Circuit B: La Matawinie (quatre jours)

La colonisation de l'arrière-pays de Lanaudière a été entreprise vers 1860 par des missionnaires catholiques soucieux de contrer l'exode des fermiers canadiens-français vers les filatures de coton de la Nouvelle-Angleterre. Toutefois, en raison de la pauvreté des sols, les nouveaux habitants de la région se tourneront bientôt vers l'industrie du bois et le tourisme. La Matawinie est en effet bien pourvue en forêts, mais aussi en lacs et montagnes qui attirent chasseurs, pêcheurs et vacanciers. L'extrême nord de la région est habité depuis longtemps par la nation atikamekw, petite communauté amérindienne autrefois nomade, groupée entre autres autour du village de Manouane.

Ce circuit comporte l'un des parcours les plus longs et les plus sauvages de ce guide du Québec. Il est recommandé de disposer d'un véhicule en bon état pour affronter les routes de gravier et les zones reculées, où il est parfois impossible de trouver hôtels et stations-service.

Empruntez l'autoroute 25 Nord, dans le prolongement du boulevard Pie-IX. Celle-ci rejoint par la suite la route 125 Nord. Tournez à droite dans la route 337 Nord en direction de Rawdon.

Saint-Lin-Laurentides (13 006 hab.)

La route 339 Ouest permet de faire un léger détour vers Laurentides, un hameau autrefois appelé Saint-Lin. C'est dans ce modeste village que Parcs Canada a aménagé le **lieu historique national Sir-Wilfrid-Laurier** *(2,50$; mi-mai à fin août lun-ven 10h à 17h; 205 12ᵉ Avenue, ☎439-3702)*, dans la maison natale du premier Canadien français à devenir premier ministre du Canada (de 1896 à 1911). Ce centre d'interprétation raconte la vie du célèbre homme politique et rend compte de la vie rurale québécoise du milieu du XIXᵉ siècle.

Revenez à la route 125 Nord. Tournez à droite dans la route 337 Nord en direction de Rawdon.

★
Rawdon (9 152 hab.)

Les Britanniques ont établi, à la suite de la Conquête, un nouveau mode de peuplement qui leur était plus familier: le canton. Régis par leurs habitants, les cantons ont été créés pour accueillir les loyalistes américains et les immigrants britanniques. La plupart d'entre eux sont situés sur le pourtour des territoires déjà concédés en seigneurie sous le Régime français. Les cantons

Lanaudière

de Lanaudière ont été implantés à proximité du piedmont laurentien, entre les seigneuries du XVIIe siècle et les nouvelles terres ouvertes par le clergé après 1860. Le canton de Rawdon, au centre duquel se trouve la ville du même nom, a été créé en 1799.

On apprendra avec étonnement que la petite ville de Rawdon présente une des plus grandes diversités ethniques de tout le Québec. En effet, aux premiers habitants anglais, écossais et irlandais, se joignent bientôt de nombreux Canadiens français de souche acadienne, et, après 1929, des Russes, des Ukrainiens, des Allemands, des Polonais, des Hongrois, des Tchèques et des Slovaques.

Le **Centre d'interprétation multiethnique de Rawdon** *(entrée libre, dons acceptés; sam-dim 13h à 16h; 3588 rue Metcalfe, ☎834-3334)* raconte la petite histoire de l'ensemble des communautés ethniques venues s'établir à Rawdon depuis la création du canton. Le centre occupe une maison en bois peint, typique de la région. En plus de la visite du centre, il est intéressant de se promener dans les rues environnantes pour voir les églises des différentes communautés. L'église anglicane et l'église russe orthodoxe sont les plus intéressantes.

Dans les environs de Rawdon, deux beaux sites naturels, aménagés de façon à recevoir les visiteurs, sont à signaler. Il y a tout d'abord le **parc des Chutes-Dorwin** ★ *(2$; stationnement 2$; tlj 9h à 19h; ☎834-2282)*, accessible par la route 337 peu avant le village. Grâce à deux belvédères, il est possible d'admirer ces impressionnantes chutes de la rivière Ouareau, hautes de 30 m. Aire de pique-nique boisée à proximité.

L'autre site naturel digne d'intérêt dans les parages est le **parc des Cascades** ★ *(6$ par voiture; tlj mi-mai à mi-oct; ☎834-4149)*, que l'on atteint en empruntant la route 341 dans le prolongement du boulevard Pontbriand. Encore là, une aire de pique-nique borde la rivière Ouareau, dont les eaux forment de jolies cascades en caressant les nombreux rochers que l'on trouve à cette hauteur, où les amateurs de bain de soleil s'étendent au cours de la belle saison.

Au départ de Rawdon, un circuit facultatif permet de se diriger vers le joli centre de villégiature de **Saint-Alphonse-Rodriguez** par la route 337 Nord.

Au-delà de Saint-Alphonse-Rodriguez, la route 337 permet de poursuivre son chemin jusqu'à **Saint-Jean-de-Matha**. C'est ici que Louis Cyr (1863-1912) se retira après avoir parcouru l'Amérique et l'Europe, et s'être vu attribuer le titre d'homme le plus fort du monde. Le petit **Musée-halte Louis-Cyr** *(entrée libre, dons acceptés; fin juin à début sept tlj 10h à 18h, le reste de l'année sur réservation; 185 rue Laurent, ☎886-2777)* rend d'ailleurs hommage à ce personnage légendaire.

Saint-Jean-de-Matha est aussi connue pour son exceptionnelle **Auberge de la Montagne Coupée** (voir p 290).

À votre retour dans le circuit principal, la prochaine étape que permet d'atteindre la route 125 est Chertsey.

Chertsey
(4 089 hab.)

Chertsey est connue des pèlerins qui viennent depuis 1931 se recueillir au **sanctuaire Marie-Reine-des-Cœurs** *(1060 ch. du Lac-Beaulne, ☎882-3065)*. Il s'agit d'un endroit idéal pour recevoir les gens en quête de paix et de tranquillité. Le site disposant de sentiers pédestres et de chapelles, plusieurs personnes viennent y entreprendre une démarche spirituelle ou écologique.

★
Saint-Donat
(3 530 hab.)

Bordée par des montagnes pouvant atteindre 900 m d'altitude, à quelques minutes du mont Tremblant et sur le bord du lac Archambault, se trouve cette petite municipalité de Lanaudière s'étendant à l'est jusqu'au lac Ouareau. Saint-Donat est aussi une porte d'entrée du **parc du Mont-Tremblant** (voir p 312).

Bien que l'on puisse rejoindre Saint-Michel-des-Saints par un long trajet à l'intérieur du parc du Mont-Tremblant, il est préférable de le faire en revenant sur ses pas par la route 125 jusqu'à Notre-Dame-de-la-Merci. Une fois arrivé là, on doit emprunter la route secondaire (347) en direction de Saint-Côme et de Saint-Émilie-de-l'Énergie.

Saint-Côme
(1 845 hab.)

Cette route secondaire (347) serpente en pleine forêt. Par moments, on s'y croit perdu au bout du monde. Un peu avant le petit village tout blanc de Saint-Côme, vous apercevrez sur votre gauche l'entrée de la **Station touristique Val Saint-Côme** (voir p 289).

Sainte-Émélie-de-l'Énergie (1 611 hab.)

Le petit bourg de Sainte-Émilie-de-l'Énergie, y compris son église que l'on surnommait alors la «cathédrale du Nord», fut en grande partie détruit par un incendie en 1924. À la mairie, une impressionnante **exposition de photographies anciennes** fait revivre le village d'avant la catastrophe. À proximité, un **herbier** présente les espèces florales de la Matawinie.

Il est possible de poursuivre cette excursion vers l'est jusqu'à Saint-Gabriel-de-Brandon, toujours par la route 347.

Saint-Gabriel-de-Brandon (2 672 hab.)

La ville de Saint-Gabriel-de-Brandon borde le magnifique lac Maskinongé. De fait, c'est principalement pour cette étendue d'eau de 10 km², seule véritable attraction de la ville, que s'y rendent les visiteurs. La belle **plage municipale**, qui peut accueillir dit-on jusqu'à 5 000 baigneurs, est en saison estivale le lieu de rencontre des amateurs de sports nautiques (voir p 288).

De retour à Sainte-Émélie-de-l'Énergie, prenez la route 131 Nord en direction de Saint-Michel-des-Saints.

Saint-Zénon (1 254 hab.)

En chemin, vous pourrez faire halte au **parc des Sept-Chutes** *(4,50$; mai à nov tlj 9h à 17h; route 131, ☎884-0484 ou 833-1334)* de Saint-Zénon. Des sentiers de randonnée pédestre, aménagés de façon à permettre des points de vue spectaculaires, sillonnent les abords de jolies cascades.

Saint-Michel-des-Saints (2 565 hab.)

Saint-Michel-des-Saints s'est développé au bord du lac Kaiagamac, et de part et d'autre s'étendent les réserves fauniques **Rouge-Matawin** (voir ci-dessous) et **Mastigouche** (voir p 391).

★ Manawan (Manouane) (1 605 hab.)

Manawan (Manouane) est l'un des trois centres de la nation atikamekw, avec Wemotaci et Obedjiwan. On y pratique encore certaines activités traditionnelles comme la fabrication de canots, de raquettes, de mocassins et de paniers en écorce de bouleau.

Parcs

Circuit B: La Matawinie

La **réserve faunique Rouge-Matawin** ★ *(3,50$; 26 km à l'ouest de St-Michel-des-Saints, ☎833-5530 ou 800-665-6527)* s'étale sur 1 394 km² de verdure et dissimule quelque 450 lacs et cours d'eau tout en abritant une faune luxuriante. On peut s'adonner à maintes activités telles que la randonnée, la chasse, la pêche, le canot-camping et la cueillette de fruits sauvages, ainsi que la motoneige en hiver.

Saint-Donat est l'une des portes d'entrée du **parc du Mont-Tremblant** (voir p 312), que l'on associe généralement à la région des Laurentides.

Il en est de même de Saint-Michel-des-Saints pour la **réserve faunique Mastigouche** (voir p 391), habituellement associée à la région de la Mauricie.

Lanaudière

Activités de plein air

Randonnée pédestre

Circuit B:
La Matawinie

Quelque 12 km de sentiers sillonnent le **parc des Sept-Chutes** (voir p 287).

Le **sentier de la Matawinie** *(Ste-Émélie-de-l'Énergie, à environ 5 km du village, sur la route 131 N., ☎886-3823 ou 886-0688)* permet d'observer les sept chutes de la rivière Noire ainsi que plusieurs autres points de vue de la région. Il serpente à travers de nombreux panoramas, allant jusqu'à 565 m d'altitude, et vous mène, le long d'un parcours accidenté, aux sept chutes de Saint-Zénon.

Le **parc des Chutes-Monte-à-Peine-et-des-Dalles** *(5$; accessible par les routes 131, 337 et 343; ☎883-6060)* est géré conjointement par les municipalités de Saint-Jean-de-Matha, Sainte-Béatrix et Sainte-Mélanie. Plusieurs sentiers de randonnée, totalisant quelque 12 km, ont été aménagés dans ce parc de 300 ha créé en 1987. Ils permettent entre autres de contempler trois belles chutes situées sur la rivière L'Assomption.

Baignade

Circuit B:
La Matawinie

La **plage municipale de Rawdon** *(droit d'entrée; ☎834-8121)*, donnant sur le lac du même nom, est fort populaire au cours de la belle saison. Aire de pique-nique, casse-croûte, stationnement payant, location de pédalos et de kayaks.

Aménagée aux abords du superbe lac Maskinongé, la **plage municipale de Saint-Gabriel-de-Brandon** *(entrée libre; ☎835-2105)* constitue la principale attraction de cette petite ville. Cette belle grande plage peut accueillir jusqu'à 5 000 baigneurs. Aire de pique-nique; casse-croûte; stationnement payant; location de pédalos, de canots, de planches à voile et de motomarines.

Le **parc des Pionniers** *(entrée libre; ☎819-424-2833)*, à Saint-Donat, possède une jolie plage donnant sur le lac Archambault. Aire de pique-nique, stationnement.

Saint-Michel-des-Saints dispose aussi d'une **plage municipale** *(☎819-833-6941)*. Celle-ci se trouve aux abords du lac Taureau.

Croisières

Circuit B:
La Matawinie

Au **Manoir des Laurentides** (voir p 291) de Saint-Donat, il est possible de s'embarquer pour une croisière de 90 min sur le lac Archambault. Contactez **Les Belles Croisières du lac Archambault** *(droit d'entrée; juin à oct départs à 10h30, 13h30, 15h30 et 19h30; ☎819-424-1710 ou 946-6679)*.

Équitation

Circuit B:
La Matawinie

À Saint-Jean-de-Matha, on peut louer des chevaux au **Centre touristique de la Montagne Coupée** *(mi-mai à fin oct tlj; 204 rue de la Montagne-Coupée, ☎886-3845)*. Guides disponibles pour vous accompagner sur de beaux sentiers en montagne. Sur réservation.

Le **Ranch Quatre Saisons** *(en hiver 9h au crépuscule, reste de l'année 9h à 20h; 651 rang 4, ☎877-883-0933)* de Saint-Alphonse-Rodriguez est un véritable ranch possédant une trentaine de chevaux disponibles pour la location.

Golf

Circuit A: La Plaine

Le **Centre de golf Le Versant** *(55$; 2075 côte Terrebonne, ☎964-2251)* de Terrebonne possède quatre parcours à 18 trous.

À Joliette, le **Club de golf Base-de-Roc** *(39$; 2870 boul. Base-de-Roc, ☎759-1818)* propose quant à lui un 18 trous à normale 72.

Circuit B: La Matawinie

Parmi les nombreux terrains de golf de la région, il faut signaler le **Club de golf de Rawdon** *(27$; 3999 Lakeshore Dr., ☎834-2320)*, un 18 trous à normale 73, et le **Club de golf Saint-Jean-de-Matha** *(32-55 selon la date et l'heure d'arrivée; 945 ch. Pain de Sucre, ☎886-9321)*, un 18 trous à normale 72.

Ski de fond

Circuit B: La Matawinie

La **Station touristique de la Montagne Coupée** *(10$; 204 rue de la Montagne-Coupée, St-Jean-de-Matha, ☎886-3845)* propose des activités de plein air tout au long de l'année. En hiver, on y trouve quelque 80 km de sentiers de ski de fond, dont 43 km pour pratiquer le «pas du patineur». Sur place, un centre fait la location d'équipement. En été, divers sentiers peuvent être empruntés par les amateurs de sport équestre.

Dans la région de Saint-Donat, on trouve plusieurs endroits pour pratiquer le ski de fond. Ainsi, il y a des sentiers dans le **secteur La Donatienne du parc des Pionniers** *(ch. Hector-Bilodeau)*, dans la **Montagne Noire** et au **parc du Mont-Tremblant** (secteur La Pimbina).

Ski alpin

Circuit B: La Matawinie

La **Station touristique de Val Saint-Côme** *(33$; 501 ch. Val St-Côme, ☎883-0701 ou 800-363-2766)* est la plus importante station de ski alpin dans la région de Lanaudière. On y dénombre 21 pistes dont certaines éclairées pour le ski de soirée. Dénivelé: 300 m. Hébergement sur place (voir p 291).

À la **Station de ski Mont-Garceau** *(31$; 190 ch. du Lac Blanc, ☎819-424-2784)*, près de Saint-Donat, 16 pistes attendent les skieurs. L'une d'entre elles est réservée aux amateurs de surf des neiges. Dénivelé: 305 m.

La **Station de ski La Réserve** *(30$; 56 montée de la Réserve, ☎819-424-1373 ou 877-424-1373)*, fermée pendant quelques années, a rouvert ses portes à l'hiver 2002. Cette petite montagne offre 16 pistes et deux télésièges quadruples.

Motoneige

Circuit B: La Matawinie

À Saint-Donat, l'auberge **La Cuillère à Pot** *(41 route 329, ☎819-424-2252 ou 800-567-6704)*, halte fort appréciée des motoneigistes, propose plusieurs forfaits et loue même des motoneiges à ses clients.

À Saint-Michel-des-Saints, on peut s'adresser à **Location de Motoneiges Haute-Matawinie** *(lun-mer 8h30 à 18h, jeu-ven 8h30 à 20h, sam-dim 8h30 à 15h; 180 rue Brassard, ☎819-833-1355 ou 800-833-6015)*, qui possède un parc de quelque 200 véhicules.

Patin

Circuit A: La Plaine

Durant l'hiver, une patinoire longue de 9 km est aménagée sur la **rivière L'Assomption**, à Joliette. Il s'agit de la plus longue du Québec.

Lanaudière

Hébergement

Circuit A: La plaine

Joliette

Le classique de Joliette
$$
≡, 🐾, ≈
310 rue de la Visitation
☎756-0588
Le classique de Joliette, un motel qui occupe un bâtiment blanc au toit orangé, d'aspect très quelconque, propose des chambres correctes, mais qui manquent résolument de charme.

Château Joliette
$$$
≡, ⊛, ℜ
450 rue St-Thomas
☎752-2525 ou 800-361-0572
≈752-2520
www.chateaujoliette.com
Logeant dans un vaste bâtiment de briques rouges construit au bord de la rivière, le Château Joliette se présente comme le plus grand hôtel de la ville. Il comporte de longs couloirs froids, dépourvus d'ornements. Les chambres, au décor moderne, sont grandes et confortables.

Repentigny

La Villa des Fleurs
$-$$ pdj
≡, 🐾, ≈, bc/bp
45 rue Gaudreault
☎654-9209
≈654-1220
Située en banlieue de Montréal, La Villa des Fleurs se trouve sur le site d'une ancienne érablière. Ce gîte touristique dispose de quatre jolies chambres agréablement décorées. L'accueil chaleureux et le

petit déjeuner copieux vous sont offerts dans une ambiance détendue et familiale.

Circuit B: La Matawinie

Rawdon

Le Gîte du Catalpa
$$ pdj
ℜ, bc/bp
3730 rue Queen
☎834-5253
Les propriétaires d'une belle maison victorienne de la rue Queen ont transformé leur demeure en gîte touristique: Le Gîte du Catalpa. Cinq chambres sont ainsi disponibles. Par beau temps, le petit déjeuner à cinq services est servi sur la terrasse ou dans le jardin.

Saint-Alphonse-Rodriguez

Auberge sur la Falaise
$$$-$$$$ pdj
≡, ⊛, ☉, ℜ, ≈, ❂, ℜ, △
324 av. du Lac Long Sud
☎883-2269 ou 888-325-2473
≈883-0143
www.aubergefalaise.com
À 10 km du village de Saint-Alphonse-Rodriguez, on découvre enfin la merveilleuse Auberge sur la Falaise après avoir emprunté une longue montée, pénétré dans un univers de tranquillité et passé devant le paisible lac Long. L'auberge, perchée sur un promontoire, domine ce paysage empreint de sérénité, réservant du même coup une vue exceptionnelle à ses invités. Dans ce bâtiment moderne, on trouve 26 chambres de grand luxe, certaines étant même équipées d'une baignoire à remous

et d'un foyer. L'hôtel se double d'un relais santé (spa) et offre la possibilité de pratiquer de nombreux sports. Enfin, sa table compte parmi les meilleures de la région (voir p 293).

Saint-Jean-de-Matha

Auberge de la Montagne Coupée
$$$$
≡, ⊛, ☉, ℜ, ≈, ❂, ℜ, △
1000 ch. de la Montagne-Coupée
☎886-3891 ou 800-363-8614
≈886-5401
www.montagnecoupee.com
Établissement exceptionnel, l'Auberge de la Montagne Coupée ne se laisse repérer qu'après une montée qui semble interminable. L'excursion en vaut toutefois le coup, ce qui est immédiatement évident lorsque apparaît enfin ce bâtiment tout blanc doté d'immenses baies vitrées. L'établissement compte une cinquantaine de chambres confortables au décor moderne baigné de lumière naturelle. Certaines sont munies d'un foyer. Depuis le salon et la salle à manger, les grandes fenêtres dévoilent un panorama saisissant. Centre équestre et théâtre d'été au bas du domaine. Restaurant remarquable (voir p 293).

Saint-Donat

Parc du Mont-Tremblant
$
2951 route 125 Nord
☎(819) 424-7012
Le secteur Pimbina du parc du Mont-Tremblant, accessible par la route 125, non loin de Saint-Donat, possède 340 emplacements de camping.

Auberge Havre du Parc
$$
⊛, ℂ, ℜ, ℜ
2788 route 125 Nord
☎*(819) 424-7686*
⇌*424-3432*
www.havreduparc.qc.ca
Située à près de 10 km au nord du village de Saint-Donat, l'Auberge Havre du Parc est une oasis de tranquillité. Le site magnifique, sur les pourtours du lac Provost, et le confort offert permettent de s'évader doucement et paisiblement du quotidien. À 5 min des sentiers de ski de fond du mont Tremblant.

La Cuillère à Pot
$$
≡, ⊛, ≈, ℝ, ℜ
41 route 329
☎*(819) 424-2252 ou*
800-567-6704
⇌*(819) 424-1436*
www.cuillere-pot.hypermart.net
L'auberge La Cuillère à Pot, située sur la route 329 menant à Sainte-Agathe, non loin de la route 125, ressemble plutôt à un vaste motel. En hiver, l'endroit est devenu une halte fort appréciée des motoneigistes. Les chambres sont grandes et confortables. La piscine extérieure est quant à elle chauffée.

Manoir des Laurentides
$$$
⊛, ℂ, ℜ, ≈, ℜ
290 rue Principale
☎*(819) 424-2121 ou*
800-567-6717
⇌*(819) 424-2621*
www.manoirdeslaurentides.
com
Le Manoir des Laurentides, bien situé sur la rive du lac Archambault, propose un bon rapport qualité/prix. Les chambres du bâtiment principal, qui compte trois niveaux, sont petites et quelque peu défraîchies. Chacune possède en contrepartie son propre balcon et s'avère somme toute confortable. Il y a aussi deux rangées de chambres de type motel qui s'allongent jusqu'au bord du lac et une quarantaine de chalets équipés d'une cuisinette. Comme l'endroit est souvent fort animé, ceux qui recherchent paix et tranquillité opteront pour une chambre de motel ou un chalet. Au bord du lac, on a aménagé une plage, voisine d'une petite marina.

Saint-Côme

Auberge Val Saint-Côme
$$$
≡, ⊛, ℜ, ≈, ☉, ℜ
début déc à mi-avr
200 rue de l'Auberge
☎*883-0701*
www.valsaintcome.qc.ca
En venant de Notre-Dame-de-la-Merci, vous apercevrez l'Auberge Val Saint-Côme sur votre gauche avant d'atteindre le village du même nom. Cet établissement de 30 chambres se trouve sur le site même de la **Station touristique Val Saint-Côme** (voir p 289), dotée d'une vingtaine de pistes de ski alpin.

Saint-Gabriel-de-Brandon

Auberge Aile-En-Ciel
$$-$$$
≡, 🐾, ⊛, ⊘, ℂ, ℜ, ≈, ☉, △
376 rue Maskinongé (route 347)
☎*835-3775 ou 877-367-3248*
⇌*835-1115*
www.aubergeaileenciel.com
L'Auberge Aile-En-Ciel n'a d'auberge que le nom. Il s'agit plutôt d'un «condotel» proposant une vingtaine d'appartements pouvant chacun accueillir de deux à six personnes. Quelques appartements possèdent un foyer et une baignoire à remous. Chambres assez grandes, sobrement décorées dans certains cas, mais bien équipées (cuisinette avec vaisselle). Piscine à l'extérieur; accès à une petite plage sur le lac Maskinongé; terrasse avec gril de plein air.

Saint-Michel-des-Saints

Auberge Matawinie
$$ pc
≡, ≈, ☉, ℜ, △
1260 ch. Nouvel Air
☎*(819) 833-6371 ou*
800-361-9629
⇌*(819) 833-6061*
www.matawinie.com
Les étranges pavillons gris-bleu de l'Auberge Matawinie s'étendent aux abords du lac à la Truite, en pleine nature. Il s'agit en fait d'un ancien camp de vacances des frères des Écoles chrétiennes transformé en base de plein air puis en auberge. On retrouve 79 chambres réparties dans des pavillons ou aménagées à l'intérieur de petits chalets. Toutes les chambres offrent un haut niveau de confort. Le prix d'un séjour au centre comprend trois repas par jour et l'accès à une foule d'activités de plein air (canot, voile, tennis, randonnée pédestre, ski de fond, etc.).

Auberge du Lac Taureau
$$$$$
ℜ, ≈, ☉, ℜ, △
1200 ch. Baie du Milieu
☎*(819) 833-1919 ou*
877-822-2623
⇌*(819) 833-1870*
www.auberge-lactaureau. com
Au Québec, depuis peu, on constate l'apparition, en plein cœur de la forêt, de beaux hôtels de luxe. L'Auberge du Lac Taureau fait partie de ces établissements que l'on visite pour profiter de la nature et se faire traiter aux petits oignons. De magnifiques bâtiments en bois ont été érigés au bord du grand lac et ont reçu une fenestration généreuse qui permet aux hôtes de jouir en toute saison des beautés

environnantes. Trois édifices principaux regroupent une centaine de chambres confortables. On trouve, bien sûr, sur le site, une myriade d'activités de plein air quatre-saisons ainsi qu'un restaurant de fine cuisine.

Restaurants

Circuit A: La plaine

Terrebonne

Le jardin des fondues
$$-$$$$
186 rue Ste-Marie
☎492-2048
Il existe une bonne adresse pour manger de la fondue à Terrebonne: Le jardin des fondues, qui propose, dans un chic décor, des fondues de toutes sortes ainsi que des plats issus des traditions culinaires françaises.

L'Étang des Moulins
$$$
dès 17h, fermé lun-mar
888 rue St-Louis
☎471-4018
L'Étang des Moulins occupe une superbe maison de pierres qui domine l'arrondissement historique. Une première salle, à l'entrée, baigne dans une ambiance chaleureuse et romantique. On y remarque un petit bar sur la gauche et un bel escalier menant à l'étage. À l'arrière, une seconde pièce possède de grandes fenêtres offrant une splendide vue sur l'île des Moulins. Cette seconde partie de l'établissement donne aussi accès à une terrasse protégée par une jolie verrière. Le raffinement de l'endroit se remarque

jusque sur les tables, élégamment nappées de dentelle, et c'est bercé de chansons françaises que l'on y savoure son repas. Le service s'avère quant à lui discret et attentionné. Sur le menu, on a tôt fait de remarquer des mets français que l'on croyait connaître et qu'on réussit ici à réinventer. Les gourmets n'hésiteront pas quant à eux à délier les cordons de leur bourse et ainsi succomber aux charmes du «menu inspiration» à sept services. À n'en point douter, l'une des meilleures tables de Lanaudière.

Le Folichon
$$$-$$$$
fermé lun
804 rue St-François-Xavier
☎492-1863
L'arrondissement historique de Terrebonne, avec son parc, ses jolies boutiques et ses belles demeures, constitue un lieu de promenade fort apprécié. D'aucuns en profiteront d'ailleurs pour couronner une aussi agréable excursion par une halte à l'une de ses nombreuses bonnes tables. À cet égard, Le Folichon ne déçoit pas. Aménagé dans une sympathique maison en bois de deux étages, le restaurant arrive, grâce à son atmosphère chaleureuse, à faire oublier les plus froides journées d'hiver. En été toutefois, plusieurs opteront plutôt pour sa terrasse ombragée. La table d'hôte, composée de cinq services, laisse habituellement un bon souvenir. On y remarquera tout particulièrement le feuilleté d'escargots à la tombée de tomates et de poireaux, le magret de canard sauce aux

framboises et le contre-filet de chevreuil sauce miel et thym. Qui plus est, la carte des vins impressionne par sa variété.

L'Assomption

Le Prieuré
$$$$
402 boul. L'Ange-Gardien
☎589-6739
Le Prieuré s'est acquis une bonne réputation au cours des ans. Dans un bâtiment historique datant du XVIIIe siècle, le chef concocte une savoureuse cuisine française en y incorporant des produits du Québec.

Joliette

Chez Henri le Kentucky
$
24 heures sur 24
30 rue de la Visitation, St-Charles-Borromée
☎759-1113
Le restaurant Chez Henri le Kentucky propose tout ce que l'on pourrait s'attendre d'une cantine ouverte contre vents et marées 24 heures sur 24. Il s'agit d'un bon endroit pour qui ne dispose que d'un petit budget.

L'Antre Jean
$$$
mer-sam soir, lun-ven jour
385 boul. St-Viateur
☎756-0412
Au nombre des bonnes tables, L'Antre Jean semble faire l'unanimité au sein de la population locale. On y sert une cuisine française évolutive qui ne dépare certainement pas le genre, à partir d'un menu basé sur des tables d'hôte variées. Le décor est chaleureux et l'ambiance pas trop guindée.

Circuit B:
La Matawinie

Rawdon

Auberge Stewart
$-$$$
tlj
4333 ch. du lac Brennen
☎*834-8210*
C'est dans un bâtiment rustique en rondins qu'est aménagée l'Auberge Stewart, où l'on sert une succulente cuisine d'inspiration française et québécoise. S'y alignent au menu escargots, coquilles Saint-Jacques, cuisses de grenouilles, tartes aux pommes et autres classiques.

Saint-Alphonse-Rodriguez

Auberge sur la Falaise
$$$$
324 av. du Lac Long Sud
☎*883-2269*
À l'extraordinaire Auberge sur la Falaise, c'est dans un cadre d'une rare tranquillité que vous prendrez votre repas. Perdu en pleine forêt et surplombant un beau lac paisible, cet établissement constitue une fameuse retraite pour quiconque cherche à fuir, ne serait-ce que le temps d'un dîner, le rythme trépidant de la vie moderne. Avec beaucoup d'habileté, le chef adapte ici la gastronomie française à la sauce québécoise. Pour les gourmets, le menu gastronomique à cinq services est un choix éclairé et a toutes les chances de devenir une expérience mémorable.

Saint-Jean-de-Matha

Auberge de la Montagne Coupée
$$$$
tlj
1000 ch. de la Montagne-Coupée
☎*886-3891*
L'Auberge de la Montagne Coupée, une autre adresse réputée pour le calme de son site, propose quant à elle un étonnant menu de cuisine évolutive québécoise. Grâce à de hautes baies vitrées (sur deux niveaux), la salle à manger, située au rez-de-chaussée d'un beau bâtiment blanc moderne, planté au bord d'une falaise, offre aux convives une vue à couper le souffle sur la nature environnante. Et ce n'est là qu'une entrée en matière, le meilleur (le repas!) restant encore à venir. Aux plats de gibier présentés avec une rare imagination s'ajoutent quelques succulentes trouvailles. Service des plus attentionnés. Belle carte des vins. Petits déjeuners très copieux.

Saint-Donat

La petite Michèle
$-$$$
327 rue St-Donat
☎*(819) 424-3131*
Pour les voyageurs à la recherche d'une bonne table familiale, La petite Michèle est le restaurant tout indiqué. Une ambiance décontractée, un service amical et un menu composé de plats québécois, voilà ce que vous y retrouverez.

Maison Blanche
$$
515 rue Principale
☎*(819) 424-2222*
Les plats de la Maison Blanche sont toujours délicieux. On y sert une spécialité de viande rouge dont la réputation n'est plus à faire.

Cuisto du Nord
$$-$$$
436 rue Principale
☎*(819) 424-2483*
Quant à lui, le Cuisto du Nord constitue un choix intéressant pour qui désire un menu de spécialités québécoises.

Auberge Havre du Parc
$$$-$$$$
2788 route 125 Nord, Lac-Provost
☎*(819) 424-7686*
L'Auberge Havre du Parc, en plus d'offrir un site d'une exceptionnelle tranquillité, propose un excellent menu de spécialités françaises.

Sainte-Émélie-de-l'Énergie

Auberge du Vieux Moulin
$$$-$$$$
200 ch. Du Vieux Moulin
☎*884-0211 ou 866-884-0211*
Tenue par un chef cuisinier qui enseigne également à l'Institut de tourisme et d'hôtellerie du Québec (où plusieurs des meilleurs chefs cuisiniers du Québec sont formés), l'Auberge du Vieux Moulin offre un excellent menu à prix fixe comprenant six services, dans un environnement rustique et chaleureux. Réservations requises.

Lanaudière

Sorties

Théâtres et salles de spectacle

Terrebonne

Le minuscule mais chaleureux **Théâtre du Vieux-Terrebonne** *(867 St-Pierre, ☎492-4777)* a gagné au fil des ans le respect de la communauté artistique québécoise. Ainsi, les plus grands noms de la chanson et de l'humour s'y arrêtent systématiquement pour y roder leur spectacle avant d'affronter le public montréalais. Des troupes de théâtre en tournée y font aussi fréquemment halte.

L'Assomption

Le **Théâtre Hector-Charland** *(225 boul. L'Ange-Gardien, ☎589-9198)* propose une programmation variée où se côtoient musique, théâtre, danse, humour et chanson.

Joliette

Rien de plus agréable que d'assister à un concert en plein air à l'**Amphithéâtre de Lanaudière** *(1575 boul. Base-de-Roc, ☎759-2999 ou 800-561-4343)*, brillamment installé dans une sorte de petite vallée ceinturée d'arbres. C'est au cours de l'été, à l'occasion du Festival international de Lanaudière, que ce site à l'acoustique remarquable propose le meilleur de sa programmation.

Fêtes et festivals

Joliette

Le **Festival international de Lanaudière** *(☎759-7636 ou 800-561-4343)* constitue l'événement le plus important de la région. Et pour cause: pendant les plus belles semaines de l'été, des dizaines de concerts de musique classique, contemporaine et, plus rarement, populaire sont présentés dans les églises de la région ou encore, en plein air, au superbe Amphithéâtre de Lanaudière.

Le **Festival mémoire et racines** *(fin juil; St-Charles-Borromée, près de Joliette, ☎752-6798 ou 888-810-6798)* est un important festival de musique traditionnelle, de danse et de contes.

Repentigny

Le tournoi annuel des **Internationaux de Tennis Junior du Canada** *(fin août; ☎654-2411)* est l'occasion de découvrir avant tout le monde les Monica Seles et John McEnroe de demain.

Saint-Donat

Une fois l'automne venu, la nature de la région de Saint-Donat se pare de ses couleurs les plus variées. Pour célébrer cette explosion spectaculaire, de nombreuses activités familiales sont organisées dans le cadre des **Week-ends des Couleurs** *(☎819-424-2833 ou 888-783-6628)*.

Achats

Circuit A: La plaine

La région compte plusieurs bonnes librairies. Parmi celles-ci, mentionnons la sympathique **Librairie Lincourt** *(191 rue St-André, Terrebonne, ☎471-3142)*, située en plein cœur du Vieux-Terrebonne, la **Librairie Lu-lu** *(1681 ch. Gascon, Terrebonne, ☎471-2060)*, la **Librairie Raffin** *(100 boul. Brien, Galeries de la Rive Nord, Repentigny, ☎581-9892)* et la **Librairie René-Martin** *(598 rue St-Viateur, Joliette, ☎759-2822)*.

Laurentides

Sans doute

une des contrées de villégiature les plus réputées du Québec, la belle région des Laurentides attire toujours de nombreux visiteurs en toute saison.

Depuis longtemps, on «monte dans le Nord» pour s'y détendre et apprécier la beauté de ses paysages. Ses lacs, montagnes et forêts sont particulièrement propices à la pratique d'activités sportives diverses et aux balades.

Comme les Laurentides possèdent la plus grande concentration de stations de ski en Amérique du Nord, lorsque l'hiver se pointe, ce sport y devient roi. Ses quelques villages, au pied des montagnes, sont très souvent coquets et agréables.

Le sud de la région, nommé les Basses-Laurentides, fut très tôt occupé par des colons français, venus en cultiver les riches terres arables. Plusieurs localités des Basses-Laurentides rappellent toujours l'histoire du pays par leur patrimoine architectural ou simplement par l'évocation d'événements s'y étant déroulés. Inspirée par un personnage désor-

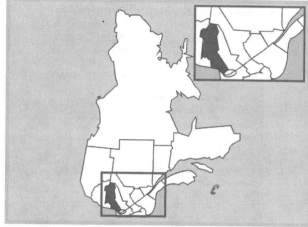

mais légendaire, le curé Labelle, l'occupation des terres du plateau laurentien commença beaucoup plus tard, vers le milieu du XIXe siècle. La mise en valeur des «Pays-d'en-Haut» faisait alors partie d'un vaste plan de colonisation des régions périphériques du Québec visant à contrer l'exode des Canadiens français vers les villes industrielles du Nord-Est américain. Malgré le peu de rentabilité des fermes, en raison de la pauvreté du sol, le curé Labelle parvint à y fonder une vingtaine de villages et à y

attirer un bon nombre de colons canadiens-français.

Pour s'y retrouver sans mal

Depuis le début du XXe siècle, l'arrivée toujours plus grande de plaisanciers a fait du tourisme la principale activité de cette région. Pour découvrir ce vaste territoire, trois circuits sont proposés: **Circuit A: Le lac des Deux Montagnes ★**, **Circuit B: Le royaume des vacanciers ★★** et **Circuit C: Le pays du curé Labelle ★**.

Noms des nouvelles villes fusionnées

Sainte-Marguerite-Estérel
Fusion d'Estérel et Sainte-Marguerite-du-Lac-Masson.

Sainte-Agathe-des-Monts
Fusion de Sainte-Agathe-des-Monts, Sainte-Agathe-Nord et Ivry-sur-le-Lac.

Grenville-sur-la-Rouge
Fusion de Grenville et Calumet.

Saint-Sauveur
Fusion de Saint-Sauveur-des-Monts et Saint-Sauveur.

Saint-Jérôme
Fusion de Saint-Jérôme, Bellefeuille, Saint-Antoine et Lafontaine.

Mont-Tremblant
Fusion de la station de ski Tremblant, village de Mont Tremblant, ville de Saint-Jovite, Mont Tremblant-Nord et paroisse Saint-Jovite.

ral Motors, la seule filiale de cette multinationale étasunienne au Québec. Un peu plus loin, avant de parvenir à Saint-Jérôme, on traverse la zone de l'aéroport de Mirabel. L'autoroute 15 Nord puis la route 117 Nord permettent ensuite de poursuivre l'exploration jusqu'au mont Tremblant.

Gares routières

Boisbriand
4117 rue Lavoisier
☎ *(450) 435-6767*

Piedmont
770 boul. des Laurentides
☎ *(450) 227-2487*

Sainte-Adèle
1208 rue Valiquette (Pharmacie Brunet)
☎ *(450) 229-6609*

Lac-Mercier
1950 ch. Principal
☎ *(819) 425-8315*

Transports en commun

Une navette relie Saint-Jovite, le Village Mont-Tremblant et la montagne (mont Tremblant). Le service d'autobus est offert entre avril et décembre; le billet se vend 1$. Pour de plus amples renseignements sur les horaires:
☎(819) 425-8441/2434/3330.

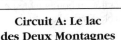

Circuit A: Le lac des Deux Montagnes

En voiture

De Montréal, suivez l'autoroute 13 Nord. Prenez ensuite la sortie de la route 344 Ouest en direction de Saint-Eustache. La route 344 permet ensuite de poursuivre jusqu'à Deux-Montagnes, Sainte-Marthe-sur-le-Lac, Pointe-Calumet, Oka, Saint-André-Est et Carillon. On peut aussi explorer la région de Lachute en empruntant la route 327 au départ de Saint-André-Est.

Gare routière

Saint-Eustache
550 Arthur-Sauvé
☎ *(450) 472-9911*

Circuit B: Le royaume des vacanciers

En voiture

De Montréal, empruntez l'autoroute 15 Nord (l'autoroute des Laurentides) jusqu'à Saint-Jérôme (sortie 43). Au passage, on aperçoit, sur la droite, l'église et l'imposant collège de Sainte-Thérèse (1881), alors que sur la gauche se trouve l'usine d'assemblage d'automobiles de Gene-

Circuit C: Le pays du curé Labelle

En voiture

Au départ de Montréal, empruntez l'autoroute 15, qui se fond avec la route 117 à la hauteur de Sainte-Agathe-des-Monts.

Renseignements pratiques

Deux indicatifs régionaux sont employés dans les Laurentides, soit le **450**, jusqu'à la hauteur de Sainte-Adèle, et le **819**.

Renseignements touristiques

Bureau régional

Maison du tourisme des Laurentides
14142 rue de la Chapelle, Mirabel, J7J 2C8
☎*(450) 436-8532*
☎*800-561-6673*
≈*(450) 436-5309*
www.laurentides.com

Circuit A: Le lac des Deux Montagnes

Saint-Eustache
600 rue Dubois
☎*(450) 491-4444*

Circuit B: Le royaume des vacanciers

Saint-Sauveur-des-Monts
605 ch. des Frênes
☎*(450) 227-3417*

Sainte-Adèle
1490 rue Saint-Joseph
☎*(450) 229-3729*

Village Mont-Tremblant
1001 montée Ryan
☎*(819) 425-2434*

Circuit C: Le pays du curé Labelle

Labelle
7404 boul. du Curé-Labelle
☎*(819) 686-2606*

Mont-Laurier
177 boul. Paquette
☎*(819) 623-4544*

Attraits touristiques

Circuit A: Le lac des Deux Montagnes (une journée)

Les Messieurs de Saint-Sulpice ont largement contribué au développement de cette portion des Laurentides dès le Régime français. On y retrouve quelques témoins de l'époque seigneuriale en bordure du lac des Deux Montagnes, que longe près de la moitié du parcours. Les belles vues sur le lac, de même que les nombreux produits de la ferme proposés au bord de la route, constituent les principaux attraits de ce circuit, qui représente une excursion d'une journée en zone agricole, à une demi-heure seulement de Montréal.

Saint-Eustache (41 409 hab.)

Saint-Eustache était au début du XIXᵉ siècle une communauté agricole prospère ayant donné naissance à une certaine élite intellectuelle et politique canadienne-française. Cette élite a joué un grand rôle lors de la rébellion des Patriotes de 1837-1838, faisant de Saint-Eustache l'un des principaux théâtres de ces événements tragiques. Le village constituait autrefois le centre de la seigneurie des Mille-Îles, concédée à Michel-

Sidrac Du Gué de Boisbriand en 1683. C'est toutefois la famille Lambert-Dumont qui procédera au développement de la seigneurie à partir du milieu du XVIIIᵉ siècle. Saint-Eustache est devenue, après 1960, l'une des composantes de la banlieue de Montréal.

L'**église Saint-Eustache** ★★ *(123 rue St-Louis)* est surtout remarquable par sa haute façade palladienne en pierre de taille, réalisée entre 1831 et 1836. La présence de deux clochers (tout comme à Saint-Denis) témoigne de la prospérité de l'endroit dans les années précédant la rébellion des Patriotes. L'église porte encore les traces des durs combats qui eurent lieu en ses murs le 19 décembre 1837, alors que Jean-Olivier Chénier et 150 Patriotes s'enfermèrent dans l'édifice afin de résister aux troupes britanniques du général Colborne. Celui-ci fit bombarder l'église, dont il ne restera que les murs à la fin de la bataille. Il fit ensuite incendier la plupart des maisons du village. Saint-Eustache mettra plus de 30 ans à se relever de ce saccage. On l'aura deviné, l'église Saint-Eustache occupe une place privilégiée dans le cœur des Québécois d'origine française.

Un **monument aux Patriotes**, le presbytère et le couvent (1898) avoisinent l'église.

Empruntez la rue Saint-Eustache, qui s'inscrit dans l'axe de l'église, jusqu'au manoir Globensky.

Le **manoir Globensky** *(3$; mar-dim 10h à 17h; 235 rue St-Eustache, ☎450-974-5170)*. Cette grande maison blanche était autrefois la propriété de Charles-Auguste-Maximilien Globensky, époux de l'héritière de la seigneurie de Saint-Eustache, Virginie Lambert-Dumont. Même si sa construction en 1862 est postérieure à l'abolition de la tenure seigneuriale (1854), les habitants de la région l'ont toujours désignée de l'appellation de «manoir». Les plans originaux de Henri-Maurice Perrault ont été considérablement altérés lors de la transformation du bâtiment dans le goût colonial américain en 1930. Depuis cette date, elle rappelle davantage une maison de plantation de la Caroline du Sud qu'un manoir canadien-français. La maison Globensky abrite l'hôtel de ville et le Centre culturel de Saint-Eustache.

Le carré de pierres du **moulin Légaré** *(3$; toute l'année lun-ven 9h à 17h, mi-mai à mi-oct sam-dim 9h à 17h; 236 rue St-Eustache, ☎450-974-5400)* date de 1762. Des modifications apportées au début du XXe siècle ont cependant enlevé un peu de caractère au bâtiment. Ce moulin à farine n'a jamais cessé de fonctionner, ce qui en ferait le plus ancien moulin mû par la force de l'eau encore en activité au Canada. Il est possible de visiter le moulin et de se procurer sur place farines de blé et de sarrasin. Un parc linéaire borde la rivière du Chêne à l'ouest.

L'Exotarium *(8$; ven-dim 12h à 17h, juil et août tlj, fermé jan; 846 ch. Fresnière, ☎450-472-1827)* présente une petite collection de quelque 200 reptiles parmi lesquels figurent pythons, cobras et iguanes.

Reprenez la route 344 Ouest. Le circuit traverse Deux-Montagnes, Sainte-Marthe-sur-le-Lac et Pointe-Calumet avant d'arriver à Oka.

★
Oka (4 268 hab.)

Les sulpiciens, tout comme les jésuites, ont établi des missions d'évangélisation des Amérindiens autour de Montréal. Les disciples d'Ignace de Loyola s'étant fixés définitivement à Kahnawake en 1716 (voir p 216), ceux de Jean-Jacques Olier firent de même en 1721 dans un très beau site en bordure du lac des Deux Montagnes appelé Oka, nom qui signifie «poisson doré». Les sulpiciens y accueillirent des Algonquins, des Hurons et des Agniers, qui représentaient autant de nations alliées des Français. À la différence de la mission de Kahnawake, que l'on voulait isoler des habitants d'origine européenne, un village de colons français se développa simultanément autour de l'église des Messieurs de Saint-Sulpice.

À la fin du XVIIIe siècle, des Iroquois venus de l'État de New York se sont substitués aux premiers habitants amérindiens de la mission, donnant un visage anglais et, plus récemment, un nouveau nom (Kanesatake) à toute une portion du territoire situé en amont du village. Oka est de nos jours un centre récréotouristique et une banlieue éloignée de Montréal. En 1990, lors de ce qu'il est convenu d'appeler la «crise d'Oka», la Société des guerriers (Warriors) de Kanesatake a bloqué la route 344, à la sortie du village d'Oka, pendant de longs mois, afin de revendiquer des droits territoriaux et d'empêcher la transformation d'une partie de la pinède d'Oka en terrain de golf. La crise a malheureusement coûté la vie à un policier lors d'un affrontement.

L'abbaye cistercienne d'Oka ★ *(1600 ch. d'Oka, ☎450-479-8361)*. L'ordre cistercien fut créé à l'abbaye de Citeaux par Robert de Molesme, Albéric et Étienne Harding à la fin du XIe siècle. Il constitue une branche réformée du monachisme bénédictin. En 1881, quelques moines cisterciens quittent l'abbaye de Bellefontaine en France pour fonder une nouvelle abbaye en terre canadienne. Les sulpiciens, qui avaient déjà donné plusieurs morceaux de leurs vastes propriétés de Montréal à différentes communautés religieuses, concèdent un flanc de colline de leur seigneurie des Deux-Montagnes aux nouveaux arrivants. En quelques années, les moines font ériger l'abbaye d'Oka, aussi connue sous le nom de «la Trappe». La chapelle néoromane, au centre de l'abbaye, mérite aussi une petite visite.

Parc d'Oka ★, voir p 311.

Une fois parvenu au centre d'Oka, tournez à gauche dans la rue L'Annonciation, qui mène à l'église et au quai, d'où vous bénéficierez d'une belle vue sur le lac des Deux Montagnes. Le quai est le point d'arrivée du frêle traversier privé qui relie le présent circuit à celui de Vaudreuil-Soulanges, en Montérégie (voir p 211).

L'église d'Oka ★ *(181 rue des Anges)*, érigée en 1878 dans le style néoroman, a succédé à l'église de la mission des sulpiciens (1733), autrefois située sur le même emplacement, en face du lac. On peut y voir les toiles de l'École française du XVIIIe siècle commandées à Paris par les Messieurs de Saint-Sulpice pour orner les stations du calvaire d'Oka (1742) (voir p 311). Ces peintures à

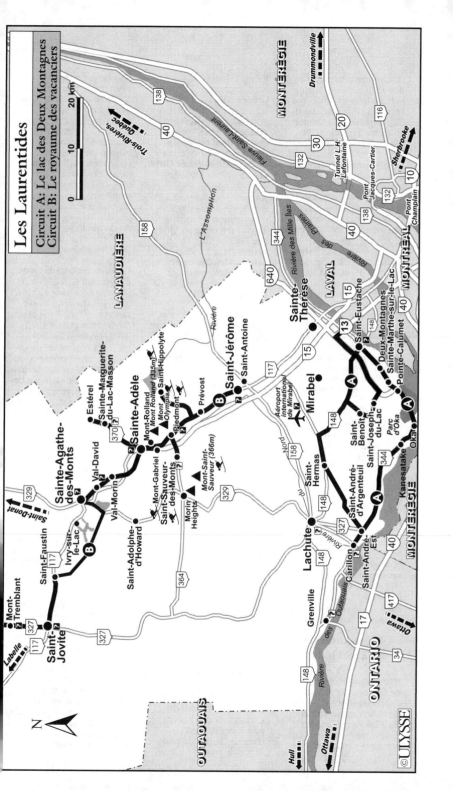

l'huile furent remplacées dès 1776 par des bas-reliefs en bois exécutés par François Guernon, davantage capables de résister au climat rigoureux du Canada. Les bas-reliefs furent lourdement endommagés par des vandales en 1970, avant d'être retirés pour être accrochés dans la chapelle Kateri Tekakouitha, attenante à l'église d'Oka. Sur la rue des Anges, non loin du quai et de l'église, se trouve le vieux manoir d'Argenteuil (fin du XVIIe siècle), résidence du seigneur Pierre d'Ailleboust de la seigneurie d'Argenteuil, voisine à l'ouest de celle des Deux-Montagnes.

Poursuivez par la rue des Anges, puis tournez à droite dans la rue Sainte-Anne avant de reprendre la route 344 à gauche, en direction de Saint-André-d'Argenteuil.

On traverse alors la **pinède d'Oka**, plantée en 1886 afin de contrer l'érosion du sol sablonneux. C'est dans cette forêt de 50 000 pins que la tension fut la plus vive lors de la crise d'Oka en 1990, alors que la Sûreté du Québec puis l'Armée canadienne se sont frottées à la Société des guerriers (Warriors) de Kanesatake. En marge du village de Saint-Placide, plus à l'ouest, on aperçoit la **maison Routhier** (*3320 route 344*), où a vécu, dans sa jeunesse, l'auteur des paroles de l'hymne national canadien, Basile Routhier.

Saint-André-Est (2 889 hab.)

John Johnson, originaire de l'État de New York, fit l'acquisition de la seigneurie d'Argenteuil au début du XIXe siècle, attirant à Saint-André plusieurs compatriotes partageant une

même fidélité à la couronne d'Angleterre. Les résidences cossues de ce village rappellent d'ailleurs le vocabulaire architectural américain. Elles côtoient une série de petites églises de dénominations diverses, dont l'**église anglicane Christ Church** (*12 rue St-André*), soutenue par le seigneur Johnson, qui pourrait bien être le premier édifice d'inspiration néogothique à avoir été érigé au Québec (1819-1822). Le charmant village loyaliste de Saint-André-d'Argenteuil s'inscrit dans un cadre bucolique, en bordure de la rivière du Nord.

Tournez à gauche dans la rue Saint-André en direction de Carillon (route 344).

Carillon (300 hab.)

Chargés de défendre la colonie contre les attaques des tribus amérindiennes alliées des Hollandais puis des Anglais, Dollard des Ormeaux et 17 compagnons d'infortune périrent à Carillon dans une embuscade iroquoise en 1660. Ce sacrifice évitera toutefois que Montréal ne tombe aux mains des Iroquois. Une plaque et un monument commémorent cet épisode sanglant des débuts de la Nouvelle-France. Longtemps appelé le Long-Sault, Carillon est un paisible village qui s'est peuplé de loyalistes au début du XIXe siècle. On y trouve un barrage hydro-électrique, de même qu'un vaste parc pourvu d'une agréable aire de pique-nique.

Le **lieu historique national du Canal de Carillon** (*1,50$; mi-mai à mi-oct tlj; ☎450-537-3534*). Sur le canal de Carillon, une écluse permet à des milliers d'embarcations de plaisance de franchir une

dénivellation de près de 24 m en 45 min seulement. À elle seule, cette gigantesque écluse remplace un ancien système de navigation qui comptait trois canaux et 11 écluses. À la maison du collecteur, les visiteurs retrouvent une exposition traitant de l'histoire de la canalisation en Outaouais et du commerce du bois. De plus, les vestiges des anciens systèmes de canalisation sont toujours présents aux abords de cette ancienne maison.

Le **Musée régional du comté d'Argenteuil** (*2,50$; juin à début sept mar-dim 10h30 à 16h30, début sept à mi-oct sam-dim 10h30 à 16h30; 50 rue Principale, ☎450-537-3861*) expose les antiquités de la région, de même qu'une collection de costumes du XIXe siècle. Le musée est installé dans un bel édifice en pierre de tradition georgienne, construit en 1836 pour servir d'auberge. Dès l'année suivante, il fut cependant converti en caserne militaire pour héberger les troupes britanniques, venues mater la rébellion des Patriotes dans la région de Saint-Eustache.

Revenez à Saint-André-d'Argenteuil. Tournez à droite pour suivre la route 344 Est, puis, presque immédiatement à gauche, dans la petite route qui longe la rivière Saint-André jusqu'à Saint-Hermas. Vous accéderez ainsi à une vallée fertile comprise entre les contreforts des Laurentides, au nord, et les collines bordant le lac des Deux-Montagnes, au sud. Toute cette région gravitant autour de l'aéroport de Mirabel, formée de 14 villages et paroisses, fut regroupée sous le nom de Mirabel, en faisant la plus étendue des municipalités du Québec. De Saint-Hermas, gagnez Saint-Benoît par les routes de campagne (rangs).

Saint-Benoît (Mirabel) (1 835 hab.)

Un des principaux foyers de contestation lors de la rébellion de 1837, Saint-Benoît fut complètement détruit par les troupes britanniques du général Colborne l'année suivante. L'église, dotée d'une magnifique façade baroque en pierre de taille, fut anéantie, et toutes les maisons furent incendiées. Saint-Benoît s'est reconstruit lentement, mais n'a jamais retrouvé la prospérité d'antan. C'est de nos jours un village agricole typique de la région de Montréal.

Quittez Saint-Benoît par les rangs en direction de Saint-Joseph-du-Lac.

Cette portion du circuit se trouve au cœur de l'une des principales régions de pomiculture du Québec. À l'automne, les Montréalais viennent y cueillir eux-mêmes leurs pommes dans un des nombreux endroits où on les invite à le faire, moyennant de légers frais. De multiples produits de la ferme et autres sont également proposés en toute saison (canards, faisans, lapins, tartes, sucre d'érable, etc). Du parvis de l'église de Saint-Joseph-du-Lac, on aperçoit le mât du Stade olympique de Montréal par temps clair.

Pour regagner Montréal, empruntez l'autoroute 640 Est, puis l'autoroute 13 Sud et enfin l'autoroute 20 Est.

Circuit B: Le royaume des vacanciers

Depuis les années 1930, cette partie des Laurenti-des constitue le «terrain de jeu» préféré des Montréalais. À moins d'une heure et demie de route de la grande ville, on trouve en effet une multitude de lacs, de montagnes boisées et de villages aménagés de façon à permettre aux visiteurs de séjourner plusieurs jours durant. On «monte» simplement au chalet en été pour se détendre, se rafraîchir, faire du canot, en somme profiter d'une nature généreuse mais sans excès. En hiver, on se rend depuis New York ou Atlanta, autant que de Montréal, dans les coquettes auberges et les hôtels de luxe, pour pratiquer le ski alpin, mais aussi pour les randonnées en raquettes dans la neige blanche, qui se terminent toujours par une agréable soirée au coin du feu. Les Laurentides possèdent la plus grande concentration de pistes de ski alpin en Amérique du Nord.

Saint-Jérôme (25 574 hab.)

Cette ville administrative et industrielle est surnommée «La Porte du Nord» puisque, à la hauteur de Saint-Jérôme, on quitte la vallée du Saint-Laurent pour pénétrer dans la région montagneuse qui s'étend au nord de Montréal et de Québec, les Laurentides. Celles-ci forment la plus vieille chaîne de montagnes de la planète. La douce rondeur de ses monts, leur faible hauteur et le sol sablonneux trahissent le grand âge des Laurentides, comprimées par les glaciations successives. Saint-Jérôme fut le point de départ de la colonisation de ces territoires dans la seconde moitié du XIXᵉ siècle.

Dans les années qui suivent la rébellion mâtée de 1837-1838, les Canadiens français étouffent sur leurs vieilles seigneuries surpeuplées. L'absence quasi totale d'industries oblige les familles à subdiviser les terres agricoles afin de procurer du travail aux nouvelles générations. Mais cet effort demeurera nettement insuffisant. Dès lors s'amorce une saignée qui verra plusieurs dizaines de milliers de Québécois émigrer vers les filatures de la Nouvelle-Angleterre dans l'espoir d'un avenir meilleur. Aujourd'hui encore, ces régions comptent une importante population d'origine canadienne-française. Afin de stopper cette hémorragie vers les États-Unis, le clergé tout-puissant du Québec tentera diverses manœuvres, dont la plus importante demeure la colonisation des Hautes-Laurentides entre 1880 et 1895, pilotée par le curé Antoine Labelle de Saint-Jérôme. Ces terres ingrates, peu propices à l'agriculture, causeront bien des maux de tête aux colons, qui devront chercher un revenu d'appoint dans la coupe du bois. Ainsi les fermiers de l'été se transformeront-ils en bûcherons l'hiver venu. Seul le tourisme sportif apportera une certaine prospérité à la région des Hautes-Laurentides après 1945.

La **cathédrale de Saint-Jérôme** ★ *(tlj 7h30 à 16h30; 355 rue St-Georges, en face du parc Labelle, ☎450-432-9741)*, simple église paroissiale au moment de sa construction en 1899, est un vaste édifice de style romano-byzantin. Elle reflète le statut prestigieux de «siège» de la colonisation des Laurentides de Saint-Jérôme. Devant la cathédrale se dresse une statue en bronze du curé

Laurentides

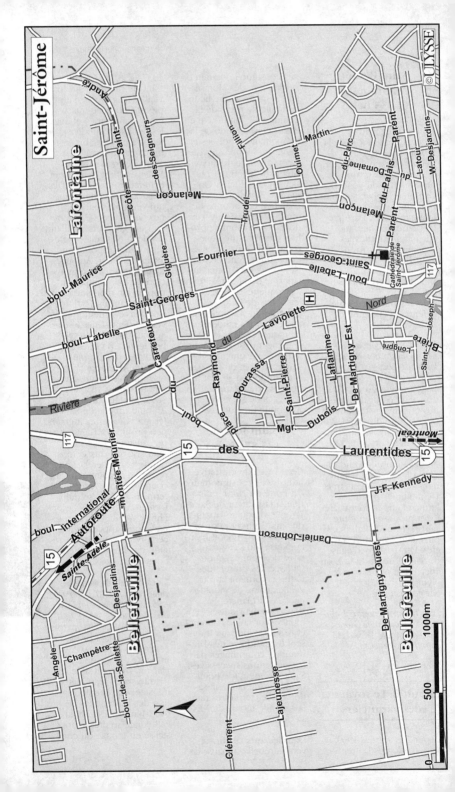

Labelle, œuvre d'Alfred Laliberté.

Le **Centre d'exposition du Vieux-Palais** *(entrée libre; mar-ven 12h à 17h, sam 9h à 17h, dim 12h à 17h; 185 rue du Palais, ☎450-432-7171)*, consacré à l'art contemporain, est installé dans l'ancien palais de justice de Saint-Jérôme. Celui-ci fut construit en 1922 selon les plans de l'architecte du gouvernement québécois Georges Saint-Michel.

En face de la cathédrale, dans le parc Labelle, on a procédé en 1997 à l'inauguration d'un **amphithéâtre à ciel ouvert**. Derrière celui-ci, on trouve la **promenade de la Rivière du Nord**, un sentier d'interprétation de l'histoire de Saint-Jérôme longeant agréablement cette rivière.

C'est par ailleurs à Saint-Jérôme que débute le tracé du **parc linéaire le P'tit Train du Nord ★★**. Cette extraordinaire piste cyclable, qui se transforme en sentier de ski de fond en hiver, s'étire sur 200 km entre Saint-Jérôme et Mont-Laurier en suivant le corridor autrefois utilisé par le chemin de fer des Laurentides.

C'est entre 1891 et 1909, sous l'impulsion du légendaire curé de Saint-Jérôme, Antoine Labelle, que fut construite cette ligne de chemin de fer qui devait jouer un rôle prépondérant dans la colonisation des Laurentides. Plus tard, et ce, jusque dans les années 1940, le P'tit Train du Nord, comme on le surnommait et comme le chantera Félix Leclerc, contribua au développement de l'industrie touristique des Laurentides en favorisant l'ouverture de nombreuses stations de

villégiature et de sports d'hiver.

L'aménagement de routes, puis d'autoroutes facilitant de plus en plus l'accès aux Laurentides, viendra toutefois à bout du P'tit Train du Nord dans les années 1980. Les rails seront démantelés en 1991, et l'aménagement du parc linéaire débutera quelques années plus tard. Celui-ci est devenu l'une des attractions majeures de la région. Tout le long du parcours, des panneaux d'interprétation du patrimoine permettent d'en savoir davantage sur la riche histoire des Laurentides, notamment aux abords des gares originales (Saint-Jérôme, Prévost, Mont-Rolland, Val-Morin, Sainte-Agathe-des-Monts, Saint-Faustin–Lac-Carré, Village Mont-Tremblant, Labelle, L'Annonciation et Mont-Laurier), toujours présentes, et dont certaines ont même fait l'objet de travaux de rénovation. C'est par exemple le cas de la **gare de Saint-Jérôme**, remise en état à l'automne 1997, à côté de laquelle on a aménagé la jolie **place de la Gare**.

Parc de la Rivière-du-Nord, voir p 311.

Reprenez l'autoroute 15 Nord vers Saint-Sauveur-des-Monts. En chemin, vous longerez le village de Prévost, qui a vu apparaître les premières pistes de ski alpin des Laurentides en 1932. L'année suivante, on y installait la première remontée mécanique d'Amérique du Nord. Prenez la sortie de Piedmont (sortie 58). Une courte promenade dans ce village permet de se familiariser avec les premières phases du développement du ski dans les Laurentides. Poursuivez ensuite votre chemin jusqu'à Piedmont.

Piedmont (2 600 hab.)

Cette petite localité, encore relativement peu altérée par le développement touristique que connaissent les villages des alentours, conserve des allures rustiques. L'essentiel de son centre est constitué de maisons construites près de la route, au bord de la rivière et, bien sûr, au pied des monts.

La Pente des Pays-d'en-Haut, voir p 315.

Station de ski Mont-Olympia, voir p 315.

Station de ski Mont-Avila, voir p 315.

Suivez les indications vers la route 364 et Saint-Sauveur-des-Monts, situé tout près, à l'ouest de l'autoroute 15.

★ Saint-Sauveur-des-Monts (7 000 hab.)

Trop rapproché de Montréal, Saint-Sauveur-des-Monts a souffert, ces dernières années, d'un développement excessif qui a fait pousser comme des champignons les condominiums (appartements), les restaurants et les galeries d'art. Sa rue principale, très fréquentée, reste cependant le meilleur endroit pour prendre un bain de foule dans les Laurentides. Cette station de sports d'hiver est un des lieux de prédilection des artistes de variétés, qui y possèdent de luxueuses résidences secondaires à flanc de montagne.

Station touristique Mont-Saint-Sauveur, voir p 315.

Le **Pavillon 70**, situé au bas de la pente de la Station

Laurentides

touristique Mont-Saint-Sauveur portant ce numéro, est considéré à juste titre comme la première réalisation postmoderne au Canada (1977). L'architecte Peter Rose, bien connu pour son **Centre Canadien d'Architecture**, à Montréal (voir p 118), en est l'auteur. Rappelons que le postmodernisme est issu d'un mouvement visant à renouveler l'architecture moderne des années 1970, perçue comme répétitive et ennuyeuse, en lui adjoignant des éléments décoratifs tirés des styles du passé. Ainsi, le Pavillon 70 arbore de belles façades de bois teint présentant des détails victoriens et de massives cheminées stylisées rappelant celles de nos maisons traditionnelles.

Station de ski Mont-Habitant, voir p 316.

Parc aquatique du Mont-Saint-Sauveur, voir p 315.

Au départ de Saint-Sauveur-des-Monts, on peut choisir de faire une boucle qui permet de découvrir les villages de Morin-Heights et de Saint-Adolphe-d'Howard, et de rejoindre directement Sainte-Agathe-des-Monts. Pour ce faire, il faut emprunter la route 364 vers l'ouest jusqu'à Morin-Heights, puis la route 329 Nord jusqu'à Sainte-Agathe en passant par Saint-Adolphe-d'Howard.

Morin-Heights (2 117 hab.)

C'est autour de deux petites églises blanches, l'une catholique et l'autre anglicane, que s'est développé le minuscule mais charmant village de Morin-Heights.

L'endroit est particulièrement apprécié des amateurs de sport (ski de fond, vélo, etc.).

Saint-Adolphe-d'Howard (2 446 hab.)

Une belle route panoramique (329) mène ensuite à Saint-Adolphe-d'Howard, un beau village fleuri qui s'étire joliment aux abords du lac Saint-Joseph. C'est dans cette localité de villégiature que se trouve le **Camp musical des Laurentides**, qui reçoit chaque année plusieurs jeunes musiciens.

Reprenez l'autoroute 15 Nord, que vous suivrez jusqu'à la sortie 69 vers Sainte-Adèle et Sainte-Marguerite-du-Lac-Masson.

Sainte-Adèle (9 440 hab.)

Les Laurentides ont été surnommées «Les Pays-d'en-Haut» par les colons qui, au XIXe siècle, se dirigeaient vers ces terres septentrionales éloignées de la vallée du Saint-Laurent. L'écrivain et journaliste Claude-Henri Grignon, né à Sainte-Adèle en 1894, en a fait le théâtre de son œuvre. Son célèbre roman, *Un homme et son péché*, raconte la vie de misère dans les Laurentides à cette époque. C'est Grignon qui a demandé à l'architecte Lucien Parent de dessiner l'église de Sainte-Adèle, que l'on peut encore admirer de nos jours en bordure de la rue Principale. Le 27 août 1997, les villages de Mont-Rolland et de Sainte-Adèle ont fusionné pour former la nouvelle municipalité de Sainte-Adèle.

Au Pays des Merveilles *(8,69$; mi-juin à fin août tlj 10h à 18h; 3575 ch. de la Savane, ☎450-229-3141)* est un petit parc d'attractions sans prétention qui plaira surtout aux jeunes enfants. Dans un décor rappelant les aventures rocambolesques d'*Alice*, on a aménagé toboggans, pataugeuse, minigolf, labyrinthe, etc.

Station de ski Le Chantecler, voir p 316.

Station de ski Mont-Gabriel, voir p 316.

*Empruntez la route 370 en direction de Sainte-Marguerite-du-Lac-Masson. Vous apercevrez au passage le délicieux **Pavillon des Arts de Sainte-Adèle** (voir p 331).*

Sainte-Marguerite-du-Lac-Masson (2 251 hab.)

La belle région vallonnée du lac Masson attire en toute saison des vacanciers cherchant à se reposer loin de l'animation montréalaise. Sur ses rives, deux localités se sont développées, l'élégante Estérel et la plus modeste, mais plus peuplée, Sainte-Marguerite-du-Lac-Masson, à l'extrémité ouest du lac. Ces deux communautés sont aujourd'hui fusionnées en une seule municipalité.

Par la route 370, vous arrivez en face du **lac Masson**, à Sainte-Marguerite. Une petite place, à côté de l'église et en face du réputé **Bistro à Champlain** (voir p 326), permet de l'admirer. La route tourne alors vers la droite pour contourner le lac jusqu'à Estérel.

Poursuivez par la route 370, et prenez l'intersection à gauche, en direction d'Estérel, jusqu'au boulevard Baron-Louis-Empain.

★
Estérel (95 hab.)

En Belgique, le nom «Empain» est synonyme de réussite financière. Le baron Louis Empain, héritier de la fortune familiale au début du XXe siècle, était, tout comme son père qui a fait construire le quartier neuf d'Héliopolis, au Caire (Égypte), un grand bâtisseur. Lors d'un voyage au Canada en 1935, il acquiert la Pointe Bleue, une langue de terre qui avance paresseusement dans le lac Masson. En deux ans, de 1936 à 1938, il fait construire une vingtaine de bâtiments sur le site, selon les plans de l'architecte belge Antoine Courtens. Empain baptise l'ensemble «**Domaine de l'Estérel**». La Seconde Guerre mondiale viendra cependant contrecarrer ses plans. À la suite du conflit, le domaine est morcelé. Il est en partie racheté par l'homme d'affaires québécois Fridolin Simard en 1958, qui fait construire l'actuel hôtel l'Estérel (voir p 320) en bordure de la route 370, puis procède à des lotissements successifs. On retrouve, sur ces derniers terrains, de belles maisons modernes en pierre et en bois, œuvres de l'architecte Roger D'Astou.

À mi-chemin entre le Streamlined Deco et le mouvement moderne de Le Corbusier, le domaine du baron Empain est un hommage éloquent à la modernité raffinée de l'entre-deux-guerres. Il comprend notamment l'**ancien hôtel de la Pointe Bleue**, long rectangle de béton et de stuc blanc où ont été hébergées de nombreuses célébrités, dont Georges Simenon, qui y écrira trois romans, un club sportif entièrement

vitré, maintenant intégré à l'hôtel l'Estérel, et un centre commercial posé sur pilotis (entouré d'un stationnement). Celui-ci comprenait une station-service, des boutiques, un cinéma et un *dancing* animé par l'orchestre de Benny Goodman. Ce bâtiment de 1936, aujourd'hui en piteux état, peut être considéré comme le premier véritable centre commercial d'Amérique du Nord. L'**hôtel de ville** de Sainte-Marguerite-du-Lac-Masson y est maintenant installé.

Revenez à l'autoroute 15 Nord, que vous empruntez jusqu'à la sortie 76 afin de rejoindre Val-Morin et ensuite Val-David.

Val-Morin
(2 040 hab.)

Val-Morin est un modeste village autour duquel se sont établis des vacanciers désirant s'éloigner des centres trop touristiques. Il est situé dans une région montagneuse sillonnée de sentiers de ski de fond où vous pourrez vous adonner à de multiples activités de plein air.

Revenez à la route 117 Nord, et roulez jusqu'à Val-David.

Val-David
(3 225 hab.)

Val-David s'est fait connaître grâce à sa situation géographique, près des stations de ski alpin des Laurentides, mais aussi en raison des boutiques des artisans qui y présentent leur travail. Le village, composé de jolies maisons, a su conserver un charme bien à lui.

Le **Village du Père-Noël** *(9$; début juin à fin août tlj 10h à 18h; 987 rue Morin, ☎819-322-2146 ou 800-287-noel)*

attire chaque année des enfants désireux de rencontrer ce célèbre personnage dans sa retraite d'été. Tout est prévu pour faire de cette journée un bon souvenir, diverses activités étant organisées.

De l'autoroute 15 (sortie 86), tournez à droite dans la route 117 Nord. Gardez la gauche afin de pouvoir tourner dans cette direction sur la route 329 Sud (rue Principale).

★
Sainte-Agathe-des-Monts (9 000 hab.)

Cette ville de commerce et de services, au cœur des Laurentides, est née autour d'une scierie en 1849. Elle est devenue, grâce à l'ouverture du chemin de fer du Nord en 1892, le premier centre de villégiature des Laurentides. Située au point de rencontre de deux mouvements de colonisation, celui des Anglo-Saxons du comté d'Argenteuil et celui des Canadiens français de Saint-Jérôme, Sainte-Agathe-des-Monts a su attirer les vacanciers fortunés, séduits par son **lac des Sables**. Ceux-ci ont fait construire quelques belles villas sur le pourtour du lac et dans les parages de l'église anglicane. La région était autrefois considérée comme une destination de choix par les grandes familles juives de Montréal et de New York. En 1909, la communauté juive fonde le sanatorium du Mont-Sinaï (le bâtiment actuel fut érigé en 1930), et, dans les années qui suivent, elle fait construire des synagogues à Sainte-Agathe-des-Monts et à Val-Morin.

Le tour du lac et la croisière ★. Il existe deux façons de découvrir les divers points de vue sur le

Laurentides

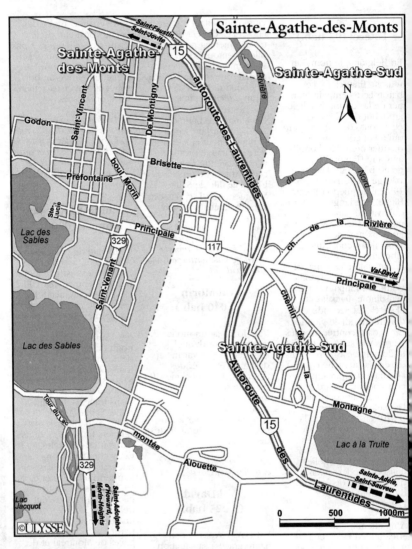

Sainte-Agathe-des-Monts

lac des Sables et ses environs. La première consiste à en faire le tour en voiture ou à bicyclette (11 km) en empruntant le chemin du Lac. La seconde permet de profiter des plaisirs de l'eau en s'embarquant pour une courte croisière sur un des **Bateaux Alouettes** *(12$; mi-mai à fin juin tlj 11h30, 13h30, 14h30 et 15h30; juin à août aussi à*

17h et 19h30; fin août à fin oct 10h30, 11h30, 13h30, 14h30 et 15h30; quai de la rue Principale, ☎819-326-3656). On verra alors certaines des maisons qui bordent le lac, dont l'ancienne demeure du millionnaire étasunien Lorne McGibbon, malheureusement défigurée par les missionnaires oblats, qui ont ajouté trois étages à la

partie centrale de la maison.

Poursuivez par la route 117 en direction de Saint-Faustin.

Saint-Faustin
(2 395 hab.)

On retrouve dans cette région le **Centre touristique et éducatif des Laurentides** *(5$; début avr à fin oct tlj*

*9h30 à 17h30; 5000 ch. du
Lac du Caribou, ☎819-326-
1606),* où des sentiers de
randonnée permettent de
découvrir la flore et la
faune des Laurentides.

Saint-Jovite
(5 536 hab.)

La rue Ouimet, bordée de
restaurants, de salons de
thé, de commerces d'anti-
quaires et de boutiques de
mode, invite à la prome-
nade. On peut notamment
y voir un joli petit centre
commercial d'inspiration
victorienne ainsi que
l'authentique gare de
Saint-Jovite, déplacée en
bordure de la rue et transformée en restaurant. Au
bout d'une route de
campagne, à l'est de Saint-
Jovite, se trouve le vaste
**monastère des Apôtres de
l'Amour Infini**, dominé par
une statue du Sacré-Cœur.
Cette importante secte
schismatique a nommé son
propre pape, qui a son
siège à Saint-Jovite.

*Tournez dans la rue Limoges
(route 327 N.), près de l'église,
en direction du mont Tremblant, déjà à l'horizon. Vous
traverserez Village Mont-
Tremblant avant de parvenir
à la Station Mont-Tremblant,
ouverte toute l'année.*

★★★
Station
Mont-Tremblant

Certains des plus impor-
tants centres touristiques
des Laurentides ont été
créés par de richissimes
familles étasuniennes pas-
sionnées de ski alpin. Elles
ont choisi les Laurentides
pour la beauté des paysa-
ges, le charme français du
Québec, mais surtout pour
le climat septentrional qui
permet de prolonger la
saison de ski au-delà de
celle des États-Unis. La

Tremblant,
Tremblant ou
Tremblant?

Le Québec, depuis
quelques années, vit
à l'heure des fusions
municipales. Par
conséquent, plusieurs
villes et villages
autonomes ont
fusionné, et ce, mal-
gré des vents de
protestations venus
de toutes parts. Saint-
Jovite, le village de
Mont-Tremblant et la
station au pied de la
montagne font désor-
mais partie de Ville
de Mont-Tremblant.
Respectivement, ils se
nomment Secteur
Saint-Jovite, Secteur
du Village et Station
Mont-Tremblant. Ce
guide adopte désor-
mais ces toponymes.

station de ski du mont
Tremblant fut fondée par
le millionnaire de Phila-
delphie Joseph Ryan en
1938. Depuis 1991, la station appartient au groupe
Intrawest, propriétaire de
stations comme Whistler,
en Colombie-Britannique.
Intrawest a investi plus de
$800 million au cours de la
dernière décennie pour
élever la Station Mont-
Tremblant au niveau de
ses concurrents de l'Ouest
américain et canadien. Il a
ouvert de nombreuses
pistes supplémentaires et
fait construire un véritable
village au pied du mont

ainsi que deux magnifi-
ques terrains de golf.

Au plus fort de la saison,
92 pistes de ski alpin sont
ouvertes sur les flancs du
mont Tremblant (875 m).
On trouve à cet endroit
non seulement les plus
longues et les plus difficiles dénivelées de la région, mais aussi un vaste
complexe hôtelier de mê-
me qu'un charmant «villa-
ge» rappelant l'architecture
traditionnelle du Québec.
Le village de la station
touristique se compose de
plusieurs éléments des
plus colorés, dont les allures à la Disneyland ne
plaisent pas à tous. Mais
au fond, à quoi bon bou-
der son plaisir... L'endroit
n'a été façonné que dans
un seul but: fournir un
cadre qui sort de l'ordi-
naire pour unique fin de
loisir.

Ainsi, autour de la **place
Saint-Bernard**, s'étendent
des complexes d'héberge-
ment de construction ré-
cente dont le rez-de-
chaussée est occupé par
des boutiques, des restaurants et des bars. À cela, il
faut ajouter les anciens
bâtiments qui ont été ré-
novés en respectant
l'architecture traditionnelle
de la région. Partout, on
ne peut circuler qu'à pied,
à skis ou en raquettes.

À l'arrivée, la coquette
chapelle Saint-Bernard
(1942), réplique de l'église
Saint-Laurent de l'île d'Orléans aujourd'hui disparue,
accueille le visiteur en bordure du lac Tremblant.
Une route, sur la droite,
conduit au stationnement
des visiteurs, au téléphérique panoramique de
même qu'au **parc du Mont-
Tremblant ★★** (voir
p 312), dont l'entrée se
trouve 10 km plus au
nord.

Laurentides

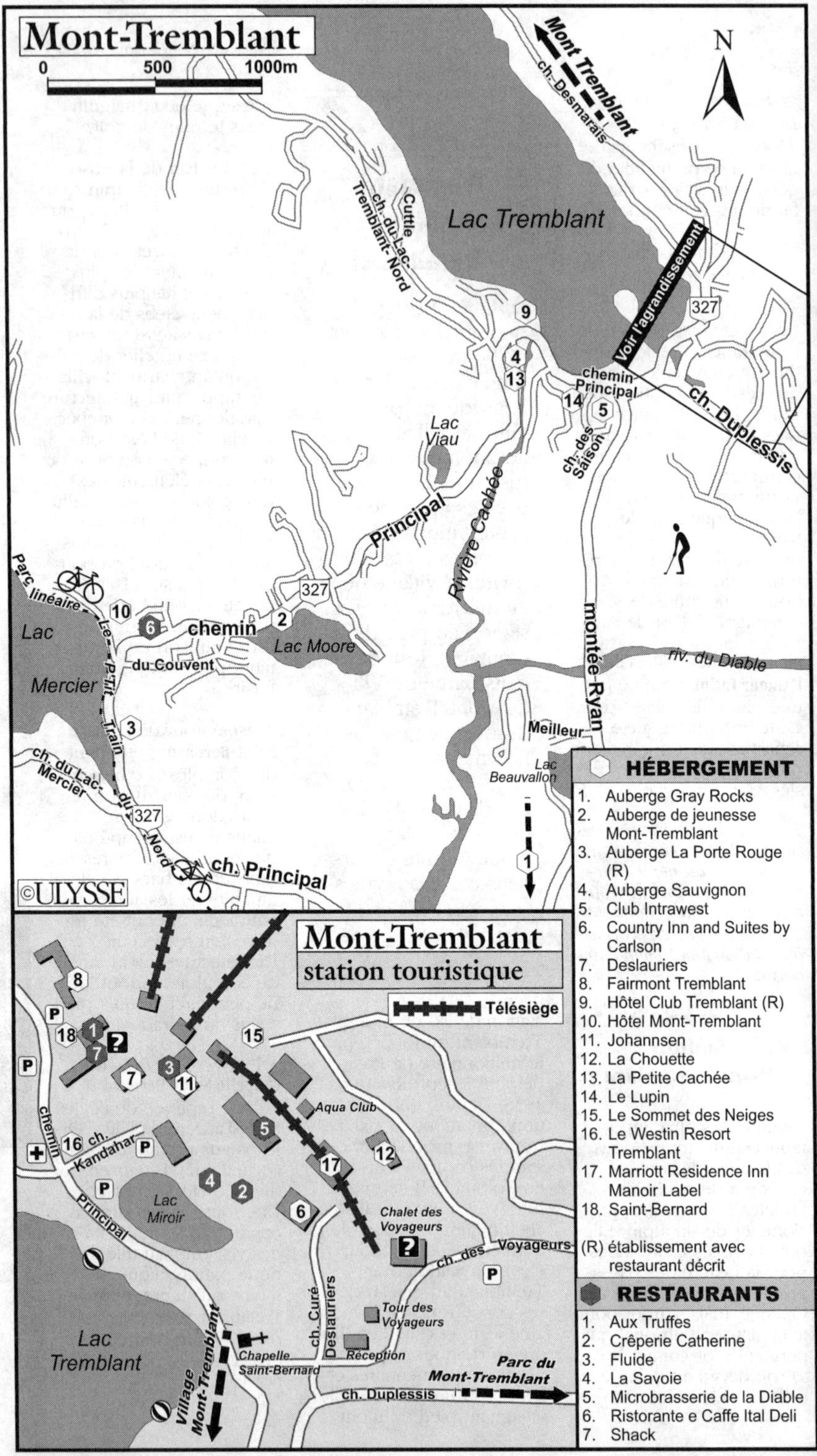
Mont-Tremblant
0 500 1000m
N
Mont Tremblant
ch. Desmarais
Lac Tremblant
Cuttle
ch. du Lac-Tremblant-Nord
Voir l'agrandissement
327
chemin Principal
ch. Duplessis
ch. des Saison
Lac Viau
Principal
Rivière Cachée
montée Ryan
riv. du Diable
Meilleur
Lac Beauvallon
Parc linéaire Le P'tit Train du Nord
Lac Mercier
chemin du Couvent
Lac Moore
ch. du Lac-Mercier
ch. Principal
©ULYSSE
Mont-Tremblant
station touristique
Télésiège
Aqua Club
Chalet des Voyageurs
ch. des Voyageurs
chemin Principal
ch. Kandahar
Lac Miroir
Lac Tremblant
ch. Curé Deslauriers
Tour des Voyageurs
Réception
Chapelle Saint-Bernard
ch. Duplessis
Parc du Mont-Tremblant
Village Mont-Tremblant
HÉBERGEMENT
1. Auberge Gray Rocks
2. Auberge de jeunesse Mont-Tremblant
3. Auberge La Porte Rouge (R)
4. Auberge Sauvignon
5. Club Intrawest
6. Country Inn and Suites by Carlson
7. Deslauriers
8. Fairmont Tremblant
9. Hôtel Club Tremblant (R)
10. Hôtel Mont-Tremblant
11. Johannsen
12. La Chouette
13. La Petite Cachée
14. Le Lupin
15. Le Sommet des Neiges
16. Le Westin Resort Tremblant
17. Marriott Residence Inn Manoir Label
18. Saint-Bernard
(R) établissement avec restaurant décrit
RESTAURANTS
1. Aux Truffes
2. Crêperie Catherine
3. Fluide
4. La Savoie
5. Microbrasserie de la Diable
6. Ristorante e Caffe Ital Deli
7. Shack

Et le développement de la station touristique quatre-saisons ne s'arrête pas là. Après avoir couvert de pistes un nouveau versant de la montagne (le versant Soleil), Intrawest construit des immeubles au pied de ce versant et du versant Nord.

★

Village Mont-Tremblant (764 hab.)

De l'autre côté du lac Tremblant se trouve le charmant Village Mont-Tremblant, à ne pas confondre avec la station touristique développée par Intrawest. Dans un cadre plus authentique, on y trouve de sympathiques boutiques et restaurants, ainsi que d'autres possibilités d'hébergement.

Notez que la région bénéficie d'un nouvel aéroport international à **La Macaza** (*www.tremblant.com*).

Circuit C: Le pays du curé Labelle (une journée)

La portion septentrionale des Laurentides, communément appelée «Hautes-Laurentides», est en grande partie réservée aux activités de plein air de toutes sortes, en milieu densément boisé (observation de la faune et de la flore, chasse, pêche, camping, ski de randonnée, etc.). Son industrie traditionnelle, la coupe du bois, est actuellement en déclin. La région s'est développée entre 1870 et 1890 grâce au curé de Saint-Jérôme, Antoine Labelle, qui a multiplié les efforts pour ouvrir de nouvelles terres

afin d'attirer dans les Hautes-Laurentides le trop-plein d'agriculteurs canadiens-français de la plaine du Saint-Laurent. Pour ce faire, il a converti les anciens camps forestiers des vallées de la Rouge et de la Lièvre, appelés «fermes forestières», en villages de colonisation, d'où le nom de «ferme» porté encore aujourd'hui par certaines municipalités des Hautes-Laurentides.

Labelle (2 200 hab.)

Il était normal qu'un des villages des Hautes-Laurentides porte le nom de celui que l'on a baptisé «le roi du Nord». Un **monument à la mémoire du curé Labelle** se dresse d'ailleurs au centre de l'agglomération. C'est ici que se trouve le principal accès au parc du Mont-Tremblant.

Réserve faunique Papineau-Labelle, voir p 344.

Réserve faunique Rouge-Matawin, voir p 312.

L'Annonciation (2 160 hab.)

Petite communauté des Hautes-Laurentides, L'Annonciation est connue pour son écomusée, mais aussi pour sa fête champêtre du mois d'août et pour son carnaval d'hiver.

Mont-Laurier (8 177 hab.)

Principale agglomération des Hautes-Laurentides, Mont-Laurier fut fondée en 1886, à l'instigation du curé Labelle, sur le site d'un camp de bûcherons connu précédemment sous le nom de Rapide-à-l'Orignal. Cette ville a été une véritable *boom town* à ses débuts, à l'image des villes

du Far West américain. On y ressent d'ailleurs toujours cette impression de précarité et d'improvisation dans les façades des commerces et des maisons. Dès 1913, Mont-Laurier a été élevée au rang de siège épiscopal. Son imposante cathédrale aux fines boiseries, érigée en 1917, a malheureusement été la proie des flammes en 1982. L'industrie du bois occupe encore une place prépondérante dans l'économie de la ville. Une belle sculpture à la mémoire des draveurs, disposée dans le parc Toussaint-Lachapelle, nous montre à quel point cette activité économique a marqué les gens de Mont-Laurier.

La **maison Alix-Bail** (*434 rue du Portage*). Solime Alix, Adolphe Bail et Georges Hudon ont été les premiers colons à s'établir à Mont-Laurier, en 1886. Trois ans plus tard, le marchand Alix fait construire une maison qui servira également de magasin général. Ce bâtiment en pièce sur pièce subsiste toujours. Il est le plus ancien de la ville.

Le **Centre d'exposition de Mont-Laurier** (*entrée libre; mar-dim 13h à 17h; 385 rue du Pont, ☎819-623-2441*), qui fait à peine 115 m², se spécialise dans l'art contemporain. Il est installé dans la maison de la culture de Mont-Laurier.

Tournez à droite dans la route 309 Nord si vous désirez vous rendre jusqu'à Ferme-Neuve. Tournez plutôt à gauche dans la route 309 Sud si vous voulez accéder aux multiples lacs situés dans le prolongement de la rivière du Lièvre.

Laurentides

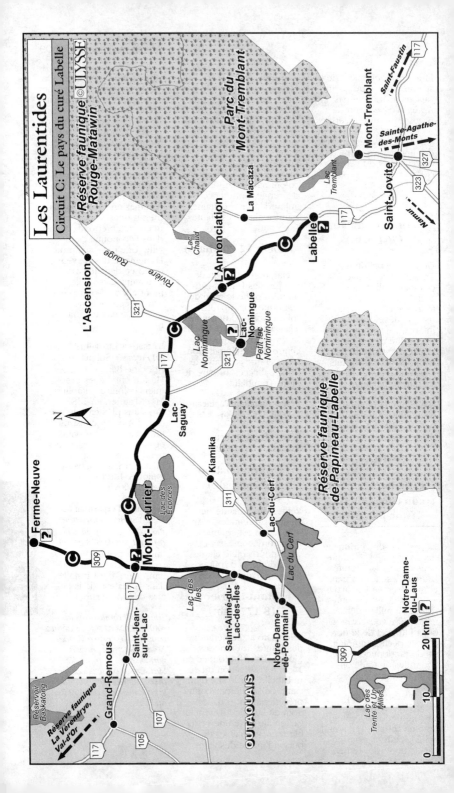

Ferme-Neuve
(3 130 hab.)

L'**église** du village mérite que l'on s'y attarde. Il s'agit d'un essai de renouveau de l'architecture religieuse québécoise que l'on doit à Lucien Parent. À cette occasion, celui-ci tenta, avec succès, de combiner l'architecture traditionnelle des églises du Québec à celle, plus audacieuse, du bénédictin dom Paul Bellot. Remarquez la verrière compartimentée au-dessus de l'entrée qui encadre une haute statue de la Vierge (vers 1939).

Avant d'arriver à Ferme-Neuve, le long de la route, vous apercevrez un surprenant troupeau composé de bisons, de cerfs, de wapitis, de chèvres de montagne, de lamas et de yacks, tous dans un même parc dénommé **Parc des bisons**. C'est par plaisir que les deux propriétaires du parc ont décidé de regrouper ainsi un tel troupeau.

Chute du Windigo, voir p 315.

*Si vous revenez sur vos pas puis poursuivez par la route 117, vous atteindrez la région de l'**Abitibi-Témiscamingue** (voir p 353). Il est également possible de descendre vers l'**Outaouais** (voir p 333) et de suivre cette portion facultative du circuit.*

Saint-Aimé-du-Lac-des-Îles (724 hab.)

Dans l'ensemble des Hautes-Laurentides, mais plus particulièrement dans la région des lacs, il est fréquent d'apercevoir un orignal, un chevreuil ou un ours près de la route, ce qui rend la promenade particulièrement captivante. Tout près de Saint-Aimé-du-Lac-des-Îles, en un

lieu baptisé «Ferme-Rouge», situé sur les rives de la Lièvre, on trouve le seul exemple de ponts couverts jumelés du Québec. Ces ponts de 1903 ont été réalisés selon le modèle breveté par l'architecte étasunien Ithiel Town en 1820, d'où le nom de pont de type Town.

Notre-Dame-du-Laus (1 244 hab.)

Ce petit village est issu d'un mouvement de colonisation marginal provenant de la région de l'Outaouais. On y verra le long **barrage hydroélectrique des Cèdres**.

Parcs

Circuit A: Le lac des Deux Montagnes

Le **parc d'Oka et son calvaire ★** *(3,50$; 2020 ch. Oka, Oka, ☎450-479-8365)* proposent des sentiers de randonnée pédestre en été, et de ski de fond en hiver, totalisant 49 km. Au sud de la route 344, vous découvrirez la majorité des pistes, qui sillonnent un terrain relativement plat. Au nord de la route 344, deux autres sentiers mènent au sommet de la colline d'Oka (168 m), d'où l'on embrasse du regard l'ensemble de la région. Le sentier du Sommet, long de 7,5 km, aboutit à un belvédère panoramique, alors que le sentier du Calvaire (5,5 km) longe les stations du plus ancien calvaire des Amériques. Celui-ci fut aménagé par les sulpiciens en 1740 afin de stimuler la foi des Amérin-

diens nouvellement convertis au catholicisme. Humble et digne tout à la fois, le calvaire d'Oka se compose de quatre oratoires trapézoïdaux et de trois chapelles rectangulaires en pierre blanchie à la chaux. Ces petits bâtiments, aujourd'hui vidés de leur contenu mais restaurés, servaient à l'origine d'écrins à des bas-reliefs en bois illustrant des scènes de la Passion du Christ. Le parc dispose d'emplacements de camping *(20$ par jour, ☎450-479-8365)*, d'un centre d'interprétation, d'un nouveau centre de services, appelé **Le Littoral**, situé au bord du lac des Deux Montagnes et comportant un salle à manger et des boutiques, ainsi que d'une plage.

Circuit B: Le royaume des vacanciers

Au **parc de la Rivière-du-Nord** *(3$ adultes; mi-mai à mi-oct 9h à 20h, mi-oct à mi-mai 9h à 17h; 1051 boul. International, St-Jérôme, ☎450-431-1676)*, vous pourrez vous initier aux secrets de la nature grâce aux expositions qui y sont présentées. Des sentiers de randonnée y sont aménagés.

Le **parc linéaire le P'tit Train du Nord ★★** *(5$ en été, 7$ en hiver)* suit le tracé de l'ancien chemin de fer des Laurentides. Il s'étend sur 200 km entre Saint-Jérôme et Mont-Laurier. Depuis son ouverture au milieu des années 1990, ce parc hors de l'ordinaire est devenu une attraction de premier plan dans la région. Au cours de l'été, des milliers de cyclistes l'envahissent, alors qu'en hiver ce sont les skieurs de fond et les motoneigistes

Laurentides

(au nord de Sainte-Agathe) qui en font autant.

Le **parc du Mont-Tremblant** ★★ *(3,50$;* ☎*819-688-2281 ou 877-688-2289)* fut inauguré en 1894 sous le nom de «Parc de la Montagne tremblante», en hommage à une légende algonquine. Il couvre un territoire de 1 510 km² qui englobe le mont, six rivières et quelque 400 lacs. En 1938, la station de ski alpin était créée, et, depuis, elle n'a cessé d'accueillir les skieurs. Le parc compte également 16 sentiers de ski de fond qui s'étendent sur plus de 80 km. La station répond aux besoins des sportifs en toute saison. Ainsi, les amateurs de randonnée pédestre peuvent profiter de 100 km de sentiers. D'ailleurs, les sentiers «La Roche» et «La Corniche» ont été classés parmi les plus beaux du Québec. Le parc dispose de pistes cyclables et de circuits de vélo de montagne. Des activités nautiques telles que le canot et la planche à voile peuvent aussi y être pratiquées.

Circuit C: Le pays du curé Labelle

Dans la **réserve faunique Rouge-Matawin** ★ *(on y accède par les routes 117 et 321, L'Ascention,* ☎*819-275-1811 ou 800-665-6527),* on dénombre plusieurs espèces animales; on y retrouve, entre autres, la plus haute densité d'orignaux au Québec. Des sentiers de randonnée pédestre et équestre y sont aménagés, et les rivières du parc sont canotables.

Réserve faunique de Papineau-Labelle, voir p 344.

Activités de plein air

Randonnée pédestre

Circuit A: Le lac des Deux Montagnes

Parc d'Oka, voir p 311.

Dans la région de Mirabel, on trouve des CEF (Centre éducatif forestier) proposant de belles randonnées. Entre autres, le **CEF du Bois-de-Belle-Rivière** offre la possibilité de se balader dans une érablière et un verger. Il s'agit de courtes randonnées, de 8 km au total.

Circuit B: Le royaume des vacanciers

S'étendant sur 0,4 km, la **promenade de la Rivière du Nord** *(entre les rues Martigny et St-Joseph, St-Jérôme)* raconte l'histoire de la région à l'aide de panneaux thématiques. On y a de belles vues sur la rivière du Nord.

Près de Saint-Faustin, le **Centre touristique et éducatif des Laurentides** *(5$; fin mai à fin oct tlj; 5000 ch. du Lac du Cordon,* ☎*819-326-1606)* dispose d'un réseau de sentiers de randonnée d'environ 35 km. Parmi les huit pistes de 1 km à 10 km qu'on y trouve, Le Panoramique (3 km) est celle qui offre les plus belles vues sur les alentours. L'Aventurier (10 km), qui représente la plus longue piste du centre, permet quant à elle

d'accéder au sommet d'une montagne de 530 m.

À la Station Mont-Tremblant, une montée à bord du télésiège *Tremblant Express* permet de rejoindre le centre **ÉcoZone** *(*☎*877-873-6252 ou 888-tremblant).* Il y a des pistes conçues pour les familles (Le Manitou, Le 360°, Le Montagnard et Les Ruisseaux), mais aussi pour les randonneurs chevronnés (Les Caps, Le Grand Brûlé, Les Sommets, Le Parben et Le Johannsen). Tout au long des sentiers, des bornes explicatives permettent d'en connaître davantage sur la faune et la flore laurentiennes.

Le **parc du Mont-Tremblant** est un excellent choix pour les amateurs de randonnée, puisqu'on y trouve des sentiers de tous degrés de difficulté. Ainsi, les sentiers de **La Roche** et de **La Corniche** (8 km) permettent une courte et délicieuse randonnée, alors que les 45 km de **La Diable** sauront sûrement satisfaire les marcheurs les plus mordus.

Escalade

Circuit B: Le royaume des vacanciers

La région de **Val-David** est réputée pour ses parois d'escalade. On retrouve plusieurs montagnes aménagées pour cette activité: le **mont King**, le **mont Condor** et le **mont Césaire** figurent parmi les plus populaires. Pour obtenir de l'information ou pour louer l'équipement nécessaire ou les services d'un guide, adressez-vous à **Passe Montagne** *(1760 montée 2ᵉ Rang, Val-*

Parc linéaire Le P'tit Train du Nord

©ULYSSE

Distance	Lieu	Services
200km	Mont-Laurier	P ⊼ △
187km	Val-Barette	P ⊼
175km	Beaux-Rivages	P 👥 ⊼ 🌿
153km	Lac Saguay	P 👥 ⊼
145km	Lac Nominingue	P 👥 ⊼ △
134km	Marchand	P 👥 ⊼
127km	L'Annonciation	P 👥 🚰 ⊼ ❓ △
116km	La Macaza	⊼ 👥 🌿
107km	Labelle	P 👥 🚰 ⊼ 🌿 ❓ ✕
93km	La Conception	P 👥 ⊼ 🌿
91km	Mont-Tremblant	P 👥 🚰 🌿
82km	Saint-Jovite	P 👥 🚰 ⊼ 🌿 ❓ △
80km	Paroisse de Saint-Jovite	P ⊼
70km	Saint-Faustin–Lac-Carré	P 👥 🚰 ⊼ 🌿 ✕ △
55km	Ivry-sur-le-Lac	P
49km	Sainte-Agathe-des-Monts	P 👥 🚰 ⊼ ✕ △
46km	Sainte-Agathe-Sud	P 👥 ⊼ 🌿
42km	Val-David	P 👥 🚰 ⊼ ❓ △ $🚲 🌿 ✕
37km	Val-Morin	P 👥 🚰 ⊼ 🌿 ✕
33km	Sainte-Adèle	P 👥 🌿 $🚲 🔧🚲 🚰 ⊼ ✕
25km	Mont-Rolland	P 👥 🚰 ✕ $🚲 🔧🚲 ⊼
21km	Piedmont	P 👥 🚰 ⊼
14km	Prévost	P 👥 🚰 ⊼ 🌿
5,4km	*Parc régional de la Rivière-du-Nord*	P 👥 🚰 ⊼ 🌿 $🚲 🔧🚲 ✕
0km	Saint-Jérôme	P 👥 ⊼ $🚲 🔧🚲 🌿 △ ❓ 🚰 ✕

Légende		
$🚲 location de vélos	⊼ aire de pique-nique	❓ information touristique
🔧🚲 réparation de vélos	P stationnement	
△ camping	🌿 point de vue	✕ restaurants
🚰 eau courante	👥 toilettes	

David, ☎*819-322-2123 ou 800-465-2123),* qui œuvre en qualité de pionnier en ce qui a trait à l'escalade dans la région. Son équipe d'experts saura bien vous conseiller.

Baignade

On compte de nombreuses plages publiques dans les Laurentides. Ces plages sont habituellement accessibles de la mi-juin au début de septembre.

Circuit A: Le lac des Deux Montagnes

Le **parc d'Oka** *(3,50$; juin à sept;* ☎*450-479-8365)* possède une plage fort populaire. On peut notamment y louer des canots, des planches à voile et des pédalos. Aire de pique-nique, salle à manger, toilettes.

Circuit B: Le royaume des vacanciers

Parmi les autres plages publiques de la région, mentionnons celles de **Sainte-Adèle** *(4$; ch. du Chantecler,* ☎*450-229-2921),* petite mais sympathique, de **Saint-Adolphe-d'Howard** *(ch. du Village,* ☎*819-327-2626),* de **Sainte-Agathe-des-Monts** *(5$; lac des Sables),* de **Sainte-Marguerite-du-Lac-Masson** *(5$;* ☎*450-228-2545)* et de **Mont-Tremblant** *(5$; ch. Principal,* ☎*819-425-8641).* Il faut aussi mentionner le **Club Page et Tennis de la Station Mont-Tremblant** *(*☎*819-681-5634),* où il est possible de louer canots, kayaks, chaloupes, planches à voile et pédalos.

Vélo

Circuit B: Le royaume des vacanciers

L'ancienne voie ferrée du **P'tit Train du Nord** *(*☎*450-436-8532),* qui permit longtemps aux Montréalais de «monter dans le Nord», a été transformée en une superbe voie cyclable. De Saint-Jérôme à Mont-Laurier, 200 km de pistes aménagées s'offrent à vous. De plus, le parcours traverse plusieurs petits villages où il est possible de trouver hébergement et restauration pour toutes les bourses.

La **Station Mont-Tremblant** compte environ une douzaine de sentiers pour vélo de montagne. On accède aux pistes en empruntant un télésiège dessiné de façon à pouvoir accueillir sans difficulté les cyclistes et leur vélo. Les sentiers portent des noms évocateurs: La Cachée (débutant); Le Labyrinthe (intermédiaire); La Nord-Sud, La Chouette et La Grand Nord (avancé); La Sasquatch (expert).

Le **parc du Mont-Tremblant** *(*☎*819-688-2281)* entretient quant à lui quelque 100 km de voies cyclables.

Il est possible de louer des bicyclettes aux endroits suivants:

Boutique Phénix *(2444 rue de l'Église, Val-David,* ☎*819-322-1118)*

Parc du Mont-Tremblant *(*☎*819-688-2281)*

Station Mont-Tremblant *(*☎*819-681-3000, poste 45564)*

Rafting

La région des Laurentides offre, grâce à l'excitante rivière Rouge, de très bonnes conditions d'eau vive, parmi les meilleures au Canada diront même certains experts. Évidemment, c'est au printemps, avec la fonte des neiges, que l'on retrouve les conditions optimales pour cette activité. Cette période peut s'avérer très difficile, et il est conseillé d'avoir déjà fait un peu de descente de rivière au préalable. Pour les débutants, la saison idéale est l'été, alors que la rivière n'est pas trop haute et que la température est plus clémente. Adressez-vous à **Nouveau Monde, expéditions en rivière** *(79$ en semaine, 85$ la fin de semaine; 100 ch. Rivière-Rouge, Calumet,* ☎*819-242-7238 ou 800-361-5033),* qui organise des groupes (départs tous les jours).

Golf

Circuit A: Le lac des Deux Montagnes

Le **Club de golf Carling Lake** *(70$, 35$ après 15h; 2235 route 327 N., Pine Hill,* ☎*450-533-5333),* fondé près de Lachute en 1961, se classe parmi les plus beaux parcours publics au Canada, du moins selon le magazine *Golf Digest U.S.* À proximité du terrain de golf, on trouve de plus l'élégant **Hôtel du Lac Carling** (voir p 318).

Circuit B: Le royaume des vacanciers

Parmi les dizaines de terrains de golf disséminés aux quatre coins des Laurentides, citons le réputé **Club de golf L'Estérel** *(52$; boul. Fridolin-Simard, Estérel,* ☎*450-228-2571).*

Il y a aussi ceux de la **Station Mont-Tremblant** *(3005 ch. Principal, Mt-Tremblant,* ☎*819-681-4653):* l'un baptisé Le Géant, que les experts classent parmi les 10 meilleurs au Canada, et le Diable. La station propose des forfaits golf avec hébergement; pour y jouer seulement, vous ne pouvez réserver plus d'une semaine à l'avance.

Le **Club de golf Gray Rocks** *(55$; 525 ch. Principal, Mt-Tremblant,* ☎*819-425-2771 ou 800-567-6767),* situé non loin de là, connaît le même sort depuis 1998, alors qu'un terrain a été ajouté au 18 trous.

Croisières

Circuit B: Le royaume des vacanciers

À Sainte-Agathe-des-Monts, **Les Bateaux Alouette** *(12$; quai de la rue Principale,* ☎*819-326-3656)* permettent d'explorer le lac des Sables depuis 1944. Les excursions durent 50 min et sont offertes de la mi-mai à la fin octobre.

Pour admirer les beautés du lac Tremblant, montez à bord du *Grand Manitou*: **Croisières Mont-Tremblant** *(14$; départs au quai Fédéral,* ☎*819-425-1045).*

Glissade

Circuit A: Le lac des Deux Montagnes

Le **Super Aqua Club** *(25$; mi-juin à fin août 10h à 19h; 322 montée de la Baie,* ☎*450-473-1013)* de Pointe-Calumet possède pas moins de 45 glissoires d'eau! On y trouve aussi, entre autres installations, une piscine à vagues et des rivières pour descente sur chambres à air. Le centre donne par ailleurs sur le lac des Deux Montagnes et possède une jolie plage de sable. On peut y louer pédalos et canots.

Circuit B: Le royaume des vacanciers

Vous pouvez opter pour les **Cascades d'eau** *(21$; mi-juin à fin août 10h à 19h; sortie 58 de l'autoroute 15, Piedmont,* ☎*450-227-3353)* et essayer 17 toboggans.

Le **Parc aquatique du Mont-Saint-Sauveur** *(28$ adulte, 23$ 6 à 12 ans; mi-juin à début sept 10h à 19h; sortie 60 de l'autoroute 15; 350 rue St-Denis, St-Sauveur-des-Monts,* ☎*450-227-4671)* propose aux amateurs d'activités nautiques, une piscine à vagues et six toboggans nautiques, dont quatre en spirale, auxquels il faut en ajouter trois autres spécialement conçus pour les enfants.

En hiver, si vous désirez passer une agréable journée en plein air mais ne voulez pas skier, vous pouvez aller à **La Pente des Pays-d'en-Haut** *(27$ pour une journée ou une soirée complète, tarifs réduits offerts pour des périodes de une,* deux ou quatre heures; mi-déc à fin mars lun-jeu 9h à 17h, ven-sam 9h à 22h, dim 9h à 20h; 440 ch. Avila, Piedmont, ☎*450-224-4014 ou 800-668-7951),* qui propose 38 descentes différentes.

Circuit C: Le pays du curé Labelle

La **chute du Windigo**, située à 24 km au nord-ouest du village de Ferme-Neuve, vous apparaîtra comme un toboggan nautique naturel, qu'avec un peu d'audace vous pourrez essayer de descendre. Si vous comptez le faire, portez une bonne paire de chaussures car le fond du bassin est rempli de petits cailloux pointus.

Ski alpin

Circuit B: Le royaume des vacanciers

Deux stations de ski ont été aménagées sur les monts entourant Piedmont, la **Station de ski Mont-Olympia** *(34$; ch. de la Montagne, Piedmont,* ☎*450-227-3523 ou 800-363-3696),* avec 23 pentes d'une dénivellation totale de 200 m, et la **Station de ski Mont-Avila** *(34$; ch. Avila, Piedmont,* ☎*450-227-4671 ou 800-363-2426),* qui propose une dizaine de pentes, dont la plus longue fait 1 050 m.

Avec sa petite montagne n'ayant qu'une dénivelée de 210 m, la **Station touristique Mont-Saint-Sauveur** *(41$; 350 rue St-Denis, St-Sauveur-des-Monts,* ☎*450-227-4671)* accueille une clientèle nombreuse en raison de la proximité de Montréal. Cette station possède tout de même 34

Laurentides

pistes de ski alpin. Plusieurs pistes étant éclairées, il est possible de skier en soirée.

La Station touristique Mont-Saint-Sauveur étant fréquemment envahie, certaines personnes préféreront les pentes des monts voisins, qui possèdent moins de pistes, mais où elles pourront skier sans trop attendre. La **Station de ski Mont-Habitant** *(32$; 12 boul. des Skieurs, ☎450-227-2637)*, avec ses 11 pistes, en fait partie.

Également situées dans les environs, mentionnons la **Station de ski Morin-Heights** *(34$; ch. Bennett, ☎450-227-2020)*, qui compte 23 pistes dont 16 éclairées, ainsi que la modeste (10 pistes) station **L'Avalanche** *(25$; 1657 ch. de l'Avalanche, ☎819-327-3232)*, près de Saint-Adolphe-d'Howard.

La région de Sainte-Adèle attire, elle aussi, les skieurs grâce à deux stations de ski de bonne envergure. La **Station de ski Mont-Gabriel** *(25$; 1501 montée Gabriel, Ste-Adèle, ☎450-227-1100)* offre 18 pistes (dont 9 sont éclairées en soirée) destinées aux skieurs de tout type. De plus, on retrouve au Mont-Gabriel la célèbre piste dénommée «Tomahawk», qui accueille le championnat mondial de ski acrobatique. La **Station de ski Le Chantecler** *(33$; 1474 ch. du Chantecler, ☎450-229-3555)*, près de laquelle le beau complexe touristique Le Chantecler a été bâti, propose 24 pistes, dont 16 sont ouvertes pour le ski de soirée.

À Val-Morin, on peut skier au **Centre de ski Belle Neige** *(26$; route 117, ☎819-322-3311)*. On y trouve 14 pistes toutes catégories. Puis, aux environs de Val-

David, il y a le **Mont-Alta** *(20$; route 117, ☎819-322-3206)* et la **Station de ski Vallée-Bleue** *(24$; 1418 ch. Vallée-Bleue, ☎819-322-3427)*, qui comptent respectivement 22 et 17 pistes.

À Saint-Faustin, la **Station de ski Mont-Blanc** *(35$; route 117, ☎819-688-2444 ou 800-567-6715)* possède la seconde dénivelée en importance dans les Laurentides (300 m). Trente-six pistes y sont aménagées.

Depuis plusieurs années déjà, la **Station Mont-Tremblant** *(58$; 3005 ch. Principal, Mont-Tremblant, ☎888-tremblant)*, appelé tout simplement «Tremblant» par ses fans, est reconnue comme l'un des plus importants centres récréotouristiques d'Amérique du Nord. Elle offre maintenant une quinzaine de nouvelles pistes sur le versant Soleil, orienté plein sud et protégé du vent. En tout, la station compte 92 pistes sillonnant ce mont de 875 m d'altitude pour une dénivelée de 645 m, auxquelles pistes il faut ajouter deux parcs à neige avec demi-lunes pour les amateurs de sensations fortes! Sans parler de l'agréable village de sports s'étendant à son pied (voir p 322). Les 6 km de la Nansen ne feront qu'amplifier l'enthousiasme des débutants; les pistes Zig Zag et vertige, comme leur nom le laisse présager, enflammeront les experts; les 77 ha de sous-bois enchanteront les aventuriers. Bonne glisse!

Non loin de la Station Mont-Tremblant, vous découvrirez une autre belle station de ski de la région, **Gray Rocks** *(30$; 525 ch. Principal, Mt-Tremblant, ☎819-425-2771 ou 800-567-6767)*, qui présente une

vingtaine de pistes sur une dénivelée (bien inférieure à sa voisine) de 191 m.

Ski de fond

Circuit A: Le lac des Deux Montagnes

Le **parc d'Oka** *(7,50$; ch. d'Oka, ☎450-479-8365)* possède huit sentiers totalisant quelque 50 km. Ainsi, on y trouve trois sentiers classés faciles, deux difficiles et trois très difficiles. Par ailleurs, les amateurs de raquette seront heureux d'apprendre que le parc leur réserve deux sentiers totalisant 5 km.

Circuit B: Le royaume des vacanciers

Le **parc linéaire du P'tit Train du Nord** *(7$; ☎450-436-8532)*, long de quelque 200 km, se transforme, l'hiver venu, en un merveilleux sentier de ski de fond et de motoneige. Le sentier de ski de fond s'étend de Saint-Jérôme à Sainte-Agathe et devient ensuite le royaume de la motoneige jusqu'à Mont-Laurier.

Le **Centre de ski de fond Morin-Heights** *(7$; 612 rue du Village, Morin-Heights, ☎450-226-2417 ou 226-1868)* est un des plus anciens du Canada. Ce centre est un endroit idéal pour pratiquer le ski «aventure», c'est-à-dire de très longues randonnées sur des sentiers moins fréquentés et non entretenus mécaniquement.

Le **Centre de ski de fond L'Estérel** *(8$; 39 boul. Fridolin-Simard, Estérel, ☎450-228-2571)* se révèle un des mieux organisés de la

Jack Rabbit

Né en Norvège en 1875, Herman Smith-Johannsen émigre au Canada en 1901. Ingénieur de profession, il se fait vendeur de matériel ferroviaire, ce qui lui permet de visiter plusieurs régions éloignées des centres urbains. Il se rend dans ces régions à skis, rencontrant nombre d'Amérindiens, qui le surnomment *Wapoos* (le lièvre). Ce surnom, qui se traduit par *jackrabbit* en anglais, sera repris par ses compères du Montreal Ski Club.

Il explore les Laurentides tout au long des années 1920 et 1930. Il en vient même à s'y installer et réussit à développer un su-

perbe réseau de sentiers de ski de fond. Il ouvre, après quatre années d'effort, une piste longue de 128 km, la Maple Leaf, qui relie les villes de Prévost et de Labelle. Malheureusement, l'autoroute des Laurentides (15) a sectionné cette belle piste.

Il a fait figure de pionnier en contribuant à la fondation de plusieurs centres de ski de fond et en ouvrant une grande quantité de pistes. Il remisa ses skis à l'âge de 106 ans et mourut en 1987, à l'âge de 111 ans, laissant son nom dans l'histoire québécoise du ski de fond.

Un autre rendez-vous fort prisé des amateurs de ski de fond est la **Base de Plein Air Le P'tit Bonheur** *(5,50$; 1400 ch. du Lac-Quenouille, Lac-Supérieur, ☎819-326-4281 ou 800-567-6788)*, qui gère un réseau de 57 km. On peut aussi y pratiquer la raquette (deux sentiers).

Avec ses 35 sentiers totalisant 100 km dont 25 km pour le pas de patin, le **Centre de ski de fond Mont-Tremblant–Saint-Jovite** *(10$; 539 ch. St-Bernard, Mont-Tremblant, ☎819-425-5588)* est l'un des plus imposants des Laurentides. On y trouve aussi des sentiers de raquette et un comptoir de location.

Parc du Mont-Tremblant, (voir p 312).

Motoneige

Circuit B: Le royaume des vacanciers

La région des Laurentides est sillonnée de nombreux sentiers pour motoneige. On peut louer des motoneiges dans les établissements suivants:

Randonneige *(25 rue Brissette, Ste-Agathe-des-Monts, ☎819-326-0642 ou 800-326-0642)*.

Location Constantineau *(1117 boul. Albiny-Paquette, Mt-Laurier, ☎819-623-1724)*.

Hôtel l'Estérel *(ch. Fridolin-Simard, ☎450-228-2571)*.

Laurentides

région. Grâce à ses 330 m d'altitude, il bénéficie d'excellentes conditions de neige. À L'Estérel, on mise sur un centre pour tous les types d'expérience. Les sentiers sont généralement courts, sans pour autant être faciles. Le centre compte 13 sentiers, dont 4 faciles, 5 difficiles et 4 très difficiles.

Durant l'hiver, au **Centre Far Hills** *(10$; ch. du Lac*

LaSalle, Val-Morin, ☎819-322-2014, 514-990-4409 ou 800-567-6636), plus de 90 km de sentiers de ski de fond sont entretenus. Ces sentiers, s'étendant sur une région de forêts et de collines, permettent aux skieurs d'apprécier de beaux paysages. On y trouve, entre autres, la célèbre **piste Maple Leaf**, ouverte par nul autre que Jack Rabbit.

Traîneau à chiens

Circuit B: Le royaume des vacanciers

À côté de l'hôtel l'**Estérel** (**☎**450-228-2571), vous pouvez aller admirer quelque 115 magnifiques bêtes dressées pour les excursions en traîneau à chiens. Les enfants adorent...

Hébergement

Circuit A: Le lac des Deux Montagnes

Oka

Parc d'Oka
$
mai à sept
☎(450) 479-8365
Le parc d'Oka possède un magnifique terrain de camping comptant environ 880 emplacements aménagés en pleine forêt.

La maison Dumoulin
$$ pdj
bc, ≈
53 rue St-Sulpice
☎(450) 479-6753
Le gîte touristique La maison Dumoulin est très bien situé, en bordure du lac des Deux Montagnes. L'accueil est chaleureux, et les chambres sont confortables.

Pine Hill

Hôtel du Lac Carling
$$$$ ½p
≡, ⊛, ≈, ⊘, △, ℜ, ♿, ℝ, ℑ, ✿, 🐾

2255 route 327 N.
☎(450) 533-9211
☎800-661-9211
⇌(450) 533-4495
www.laccarling.com
Un peu au nord-ouest de Lachute se cache un hôtel remarquable mais peu connu: l'Hôtel du Lac Carling. Aménagé au bord d'un lac, dans un longiligne bâtiment de pierre taillée et de bois clair percé de hautes fenêtres, cet établissement de luxe a vraiment fière allure. À l'intérieur, c'est un décor somptueux rehaussé par de nombreuses œuvres d'art et antiquités qui vous attend. Les immenses chambres sont pour leur part baignées de lumière naturelle. Certaines sont pourvues d'une baignoire à remous, d'une terrasse ou d'un foyer. Cet hôtel de luxe abrite de plus un centre sportif comprenant entre autres court de tennis intérieur, salle d'exercices, piscine intérieure et sauna. Le réputé **Club de golf Carling Lake** (voir p 314) complète les installations.

Circuit B: Le royaume des vacanciers

Saint-Hippolyte

Auberge des Cèdres
$$ pdj
≡, ⊛, ℜ, ℑ
26 305ᵉ Avenue
☎(450) 563-5050
☎877-563-2083
⇌(450) 563-1663
www.aubergedescedres.com
L'Auberge des Cèdres est plaisamment construite au bord du lac Achigan. Installée dans une maison qui a bien du cachet, elle

dispose de chambres coquettes.

Saint-Sauveur-des-Monts

Motel Joli-Bourg
$$
≈, ℑ
60 rue Principale
☎(450) 227-4651
Le Motel Joli-Bourg présente un aspect assez caractéristique des motels de cette catégorie, le stationnement occupant une place de choix. Un effort a cependant été porté au confort des chambres, chacune disposant d'un foyer. On remarquera aussi une petite piscine.

Le Bonnet d'Or
$$ pdj
ℂ
405 rue Principale
☎(450) 227-9669
☎877-227-9669
Le Bonnet d'Or compte trois chambres pourvues de planchers de bois peints de couleurs riches et d'un décor victorien qui ne plaira peut-être pas à tous. Deux suites, dont une est munie d'une baignoire à remous, proposent un cadre plus romantique. Les propriétaires sont gentils et accueillants. Par contre, l'emplacement, rue Principale, pourrait déplaire à ceux qui ont le sommeil léger.

Relais Saint-Denis
$$$
≈, ⊛, ≡, ℜ, ℑ, 🐾, ℝ
61 rue St-Denis
☎(450) 227-4766
☎888-997-4766
⇌(450) 227-8504
www.relaisst-denis.com
Le Relais Saint-Denis, un petit hôtel sympathique, propose des chambres plutôt ordinaires. Leur décor banal rend l'endroit légèrement supérieur à un motel.

Manoir Saint-Sauveur
$$$$$ pdj
≈, ≡, ⚕, ⊘, △, ℜ
246 ch. du Lac Millette
☎*(450) 227-1811*
☎*800-361-0505*
≈*(450) 227-8512*
www.manoir-saint-sauveur.com
Le Manoir Saint-Sauveur, comptant quelque 300 chambres, a mis l'accent sur les activités sportives. On y propose, en hiver ou en été, une foule de forfaits ski alpin, golf ou équitation, ainsi qu'une grande variété d'installations sportives (terrains de tennis et de squash). On y a aussi une nouvelle aile avec de belles chambres neuves aux chauds tons de beige et aux couettes attrayantes. Choisissez-les, moyennant un léger supplément (louez une chambre du côté de la montagne). Le Manoir Saint-Sauveur réussit à combiner le confort d'un chalet de ski à l'élégance d'un grand hôtel. Il a l'avantage d'être construit en bordure du village de Saint-Sauveur, où vous pourrez vous rendre à pied.

Sainte-Adèle

Motel Chantolac
$$
≈, ≡, ℝ, ℜ, C
156 rue Morin
☎*(450) 229-3593*
☎*800-561-8875*
≈*(450) 229-4393*
www.chantolac.com
Le Motel Chantolac est un endroit confortable, bien situé et à prix abordable. Les chambres ne sont pas spectaculaires, mais offrent un excellent rapport qualité/prix. De plus, l'endroit jouit d'un bel emplacement, en face de la rue menant au Chantecler, à proximité de nombreux restos sympathiques et à deux pas du lac Rond et de sa petite plage.

Auberge de la Gare
$$ pdj
bc
1694 ch. Pierre-Péladeau
☎*(450) 228-3140*
☎*888-825-4273*
www.aubergedelagare.com
À quelques kilomètres de Sainte-Adèle, l'Auberge de la Gare est établie dans une jolie demeure victorienne dotée d'élégantes salles communes. Les chambres campagnardes sont décorées de tons pastel et d'antiquités, et au sous-sol se trouve une agréable salle de jeux. Choisissez votre petit déjeuner: sucré ou salé!

Auberge Bonne Nuit-Bonjour
$$ pdj
≈
1980 boul. Ste-Adèle
☎/≈*(450) 229-7500*
☎*800-229-7500*
www.bonnenuitbonjour.com
L'Auberge Bonne Nuit-Bonjour dispose de six chambres agréablement décorées. L'accueil est très chaleureux et le site enchanteur. Les visiteurs peuvent profiter d'un grand solarium où il fait bon prendre le café au réveil.

Complexe Hôtelier Harfang des Neiges
$$$ pdj
ℜ, ⊛, ℜ, ≡, 🏍, ℝ, C
2010 ch. Pierre-Péladeau
☎*(450) 228-4645*
☎*800-363-5624*
≈*(450) 228-3047*
www.harfangdesneiges.com
Sur la route reliant Sainte-Adèle et Sainte-Marguerite-du-Lac-Masson, vous trouverez, dans un coin tranquille, le Complexe Hôtelier Harfang des Neiges. Il s'agit d'un petit établissement de style motel de 15 chambres, propret et sans prétention, établi sur les abords d'un petit lac, tout près de la route 327. Chaque chambre est équipée d'un foyer, et certaines disposent d'une baignoire à remous. Quoique les chambres aient été rénovées, la décoration de couleur rose, pêche ou or de certaines est quelque peu démodée. Quand même une bonne option pour un court séjour.

Hôtel Le Chantecler
$$$$
≈, ≡, △, ⊘, ⊛, ℜ, ⊙, ℜ, C
1474 ch. du Chantecler
☎*(450) 229-3555*
☎*800-363-2420*
≈*(450) 229-5593*
www.lechantecler.com
Nommé en référence à l'œuvre d'Edmond Rostand, dont on a aussi emprunté le coq pour emblème, Le Chantecler propose une foule d'activités dans un cadre très naturel, au bord du lac et au pied du mont Chantecler. Le terrain de golf se trouve dans un site enchanteur entre les montagnes. Les chambres, toutefois, sont petites et très ordinaires, au décor rappelant le style des années 1980. Évitez les chambres du quatrième étage: pour y accéder (elles sont situées à l'extrémité de ce bâtiment labyrinthique), vous devez faire un détour désagréable par le stationnement intérieur.

🏅 L'Eau à la Bouche
$$$$$
≈, ≡, ℜ, ℜ, ⊛
3003 boul. Ste-Adèle
☎*(450) 229-2991*
☎*888-828-2991*
≈*(450) 229-7573*
www.leaualabouche.com
Faisant partie de la prestigieuse association des Relais & Châteaux, l'hôtel L'Eau à la Bouche est connu pour son excellent restaurant gastronomique (voir p 326) et pour ses chambres compactes et simples mais d'un grand confort. Ne vous laissez pas influencer par l'aspect très rustique du bâtiment,

Laurentides

car les chambres sont garnies d'un mobilier sobre mais élégant. Quelques-unes sont mêmes dotées d'un foyer. Le bâtiment de l'hôtel même a été construit en retrait de la route au milieu des années 1980. Il offre une vue splendide sur les pistes de ski du Mont-Chantecler. Le restaurant, quant à lui, a été aménagé dans une maison séparée. L'ensemble se trouve sur la route 117, au nord du village de Sainte-Adèle.

Estérel

Hôtel l'Estérel
$$$$$
≈, ☺, △, ℜ, ≡, ✿
39 boul. Fridolin-Simard
☎*(450) 228-2571*
☎*888-378-3735*
≈*(450) 228-4977*
www.esterel.com
Le vaste complexe de l'hôtel l'Estérel, agréablement établi au bord du lac Masson, offre l'occasion de s'adonner à bon nombre d'activités nautiques ainsi qu'à des sports aussi divers que le tennis, le golf et le ski de fond. L'accent est surtout mis sur les activités; les chambres ont l'air démodées et mornes, et auraient grandement besoin d'un changement de style. Les couloirs sombres, aux murs cendrés, donnent à l'endroit un aspect sévère malgré l'effort qu'on a fait pour les égayer. Côté positif: ceux qui aiment avoir une vue du lac seront ravis par les chambres avec panorama, dont les balcons surplombent littéralement le lac... Vous pourrez presque vous y tremper les pieds!

Val-Morin

Hôtel Far Hills Inn
$$$$
≈, △, ℜ, ≡
3399 rue Far Hills Inn
☎*(514) 990-4409*
☎*800-567-6636*
≈*(819) 322-1995*
www.farhillsinn.com
Profitant d'un immense terrain, l'Hôtel Far Hills Inn constitue un site champêtre d'une grande tranquillité. On y vient, entre autres, pour pratiquer le ski de fond, car il dispose de plus d'une centaine de kilomètres de sentiers. En été, il fait bon s'y reposer tout en profitant des activités proposées par l'hôtel. Les chambres sont bien décorées et l'accueil chaleureux. De plus, l'hôtel dispose d'une des meilleures tables de la région (voir p 327).

Val-David

Chalet Beaumont
$
C, △, ℜ
1451 Beaumont
☎*(819) 322-1972*
☎*800-461-8585*
≈*(819) 322-3793*
www.chaletbeaumont.com
de la gare routière, empruntez la rue de l'Église et traversez le village jusqu'à la rue Beaumont, où vous tournerez à gauche; comptez 2 km
Le Chalet Beaumont abrite une des deux seules auberges de jeunesse des Laurentides. Faite de rondins et disposant de deux foyers, elle est fort sympathique et confortable. L'auberge est située en montagne, dans une région paisible. Il s'agit d'un très bon choix pour les amateurs de plein air préoccupés par leur budget. Avant de louer, il est conseillé de s'enquérir des personnes susceptibles de partager votre chambre, car l'auberge est souvent occupée

par des groupes de jeunes étudiants en excursion à Val-David.

Le Temps des Cerises
$$ pdj
1347 ch. de la Sapinière
☎*(819) 322-1751*
Le gîte touristique Le Temps des Cerises est un choix intéressant pour les voyageurs. Il est tenu par des gens fort sympathiques qui rendent le séjour chez eux très plaisant. Les chambres sont décorées de belle façon, chacune dégageant un charme particulier.

La Maison de Bavière
$$ pdj
1472 ch. de la Rivière
☎*(819) 322-3528*
www.maisondebaviere.com
Un séjour à La Maison de Bavière s'avère une bien belle expérience. Les propriétaires ont pris le temps de bien décorer chacune des chambres, en plus de les baptiser de noms de compositeurs célèbres: Mozart, Strauss, Haydn et Beethoven. L'accueil se révèle particulièrement chaleureux, et le site, près d'une cascade, est enchanteur. Comme pour tout endroit de qualité, il est préférable de réserver.

Auberge Le Rouet
$$$
bc, ≈, ℜ
1288 rue Lavoie
☎*(819) 322-3221*
☎*800-537-6838*
≈*(819) 322-5703*
www.aubergelerouet.com
Les propriétaires de l'Auberge Le Rouet ont opté pour une formule familiale proposant des chambres confortables sans être luxueuses, selon laquelle vous aurez accès à une foule de services. Toutes les chambres sont sommairement meublées, et aucune ne dispose d'une salle de bain privée, mais une sympathique atmosphère

de vacances se dégage de l'endroit.

Auberge du Vieux Foyer
$$$$ ½ p
⊛, ℂ, ℑ, ≡, ℜ, ≈
3167 R.R. 1
☎ *(819) 322-2686*
☎ *800-567-8327*
⇆ *(819) 322-2687*
www.aubergeduvieuxfoyer.com

À première vue, ce petit hôtel de style chalet suisse kitsch donne l'impression que ses chambres le seront aussi; pourtant, elles sont très coquettes. Chacune est unique, décorée de belles couleurs riches; certaines sont pourvues de boiseries, de jolies œuvres d'art et literies, et d'une touche des années 1980, semblable à la plupart des hôtels de la région. Néanmoins, elles sont minuscules (à déconseiller aux claustrophobes). L'endroit est très populaire auprès des groupes, aussi le hall peut-il être bruyant et congestionné.

Hôtel La Sapinière
$$$$$ ½ p
≈, ≡, ℑ, ℜ, ☉
1244 ch. de la Sapinière
☎ *(819) 322-2020*
☎ *800-567-6635*
⇆ *(819) 322-6510*
www.sapiniere.com

Le bâtiment en rondins de l'Hôtel La Sapinière date de 1936 et appartient toujours au même propriétaire. Malgré le prix, ne vous attendez pas à du luxe; le décor des chambres est un peu vieux mais tout de même joyeux, comprenant moquette rose, papier peint fleuri et rideaux de dentelle. Malgré tout, l'endroit est une halte confortable pour qui séjourne dans cette région, d'autant plus qu'il est situé dans un cadre enchanteur, tout près d'un lac paisible et entouré de montagnes et de sentiers de ski de fond. Des embarcations

sont disponibles pour ceux qui désirent profiter du lac.

Sainte-Agathe-des-Monts

Auberge Le Saint-Venant
$$ pdj
ℂ, ≡, ℝ
234 rue St-Venant
☎ *(819) 326-7937*
☎ *800-697-7937*
⇆ *(819) 326-4848*
www.st-venant.com

L'Auberge Le Saint-Venant constitue l'un des secrets bien gardés de Sainte-Agathe. Dans une belle grande maison jaune juchée sur une colline, on a aménagé avec beaucoup de raffinement ce bel établissement de neuf chambres. Celles-ci se révèlent vastes, décorées avec goût et baignées de lumière grâce à de grandes fenêtres. Accueil à la fois chaleureux et discret.

Auberge Girard
$$
ℜ, ⊛, ℑ
18 rue Principale O.
☎ *(819) 326-0922*
☎ *800-663-0922*
⇆ *(819) 326-3386*

L'Auberge Girard est un endroit charmant offrant une très bonne ambiance. On y retrouve une clientèle d'habitués revenant année après année, toujours aussi satisfaits.

La Sauvagine
$$-$$$ pdj
ℑ, ℂ, ℜ, ≡, ≈, ⊛, ℝ, ♿
1592 route 329 N.
☎ *(819) 326-7673*
☎ *800-787-7172*
⇆ *(819) 326-9351*
www.lasauvagine.com

Le restaurant français La Sauvagine, qui est aussi une petite auberge, dispose de neuf chambres simples.

Auberge du Lac des Sables
$$-$$$ pdj
≡, ⊛, ℑ, ℂ
230 rue St-Venant
☎ *(819) 326-3994*
☎ *800-567-8329*
⇆ *(819) 326-9159*
www.aubergedulac.com

Ce grand bâtiment blanc agrippé à la colline face au lac, c'est l'Auberge du Lac des Sables. On y trouve 23 chambres, toutes équipées d'une baignoire à remous. Le petit déjeuner, fort copieux, est le seul repas servi dans cette auberge qui, de ce fait, n'en est pas vraiment une... L'accueil y est des plus chaleureux.

Auberge La Caravelle
$$$ pdj
⊛, ≈, ℜ, ℑ
92 rue Major
☎ *(819) 321-2444*
☎ *800-661-4272*
⇆ *(819) 326-0818*
www.aubergelacaravelle.com

Aménagée dans une jolie maison bleue et rouge, l'Auberge La Caravelle se définit comme une «petite auberge romantique». Aussi l'endroit est-il entouré d'un beau jardin fleuri. De plus, la moitié de ses 16 chambres sont dotées d'une baignoire à remous, et, parmi celles-ci, il faut compter la «suite nuptiale»... Des vélos sont par ailleurs mis à la disposition des invités.

Lac-Supérieur

Base de Plein Air le P'tit Bonheur
**$$$$/ pers. 2 nuitées,
5 repas, activités, animation**
bc, ℜ
1400 ch. du Lac Quenouille
☎ *(819) 326-4281*
☎ *800-567-6788*
⇆ (819) *326-9516*
www.ptitbonheur.com

La Base de Plein Air le P'tit Bonheur n'est rien de moins qu'une institution dans les Laurentides. Ce qui autrefois n'était qu'un camp de vacances pour les

Laurentides

jeunes est aujourd'hui devenu un établissement s'adressant aux familles désireuses de prendre des vacances «plein air». C'est donc sur un vaste domaine au bord d'un lac et en pleine forêt que l'on accède aux quatre pavillons de la base, qui abritent au total près de 430 lits, la plupart en dortoir. Une vingtaine de lits se trouvent toutefois dans des chambres séparées, avec salles de bain privées, pouvant accueillir jusqu'à quatre personnes. L'endroit est bien sûr idéal pour la pratique de nombreux sports: voile, randonnée pédestre, ski de fond, patin, etc.

Auberge Caribou
$$$$$ ½ p
ℜ
141 Tour du Lac
☎*(819) 688-5201*
☎*877-688-5201*
L'Auberge Caribou est établie dans un chalet de bois rond rustique (bâti en 1945) à deux pas d'un lac. L'établissement compte 14 chambres confortables à prix raisonnable (certaines offrent une vue sur le lac) et un excellent restaurant (voir p 328), niché dans la région du mont Tremblant. N'en soufflez mot à personne! Les chambres ont un décor unique composé de boiseries, de feuillage peint à la main et de couettes. La plupart sont plus intimes que grandes; toutefois, l'auberge propose aussi une suite qui peut loger plusieurs personnes. Il est possible de faire usage de canots, d'un quai et d'un patio pour se détendre en été. En hiver, les sentiers de ski de fond du parc du Mont-Tremblant sont tout près. Délicieux petits déjeuners et fabuleux dîners. Une vraie trouvaille.

Station
Mont-Tremblant

Club Intrawest
$$$$-$$$$$
ℂ, ≈, ℑ, ☉, △, ✪
200 ch. des Saisons
☎*(819) 681-3535*
☎*800-799-3258*
≈*(819) 681-3559*
www.clubintrawest.com
Essentiellement une multipropriété, le Club Intrawest propose la location de studios (deux personnes) et appartements à une chambre (quatre personnes) répartis dans plusieurs bâtiment qui, malheureusement, n'offrent pas de vue. Toutefois, les appartements sont décorés avec plein d'imagination, de couleurs et de gaieté. Réservations requises.

🏊 Fairmont Tremblant
$$$$$
⊛, ℂ, ℑ, ≡, ☉, △, ≈, ℜ, ♿
3045 ch. Principal
☎*(819) 681-7000*
☎*800-441-1414*
≈*(819) 681-7099*
www.fairmont.com
Dominant le village piétonnier de la Station Mont-Tremblant, le Fairmont Tremblant est un des deux seuls ajouts qui avaient été faits à la prestigieuse chaîne hôtelière Canadien Pacifique depuis un siècle, l'autre se trouvant à Whistler, en Colombie-Britannique. Cet imposant hôtel de 316 chambres arrive à combiner habilement chaleur rustique de bon aloi dans les environs et haut confort propre aux établissements de grand prestige. L'atmosphère et le décor y sont nettement plus décontractés qu'au Westin (voir ci-dessous), le plus récent des établissements de Mont-Tremblant. L'endroit abrite de plus un important centre de congrès et possède de nombreuses salles de réunion.

Marriott Residence Inn
Manoir Label
$$$$$
≡, ℂ, ☉, ≈, ℜ, ℑ
170 ch. Curé-Deslauriers
☎*(819) 681-4000*
☎*888-272-4000*
≈*(819) 681-4099*
www.marriott-tremblant.com
La prestigieuse chaîne internationale Marriott s'est également installée à la Station Mont-Tremblant, dans un grand bâtiment situé à l'entrée du village piétonnier. Ainsi, au Marriott Residence Inn, il est possible de louer un studio ou un appartement d'une ou deux chambres. Chaque unité est équipée d'une cuisinette, et certaines ont même un foyer.

Station Mont-Tremblant
3005 ch. Principal
☎*(819) 681-5555*
☎*800-461-8711*
≈*(819) 681-5556*
www.tremblant.ca
La Station Mont-Tremblant gère, de plus, directement toute une gamme d'unités d'hébergement. Ainsi peut-on choisir une chambre ou un appartement à l'intérieur d'un complexe comme le **Country Inn and Suites by Carlson** (*$$$$$ pdj;* ≡, △, ≈, ℂ, ℝ, ℑ; *www.lessui testremblant.com*), situé près du Lac Miroir, dans le secteur «Vieux Tremblant» de la station, ou comme les luxueux **Deslauriers** et **Johannsen** (*$$$-$$$$$; ℑ, ≈, ≡, ℂ*), tous construits autour de la place Saint-Bernard. Les familles devraient quant à elles opter pour les condos individuels du domaine **La Chouette** (*$$$; ℑ, ℂ;* ☎*888-857-7967*). Ceux-ci, tout équipés, ont des dimensions modestes, mais sont magnifiquement baignés de lumière naturelle. Ils offrent en outre un excellent rapport qualité/prix, devenant ainsi une alternative appréciable dans le secteur.

Sommet des Neiges
$$$$$
℃, ≈, ⅀, ☺, ≡
ch. de la Montagne
☎800-461-8711
Situé près de la télécabine, le Sommet des Neiges est le plus récent hôtel à Mont-Tremblant. Son dôme argenté est immanquable! L'établissement propose des suites équipées: cuisinette, machine à laver, séchoir à linge, foyer, douche vitrée de plain-pied, baignoire séparée et balcon. Le décor, toutefois, est composé de boiseries foncées qui assombrissent la chambre. Un bon choix pour les familles.

Westin Resort Tremblant
$$$$$ pdj
℃, ≈, ⅀, ☺, ≡, △
100 ch. Kandahar
☎(819) 681-8000
≈(819) 681-8001
www.westin.com
Ouvert en 2000, le Westin continue à hausser la barre en termes de luxe et de confort. Le hall d'entrée est aussi splendide et chaleureux qu'un manoir champêtre, tandis que les chambres sont pourvues des caractéristiques propres à la chaîne Westin (lits et douches de luxe). Ces dernières sont décorées d'audacieux tons de rouge et d'or, et offrent toutes les commodités; même les chambres standards sont munies d'une cuisinette. Le service est généralement excellent mais malheureusement inégal.

Village Mont-Tremblant

Parc du Mont-Tremblant
$
☎(819) 688-2281
☎877-688-2289
Le parc du Mont-Tremblant, secteur de la Diable, propose près de 600 em-

placements de camping. Installations sanitaires et douches.

Auberge de jeunesse Internationale de Mont-Tremblant
$
2213 ch. Principal
☎(819) 425-6008
☎800-461-8585
≈(819) 425-3760
www.hostellingtremblant.com
L'auberge de jeunesse Mont-Tremblant a vu le jour à l'automne 1997. Installée dans l'ancien hôtel L'Escapade, elle dispose de 84 lits, certains en dortoir, d'autres en chambres fermées. Dans les aires communes, on retrouve une cuisine, un café-resto-bar et un salon avec foyer.

Hôtel Mont-Tremblant
$$ pdj
bc/bp, ℜ, ≡
1900 ch. Principal
☎(819) 425-3232
☎888-887-1111
≈(819) 425-9755
www.hotelmonttremblant.com
L'Hôtel Mont-Tremblant dispose, au rez-de-chaussée, d'un bar et, à l'étage, de chambres au confort modeste, mais adéquat pour le prix et la situation géographique, au centre du village et près de la Station de ski Mont-Tremblant.

La Petite Cachée
$$$ pdj
≈, ⅀, ≡
2681 ch. Principal
☎(819) 425-2654
☎866-425-2654
≈(819) 425-6892
www.petitecachee.com
La Petite Cachée, nommée en l'honneur de la rivière qui coule tout près, a accueilli ses premiers visiteurs en 1997. Les chambres, au rez-de-chaussée, sont pourvues de murs en bois rond, offrant une ambiance chaleureuse, alors que celles à l'étage sont décorées de manière plus élégante. Toutes les pièces

ont des planchers de bois et de jolies literies (certaines ont un balcon), et sont impeccablement aménagées et méticuleusement entretenues par les propriétaires, Manon et Normand. L'aspect le plus agréable de ce gîte, toutefois, est le délicieux petit déjeuner. Même si Normand a laissé tomber sa carrière de cuisinier afin de devenir aubergiste, il revient à sa première passion tous les matins pour créer des petits plats raffinés. Dans la salle à manger, prenez place près d'une grande fenêtre donnant sur la montagne et faites plaisir à vos papilles gustatives.

Auberge Sauvignon
$$$ pdj
⊛, ≡, ℜ
2723 ch. Principal
☎(819) 425-5466
≈(819) 425-9260
www.aubergesauvignon.com
L'Auberge Sauvignon offre un petit vent de fraîcheur parmi cette succession d'hôtels gigantesques. Les sept chambres au style campagnard et tons neutres que propose Francine sont aménagées avec soin. Le petit déjeuner à la française est composé de pain maison et de salade de fruits, servi dans une salle douillette décorée de boiseries et de fleurs séchées.

Auberge La Porte Rouge
$$$ ½ p
ℜ, ⊛, ⅀, ≈, ≡, ℂ, ℝ
1874 ch. Principal
☎(819) 425-3505
☎800-665-3505
≈(819) 425-6700
www.aubergelaporterouge.com
L'Auberge La Porte Rouge propose 14 chambres standards avec balcons, situées dans le bâtiment principal à l'allure de motel. Les chambres luxueuses et les chalets se trouvent dans les autres bâtiments, dont certains sont des anciennes

maisons établies le long de la rue principale du village. Les chambres sont grandes et confortables, et certains des balcons font face au lac. Le tarif comprend le petit déjeuner et le dîner au restaurant de l'hôtel, **Le Saint-Louis** (voir p 330).

Le Lupin
$$$ pdj
≡, ℜ, ℝ
127 Pinoteau
☎*(819) 425-5474*
☎*877-425-5474*
⇔*(819) 425-6079*
www.lelupin.com
Érigé en 1945, ce gîte touristique de neuf chambres a su conserver l'atmosphère de campagne qui régnait à Mont-Tremblant avant que les chaînes d'hôtels y débarquent. On y trouve plusieurs styles de chambres champêtres: de petites chambres standards aux meubles simples, des chambres supérieures aux autres avec planchers de bois, boiseries et courtepointes, et des chambres beaucoup plus romantiques avec baignoires profondes, foyer et lecteur DC. Les petites chambres sont situées au sous-sol, au beau milieu d'une collection de souvenirs et babioles de ski. Les petits déjeuners sont excellents et substantiels (choix de sucré ou salé), et les hôtes sont serviables. Le Lupin est bien situé sur un site tranquille à 1 km des pistes de ski, des restaurants et des bars de la Station Mont-Tremblant. Ceux qui souffrent d'allergies sont avisés qu'un chien et deux chats font aussi partie du décor.

Auberge Gray Rocks
$$$-$$$$ ½ p
⊛, ≈, △, ℂ, ☺, ℜ, ℑ, ℝ
525 ch. Principal
☎*(819) 425-2771*
☎*800-567-6767*
⇔*(819) 425-3006*
www.grayrocks.com
L'Auberge Gray Rocks, située à 5 km de la Station Mont-Tremblant, en direction de Saint-Jovite, propose toute une gamme d'activités et de services dans le but de satisfaire les moindres désirs des vacanciers. Malheureusement, les chambres sont plutôt petites et ordinaires.

⚜ Hôtel Club Tremblant
$$$$ ½ p
≈, ≡, △, ☺, ℂ, ℜ, ℝ, ℑ
121 av. Cuttle
☎*(819) 425-8781*
☎*800-567-8341*
⇔*(819) 425-9903*
www.clubtremblant.com
L'Hôtel Club Tremblant remporte le prix de la meilleure vue à Mont-Tremblant. Situé aux abords de la Station Mont-Tremblant, près de la route qui mène au village, l'hôtel compte 120 chambres (réparties dans 10 bâtiments) qui offrent un superbe panorama sur le lac et sur la montagne, ainsi qu'un balcon. Leur décor, toutefois, est plutôt morne et démodé, du style des condos de ski aménagés dans les années 1980. L'une des premières auberges établies à Mont-Tremblant, l'aménagement de la propriété actuelle tire ses origines d'une maison en bois rond datant des années 1900.

Circuit C: Le pays du curé Labelle

Mont-Laurier

Motel Le Riverain
$$
⊛, ≡, ℑ, ℂ
110 boul. A.-Paquette
☎*(819) 623-1622*
☎*888-722-1622*
⇔*(819) 623-5330*
Le Motel Le Riverain dispose de tout le confort et des services qu'offre habituellement ce genre d'établissement.

Ferme-Neuve

Hôtel Le Havre
$$
ℜ
300 12ᵉ Avenue
☎*(819) 587-3988*
L'immense immeuble de l'Hôtel Le Havre, anciennement le Château des Laurentides, possède un cachet presque Far West. On y loue des chambres simples, sans artifices, avec un mobilier un peu vieillot; mais, malgré tout, l'endroit a du charme. On trouve un bar au rez-de-chaussée.

Restaurants

Circuit A: Le lac des Deux Montagnes

Saint-Eustache

L'Impressionniste
$$$
245 ch. de la Grande Côte
☎*(450) 491-3277*
Le restaurant L'Impressionniste est reconnu dans la région pour la qualité de sa table. Le menu varié et

imaginatif saura vous plaire.

Deux-Montagnes

Les Petits fils d'Alice
$$$$
mer-dim
1506 ch. d'Oka
☎*(450) 491-0653*
Les Petits fils d'Alice proposent une fine cuisine française dans un cadre intime et chaleureux. Vous pouvez aussi profiter de la terrasse en été.

Pine Hill

Hôtel du Lac Carling
$$$$
2255 route 327 N.
☎*(450) 533-9211*
☎*(514) 990-7733*
Le splendide **Hôtel du Lac Carling** (voir p 318) possède une salle à manger remarquable, L'If, située dans la rotonde de son bâtiment principal et faisant face au lac. Débutez votre expérience gastronomique avec une terrine de faisan en croûte et son chutney aux pommes et canneberges, puis poursuivez avec une spécialité végétarienne comme le riz au cari sauté dans l'huile d'olive ou encore la caille fermière désossée et farcie de poires et poivre vert. Décor luxueux. Ambiance romantique.

Circuit B: Le royaume des vacanciers

Saint-Jérôme

Le Jardin d'Agnès
$$-$$$
401 rue Laviolette
☎*(450) 431-2575*
Parmi les plats au menu, mentionnons le blanc de volaille à la moutarde ancienne et le filet d'agneau à la crème de basilic. Ter-

rasse à l'arrière, au bord de l'eau.

Saint-Hippolyte

Auberge des Cèdres
$$$-$$$$
mar-dim
26 305ᵉ Avenue
☎*(450) 563-2083*
Au restaurant de l'Auberge des Cèdres, vous pourrez apprécier l'une des meilleures tables de la région. Le menu présente une cuisine gastronomique française et, plus particulièrement, quelques trésors de la cuisine normande.

Saint-Sauveur-des-Monts

Boulangerie Pagé
$
7 rue de l'Église
☎*(450) 227-2632*
À la Boulangerie Pagé, vous trouverez une exceptionnelle sélection de pains, brioches et beignets.

Au Petit Café Chez Denise
$-$$
338 rue Principale
Vous en avez assez des croissants et des cappuccinos? Faites comme les gens du coin, et rendez-vous chez Denise pour une grosse bouffe: œufs, bacon, jambon, saucisses, fèves au lard... Le petit déjeuner est servi tard, mais s'il est vraiment trop tard, savourez un hot chicken, un club sandwich ou une généreuse assiette de foie de bœuf servi avec une bonne cuillerée de purée de pommes de terre. Certains seront peut-être ravis de pouvoir s'offrir des crêpes aux fruits et d'autres plats du genre, mais les mets traditionnels restent tout de même le meilleur choix.

Crêperie La Gourmandise Bretonne
$$
396 rue Principale
☎*(450) 227-5434*
On vient à la Crêperie La Gourmandise Bretonne pour déguster des crêpes, des fondues au fromage et des salades. Le restaurant, d'aspect rustique, est propice aux dîners tranquilles.

Moe's Deli & Bar
$$
21 rue de la Gare
☎*(450) 227-8803*
Du genre *delicatessen*, le Moe's Deli & Bar propose un menu varié dont les portions plairont aux plus gros appétits. Quoique bruyante, l'atmosphère est des plus sympathiques, et vous y passerez de bons moments entre amis malgré le service parfois brusque.

Le restaurant des Oliviers
$$
239 rue Principale
☎*(450) 227-2110*
Le restaurant des Oliviers sert une cuisine familiale raffinée à prix raisonnable. L'atmosphère est chaleureuse et le service des plus courtois.

Bistro Saint-Sauveur
$$-$$$
mar-sam
apportez votre vin
146 rue Principale
☎*(450) 227-1144*
Le Bistro Saint-Sauveur prépare une délicieuse cuisine française. La jolie décoration parvenant à créer une atmosphère chaleureuse, vous vous y sentirez bien pour faire un bon repas entre amis.

La Marmite
$$-$$$
314 rue Principale
☎*(450) 227-1554*
Le restaurant La Marmite sert de savoureux petits plats de grillades et de fruits de mer dans un dé-

cor fort plaisant. On peut aussi apprécier sa belle terrasse en été.

Papa Luigi
$$-$$$
155 rue Principale
☎ *(450) 227-5311*
On trouve au menu de Papa Luigi des spécialités italiennes, on s'en doute, mais aussi des fruits de mer et des grillades. Installé dans une belle maison de bois peinte en bleu, l'établissement attire les foules, surtout la fin de semaine. Réservations fortement recommandées.

Le Mousqueton
$$-$$$
fermé dim
120 rue Principale
☎ *(450) 227-4330*
Non loin de Papa Luigi, mais de l'autre côté de la rue, vous remarquerez la maison verte abritant Le Mousqueton. Dans une ambiance chaleureuse et sans prétention, on y sert une cuisine québécoise moderne et imaginative. Plats de gibier, de poisson et même d'autruche figurent au menu.

Le Chrysanthème
$$$
173 rue Principale
☎ *(450) 227-8888*
Le Chrysanthème possède une belle grande terrasse où il fait bon s'attabler par une belle soirée d'été. On y sert une authentique cuisine szechuan représentant une bonne solution de rechange dans le secteur.

Vieux Four
$$$
252 rue Principale
☎ *(450) 227-6060*
Toujours envahi par une foule d'habitués, le Vieux Four s'est sans doute acquis sa popularité grâce à ses délicieuses pizzas, cuites au four à bois, ainsi qu'à ses plats de pâtes. Malgré un service un peu

froid, il offre un décor sympathique, agréable après une journée de ski.

Sainte-Adèle

La Chitarra
$$-$$$
140 rue Morin
côté sud, angle Ouimet, en haut de la côte
☎ *(450) 229-6904*
À La Chitarra, vous pourrez savourer des spécialités des cuisines française et italienne, comme les plats de pâtes, de viande et de poisson, qui se révèlent toujours excellents. Il est cependant dommage de constater que les desserts déçoivent à l'occasion. Il s'agit d'une bonne adresse à Sainte-Adèle.

Clef des Champs
$$$-$$$$
fermé lun en hiver
875 ch. Pierre-Péladeau
☎ *(450) 229-2857*
Au restaurant la Clef des Champs, vous dégusterez une cuisine française digne des plus fins palais. Il faut grimper au sommet d'une petite colline pour atteindre ce resto, dont la savoureuse cuisine classique est reconnue depuis maintenant de nombreuses années. La salle à manger, chaleureusement décorée, est parfaite pour les repas en tête-à-tête. Le restaurant dispose en outre d'une excellente cave à vins.

Auberge La Biche au Bois
$$$$
mar-dim
100 boul. Ste-Adèle
☎ *(450) 229-8064*
Le cadre enchanteur de l'Auberge La Biche au Bois saura à coup sûr vous mettre en appétit. Au menu, des spécialités québécoises et françaises. Atmosphère romantique.

L'Eau à la Bouche
$$$$
3003 boul. Ste-Adèle
☎ *(450) 229-2991*
L'une des meilleures tables des Laurentides, voire du Québec, se trouve à l'hôtel **L'Eau à la Bouche** (voir p 319). Le chef Anne Desjardins se fait ici un point d'honneur de se surpasser jour après jour, afin de servir à sa clientèle une cuisine française exceptionnelle à base de produits du Québec. Deux menus, l'un à trois services et l'autre à six services, sont proposés chaque soir. Très belle carte des vins. Une inoubliable expérience gastronomique!

Sainte-Marguerite-du-Lac-Masson

Bistro à Champlain
$$$$
tlj en été, jeu-dim en hiver
75 ch. Masson
☎ *(450) 228-4988*
Il ne faut pas se fier à l'allure quelconque de la maison qui abrite le Bistro à Champlain. Il s'agit en fait d'une des meilleures tables des Laurentides. On y prépare d'excellents plats issus d'une cuisine nouvelle employant des produits frais de la région. L'intérieur se révèle absolument extraordinaire. Il s'agit en fait d'une véritable galerie d'art où vous pourrez admirer plusieurs tableaux de Jean-Paul Riopelle, un ami intime du proprio, et d'autres artistes comme Joan Mitchell et Louise Prescott. L'établissement possède de plus l'une des caves à vins les plus réputées du Québec. Il est d'ailleurs possible de visiter sur réservation. Chacun peut goûter quelques crus de cette formidable réserve, car même les plus grands vins sont vendus au verre. Il est préférable de réserver.

Morin-Heights

 **Clos Joli**
$$$
*$$$$ - menu dégustation,
7 services*
19 ch. Clos-Joli
☎*(450) 226-5401*
La table de l'auberge Clos Joli est vraiment remarquable. On y sert un menu varié et créatif; on peut, en plus, profiter de la qualité des conseils des hôtesses, qui sont aussi sommelières. Après la première bouchée, on comprend pourquoi les critiques ne cessent de l'encenser.

Val-Morin

Le Mazot Suisse
$$-$$$
mer-dim
5320 boul. Labelle
☎*(450) 229-5600*
Le Mazot Suisse occupe une maison semblable au typique chalet (mazot) de ce pays. Le menu propose des spécialités telles que la fondue bourguignonne (filet de bœuf) ou la raclette (préparée dans le four original). L'endroit est fort agréable.

Hôtel Far Hills Inn
$$$$
3399 rue Far Hills Inn
☎*(819) 322-2014*
☎*(514) 990-4409*
La table de l'hôtel Far Hills Inn compte encore aujourd'hui parmi les meilleures des Laurentides. On y propose une gastronomie digne des plus grands établissements internationaux.

Val-David

La Vagabonde
$
mer-dim
1262 ch. de la Rivière
☎*(819) 322-3953*
La Vagabonde est essentiellement une boulangerie proposant pains et délices

biologiques qui sont à la fois savoureux et sains. Toutefois, on y trouve aussi un petit café et salon de thé avec quelques tables et une terrasse au milieu des conifères où les clients baba cool s'installent et discutent de yoga. On y sert une sélection de thés peu communs dans des services à thé japonais. Très zen...

Le Nouveau Continent
$
2301 rue de l'Église
☎*(819) 322-6702*
Le Nouveau Continent sert une cuisine simple à petit prix. Le local est garni d'œuvres d'art, car il fait aussi office de salle d'exposition. Il s'agit d'un rendez-vous d'artistes.

Le Grand Pa
$-$$
2481 rue de l'Église
☎*(819) 322-3104*
Le restaurant français Le Grand Pa est tout de simplicité. L'ambiance y est familiale. D'ailleurs, certains soirs, le propriétaire prend le temps de jouer quelques airs à la guitare.

Le Petit Poucet
$$
1030 route 117
☎*(819) 322-2246*
☎*888-334-2246*
Le sympathique restaurant Le Petit Poucet propose une bonne cuisine québécoise de type familial. L'endroit est détendu, et l'on y vient pour prendre un repas entre amis. Les petits déjeuners sont copieux; les gourmands devraient s'offrir «l'Ogre».

La Toupie
$$
jeu-dim
2347 rue de l'Église
☎*(819) 322-7833*
Le restaurant La Toupie sert un choix de crêpes-repas ou de crêpes-des-

serts dans une ambiance détendue et agréable.

 **Hôtel La Sapinière**
$$$$
1244 ch. de la Sapinière
☎*(819) 322-2020*
Au restaurant de l'**Hôtel La Sapinière** (voir p 321), on s'efforce depuis maintenant plus de 60 ans de développer une cuisine créative d'inspiration québécoise et française. Parmi les spécialités de la maison, notons les plats de gibier, de même que le pain d'épice. La tarte au sucre à la crème est pour sa part incontournable. Très bonne sélection de vins.

Sainte-Agathe-des-Monts

Resto Bar Les Deux Richard
$-$$
92 rue Principale
☎*(819) 326-0266*
Pour un planturaux petit déjeuner pas cher, c'est au Resto Bar Les Deux Richard qu'il faut s'arrêter. Le soir, l'endroit se transforme et devient une sorte de bar sportif où l'on peut assister, tout en mangeant, aux matchs diffusés sur grand écran. Petite terrasse à l'avant.

Le Havre des Poètes
$$
*lun-mer, groupes seulement
jeu-dim, soir seulement*
55 rue St-Vincent
☎*(819) 326-8731*
Le restaurant Le Havre des Poètes présente des spectacles de chansonniers interprétant les classiques de la musique francophone. La cuisine est appréciée, mais on s'y rend surtout pour l'ambiance.

Laurentides

La Quimperlaise
$$-$$$
début nov à début juin mer-dim
11 Tour du Lac
☎(819) 326-1776
Aménagée dans un petit local, La Quimperlaise se spécialise dans les mets bretons, en particulier les crêpes fourrées de mille façons. Le décor est mignon et l'atmosphère détendue.

Chatel Vienna
$$-$$$
mer-dim
6 rue Ste-Lucie
☎(819) 326-1485
Sur une petite colline, en face du lac des Sables, une belle maison d'époque abrite le restaurant Chatel Vienna. Tout en jouissant d'une belle vue, vous pourrez savourer des plats autrichiens nourrissants sans être lourds.

Chez Girard
$$-$$$
18 rue Principale O.
☎(819) 326-0922
Au restaurant Chez Girard, situé non loin du lac des Sables, un peu en retrait de la route, vous profiterez d'un cadre tout à fait agréable et d'une délicieuse cuisine française. Le restaurant est aménagé sur deux niveaux, le premier étant le plus bruyant. L'endroit est fort agréable après les journées de plein air.

La Sauvagine
$$$$
fermé lun-mar en hiver
1592 route 329 N.
☎(819) 326-7673
Le restaurant français La Sauvagine est judicieusement installé dans ce qui fut jadis la chapelle d'un couvent. L'aménagement est des plus réussis; d'énormes meubles d'époque composent le décor.

Lac-Supérieur

Auberge Caribou
$$$-$$$$
141 Tour du Lac
☎688-5201 ou 877-688-5201
Abandonnez tous les doutes que vous avez au sujet des salles à manger d'hôtel. À l'Auberge Caribou, Suzanne Boulianne, chef cuisinier, est toujours souriante (même lorsqu'elle sert) et vous offrira probablement l'un des meilleurs repas de votre voyage. La salle à manger est confortable et sans prétention, décorée de boiseries, de nappes blanches, de fleurs fraîches et d'œuvres d'art régionales, et offre une belle vue sur le lac (surtout au coucher du soleil). M^me Boulianne mise sur les produits québécois, et tout ce qu'elle offre (le pot de fleurs rempli de petits pains, la salade mesclun qu'elle prépare elle-même et la généreuse portion de caribou accompagné de baies de Saskatoon ou d'autres ingrédients inspirés) atteste de son enthousiasme et de son talent. Tous les soirs, le menu comprend de trois à cinq amuse-gueule et plats principaux (le caribou demeure toujours de la partie – **$$$$**). La carte des vins est très convenable, et le verre à quelques dollars est délicieux. Il est conseillé de réserver à l'avance.

Secteur Saint-Jovite

Le Brunch Café
$
816 rue Ouimet
☎(819) 425-8233
Le Brunch Café sert une cuisine simple, surtout constituée de pizzas fines fort savoureuses et de desserts très appétissants. L'atmosphère est détendue et amicale.

Le Montagnard
$
833 rue Ouimet, Le Petit Hameau
☎(819) 425-8987
Pour une bonne petite pâtisserie accompagnée d'un thé sélectionné, Le Montagnard s'avère un choix intéressant. Le service est courtois et l'ambiance charmante.

Antipasto
$$-$$$
855 rue Ouimet
☎(819) 425-7580
Situé dans une ancienne gare, le restaurant Antipasto constitue une halte intéressante. Les murs sont garnis de cadres et d'affiches rappelant la fonction première de l'édifice. Prenez place près de la fenêtre cathédrale pour profiter d'une atmosphère des plus agréables. Le menu est essentiellement composé de pizzas, de pâtes et de plats de veau; toutefois, le meilleur choix reste le spécial du midi qui comprend 12 sélections (**$**) servies en généreuses portions. Cette cuisine familiale est acceptable, sans être exceptionnelle, mais un peu chère.

La Table Enchantée
$$-$$$
fermé dim-lun
600 route 117 N.
☎(819) 425-7113
La Table Enchantée propose un menu de spécialités québécoises savoureuses. Entre autres, le cipaille, le wapiti et le caribou y sont apprêtés à merveille, le tout dans un décor sobre et chaleureux.

Verre Bouteille
$$-$$$
888 rue Ouimet
☎(819) 425-8776
Lors de son ouverture, il y a quelques années, ce joli petit bistro fut très bien reçu à Saint-Jovite. Malheureusement, le départ du chef a un peu terni la

réputation de l'établissement. Verre Bouteille vaut tout de même le coup pour ses spéciaux du midi (trois plats) à prix raisonnables *($)*, servis jusqu'à 14h. Rognons de veau, ris de veau, moules et pâtes font partie de la vaste sélection.

Chez Roger
$$$
444 rue St-Georges
☎*(819) 429-6991*
Établi dans une belle vieille maison, un peu à l'écart de la rue principale de Saint-Jovite, Chez Roger propose un court menu qui varie. Ici, on sert des plats de viande tels que médaillons de cerf forestière et osso buco à la milanaise. La terrasse abritée est bien sympathique.

Bagatelle Saloon
$$$-$$$$
mer-dim
852 rue Ouimet
☎*(819) 425-5323*
Pour un bon steak ou des fruits de mer, le Bagatelle Saloon est l'adresse tout indiquée à Saint-Jovite. Le décor de l'endroit, comme son nom en fait foi, vous transporte en plein Far West.

🐴 Cheval de Jade
$$$-$$$$
688 rue Ouimet
☎*(819) 425-5233*
Cheval de Jade est sans aucun doute l'endroit préféré des amoureux dans la région de Mont-Tremblant. Le restaurant est installé dans une demeure à bardeaux blancs, à quelques pas du centre commercial de Saint-Jovite, et son décor, simple et élégant, est composé de briques, de boiseries, de murs vert foncé et de rideaux de dentelle blanche. En été, il est possible de dîner à l'extérieur, sous un auvent. Les spécialités de la maison: poisson (doré avec sauce homard, sole avec sauce hollandaise aux truffes, bouillabaisse) et flambés. Le service est attentionné, chaleureux et sans prétention… L'endroit idéal pour une soirée hors de l'ordinaire!

Station Mont-Tremblant

Fluide
$
☎*(819) 681-4681*
Le bar à jus Fluide, niché dans une des rues en pente du village directement au pied du mont, est on ne peut mieux situé pour vous redonner l'énergie dépensée en skis ou en randonnée. On concocte ici de délicieux jus frais et *smoothies* rehaussés de divers ingrédients naturels reconnus pour leurs bienfaits. Si vous n'avez pas opté pour un jus-repas, vous pourrez y commander une soupe, un sandwich ou une «barre d'énergie»!

Microbrasserie de la Diable
$
3005 ch. Principal
☎*(819) 681-4546*
En été, on peut s'attabler sur la belle terrasse de la Microbrasserie de la Diable afin de profiter du spectacle de la rue piétonne. Sinon, la salle intérieure, répartie sur deux étages, réserve beaucoup plus d'espace que l'on serait porté à le croire à prime abord. Ici, on s'envoie derrière la cravate côtes levées, saucisses et viandes fumées en accompagnant le tout d'une des bières brassées sur place, comme l'Extrême Onction, une bière très forte (8,5% d'alcool).

Crêperie Catherine
$-$$
3005 ch. Principal
☎*(819) 681-4888*
À la Crêperie Catherine, vous pourrez savourer un excellent choix de crêpes préparées sous vos yeux par le chef. En été, vous pourrez en outre profiter d'une jolie terrasse.

Shack
$-$$
3035 ch. Principal
☎*(819) 681-4700*
Le décor surchargé du Shack, qui parodie la traditionnelle cabane à sucre avec ses meubles rustiques, ses faux érables garnis de feuilles rouges comme à l'été indien et ses oies sauvages suspendues au plafond, a de quoi faire sourire. On le trouve en haut du village, près du Fairmont Tremblant. Sa grande terrasse, fort populaire en saison estivale, donne sur la place Saint-Bernard. On y sert une cuisine des plus simples: steaks, poulet rôti, hamburgers. Un buffet permet par ailleurs de concocter un copieux petit déjeuner.

La Savoie
$$-$$$
☎*(819) 681-4573*
Dans une ancienne maison en forme de *U*, un peu à l'écart du brouhaha, La Savoie propose raclettes, «pierrades», fondues et autres spécialités alpines. Petite terrasse. Ambiance simple et sympathique, sans extravagance.

Aux Truffes
$$$$
3035 ch. de la Chapelle
☎*(819) 681-4544*
Dans un décor à la fois moderne et chaleureux, Aux Truffes constitue la meilleure adresse de la Station Mont-Tremblant. On y prépare une succulente nouvelle cuisine française dans laquelle figurent

Laurentides

en bonne place truffes, foie gras et plats de viande sauvage.

Village Mont-Tremblant

Ristorante e Caffe Ital Delli
$$-$$$
1920A ch. Principal
☎*(819) 425-3040*
Vous cherchez un resto sans prétention qui propose de bons petits plats à bon prix, situé près de Mont-Tremblant? Les gens du coin vous enverront tous au même endroit, soit au Ristorante e Caffe Ital Delli. On y sert plusieurs délicieux plats de pâtes (ainsi que des plats de veau et de viande) dans un décor de boiseries, de briques et de jolies nappes à carreaux.

Le Saint-Louis
$$$-$$$$
1874 ch. Principal
☎*(819) 425-3505*
Une grande partie des clients du Saint-Louis, la salle à manger de l'auberge La Porte Rouge, sont des gens qui viennent passer une nuit ou deux à l'hôtel (le tarif comprend le dîner). Pour un restaurant d'hôtel, l'endroit est tout de même convenable. Son court menu est composé de poisson, d'agneau, de canard et d'autruche. Malgré le fait que les tables donnent sur le lac, la salle à manger manque d'atmosphère et peut être bruyante lorsqu'un groupe s'y pointe. L'endroit est un choix acceptable pour les clients de l'hôtel, mais ne vaut pas le détour.

Hôtel Club Tremblant
$$$-$$$$
121 av. Cuttle
☎*(819) 425-2731*
La salle à manger de l'**Hôtel Club Tremblant** (voir p 324) offre une vue panoramique sur le lac et le mont

Tremblant. Le chef y prépare une cuisine gastronomique française traditionnelle. Les jeudis et samedis soirs, on y sert un fastueux buffet. Le brunch du dimanche est aussi très couru. Réservations fortement recommandées.

Circuit C: Le pays du curé Labelle

Labelle

L'étoile de Labelle
$$
6673 boul. Curé-Labelle, par la route 117
☎*(819) 686-2655*
Le restaurant L'étoile de Labelle prépare une délicieuse cuisine familiale. Le service est simple et décontracté.

Sorties

Bars et discothèques

Saint-Sauveur-des-Monts

Les Vieilles Portes
rue Principale
Le bar Les Vieilles Portes est un endroit agréable pour prendre un verre avec des amis. En été, il bénéficie d'une terrasse extérieure fort plaisante.

Bentley's
235 rue Principale
Le Bentley's est souvent rempli de jeunes venus prendre un verre avant d'aller danser.

Sainte-Adèle

Bourbon Street
195 boul. Ste-Adèle
☎*(450) 229-2905*
Le Bourbon Street reçoit de bons groupes de musiciens. Il est fréquenté par une clientèle relativement jeune.

Station Mont-Tremblant

Le **Petit Caribou** est un bar jeune et énergique qui décolle vraiment lorsqu'il est rempli à pleine capacité, ce qui arrive surtout après une belle journée de ski.

Mont-Laurier

Le Bistro
495 boul. Paquette
Le Bistro est un endroit fort populaire. Les fins de semaine, une jeune clientèle s'y entasse pour boire un verre entre amis.

Théâtres et salles de spectacle

Les Laurentides possèdent une véritable tradition en matière de théâtres d'été. Plusieurs salles bien connues et appréciées présentent des pièces de qualité tout au long de la belle saison. Parmi celles-ci figurent le **Théâtre Saint-Sauveur** *(22 rue Claude,* ☎*450-227-8466)*, le **Théâtre Le Chantecler** *(*☎*450-229-3591)*, **Le Patriote de Sainte-Agathe** *(rue St-Venant,* ☎*819-326-3655)* et le **Théâtre Sainte-Adèle** *(1069 boul. Ste-Adèle,* ☎*450-227-1389)*.

Sainte-Adèle

En 1989, l'homme d'affaires québécois Pierre Péladeau, décédé à la fin de 1997, a converti une ancienne chapelle en une délicieuse salle de concerts: le **Pavillon des Arts de Sainte-Adèle** *(1364 ch. Pierre-Péladeau, ☎450-229-2586)*. On présente annuellement quelque 25 concerts de musique classique dans cette agréable salle de 210 places. Après chaque concert, un «vin et fromage» est servi aux mélomanes dans la galerie attenante.

Fêtes et festivals

De la mi-septembre au début octobre, c'est le **Festival des Couleurs** *(☎450-258-4924)*. D'innombrables activités familiales sont organisées à Saint-Sauveur, Sainte-Adèle, Sainte-Marguerite-du-Lac-Masson, Saint-Adolphe-d'Howard, Sainte-Agathe et Mont-Tremblant pour célébrer les couleurs flamboyantes qui embrasent le paysage en cette saison.

Val-Morin

Chaque année, par un beau dimanche de septembre (le 3ᵉ du mois), le village de Val-Morin se voit fermé à la circulation automobile, et les amateurs de vélo envahissent les environs. L'événement en question, baptisé **Les couleurs à vélo** *(notez que les droits d'entrée augmentent trois semaines avant l'événement; ☎819-322-3011)*, permet de bien prendre le temps de découvrir cette superbe région, à une époque de l'année où elle se pare de ses plus beaux atours. Cinq parcours de 25 à 40 km sont élaborés à l'intention des cyclistes, des circuits plats, destinés aux débutants et aux familles, aux excursions en montagne, représentant un beau défi pour les plus sportifs. Le départ a lieu à 12h30, mais une foule d'activités meublent la journée entière.

Station Mont-Tremblant

À la mi-juillet, les plus grands musiciens de blues se donnent rendez-vous à la Station Mont-Tremblant pour le **Festival de Blues de Tremblant** *(☎800-461-8711)*. Spectacles à l'extérieur, ainsi que dans les bars et restos de la station.

La **Fête de la Musique** *(☎800-461-8711)*, un festival de musique classique dirigé par Angèle Dubeau (violoniste de renom), se tient à la fin du mois d'août à la Station Mont-Tremblant. Des concerts sont présentés en plein air de même qu'à la **chapelle Saint-Bernard** (voir p 307).

Achats

Circuit B: Le royaume des vacanciers

Saint-Sauveur-des-Monts

La rue Principale de Saint-Sauveur est bordée d'une foule de commerces variés que vous prendrez sans doute plaisir à découvrir. Outre de belles boutiques de mode, vous trouverez des spécialistes des reproductions de meubles québécois d'époque.

La Petite École
153 rue Principale

Vous pourrez vous procurer, à la boutique La Petite École, des trésors de toutes sortes, allant des décorations de Noël aux fleurs séchées, en passant par les accessoires de cuisine et les produits de beauté.

L'art du souvenir
191A rue Principale

Pour les amateurs de souvenirs en tout genre, la boutique L'art du souvenir constitue un fort bon endroit où les y cueillir.

Saint-Jovite

Le Hameau
816 rue Ouimet

Le Hameau est un ensemble de boutiques toutes plus mignonnes les unes que les autres.

Station Mont-Tremblant

La Station Mont-Tremblant regorge de boutiques de toutes sortes. De grandes chaînes canadiennes comme Roots et La Cache y côtoient de petites boutiques exclusives. Du prêt-à-porter jusqu'aux confiseries et pâtisseries, en passant par les soins du corps et les accessoires de maison, vous y trouverez de tout. Les amateurs de lèche-vitrine s'y régaleront.

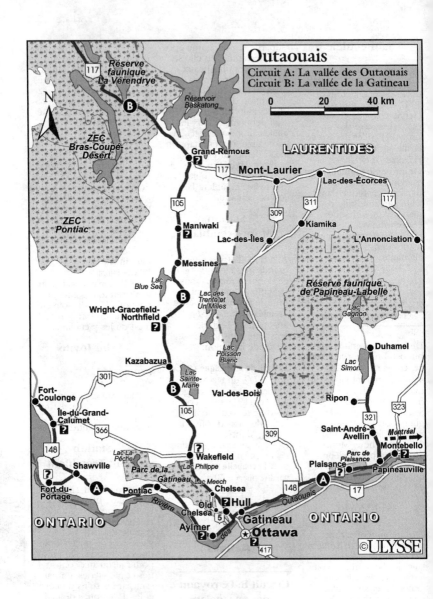

Outaouais

Circuit A: La vallée des Outaouais
Circuit B: La vallée de la Gatineau

0   20   40 km

LAURENTIDES

Réserve faunique
La Vérendrye

Réservoir
Baskatong

ZEC
Bras-Coupé-
Désert

ZEC
Pontiac

Grand-Remous

Mont-Laurier

Lac-des-Écorces

Maniwaki

Kiamika

Lac-des-Îles

L'Annonciation

Messines

Lac
Blue Sea

Lac des
Trente et
Un Milles

Réserve faunique
de Papineau-Labelle

Wright-Gracefield-
Northfield

Lac
Gagnon

Lac
Poisson
Blanc

Duhamel

Kazabazua

Lac
Sainte-
Marie

Lac
Simon

Fort-
Coulonge

Val-des-Bois

Ripon

Île-du-Grand-
Calumet

Lac La
Pêche

Wakefield

Saint-André-
Avellin

Montréal

Shawville

Parc de la
Gatineau

Lac
Philippe

Lac Meech

Chelsea

Plaisance

Parc de
Plaisance

Montebello

Papineauville

Fort-du-
Portage

Pontiac

Old
Chelsea

Hull

Gatineau

Ottawa

Aylmer

ONTARIO

ONTARIO

Outaouais

Rivière

des

©ULYSSE

Outaouais

B ien que très tôt connue des explorateurs et coureurs des bois, la région de l'Outaouais ne fut colonisée qu'au début du XIXᵉ siècle grâce à l'initiative de loyalistes arrivant des États-Unis.

L 'exploitation des forêts, et tout particulièrement des essences de pin blanc et de pin rouge, idéales pour les constructions navales, fut longtemps la principale vocation économique de la région. Une fois ces arbres coupés en billes, on les laissait descendre la rivière des Outaouais, puis le fleuve Saint-Laurent jusqu'à Québec, où ils étaient chargés sur des navires en partance pour la Grande-Bretagne. Le secteur forestier conserve toujours une importance appréciable, mais des industries tertiaires et une importante administration publique générée par la proximité de la capitale canadienne s'y sont ajoutées.

T out juste au nord des villes de Hull, Gatineau et Aylmer qui ont récemment fusionné, s'ouvre une région vallonnée riche en lacs et en cours d'eaux. On y trouve notamment le magnifique parc de la Ga-

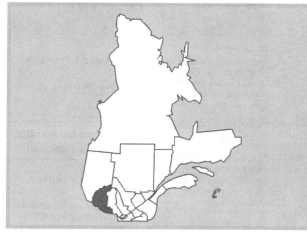

tineau, qui abrite la résidence d'été du premier ministre canadien et qui s'avère tout désigné pour de charmantes balades à bicyclette, en canot ou en skis de fond. La ville de Hull, qui fait face à la capitale fédérale, Ottawa, possède entre autres l'un des plus intéressants musées du Canada: le Musée canadien des civilisations. À partir de Hull et du sud de l'Outaouais, on peut aisément se rendre à Ottawa, où se trouvent le parlement canadien, de superbes bâtiments administratifs et une pléiade de musées exceptionnels.

Pour s'y retrouver sans mal

Deux circuits linéaires, bordant respectivement la rivière des Outaouais et la rivière Gatineau, sont proposés pour explorer cette région: **Circuit A: La vallée des Outaouais** ★ et **Circuit B: La vallée de la Gatineau** ★.

Circuit A: La vallée des Outaouais

En voiture

De Montréal, deux possibilités s'offrent au visiteur

Noms des nouvelles villes fusionnées

Gatineau
Fusion de Aylmer,
Buckingham,
Gatineau, Hull et
Masson-Angers.

pour rejoindre le point de départ du circuit, l'une (1) par la vallée des Outaouais directement et l'autre (2), plus rapide, par l'Ontario.

1. Empruntez l'autoroute 13 Nord puis la route 344 Ouest, qui correspond à une partie du **circuit «Le lac des Deux Montagnes»** (voir p 297), pour enfin suivre la route 148 Ouest vers Ottawa.

2. Empruntez l'autoroute 40 Ouest, qui devient la route 17 Ouest en Ontario. À Hawkesbury, franchissez la rivière des Outaouais pour revenir au Québec. Tournez à gauche dans la route 148 Ouest en direction de Montebello et d'Ottawa.

Gares routières

Montebello
535 rue Notre-Dame
☎(819) 423-6311

Hull
238 boul. Saint-Joseph
☎(819) 771-2442

Ottawa (Ontario)
265 Catherine Street
☎(613) 238-5900

Gare ferrovaire

Ottawa (Ontario)
200 Tremblay Road
☎800-361-5390

Circuit B: La vallée de la Gatineau

En voiture

La voiture et la bicyclette demeurent les meilleurs moyens pour explorer l'ensemble de la vallée. Empruntez la promenade de la Gatineau à partir du boulevard Taché, à Hull. On pénètre alors immédiatement dans le parc de la Gatineau, créé en 1938 par le premier ministre canadien William Lyon Mackenzie King.

En train

L'excursion du petit train à vapeur Hull–Chelsea–Wakefield est un moyen de transport tout à fait charmant pour visiter la vallée de la Gatineau jusqu'à Wakefield. La balade d'une durée de cinq heures (32 km), avec arrêt de

deux heures à Wakefield, permet de contempler les scènes pastorales de la Gatineau (voir p 340).

Renseignements pratiques

Renseignements touristiques

Indicatif régional: **819**

Bureau régional

Association touristique de l'Outaouais
103 rue Laurier, Hull, J8X 3V8
☎778-2222 ou 800-265-7822
≈778-7758
www.tourisme-outaouais. org

Circuit A: La vallée des Outaouais

Montebello
502A rue Notre-Dame
☎423-5602

Hull
103 rue Laurier
☎778-2222 ou 800-265-7822

Ottawa (Ontario)
90 Wellington Street
☎(613) 239-5000
☎800-465-1867

Circuit B: La vallée de la Gatineau

Maniwaki
156 rue Principale S.
☎449-6627

Circuit A: La vallée des Outaouais (de un à trois jours)

La tribu amérindienne des Outaouais, décimée par les Iroquois au XVIIe siècle, a laissé son nom en héritage à une belle rivière à la frontière entre le Québec et l'Ontario, à une vaste région de lacs et de forêts ainsi qu'à la capitale du Canada (Ottawa). La rivière des Outaouais constituait autrefois la principale route vers les fourrures du Bouclier canadien. Les «voyageurs» des grandes compagnies de traite l'empruntaient chaque printemps, puis revenaient à l'automne avec les précieuses cargaisons de peaux (castor, loutre, vison) qui transitaient par Montréal avant de prendre le chemin de Londres et de Paris. Le circuit de la vallée des Outaouais permet d'explorer à mi-parcours la capitale fédérale, Ottawa.

★ Montebello (1 125 hab.)

Sous le Régime français, la région de l'Outaouais ne connaît pas de véritable développement. Située en amont des rapides de Lachine, donc difficilement accessible par voie d'eau, la région demeure un riche territoire de chasse et de trappe, jusqu'à ce que l'on amorce l'exploitation de ses ressources forestières au début du XIXe siècle. La seigneurie de la Petite-Nation, concédée à Mgr de Laval en 1674, sera la seule incursion colonisatrice dans ce vaste territoire. Incursion bien théorique toutefois, puisque ce n'est qu'en 1801, date à laquelle la seigneurie passe entre les mains du notaire Joseph Papineau, que s'installent les premiers colons appelés à donner naissance au bourg de Montebello. Son fils, Louis-Joseph Papineau (1786-1871), chef des mouvements nationalistes canadiens-français à Montréal, hérite de la Petite-Nation en 1817. De retour d'un exil de huit ans aux États-Unis et en France à la suite des troubles de 1837-1838, Papineau, désillusionné et franchement déçu du comportement du clergé catholique lors de la rébellion, se retire sur ses terres de Montebello, où il se fait construire un prestigieux manoir.

Le **lieu historique national du Manoir-Papineau** ★★ *(7$; début mai à sept jeu-dim 10h à 17h, sept à mi-oct sam-dim 10h à 17h; 500 rue Notre-Dame, ☎423-6965).* Le manoir Papineau a été érigé entre 1846 et 1849 dans l'esprit des villas monumentales néoclassiques. Les plans sont de Louis Aubertin, architecte français de passage. L'adjonction de tours, au cours de la décennie suivante, a cependant donné une allure médiévale à l'ensemble. L'une de ces tours renferme la précieuse bibliothèque que Papineau voudra ainsi mettre à l'abri du feu. L'intérieur comporte une vingtaine de pièces d'apparat ouvertes au public, qui peut ainsi déambuler au milieu d'un riche décor Second Empire. Le manoir Papineau s'inscrit dans un beau parc ombragé. En bordure de l'allée du seigneur se dresse la **chapelle funéraire des Papineau** (1853), où ont été inhumés 11 membres de la célèbre famille. On sera surpris de constater que cette chapelle est vouée au culte anglican, conséquence de la conversion du fils Papineau à l'Église d'Angleterre après la mort de son célèbre père, auquel on a refusé la sépulture religieuse. Un buste de ce dernier, exécuté par Napoléon Bourassa à partir du masque funéraire du défunt, figure parmi les éléments d'intérêt de la chapelle.

Le **Château Montebello** ★★ *(392 rue Notre-Dame, ☎423-6341)* est un vaste hôtel (voir p 346) de villégiature construit dans le parc du manoir; il constitue le plus grand édifice de bois rond du monde. Il

Manoir Papineau

Outaouais

fut érigé en 1929 (Lawson et Little, architectes) en un temps record de 90 jours. On ne manquera pas de visiter son impressionnant hall central, doté d'une cheminée à six âtres, autour de laquelle rayonnent les six ailes abritant les chambres et le restaurant.

L'ancienne **gare de Montebello** *(entrée libre; toute l'année; 502 rue Notre-Dame, ☎423-5602)*, datant de 1930, abrite un bureau de renseignements touristiques. Elle est flanquée d'une halte routière et d'une aire de pique-nique.

Constitué de 600 ha, le **Parc Oméga** ★ *(10$; en été tlj 9h30 à 18h, en hiver tlj 10h à 17h; route 323, ☎423-5487 www.parc-omega.com)* abrite plusieurs espèces d'animaux que l'on peut observer en restant à bord de son véhicule. Les bisons, les mouflons de Corse, les wapitis, les sangliers, les cerfs et les bouquetins des Alpes n'en sont que quelques exemples.

Poursuivez vers l'ouest par la route 148 en direction de Papineauville.

Papineauville (2 330 hab.)

Depuis le milieu du XIXe siècle, la région de l'Outaouais est une destination de villégiature estivale très appréciée des résidants d'Ottawa qui y possèdent des «camps d'été» situés au bord des lacs et des rivières. Le village de Papineauville était, avec Montebello, le but de bien des excursions. Les anglophones de la province voisine, l'Ontario, y retrouvaient un peu du cachet des villages québécois traditionnels. Des auberges en bois,

aujourd'hui disparues, avaient été construites pour les accueillir.

De Papineauville, prenez la route 321 vers le nord pour une excursion à Duhamel.

Duhamel (355 hab.)

Sentier d'interprétation du cerf de Virginie, voir p 344.

Réserve faunique Papineau-Labelle, voir p 344.

Revenez jusqu'à Papineauville par la route 321, puis prenez la route 148 ouest en direction de Plaisance.

Plaisance (1 015 hab.)

Lors de son exil (1837-1845), Papineau s'est lié d'amitié avec quelques-uns des ex-généraux de Napoléon. Au moment de nommer les nouveaux villages de sa seigneurie, il a voulu honorer la mémoire de certains d'entre eux. Ainsi, il baptise Montebello en l'honneur du duc de Montebello. Quant au village de Plaisance, son nom ne fut pas choisi pour évoquer les embarcations de plaisance que l'on y trouve, mais plutôt pour honorer la mémoire du général Lebrun, duc de Plaisance.

Parc de Plaisance ★, voir p 344.

Chutes de Plaisance, voir p 344.

À mesure que l'on se rapproche d'Ottawa, la campagne cède graduellement sa place à la banlieue. À Gatineau, la route 148 devient le boulevard Maloney puis le boulevard Gréber. Celui-ci a été nommé en hommage au célèbre urbaniste français Jacques Gréber, qui a élaboré des projets fort intéressants

pour l'aménagement des villes de Montréal et d'Ottawa dans les années qui ont suivi la Seconde Guerre mondiale. La plupart de ces projets ne se sont malheureusement jamais concrétisés.

Gatineau

Si les fonctionnaires fédéraux anglophones habitent surtout les villes situées en Ontario (Nepean, Uplands, Kanata), les fonctionnaires francophones sont, pour leur part, concentrés du côté québécois de la rivière des Outaouais, dans les secteurs de Hull, Aylmer et Gatineau.

L'**église Saint-François-de-Sales** ★ *(1 rue Jacques-Cartier)*, ce lieu saint néogothique de 1886, présente un bel intérieur en bois doré. La cloche de l'église a été offerte par Lady Aberdeen, épouse de Lord Aberdeen, gouverneur général du Canada à la fin du XIXe siècle, en guise de remerciement pour avoir été sauvée de la noyade par des résidants de Gatineau. Du parvis de l'église, on bénéficie d'un beau point de vue sur la rivière des Outaouais et sur la Colline parlementaire d'Ottawa, en Ontario.

Reprenez à gauche le boulevard Gréber, qui devient par la suite le boulevard Fournier puis le boulevard Maisonneuve.

Hull

Bien que l'on entre à Hull par le boulevard Gréber, qui porte le nom d'un des grands urbanistes de l'après-guerre, Hull n'est certes pas un modèle d'aménagement urbain. C'est un peu l'envers du décor d'Ottawa, qui lui fait face sur l'autre rive. Il

LA FAUNE

Le nombre impressionnant de mammifères et d'oiseaux qui composent la faune québécoise ne saurait être mésestimé. Le castor, véritable symbole de la colonisation du Nouveau Monde, gruge à grands coups de dents les arbres nécessaires à la construction de sa hutte; l'orignal, que l'on retrouve principalement dans les sapinières, séduit avec son panache aux larges palmures; et que dire du chant du geai bleu ou du merle d'Amérique, qui résonne entre les branches des feuillus et des conifères! Cette faune grouillante des forêts et des plaines constitue l'une des plus belles richesses du Québec.

Le harfang des neiges

Contrairement à la plupart de ses semblables, ce grand hibou est actif le jour. Il habite dans la toundra, mais il est aussi possible de le retrouver jusque dans le sud des États-Unis. Il se nourrit essentiellement de petits mammifères, ses préférés étant les lemmings.

L'oie des neiges

Au cours de leur périple migratoire de plusieurs milliers de kilomètres, les oies des neiges s'arrêtent en grand nombre (au printemps et à l'automne) dans la vallée du Saint-Laurent, envahissant les champs et les abords du fleuve.

La bernache

On la retrouve partout au Canada. On la reconnaît assurément à son long cou noir et à la tête noire, deux grandes taches blanches ornant ses joues. La nidification de cet oiseau s'effectue sur un îlot, ou même sur des huttes de rats musqués ou de castors.

Le **fou de Bassan**

Le fou de Bassan est présent à l'île Bonaventure, en Gaspésie: les colonies d'oiseaux offrent alors un spectacle étonnant lorsqu'ils s'envolent, créant un effet de flocons de neige par temps calme. Cet oiseau n'est pas très farouche, et il est facile de l'observer de près.

Le **grand cormoran**

Cet oiseau au plumage noir luisant peut atteindre 1 m de haut. Excellent plongeur, il maintient son souffle jusqu'à 30 secondes sous l'eau, ce qui lui permet d'attraper quelques victuailles.

Le **martin-pêcheur**

Robuste, le martin-pêcheur est dispersé un peu partout en Amérique et en Australie. Il es fascinant de l'observer alors qu'il s'apprête à plonger dans les eaux poissonneuses pour s'alimenter.

Le **grand héron**

Cet échassier qui peut atteindre 132 cm de haut se retrouve partout dans le sud du Québec. Longtemps pourchassé, il est maintenant protégé par les lois canadiennes. Pour s'alimenter, le grand héron se plante dans une étendue d'eau où il attend, immobile, que sa proie s'approche nonchalamment tout près de lui.

Le **huart à collier**

Peu après le dégel, il revient au Québec pour nicher. Généralement, on ne rencontre qu'un seul couple par lac.

Le **merle d'Amérique**

Son chant annonce inévitablement l'arrivée du printemps. Cet oiseau, que l'on peut observer partout au Québec, se régale de petits fruits, d'insectes et de vers, qu'il déniche dans les endroits herbeux à découvert.

Le **cardinal rouge**

On peut apercevoir le cardinal en tout temps de l'année dans le sud du Québec. On reconnaît aisément le mâle à son magnifique plumage rouge.

La **mésange à tête noire**

La mésange est un de ces oiseaux joyeux qui, même en plein hiver, se promènent gaiement sans trop se soucier du froid. Confiante, elle s'approche facilement des mangeoires. Elle s'alimente d'insectes, de petits fruits et de graines.

Le **geai bleu**

Cet oiseau à huppe habite essentiellement le sud du Canada. Pratiquement omnivore, le geai bleu est friand des œufs et des poussins des autres oiseaux, de fruits, de graines, de glands et d'insectes.

Le **carouge à épaulettes**

On remarque la tache rouge sur chacune des ailes du mâle quand il est en vol. Il niche aux abords des marais, où il y a abondance de quenouilles et de joncs. Il se nourrit essentiellement de céréales, causant parfois d'importants dommages aux champs.

Le **castor**

Réputé pour être un habile constructeur de barrages et un travailleur infatigable, il est l'emblème du Canada. On le reconnaît à son corps massif et à sa large queue plate et écailleuse lui servant de gouvernail lorsqu'il nage. Ses puissantes incisives inférieures lui permettent d'abattre les arbres nécessaires à la construction de son habitation.

La **moufette**

Ce petit mammifère est surtout connu pour sa technique pour repousser ses ennemis: il asperge ses adversaires d'un liquide malodorant. Les premiers Européens arrivés au pays l'ont d'ailleurs surnommé «bête puante». On le retrouve un peu partout au Québec; c'est une bête sympathique avec laquelle il faut savoir tenir ses distances.

Le **porc-épic**

Petit mammifère rongeur que l'on retrouve en grand nombre dans les forêts de conifères et de feuillus, le porc-épic est célèbre pour sa façon très singulière de se défendre. En cas d'attaque, il se replie sur lui-même, hérisse ses piquants et forme un genre de pelote d'épingles inattaquable.

Le **raton laveur**

Nocturne et aussi rusé qu'un renard, le raton laveur vit dans le sud du Québec. Sa réputation de propreté provient de son habitude de plonger constamment sa nourriture dans l'eau avant de l'ingurgiter.

Le **caribou (renne du Canada)**

Ce cervidé de grande taille peut peser à maturité jusqu'à 250 kg. Il vit dans la toundra. Son nom lui vient de l'algonquin.

Le **chevreuil (cerf de Virginie)**

Plus petit cervidé du nord-est de l'Amérique, le chevreuil atteint un poids maximal d'environ 150 kg. Vivant souvent à la lisière des bois, cet animal est un des principaux gibiers du Québec. Le grand andouiller dont est pourvu le mâle tombe chaque hiver et repousse le printemps venu.

L'**orignal (élan du Canada)**

Il est le plus grand cerf du monde; il peut mesurer plus de 2 m et peser jusqu'à 600 kg. Il se distingue par ses bois aplatis en éventail, par sa tête allongée au nez arrondi et par sa bosse au garrot.

L'ours noir

On le retrouve essentiellement en forêt, et il constitue la variété d'ours la plus répandue au Québec. Cet animal impressionnant peut atteindre jusqu'à 150 kg à l'âge adulte, quoiqu'il demeure le plus petit ours canadien. Attention, l'ours noir est un animal imprévisible et dangereux.

Le loup

Prédateur vivant en meute, il mesure entre 67 cm et 95 cm, et pèse au plus une cinquantaine de kilos. Il attaque ses proies à plusieurs (souvent des cerfs), ce qui fait de lui un animal peu apprécié des cœurs tendres. Le loup s'approche rarement de l'être humain.

Le renard roux

On retrouve ce petit animal roux un peu partout dans la forêt. Très rusé, il évite le plus souvent possible les humains; on l'aperçoit donc très rarement. Il chasse les petits mammifères et se nourrit en plus de petits fruits et de noix.

Le coyote

Plus petit que le loup, le coyote s'adapte facilement à des milieux variés, et on peut l'apercevoir en diverses régions du sud du Québec. Selon les ressources alimentaires disponibles, ce carnivore peut à l'occasion se convertir à un régime végétarien.

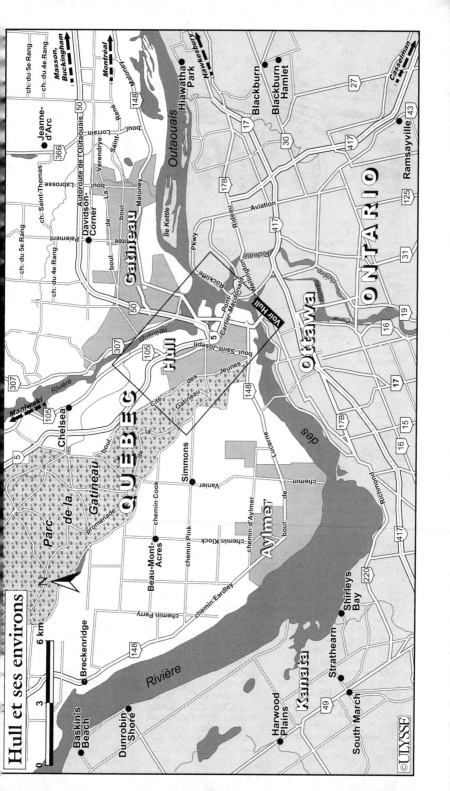

Hull et ses environs

*Musée canadien
des civilisations*

s'agit d'une ville traditionnellement ouvrière, recy-
clée depuis 20 ans dans les
tours de bureaux pour les
services gouvernementaux
fédéraux. On y trouve
donc un mélange d'usines
désuètes, d'habitations
ouvrières typiques, d'édifices en hauteur et de ter-
rains vagues en attente
d'une expansion future du
fonctionnariat. Hull a été
fondée en 1800 par le
loyaliste américain Philemon Wright, qui se consa-
crera à l'exploitation des
riches forêts vierges de la
vallée des Outaouais. Le
bois ramené de l'arrière-
pays était équarri puis
assemblé en radeaux (les
cages), acheminés jusqu'à
Québec pour la construc-
tion des navires de la Marine britannique. Après
1850, Hull devient un im-
portant centre de transformation du bois.

Les rues de Hull sont bordées de maisons ouvrières
particulières à cette ville.
Ces habitations individuelles en bois coiffées d'un
toit pointu, très étroites et
très profondes, sont sur-
nommées «boîtes d'allu-
mettes» ou «maisons allu-
mettes» parce qu'elles lo-
geaient autrefois des em-
ployés des usines Eddy et
qu'elles ont été plus souvent qu'à leur tour la proie
des flammes. Hull fut, en
fait, affligée par tant d'incendies majeurs tout au
long de son histoire qu'elle
conserve peu de monu-
ments importants. Son
ancien hôtel de ville et sa

belle église catholique ont
respectivement brûlé en
1971 et 1972. Si Ottawa a
la réputation d'être une
ville sage, Hull est plutôt
considérée comme une
ville où l'on s'amuse, les
lois du Québec ayant longtemps été plus libérales
que celles de l'Ontario. Il
ne faut donc pas se sur-
prendre de voir accourir
sur la **promenade du Portage**
(qui est en réalité une
simple rue) une foule
d'anglophones d'Ottawa,
les samedis soir.

*Tournez à gauche dans la
rue Papineau. Le stationnement du Musée canadien des
civilisations se trouve à
l'extrémité de la rue.*

Dans le cadre d'un vaste
programme de réaménage-
ment de la région de la
capitale fédérale» (1983-
1989), des parcs et des
musées ont vu le jour de
part et d'autre de la frontière du Québec et de
l'Ontario. Hull a hérité du
magnifique **Musée canadien
des civilisations ★★★**
*(10$; début mai à mi-oct tlj
9h à 18h, jeu jusqu'à 21h et
début juil à début sept ven
jusqu'à 21h; mi-oct à fin avr
mar-dim 9h à 17h, jeu jusqu'à 21h; 100 rue Laurier,
☎776-7000 ou 800-555-
5621, www.civilisations.ca),*
consacré à l'histoire des
différentes ethnies qui ont
fait le Canada. L'architecte
albertain d'origine amérindienne Douglas Cardinal a
dessiné les plans des deux
étonnants bâtiments aux

formes organiques qui
composent le musée. Le
premier, sur la gauche,
abrite les bureaux admi-
nistratifs et les laboratoires
de restauration, alors que
le second, sur la droite,
regroupe les collections du
musée. Leurs formes on-
doyantes évoquent des
rochers du Bouclier cana-
dien sculptés par le vent et
les glaciers. De l'esplanade, à l'arrière, on jouit de
belles vues sur la rivière
des Outaouais et sur la
Colline parlementaire
d'Ottawa.

S'il est un musée qu'il faut
absolument voir au Qué-
bec, c'est bien celui-là. Il
s'agit en fait du plus visité
au pays. Sa Grande Galerie
rassemble la plus impor-
tante collection de mâts
totémiques amérindiens du
monde. L'institution fait
aussi revivre de façon magistrale différentes époques
de l'histoire cana-
dienne, de la venue des
Vikings, vers l'an 1000, à
l'Acadie française du XVIIe
siècle et à l'Ontario rural
du XIXe siècle. L'art autochtone contemporain
ainsi que les arts et traditions populaires y sont
également représentés. Le
musée a d'ailleurs inauguré en 2003 une grande
Salle des Premiers Peuples,
dépeignant toutes les na-
tions autochtones du Ca-
nada. Le **Musée des enfants**,
conçu expressément pour
les plus jeunes, invite le
visiteur à sélectionner le
thème de son choix avant
de lui faire vivre une aventure extraordinaire. Aux
salles d'exposition s'ajoute
une salle de cinéma Imax.

Si vous poursuivez votre
promenade par la rue Lau-
rier en direction sud, vous
croiserez le bâtiment de la
Maison du citoyen *(25 rue
Laurier; ☎595-2002),* qui est
en fait l'hôtel de ville.
Outre une bibliothèque et

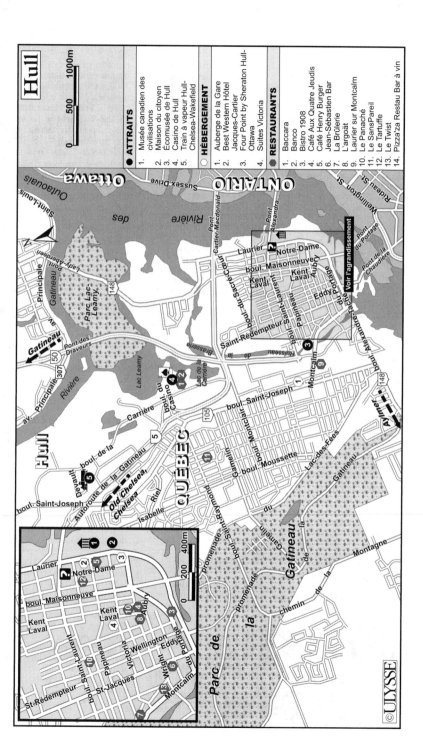

Hull

| 0 | 500 | 1000m |

© ULYSSE

des salles de réunion, il renferme une petite galerie d'art et une salle de spectacle.

Continuez par la rue Laurier en direction sud. À l'intersection avec la rue Montcalm, prenez sur la droite.

La mission de l'**Écomusée de Hull** *(5$; mai à début sept tlj 10h à 16h, début sept à fin avr mar-dim 10h à 16h; 170 rue Montcalm, angle rue Papineau, ☎595-7790)* est en réorientation. Autrefois dédié à sensibiliser la population aux questions écologiques, il se concentrera dorénavant plutôt sur l'histoire industrielle de la région. Certains éléments de sa collection feront donc partie des nouvelles expositions, alors que d'autres seront remplacés petit à petit par d'autres objets racontant la naissance et la croissance des industries de l'Outaouais.

Suivez l'autoroute 50 puis la route 5 en direction nord jusqu'à la sortie «Boulevard du Casino». Prenez ensuite la rue Saint-Raymond, qui devient le boulevard du Casino.

Le **Casino du Lac-Leamy** ★★*(11h à 3h; 1 boul. du Casino, ☎772-2100 ou 800-665-2274)* occupe un site impressionnant entre deux lacs, le lac Leamy, dans le parc du même nom, et le lac de la Carrière, qui prend place dans

Casino du Lac-Leamy

la cuvette d'une ancienne carrière de pierre calcaire. Le thème de l'eau est omniprésent autour du superbe bâtiment inauguré en 1996, que ce soit au milieu de l'allée grandiose conduisant à l'entrée principale, ponctuée de hautes fontaines, ou à travers le port de plaisance de 20 places permettant aux joueurs venus de Montréal ou Toronto d'accéder directement au casino par voie d'eau. L'aire de jeux, d'une superficie totale de 6 563 m^2, comprend 1 800 machines à sous et 64 tables de jeux réparties autour d'une forêt tropicale. Jumelé au casino, le Théâtre du Casino est une salle de spectacle moderne offrant confort et visibilité à tous les spectateurs. L'ouverture du casino a également été à l'origine d'un festival de feux d'artifice, **Les grands feux du Casino** *(☎819-771-FEUX ou 888-429-FEUX)*, qui se déroule pendant le mois d'août chaque année. À cela, il faut ajouter d'excellents restaurants dont le **Baccara** (voir p 348) et deux bars (voir p 350). Le casino est doté d'un héliport depuis 1997.

Vous pouvez aussi poursuivre votre route au sud de la rivière des Outaouais. Empruntez le boulevard de la Carrière jusqu'à la rue Deveault, ou encore prenez le train!

Imaginez que vous contemplez les paysages magnifiques du parc et de la rivière Gatineau tout en étant confortable-

ment installé à bord d'un train à vapeur datant de 1907... C'est cette balade mémorable que vous propose le **Train à vapeur Hull-Chelsea-Wakefield** ★ *(nombreux forfaits sur réservation; 165 rue Deveault, ☎778-7246 ou 800-871-7246)*. En plus de vous donner l'occasion de contempler de splendides tableaux naturels, l'excursion d'une demi-journée vous entraîne jusqu'à Wakefield (voir p 343), une charmante petite ville anglo-saxonne où vous aurez deux heures pour visiter ses jolies boutiques. Si la promenade vous tente mais que vous ne désiriez pas faire l'aller-retour en train, sachez qu'il est possible de traverser le parc de la Gatineau à vélo et de revenir en train. Des forfaits croisières et repas gastronomiques sont également proposés, et vous pourrez monter à bord d'un wagon entièrement Art déco.

Si vous désirez vous rendre à Ottawa, revenez sur vos pas, puis empruntez la rue Laurier à droite en direction du pont Alexandra, visible depuis l'esplanade du Musée canadien des civilisations.

En traversant la rivière des Outaouais par un des nombreux ponts, on passe du Québec à l'Ontario. Cette province est la plus peuplée du Canada avec ses 11,5 millions d'habitants. Le contraste est frappant, car le visiteur se transporte soudainement d'une société de tradition française à une société anglaise, avec tout ce que cela comporte de changements dans l'affichage, dans les menus des restaurants comme dans les habitudes de vie des habitants.

★★★
Ottawa
(Ontario)

Le Canada étant une confédération de 10 provinces et de trois territoires, on y dénombre 13 capitales provinciales ou territoriales, chapeautées d'une capitale fédérale, Ottawa. Cette ville fut fondée en 1827 par le colonel By, qui lui donna d'abord le nom de Bytown. À la suite des émeutes de Montréal en 1849 et de l'absence de consensus sur la localisation d'une capitale permanente pour la colonie britannique, la reine Victoria décidera en 1857 d'installer le siège du gouvernement à la frontière des territoires des deux peuples fondateurs du pays, les Anglo-Saxons et les Canadiens français. Elle portera alors son choix sur la petite ville ontarienne d'Ottawa, en bordure de la rivière des Outaouais. Dix ans plus tard, la confédération créant le Dominion du Canada est finalement signée, et la Chambre des communes siège pour la première fois dans le nouveau parlement.

Ottawa possède de nombreux musées intéressants dont le riche **Musée des Beaux-Arts du Canada**, situé sur la gauche à la sortie du pont Alexandra. On ne manquera pas de visiter les édifices néogothiques de la **Colline parlementaire** (*Wellington St.*), entre autres le **parlement** lui-même, dominé par la tour de la Paix. Pour de plus amples renseignements, consultez le *Guide Ulysse Ontario* ou le *Guide Ulysse Ottawa-Hull*.

Revenez au Québec par le pont du Portage, situé dans le prolongement de Wellington Street. Tournez à gauche dans le boulevard Alexandre-
Taché en direction d'Aylmer (route 148 Ouest). Sur la gauche, on aperçoit les usines Eddy. Un peu plus loin, à droite, se trouve la promenade de la Gatineau, point de départ du **circuit de la vallée de la Gatineau** *(voir p 342).*

★
Aylmer

Cette ville fut pendant longtemps le centre administratif de l'Outaouais. Elle a été fondée par Charles Symmes, un Américain de Boston arrivé au Canada en 1814. La Compagnie de la Baie d'Hudson, alors spécialisée dans la traite des fourrures, en fit le centre de ses activités dans la région. De nos jours, cette ville comporte de belles rues résidentielles, bordées de plusieurs demeures bourgeoises.

En 1832, un premier bateau à vapeur remonte la rivière des Outaouais au départ d'Aylmer. Ce sera le début d'un âge d'or pour la petite ville, qui verra se dresser de nombreuses demeures néoclassiques en pierre. Le **Musée d'Aylmer** (*entrée libre; mar-dim 11h à 16h; 161 rue Principale,* ☎*682-0291*) est installé dans une de ces demeures, celle de John McLean, construite en 1840. Il présente une exposition sur l'histoire et l'architecture d'Aylmer.

Charles Symmes s'installe dans la région d'Aylmer en 1824 à l'instigation de son oncle Philemon Wright. En 1830, il fait construire une auberge. L'**Auberge Symmes ★** (*1 rue Front,* ☎*685-5033*) connaîtra un grand succès auprès des «voyageurs» en quête des fourrures du Bouclier canadien. L'édifice, entièrement restauré et devenu une salle
de spectacle, illustre la grande diffusion des modèles d'architecture urbaine du Régime français, même auprès d'un Américain. Ainsi, on retrouve, dans l'Auberge Symmes, le rez-de-chaussée surélevé, la galerie couverte, le toit à larmiers débordant, les souches de cheminée imposantes, les murs de moellon et les fenêtres à vantaux des maisons québécoises traditionnelles. Peut-être s'agissait-il là d'une décision purement commerciale pour plaire à une clientèle majoritairement canadienne-française...

Une excursion facultative, au-delà d'Aylmer, conduit dans le canton de Pontiac, le seul à être toujours majoritairement anglophone dans l'Outaouais. Poursuivez par la route 148 Ouest. Pour parcourir le circuit de la vallée de la Gatineau, revenez à Hull et prenez à gauche la promenade de la Gatineau.

Shawville
(1 580 hab.)

À Shawville, on ressent une atmosphère particulière, comparable à celle émanant de certains villages des Cantons-de-l'Est ou de la région du canal Rideau, en Ontario. Les belles maisons de pierres et de briques rouges sont toujours habitées par les familles anglo-saxonnes qui ont colonisé la région au milieu du XIXe siècle.

La route traverse ensuite plusieurs villages typiques du Québec anglo-saxon, avec leurs minuscules églises de dénominations variées, leurs belles demeures et leurs rangées d'arbres au bord de la route. Le point d'arrivée est Fort-Coulonge.

Fort-Coulonge
(1 815 hab.)

Dès le XVIIe siècle, les explorateurs et les chasseurs de fourrures empruntent la rivière des Outaouais, son affluent, la rivière Mattawa, le lac Nipissing et enfin le portage principal conduisant aux Grands Lacs pour se rendre dans l'ouest du Canada. On peut donc parler de ce parcours tortueux comme de la première route transcanadienne. La rivière des Outaouais permettait en outre aux travailleurs forestiers et aux commerçants de se rendre de Montréal au Témiscamingue puis à la baie d'Hudson. Il était essentiel que l'on jalonne le trajet de postes de traite des fourrures doublés de lieux de repos pour les voyageurs. Fort-Coulonge était l'un d'entre eux. Aujourd'hui, il ne subsiste que quelques vestiges archéologiques de ce poste, très actif au début du XIXe siècle. Il périclitera au profit des postes septentrionaux et fermera finalement ses portes en 1857.

Le **pont Marchand** *(route 148)*, un pont couvert en bois de type Town, enjambe la rivière Coulonge depuis 1898. D'une longueur totale de 150 m, il figure parmi les plus importantes structures du genre conservées au Québec.

Les **maisons Bryson** *(route 148)* se trouvent dans les limites de la municipalité rurale des cantons unis de Mansfield-et-Pontefract. La première maison comporte un carré de pierres maçonnées et a été érigée en 1845 pour l'entrepreneur forestier George Bryson,

originaire de Paisley, en Écosse. Sa fortune et sa famille ayant grandi, Bryson se fait construire une seconde maison en 1854, à environ 100 m de la première. Cette structure de bois à deux niveaux, couronnée d'une terrasse faîtière, est apparentée à l'architecture néoclassique de l'Ontario. Les deux maisons sont reliées par les magasins et les bâtiments de ferme de Bryson.

Les **chutes Coulonge** *(5$; début mai à fin oct tlj 8h à 20h; via route 148, ch. des Bois-Francs, ☎683-2770)*, jumelées à un impressionnant canyon de 900 m, offrent une belle promenade le long de sentiers aménagés et pourvus de belvédères.

Circuit B: La vallée de la Gatineau (une journée)

La vallée de la Gatineau est perpendiculaire à celle des Outaouais. Elle était autrefois habitée par les Algonquins, qui ont longtemps pratiqué la traite des fourrures avec les Français, puis avec les Anglais de la Compagnie de la Baie d'Hudson, avant d'être refoulés par la colonisation au XIXe siècle. C'est de nos jours une contrée rurale paisible ponctuée de villages fondés par des loyalistes américains ou par des colons écossais. L'architecture de ces villages est influencée par celle de l'Ontario, tout proche. Ainsi, on retrouve dans la région une concentration exceptionnelle de bâtiments néoclassiques très simples érigés au cours de la période 1830-1860. L'industrie forestière occupe une place croissante

dans l'économie de la vallée à mesure que l'on «monte dans le nord». Le bois coupé était autrefois acheminé à Hull par flottage sur la rivière Gatineau.

★★
Parc de la Gatineau

Le **parc de la Gatineau** (voir p 344) est le point de départ de ce circuit. Fondé en 1934, ce parc vallonné, riche en lacs et rivières, couvre une superficie de plus de 35 000 ha.

Pour vous rendre au centre d'accueil des visiteurs du parc de la Gatineau, au départ de Hull prenez l'autoroute 5 vers le nord jusqu'à la sortie 12. Tournez à gauche, puis suivez les indications. Pour aller au Domaine Mackenzie-King, prenez le chemin Kingsmere vers l'ouest, puis la rue Barnes à gauche.

William Lyon Mackenzie King fut premier ministre du Canada de 1921 à 1930 puis de 1935 à 1948. Il s'intéressa aux arts et à l'horticulture presque autant qu'à la politique. King aimait se retirer dans sa résidence d'été, près du lac Kingsmere, aujourd'hui intégrée au parc de la Gatineau. Le **Domaine Mackenzie-King ★★** *(entrée et stationnement 7$; mi-mai à mi-oct lun-ven 11h à 17h, sam-dim et jours fériés 10h à 18h, fermé lun-mar jusqu'à mi-juin; rue Barnes, Kingsmere, ☎613-239-5100 à Ottawa ou ☎827-2020 en Outaouais ou 800-465-1867)*, ouvert au public, comprend deux maisons (l'une d'entre elles a été transformée en un charmant salon de thé), un jardin à l'anglaise et surtout des *follies*, ces fausses ruines que les esprits romantiques affectionnent tant. Cependant, contrairement à la plupart de ces structures, qui sont érigées de toutes pièces, les ruines du domaine Mackenzie-King sont d'authentiques fragments de bâtiments provenant principalement du premier parlement canadien, incendié en 1916, et du palais de Westminster, endommagé par les bombes allemandes en 1941.

Reprenez le chemin Kingsmere vers l'est jusqu'à Old Chelsea, où se trouve le centre d'accueil des visiteurs du parc de la Gatineau.

Chelsea (6 580 hab.)

La ville de Chelsea, sur la route 105, a vu le jour en 1819 grâce à deux marchands originaires du Vermont (États-Unis) qui y ont acquis des terres après avoir refusé d'acheter pour 40$ le terrain où s'élève de nos jours le parlement canadien.

Du village de Chelsea, empruntez le chemin du lac Meech. La route longe le lac, pour finalement aboutir à l'extrémité du lac Mousseau, aussi appelé «lac Harrington». La résidence d'été officielle du premier ministre canadien se trouve dans les environs. Prenez à droite le chemin non revêtu pour rejoindre la route 105 Nord. On devinera les querelles toponymiques de la Gatineau, car on se dirige maintenant vers Wakefield, aussi appelé «La Pêche» depuis la fusion de quelques villages bordant la rivière du même nom.

★
Wakefield
(5 500 hab.)

Wakefield est une jolie petite ville anglo-saxonne située à l'embouchure de

la rivière La Pêche. Elle fut fondée vers 1830 par des colons écossais, anglais et irlandais. Il fait bon se promener dans sa rue principale, bordée d'un côté par des boutiques et des cafés, et de l'autre par la belle rivière Gatineau, traversée au loin par le **pont Gendron**. Ce long pont couvert arbore une couleur rouge brique qui se détache, en été, du vert de la forêt qui l'entoure. Wakefield est aussi le point d'arrivée du populaire **Train à vapeur Hull-Chelsea-Wakefield ★** (voir p 340). Même si vous ne prenez pas part à l'excursion, vous pouvez assister au retournement du train, par la méthode ancienne, dans le petit parc où elle se termine.

Val-des-Monts

Non loin de Wakefield, à l'est, au cœur d'une belle campagne, se cache ce qui demeure la plus grande caverne connue du Bouclier canadien: la **Caverne Laflèche** *(12,50$; tlj 9h à 16h; route 307, ☎457-4033 ou 877-457-4033).* Pas besoin d'être un passionné de spéléologie pour vous y rendre, votre guide le sera pour vous! Ses explications, au cours d'une visite d'environ une heure, vous enseigneront quelques notions de géologie qui vous donneront peut-être envie d'en voir plus. Pour ce qui est de voir, il faudra vous fier à l'équipement qui vous sera prêté, sauf le temps de faire l'expérience de la noirceur totale... Si vous êtes accompagné d'enfants (cinq ans et plus), n'hésitez pas, ils risquent fort d'être fascinés. La caverne se visite à longueur d'année.

Au-delà du parc de la Gatineau, la route 105 se fraie un chemin entre les montagnes

jusqu'à la jonction avec la route 117. Une excursion facultative conduit en pays forestier au départ de Wakefield. La principale agglomération de cette portion isolée et sauvage de l'Outaouais est la petite ville de Maniwaki.

Maniwaki
(4 450 hab.)

Au début du XIXe siècle, Maniwaki est encore au cœur des territoires algonquins. La Compagnie de la Baie d'Hudson y ouvre alors un poste de traite des fourrures afin de faciliter les échanges entre chasseurs de peaux amérindiens et marchands blancs. Lorsque la coupe du bois a succédé au commerce des pelleteries, Maniwaki est devenue un important centre de ravitaillement pour les bûcherons, qui venaient s'y équiper avant de monter au chantier pour la durée de l'hiver. Plusieurs des habitants de Maniwaki étaient à l'époque passés maîtres dans l'art de la drave (flottage du bois) sur la rivière Gatineau. Le **parc du Draveur** les fait revivre à travers une sculpture de Donald Doiron entourée de panneaux d'interprétation.

Le **Château Logue** *(2$; mai à oct tlj 10h à 17h; 8 rue Comeau, ☎449-7999),* ancienne demeure en pierre de style Second Empire, a été construite en 1887 pour le marchand d'origine irlandaise Charles Logue. Elle abrite de nos jours des salles d'exposition ainsi que le Centre d'interprétation de l'historique de la protection de la forêt contre le feu et côtoie le Centre Château Logue. Ce centre raconte l'évolution des différents moyens mis en œuvre pour protéger des incendies la précieuse

Outaouais

ressource qu'est la forêt québécoise.

La route traverse ensuite plusieurs villages forestiers avant Grand-Remous, où se trouve la jonction avec la route 117 Nord. Cette dernière permet plus loin d'atteindre la réserve faunique La Vérendrye (voir p 362) et la région de l'Abitibi-Témiscamingue (voir p 353).

Parcs

Circuit A: La vallée des Outaouais

Le **Sentier d'interprétation du cerf de Virginie** *(R.R.1, Duhamel, ☎428-7089)*, long de 26 km, traverse le territoire où se réfugient les cerfs de Virginie, communément appelés chevreuils. On peut l'emprunter à pied, en raquettes ou en skis de fond afin d'observer ces gracieux animaux. Nourris par les habitants de Duhamel, les chevreuils reviennent tous les ans. On estime que le troupeau est composé de près de 3 000 têtes.

Située à la fois dans la région des Laurentides et de l'Outaouais, la **réserve faunique de Papineau-Labelle** ★ *(mi-mai à nov; 443 route 309, Val-des-Bois; on y accède par la route 311 en venant de Kiamika, par la route 321 en arrivant du lac-Nominingue ou par la route 117 au départ de La Minerve; ☎428-7510, hors saison; ☎454-2011, poste 33, en saison)* s'étend sur près de 1 600 km². On peut y apercevoir une multitude d'animaux à fourrure ainsi que des cervidés. La chasse et la pêche y sont

d'ailleurs permises. Des sentiers de randonnée pédestre sont entretenus. Les amateurs de canot-camping y trouveront de longs circuits qui, toutefois, nécessitent de nombreux portages. Des sentiers de longue randonnée en skis de fond (100 km) sont aménagés sur le site. Les skieurs ont alors la possibilité de loger dans les refuges mis à leur disposition *(il faut compter 17,50$ par pers. et par jour)*. En outre, quelque 120 km de routes de motoneige traversent la réserve.

Le **parc de Plaisance** ★ *(3,50$; mi-avr à mi-oct tlj; route 138, Plaisance, ☎427-5334 ou 877-752-4726, www.sepaq.com)* constitue l'un des plus petits parcs du Québec. Il longe la rivière des Outaouais sur près de 27 km et a pour but de mettre en valeur la vie animale et végétale de cette région. Afin de permettre l'observation des oiseaux et des plantes aquatiques, des passerelles de bois ont été construites au-dessus des marais occupant les berges de la rivière. On peut aussi explorer ces marais en canot. Des routes et des pistes cyclables sillonnent le parc et permettent de découvrir les espèces animales qui habitent ces lieux. En outre, il est possible de prendre part aux excursions organisées par les naturalistes.

Site de fouilles archéologiques au cours des années 1980, le village de North Nation Mills est aujourd'hui disparu; on y retrouve cependant, tout près, les magnifiques **chutes de Plaisance** *(2,50$; début juin à mi-oct tlj 10h à 18h, horaire variable hors saison; rang Malo, ☎427-6400)*. Le site dispose d'espaces de verdure qui conviennent à

merveille aux pique-niques et à la randonnée.

Circuit B: La vallée de la Gatineau

Le **parc de la Gatineau** ★★ *(entrée libre, stationnement 7$ pour le Domaine Mackenzie-King et pour les plages; 33 ch. Scott, Chelsea; ☎827-2020 ou 800-465-1867)* fut fondé en 1934, durant la Dépression, afin de protéger cette forêt de plus de 35 000 ha des gens à la recherche de bois de chauffage bon marché. Chacun peut aujourd'hui profiter de ce superbe parc composé de collines et de rivières. Il est traversé par une route longue de 34 km et ponctuée de belvédères dont le **belvédère Champlain**, qui offre une magnifique vue sur la région du Pontiac. Des activités de plein air peuvent y être pratiquées tout au long de l'année. En été, des sentiers de randonnée pédestre et des pistes pour vélo de montagne sont aménagés. Le parc compte plusieurs lacs, entre autres le célèbre lac Meech, qui donna son nom à une entente constitutionnelle finalement non ratifiée. Les activités nautiques telles que la planche à voile, le canot et la baignade y sont fort populaires. Le parc de la Gatineau met en outre à la disposition des visiteurs un service de location d'embarcations ainsi que des emplacements de camping. On y trouve également la **caverne Lusk**, qu'il est possible d'explorer. Creusée dans le marbre, elle fut formée par l'action de l'eau issue de la fonte de glaciers il y a 12 500 ans. En hiver, quelque 190 km de sentiers de ski de fond sont entretenus.

Activités de plein air

Randonnée pédestre

Le **parc de la Gatineau** (☎827-2020 ou 800-465-1867) possède une foule de sentiers de randonnée totalisant pas moins de 125 km, autant d'occasions d'en découvrir les beautés. Vous pourrez ainsi partir à la découverte du lac Pink, fort beau mais à l'équilibre fragile (on ne peut s'y baigner), par le sentier (1,4 km) qui le longe. Si vous préférez les splendides panoramas, optez plutôt pour le sentier du Mont-King, d'une longueur de 2,5 km, qui vous amènera au sommet, d'où vous aurez une vue splendide sur la vallée de la rivière des Outaouais. Enfin, les personnes disposant d'un peu plus de temps, et qui désirent entreprendre une excursion fascinante, devraient suivre le sentier de la caverne Lusk, long de 10,5 km, qui se rend à une véritable caverne de marbre, vieille de 12 500 ans.

Vaste territoire de 1 628 km², la **réserve faunique de Papineau-Labelle** (*443 route 309, Val-des-Bois;* ☎*428-7510, hors saison;* ☎*454-2011, poste 33, en saison)* est un véritable petit paradis pour l'amateur de grand air et de calme. Pour vous permettre de profiter un peu des beautés que vous réserve ce jardin encore sauvage, des sentiers de randonnée y sont aménagés, vous entraînant

au plus profond de la forêt.

Des promenades à travers les zones marécageuses ont été aménagées au **parc de Plaisance** (voir p 344) afin de mieux faire comprendre le rôle majeur que jouent ces terres humides dans l'équilibre écologique. Le sentier «La zizanie des marais», long d'environ 1 km et accessible à tous, est particulièrement captivant. Il entraîne les visiteurs au cœur des marais grâce à l'aménagement de passerelles de bois qui survolent la baie de la Petite Presqu'île. En plus d'offrir l'occasion de contempler de fort jolis paysages, le parcours, ponctué de panneaux fournissant une foule de renseignements sur divers aspects de la faune, est instructif. Enfin, au cours de la balade, vous pourrez y observer plusieurs espèces d'oiseaux, notamment la bernache, qui s'y arrête en grand nombre au printemps lors de son périple migratoire, ainsi que la sauvagine. Plusieurs mammifères peuplent également cette zone, comme le castor et le rat musqué.

Vélo

Si vous décidez de suivre une des routes cyclables de la région de Hull ou que vous préfériez rouler sur les sentiers pour vélo tout-terrain du parc de la Gatineau, il y a une adresse à retenir à Hull: la **Maison du vélo** (*juin à sept tlj 10h à 20h, mi-mai à fin sept et début sept à mi-oct sam-dim 10h à 17h; 350 rue Laurier,* ☎*997-4356).* Il s'agit de l'endroit par excellence à connaître avant d'entreprendre une

excursion car on y loue et répare les vélos. En outre, vous pourrez obtenir une foule de renseignements sur le réseau cyclable.

Canot

Le canot constitue une façon à la fois différente et plaisante de contempler les magnifiques paysages de l'Outaouais. **Trailhead** (*1960 rue Scott,* ☎*613-722-4229, www.trailhead.ca),* une entreprise située à Ottawa, organise des excursions en canot d'une ou de plusieurs journées dans le parc de la Gatineau. Ainsi accompagné, vous aurez tout le loisir de vous enfoncer dans la forêt en toute sécurité.

Pour les personnes rêvant d'une expédition de canot, mais qui n'ont jamais pagayé, **Expédition Eau Vive LAQS** (*Hull* ☎*827-4467 ou 888-820-4467, www.canot.qc.ca)* propose des excursions d'une demi-journée sur les rivières de l'Outaouais. Les sportifs plus aguerris peuvent plutôt opter pour une «vraie» aventure, soit des excursions de 7 à 15 jours.

Spéléologie

Si vous faites partie de ceux à qui la perspective de se glisser en rampant dans un étroit tunnel ne fait pas peur, inscrivez-vous à la visite Aventure de la **Caverne Laflèche** (*47,50$; route 307, Val-des-Monts,* ☎*457-4033 ou 877-457-4033)!* Vous aurez trois heures pour vous initier à la spéléologie dans ce qui demeure la plus grande caverne connue du Bouclier canadien. Seront-elles trop longues ou trop

Outaouais

courtes? À vous d'en faire l'expérience!

Ski de fond

En hiver, alors que le **parc de la Gatineau** (7$; ☎827-2020 ou 800-465-1867) se couvre d'un épais tapis de neige, pas moins de 200 km de sentiers de ski de fond sont entretenus. Ces sentiers, au nombre de 47, sont destinés aux skieurs de tous types qui y trouveront à coup sûr leur bonheur.

Les skieurs plus intrépides rêvant de s'enfoncer dans les bois, loin de tout développement urbain, trouveront à la **réserve faunique de Papineau-Labelle** (5$ par jour, 20$ par nuitée en refuge sur réservation; ☎454-2011, poste 33, www.sepaq.com) de quoi combler leurs attentes: un sentier de ski de fond long de 120 km. Tout le long des parcours, les skieurs peuvent loger dans des refuges chauffés. Il s'agit certes d'une aventure mémorable, mais réservée exclusivement aux skieurs expérimentés.

Ski alpin et planche à neige

La région urbaine compte peu de montagnes élevées, mais si l'envie de dévaler quelques pistes de ski alpin vous prend, il faut vous rendre à Wakefield. Vous y trouverez deux stations de ski alpin: la station **Vallée Edelweiss** (20$ à 31$ de jour ou 14$ à 20$ de soir; lun-ven 9h à 22h, sam 8h30 à 22h, dim 8h30 à 16h; ☎459-2328), qui com-

prend 18 pentes, dont 14 éclairées, ainsi que la station **Vorlage** (14,78$ à 26,07$ de jour ou 8$ à 16$ de soir; lun-ven 9h30 à 22h, sam 9h à 22h, dim 9h à 17h; 65 ch. Burnside ☎459-2301 ou 877-867-5243, www.ski vorlage.com), un peu plus petite, mais qui dispose tout de même de 15 pistes, dont 7 adaptées au ski de soirée.

On peut aussi s'adonner au ski alpin au **Camp Fortune** (☎827-1717), qui possède 17 pistes, dont 13 sont ouvertes en soirée. Il en coûte de 21 à 36$ par jour, de 15 à 24$ pour la soirée ou de 18 à 29$ pour une demi-journée.

Hébergement

Circuit A: La vallée des Outaouais

Montebello

 Auberge Suisse Montevilla
$$$-$$$$ pdj
≡, ⊛, C, ℜ, ≈
970 ch. Montevilla
☎423-6692 ou 800-363-0061
≈423-5420
www.auberge-montevilla. com
Située en retrait du village, l'Auberge Suisse Montevilla constitue un choix intéressant pour les voyageurs qui désirent prendre quelques jours de repos dans la nature sans toutefois trop perdre en confort. L'auberge propose en plus une série d'activités de plein air comme la pêche et le tennis. Une piscine et deux lacs naturels se trouvent à proximité. On y loue aussi des chalets.

Château Montebello
$$$$$
&, ≡, ⊛, ☉, ≈, ✿, ℜ, △
392 rue Notre-Dame
☎423-6341 ou 800-441-1414
≈423-5283
www.fairmont.com
Baptisée Château Montebello, cette superbe structure construite en bois de pin et de cèdre s'élève sur le bord de la rivière des Outaouais. Elle détient le titre de la plus importante structure de bois rond au monde. C'est aujourd'hui un centre de villégiature qui dispose de plusieurs installations, notamment une piscine intérieure et extérieure, des terrains de squash et une salle de conditionnement physique.

Hull

Auberge de la Gare
$$$-$$$$ pdj
≡, ⊛
205 boul. St-Joseph
☎778-8085 ou 800-361-6162
≈595-2021
www.aubergedelagare.ca
L'Auberge de la Gare est un hôtel simple et conventionnel. Le service est courtois et aimable. Les chambres sont propres, bien tenues, mais sans surprise. Il s'agit d'un établissement offrant un bon rapport qualité/prix.

Best Western Hôtel JacquesCartier
$$$$
≡, ⊛, C, ≈, ℜ
131 rue Laurier
☎770-8550 ou 800-265-8550
≈770-9705
www.jacquescartierhotel. com
Le hall austère et petit du Best Western Hôtel Jacques-Cartier est peu invitant. Toutefois, cet hôtel dispose de chambres aux meubles modernes; sans offrir un décor luxueux ou chaleureux, elles se révèlent confortables.

Four Points by Sheraton Hull-Ottawa
$$$$$
&, ≡, ⊘, ≈, ✿, ℜ
35 rue Laurier
☎778-6111 ou 800-567-9607
≈778-3647
www.fourpoints.com
Le Sheraton est situé en face du Musée canadien des civilisations. Le bâtiment qui l'abrite, d'aspect simple, est typique des chaînes hôtelières. Il dispose de chambres au mobilier fonctionnel mais sans charme particulier. En basse saison, il propose des forfaits intéressants.

Hilton Lac-Leamy
$$$$$
&, ≡, ®, ⊘, ≈, ✿, ℜ, △
3 boul. du Casino
☎790-6444 ou 866-488-7888
≈790-6408
www.hiltonlacleamy.com
Érigé au bord du lac Leamy, et à côté du Casino du Lac-Leamy, avec lequel il communique, cet hôtel de la chaîne Hilton s'impose. Les 20 étages offrent tous des chambres confortables au décor classique enjolivé d'une belle vue sur un des deux lacs voisins et les environs. Les installations et services répondent entièrement aux besoins des gens d'affaires.

Aylmer

Château Cartier Relais Resort
$$$$
≡, ®, ⊘, ℜ, ≈, ✿, ℜ, △
1170 ch. Aylmer
☎778-0000 ou 800-807-1088
≈777-2518
www.chateaucartier.com
L'immeuble rose et vert du Château Cartier est de construction récente. Ses chambres au décor moderne se révèlent confortables.

Papineauville

Au fil des ans
$$ pdj
✖, bc/bp
228 rue Duquette
☎427-5167 ou 800-361-0271
Si le charme d'une maison ancestrale (1853) vous séduit, le gîte touristique Au fil des ans est le meilleur choix. Et votre portefeuille sera entièrement d'accord! Cette maison de bois, rénovée en respectant le style d'antan, propose cinq chambres, dont une avec salle de bain privée. De plus, les invités disposent d'une salle de séjour avec télé, seul endroit, par ailleurs, accessible aux fumeurs. L'aire réservée au copieux petit déjeuner, un solarium, est admirablement éclairée.

Circuit B: La vallée de la Gatineau

Parc de la Gatineau
Camping du lac Philippe
$
promenade du Lac Philippe, La Pêche
☎456-3016
Camping du lac La Pêche
$
route 366
☎456-3016
Sans doute un des plus beaux sites de la région pour camper, le parc de la Gatineau a, avec plus de 350 emplacements, vraiment de quoi plaire aux personnes désirant dormir en pleine nature. Des emplacements sont aménagés pour recevoir les véhicules récréatifs.

Wakefield

Les Trois Érables
$$$-$$$$ pdj
≡, ℑ
801 Riverside Dr.
☎459-1118 ou 877-337-2253
La petite auberge Les Trois Érables est l'une des surprises que vous réserve l'Outaouais. Remarquez le travail investi dans la rénovation de cette maison datant de 1896. Un séjour dans cette auberge s'avère toujours merveilleux.

Messines

Maison La Crémaillère
$$ pdj
≡, ®
24 ch. de la Montagne
☎465-2202 ou 877-465-2202
≈465-5368
www.lacremaillere.qc.ca
La Maison de la crémaillère est un petit gîte touristique très accueillant. Dans cette petite localité tranquille, vous pourrez vous reposer en profitant de la vie douce et paisible de la campagne outaouaise.

Maniwaki

Auberge du Draveur
$$
≡, ✖, ®, ℜ
85 rue Principale Nord
☎449-7022 ou 877-449-7022
≈449-2081
www.aubergedraveur.qc.ca
L'Auberge du Draveur n'a d'auberge que le nom. Presque neuf, ce motel est très propre et confortable. Pour le prix, il s'agit d'un excellent choix.

Restaurants

Circuit A: La vallée des Outaouais

Hull

Café Les Quatre Jeudis
$-$$
44 rue Laval
☎771-9557
Le sympathique «café-
resto-bar-galerie-ciné-ter-
rasse» Les Quatre Jeudis
accueille une clientèle
jeune et un peu bohème.
Il dispose d'un écran sur
lequel sont présentés des
films. Sa jolie terrasse se
révèle très populaire du-
rant l'été. L'atmosphère y
est très détendue.

Piz-za'za Restau Bar à vin
$-$$
36 rue Laval
☎771-0565
Chez Piz-za'za, vous pourrez déguster un excellent
choix de pizzas fines dans
une ambiance décon-
tractée et sympathique.

Le Twist
$$
88 rue Montcalm
☎777-8886
Dans un cadre très sympa-
thique, Le Twist comblera
vos envies d'un bon ham-
burger et de frites maison.
Bien sûr, le menu com-
porte d'autres excellents
choix. En été, une grande
terrasse, complètement
privée, vous accueille.
Bref, un lieu plein
d'ambiance qui attire des
gens amusants.

Le Tartuffe
$$$-$$$$
fermé dim
133 rue Notre-Dame
☎776-6424
À deux pas du Musée ca-
nadien des civilisations se
trouve un merveilleux petit
restaurant de gastronomie
française: Le Tartuffe. Cette
petite maison saura vous
plaire par la gentillesse et
la courtoisie de son per-
sonnel, ou grâce à son
ambiance intime et déli-
cieuse.

Le Sans-Pareil
$$$-$$$$
fermé dim
71 boul. St-Raymond
☎771-1471
Le Sans-Pareil est situé à
5 min du Casino du Lac-
Leamy et tout près des
centres commerciaux. Ici
l'addition est belge. Il est
donc normal que le chef
Luc Gielen propose des
moules (un choix de 12
préparations) le mardi soir.
Mais ce serait un péché
que de s'arrêter là, car la
carte présente beaucoup
d'autres choses délicieuses,
et meilleures encore! La
carte change normalement
toutes les trois semaines et
favorise les produits frais
que l'on retrouve dans les
différentes régions du
Québec. Le chef a du flair
pour innover dans sa com-
binaison des ingrédients. Il
faut donc se laisser tenter,
sans aucune crainte, par le
menu gourmand à plu-
sieurs services, qui inclut
également les vins appro-
priés. C'est un endroit petit
mais fort charmant. À dé-
couvrir!

Le Panaché
$$$$
201 rue Eddy
☎777-7771
Le Panaché est un petit
restaurant se spécialisant
dans la cuisine française.
L'ambiance y est intime et
détendue.

Le Casino du Lac-Lemay
possède décidément toutes
les ressources pour que
vous y passiez d'excellents
moments, car, outre les
tables de jeux, il renferme
deux restaurants où vous
pourrez faire un excellent
repas loin du tapage. Le
Banco *($$; ☎772-6220)* propose une formule buffet, à
bon prix, ainsi que divers
plats à la carte. Plus chic et
plus cher, le **Baccara** *($$$$;
fermé le midi; 1 boul. du
Casino, ☎772-6210)* a su se
tailler une place parmi les
meilleurs restos de la région. La table d'hôte af-
fiche tous les jours des
plats raffinés, que vous dégusterez tout en profitant
d'une vue spectaculaire sur
le lac. La cave à vins, bien
garnie, et le service toujours impeccable concou-
rent également à faire de
votre repas une expérience
culinaire mémorable.

Café Henry Burger
$$$$
69 rue Laurier
☎777-5646
Le chic Café Henry Burger
se spécialise dans la préparation d'une cuisine
française raffinée. Le menu
se modifie au gré des arri-
vages et réussit chaque
fois à ravir les palais les
plus délicats. Établi à Hull
depuis 1922, il a su
conserver une excellente
réputation malgré le ser-
vice un peu froid.

Chelsea

L'Orée du bois
$$$-$$$$
*mar-dim dès 17h en été, mar-
sam en hiver*
15 ch. Kingsmere, Old Chelsea
☎827-0332
Visiter l'Outaouais sans se
rendre dans le parc de la
Gatineau est une hérésie.
Ne serait-ce que pour y
prendre un repas. L'Orée
du bois vous accueille
dans une maison rustique

en plein cœur de la nature. Le bois, la brique et les rideaux crochetés que l'on retrouve à l'intérieur ajoutent à l'harmonie. Voilà une entreprise familiale du genre que l'on retrouve partout dans les différentes régions de la France. Manon, souriante, vous reçoit et supervise les salles, tandis que Guy concentre son expertise sur la cuisine. La formule ne peut qu'être gagnante pour le client. Guy élabore une cuisine française qui met en valeur les excellents produits régionaux que l'on retrouve au Québec. La carte propose ainsi des plats préparés à base de champignons des bois, de fromage de chèvre frais, de canard du Lac Brome, de cerf et de poissons fumés sur place au bois d'érable. Les prix sont raisonnables et les portions généreuses.

Les Fougères
$$$$
783 route 105
☎**827-8942**
Le restaurant Les Fougères propose une cuisine inventive et raffinée dans un environnement très sympathique. La seule frustration, c'est qu'on ne puisse pas tout goûter.

Aylmer

À l'échelle de Jacob
$$$
fermé lun-mar et mi-juil à mi-août
27 boul. Lucerne
☎**684-1040**
Aménagé dans une jolie maison en pierre, À l'échelle de Jacob est fort agréable. Ce restaurant à l'ambiance chaleureuse convient bien aux dîners en tête-à-tête. On y concocte une délicieuse cuisine française.

Papineauville

 La Table de Pierre Delahaye
$$$
mer-ven et dim 11h30 à 14h et mer-dim 17h30 à 21h, fermé lun-mar
247 rue Papineau
☎**427-5027**
La Table de Pierre Delahaye mérite une escale. Ce restaurant n'évoque que des souvenirs mémorables. Une histoire de couple: madame à l'entrée et monsieur à la cuisine. Un accueil toujours cordial et chaleureux, une cuisine exquise d'inspiration normande: le chef est un vrai Normand! Si l'évocation du ris de veau vous fait saliver, pas besoin d'aller plus loin. Cette maison de village historique (1880) abrite des pièces empreintes d'ambiance. Lorsqu'on est plusieurs (huit et plus), on peut même disposer d'une pièce complète.

Circuit B: La vallée de la Gatineau

Messines

 Maison la Crémaillère
$$$$
fermé lun
24 ch. de la Montagne
☎**465-2202 ou 877-465-2202**
La Maison la Crémaillère figure parmi les plus illustres restaurants de la région. Située dans un coin reculé de l'Outaouais, cette magnifique maison d'époque dispose d'à peine 30 places et vous propose un service personnalisé et courtois. La table d'hôte affiche des mets aussi artistiques que délicieux. Réservations requises.

Sorties

N'oubliez pas de consulter la version locale du journal *Voir* (version outaouaise) afin de planifier vos sorties. Le *Voir* est distribué chaque semaine gratuitement dans les bars, cafés et restaurants en Outaouais.

Bars et discothèques

Hull

Le Bop Bar
5 rue Aubry
☎**777-3700**
Le Bop Bar est un petit établissement sympathique de la place Aubry. On peut commencer la soirée en y mangeant. On y entend non seulement de la musique techno et disco, mais aussi du *softrock* et même un peu de *hardrock*.

Café Les Quatre Jeudis
44 rue Laval
☎**771-9557**
Depuis de très nombreuses années, le café Aux Quatre Jeudis est l'endroit privilégié par les habitués des cafés. Belle grande terrasse en été. Fort sympathique. Beaucoup d'ambiance à l'intérieur.

Le Fou du Roi
253 boul. St-Joseph
☎**778-0516**
Le Fou du Roi est le lieu de rencontre des gens qui ont dépassé la trentaine. Les vitrines s'ouvrent sur une petite terrasse en été. Également très fréquenté après les heures de bureau.

Outaouais

Le Troquet
41 rue Laval
☎776-9595
Le Troquet est un petit
bistro-bar de l'animée rue
Laval. On y vient pour
prendre un verre et discuter entre amis. En été deux
terrasses, une à l'arrière et
une à l'avant, permettent
aussi de casser la croûte
agréablement.

Au **Casino du Lac-Leamy**
vous trouverez le 777 et **La
Marina** *(1 boul. du Casino)*,
où l'on sert pas moins de
70 sortes de bières produites par les microbrasseries
québécoises et canadien-
nes.

Théâtres et salles
de spectacle

Gatineau

Tout au long de l'année, la
**Maison de la culture de Gati-
neau** *(855 boul. de la Gappe,
☎243-2325)* présente des
spectacles de bonne qualité.

Hull

Pour assister à une pièce
de théâtre, rendez-vous au
Théâtre de l'île *(1 rue Wellington, ☎595-7455)*. En été,
des forfaits souper-théâtre
sont proposés.

Le **Théâtre du Casino** *(☎772-
2100)*, qui s'est ajouté aux
installations du casino,
comprend 1 000 sièges
confortables offrant une
bonne vue sur la scène.

Aylmer

Le **Centre culturel de
l'auberge Symmes** *(1 rue
Front, ☎685-5033)* présente
une programmation inté-

ressante et variée dans cet
édifice historique.

À côté de l'auberge Sym-
mes, le **Centre d'exposition
l'Imagier** *(9 rue Front, ☎684-
1445)* est jouxté du parc
de L'imaginaire où, en été,
on présente des concerts
et des spectacles dans un
joli petit kiosque. Le parc
en lui-même est agréable
avec ses œuvres d'art.

Wakefield

À Wakefield, on ne
s'ennuie pas. On y trouve
en effet quelques bistros
pour se divertir, ainsi que
la célèbre auberge **Le Mouton Noir** *(753 Riverside Dr.,
☎459-3228)*. Cette dernière
affiche une programmation
variée et surprenante dans
un aussi petit village. Des
dimanches après-midi folk
aux soirées africaines,
l'ambiance est chaude.
Qu'ils soient de la région
ou de renommée interna-
tionale, les artistes qui s'y
produisent sont générale-
ment intéressants et font
vibrer tout le village le
temps d'un spectacle ou
deux!

Fêtes et festivals

Hull-Ottawa

Le **Festival international de
jazz d'Ottawa et de Hull** *(fin
juil; ☎613-291-2633)* offre
plusieurs spectacles à Hull
et la possibilité d'entendre
diverses tendances du jazz
contemporain à un coût
très abordable.

Le **Bal de neige** est le plus
gros festival d'hiver en
Amérique du Nord. Diver-
ses activités sont organisées sur la plus grande
patinoire du monde, le
canal Rideau, à Ottawa, de

même que dans certains
autres endroits de la ré-
gion, dont le parc Jacques-
Cartier. Pour information: à
Ottawa, ☎*(613) 239-5000
ou 800-465-1867; à Hull,
☎(819) 595-7400; www.capi-
taleducana-
da.gc.ca/winterlude/.*

Gatineau

Le **Festival des montgolfières**
*(☎243-2330 ou 800-668-
8383)* se déroule à Gati-
neau pendant la fin de
semaine de la fête du
Travail, début septembre.
Une féerie de couleurs
inonde alors le ciel. En
peu d'années, ce festival
s'est acquis une réputation
enviable et constitue le
plus important du genre
au Canada. Très bien or-
ganisé, il attire plusieurs
grands artistes de la chanson en soirée.

Aylmer

La **Fête de l'été d'Aylmer**
(anciennement le Festi-
voile) se déroule principalement à la marina
d'Aylmer. Pendant quel-
ques jours en août, on
peut assister ou participer
à des compétitions et à des
activités nautiques. En
soirée, chanteurs et chan-
teuses québécois de renom
se relaient sur scène.

Casino

Les personnes désirant
s'amuser tout en ayant la
possibilité de gagner de
bons montants d'argent
peuvent se rendre au
Casino du Lac-Leamy *(9h à
4h; 1 boul. du Casino, ☎819-
772-2100 ou 800-665-2274)*.
Vaste, il renferme notam-
ment des machines à sous,
des tables de Keno, de
blackjack et de roulette
ainsi que deux restaurants
(voir p 348).

Achats

Circuit A: La vallée des Outaouais

Hull

La **boutique du Musée canadien des civilisations** (*100 rue Laurier*) est en quelque sorte une autre salle de cette institution. Bien que les pièces d'artisanat autochtone et canadien qui y sont vendues n'aient pas la même qualité artistique que celles exposées dans le musée, vous y dénicherez toutes sortes de trésors à prix accessible. En plus de l'artisanat, on y vend une foule de chouettes petits bibelots. Le **Musée canadien des civilisations** renferme également une librairie disposant d'une fort belle collection d'ouvrages traitant de l'histoire et de l'artisanat de nombre d'ethnies.

Circuit B: La vallée de la Gatineau

Wakefield

Le petit village de Wakefield réserve quelques plaisirs à ceux qui aiment déambuler tranquillement en fouinant dans des boutiques. Une riche communauté d'artistes et d'artisans est en effet installée dans le village qui possède bon nombre de boutiques prêtes à recevoir les visiteurs. Parmi celles-ci, les deux boutiques **Jamboree** (*817 Riverside Rd.,* ☎*459-3453 et 740 Riverside Rd.,* ☎*459-2537*) proposent une belle sélection d'artisanat d'ici et d'ailleurs, ainsi que des produits maison: confitures, chutneys et achards (*relish*) (aux bleuets sauvages ou aux courgettes, s'il faut choisir).

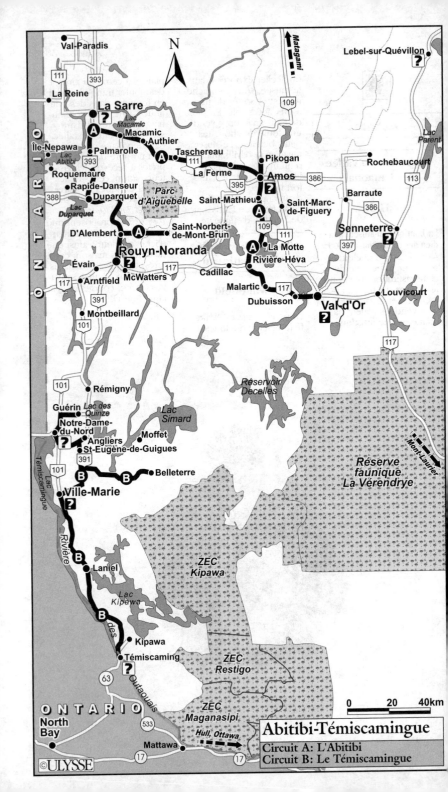

Abitibi-Témiscamingue

Circuit A: L'Abitibi
Circuit B: Le Témiscamingue

Abitibi-Témiscamingue

En excluant le Grand Nord québécois et la Baie-James, l'Abitibi-Témiscamingue, avec ses 150 000 habitants et ses 100 000 lacs, peut sans doute être considérée comme la dernière frontière du Québec.

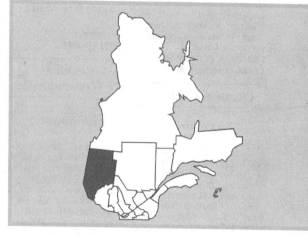

Quoique les riches terres bordant le lac Témiscamingue et la rivière des Outaouais aient été occupées dès le XIXe siècle, la colonisation de la majeure partie de la région ne commença qu'au début du siècle dernier, avec l'arrivée de femmes et d'hommes déterminés à y vivre de l'agriculture malgré la pauvreté du sol.

Après de dures années de défrichage et de maigres récoltes, la découverte de gisements d'or au cours des années 1920 provoqua une seconde vague migratoire ayant l'allure d'une véritable ruée vers l'or. Des villes y poussèrent comme des champignons en quelques années, avec l'exploitation naissante des gisements d'or, mais aussi de cuivre et d'argent, dans ce que l'on nomme la «faille de Cadillac». La région conserve encore aujourd'hui une atmosphère de *boom town*, et le secteur minier emploie toujours un cinquième de la main-d'œuvre locale, les autres piliers de l'économie régionale étant l'agriculture et, surtout, le secteur forestier.

À l'époque des premiers balbutiements de l'Abitibi, une vague de colons s'y est rendue, espérant y trouver la richesse promise par le clergé catholique. La réalité s'est avérée différente. Ils ont été confrontés à un territoire vierge. Ils se voyaient octroyer des terres vers lesquelles ils devaient même ouvrir la route. Mais, au prix de la sueur de leur front et de dur labeur, ces pionniers ont défriché un coin de pays bien à eux.

Aujourd'hui, on y vient pour revivre la grande aventure de la ruée vers l'or, mais surtout pour profiter de ses grands espaces et des fabuleuses possibilités de chasse, de pêche et de motoneige qu'offrent ses vastes forêts et ses innombrables lacs.

Pour s'y retrouver sans mal

Même si l'Abitibi et le Témiscamingue font partie de la même région touristique, ces deux entités territoriales propres couvrent respectivement un vaste territoire. En conséquence, deux circuits distincts sont proposés: **Circuit A: L'Abitibi ★** et **Circuit B: Le Témiscamingue ★**.

Circuit A: L'Abitibi

En voiture

L'Abitibi ste situé à environ 500 km de Montréal. Il est recommandé de prévoir un arrêt à mi-parcours. Empruntez l'autoroute 15 Nord au départ de Montréal. À Sainte-Agathe, celle-ci devient la route 117. Le circuit de l'Abitibi peut être combiné avec celui du «Royaume des vacanciers», dans les Laurentides (voir p 301), et

avec celui du Témiscamingue (voir p 360).

Gares routières

Val-d'Or
1420 4ᵉ Avenue
☎(819) 874-2200

Rouyn-Noranda
52 rue Horne
☎(819) 762-2200

Gare ferroviaire

Senneterre
☎(819) 737-2979

Circuit B: Le Témiscamingue

En voiture

Le Témiscamingue est accessible soit par l'Abitibi, soit par l'Ontario. Dans le premier cas, suivez la route 391 Sud au départ de Rouyn-Noranda. À Rollet, empruntez la route 101 Sud puis la route 391 Sud jusqu'à Angliers. Dans le second cas, empruntez les routes 17, 533 et 63 en Ontario (sur la rive sud de la rivière des Outaouais). Puis rendez-vous à Témiscaming, et parcourez le

circuit que nous vous proposons en sens inverse.

Gare routière

Ville-Marie
19 rue Ste-Anne (au Cagibi)
☎(819) 629-2166

En bateau

Il est aussi possible de se rendre au Témiscamingue par **La voie navigable du Témiscamingue** et de l'Outaouais. Cette voie emprunte la rivière des Outaouais et se termine au lac Témiscamingue. Cet itinéraire retrace la voie de flottaison utilisée à l'époque pour faire descendre le bois vers les scieries et les usines de pâtes et papiers à Hull. Pour information, contactez les bureaux de renseignements touristiques régionaux.

Renseignements pratiques

Indicatif régional: **819**

Renseignements touristiques

Bureau régional

Association touristique régionale de l'Abitibi-Témiscamingue
170 av. Principale, bureau 103,
Rouyn-Noranda, J9X 4P7
☎*762-8181 ou 800-808-0706*
≈*762-5212*
www.48nord.qc.ca

Noms des nouvelles villes fusionnées

Val-d'Or
Fusion de Val-d'Or, Sullivan, Val-Senneville, Dubuisson et Vassan.

Rouyn-Noranda
Fusion de Rouyn-Noranda, Cadillac,

Évain, Arntfield, Bellecombe, Cléricy, Cloutier, D'Alembert, Destor, McWatters, Mont-Brun, Montbeillard, Rollet, Lac-Montanier, Lac-Surimau et Rapides-des-Cèdres.

Circuit A: L'Abitibi

Val-d'Or
1070 3ᵉ Avenue C.P. 1543, J9P 5Y8
☎ *824-9646 ou 877-582-5367*
www.ville.valdor.qc.ca

Amos
892 route 111 E., J9T 2K4
☎ *727-1242 ou 800-670-0499*
⇌ *727-3437*
www.ville.amos.qc.ca

Rouyn-Noranda
191 av. du Lac, C.P. 242, J9X 5C3
☎ *797-3195*
⇌ *797-7134*
www.ville.rouyn-noranda.qc.ca

Circuit B:
Le Témiscamingue

Ville-Marie
78 rue des Oblats Nord
☎ *629-3355*
⇌ *629-2793*
www.temiscamingue.net

Attraits
touristiques

Circuit A: L'Abitibi
(deux jours)

Nous sommes ici en pays neuf, puisque la colonisation de l'Abitibi ne débute véritablement qu'avec l'arrivée du chemin de fer en 1912. La région étant isolée du reste du Québec par la faille minéralisée de Cadillac, qui délimite le bassin hydrographique du Saint-Laurent, il était auparavant presque impossible de s'y rendre par voie d'eau. L'Abitibi est alors présentée comme la «terre promise» par le clergé catholique, qui veut y déverser le trop plein d'agriculteurs de la vallée du Saint-Laurent et enrayer l'émigration vers les États-Unis. La découverte de gisements de cuivre et d'or, au début des années 1920, précipite le développement de quelques villes, comme Val-d'Or, mais le reste du territoire demeure jusque-là peu peuplé.

Cependant, lorsque survient la crise économique de 1929, la colonisation de l'Abitibi est perçue comme un moyen de réduire le chômage grâce aux terres offertes aux miséreux des grandes villes. Dans les années 1930, l'élite politique voit donc l'Abitibi comme l'exutoire de la misère urbaine. Les mesures instituées par le gouvernement québécois entre 1932 et 1939 permettront de doubler la population de la région en sept ans et de créer 40 nouveaux villages.

Des centaines de lacs et de rivières, la forêt à perte de vue et un relief de hauts plateaux relativement peu prononcé font de l'Abitibi un lieu idéal pour la chasse, la pêche et le camping sauvage. L'Abitibi-Témiscamingue est traversée par la ligne démarquant les eaux de la vallée du Saint-Laurent de celles de la Baie-James, et c'est d'ailleurs ce que le mot d'origine algonquine *Abitibi* signifie: «ligne de partage des eaux».

Val-d'Or
(32 000 hab.)

Qui aurait cru, que sous le Régime français, il y avait bel et bien de l'or au Québec? Après s'être fourvoyés en apportant à François Iᵉʳ de la vulgaire chalcopyrite, les explorateurs de l'Amérique française avaient abandonné la recherche du précieux métal doré.

Ce n'est qu'en 1922 que des prospecteurs découvrent aux limites de la faille minéralisée de Cadillac un formidable gisement d'or.

Une ville champignon verra bientôt le jour dans cette vallée de l'or. Elle portera un nom qui lui convient à merveille: Val-d'Or. Au cours des années 1930, Val-d'Or fut le plus important site d'extraction d'or au monde. Elle demeure encore de nos jours un important centre minier.

Vous pouvez monter au sommet (18 m) de la **Tour d'observation Rotary** (☎ *824-9646*), située à l'angle des boulevards des Pins et Sabourin, pour vous faire une idée des vastes horizons qui caractérisent le nord du Québec.

Le **Village minier de Bourlamaque** ★ *(3$; fin juin à début sept tlj 9h à 18h; le reste de l'année sur réservation; 90 av. Perreault, ☎ 825-7616)*. La firme canado-américaine Teck-Hughes Gold Mines amorce l'exploitation de la mine Lamaque en 1932, y attirant de nombreux chômeurs en quête d'un emploi. Le village minier de Bourlamaque surgit du sol au printemps de 1935 pour loger les mineurs et leur famille.

Ce témoin unique de la ruée vers l'or en Abitibi a été miraculeusement préservé dans ses moindres détails par l'entreprise Lamaque, qui l'a fait construire, puis par la Ville de Val-d'Or, à laquelle il a été annexé en 1965.

Classé arrondissement historique en 1978, ce quartier entier comporte 65 authentiques maisons de mineurs en bois rond,

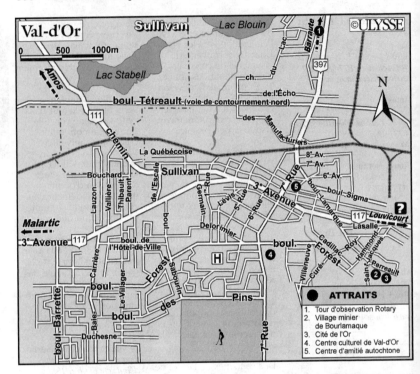

Val-d'Or

©ULYSSE

0 500 1000m

Sullivan
Lac Blouin
Lac Stabell

Amos

boul. Tétreault (voie-de-contournement-nord)
ch.
de-l'Écho
des
Manufacturiers

111
chemin
de-l'Escale
La Québécoise
8ᵉ-Av.
7ᵉ-Av.
Bouchard
Sullivan
6ᵉ-Av.
Lauzon
Vallière
Thibault
Parent
Germain
Lévis
5ᵉ Rue
3ᵉ Avenue
6ᵉ Rue
boul.-Lamarque
boul.-Sigma

Malartic
3ᵉ Avenue 117
boul. de l'Hôtel-de-Ville
Delorimier
117 Louvicourt
Lasalle
Cadillac
Roy
Villeneuve
Cure
Saint-Jacques
Hammond
Perreault

boul. Forest
Carrière
Le-Villager
Baie
Sabourin
Forest
boul.
H
boul. des Pins
boul. Barrette
Duchesne
7ᵉ Rue

ATTRAITS
1. Tour d'observation Rotary
2. Village minier de Bourlamaque
3. Cité de l'Or
4. Centre culturel de Val-d'Or
5. Centre d'amitié autochtone

chacune pouvant se définir comme la fameuse «cabane au Canada». Les maisons sont toujours habitées et parfaitement entretenues. Au numéro 123 de l'avenue Perreault, l'une d'entre elles a été aménagée en centre d'interprétation sur les débuts de Val-d'Or et de l'industrie minière en Abitibi.

Il faut aussi remarquer les demeures des dirigeants. Bâties selon une architecture de style anglo-saxon, ces résidences abritaient les patrons et leur famille. Il est intéressant de noter que même l'emplacement des maisons des patrons (sur une petite colline) dominait celui des habitations des employés.

La **Cité de l'Or** ★★ *(20$, famille 58$; mi-juin à début sept 9h à 18h; sept à mai lun-*
mer 10h à 17h, jeu-ven fermé, sam 9h à 18h, dim 13h à 18h; 123 av. Perreault, ☎825-7616)* vous donne l'occasion chance de descendre 90 m sous terre dans une ancienne mine. On y explique les différentes techniques d'extraction de l'or. Cette expérience permet de voir les incroyables conditions de travail des hommes-taupes. Pour la visite d'une durée de presque deux heures, portez un bon lainage car la température, au fond d'une mine, n'a rien à voir avec celle de l'extérieur. Après la visite de la mine, vous pouvez vous rendre aux installations de surface de l'ancienne mine Lamaque.

À Val-d'Or, les œuvres des artistes de la région et d'ailleurs sont présentées au **Centre culturel de Val-**
d'Or *(visites gratuites toute l'année, horaire variable; 600 7ᵉ Rue, ☎825-3060).*

La culture autochtone est importante à Val-d'Or, et le **Centre d'amitié autochtone** *(entrée libre toute l'année; 1272 7ᵉ rue, ☎825-6857)* vous ouvre un accès privilégié à l'histoire, aux légendes et aux traditions des nations amérindiennes de la région. Dans la boutique, vous pourrez voir les œuvres d'artisans amérindiens.

Poursuivez par la route 117 en direction de Malartic.

Malartic (3 850 hab.)

Cette communauté minière n'est guère active dans l'exploitation des gisements aurifères, mais des bâtiments de la ruée vers l'or ont subsisté, donnant à

Malartic un air de *Far West* amusant.

Le **Musée minéralogique de Malartic** ★ *(4$; juin à sept tlj 9h à 17h; 650 rue de la Paix,* ☎ *757-4677)* a été fondé par un groupe de mineurs désireux de partager leur expérience avec le public. Aujourd'hui, il vit résolument au XXIe siècle avec des expositions fort instructives. On y expose les étapes de formation de notre planète ainsi que le rôle de ses nombreux minéraux dans notre vie quotidienne. S'y tient aussi un spectacle multimédia.

À Rivière-Héva, prenez la route 109 en direction d'Amos.

Amos (13 500 hab.)

À l'été de 1912, les premiers colons de l'Abitibi s'installent sur les bords de la rivière Harricana après un voyage épuisant. Le premier village de cabanes rustiques, bâties avec le bois coupé pour défricher le site, fait rapidement place à une ville moderne qui n'a rien à envier aux autres villes du Québec. Amos a été le point de départ de la colonisation de l'Abitibi. Elle en est toujours le centre administratif et religieux.

La **cathédrale Sainte-Thérèse-d'Avila** ★ *(11 boul. Mgr-Dudemaine,* ☎ *732-2110),* élevée à ce rang en 1939, a été construite en 1923 selon les dessins de l'architecte montréalais Aristide Beaugrand-Champagne. Sa structure circulaire inusitée, coiffée d'un large dôme, et son vocabulaire romano-byzantin ne sont pas sans rappeler l'église Saint-Michel-Archange de Montréal, du même auteur. L'intérieur est orné de marbres d'Italie, de belles mosaïques et de verrières françaises.

Vous désirez voir ce qu'Amos propose sur la scène artistique? Rendez-vous au **Centre d'exposition de la Maison de la culture** *(entrée libre; lun-ven 13h30 à 21h, sam-dim 13h à 17h; visites commentées et réservations possibles; 222 1ᵉ Avenue E.,* ☎ *732-6070).* Outre l'exposition permanente «Pour tout l'art du monde», une incursion dans l'histoire de l'art, de la préhistoire à nos jours, vous y verrez des travaux d'artistes de la région ainsi que des expositions itinérantes provenant d'autres musées québécois.

Le **Refuge Pageau** ★★ *(10$; fin juin à fin août mar-ven; sept sam-dim; 3991 ch. Croteau,* ☎ *732-8999)* recueille les animaux blessés, les soigne et, une fois ces bêtes guéries, les remet en liberté. Malheureusement, ces bêtes ne peuvent pas toutes retourner dans la nature sans risques; alors elles restent au refuge et amusent les visiteurs. En automne, vous pourrez être témoin du magnifique spectacle des oiseaux migrateurs qui s'arrêtent au refuge. Vous y verrez même une bernache qui protège une vache.

Si vous avez un peu de chance, vous apercevrez Michel Pageau en train de jouer avec ces animaux sauvages, dans leur cage respective, que personne d'autre ne peut approcher. Il est toujours impressionnant de voir un homme se faire lécher le visage par un loup ou lutter avec un ours. Outre les ours et les loups, on y retrouve des renards, des ratons, des hiboux et plusieurs autres représentants de la faune québécoise.

À 10 km au sud-est d'Amos, sur la route 111 Est, vous attend le village de Saint-Marc-de-Figuery.

Saint-Marc-de-Figuery (600 hab.)

Les habitants de cette petite localité ont décidé de partager leur héritage culturel avec les passants. Ils ont donc ouvert le **Musée de La Poste et la boutique de forge** *(4$; fin juin à début sept lun-dim, 9h à 17h; 449 route 111,* ☎ *732-8501),* une reconstitution du bureau de poste de 1922. Vous pouvez aussi profiter du **parc Héritage**, situé devant le musée et qui constitue une jolie halte.

La Corne (620 hab.)

À La Corne, un peu au sud de Saint-Marc-de-Figuery, on trouve un attrait intéressant: le **Dispensaire de la garde** ★★ *(5$; fin juin à début sept tlj 9h30 à 17h; 339 route 111,* ☎ *799-2181).* Il s'agit d'un dispensaire ayant appartenu à une infirmière

Cathédrale Sainte-Thérèse-d'Avila

de colonie, ces femmes qui travaillaient aussi comme sages-femmes et même vétérinaires dans les coins les plus reculés du territoire en pleine colonisation. Le site nous rappelle leur vie et leur travail.

À 3 km au nord d'Amos se trouve le village algonquin de Pikogan.

Pikogan (385 hab.)

Les Algonquins de l'Harricana ont préservé leur nomadisme jusqu'en 1954, année où ils s'installent sur un site qu'ils baptisent *Pikogan*, mot d'origine algonquine qui signifie «tente de peaux». La chapelle du village retient l'attention par sa forme conique héritée du tipi. L'intérieur, aménagé par les Algonquins, comprend notamment un chemin de croix disposé sur des peaux de castor.

La route 109 Nord, en direction de Matagami et du Nunavik, permet d'atteindre, au bout de 620 km, la Baie-James et ses installations hydroélectriques titanesques (voir le Nord-du-Québec, p 685). Afin de poursuivre le circuit de l'Abitibi, empruntez la route 111 Ouest depuis Amos.

Poursuivez par la route 111.

Authier (300 hab.)

L'école du rang II ★ (4,50$; fin juin à début sept tlj 9h30 à 17h30; 269 route 111, ☎782-3289). Au Québec, les villages sont parfois fort éloignés les uns des autres. Jusqu'au début des années 1960, les écoles de rang apporteront pour les plus jeunes une solution aux longs déplacements nécessaires pour se rendre dans les principales agglomérations. Ces établisse-

ments étaient construits en rase campagne et étaient administrés par le gouvernement québécois. Une «maîtresse d'école» enseignait aux enfants des différents niveaux, réunis dans une seule et même salle de classe. L'institutrice demeurait sur place, dans un logement attenant à la salle principale. L'école du rang II, construite en 1937, a été transformée en centre d'interprétation des écoles de rang au Québec. L'intérieur, demeuré intact, fait voir les pupitres, les manuels scolaires et le logement de l'institutrice.

La route 111 traverse ensuite Macamic, située au bord du lac du même nom. Tournez à droite dans la route 393 Nord pour atteindre La Sarre.

La Sarre (8 100 hab.)

Nous sommes au pays des terres ingrates et des routes sans fin, où acheter un litre de lait entraîne souvent une balade de 20 km en voiture! La forêt constitue encore la principale source de revenus pour les habitants de la région. La Sarre, petite ville dominée par ses scieries, est née de la crise des années 1930.

Le **Centre d'interprétation de la foresterie** *(entrée libre; mi-juin à fin août visite libre tlj 9h30 à 19h30; visites guidées mar-sam 9h30 à 12h et 13h à 16h30, dim 12h à 17h; 600 rue Principale, ☎333-3318),* au bureau de tourisme local, illustre le développement de l'industrie forestière à La Sarre.

La Sarre ne vit pas que de bois. La culture s'y exprime à la **Maison de la culture** *(visites toute l'année, lun-ven 13h à 16h30h et 19h à 21h, sam-dim 13h à 17h; 195 rue Principale, ☎333-2294),* qui abrite également la bibliothèque muni-

cipale Richelieu et le Centre d'art Rotary, où sont présentées des expositions d'œuvres d'artistes de l'Abitibi-Témiscamingue et de l'extérieur ainsi que des expositions itinérantes. Remarquez la **fresque** qui habille le hall d'entrée de la Maison; en y regardant de plus près, vous pourrez y lire 70 ans d'histoire locale!

*Reprenez la route 393 en sens inverse jusqu'à Duparquet, site d'une mine d'or abandonnée. Tournez à gauche dans la route 388 Est, puis à droite dans la route 101 Sud, que vous suivrez jusqu'à D'Alembert. Ensuite, prenez à gauche en direction de Saint-Norbert-de-Mont-Brun, où se trouve l'entrée du **parc d'Aiguebelle** ★★ (voir p 362).*

Reprenez la route 101 Sud en direction de Rouyn-Noranda.

Rouyn-Noranda (43 000 hab.)

Autrefois formée des deux municipalités autonomes de Rouyn et de Noranda, implantées respectivement sur les rives sud et nord du lac Osisko, cette ville minière a vu le jour à la suite de la découverte dans la région d'importants gisements d'or et de cuivre. En 1921, il n'y avait encore là que forêt et rochers. Cinq ans plus tard, une ville complète, avec églises, usines et résidences, était visible au même endroit. Si le secteur de Rouyn se veut davantage commerçant, en revanche, le secteur de Noranda, surtout résidentiel et institutionnel, a été bien planifié par la compagnie minière Noranda dès le milieu des années 1920. Même si les mines de Rouyn-Noranda sont aujourd'hui épuisées, la ville demeure un important

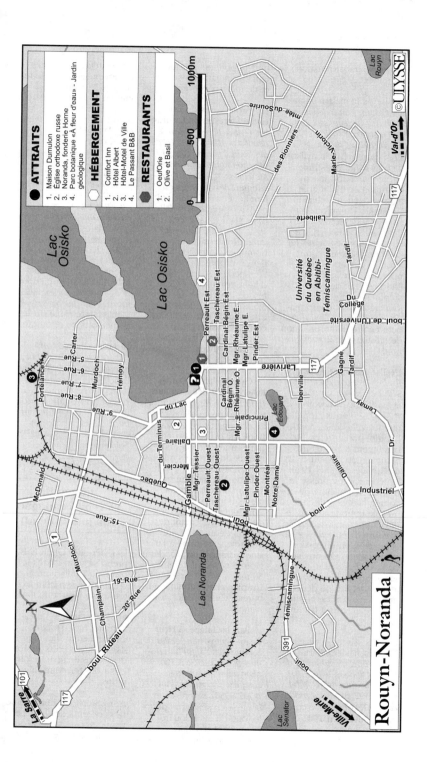

Rouyn-Noranda

ATTRAITS
1. Maison Dumulon
2. Église orthodoxe russe
3. Noranda, fonderie Horne
4. Parc botanique «À fleur d'eau» - Jardin géologique

HÉBERGEMENT
1. Comfort Inn
2. Hôtel Albert
3. Hôtel-Motel de Ville
4. Le Passant B&B

RESTAURANTS
1. OeufOrie
2. Olive et Basil

© ULYSSE

0   500   1000m

centre de transformation du minerai.

Le site de la **maison Dumulon** *(3$; fin juin à début sept tlj 9h à 20h, début sept à fin juin lun-ven 9h à 12h et 13h à 17h; 191 av. du Lac,* ☎ *797-7125)* comprend la maison de bois rond, construite par le marchand Joseph Dumulon en 1924, et le magasin général attenant. La famille Dumulon a été au centre de la formation de la ville de Rouyn, car elle a regroupé sur ses terrains un commerce, une auberge ainsi que le bureau de poste local. Le bâtiment, fait de billes d'épinette, abrite de nos jours le bureau d'information touristique ainsi qu'un petit centre d'interprétation de l'histoire de Rouyn-Noranda.

L'**église orthodoxe russe** *(3$; fin juin à début sept tlj 13h à 18h, hors saison sur réservation; 201 rue Taschereau O.,* ☎ *797-7125)* nous rappelle que les villes minières de l'Abitibi ont attiré un fort contingent d'immigrants d'Europe de l'Est au cours des années 1930 et 1940. À l'intérieur, on y dresse le portrait de chacune de ces communautés qui ont joué un rôle important dans le développement de la ville. Nombre d'entre elles sont cependant en régression de nos jours. On notera, au hasard des rues, la présence de synagogues et autres temples de dénominations variées, la plupart reconvertis à d'autres usages.

Il est possible de visiter la **Noranda, fonderie Horne** ★ *(entrée libre; début juin à début sept tlj 8h15 à 16h; 101 av. Portelance,* ☎ *762-7764, poste 2402, www.noranda. com)*. Découvrez ce complexe ouvert en 1927 et toujours en activité. Il est considéré comme l'un des

plus importants producteurs mondiaux de cuivre et de métaux précieux.

Les promoteurs du **Centre éducatif forestier du Lac-Joannès** *(entrée libre; fin juin à début sept 10h à 18h; 703 ch. des Cèdres, par la route 117, direction Rouyn-Noranda, McWatters,* ☎ *762-8867)* privilégient les activités en famille, et c'est pourquoi on y retrouve des installations pour tous. Fondé en 1972, le centre tente de vulgariser les activités économiques du milieu forestier en proposant des sentiers pédestres, une piste d'hébertisme et un gigantesque labyrinthe de 3,5 km. Des guides sont offerts pour une meilleure compréhension de la faune et de la flore lors des randonnées. Les groupes doivent réserver.

Le **Circuit d'interprétation historique du Vieux-Noranda** *(gratuit; mai à sept)* comporte 25 panneaux d'interprétation répartis en 13 stations sur le thème «Une mine, une ville». Les tableaux du parcours relatent l'histoire de la vieille ville de Noranda en présentant chacun des bâtiments importants construits depuis la fondation de la ville. Ce circuit de 3,3 km débute au parc Trémoy, se termine à l'usine Noranda inc., fonderie Horne, et prend 2 heures 30 min à parcourir à pied. Un plan est disponible au bureau d'information touristique.

Le **Parc botanique «À Fleur d'eau»** *(entrée libre; visites commentées 2$; fin juin à mi-sept lun-jeu 10h à 16h, réservation 24 heures à l'avance; 250 rue Dallaire,* ☎ *797-8753)*, se présente comme un sentier pédestre le long du lac Édouard permettant d'admirer la flore et la faune de ce site

enchanteur. Des visites commentées sont offertes du lundi au jeudi du 24 juin au 15 septembre au coût de 2$ (prière de réserver 24 heures à l'avance). Avis aux ornithologues, on y retrouve une grande variété d'oiseaux.

Le **Jardin géologique** *(entrée libre; visites commentées sur demande 2$; été 9h à 22h; rue Pinder E., sur le site du Parc botanique)* de Rouyn-Noranda est l'un des seuls du genre au monde. Les 17 blocs de minéraux aménagés sur le site vous révéleront la géologie régionale. La visite est gratuite, et des panneaux explicatifs fournissent des renseignements intéressants sur les points forts de cet attrait.

La **maison Roscoe** *(sur rendez-vous seulement; 14 av. Murdoch,* ☎ *764-9439)* est l'ancienne résidence du directeur de la mine Noranda. D'inspiration Tudor, cette demeure, située au bord du lac, abrite aujourd'hui le Centre musical en Sol mineur.

Circuit B: Le Témiscamingue (un jour et demi)

La rivière des Outaouais prend sa source dans le beau lac Témiscamingue, qui a laissé son nom à toute une région du Québec située à la frontière avec l'Ontario. Témiscamingue, mot d'origine amérindienne signifiant «l'endroit des eaux profondes», constituait autrefois le cœur des territoires algonquins.

Après avoir été le royaume des coureurs des bois pendant deux siècles, le Témiscamingue s'est tourné vers l'exploitation forestière à partir de 1850. L'hiver venu, les bûcherons de l'Outaouais «montaient dans le bois» pour couper la matière ligneuse que l'on croyait alors inépuisable. En 1863, les pères oblats s'installent dans la région. Ils fondent Ville-Marie en 1888, ce qui fait de cette ville la doyenne de toute l'Abitibi-Témiscamingue.

Guérin (300 hab.)

Le **Musée de Guérin** ★ *(5$; fin juin à début sept 10h à 18h; 932 rue Principale, ☎784-7014)* présente une intéressante collection d'objets religieux et agricoles dans une quinzaine de pavillons (lire «granges usées par le temps») retraçant l'histoire locale. Entre autres, on retrouve un camp de bûcherons, la maison d'un cultivateur et l'église du village. Cependant, la collection est menacée par le manque de temps, d'argent et surtout d'expertise. Il s'agit malgré tout d'une halte à ne pas manquer, ne serait-ce que pour voir ce qu'une poignée de gens peuvent faire lorsqu'ils sont fiers de leur culture.

Continuez par la route de Nédélic-Guérin jusqu'à la route 101, où vous prendrez la direction sud jusqu'à Notre-Dame-du-Nord.

Notre-Dame-du-Nord (1 200 hab.)

Située en bordure du majestueux lac Témiscamingue, la petite municipalité de Notre-Dame-du-Nord vit maintenant surtout des revenus des secteurs agroalimentaires et manufacturiers.

Le **Centre thématique fossilifère** *(8$; fin juin à début sept visites commentées tlj départs 10h, 12h, 14h, 16h; 5 rue Principale, ☎723-2500)* expose une série de fossiles d'animaux marins retrouvés dans la région. Certains de ces fossiles datent de près de 400 millions d'années.

Au départ de Notre-Dame du Nord, continuez par la route 101 jusqu'à la montée Gamache, que vous suivrez jusqu'à Angliers.

Angliers (310 hab.)

Jusqu'en 1975, le bois coupé sur les terres du Témiscamingue était acheminé vers les scieries des villes par flottage sur les nombreuses rivières de la région. Le village d'Angliers, sur le bord du lac des Quinze, a d'ailleurs longtemps vécu du flottage du bois. Au cours des dernières années, Angliers a misé sur sa vocation touristique, le site étant idéal pour la chasse et la pêche.

Le remorqueur *T.E. Draper/Chantier de Gédéon (fin juin à début sept tlj 10h à 18h; 11 rue T.E. Draper, ☎949-4431)* a été mis en service en 1929. On s'en servait pour tirer les radeaux de bois. Lors de l'abandon des opérations de flottage, il a été remisé avant d'être acquis par des citoyens d'Angliers, qui l'ont amarré à proximité de l'ancien entrepôt de la Canadian International Paper Company (C.I.P.).

L'ensemble fait maintenant partie d'un centre d'interprétation sur le flottage du bois. Durant la visite de l'ancien entrepôt de la C.I.P., remarquez la façon dont les travailleurs ont francisé plusieurs mots anglais, formant ainsi une partie du «joual».

Prenez la route 391 Sud jusqu'à Ville-Marie.

Ville-Marie (3 000 hab.)

Lieu stratégique sur la route de la baie d'Hudson, le lac Témiscamingue est connu depuis le XVIIe siècle. Déjà en 1686, le chevalier de Troyes s'y arrête brièvement lors d'une expédition pour déloger les Anglais de la baie.

Un poste de traite est aménagé au bord du lac la même année. Au XIXe siècle, l'ouverture de chantiers au Témiscamingue amène une population saisonnière, bientôt remplacée par des colons qui s'établiront à proximité de la mission des oblats, donnant ainsi naissance à Ville-Marie. La ville occupe un bel emplacement au bord du lac, mis en valeur par l'aménagement d'un parc riverain.

La **Maison du colon** *(2,50$; mi-juin à début sept tlj 10h à 12h et 13h à 18h; 7 rue Notre-Dame-de-Lourdes, ☎629-3533)*, un bâtiment en pièce sur pièce de 1881, est la première maison de Ville-Marie. Plusieurs des colons y ont résidé temporairement à leur arrivée dans la région. On comprend donc qu'elle revêt un caractère particulier pour les gens du Témiscamingue. Après avoir été déménagée à quelques reprises, elle fut transportée sur son site actuel en 1978. Elle abrite depuis un centre d'interprétation de l'histoire du Témiscamingue. La maison offre de belles vues sur le lac. L'édifice en pierre (1939), à l'arrière, logeait autrefois l'École d'agriculture du Témiscamingue.

Le **lieu historique national du Fort-Témiscamingue-Duhamel** ★★ *(3$ à 12$; début juin à début sept, hors saison sur réservation; 834 ch. du Vieux-Fort, ☎629-3222)* est situé à 8 km au sud de Ville-Marie. Ce site rappelle l'importance de la traite des fourrures dans l'économie québécoise. De la Compagnie du Nord-Ouest au Régime français, en passant par la Compagnie de la Baie d'Hudson, le fort Témiscamingue, habité de 1720 à 1902, fut un lieu de rencontre entre différentes cultures et religions, entre les Occidentaux et les Amérindiens. De plus, la présence autochtone vieille de 6 000 ans, évoque les racines ancestrales d'Obedjiwan.

Une exposition interactive met en valeur la collection archéologique et la trame historique de ce lieu. Vous retrouverez aussi des plates-formes et des scénographies rappelant l'emplacement des anciens bâtiments ainsi que leur fonction. Tout près, vous verrez la «Forêt enchantée», plantée de thuyas de l'Est déformés par la rigueur hivernale et bordée par le majestueux lac Témiscamingue, témoin de plusieurs millénaires d'histoire.

Suivez la route 101 Sud jusqu'à Témiscaming.

Témiscaming (2 930 hab.)

Ville mono-industrielle, Témiscaming a été fondée en 1917 par la compagnie papetière Riordon. Le service d'aménagement de la compagnie a créé de toutes pièces une «ville nouvelle» à flanc de colline. Elle reprend à son compte le modèle des cités-jardins britanniques.

Les architectes Ross et Macdonald de Montréal concevront les plans des jolies maisons Arts & Crafts, ainsi que la plupart des édifices publics que l'on peut encore admirer de nos jours. On notera la présence d'une fontaine en marbre florentin et d'un puits vénitien en bronze en plein quartier résidentiel, apport charmant quoique anachronique à l'aménagement des lieux.

Les visiteurs ont l'occasion, dans l'usine **Tembec** ★ *(entrée libre; lun-ven 9h à 15h, réservations requises 24 heures à l'avance; 33 rue Kipawa, ☎796-3305)*, de découvrir tout le processus de la fabrication du papier et du carton.

Parcs

Circuit A: L'Abitibi

Le **parc d'Aiguebelle** ★★ *(3,50$; 1737 rang Hudon, Mont-Brun, ☎637-7322 ou 877-637-7344, www.sepaq.com)* couvre un territoire de 243 km². En plus des multiples lacs et rivières, on y retrouve les plus hautes collines de la région. Les visiteurs peuvent y pratiquer plusieurs activités de plein air tout au long de l'année, dont les plus populaires sont le canot, la pêche, la randonnée à bicyclette et à pied (32 km) durant la saison estivale, et le ski de fond (32 km) ainsi que la raquette durant l'hiver. On peut aussi y séjourner en refuge ou en camping.

La **réserve faunique La Vérendrye** ★★ *(accueil entrée Nord, ☎736-7431; vous pouvez aussi obtenir des renseignements auprès de la Société des établissements de plein air du Québec, C.P. 1330, 40 Place Hammond, Val-d'Or, J9P 4P8, ☎354-4392, www.sepaq.com)* couvre 13 615 km², ce qui représente le deuxième territoire naturel en importance au Québec. Vous pourrez y accéder à partir de trois postes d'accueil: l'entrée Nord, qui est située à 60 km au sud de Val-d'Or; le Domaine, que vous verrez annoncé sur la route transcanadienne, et l'entrée Sud. Le Domaine est par ailleurs l'endroit où l'on trouve de l'essence, un garage, un dépanneur, un restaurant, et où l'on peut louer une embarcation ou un chalet. Des tables de pique-nique sont dressées au bord de la route. De nombreux curieux profitent de cet arrêt puisqu'il n'y a pas de stationnement.

La réserve est devenue, au fil des années, le paradis des amateurs de plein air de tout acabit. Ainsi, chaque été, de nombreux adeptes du canot, du canot-camping, de la pêche, et même des cyclistes et des vacanciers de villégiature (qui y garent leur véhicule motorisé ou y plantent leur tente), y affluent.

Activités de plein air

Du point de vue touristique, l'Abitibi-Témiscamingue est encore un territoire à défricher! L'explorateur moderne qui s'y aventure découvrira une richesse inouïe, des espaces vierges à profusion et des cours d'eau aux possibilités quasi infinies! Fréquentée depuis plusieurs années par les chasseurs et les pêcheurs qui reconnaissent la générosité des cours d'eau et des forêts, la région offre beaucoup plus que du gibier et du poisson. Ses espaces sauvages, ses lacs et ses rivières se prêtent à une multitude d'aventures, douces ou extrêmes.

Vélo

Toutes les régions du Québec s'y sont mises, et l'Abitibi-Témiscamingue n'échappe pas à la vague de popularité déclenchée par le vélo. En fait, la région a été précurseur de cette vague en présentant depuis une trentaine d'années Le Tour cycliste de l'Abitibi, une compétition d'envergure qui met en présence les meilleurs coureurs juniors du Québec.

Circuit A: L'Abitibi

Une piste de 5 km relie Amos et La Ferme, une station de sports de plein air pour toute la famille. La piste sillonnant la forêt est jalonnée de haltes, et un belvédère offre une vue magnifique sur la région environnante.

Le départ s'effectue au croisement du chemin du vieux cimetière et de la route 111 Ouest. La balade se fait également en sens inverse à partir du camping municipal. La piste est ouverte du 15 mai au 30 août, de 9h à 21h.

Val-d'Or représente la ville où le cyclisme figure parmi les activités de loisir les plus pratiquées. Tous les ans, une populaire randonnée de 70 km, «Cyclo-Titour», attire plusieurs centaines de cyclistes de l'Abitibi-Témiscamingue au profit du Tour cycliste de l'Abitibi, puisqu'une participation exige une compensation monétaire.

Le Service de sports et plein air de Val-d'Or tient annuellement l'activité «Roulons vers l'Or». Celle-ci vise la participation familiale dans les limites même de la ville. Enfin, il y a le grand Tour cycliste de l'Abitibi. Cette épreuve est sanctionnée par la Fédération cycliste internationale amateur et regroupe une vingtaine d'équipes de niveau junior des quatre coins du monde. La France, les États-Unis et la Hollande demeurent les plus fidèles visiteurs, de même que les délégations des provinces canadiennes.

Pour permettre de belles randonnées à bicyclette à Rouyn-Noranda, une piste cyclable à deux voies, asphaltée et sécuritaire, a été aménagée sur l'avenue Perreault. Elle débute à l'angle de la rue Larivière et de l'avenue Perreault, et se poursuit jusqu'au bout de celle-ci.

Une autre piste cyclable est également accessible depuis 1998. D'une longueur de 3,8 km, cette piste relie le parc des Érables à la montée Laframboise. Les adeptes du vélo peuvent donc pratiquer leur activité préférée tout en découvrant ce coin de pays.

Le **Parc linéaire Rouyn-Noranda–Taschereau** *(100 av. du Lac,* ☎762-0500 ou 866-306-0500)* vous propose une randonnée à vélo (ou à motoneige en hiver) qui reliera Rouyn-Noranda à Taschereau, sur une distance de 71 km. La première tranche de 30 km du sentier (entre D'Alembert, Clericy et le chemin du Parc à Destor) a été inaugurée en 2002.

Location de vélos

Autopro Les P'tits Roberge
67 rue Ste-Anne, Ville-Marie
☎629-2548
≈629-2626
Tarifs: 17,25$ par jour.

Randonnée pédestre

Le **parc d'Aiguebelle** *(☎637-7322 ou 877-637-7344)* constitue l'un des lieux préférés des gens de la région pour la pratique de la randonnée pédestre. Les sentiers vous invitent à fouler le sol le plus âgé du Bouclier canadien.

Circuit A: L'Abitibi

Pour pratiquer la randonnée dans le secteur de Rouyn-Noranda, rendez-vous au pied des collines Kekeko, à 11 km de la ville, où une aire de stationnement est accessible à partir de la route 391. Huit sentiers vous proposent des découvertes naturelles et des points de vue extraordinaires, des abris sous roches et de splendides cascades. Un guide des sentiers est disponible à la maison Dumulon et en librairie au coût de 5$.

En Abitibi, le Centre d'observation est situé près d'un des plus beaux sentiers pédestres de la région, celui du **secteur des Côteaux**. Bordant la rivière Laflamme sur une longueur de 2 km, il est accessible par les rangs 9 et 10 de Rochebaucourt. Des tables de pique-nique, des

Abitibi-Témiscamingue

haltes et des points de vue magnifiques (entre autres sur le pont couvert Les Chutes) se trouvent tout le long de ce sentier pédestre. Pour information, composez le ☎734-6551.

Circuit B:
Le Témiscamingue

À 10 km au nord de la municipalité, le **Sentier de la Grande Chute** (☎634-3123), long de 7 km, offre aux randonneurs d'intéressants points de vue sur la rivière Kipawa, ses chutes, ses rapides et ses marmites.

Ski de fond

Circuit A: L'Abitibi

Le **camp Dudemaine** (6$; tlj 10h à 17h; route 395, Amos, ☎732-8453) propose 22 km de pistes. On y trouve une salle de fartage et un comptoir de location de skis et de restauration; vous pourrez effectuer le pas de patin et le pas classique. En été, les pistes deviennent des sentiers pédestres ou de vélo de montagne.

Le **Centre Quatre-Saisons Mont-Vidéo** (tlj 9h30 à 17h; ch. Mont-Vidéo, Barraute, ☎734-3193) offre, outre ses pentes de ski alpin, une dizaine de kilomètres pour le ski de randonnée. Vous y trouverez une salle de fartage et un restaurant.

Le **Club de ski de fond de Val-d'Or** (7$; lun-ven 12h à 21h, sam-dim 10h à 21h; ch. de l'Aéroport, Val-d'Or, ☎825-4398) propose 50 km de tracés, dont une piste «internationale» éclairée! Vous y trouverez une salle de

fartage, une boutique de location, un refuge chauffé et un casse-croûte.

Motoneige

En hiver, la région est un véritable paradis pour les motoneigistes. Ses 3 540 km de sentiers accessibles à la motoneige se partagent en circuits qui sillonnent les plus beaux coins de l'Abitibi-Témiscamingue. La neige abondante, la température clémente, froide mais toujours sans humidité, et l'accueil chaleureux de la population régionale comblent les amateurs de beaux paysages et d'aventure nordique.

Les itinéraires abitibiens rejoignent plusieurs régions touristiques du Québec. Vous pouvez donc y accéder par les sentiers Trans-Québec des villes de Senneterre, Lebel-sur-Quévillon ou Belleterre. En venant de l'Ontario, vous passerez par Témiscaming, Notre-Dame-du-Nord, Arntfield ou La Reine. Plusieurs entreprises effectuent la location des véhicules et des vêtements nécessaires au motoneigisme. Notez toutefois que certaines entreprises imposent certaines restrictions, notamment un âge minimum et un permis de conduire valide.

Location Blais
280 av. Larivière, Rouyn-Noranda
☎797-9292

Moto Sport du Cuivre
175 boul. Évain Est, Évain
☎768-5611

Chasse et pêche

Circuit A: L'Abitibi

Dans ce royaume de lacs et de rivières, de grands espaces et de forêts sans fin, la chasse et la pêche dominent. La **Pourvoirie Balbuzard Sauvage** (C.P. 1387, Senneterre, J0Y 2M0, ☎737-8681) a mérité un prix d'excellence du tourisme québécois grâce à la qualité de sa table et de son confort. Les tarifs dépendent toujours de la saison que l'on choisit pour s'y rendre et de l'activité qu'on désire pratiquer.

La **Pourvoirie du lac Faillon** (☎737-4429) figure, elle aussi, parmi les plus populaires. En plus, vous y trouverez une jolie plage.

Circuit B:
Le Témiscamingue

De réputation internationale, la **Réserve Beauchêne** (☎627-3865 ou 888-627-3865) propose la formule dite de pêche sportive, selon laquelle les poissons doivent être remis à l'eau. De cette façon, on vous assure une qualité de pêche supérieure. De plus, les chambres sont très confortables, et la table est renommée.

Forfaits aventure

Quelques organismes proposent plusieurs genres d'expéditions en Abitibi-Témiscamingue, des défis à la mesure des explorateurs, amateurs ou néophytes, qui désirent prendre contact avec la nature dans ce qu'elle offre de plus sauvage.

Circuit A: L'Abitibi

ÉCOaventures
46 5ᵉ Avenue E., La Sarre
☎ *339-3300 ou 866-326-9453*
Promoteur des forfaits de la Traversée à skis du lac Abitibi et de la Baie James ainsi que du Raid des conquérants (à vélo de montagne), ÉCOaventures participe, par ses activités, à la promotion du capital naturel du Nord. Il est possible de louer l'équipement nécessaire à la pratique des activités hivernales. On doit réserver à l'avance, car les places partent vite.

La Traversée de la Baie James
2 750$
Durée: 11 jours
Février
Distance: 160 km

La Traversée du lac Abitibi
Coureur des bois : 310$
Conquérant : 590$
Durée: 5 jours
Début mars
Distance: 100 km

Wawatè *(104 av. Perreault, Val-d'Or,* ☎ *824-7652 ou 825-9518),* mot d'origine algonquine, signifie «aurore boréale». L'entreprise loge à l'Orpailleur et propose toutes sortes d'activités de plein air orientées sur les richesses naturelles et communautaires de l'Abitibi-Témiscamingue.

Aventure chez les Autochtones

Afin de découvrir le mode de vie ancestral des premiers habitants du territoire, les rendez-vous avec les Autochtones sont de plus en plus nombreux dans la région, entraînant

les visiteurs sur les traces des Amérindiens en canot, en raquettes, en traîneau à chiens ou à motoneige. Les excursions sont guidées par des Autochtones.

Circuit A: L'Abitibi

Service de développement économique AMIK
10 rue Tom Rankin, Pikogan
☎ *732-3350*
Gagnante du prix du Tourisme plein air et aventure 2000, l'entreprise propose des forfaits sur mesure pour des expéditions sur la rivière Harricana. Les guides autochtones permettent aux participants d'expérimenter la vie algonquienne à l'époque des grandes expéditions amérindiennes en canot en plus d'avoir l'occasion de goûter la cuisine traditionnelle et de dormir sous le tipi ou dans un camp aménagé.

Il faut réserver au moins une semaine à l'avance. Le coût est d'environ 100$ par personne par jour, mais varie selon le forfait choisi.

Association faunique Kipawa
7-207 rue des Oblats, Ville-Marie,
☎ *629-2002*
≠ *629-3285*
L'Association faunique Kipawa gère la ZEC (zone d'exploitation contrôlée) de la région du Témiscamingue (2 500 km²) en ce qui a trait à la chasse, la pêche, le camping sauvage et les pourvoiries. On dénombre quatre pourvoiries sur le territoire de la ZEC, lesquelles offrent aux clients un éventail d'activités selon la saison et le forfait choisi. Pour tous les renseignements sur les règlements, les activités et les tarifs en vigueur, on doit communiquer directement avec l'Association faunique Kipawa. Il est à noter que le camping

sauvage est une activité gratuite.

La **Corporation de développement Kitcisakik** *(Val-d'Or, via Louvicourt,* ☎ *736-3001)* vous invite en séjour de canot ou de canot-camping en compagnie d'Autochtones. Visite d'un village et festin algonquin sont également au menu.

Hébergement

Circuit A: L'Abitibi

Amos

L'Aubergine
$
bc/bp
mai à oct
762 10ᵉ Avenue
☎ *732-4418*
À Amos, L'Aubergine est une grande résidence qui accueille les visiteurs avec, entre autres, une salle de séjour munie d'un foyer et une belle terrasse.

Hôtel-Motel Amosphère
$$-$$$
&, ≈, 🐾, ⊛, ℝ, ℜ, △
1031 route1 111 Est
☎ *732-7777 ou 800-567-7777*
≠ *732-5555*
www.amosphere.com
L'Hôtel-Motel Amosphère est un complexe hôtelier qui offre un hébergement de catégorie supérieure; en soirée, la salle à manger propose des spécialités de grillades et de fruits de mer.

L'Amosphère fait aussi relais de motoneigistes en hiver; on y trouve notamment des garages chauffés pour les motoneiges. Le complexe abrite également une discothèque animée et fréquentée par les oiseaux de nuit régionaux.

Preissac

Le Héron Bleu
$$ pdj
☼, *bc*, ⌂
40 ch. de la Baie
☎*759-4772*
En plus d'offrir un panorama grandiose, ce gîte a une vocation de centre de ressourcement. Les propriétaires, M. et Mme Beauchamp, accueillent les gens dans une atmosphère de détente et offrent trois confortables chambres, en plus d'une myriade d'autres services, comme la balnéothérapie et trois styles de massages (pour un léger supplément). Plusieurs forfaits sont proposés, pour une durée de une ou plusieurs nuitées.

Senneterre

Motel Bell'Villa
$$
550 10ᵉ Avenue
☎*737-2331*
⇌*737-3464*
Situé au centre-ville, ce petit hôtel longe la rivière Bell. Les chambres sont confortables et spacieuses. Accès Internet.

Val-Senneville

 **Au Soleil Couchant**
$$ pdj
bc
301 Val-du-Repos
☎*856-8150*
Les quatre chambres de cet établissement vous charmeront par leur décor splendide qui incite à la détente. Ce gîte, on ne peut plus complet, vous offre, en plus du petit déjeuner, l'accès à un bassin à remous et à une plage privée, et comporte trois terrasses surplombant le lac Blouin.

La Sarre

Motel Le Bivouac
$$
≡, 🐕, ⊛, ℝ
637 2ᵉ Rue Est
☎/⇌*333-2241*
www.motelbivouac.com
À l'entrée de La Sarre, le Motel Le Bivouac cache une ambiance bien particulière: chacune des chambres de ce petit motel rappelle les soldats de l'armée de Montcalm qui ont donné leur nom aux cantons et à certaines municipalités de la région. Sympathique comme tout.

Motel Villa Mon Repos
$$
≡, 🐕, ⊛, ℝ, ℛ
32 route 111 Est
☎*333-2224 ou 888-417-3767*
⇌*333-9106*
www.motelvillamonrepos.qc.ca
Le plus gros hôtel de la région de La Sarre, le Motel Villa Mon Repos propose des chambres de toutes catégories à proximité du centre-ville.

Rouyn-Noranda

Le Passant B&B
$-$$ pdj
bc/bp
489 rue Perreault Est
☎/⇌*762-9827*
www.lepassant.com
Quatre charmantes chambres (une avec salle de bain privée, trois autres avec salle de bain commune) vous attendent au gîte convivial qu'est Le Passant B&B. Réputé pour sa bonne table, Michel Bellehumeur, le propriétaire, propose un petit déjeuner fortifiant composé des produits de son potager.

Comfort Inn
$$
&, ≡, 🐕
1295 Avenue Larivière
☎*797-1313*
⇌*797-9683*
www.choicehotels.ca
Sur l'avenue Larivière, vous trouverez quelques motels, dont un Comfort Inn.

Hôtel Albert
$$-$$$
≡, ⊛, ℛ
84 Avenue Principale
☎*762-3545 ou 888-725-2378*
⇌*762-7157*
Situé au centre-ville, l'Hôtel Albert offre un excellent rapport qualité/prix. Grâce à une bonne situation géographique, à un service à la clientèle sans reproche et à des chambres simples mais confortables, cet établissement est une valeur sûre à Rouyn-Noranda.

Hôtel-Motel de Ville
$$-$$$ pdj
≡, 🐕, ⊛, ℛ
95 rue Horne
☎*762-0725 ou 888-828-0725*
⇌*762-7243*
L'Hôtel-Motel de Ville offre des chambres confortables et abordables. De plus, les nombreuses installations améliorent grandement la qualité de cet hôtel un peu impersonnel. Avis aux cybernautes, l'établissement est muni d'accès Internet dans chaque chambre.

Val-d'Or

Camping du lac Lemoyne
$
une centaine d'emplacements
451 ch. Plage Lemoyne
☎*874-3066*

Centre de plein air Arc-en-ciel
$
70 emplacements
600 ch. des Scouts
☎/⇌*824-4152*
Établi dans une forêt de pins gris et blancs, d'épi-

nettes, de bouleaux et de peupliers, le Centre de plein air Arc-en-ciel possède un étang ensemencé où il est possible de taquiner la truite arc-en-ciel, un zoo domestique (poules, lapins, vaches, poneys), et offre, parmi ses services, la location de tentes de 4 à 12 places (sur réservation), à la journée, à la semaine ou au mois.

🏚 Auberge de l'Orpailleur
$$ pdj
🛏
104 Avenue Perreault
☎*825-9518*
⇿*824-7653*
L'Auberge de l'Orpailleur, située dans le village minier de Bourlamaque, occupe l'ancienne *bunkhouse* qui accueillait les mineurs célibataires. En plus de l'attrait historique, les chambres sont agréablement décorées, chacune d'elles ayant un cachet particulier. L'accueil et le petit déjeuner copieux rendent les séjours inoubliables. Les propriétaires gèrent aussi l'entreprise de plein air **Wawatè** (voir p 365).

Hôtel Forestel Val-d'Or
$$
&, ≡, 🛏, ◉, ≈, ℜ
1001 3ᵉ Avenue Est
☎*825-5660 ou 800-567-6599*
⇿*825-8849*
www.forestel.ca
Situé à l'entrée est de la ville, l'Hôtel Forestel Val-d'Or est un hôtel trois-étoiles. Les murs du Forestel abritent le Centre des congrès de Val-d'Or. Le restaurant de l'hôtel propose une cuisine régionale et française, des bières québécoises et importées, ainsi qu'une carte des vins élaborée.

Motel l'Escale Hôtel Suite
$$-$$$
≡, 🛏, ◉, ℜ
1100 rue de l'Escale
☎*824-2711 ou 800-567-6572*
⇿*825-2145*
www.lescale.qc.ca
Le complexe hôtelier l'Escale offre un confort et une ambiance des plus appréciables. Louez l'une des chambres rénovées car elles sont nettement plus belles.

Circuit B:
Le Témiscamingue

Ville-Marie

Gîte touristique Marcelle Aubry
$ pdj
≈
341 route 101 Sud
☎*629-3360*
Marcelle Aubry vous ouvre les portes de sa demeure pour un séjour confortable. Elle offre au voyageur le choix de quatre chambres, dont une double, ainsi que l'accès au salon privé, à la piscine et à la terrasse.

Motel Caroline
$$
≡, 🛏, ℜ
2 ch. de Fabre
☎*629-2965*
⇿*629-3363*
www.motelcaroline.zip411.net
Les 16 chambres du Motel Caroline sont simples et sans luxe excessif. Le rapport qualité/prix est intéressant, et certaines chambres offrent une belle vue sur le lac Témiscamingue.

Motel Louise
$$-$$$
≡, 🛏, ℂ, ℜ
25 rue des Oblats Nord
☎*629-2770 ou 877-929-2770*
⇿*629-2086*
www.motellouise.qc.ca
Le Motel Louise propose tout le confort de ce type d'établissement. Les cham-

bres sont douillettes sans toutefois être exceptionnelles.

Laniel

Chalets Pointe-aux-Pins
$$$
ℂ, ℑ
3 chalets de 2 à 4 chambres (capacité maximale de 8 pers.)
1955 ch. du Ski
☎/⇿*634-5211*
www.temiscamingue.net/pointe-aux-pins
Les Chalets Pointe-aux-Pins surplombent le lac Kipawa. Le site abritait autrefois une station entomologique où travaillait le père de la romancière canadienne Margaret Atwood. L'actuelle propriétaire, Mᵐᵉ Perreault, accueille les vacanciers en quête de paix.

Ses chalets joliment décorés offrent la possibilité de pratiquer plusieurs activités de plein air dans les environs. Des kayaks, vélos, canots et pédalos sont mis à la disposition des clients. Près du lac, Mᵐᵉ Perreault a installé tout ce qu'il vous faut pour lézarder. Barbecue au propane, literie fournie.

Témiscaming

🏚 Auberge Témiscaming
$$
≡, 🛏, ◉, ℜ
1431 ch. Kipawa
☎*627-3476 ou 800-304-9469*
⇿*627-1367*
www.auberge-temis.com
Situé sur le chemin Kipawa, le motel l'Auberge Témiscaming s'est acquis une solide réputation dans la région. Son décor moderne et son service des plus courtois lui ont d'ailleurs valu des prix à l'échelle régionale. Attention toutefois, les chambres situées près des escaliers peuvent être plus

bruyantes en raison des travailleurs qui se lèvent tôt (ou se couchent tard), et qui les empruntent.

Restaurants

Circuit A: L'Abitibi

Amos

Café Folie
$
11 1ʳᵉ Avenue Ouest
☎727-2848
Dans un décor sympathique et moderne, vous pourrez déguster un bon café ou grignoter un sandwich. Idéal pour s'offrir un dîner ou un dessert dans une ambiance qui invite à la conversation.

Restaurant Le Moulin
$$-$$$
100 1ʳᵉ Avenue Ouest
☎732-8271
Le restaurant Le Moulin prépare une cuisine française et régionale raffinée. La truite Saint-Mathieu fera le régal des palais les plus fins.

Rouyn-Noranda

OeufOrie
$
33 rue Perreault Est
☎797-4867
Un menu original de petits déjeuners vous attend dans ce restaurant situé au centre-ville. On affiche de petits plats copieux, comme des omelettes, des crêpes fourrées ou encore le traditionnel œuf accompagné de pommes de terre rissolées et de charcuterie grillée. L'ambiance est sympathique et le décor moderne.

Olive et Basil
$-$$
164A rue Perreault Est
☎797-6655
Olive et Basil est un rayon de fraîcheur pour le palais fatigué. Une savoureuse table d'hôte est proposée à prix raisonnable. Le menu se compose de savoureuses spécialités méditerranéennes.

Val-d'Or

L'Amadeus
$$-$$$
166 av. Perreault
☎825-7204
L'Amadeus prépare une excellente cuisine française. Le service est impeccable et le décor des plus agréables.

L'invitation
$$-$$$
1100 rue de l'Escale
☎824-2711
Le restaurant L'invitation du Motel l'Escale est le rendez-vous des gens d'affaires.

La Grilladerie des Diplômés
$$-$$$$
1097 rue de l'Escale
☎824-2771
Au restaurant La Grilladerie des Diplômés, vous serez accueilli par un personnel chaleureux et aurez le privilège de savourer une excellente cuisine dans une ambiance détendue.

Circuit B: Le Témiscamingue

Ville-Marie

Brassette 101
$-$$
38 rue des Oblats Nord
☎629-3420
La Brassette 101 sert des repas copieux dans une ambiance chaleureuse. Le mot d'ordre: beau, bon,

pas cher. Le menu se compose de mets traditionnels de brasserie, comme le poulet, la pizza et le bifteck, en plus d'une table d'hôte qui change tous les jours.

Restaurant-Bar La Bannik
$$
862 ch. du Vieux-Fort
☎622-0921
Le Restaurant-Bar La Bannik est situé sur une colline qui surplombe le lieu historique de Fort-Témiscamingue. La vue depuis la terrasse est tout à fait exceptionnelle. Malheureusement, la cuisine n'est pas très étoffée. On y sert surtout des grillades, des pizzas et des repas légers. Cependant, vous pourrez aussi profiter d'une table d'hôte qui propose des plats plus élaborés.

Sorties

Circuit A: L'Abitibi

Rouyn-Noranda

Cabaret de la dernière chance
146 8ᵉ Avenue
☎762-9222
Le Cabaret de la dernière chance se prête bien à la détente entre amis.

Val-d'Or

Super Club Le Vegas
784 3ᵉ Avenue
☎825-9417
Au Super Club Le Vegas, le plaisir est garanti si vous êtes amateur de billard ou de quilles. Une grande piste de danse invite les gens à danser sur une musique populaire.

Bar Le Dundee/La Cabane du Mineur
992 3ᵉ Avenue
☎824-2155
Au Bar Le Dundee/La Cabane du Mineur, on fait jouer une musique diversifiée.

Fêtes et festivals

Rouyn-Noranda

Festival du cinéma international en Abitibi-Témiscamingue
fin octobre
☎762-6212
Le Festival du cinéma international en Abitibi-Témiscamingue, à caractère non compétitif, présente des films provenant de divers pays, diffusés pour la première fois en Amérique, et parfois même au monde. Contrairement aux événements de ce genre à Montréal ou à Toronto, le festival de l'Abitibi offre une ambiance unique.

Achats

Circuit A: L'Abitibi

Rouyn-Noranda

La Fontaine des Arts
25 av. Principale
☎764-5555
La Fontaine des Arts est une galerie qui permet à des artistes régionaux d'exposer leurs œuvres pour le plus grand plaisir des amateurs. Il est possible d'acheter les tableaux qui y sont exposés.

Makonigan
153 av. Principale
☎764-9497
Makonigan, une petite boutique d'artisanat autochtone, propose des produits authentiques d'un peu partout au Canada. Les prix sont abordables, et la propriétaire n'hésite pas à vous entretenir sur la culture algonquine.

Val-d'Or

Boutique Wachiya
145 av. Perreault
☎825-0434
Cette boutique d'artisanat amérindien possède un bel éventail d'objets culturels cris, pour tous les goûts et pour tout les budgets. Les «capteurs de rêves» et les mocassins qu'on y trouve sont particulièrement raffinés.

Circuit B: Le Témiscamingue

Ville-Marie

Les chocolats Martine
2$ pour la visite (sur réservation)
22 rue Ste-Anne
☎622-0146
La visite guidée d'une demi-heure de cette petite boutique et de la fabrique artisanale adjacente permet aux clients de découvrir les multiples secrets des étapes de la confection du chocolat. Une dégustation d'un de leurs délices conclut agréablement la visite. Réservations au moins 24 heures à l'avance.

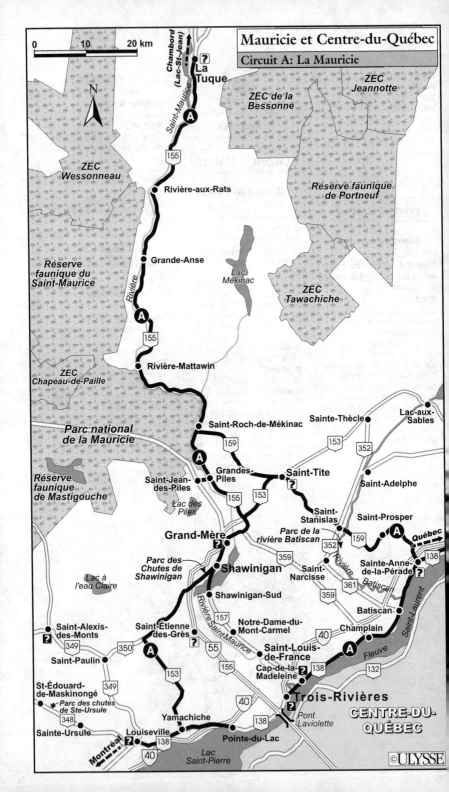

Mauricie et Centre-du-Québec

La Mauricie et le Centre-du-Québec constituent un amalgame de régions diverses. En fait, jusqu'à tout récemment, ces deux régions, qui s'étendent chacune sur une rive du fleuve Saint-Laurent, ne formaient qu'une seule grande région touristique. Mais en l'an 2000, elles se sont scindées et possèdent maintenant chacune leur propre infrastructure touristique.

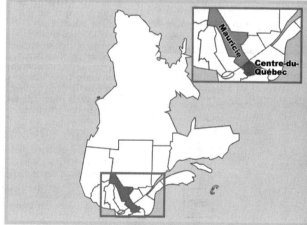

Situées à mi-chemin environ entre Québec et Montréal, ces deux régions forment un axe nord-sud embrassant les trois formations morphologiques du territoire québécois: le Bouclier canadien, la plaine du Saint-Laurent et la chaîne des Appalaches.

On considère généralement la ville de Trois-Rivières comme le pivot central de la Mauricie, sur la rive nord du fleuve. Seconde ville à être fondée en Nouvelle-France (1634), Trois-Rivières fut

d'abord un poste de traite des fourrures avant de devenir, avec l'inauguration en 1730 des Forges du Saint-Maurice, une ville à vocation industrielle. Aujourd'hui, et ce, depuis la fin du XIXe siècle, l'exploitation des richesses forestières de l'arrière-pays de la Mauricie en a fait le plus important centre québécois de l'industrie des pâtes et papiers.

En amont sur la rivière Saint-Maurice, les villes

de Shawinigan et de Grand-Mère, également d'importants centres industriels, sont dotées de centrales hydroélectriques et d'industries de transformation.

Plus au nord s'ouvre une vaste région sauvage de lacs, de rivières et de forêts, royaume de la chasse et de la pêche. On y découvre notamment le magnifique parc national de la Mauricie, qui offre des activités de plein air, particulièrement le canot-camping.

Sur la rive sud, sur le territoire bordant la rive du fleuve dans la région du Centre-du-Québec, s'étendent des zones rurales ouvertes très tôt à la colonisation et dont le territoire conserve toujours le lotissement hérité de l'époque seigneuriale.

L'extrême sud de la région présente des paysages légèrement vallonnés qui annoncent le début de la chaîne des Appalaches. Depuis quelque temps, grâce à de belles initiatives locales, on peut chaque année assister à d'intéressants spectacles au Festival international de musique actuelle de Victoriaville et au Mondial des Cultures de Drummondville.

distance, avant de bifurquer sur la route 138 Est jusqu'à Trois-Rivières. Suivez le boulevard Royal puis la rue Notre-Dame jusqu'au centre de la ville, à visiter préférablement à pied.

Le circuit s'enfonce alors à l'intérieur des terres par le biais de la route 159 jusqu'à Saint-Tite, puis dévie vers Grand-Mère par la route 153. À partir de Grand-Mère, un circuit alternatif, suivant la route 155, mène à la découverte de la Haute-Mauricie, et ce, jusqu'à La Tuque. Le circuit principal, de son côté, se poursuit par la route 153, qui permet, entre autres, de découvrir la région de Shawinigan. La portion du circuit comprise entre Trois-Rivières et Sainte-Anne-de-la-Pérade, le long de la route 138 Est, peut être intégrée à une excursion, le long du Saint-Laurent, jusqu'à Québec.

De Montréal, il est aussi possible de se rendre à Trois-Rivières par la rive sud du fleuve Saint-Laurent en passant par l'auto-

route 20. Vous pouvez aussi emprunter le chemin du Roy (route 138), qui se rend jusqu'à Québec. Première route carrossable du Canada, le chemin du Roy offre des paysages des plus pittoresques et de jolis points de vue sur le fleuve. Il a toutefois l'inconvénient d'être beaucoup moins rapide. Votre choix dépendra du temps dont vous disposerez.

En bateau

Il existe une nouvelle façon agréable et somme toute assez rapide de se rendre à Trois-Rivières au départ de Québec ou de Montréal. Et c'est en bateau avec **Les Dauphins du Saint-Laurent**, (*☎514-288-4499 ou 877-648-4499, www.dauphins.ca*). Une fois déposé au cœur du Vieux-Trois-Rivières, vous pourrez arpenter les rues à pied, visiter les boutiques et les musées, puis vous rembarquer au prochain passage du bateau pour le voyage du retour.

Pour s'y retrouver sans mal

Deux circuits, l'un sur la rive nord et l'autre sur la rive sud du fleuve Saint-Laurent, sont proposés: **Circuit A: La Mauricie ★★** et **Circuit B: Le Centre-du-Québec ★**.

Circuit A: La Mauricie

En voiture

De Montréal, empruntez l'autoroute Félix-Leclerc (40) puis l'autoroute 55 Sud, sur une très courte

Noms des nouvelles villes fusionnées

Trois-Rivières
Fusion de Trois-Rivières, Cap-de-la-Madeleine, Trois-Rivières-Ouest, Saint-Louis-de-France, Sainte-Marthe-du-Cap et Pointe-du-Lac.

Shawinigan
Fusion de Shawinigan, Grand-Mère, Shawinigan-Sud, Lac-à-la-Tortue, Saint-Georges, Saint-Gérard-des-Laurentides, Saint-Jean-des-Piles, Lac-Wapizagonke et Lac-des-Cinq.

Gares routières

Trois-Rivières
275 rue St-Georges
☎*(819) 374-2944*

Grand-Mère
800 6ᵉ Avenue
☎*(819) 533-5565*

Shawinigan
1563 boul. St-Sacrement
☎*(819) 539-5144*

Gares ferroviaires

La Tuque
550 rue St-Louis
☎*(819) 523-3257*

Shawinigan
1560 ch. du CN
☎*(819) 537-9007*

Circuit B:
Le Centre-du-Québec

En voiture

Le circuit proposé se concentre dans la plaine du Saint-Laurent, où se trouvent les principales villes du Centre-du-Québec. De Montréal ou de Québec, empruntez l'autoroute Félix-Leclerc (40) puis l'autoroute 55 Sud. Traversez le pont Laviolette à Trois-Rivières.

Ce pont, inauguré en 1967, est le seul à relier les rives sud et nord du Saint-Laurent entre Montréal et Québec. Au-delà du pont, empruntez la route 132 Est jusqu'à Deschaillons. De là, vous vous dirigerez vers Plessisville par la route 265, puis vers Victoriaville par la route 116. Par la suite, la route 122 Ouest vous conduira jusqu'à Drummondville. Vous bouclerez la boucle en empruntant successivement les routes 255, 226 et 132 Est. Notez que cette région est également faci-

lement accessible via l'autoroute 20.

Gares routières

Victoriaville
475 boul. Jutras Est
☎*(819) 752-5400*

Drummondville
330 rue Heriot
☎*(819) 477-2111*

Gare ferroviaire

Drummondville
330 rue Heriot
☎*(819) 472-5383*

Renseignements pratiques

L'indicatif régional de la Mauricie et du Centre-du-Québec est le **819**, sauf indication contraire.

Renseignements touristiques

Circuit A:
La Mauricie

Tourisme Mauricie
777 4ᵉ Rue, Shawinigan,
G9N 1H1
☎*536-3334 ou 800-567-7603*
⇄*536-3373*
www.icimauricie.com

Chambre de commerce de Trois-Rivières
168 rue Bonaventure, G9A 2B1
☎*375-9628*

Office de tourisme et de congrès de Trois-Rivières
1457 rue Notre-Dame, G9A 4X4
☎*375-1122 ou 800-313-1123*
⇄*375-0022*

Chambre de commerce du Cap-de-la-Madeleine
170 rue des Chenaux
☎*375-5346*

Circuit B:
Le Centre-du-Québec

Tourisme Centre-du-Québec
20 boul. Carignan Ouest, Princeville, G6L 4M4
☎*364-7177 ou 888-816-4007*
www.tourismecentreduquebec. com

Bécancour
3689 boul. Bécancour, Bécancour, G9H 3W7
☎*298-2070*
www.cldbecancour.qc.ca

Bois-Francs
231-A rue Notre-Dame Est, Victoriaville, G6P 4A2
☎*758-9451 ou 888 758-9451*
www.tourismeboisfrancs.com

Drummondville
1350 rue Michaud, J2C 2Z5
☎*477-5529 ou 877-235-9569*
www.tourisme-drummond.com

Nicolet-Yamaska
420 route Marie-Victorin, Nicolet, J0G 1A0
☎*(450) 783-6363*
☎*866-279-0444*
www.tourismenicolet-yamaska.net

Attraits touristiques

★★

Circuit A: La Mauricie (trois jours)

La vallée de la rivière Saint-Maurice est située à égale distance entre Montréal et Québec, sur la rive nord du fleuve Saint-Laurent. Elle a vu naître la première industrie d'envergure au Canada et a toujours conservé une vocation largement industrielle au cours de son histoire.

Ses villes recèlent d'ailleurs plusieurs exemples d'une architecture ouvrière de qualité, conçue par des architectes à l'emploi des entreprises. Mais ne vous y trompez pas, la Mauricie est tout de même surtout constituée de zones sauvages aux montagnes couvertes d'une épaisse forêt, où il est possible entre autres activités de pratiquer la chasse ou la pêche, de faire du camping et de la randonnée.

★★
Trois-Rivières
(51 412 hab.)

L'incendie qui a détruit en bonne partie la ville de Trois-Rivières en juin 1908 a considérablement modifié son apparence, qui faisait autrefois penser au Vieux-Québec, mais qui s'apparente maintenant davantage aux agglomérations du Midwest américain.

Cependant, trop souvent perçu comme un simple arrêt entre Montréal et Québec, Trois-Rivières n'est malheureusement pas considérée à sa juste valeur. La ville dégage un certain charme, avec une âme européenne grâce à ses multiples cafés, restaurants et bars de la rue des Forges, ainsi qu'à sa terrasse dominant le Saint-Laurent. La ville et sa banlieue forment de nos jours une zone urbaine de plus de 100 000 habitants.

Implantée au confluent du fleuve et de la rivière Saint-Maurice, qui se divise en trois embranchements à son embouchure (d'où le nom donné à la ville), Trois-Rivières fut fondée par le sieur de Laviolette en 1634. Dès ses débuts, elle était entourée d'une palissade de pieux correspondant à l'arrondissement historique actuel.

À cette époque, on retrouve au Canada, outre le gouvernement de la Nouvelle-France, trois gouvernements régionaux dans la vallée du Saint-Laurent: celui de Québec, celui de Montréal et celui dit des Trois-Rivières. Cette dernière agglomération était cependant beaucoup plus modeste que ses consœurs, puisque à la fin du Régime français on ne dénombrait que quelque 600 habitants et environ 110 maisons sur les lieux. La véritable expansion de la ville survient au milieu du XIXe siècle, lorsqu'on y implante l'industrie papetière, ce qui a valu à Trois-Rivières le statut de capitale mondiale du papier pendant quelque temps.

Garez votre voiture aux environs de l'intersection des rues Notre-Dame et Laviolette. Remontez la rue Bonaventure (première rue à l'ouest de la rue Laviolette) jusqu'au manoir Boucher-de-Niverville, qui sert de bureau d'information touristique.

Le **manoir Boucher-de-Niverville ★** *(entrée libre; lun-ven 9h à 17h; 168 rue Bonaventure, ☎375-9628)* a miraculeusement échappé à l'incendie de 1908. Heureusement, car il s'agit d'un exemple unique de l'architecture du XVIIe siècle qui en précède les différentes adaptations au contexte local.

Érigé avant 1668 pour le gouverneur des Trois-Rivières, Jacques Leneuf, sieur de la Poterie, il a toutefois été modifié en 1729 par François Châtelain. En 1761, Claude-Joseph Boucher de Niverville hérite de la propriété qui portera désormais son nom. Militaire de carrière, il a établi des forts dans la région de Calgary et a combattu les Américains en 1776.

À côté du manoir se dresse une statue de Maurice Le Noblet Duplessis (1890-1959), premier ministre du Québec de 1936 à 1939 puis de 1944 à 1959. Ce conservateur est étroitement lié au puissant clergé catholique de l'époque, et son règne est souvent décrit comme l'époque de la «grande noirceur» qui a précédé la Révolution tranquille. On peut encore voir sa maison au 240 de la rue Bonaventure, l'une des artères les plus élégantes de Trois-Rivières.

Traversez la rue Hart, et longez le parc Champlain jusqu'à la cathédrale.

La **cathédrale de L'Assomption ★** *(lun-sam 7h à 11h30 et 14h à 17h30, dim 8h30 à 11h30 et 14h à 17h, réservations requises pour les visites guidées; 363 rue Bonaventure, ☎374-2409)* fut construite en 1858 selon les plans de l'architecte Victor Bourgeau. Les traits néogothiques gras et trapus de la cathédrale s'inspirent vaguement du palais de Westminster, à Londres. Les vitraux, réalisés par Guido Nincheri entre 1923 et 1934, constituent sans contredit l'élément le plus intéressant de l'intérieur, autrement quelque peu froid et austère.

À l'autre extrémité du parc Champlain s'élèvent l'**hôtel de ville** moderne de Trois-Rivières, conçu en 1965 par des disciples de Le Corbusier (Leclerc, Villemure, Denoncourt, archi-

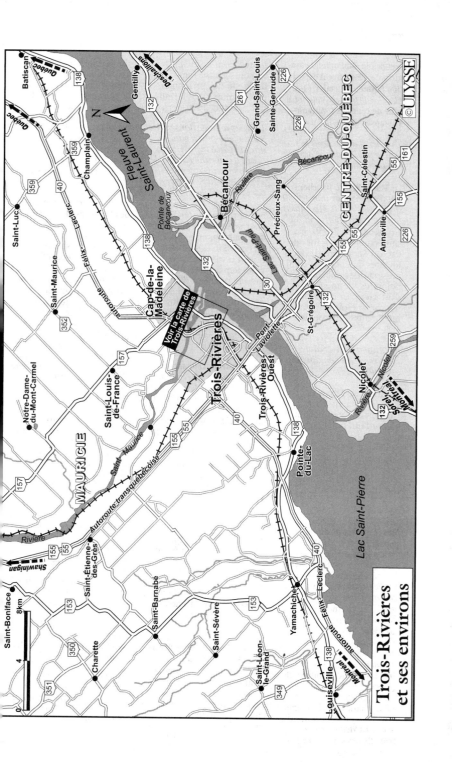

Trois-Rivières
et ses environs

tectes), la **Bibliothèque municipale**, le **Centre d'exposition Raymond-Lasnier** *(1425 place de l'Hôtel-de-Ville)* et la **salle de concerts J.-Antonio-Thompson** (1986).

Tournez à droite dans la rue Royale puis à gauche dans la rue Laviolette.

Le **Musée Pierre-Boucher** *(entrée libre; mar-dim 13h30 à 16h30 et 19h à 21h, ouvert lun sur réservation; 858 rue Laviolette, ☎376-4459)* est situé dans l'imposant édifice du Séminaire de Trois-Rivières datant de 1929. Il présente des collections de peintures, de meubles et d'art sacré. La chapelle néoromane du Séminaire mérite aussi une petite visite.

Empruntez la rue Saint-François-Xavier en direction du fleuve.

À l'angle de la rue de Tonnancour, on aperçoit l'ancien cimetière anglican, aujourd'hui transformé en parc public, qui nous rappelle que Trois-Rivières comptait une importante communauté anglo-saxonne jusqu'au milieu du XIXe siècle.

Au sud de la rue Hart se trouve le tout nouveau **Musée québécois de culture populaire** ★★ *(droit d'entrée; tlj, sept à juin fermé lun; sept expositions et deux lieux à visiter: le musée et la Vieille prison de Trois-Rivières; 200 rue Laviolette, ☎372-0406)*. Le thème général des nouvelles expositions du musée est l'alimentation. Ainsi l'exposition principale se nomme *Québec all dressed*, une invitation à la table familiale des Québécois. On y explique aussi pourquoi le Québec est un haut lieu de la gastronomie en Amérique du Nord. La **Vieille prison de Trois-Rivières** ★ a été res-

taurée pour accueillir les visiteurs qui se font raconter la vie des prisonniers en ces murs dans les années 1960 et 1970.

Tournez à droite dans la rue Saint-Pierre puis à gauche dans la place Pierre-Boucher avant d'emprunter la rue des Ursulines, seule artère des Vieux-Trois-Rivières épargnée par l'incendie de 1908.

Sur la place Pierre-Boucher se dresse le **monument du Flambeau**, érigé en 1934 à l'occasion des célébrations du tricentenaire de la ville. Remarquez au passage le panneau d'interprétation sur lequel figure une vue ancienne du splendide chœur de l'église paroissiale de Trois-Rivières (1716), détruite par le grand incendie.

Le **manoir de Tonnancour** *(entrée libre; mar-ven 10h à 12h et 13h30 à 17h, sam-dim 13h à 17h, visites guidées sur réservation, 2$/pers.; 864 rue des Ursulines, ☎374-2355)* a été érigé en 1725 pour René Godefroy de Tonnancour, seigneur de Pointe-du-Lac et procureur du roi. Remodelé à la suite d'un incendie survenu en 1784, il sera alors doté d'un toit mansardé à terrasson débordant, comme on en retrouve à l'époque en Nouvelle-Angleterre. Après avoir été transformé successivement en caserne, en presbytère et en école au XIXe siècle, il accueille de nos jours une galerie d'art, la **Galerie d'art du Parc**. En face se trouve une place d'armes.

L'ancien **couvent des Récollets** ★ *(811 rue des Ursulines)* est le seul ensemble conventuel des récollets encore debout au Québec; le complexe doit probablement sa survie à sa transformation en église anglicane à la suite du décès

du dernier récollet de Trois-Rivières en 1776. La construction du couvent actuel remonte à 1742, alors que celle de la chapelle attenante est entreprise 10 ans plus tard. En 1823, les anglicans apportent certaines modifications à l'édifice, lui donnant son aspect néoclassique actuel.

Le **monastère** et le **musée des Ursulines** ★ *(2,50$; mars et avr mer-dim 13h30 à 17h; mai à début nov mar-ven 9h à 17h; sam-dim 13h30 à 17h; nov à fév sur réservation; 734 rue des Ursulines, ☎375-7922)*. Les ursulines s'installent dans la maison de Claude de Ramezay en 1697. Celui-ci vient alors d'être nommé gouverneur de Montréal et doit donc déménager, laissant libre la demeure qui forme encore de nos jours le noyau du monastère. Les ursulines, communauté de religieuses cloîtrées vouée à l'éducation des jeunes filles, y ouvrent également un hôpital connu sous le nom d'Hôtel-Dieu de Trois-Rivières. Si l'école et le couvent subsistent toujours, l'hôpital a, quant à lui, fermé ses portes en 1883. En 1717, les ursulines font ériger une chapelle, puis agrandissent régulièrement leur complexe conventuel en lui donnant des proportions considérables. La visite du musée, qui présente des expositions thématiques préparées à même les collections des ursulines (toiles, vêtements liturgiques, broderies, etc.), entraîne les visiteurs vers la chapelle, redécorée et coiffée d'un dôme en 1897.

Traversez le beau parc qui s'étale devant le monastère des Ursulines pour rejoindre la terrasse Turcotte et le Parc portuaire.

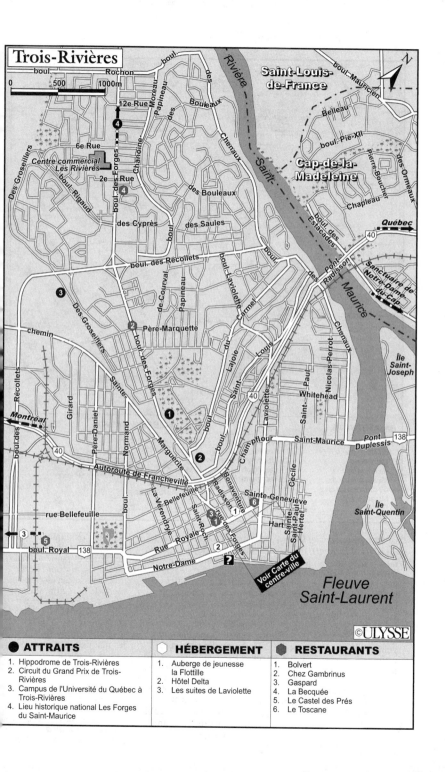

Trois-Rivières

boul. Rochon

0 — 500 — 1000m

Saint-Louis-de-France

boul. Mauricien

12e Rue

Boul. Moreau / Papineau / des Bouleaux

6e Rue

Centre commercial Les Rivières

2e Rue

boul. Rigaud

boul. des Forges

Chanoine

des Cyprès

des Saules

boul. des Récollets

de Courval

Papineau

Père-Marquette

chemin

Des Groseillers

Sainte

boul. des Forges

Girard

Père-Daniel

Normand

Marguerite

Récollets

Montréal

boul. des

40

Autoroute de Francheville

rue Bellefeuille

3

boul. Royal — 138

La Vérendrye

Saint-Roch

Rue — Royale

Notre-Dame

Rivière

Saint-

Maurice

des Chenaux

Belleau

boul. Pie-XII

Cap-de-la-Madeleine

Pierre-Boucher

des Ormeaux

Chapleau

Québec

40

boul. des Estacades

Pont Radisson

Sanctuaire de Notre-Dame du Cap

Maurice

Lajoie

Saint-Louis

Saint-Paul

Nicolas-Perrot

Whitehead

Chenaux

Île Saint-Joseph

Champflour

Saint-Maurice

Pont Duplessis — 138

Île Saint-Quentin

Bonaventure

Radisson

Bellefeuille

Sainte-Geneviève

Cécile

Sainte-Paul / Hertel

Hart

Carmel

du

Laviolette

40

boul. Laviolette

boul.

Voir Carte du centre-ville

Fleuve Saint-Laurent

©ULYSSE

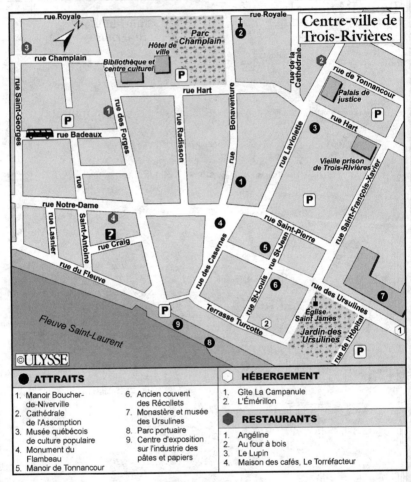

Centre-ville de Trois-Rivières

Le **Parc portuaire** *(au bord du fleuve St-Laurent)*. La terrasse Turcotte était jusque dans les années 1920 le lieu de prédilection de la bourgeoisie locale. Tombée en décrépitude, la terrasse a été remplacée par un nouvel aménagement entre 1986 et 1990. La nouvelle terrasse en gradins est le point de départ des mini-croisières sur le fleuve. Un café, un restaurant et un centre d'exposition sur l'industrie des pâtes et papiers y sont intégrés.

Longtemps considérée comme la principale activité économique de la Mauricie, l'industrie des pâtes et papiers occupait et occupe encore une place prédominante dans la vie des gens de la région. Pas étonnant qu'on y retrouve le **Centre d'exposition sur l'industrie des pâtes et papiers** *(3$; début juin à début sept 9h à 18h, sept lun-ven 9h à 17h et sam-dim 11h à 17h; 800 Parc portuaire, vis-à-vis de la rue des Forges, ☎372-4633)*. Situé dans l'agréable Parc portuaire, le centre offre une exposition per-

manente expliquant toutes les facettes de l'industrie des pâtes et papiers ainsi que la façon dont elle a influencé le développement de la région. Il est suggéré de se joindre à une visite guidée si l'on souhaite retirer le maximum de son passage, car les maquettes, sans explication, peuvent sembler dépourvues d'intérêt.

Descendez l'escalier qui mène à la rue des Forges, où se termine la balade dans le Vieux-Trois-Rivières. Empruntez cette rue jusqu'à la rue des Arts, au nord de la rue Notre-

Dame, équivalent trifluvien de la rue du Trésor à Québec.

En route vers les Forges du Saint-Maurice, situées à 10 km du centre de la ville, sur le boulevard des Forges, prolongement de la rue des Forges, on croisera l'**hippodrome de Trois-Rivières**, le **circuit du Grand Prix**, le **moulin Day** (fin XVIIIe siècle) et le **campus de l'Université du Québec à Trois-Rivières (UQTR)**.

Le **lieu historique national Les Forges-du-Saint-Maurice** ★★ *(4$; visites commentées avec guides-interprètes, mi-mai à fin août tlj 9h30 à 17h ainsi que sept et oct tlj 9h30 à 16h; réservations pour groupes; 10000 boul. des Forges, ☎378-5116).* En 1730, François Poulin de Francheville fut autorisé par Louis XV à exploiter les riches gisements de minerai de fer de sa seigneurie. La présence d'un grand nombre d'arbres , avec lesquels il était possible de faire du charbon de bois, de pierre calcaire et d'un cours d'eau au débit rapide de allait favoriser les opérations de la fonte. Originaires pour la plupart de Bourgogne et de Franche-Comté, les ouvriers de ce premier complexe sidérurgique canadien s'affaireraient à couler des canons pour les vaisseaux du roi et à confectionner des poêles pour chauffer les maisons de Nouvelle-France.

À la Conquête, le complexe passe entre les mains du gouvernemial britannique, puis est cédé à des industriels qui l'exploitent jusqu'à sa fermeture définitive, en 1883. Il comprend alors la forge haute, la forge basse ainsi que la «grande maison» de 1737, qui loge le contremaître et autour de laquelle gravite tout un village ouvrier. À la suite de l'incendie de Trois-Rivières en 1908, les Trifluviens viennent y glaner des matériaux nécessaires à la reconstruction de leur ville, ne laissant en place que les fondations de la plupart des bâtiments. En 1973, le Service canadien des parcs acquiert le site, reconstruit la «grande maison» pour y créer un centre d'interprétation et en aménage un autre, très intéressant, à l'emplacement du haut fourneau.

La visite débute à la «grande maison», vaste bâtiment tout blanc que l'on dit d'inspiration bourguignonne. On y présente différentes facettes de la vie aux Forges ainsi que les divers produits de l'entreprise. À l'étage, on peut voir une belle maquette représentant les Forges en 1845. Le spectacle son et lumière utilise cette maquette pour toile de fond. Après avoir contemplé la maquette, on peut partir à la découverte du site en empruntant les multiples sentiers qui le traversent.

Trois-Rivières accueille le **Festival international de la poésie** tous les automnes (voir p 400), ce qui lui a valu le titre de «capitale de la poésie du Québec». C'est la raison pour laquelle la ville a eu l'excellente idée d'instaurer un circuit pédestre qu'elle a baptisé **Promenade de la poésie**, avec 300 plaques affichant des extraits de poèmes puisés à travers le répertoire de poètes provenant de tout le Québec.

Revenez en direction de Trois-Rivières par le boulevard des Forges. Tournez à gauche dans le boulevard des Récollets, qui devient par la suite le boulevard des Chenaux. Tournez à gauche dans la route 138 Est, traversez la rivière Saint-Maurice, puis prenez à droite la rue Notre-Dame, à Cap-de-la-Madeleine, une importante composante de Trois-Rivières.

Cap-de-la-Madeleine (35 070 hab.)

Le Québec, terre catholique par excellence au nord du Mexique, compte plusieurs lieux de pèlerinage importants qui attirent chaque année des milliers de pèlerins du monde chrétien. Le **sanctuaire Notre-Dame-du-Cap** ★★ *(entrée libre; visites guidées pour groupes sur réservation; 626 rue Notre-Dame, ☎374-2441, www.sanctuaire-ndc.ca),* placé sous la responsabilité des missionnaires oblats de Marie-Immaculée, est consacré à la dévotion mariale. De mai à octobre, par beau temps, les visiteurs

Sanctuaire Notre-Dame-du-Cap

Mauricie et Centre-du-Québec

peuvent participer à la marche symbolique aux flambeaux.

L'histoire de ce sanctuaire débute en 1879, lorsque l'on décide d'ériger une nouvelle église paroissiale à Cap-de-la-Madeleine. Nous sommes en mars, et il faut transporter des pierres depuis la rive sud du fleuve. Mais, cet hiver-là, contrairement à son habitude, le fleuve n'a pas encore gelé. À la suite des prières et des chapelets récités devant la statue de la Vierge offerte à la paroisse en 1854, un pont de glace se forme «miraculeusement» en travers du fleuve, permettant de transporter en une semaine les pierres nécessaires à la construction du nouvel édifice. Le curé Désilets décide alors de conserver la vieille église et de la transformer en un sanctuaire dédié à la Vierge Marie. Ce vieux sanctuaire, construit entre 1714 et 1717, est considéré comme l'une des plus anciennes églises au Canada.

On raconte aussi qu'un deuxième prodige y aurait eu lieu le 22 juin 1888 quand la statue de la Vierge Marie aurait ouvert les yeux devant trois témoins, juste après une cérémonie religieuse.

Le pont de glace est aujourd'hui symbolisé par le **pont des Chapelets** (1924), visible dans le jardin du sanctuaire. Un chemin de croix, un calvaire, un Saint Sépulcre et un petit lac complètent ce jardin situé en bordure du fleuve. Au fond d'une mer d'asphalte se trouve la vaste **basilique Notre-Dame-du-Rosaire**, que l'on dirait tout droit sortie d'un film à grand déploiement de Cecil B. DeMille. Sa construction fut entreprise en 1955 selon les plans de l'architecte Adrien Dufresne, disciple de dom Bellot. Les vitraux, réalisés en trois groupes par le maître verrier hollandais Jan Tillemans, représentent l'histoire du sanctuaire, l'histoire du Canada et enfin les mystères du Rosaire.

Empruntez la rue Notre-Dame vers l'est pour rejoindre la route 138 (boulevard Sainte-Madeleine). Traversez les villages de Sainte-Marthe et de Champlain, puis celui de Batiscan, où vous pourrez voir un vieux presbytère.

Batiscan (905 hab.)

Le **vieux presbytère de Batiscan** *(3$; juin à oct tlj 10h à 17h; 340 rue Principale, ☎362-2051)* fut construit en 1816 avec les pierres du presbytère de 1696. Son isolement est imputable au fait que le noyau du village s'est déplacé plus à l'est après l'incendie de l'ancienne église en 1874. Il a été transformé en musée où sont exposés des meubles québécois des XVIIIᵉ et XIXᵉ siècles particulièrement bien conservés.

★
Sainte-Anne-de-la-Pérade (2 299 hab.)

En hiver, ce joli village agricole se double d'un second village planté au milieu de la rivière Sainte-Anne qui le traverse. Des centaines de cabanes multicolores, chauffées et éclairées à l'électricité, abritent des familles venues pêcher le «poulamon», communément appelé «petit poisson des chenaux», sous la glace de la rivière. Cette pêche est devenue au fil des ans, à l'instar des parties de sucre et des épluchettes de blé d'Inde, l'une des principales activités du folklore vivant du Québec. Le village est dominé par une imposante **église** néogothique (1855) inspirée de la basilique Notre-Dame de Montréal.

Empruntez la route 159, qui s'enfonce à l'intérieur des terres en direction de Saint-Prosper et de Saint-Stanislas.

Saint-Stanislas (1 320 hab.)

La romancière québécoise Arlette Cousture est originaire de ce village, d'où elle a d'ailleurs puisé son inspiration pour le roman *Les Filles de Caleb*, qui l'a rendue célèbre. La vie de ses ancêtres, les Pronovost et les Bordeleau, a servi de toile de fond pour l'élaboration du roman.

Grand-Mère (14 841 hab.)

Un rocher dont le profil est semblable à celui d'une vieille femme est à l'origine du nom de la ville. Autrefois situé sur un îlot au milieu de la rivière Saint-Maurice, il a été déplacé, morceau par morceau, dans un parc au centre de Grand-Mère, lors de la construction du barrage et de la centrale hydroélectrique en 1913. Cette ville et sa voisine Shawinigan sont de bons exemples de «villes de compagnies», qui se définissent par l'omniprésence d'une ou plusieurs usines entourées de deux quartiers distincts, celui des cadres, à l'origine le plus souvent anglophones, et celui des ouvriers, presque exclusivement francophones.

L'industrie du bois a donné naissance à Grand-Mère à la fin du XIXᵉ siècle. Des usines de pulpe, de pâte et de papier transforment le bois acheminé depuis les camps forestiers de la Haute-Mauricie. La Laurentide Pulp and Paper, propriété de John Foreman, de Sir William Van Horne et de Russell Alger, héros de la guerre de Sécession américaine, prend en main le développement de la ville en 1897. À la suite de la crise de 1929, l'économie se diversifie, et la ville gagne une certaine autonomie par rapport à l'entreprise qui lui a donné naissance.

On franchit la tumultueuse rivière Saint-Maurice en empruntant le **pont de Grand-Mère** ★, réalisé en 1928 selon les plans des ingénieurs étasuniens Robinson et Steinman. Ils se rendront célèbres dans les années 1950 par la reconstruction du pont de Brooklyn, à New York. Sur la gauche, on aperçoit les installations de la compagnie Stone Consolidated, descendante de la Laurentide Pulp and Paper. La centrale hydroélectrique du vaste complexe industriel enjambe la rivière Saint-Maurice. Elle a été construite en 1914 selon les plans de l'architecte George F. Hardy de New York, qui se serait inspiré de la cathédrale d'Albi, en France. Du côté droit du pont, on aperçoit l'**Auberge Grand-Mère** (voir p 394), ancienne pension conçue par Edward Maxwell en 1897. L'auberge abrite une partie du splendide mobilier Art nouveau provenant du château Menier de l'île d'Anticosti.

Le **Centre culturel** *(15 6ᵉ Avenue, en face du pont)* est installé dans l'ancien club Laurentide, club social privé des cadres de la Laurentide Pulp and Paper (1912). Son architecture rappelle celle des maisons du Régime français. Le chemin Riverside, en face,

donne accès à un secteur résidentiel exclusif ainsi qu'au beau terrain de golf municipal dont le gazon provient du fameux golf de St. Andrews, en Écosse. Empruntez la 3ᵉ Avenue sur votre gauche. Elle est bordée de jolies maisons construites au début du XXᵉ siècle pour les dirigeants de la compagnie papetière. À l'angle de la 4ᵉ Avenue et de la 1ʳᵉ Rue se trouve la pittoresque église anglicane St. Stephen, des architectes Le Boutillier et Ripley de Boston (1924). En face (entre la 5ᵉ Avenue et la 6ᵉ Avenue) se dresse le rocher de Grand-Mère, au célèbre profil de vieille dame.

L'**église catholique Saint-Paul de Grand-Mère** ★ *(angle 6ᵉ Avenue et 4ᵉ Rue)* présente une façade-écran à l'italienne érigée en 1908. L'intérieur, très coloré, est orné à la fois de toiles marouflées, exécutées par le peintre montréalais Monty au cours des années 1920, et d'une fresque de Guido Nincheri, *L'Apothéose de saint Paul.* Derrière l'église s'élève le couvent des Ursulines, succursale de celui de Trois-Rivières.

Grand-Mère constitue le point de départ idéal pour explorer la Haute-Mauricie en suivant la vallée de la rivière Saint-Maurice. Pour cette longue excursion facultative, empruntez la route 155 Nord vers Grandes-Piles et son Village du Bûcheron. Afin de poursuivre le circuit principal, suivez la route 157 en direction de Shawinigan.

Parc national de la Mauricie ★, voir p 391.

Réserve faunique du Saint-Maurice ★, voir p 391.

Grandes-Piles
(386 hab.)

Petite municipalité juchée sur une falaise dominant la rivière, elle servait autrefois de port de transbordement pour les bateaux chargés de bois. Grandes-Piles doit son nom aux rochers en forme de piliers.

Le **Village du Bûcheron** ★ *(10$; mi-mai à mi-oct tlj 10h à 18h; 780 5ᵉ Avenue, ☎538-7895)* est la reconstitution d'un authentique campement de bûcherons du début du XXᵉ siècle. L'«office», la «cookerie», la «cache» et le «campe» font partie des 25 bâtiments traditionnels en bois rond du camp.

La Tuque
(13 211 hab.)

Lieu d'origine de Félix Leclerc, cet ancien poste de traite des fourrures doit son existence, comme Shawinigan et Grand-Mère, à sa chute d'eau et à ses grands territoires boisés, qui accueillirent bientôt une centrale hydroélectrique et une usine de pâte à papier. Une colline en forme de bonnet est à l'origine de son nom.

Fin de l'excursion facultative.

Shawinigan
(20 723 hab.)

Première ville du Québec dotée d'un plan d'aménagement urbain dès sa fondation en 1901, Shawinigan est une création de la puissante compagnie d'électricité Shawinigan Water and Power Company, qui fournissait en énergie électrique l'ensemble de la ville de Montréal. L'agglomération au relief accidenté, dont le nom

Mauricie et Centre-du-Québec

algonquin signifie «le portage sur la crête», a beaucoup souffert du ralentissement économique des années 1989-1993, qui a laissé des traces indélébiles dans la trame urbaine (usines abandonnées, bâtiments incendiés, terrains vagues, etc.) Il n'en demeure pas moins que Shawinigan recèle de multiples édifices du premier tiers du XXᵉ siècle à l'architecture fort intéressante. Certaines artères résidentielles présentent un aspect proche de celui des banlieues anglaises de l'entre-deux-guerres.

Inaugurée au printemps 1997, la **Cité de l'énergie** ★ ★ *(14$; mi-juin à début juil mar-dim 10b à 17b, mi-juil à début sept tlj 10b à 18b, début sept à mi-oct mar-dim 10b à 17b; 1000 av. Melville, ☎536-8516 ou 866-900-2483)* promet d'en initier plus d'un, petits et grands, à l'histoire du développement industriel de la Mauricie et du Québec. La ville de Shawinigan se trouve au cœur de ce développement car elle a été choisie, dès le début du XXᵉ siècle, par des alumineries et des compagnies productrices

d'électricité à cause de la présence d'un fort courant sur la rivière Saint-Maurice et de la proximité de chutes hautes de 50 m. Vaste parc thématique, la Cité de l'énergie regroupe plusieurs attraits: deux centrales hydroélectriques, dont une encore en activité, la centrale Shawinigan 2, le Centre des sciences et une tour d'observation haute de 115 m qui offre, il va sans dire, une vue imprenable sur les environs, entre autres sur les bouillonnantes chutes de Shawinigan.

La visite de ces attraits, facilitée par le transport en trolleybus et en bateau, ainsi que le visionnement d'un spectacle multimédia permettant de voyager à travers les 100 ans d'histoire des diverses industries de la région (hydroélectricité, pâtes et papiers, aluminium, etc.) Suivez pas à pas l'ébauche des innovations qui ont fait avancer la science dans ces domaines. Dans le Centre des sciences, où sont regroupés divers services tels que restaurant et boutique, vous pouvez en outre voir des expositions interactives.

Parc des Chutes Shawinigan ★, voir p 391.

Une excursion facultative à **Shawinigan-Sud** permet de visiter l'**église Notre-Dame-de-la-Présentation**, décorée d'œuvres du peintre Ozias Leduc. Ces toiles décrivent l'histoire de la région dans un style proche de celui de Puvis de Chavannes.

Cité de l'énergie

Réserve faunique Mastigouche, voir p 391.

Rejoignez la route 153 en direction de Yamachiche.

Yamachiche (2 820 hab.)

Nous sommes maintenant de retour dans la plaine du Saint-Laurent, ce fertile territoire agricole colonisé sous le Régime français. Mais, contrairement à la tradition, les villages de la région de Yamachiche ne bordent pas directement le fleuve, car celui-ci s'étant considérablement élargi entre Berthier et Pointe-du-Lac pour former le lac Saint-Pierre, il représente à cet endroit une vaste étendue d'eau capricieuse entourée de marécages que l'on n'approche que difficilement.

Yamachiche est une communauté paisible qui attire les chasseurs et les pêcheurs du lac Saint-Pierre. On y trouve de belles maisons de briques rouges d'inspiration Second Empire et néo-Renaissance, érigées entre 1865 et 1890, entre autres celle du médecin-poète Nérée Beauchemin (1850-1931), située au numéro 711 de la rue Sainte-Anne *(on ne visite pas)*.

Pointe-du-Lac (5 950 hab.)

Si vous prévoyez retourner vers Trois-Rivières par la route 138, il vaut la peine de faire un court arrêt au **Moulin seigneurial de Tonnancour** *(2930 rue Notre-Dame, ☎377-1396)*, d'où vous jouirez d'une belle vue sur le lac Saint-Pierre. Construit vers 1780, ce pittoresque moulin à eau, tout en pierre, abrite une galerie d'art et un centre d'interprétation.

Si vous prévoyez par contre vous diriger vers Montréal, ou encore lier le présent circuit à celui de La Plaine, dans la région touristique de Lanaudière (voir p 278), alors une visite de Louiseville est tout indiquée. À Yamachiche, empruntez la route 138 Ouest.

Louiseville
(8 200 hab.)

Louiseville fut fondée en 1665 par Charles du Jay, sieur de Manereuil, originaire du Grand Rozoy, près de Soissons. On y tient, chaque année, un festival de la galette de sarrazin.

L'**église Saint-Antoine-de-Padoue** *(50 av. St-Laurent, ☎228-2739)*, inaugurée en 1917, est reconnue pour son riche intérieur revêtu de marbres rares, réalisé entre 1950 et 1960 par le sculpteur-décorateur Sebastiano Aiello. Les verrières modernes, formées d'épaisses bulles de verre multicolores, représentent les litanies de la Vierge.

Saint-Édouard-de-Maskinongé

Le **Zoo de Saint-Édouard-de-Maskinongé** *(12$; fin mai à début sept; 3381 route 348 O., ☎268-5150)* héberge plusieurs espèces d'animaux sur un site dont l'aménagement vise à préserver les beautés naturelles de l'endroit. Installations et animation sont prévues pour divertir les enfants.

Circuit B:
Le Centre-du-Québec
(deux jours)

Peuplée d'un mélange de colons français, acadiens,

loyalistes américains et britanniques, la région du Centre-du-Québec, anciennement désignée sous le nom des «Bois-Francs», a connu un développement lent avant le milieu du XIXe siècle, alors que s'est amorcée une phase d'industrialisation qui n'a jamais connu de ralentissement depuis, à la suite de l'établissement du chemin de fer du Grand Tronc. Au cours des dernières années, on y a en effet construit certaines des usines les plus vastes et les plus modernes du Canada. Paradoxalement, on remarquera qu'il ne reste aujourd'hui de cette voie ferrée que l'emprise sur laquelle a été aménagée une piste cyclable.

Bécancour
(11 000 hab.)

Bécancour, une municipalité très étendue, fut créée en 1965 par le regroupement de six villages beaucoup plus anciens s'étendant de Saint-Grégoire, à l'ouest, jusqu'à Gentilly inclusivement, à l'est. Son nom rappelle Pierre Robineau de Bécancour, qui, de 1684 à 1755, fut seigneur des lieux. On trouve à Bécancour un parc industriel réputé où sont notamment regroupées l'aluminerie de Bécancour, la centrale nucléaire Gentilly, seule de ce type au Québec, et l'usine d'eau lourde La Prade, avec ses hautes tours.

Le **moulin Michel ★** *(2$; mi-mai à fin juin et sept à mi-oct sam-dim 12h à 17h, fin juin à début sept mar-dim 10h à 17h; 675 boul. Bécancour, ☎298-2882)* est l'un des très rares moulins à eau du Régime français à avoir survécu. Érigé en 1739 pour les censitaires de la seigneurie de Gentilly, il a

fonctionné pendant plus de 200 ans. Son mécanisme est encore en place et est expliqué pendant les visites guidées organisées par la municipalité. Le moulin sert aujourd'hui de centre culturel et de centre d'interprétation portant sur les us et coutumes des gens de la région.

Construite entre 1845 et 1857, l'**église Saint-Édouard ★** *(1920 boul. Bécancour)* illustre la persistance des modes de construction et de décoration développés au début du XIXe siècle par la famille Baillairgé de Québec. Hormis la façade, refaite en 1907, le reste de l'édifice a conservé son aspect premier. Le décor intérieur est rehaussé de bas-reliefs en bois et de toiles du peintre Eugène Hamel.

La **centrale nucléaire Gentilly 2** *(4900 boul. Bécancour)* est la seule centrale nucléaire en exploitation au Québec. Elle est équipée d'un réacteur utilisant de l'eau lourde comme modérateur et de l'uranium naturel comme combustible. La centrale n'est plus ouverte au public.

Le **Centre de la biodiversité du Québec** *(7$; début mai à fin oct tlj 10h à 17h; 1800 av. des Jasmins, Ste-Angèle de Laval, ☎222-5665 ou 866-522-5665)* explique aux visiteurs la diversité biologique québécoise par le biais d'expositions. Laboratoire naturel en plein air, sentiers pédestres sillonnant huit écosystèmes, jardins thématiques, salle d'audiovisuel et boutique de cadeaux.

Mauricie et Centre-du-Québec

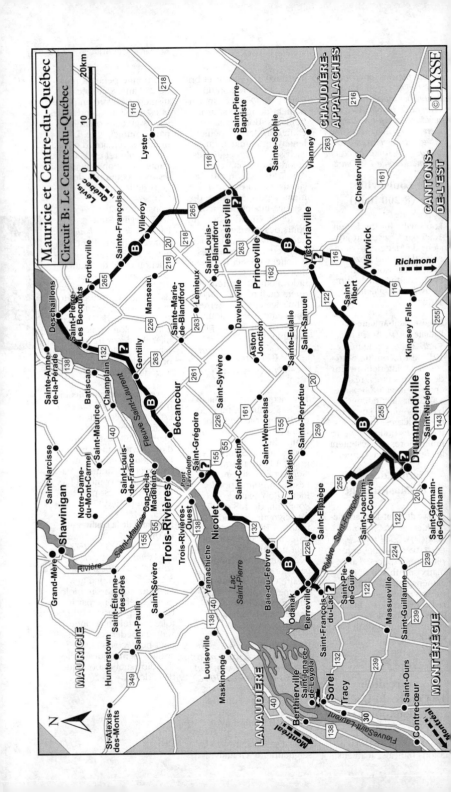

★
Saint-Pierre-
les Becquets
(1 400 hab.)

Ce charmant village, juché
sur une falaise dominant le
fleuve Saint-Laurent, était
autrefois le chef-lieu de la
seigneurie Levrard-Bec-
quet, concédée en 1672.
Le **manoir seigneurial** *(on ne
visite pas)*, construit en
1792, subsiste au numé-
ro 171 de la rue Marie-
Victorin.

*Vous pouvez faire un petit
crochet par Deschaillons-sur-
Saint-Laurent avant de reprendre le circuit.*

Deschaillons-sur-
Saint-Laurent
(1 070 hab.)

Le long de la route 132, la
municipalité de
Deschaillons-sur-Saint-
Laurent surplombe le
fleuve Saint-Laurent du
haut de falaises élevées.
Témoins d'une autre
époque, les maisons an-
cestrales se dressent fièrement au cœur du village.
En 1994, on a célébré le
250ᵉ anniversaire de Des-
chaillons et de
Deschaillons-sur-Saint-
Laurent.

*Tournez à droite dans la
route 265 Sud, qui pénètre à
l'intérieur des terres, afin de
poursuivre le circuit du
Centre-du-Québec. Il est
toutefois possible de lier les
deux portions du circuit
situées entre Odanak et Deschaillons à une promenade le
long du fleuve Saint-Laurent
jusqu'à Québec, et même au-
delà, en les greffant au circuit
des Seigneuries de la Côte-du-
Sud de la région touristique
Chaudière-Appalaches (voir
p 497).*

Plessisville
(9 500 hab.)

En quittant le territoire des
anciennes seigneuries, on
pénètre dans celui des premiers «cantons de l'Est»,
qui ont constitué la nou-
velle façon d'octroyer les
terres après la Conquête.
C'est une région à la fois
agricole (laitière) et industrielle où les petites et
moyennes entreprises
(PME) sont reines. Ples-
sisville, entourée d'érablières, est surtout reconnue
pour ses produits de l'érable et dispute d'ailleurs à
la Beauce son statut de capitale mondiale de l'érable.
On y tient chaque année,
pendant le mois d'avril, un
délicieux festival de l'érable, le plus ancien après le
carnaval de Québec. Au
numéro 1353 de la rue
Saint-Calixte, on remar-
quera une imposante de-
meure de style Second
Empire érigée en 1885
pour le commerçant Char-
les Cormier, ami de Sir
Wilfrid Laurier, devenu
sénateur et conseiller législatif.

*La route 116 contourne Ples-
sisville. Empruntez-la vers
l'ouest en direction de Princeville et de Victoriaville.*

Victoriaville
(40 000 hab.)

Cœur de l'économie du
Centre-du-Québec, Victo-
riaville doit son développement à l'essor des in-
dustries du bois et du
métal.

Arthabaska ★ constitue la
partie sud du nouveau Victoriaville. Son nom d'origine amérindienne signifie
«là où il y a des joncs et
des roseaux». Plusieurs
personnalités québécoises
qui se sont illustrées en
politique ou dans le mon-
de des arts sont originaires

d'Arthabaska, ou y ont vécu, donnant le ton au secteur qui a toujours arboré
une architecture soignée,
marquée par les modes
américaines et européen-
nes. Arthabaska est en effet renommée pour ses
belles demeures victoriennes, plus particulièrement
celles qui bordent la rue
Laurier Ouest. En 1859, Arthabaska se voit propulsée
au rang de district judiciaire du canton. On y érige le
palais de justice, la prison
et le bureau d'enregistrement qui feront sa fortune
(ces édifices ont depuis été
démolis). Supplantée par
Victoriaville au début du
XXᵉ siècle, Arthabaska a su
conserver en partie son
charme de la Belle Épo-
que.

La **maison Suzor-Coté** *(on ne
visite pas; 846 boul. des Bois-
Francs S.).* Le peintre paysagiste Marc-Aurèle de Foy
Suzor-Coté, décédé en
1937, est né en 1869 dans
cette humble maison, bâtie
par son père 10 ans plus
tôt. L'artiste, qui figure
parmi les principaux peintres canadiens, a amorcé
sa carrière par la décoration d'églises, entre autres
celle d'Arthabaska. En
1891, il part pour Paris, où
il étudie à l'École des
beaux-arts. Premier Prix
des académies Julian et
Colarossi, il travaille à Paris avant de s'installer à
Montréal en 1907. Mais à
partir de cette date, il revient chaque année à Ar-
thabaska, dans la maison
paternelle, qu'il transforme
graduellement en studio.
Ses scènes d'hiver impressionnistes et ses couchers
de soleil rouges par temps
chaud de juillet sont bien
connus. La maison est toujours une résidence privée.

L'imposant édifice que l'on
aperçoit ensuite au numé-
ro 905 est le **collège d'Arthabaska** des frères du Sacré-

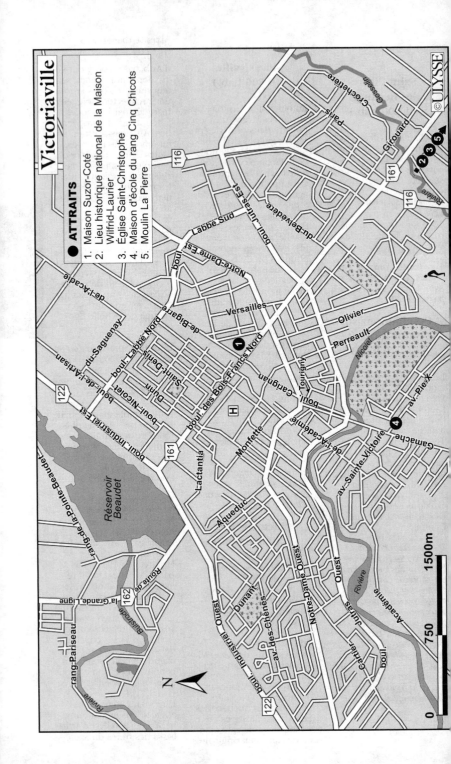

Victoriaville

● **ATTRAITS**

1. Maison Suzor-Coté
2. Lieu historique national de la Maison Wilfrid-Laurier
3. Église Saint-Christophe
4. Maison d'école du rang Cinq Chicots
5. Moulin La Pierre

Réservoir Beaudet

1500m

750

0

Cœur, qui se compose de trois sections disparates.

Tournez à droite dans la rue Laurier Ouest (route 161).

Le **lieu historique national de la Maison Wilfrid-Laurier** ★ *(3,50$; juil et août lun-ven 9h à 17h, sam-dim 13h à 17h; sept à juin mar-ven 9h à 12h et 13h à 17h, sam-dim 13h à 17h; 16 rue Laurier O.,* ☎*357-8655)* est installé dans l'ancienne demeure de celui qui fut premier ministre du Canada de 1896 à 1911. Premier Canadien français à occuper ce poste, Sir Wilfrid Laurier (1841-1919) est né à Saint-Lin, dans les Basses-Laurentides, mais s'est établi à Arthabaska aussitôt ses études de droit terminées. Sa maison d'Arthabaska fut convertie en musée à caractère politique par deux admirateurs dès 1929. Les pièces du rez-de-chaussée ont conservé leur mobilier victorien d'origine, alors que l'étage est en partie réservé à des expositions temporaires, en général fort intéressantes. Des toiles et des sculptures d'artistes québécois encouragés par le couple Laurier sont disséminées dans la maison. On remarquera notamment le portrait de Lady Laurier de Suzor-Coté et le buste de Sir Wilfrid Laurier par Alfred Laliberté.

La demeure italianisante, entourée d'un joli parc de verdure, a été dessinée en 1876 par l'architecte Louis Caron, à qui l'on doit plusieurs des maisons de la rue Laurier Ouest. Caron, ayant séjourné quelques années aux États-Unis, s'était imprégné des modes américaines. De lui, on remarquera plus particulièrement la **maison Poisson**, au numéro 55, qui adopte les formes des villas toscanes du style néo-Renais-

sance, caractérisées par un plan asymétrique, une tour-observatoire et d'épaisses corniches.

L'**église Saint-Christophe** ★ *(40 rue Laurier O.,* ☎*357-2376)* fut construite en 1871 selon les plans de l'architecte Joseph-Ferdinand Peachy de Québec. Elle est surtout appréciée pour son intérieur polychrome, complété par les architectes Perrault et Mesnard en 1887, et décoré par les peintres Marc-Aurèle de Foy Suzor-Coté et J. O. Rousseau de Saint-Hyacinthe. L'église a été classée monument historique en 2001.

Revenez au boulevard des Bois-Francs Sud. Tournez à droite pour accéder au mont Arthabaska.

L'observatoire aménagé au sommet de cette colline permet d'embrasser du regard l'ensemble de la région, au relief peu prononcé. Le **mont Arthabaska** *(à l'extrémité du boulevard des Bois-Francs Sud)* est dominé par une croix lumineuse haute de 24 m érigée en 1928. Autour de l'observatoire partent des sentiers conduisant à des aires de pique-nique.

Peu d'écoles de rang du Québec ont survécu en aussi bon état. La **maison d'école du rang Cinq-Chicots** *(416 av. Pie-X, St-Christophe-d'Arthabaska,* ☎*752-9412)* a été rachetée par l'Association québécoise des amateurs d'antiquités. La visite de l'école et ses objets permettent de comprendre ce que représentait l'apprentissage scolaire à la campagne au début du XXᵉ siècle.

Retournez à la rue Laurier, que vous prendrez vers l'est pendant environ 6 km.

Le **moulin La Pierre** *(4$; sur réservation seulement pour les groupes; 99 ch. Laurier, St-Norbert-d'Arthabaska,* ☎*369-9639)* est l'un des rares moulins à eau encore en fonction au Québec. Il fut érigé en 1845. Les samedis et dimanches après-midi, on offre des visites guidées de ce moulin qui utilise encore des méthodes artisanales pour fabriquer de la farine. On peut d'ailleurs s'y procurer cette farine.

Remontez vers Victoriaville. Empruntez la route 122 Ouest en direction de Drummondville. Une excursion facultative permet cependant de vous rapprocher des Cantons-de-l'Est. Empruntez alors la route 116 en direction de Warwick et de Kingsey Falls.

Warwick (5 000 hab.)

On trouve à Warwick certaines maisons rappelant l'architecture de la classe moyenne américaine du début du XXᵉ siècle, notamment la **maison Alphonse-Letarte** *(151 rue St-Louis)*, érigée en 1908, et la maison située au numéro 33 de la rue Saint-Joseph, qui serait tirée d'un catalogue de plans des grands magasins Eaton.

Kingsey Falls (2 000 hab.)

Le nom de la municipalité révèle la présence, à cet endroit, d'une chute de la rivière Nicolet. Cette cataracte a permis aux premiers colons britanniques, arrivés peu après 1800, d'y exploiter des moulins à farine et à papier. De nos jours, le village est le siège de l'empire Cascades, un géant du papier qui possède plusieurs usines à travers le monde. Kingsey Falls, tout comme sa voisine Warwick, se targue d'être la ville la plus fleurie du Québec, prenant modèle sur un de ses plus illustres citoyens, Conrad Kirouac, mieux connu sous le nom de frère Marie-Victorin. L'auteur de *La flore laurentienne* et fondateur du Jardin botanique de Montréal est en effet né en 1885 dans la maison située au numéro 405 de la rue dénommée aujourd'hui Marie-Victorin en son hommage *(on ne visite pas)*.

Les **Jardins Marie-Victorin** *(4$ à 9,50$ selon le forfait; mai à fin oct tlj 10h à 17h30, visites guidées disponibles; 385 rue Marie-Victorin, ☎363-2528 ou 888-753-7272)* sont constitués de 12 ha. Il furent créés en 1985 par l'entreprise des papiers Cascades afin d'honorer la mémoire du frère Marie-Victorin. Le parc abrite quatre jardins thématiques: le jardin des oiseaux, les milieux humides, les plantes utiles et le jardin des découvertes. Une visite de l'**usine Cascades** de Kingsey Falls boucle la promenade au parc Marie-Victorin.

Reprenez la route 116 jusqu'à Richmond. Tournez à droite dans la route 143 Nord pour rejoindre Drummondville, sur le circuit principal.

Drummondville (47 000 hab.)

Drummondville a été fondée à la suite de la guerre canado-américaine de 1812 par Frederick George Heriot. D'abord poste militaire sur la rivière Saint-François, la colonie devient rapidement un centre industriel important grâce à l'implantation de moulins et de manufactures dans ses environs.

Tournez à droite dans la rue Montplaisir.

Le **Village Québécois d'Antan** ★★ *(16,95$; début juin à sept tlj 10h à 18h; 1425 rue Montplaisir, ☎478-1441 ou 877-710-0267, www.village quebecois.qc.ca)* retrace 100 ans d'histoire. Quelque 70 bâtiments de l'époque de la colonisation ont été reconstitués dans le but de recréer une atmosphère digne des années 1810-1910. Des artisans en costumes d'époque s'affairent à la fabrication de chandelles et de ceintures fléchées ou à la cuisson du pain. Plusieurs productions historiques y ont été tournées.

Poursuivez par la rue Montplaisir en suivant les indications vers le parc des Voltigeurs.

Le **parc des Voltigeurs** ★ fait, depuis quelque temps, l'objet de divers projets d'aménagement et d'entretien qui visent à améliorer cet espace vert laissé trop longtemps à l'abandon. Dans la partie sud du parc se dresse le **manoir Trent**, érigé en 1848 pour un officier de la Marine anglaise à la retraite, George Norris Trent. Désigné erronément comme un manoir, alors qu'il s'agit en réalité d'une grande maison de ferme, l'édifice a été acquis par les Compagnons de l'École hôtelière, qui en ont fait un centre de documentation et une école de formation et dégustation.

Longez la rive est de la rivière Saint-François en direction de Saint-Joachim-de-Courval. Traversez d'abord la partie est du Centre éducatif forestier de La Plaine avant d'accéder au village lui-même. Poursuivez en direction de Pierreville, à proximité de laquelle se trouve la réserve amérindienne d'Odanak.

Odanak (390 hab.)

Marguerite Hertel, propriétaire de la seigneurie de Saint-François au début du XVIIIᵉ siècle, cède au gouvernement de Trois-Rivières une bande de terre sur la rive est de la rivière Saint-François afin qu'un village amérindien y soit aménagé. On désire y concentrer les Abénakis du Maine, alliés indéfectibles des Français, ce qui sera fait en l'an 1700. Puis au moment de la Conquête, en 1759, le village amérindien d'Odanak est saccagé par les troupes britanniques en guise de représailles. Odanak est encore aujourd'hui une réserve amérindienne.

Le **Musée des Abénaquis** ★ *(4,50$; lun-ven 10h à 17h, sam-dim 13h à 17h, nov à avr sur réservation; 108 Waban-Aki, route 132, ☎450-568-2600)*, fondé en 1962, permet de découvrir la culture des Abénaquis. Une exposition permanente relate la vie ancestrale des Abénaquis et leurs relations avec les colons français. Les animateurs du musée s'efforcent de faire revivre les objets exposés à l'aide de chants, de danses et de légendes traditionnelles. Il faut aussi voir l'**église du village**, décorée de sculptures autochtones.

Saint-François-du-Lac (2 050 hab.)

Premier noyau de peuplement de la rive sud du lac Saint-Pierre, Saint-François-du-Lac est situé en face d'Odanak sur la rive ouest de la rivière Saint-François. En 1849, on entreprend la construction de l'**église Saint-François-Xavier** *(438 rue Notre-Dame)* selon les plans de Thomas Baillairgé. On remarquera, à l'in-

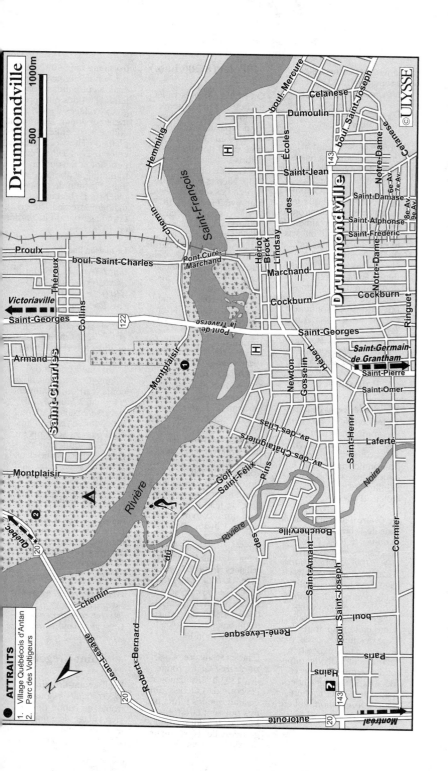

Drummondville

0   500   1000m

ATTRAITS
● 1. Village Québécois d'Antan
2. Parc des Voltigeurs

© ULYSSE

Victoriaville →
Saint-Georges

Québec →

Montréal →

Saint-Germain-
de Grantham →

Proulx
Théroux
boul. Saint-Charles
Collins
Armand
Saint-Charles
Montplaisir
Montplaisir
Rivière
chemin
Jean-Lesage
Robert-Bernard
René-Lévesque
chemin
du
Rivière
des
Golf
Saint-Félix
Pins
av.-des-Chataigniers
av.-des-Lilas
Boucherville
Saint-Amant
boul. Saint-Joseph
Paris
Hains
Noire
Cormier
Laferté
Saint-Henri
Saint-Omer
Saint-Pierre
Saint-Georges
Cockburn
Newton
Gosselin
Hébert
Marchand
Hériot
Brock
Lindsay
Cockburn
Notre-Dame
Ringuet
Pont de
la Traverse
Pont Curé-
Marchand
Saint-François
Hemming
chemin
boul. Saint-Charles
Celanese
Dumoulin
boul. Mercure
Écoles
Saint-Jean
des
Saint-Damase
Saint-Alphonse
Saint-Frédéric
Notre-Dame
6e-Av.
7e-Av.
8e-Av.
9e-Av.
Drummondville
boul. Saint-Joseph
Celanese
autoroute
N

térieur, de belles toiles anonymes du XVIIIe siècle provenant de France.

Revenez sur la rive est de la rivière Saint-François.

Une excursion au nord-ouest d'Odanak, à **Notre-Dame-de-Pierreville**, fait voir un véritable village de pêcheurs en plein centre du Québec. C'est que le lac Saint-Pierre, dont on se rapproche sans vraiment le voir, est suffisamment vaste pour justifier une pêche de type commercial. Cet élargissement soudain du fleuve Saint-Laurent fait donc vivre une communauté de pêcheurs qui y a ouvert des poissonneries.

Revenez vers Pierreville, où vous emprunterez la route 132 Est, en direction de Baie-du-Febvre puis de Nicolet.

Baie-du-Febvre

Les **aires de repos de la sauvagine** ★ *(ch. de la Commune)* comptent parmi les plus importantes au Québec. Au printemps et à l'automne, profitez de la tour d'observation pour admirer les spectaculaires volées d'oiseaux.

Le **Centre d'interprétation de Baie-du-Febvre** *(4$; mi-mars à mi-nov tlj 10h à 17h, deuxième semaine d'avril 10h à 19h; 420 route Marie-Victorin / route 132, ☎783-6996)* explique aux visiteurs pourquoi la plaine inondable du lac Saint-Pierre est la plus importante halte migratoire de l'oie des neiges, et ce, par le biais d'une exposition permanente, de vivariums et d'une présentation vidéo. Expositions, sentiers pédestres, halte routière, tour d'observation, volière.

Nicolet (8 200 hab.)

On trouve, dans la vallée du fleuve Saint-Laurent, quelques villes et villages fondés par des Acadiens réfugiés au Québec à la suite de la déportation des colons français de l'Acadie par l'armée britannique en 1755. Nicolet a constitué l'un de ces refuges. Siège d'un évêché depuis 1877, la ville a connu un glissement de terrain majeur en 1955 ayant provoqué l'affaissement d'une partie du centre de la ville. Cette tragédie est imputable au sol glaiseux et marécageux qui borde le lac Saint-Pierre, interdisant l'aménagement d'agglomérations directement sur ses rives.

La **cathédrale de Nicolet** ★ *(tlj 9h à 16h30, mai à oct visites guidées 9h30 à 16h30; 671 boul. Louis-Fréchette, ☎293-5492)* remplace la cathédrale détruite lors du glissement de terrain de 1955. L'édifice a été dessiné par l'architecte Gérard Malouin en 1962. Ses formes ondoyantes, faites de béton armé, évoquent la voilure d'un navire. De l'intérieur, on peut mieux contempler l'immense verrière de Jean-Paul Charland qui recouvre la façade (21 m sur 50 m).

Aménagé dans un bâtiment neuf, le **Musée des religions** ★ *(4,50$; tlj 10h à 17h; 900 boul. Louis-Fréchette, ☎293-6148)*, présente des expositions thématiques sur les différentes traditions religieuses à travers le monde.

L'**ancien séminaire** ★ *(350 rue D'Youville)* fut fondé dès 1803 à l'instigation de l'évêque de Québec, qui désirait que les futurs prêtres puissent être formés loin des tentations de la grande ville. Le séminaire de Nicolet occupait le

troisième rang au Québec par son ancienneté. Ce fut également pendant long-temps l'un des plus prestigieux collèges d'enseignement supérieur. L'imposant édifice a été érigé selon les plans de Thomas Baillairgé entre 1827 et 1836. Fermé pendant la Révolution tranquille, il abrite de nos jours l'Institut de police du Québec. Le bâtiment a malheureusement été endommagé par un incendie en 1973.

La **maison Rodolphe-Duguay** *(3,50$; mi-mai à mi-oct mar-dim 10h à 17h; 195 rang St-Alexis, Nicolet-Sud, ☎293-4103)*. Le peintre québécois Rodolphe Duguay (1891-1973) affectionnait les paysages de sa région et les scènes du terroir, maintes fois représentés dans son œuvre, qui s'étale sur une période de 60 ans. D'abord inscrit aux cours d'art du Monument National, à Montréal, il traverse ensuite l'Atlantique pour se fixer à Paris, où il passera sept ans de sa vie. À son retour au Québec, il s'installe dans la demeure paternelle, qu'il habitera jusqu'à sa mort. En 1929, il érige un atelier attenant à la maison, dont l'intérieur rappelle étrangement son atelier parisien. Dans cette vaste pièce maintenant ouverte aux visiteurs, on présente une rétrospective de son œuvre.

Poursuivez par la route 132 Est afin de boucler la boucle qui vous ramènera à Saint-Grégoire, aujourd'hui intégré à Bécancour.

Saint-Grégoire

L'**église Saint-Grégoire** ★★ *(4200 boul. Port-Royal)* se trouve au centre de l'ancien village de Saint-Grégoire-de-Nicolet, fondé en 1757 par un groupe d'Acadiens originaires de Beaubassin. Il fait aujourd'hui partie intégrante de Bécancour. En 1803, les paroissiens entreprennent la construction de l'église actuelle. Deux architectes québécois célèbres laisseront par la suite leur marque sur l'édifice, Thomas Baillairgé d'abord, à qui l'on attribue la façade néoclassique ajoutée en 1851, et Victor Bourgeau, qui a refait les clochers avant de décorer la voûte de la nef.

En 1811, la fabrique acquiert le précieux retable ainsi que le somptueux tabernacle de l'église des Récollets de Montréal, autrefois située à l'angle des rues Sainte-Hélène et Notre-Dame. Le retable, réinstallé avec bonheur à Saint-Grégoire, est le plus ancien qui subsiste au Québec puisqu'il a été réalisé dès 1713 par Jean-Jacques Bloem dit Le Blond. Quant au tabernacle de style Louis XIII, il s'agit d'une œuvre majeure de l'ébéniste Charles Chaboulié, exécutée en 1703. Les toiles du peintre parisien Joseph Uberti accrochées dans l'église sont toutefois beaucoup plus récentes (vers 1910).

Parcs

Circuit A: La Mauricie

À l'embouchure de la rivière Saint-Maurice, à Trois-Rivières, se trouve le **parc de l'île Saint-Quentin** *(3$; mai à oct 9h à 22h, nov à avr 9h à 17h; ☎373-8151)*. Sur cet îlot de nature et de tranquillité, on peut s'adonner à la promenade et à la baignade en été ainsi qu'au patin et au ski de fond en hiver. On y trouve également des aires de pique-nique.

Le **parc de la Rivière-Batiscan** ★ *(4$ par pers. jusqu'à concurrence de 14$ par voiture, gratuit pour les enfants de 5 ans et moins; début mai à fin oct 9h à 21h; 200 ch. du Barrage, St-Narcisse, ☎418-328-3599)* est réservé à la préservation de la faune et de ses habitats. Il demeure toutefois un endroit fort agréable pour pratiquer maintes activités de plein air, comme la randonnée pédestre, la pêche, le vélo de montagne et le camping, qui n'en sont que quelques exemples. Le parc dispose également de circuits d'interprétation écologique et historique. Au milieu du parc se trouve un des premiers ouvrages hydroélectriques du Québec: la centrale Saint-Narcisse. Cette centrale, qui produit toujours de l'électricité, fut bâtie en 1897. D'ailleurs, la Mauricie recèle plusieurs centrales hydroélectriques d'intérêt construites pour tirer profit des puissants courants des rivières de la région.

Le **parc national de la Mauricie** ★★ *(3,50$/pers./jour, 8$/famille; ☎538-3232)* a été créé en 1970 afin de préserver un exemple de forêt boréale. Il constitue un site parfait pour s'adonner à diverses activités de plein air, comme le canot, la randonnée pédestre, le vélo de montagne, la raquette et le ski de fond. Ses forêts dissimulent plusieurs lacs et rivières de même que diverses richesses naturelles. Les visiteurs peuvent loger dans des gîtes de type dortoir tout au long de l'année. Les réservations se font au ☎537-4555.

On accède à la **réserve faunique du Saint-Maurice** ★ *(3773 route 155, Rivière-Mattawin, ☎646-5687)* par un pont à péage *(12$)* qui traverse la rivière Saint-Maurice. S'étendant sur plus de 750 km², elle compte plusieurs sentiers de randonnée pédestre le long desquels des refuges ont été aménagés. À l'automne, la chasse à l'orignal et au petit gibier est permise. Pour réservation de gîtes et camping: ☎646-5687.

Situé à côté de la Cité de l'énergie (voir p 382), sur la route 157, le **parc des Chutes Shawinigan** ★ *(certaines activités sont gratuites et d'autres sont payantes; horaire variable selon les activités, la saison et les projets; administration: ☎536-0222, réservations: ☎536-7155)* se compose d'un terrain riverain et de deux îles, ce qui lui donne une situation géographique enviable. La majestueuse rivière Saint-Maurice entoure le territoire, utilisé à des fins récréotouristiques. Il s'agit donc d'une véritable oasis en plein air, près de la ville, où les amateurs pratiquent des activités comme le camping *(à compter de 16,50$)*, le canot, la pêche, la randonnée, le vélo, l'observation du patrimoine naturel (il est possible de voir les chutes Shawinigan seulement à certains moments de l'année, le plus souvent au printemps) et historique ainsi que des cerfs de Virginie (une trentaine). De plus, les visiteurs peuvent séjourner à l'Auberge de l'île Melville *(à compter de 18$)*. Venez découvrir la nature en ville!

La **réserve faunique Mastigouche** *(route 349, St-Alexis-des-Monts, ☎265-2098 ou 800-665-6527)* couvre un territoire de 1 600 km². Parsemée de multiples lacs et rivières, elle est un véritable paradis pour l'amateur de canot-camping. La chasse et la pêche y sont également permises. En hiver, les sportifs ont à leur disposition 180 km de sentiers de ski de fond et 130 km de sentiers de motoneige. Il est alors possible de dormir dans les refuges. Les visiteurs peuvent également louer un petit chalet qui peut accueillir de quatre à huit personnes. Les réservations se font auprès de la Sépaq (☎800-665-6527).

Le **parc des chutes Sainte-Ursule** *(2,75$ à 5$; 9h à 18h; route 348, 2575 rang des Chutes, Ste-Ursule, ☎228-3555 ou 800-660-6160)* dispose d'aires de pique-nique et de jeux. Ses chutes, qui atteignent une hauteur de 70 m, constituent son attrait majeur. Durant l'hiver, on peut pratiquer le ski de randonnée dans le parc.

Circuit B: Le Centre-du-Québec

En novembre 2000, le lac Saint-Pierre a été déclaré «réserve de la biosphère» par l'UNESCO. Il est donc protégé désormais par la **Réserve de la Biosphère du Lac Saint-Pierre** (☎800-474-9441). Plus grande plaine d'inondation, plus importante halte migratoire de sauvagines, première halte migratoire printanière de l'oie des neiges du Saint-Laurent et plus importante héronnière en Amérique du Nord, le lac Saint-Pierre renferme le plus important archipel du fleuve, avec une centaine d'îles, le cinquième de tous les marais du Saint-Laurent et la moitié des milieux humides du fleuve. Observation de plantes rares, de près de 300 espèces d'oiseaux, dont plus d'une

centaine sont considérées comme nicheuses, et d'une douzaine d'espèces menacées.

Activités de plein air

Pêche aux petits poissons des chenaux

Circuit A: La Mauricie

En hiver, la rivière Sainte-Anne, riche en «poulamons» (mieux connus sous le nom de «petits poissons des chenaux»), attire des milliers d'amateurs. Du mois de décembre au mois de février, elle se couvre de cabanes de pêcheurs. Il est possible de louer une cabane et le matériel de pêche au **Comité de gestion de la rivière Sainte-Anne** *(Ste-Anne-de-la-Pérade, ☎418-325-2475)*. Il en coûte environ 15$ par personne et par jour (18$ par jour la fin de semaine); chaque cabane accueille un maximum de quatre personnes.

Canot

Circuit A: La Mauricie

Le **parc national de la Mauricie** se prête particulièrement bien aux excursions en canot. Sillonné de lacs, de tout petits et de très grands, ainsi que de rivières, il est reconnu depuis longtemps par les amateurs de canot-camping. Laissez-vous glisser dans d'étroits chenaux qui vous entraînent d'un lac à l'autre sous une végétation luxuriante en compagnie d'oiseaux aquatiques peu farouches! Vous pouvez y faire la location d'embarcations et vous tracer un itinéraire à votre mesure.

Les deux réserves de la région, la **réserve faunique du Saint-Maurice** et la **réserve faunique Mastigouche** offrent elles aussi plusieurs possibilités aux amateurs de canotage.

Croisières

Circuit A: La Mauricie

Croisières M/S Jacques-Cartier—M/V Le Draveur
12$
Départs au Parc portuaire de Trois-Rivières à 13h et 20h
☎375-3000 ou 800-567-3737
Prenez place à bord d'un luxueux catamaran d'une capacité de 92 passagers pour une croisière commentée vous permettant de découvrir les principaux points d'intérêt de Trois-Rivières: le port, le pont Laviolette, la pointe des Ormes, la rivière Saint-Maurice et l'île Saint-Quentin. Plusieurs autres croisières d'une plus longue durée vous sont aussi suggérées.

Vélo

Circuit B: Le Centre-du-Québec

La **Carte vélo de la région du Centre-du-Québec** (☎888-816-4007 ou *www.avelo.ca*)

offre 25 circuits pour un total de plus de 1 000 km. Description des sentiers (piste cyclable, bande cyclable, chaussée désignée, etc.), indication des pentes (sens des montées) et nombre de renseignements pratiques.

Le **parc linéaire des Bois-Francs** *(33 Pie-X, Victoriaville, ☎758-6414)* est en fait une piste cyclable aménagée sur le tracé d'une ancienne voie ferrée, comme on en trouve de plus en plus au Québec. Celle-ci, longue de 77 km, permet de contempler les paysages de la belle région du Centre-du-Québec depuis Tingwick jusqu'à Lyster.

Le **Circuit des Traditions de la MRC de Drummond** *(Halte vélo La Plaine, sortie 179 de l'autoroute 20; ☎819-475-1164)* comporte 57,5 km balisés sur la Route Verte dont 25 km en terrain boisé, sur une ancienne emprise ferroviaire. Plusieurs espèces d'arbres rehaussent le plat relief du circuit. À ne pas manquer: les 7,5 km qui sillonnent la Forêt Drummond le long de la rivière Saint-François. Un bâtiment jouxté d'un grand stationnement a été converti en halte vélo.

Ski de fond

Circuit A: La Mauricie

La **réserve faunique Mastigouche** compte, en hiver, 200 km de sentiers de ski de fond bien entretenus. La **réserve faunique du Saint-Maurice** et le **parc national de la Mauricie** sont également agréables à parcourir en skis de randonnée.

La **Courvalloise** et le **Club de Ski de Fond Saint-François** *(lun-ven 9h à 16h, sam-dim 8h à 16h; 526 rang Ste-Anne, Saint-Joachim-de-Courval, ☎397-2666)* sont deux possibilités offertes aux amateurs de ski de fond. Certains opteront pour le parcours de la Courvalloise, qui longe la rivière Saint-François, alors que d'autres profiteront des sentiers traversant le **Village Québécois d'Antan**, sentiers aménagés par le Club de Ski de Fond Saint-François.

Motoneige

Circuit A: La Mauricie

En hiver, la **réserve faunique Mastigouche** fait le bonheur des amateurs de motoneigisme avec ses 130 km de sentiers balisés et les multiples refuges chauffés que l'on retrouve tout au long du parcours.

Circuit B: Le Centre-du-Québec

La région du Centre-du-Québec compte plus de 1 200 km de sentiers balisés, bien entretenus et sécuritaires. Plusieurs sentiers Trans-Québec la desservent. Pour de plus amples renseignements ou encore pour commander la carte régionale des sentiers, communiquez sans frais avec **Tourisme Centre-du-Québec** (voir p 373).

Traîneau à chiens

Circuit A: La Mauricie

Parcourir un sentier enneigé en guidant un attelage de chiens lancé à vive allure est une expérience des plus enivrantes. Il est possible de s'y adonner dans la **réserve faunique du Saint-Maurice** puisqu'on y entretient, tout au long de l'hiver, près de 270 km de sentiers balisés spécialement aménagés pour cette activité.

Hébergement

Circuit A: La Mauricie

Trois-Rivières

Une bonne option pour ceux qui désirent séjourner près du centre-ville de Trois-Rivières et qui ne veulent pas dépenser une fortune: les nombreux petits motels qui bordent la route 138 à la hauteur de Cap-de-la-Madeleine n'offrent pas pour la plupart un grand luxe, mais vous pourrez loger dans de petites unités abordables avec cuisinette. La plupart des motels offrent aussi un beau point de vue sur le fleuve Saint-Laurent et disposent d'une piscine extérieure. Une possibilité à envisager pour les familles.

Mauricie et Centre-du-Québec

Auberge de jeunesse
La Flottille
$
497 rue Radisson
☎378-8010
L'auberge de jeunesse La Flottille est une jolie petite auberge près de la vie nocturne de Trois-Rivières. Elle dispose d'une quarantaine de places durant la saison estivale. En hiver, elle reste ouverte, mais ne dispose alors que d'une trentaine de lits.

S'allongeant entre le couvent des Ursulines et le Monument du flambeau, la rue des Ursulines offre de nombreuses options d'hébergement chez l'habitant aux voyageurs désireux de combiner l'enchantement à la proximité des activités du centre-ville. On y retrouve environ une demi-douzaine de gîtes tous aussi charmants les uns que les autres. Informez-vous auprès du bureau de tourisme local afin de faire une réservation car ces établissements sont souvent complets.

Gîte La Campanule
$$ pdj
634 rue des Ursulines
☎373-1133
Avoisinant le couvent des Ursulines, le Gîte La Campanule offre aux visiteurs une expérience authentique de gîte touristique. Trois chambres situées à l'étage partagent une salle de bain immense. De dimensions variables, elles s'inspirent d'un style champêtre qui invite au confort, et deux d'entre elles donnent sur le bel aménagement paysager fleuri de la cour arrière.

L'Émérillon
$$
890 terrasse Turcotte
☎375-1010
Cette élégante maison de style colonial a été érigée au début du XXe siècle et offre une vue sur le fleuve Saint-Laurent.

Les suites de Laviolette
$$-$$$
&, ≡, ◉, ≈, ℝ
7201 rue Notre-Dame, Trois-Rivières-Ouest
☎377-4747
≈377-2331
www.suiteslaviolette.com
Les suites de Laviolette sont situées à l'entrée de la ville, dans un joli bâtiment de briques rouges aux fenêtres blanches. Elles disposent de grandes chambres décorées avec soin. Il s'agit d'une bonne adresse.

Hôtel Delta
$$$$
&, ≡, 🐾, ◉, ⊘, ≈, ℛ, △
1620 rue Notre-Dame
☎376-1991 ou 800-268-1133
≈372-5975
Haute tour se dressant au centre-ville, l'Hôtel Delta est facilement identifiable. Il dispose de chambres spacieuses, prévues pour loger confortablement les voyageurs, et de nombreuses installations sportives afin d'agrémenter leur séjour. Centre de congrès.

Cap-de-la-Madeleine

Motel Jacques
$$
≈, ℝ
2050 rue Notre-Dame, Sainte-Marthe-du-Cap
☎378-4031 ou 378-4032
≈693-1938
Le Motel Jacques offre un confort bon marché. Sa piscine surplombant le fleuve Saint-Laurent compense le manque d'inspiration de la part du décorateur.

Grand-Mère

Auberge Le Florès
$$
≡, 🐾, ≈, ◉, ℛ, bc, △
4291 50e Avenue
☎538-9340 ou 800-538-9340
≈538-1884
L'Auberge Le Florès occupe une superbe maison d'époque à laquelle on a ajouté une partie moderne. Les chambres ne sont pas spectaculaires, mais offrent un bon confort.

Auberge Grand-Mère
$$-$$$
≡, ≈, ℝ, ℛ
10 6e Avenue
☎538-8651 ou 800-361-8651
≈538-1349
L'Auberge Grand-Mère s'est acquis une réputation quelque peu surfaite. La décoration désuète et le mobilier suranné brillent de leur gloire passé. Les chambres offrent un confort modeste.

L'Auberge santé
Lac des Neiges
$$-$$$
*$$$$ /pers. pc, incluant
3 heures de soins*
◉, 🎿, ≈, ◉, ℛ, bc/bp, △
100 Lac des Neiges, Ste-Flore de Grand-Mère
☎533-4518 ou 800-757-4519
≈533-4727
www.aubergesantelacdesneiges.qc.ca
Dès que l'on s'approche de l'Auberge santé Lac des Neiges, le stress du train-train quotidien bat déjà en retraite. L'architecture moderne du bâtiment lové sur une presqu'île est atténuée par la présence de stuc blanc, de poutres et d'escaliers en bois, ce qui n'est pas sans rappeler le style baroque. La salle de séjour commune est particulièrement invitante avec ses nombreux divans, ses fenêtres avec vue sur le lac et, surtout, son feu de foyer. D'ailleurs, plusieurs convives en robe de chambre s'y prélassent

entre deux séances de soins. Le restaurant propose des tables d'hôte de cuisine française à la présentation raffinée. De nombreux forfaits sont disponibles afin de vous tailler un séjour à la mesure de vos besoins. En somme, le personnel met tout en œuvre pour que vous vous sentiez chez vous et que vous repartiez frais et dispos.

Saint-Jean-des-Piles

Maison Cadorette
$$ pdj
1701 rue Principale
☎*538-9883 ou 888-538-9883*
À quelques minutes de l'entrée du parc national de la Mauricie, la Maison Cadorette accueille les visiteurs. Les chambres d'hôte sont agréablement décorées, et le service est impeccable.

Grandes-Piles

Auberge Le Bôme
$$
⊛, ℜ, △
720 2e Avenue
☎*538-2805 ou 800-538-2805*
⇄*538-5879*
www.auberge-le-bome.qc.ca
L'Auberge Le Bôme est un excellent choix dans la région. Les chambres sont admirablement décorées, et le service amical rend cette auberge très chaleureuse. Vous pourrez aussi profiter d'un superbe salon qui devient la scène de passionnantes discussions avec les autres voyageurs.

Shawinigan

Auberge l'Escapade
$$$
≡, ⊛, ℜ
3383 rue Garnier
☎*539-6911 ou 800-461-6911*
⇄*539-7669*
www.aubergeescapade.qc.ca
L'Auberge l'Escapade possède plusieurs personnali-

tés. Ainsi peut-on y louer une chambre toute simple, mais à prix économique, autant qu'une chambre de luxe, garnie de meubles de style. Entre les deux, les «intermédiaires», jolies et confortables, présentent un bon rapport qualité/prix. Voilà un établissement bien tenu se trouvant près de l'entrée de la ville. Au restaurant, qui plus est, on sert de bons petits plats.

Gouverneur Shawinigan
$$$$
&, ≡, ⊛, ℜ, ≈, ℜ
1100 promenade St-Maurice
☎*537-6000 ou 888-922-1100*
⇄*537-6365*
www.gouverneurshawinigan.com
Située tout près du centre-ville de Shawinigan, l'Auberge Gouverneur répond aussi bien aux besoins des gens d'affaires qu'à ceux des visiteurs de passage.

Saint-Élie-de-Caxton

La station touristique Floribell
$$
ℂ, ℜ, ℜ
95 chemin Lac Bell
☎*221-5731*
⇄*221-3347*
La station touristique Floribell est idéale pour les voyageurs grégaires ou les familles en vacances. Cette station loue des emplacements de camping et des condos donnant sur un lac aux eaux cristallines, où l'on peut s'adonner à la baignade, à des tours d'embarcation, ou tout simplement à la construction de châteaux de sable en famille. De plus, on y trouve à proximité une piste cyclable sillonnant la campagne environnante jusqu'aux portes du parc national de la Mauricie. Bref, on y retrouve une ambiance de colonie de vacances. Les condos, pourvus de lits doubles et de canapés-lits, peuvent

loger jusqu'à quatre personnes dans un décor moderne et respirant la propreté.

Saint-Paulin

Le Baluchon
$$$$
⊛, ⊘, ℂ, ℜ, ≈, ☯, ℜ, △
3550 chemin des Trembles
☎*268-2555 ou 800-789-5968*
⇄*268-5234*
www.baluchon.com
Construit sur une propriété irriguée par une rivière, Le Baluchon s'impose dans la région comme un relais santé-plein air incontournable. Ce vaste domaine où a eu lieu le tournage de la série télévisée *Marguerite Volant*, bénéficie de divers aménagements qui ont pour but de faire profiter les visiteurs des beautés de son environnement. Baladez-vous le long de la rivière ou dans les bois, à pied ou en skis de fond, ou encore descendez la rivière en kayak ou en canot: les activités ne sauraient ici vous manquer. Les deux bâtiments qui servent à l'hébergement abritent près de 40 chambres grand confort au décor moderne et agréable. Vous pouvez aussi vous relaxer au relais santé (spa), bien équipé, ou déguster une fine cuisine dans la salle à manger (voir p 398).

Saint-Alexis-des-Monts

Hôtel Sacacomie
$$$
⊛, ℜ, ℜ, △
4000 rang Sacacomie
☎*265-4444 ou 888-265-4414*
⇄*265-4445*
www.sacacomie.com
L'Hôtel Sacacomie est un magnifique établissement en rondins niché au cœur de la forêt près de la ré-

serve Mastigouche. Surplombant le majestueux lac Sacacomie, l'endroit bénéficie d'un emplacement sans pareil avec une plage à proximité. On peut y pratiquer une foule d'activités, hiver comme été.

Pointe-du-Lac

 Auberge du Lac Saint-Pierre
$$$
≡, ⊛, ≈, ℜ, △
1911 rue Notre-Dame
☎*377-5971 ou 888-377-5971*
≠*377-5579*
www.aubergelacst-pierre.com
L'Auberge du Lac Saint-Pierre est située à Pointe-du-Lac, un petit village qui, comme son nom l'indique, annonce la fin du lac Saint-Pierre. Ce «lac» est en fait un élargissement du fleuve Saint-Laurent qui, par ses caractéristiques propres aux marais, attire une faune et une flore particulières. Juchée sur un promontoire qui dévale sur la grève, l'auberge occupe un site idéal. Ce grand établissement abrite des chambres modernes et confortables. Certaines sont munies d'une mezzanine pour les lits, laissant ainsi tout l'espace voulu au salon, dans la pièce principale. La salle à manger sert une fine cuisine (voir p 398). Si vous vous sentez l'âme à la découverte, vous pouvez emprunter un vélo pour explorer les alentours; vous ne le regretterez pas!

Circuit B:
Le Centre-du-Québec

Bécancour

Auberge Godefroy
$$$$
≡, ⊛, ⊘, C, ℑ, ≈, ⊛, ℜ, △
17575 boul. Bécancour
☎*233-2200 ou 800-361-1620*
≠*233-2288*
www.aubergegodefroy.com
L'Auberge Godefroy est un imposant édifice aux multiples fenêtres. Son hall d'entrée, tout aussi important, vous accueille en saison avec un bon feu de foyer. Les quelque 70 chambres sont spacieuses et offrent tout le confort qu'on attend d'un tel établissement. Équipé d'un relais santé (spa), l'hôtel propose différents forfaits pour vous faire dorloter. Laissez-vous aussi gâter dans la salle à manger (voir p 398)!

Victoriaville

Le Suzor
$$
≡, ⊛, ℜ
1000 boul. Jutras
☎*357-1000*
≠*357-5000*
www.hotelsuzor.com
Installé dans un bâtiment de construction moderne, l'hôtel Le Suzor est situé dans un quartier tranquille. Les chambres sont garnies de meubles neufs. Elles offrent beaucoup d'espace et s'avèrent agréables.

Kingsey Falls

Auberge Kingsey
$$
≡, ℜ
2141 route 116
☎*839-2362*
≠*839-3800*
L'Auberge Kingsey est située à la limite du Centre-du-Québec et des Cantons-de-l'Est. Les

chambres sont confortables, et l'atmosphère conviviale rend le séjour agréable.

Drummondville

Hôtel-Motel Blanchet
$$
≡, 🐕, ⊛, C, ℑ, R, ℜ
225 boul. St-Joseph Ouest
☎*477-0222 ou 800-567-3823*
≠*478-8706*
www.hotelblanchet.com
Le Motel Blanchet bénéficie d'une bonne situation géographique et propose de jolies chambres à prix raisonnable.

Comfort Inn
$$$
≡, 🐕
1055 rue Hains
☎*477-4000 ou 800-465-6115*
≠*477-0930*
Le Comfort Inn propose aux visiteurs des chambres paisibles et confortables. Celles-ci, sans être luxueuses, sont chaleureuses.

Best Western Hôtel Universel
$$$
≡, 🐕, ⊛, ≈, R, ℜ
915 rue Hains
☎*478-4971 ou 800-668-3521*
≠*474-6604*
À l'entrée de la ville, on trouve l'Auberge Universel. Les chambres sont modernes et pourvues de grandes salles de bain.

Hôtel & Suites Le Dauphin
$$$
≡, ⊛, ⊘, C, ≈, R, ℜ
600 boul. St-Joseph
☎*478-4141 ou 800-567-0995*
≠*478-7549*
www.le-dauphin.com
L'Hôtel & Suites Le Dauphin a été construit sur un boulevard très passant où se trouvent plusieurs centres commerciaux. L'établissement dispose de grandes chambres bien entretenues, au décor moderne.

Restaurants

Circuit A: La Mauricie

Trois-Rivières

Bolvert
$
1556 rue Royale
☎*373-6161*
Le Bolvert est un petit restaurant de la chaîne du même nom où l'on peut manger de délicieux plats santé. La cuisine est simple et bonne, mais le décor un peu froid.

Maison des cafés,
Le Torréfacteur
$
1465 rue Notre-Dame
☎*694-4484*
Véritable vogue depuis quelques années, le café a remplacé l'alcool dans les rencontres sociales. Pas étonnant que les lieux spécialisés dans la torréfaction de café poussent comme des champignons. Trois-Rivières n'a pas échappé à l'engouement, et la Maison des cafés fait partie des endroits favoris des Trifluviens. L'établissement, en plus d'offrir une large gamme de boissons chaudes, propose aussi de légers repas et des desserts.

Au four à bois
$$
329 Laviolette
☎*373-3686*
Ouvert depuis plusieurs années, le restaurant Au four à bois fait partie des classiques de la région. Le menu varié, qui a su évoluer avec le temps, propose des pâtes, des fruits de mer, des grillades et de fines pizzas à des prix raisonnables. L'établisse-ment a emménagé dans une grande maison de deux niveaux avec un four à bois au centre du rez-de-chaussée. L'atmosphère a l'avantage d'être à la fois distinguée et décontractée.

La Becquée
$$
4970 boul. des Forges
☎*372-0255*
Présentant un décor cha-leureux avec de belles boiseries, le restaurant La Becquée propose à ses clients une table d'hôte de fine cuisine québécoise et un brunch le dimanche; sa cave à vins en fera saliver plus d'un. Il est à noter que les groupes peuvent réserver un salon privé afin de se retrouver en toute intimité.

Chez Gambrinus
$$
3160 rue des Forges
☎*691-3371*
Situé un peu à l'écart du centre de la ville, près de l'université, le restaurant-microbrasserie Chez Gam-brinus arrive quand même à attirer une clientèle d'habitués qui ne se gê-nent pas pour vanter l'endroit. Il faut dire qu'il s'agit d'un des rares éta-blissements ou bières et huîtres sont à l'honneur. On y sert aussi des plats à base de gibier et des ham-burgers. L'établissement est situé dans une vieille maison entourée d'une terrasse. L'atmosphère et l'accueil y sont chaleureux, mais le service gagnerait à être plus efficace.

Angéline
$$
313 rue des Forges
☎*372-0468*
On retrouve plusieurs res-taurants intéressants sur la rue des Forges près du Parc portuaire. Angéline, un restaurant fréquenté par une clientèle hétéro-clite, s'inspire de l'Italie autant pour son menu que pour son décor audacieux. On y découvre de succu-lents plats de pâtes, une variété de pizzas et d'au-tres bonnes spécialités du pays. Il ne s'agit pas de haute gastronomie, mais l'endroit est honnête et apprécié par une large clientèle.

Le Toscane
$$-$$$
901 rue Royale
☎*378-1891*
Ce joli restaurant logé dans une maison d'époque est fort apprécié par la popu-lation locale pour son ex-cellent rapport qualité/prix. On y sert une cuisine italienne raffinée qui se compose quasi exclusive-ment de pâtes fraîches et d'escalopes de veau, et dont la force réside dans les sauces poêlées. Le chef surprend agréablement avec son choix d'accom-pagnements en choisissant des préparations originales et parfois issues d'autres cuisines européennes (par exemple la cuisine alle-mande!). De plus, les pro-duits régionaux sont mis de l'avant. Le service est attentionné et amical, ce qui attendrit bien l'ambian-ce guindée inspirée par le décor de bon goût.

Le Lupin
$$$
fermé dim-lun
376 rue St-Georges
☎*370-4740*
Installé dans une coquette maison ancestrale, le res-taurant Le Lupin sert sans doute l'une des meilleures cuisines des environs. En plus de faire d'excellentes crêpes bretonnes, il nous propose des plats de gibier et de perchaude, considé-rés comme de grandes spécialités de la région.

Gaspard
$$$-$$$$
475 boul. des Forges
☎ 691-0680

Le restaurant Gaspard propose de bons plats de fruits de mer et de bœuf. Le décor aux couleurs chaudes et le mobilier de bois créent une atmosphère chaleureuse, propice aux dîners tranquilles.

Le Castel des Prés
5800 boul. Royal
☎ 375-4921

L'Auberge Castel des Prés est en fait constituée de deux restaurants différents: le restaurant-bar l'Étiquette (**$$**), où l'on sert une cuisine bistro, et le populaire Chez Claude (**$$$-$$$$**), qui propose une cuisine de tradition française. C'est l'une des bonnes tables de la région. Le chef a d'ailleurs remporté plusieurs prix pour la qualité de sa cuisine. Son menu propose pâtes, viandes et poissons servis avec des sauces riches et savoureuses. En été, une terrasse abritée vous laisse aussi goûter la fraîcheur de la brise.

Grand-Mère

Crêperie de Flore
$$-$$$
3580 50ᵉ Avenue
☎ 533-2020

La Crêperie de Flore propose une spécialité de crêpes bretonnes et de veau dans une ambiance simple et informelle.

Auberge Grand-Mère
$$$
10 6ᵉ Avenue
☎ 538-8651

La réputation de l'Auberge Grand-Mère n'est plus à faire dans la région. Malgré un décor désuet, les plats sont savoureux.

Auberge Le Florès
$$$-$$$$
4291 50ᵉ Avenue
☎ 538-9340

Le restaurant de l'Auberge Le Florès affiche un menu classique sans surprise. Cependant, la décoration intimiste et la magnifique verrière agrémentent le plaisir du repas.

Grandes-Piles

Auberge Le Bôme
$$$$
720 2ᵉ Avenue
☎ 538-2805

En plus d'offrir du confort et du charme, l'Auberge Le Bôme sert une cuisine française assortie de spécialités régionales, comme du cerf ou de la truite de l'Arctique, tout à fait sensationnelle. Un incontournable!

Saint-Jean-des-Piles

Maison Cadorette
$$$
1701 rue Principale
☎ 538-9883

La Maison Cadorette propose un menu de spécialités québécoises raffinées dans un cadre simple et convenable.

Shawinigan

La Pointe à Bernard
$$-$$$
692 4ᵉ Rue
☎ 537-5553

L'atmosphère détendue de La pointe à Bernard lui vaut bien son surnom de «resto sympathique». Le personnel efficace et chaleureux vous sert une cuisine de bistro où les moules sont à l'honneur. Ce restaurant s'avère une bonne adresse pour une clientèle qui apprécie les sorties entre amis ou collègues de travail.

Pointe-du-Lac

Auberge du Lac Saint-Pierre
$$$-$$$$
1911 route 138
☎ 377-5971 ou 888-377-5971

Si vous allez manger à l'Auberge du Lac Saint-Pierre (voir p 396), vous pouvez, pour vous mettre en appétit, vous offrir une petite promenade sur la grève ou un apéro sur la terrasse avec vue sur le fleuve. La salle à manger offre un décor moderne quelque peu froid, mais la présentation des plats, quant à elle, n'a rien de fade et leur goût encore moins. Le menu de cuisine française et québécoise propose truite, saumon, agneau, faisan... tous finement apprêtés. Réservations requises.

Saint-Paulin

Le Baluchon
$$$-$$$$
3550 ch. des Trembles
☎ 268-2555 ou 800-789-5968

La table du Baluchon (voir p 395) propose une fine cuisine française et québécoise ainsi qu'un menu santé qui saura vous régaler. Le tout dans une salle à manger au décor apaisant, avec vue sur la rivière, et située sur un magnifique domaine.

Circuit B:
Le Centre-du-Québec

Bécancour

Auberge Godefroy
$$$-$$$$
17575 boul. Bécancour
☎ 233-2200 ou 800-361-1620

La salle à manger de l'Auberge Godefroy (voir p 396) est spacieuse et offre une vue sur le fleuve. On y sert une délicieuse cuisine française qui oscille entre les classiques et les créations originales à base de produits de la région. Les desserts y sont succulents!

Plessisville

À la claire fontaine
$$$-$$$$
2165 rue St-Calixte
☎*362-6388 ou 877-362-6388*
Le restaurant À la claire fontaine est attenant au motel du même nom et prépare une cuisine raffinée qui saura satisfaire les plus exigeants gourmets.

Victoriaville

Shad Café
$
309 rue Notre-Dame Est
☎*751-0848*
Le Shad Café est probablement le seul endroit à Victoriaville où vous pourrez déguster des repas légers tout en sirotant une bière importée ou un café européen. L'endroit s'avère fort sympathique le jour comme le soir, lorsqu'il devient essentiellement un débit d'alcool pour une clientèle qui apprécie son ambiance de café sans prétention.

Le Pub
$-$$
19 boul. Bois-Francs Sud
☎*758-7176*
Ce restaurant ouvert jusque très tard est très fréquenté grâce à sa terrasse extérieure (en saison) et au bar mitoyen. Le menu de cuisine canadienne saura comblé les creux des fêtards, et le brunch, servi dans la lumineuse terrasse intérieure, s'avère une expérience agréable.

Cactus Resto-bar
$$
139 boul. Bois-Francs Sud
☎*758-5311*
Au Cactus, une ambiance chaleureuse se dégage des teintes orangées, des briques et des boiseries, créant une atmosphère légèrement intimiste malgré la grande fréquentation des lieux. De bons plats mexicains, servis en portions généreuses, attirent une clientèle variée. Comme plusieurs établissements à Victoriaville, ce restaurant se métamorphose en lieu de sorties. Une table de billard complète bien l'atmosphère détendue.

Drummondville

Resto-Bistro L'Entracte
$-$$
247 rue Lindsay
☎*477-4097*
Les bons prix et la localisation centrale en attirent plus d'un au restaurant L'Entracte, où l'on sert une cuisine cosmopolite composée de salades, saucisses, «pizzels» et autres créations inattendues.

Restaurant La Table d'Hôte Chez Mallet
$$-$$$
1320 boul. Mercure
☎*475-6965*
Si, au premier coup d'œil, Drummondville semble dépourvue de bonnes tables, il faut chercher encore un peu. Situé à l'écart du centre-ville, ce restaurant constitue l'option de gastronomie française à Drummondville et l'on y affiche, comme son nom l'indique, des tables d'hôte (agneau et volaille telle que viande d'autruche).

Ristorante La Trattoria
$$-$$$
195 rue Lindsay
☎*474-0020*
Les résidants sont unanimes quant à La Trattoria: il s'agit d'un favori local. Vous pourrez déguster des plats de fine cuisine italienne issus d'un menu de choix. En saison, la belle terrasse étagée donne sur l'animation de la rue Lindsay. L'accueil gagnerait à être plus chaleureux.

Crêperie bretonne
$$-$$$
131 rue St-Georges
☎*477-9148*
Installée dans la maison Mitchell, la Crêperie bretonne constitue un attrait en soi. En effet, cette maison victorienne a été restaurée par sa propriétaire d'origine bretonne qui a apporté autant de soins à sa rénovation qu'elle accorde à la préparation de ses délicieuses crêpes. Une atmosphère feutrée se dégage du décor de classe qui combine papier peint original à des innovations de bon goût. On peut d'ailleurs consulter des documents portant sur les influences architecturales et des dossiers photographiques traçant l'histoire de la restauration de la maison. Et que dire des crêpes? Elles sont tout simplement exquises. Plusieurs types de menus sont proposés afin de vous en faire explorer les différentes saveurs. Soulignons plus particulièrement la crêpe de sarrasin aux fruits de mer et sauce cognac – absolument délicieuse. Note santé: les crêpes sont à base de farines biologiques.

Sorties

Bars et discothèques

Trois-Rivières

La réputation du centre-ville de Trois-Rivières comme lieu de sorties n'est plus à faire, et une simple balade suffit pour se laisser envoûter par la vie nocturne. Et cela est vrai particulièrement en été, lorsque les terrasses bondées débordent sur la rue. Pour de plus amples renseignements, consultez le journal *Le Sorteux*, distribué gratuitement tous les mois dans plusieurs commerces de la région. Voici une liste inexhaustive pour vous guider à travers les bars branchés de Trois-Rivières.

Café bar Le Zénob
171 rue Bonaventure
☎378-9925
Les chaudes soirées d'été se passent agréablement et avec beaucoup d'animation sous les grands arbres de la terrasse avant et arrière du Zénob. Ce café-bar accueille une bonne part de la population artistique locale, et s'y succèdent expositions et événements artistiques.

Le Temple
droit d'entrée pour la discothèque à l'étage
300 rue des Forges
☎370-2005
Haut lieu de trépidations nocturnes, Le Temple promet une soirée haute en sensations. Le complexe est divisé en deux parties. Le rez-de-chaussée est oc-cupé par un immense bar et des divans où s'entasse une clientèle mature qui drague au son nostalgique de la musique des années 1980. À l'étage, les pulsions des plus jeunes se démènent au rythme de la musique techno. Avertissement: on y drague jusque dans la file d'attente!

Café Galerie l'Embuscade
1571 Badeaux
☎374-0652
Le Café Galerie l'Embuscade est un lieu de rencontre très populaire où artistes, étudiants et autres se donnent rendez-vous avec plaisir pour siroter une bière ou déguster un léger repas. L'endroit sert aussi de galerie d'art pour permettre à de nombreux créateurs de faire connaître leurs talents. On présente sur la terrasse extérieure, en période estivale, des événements artistiques tels que de la «peinture en direct».

Nord Ouest Café
1441 rue Notre-Dame
☎693-1151
Le Nord Ouest Café est un endroit décontracté, réparti sur plusieurs niveaux avec un bar au rez-de-chaussée, un petit salon privé, des tables de billard et des jeux. On y sert une grande variété de bières importées ainsi que des repas légers.

Saint-Élie-de-Caxton

La Pierre angulaire
droit d'entrée pour les spectacles
39 chemin des Loisirs
☎268-3393
Le café-spectacle La Pierre angulaire est géré par une coopérative qui regroupe plusieurs jeunes talents de la région. Ensemble ils organisent des spectacles et animations en tout genre, se dévouant tout particulièrement à la conservation de la mémoire et des traditions locales en présentant des soirées de contes et de musique traditionnelle québécoise. L'ambiance est des plus chaleureuses, et, dans cette maison canadienne au cœur de la forêt, on vous accueille comme un ami. Vous pourrez choisir parmi un vaste choix de bières artisanales, quiches, paninis et autres plats maison. Brunchs.

Théâtres et salles de spectacle

Trois-Rivières

Le Maquisart
323 rue des Forges
☎379-0235
Installé dans un ancien cinéma, Le Maquisart est une salle de spectacle qui a la particularité d'offrir des événements presque tous les soirs. Percussionnistes, chansonniers, danseurs, musiciens de la région mais aussi de partout au Québec y présentent leurs talents. Les soirées d'improvisation et les soirées «hommage» occupent aussi une importante place dans la programmation.

Fêtes et festivals

Trois-Rivières

Chaque année, Trois-Rivières est le site d'un festival aussi original que populaire. Le **Festival international de la poésie** *(début oct;* ☎379-9813*)*, par ses multiples activités, aide à faire connaître cet art qui reste trop souvent l'apanage de groupes restreints. Lectures publiques dans les restaurants et les bars de la ville, entrevues et ateliers de création sont parmi les activités de ce festival qui attire autant les poètes que les amateurs de partout.

C'est à la fin du mois de juillet que se tient habituellement le **Grand Prix de Trois-Rivières** *(☎373–9912, billetterie ☎380-9797 ou 800-363-5051)* dans les rues de la ville. Il s'agit d'une course automobile de formule Atlantique. Des pilotes aujourd'hui réputés, notamment Jacques Villeneuve, y ont déjà participé.

Saint-Tite

Le **Festival western de Saint-Tite** *(☎418-365-7524)* donne l'occasion de découvrir l'attraction western la plus populaire de l'est du Canada. Chaque année, pendant la deuxième semaine de septembre, plusieurs activités sont proposées afin de satisfaire les amateurs de western, telles qu'un rodéo et une parade mettant en vedette plusieurs espèces animales.

Plessisville

Le **Festival de l'érable de Plessisville** se tient tous les ans en avril ou au début de mai. Il est l'occasion de se sucrer le bec et de vérifier que les produits de l'érable sont une véritable industrie (concours de qualité de sirop).

Drummondville

Pendant la deuxième semaine de juillet se déroule

le **Mondial des Cultures** *(☎472-1184 ou 800-265-5412)*, anciennement connu sous le nom de Festival mondial du folklore de Drummondville. Cet événement est organisé dans le but de favoriser un échange entre les différentes traditions et cultures du monde.

Victoriaville

Le **Festival de musique actuelle de Victoriaville** *(☎752-7912)* a lieu chaque année en mai. Vous pourrez y entendre les ténors de la musique contemporaine. En fait, ce festival commence là où les autres se terminent, c'est-à-dire au seuil de l'exploration des nouvelles formes musicales. Évidemment, cet événement ne plaira pas à tout le monde, mais il est toujours intéressant d'aller explorer les nouvelles avenues vers lesquelles la musique actuelle se dirige. Enfin, ce festival est une grande aventure, autant pour les musiciens que pour les spectateurs, et plusieurs surprises agréables vous y attendent.

Achats

Trois-Rivières

L'histoire sans fin
fermé lun, sauf l'été, ouverture à 12h
1374 rue Hart
☎374-8453
Le propriétaire de cette boutique de livres d'occa-

sion, un incontournable de la scène artistique locale, offre plusieurs centaines de titres en poésie en plus d'une large collection d'œuvres littéraires, d'ouvrages de référence et de bandes dessinées.

Le Muscadin
60 rue des Forges
☎691-9080
Remplie de petites gâteries pour vos envies salées ou sucrées, cette épicerie fine constitue un arrêt de choix pour faire des provisions pour un pique-nique ou un séjour en camping.

Bécancour

Chèvrerie l'Angélaine
12285 boul. Bécancour (route 132)
☎222-5702
Spécialisée dans l'élevage de chèvres angoras, la chèvrerie l'Angélaine fabrique une ligne de vêtements appelée la «Molaire du Québec». La collection se compose d'une vaste gamme de chandails, de vestes, de châles, de manteaux et d'accessoires de mode.

Fromagerie L'Ancêtre
1615 boul. Port-Royal
☎233-9157
La Fromagerie L'Ancêtre, à la fois boutique et restaurant, vous propose de délicieux produits laitiers maison, entre autres trois sortes de fromages, du beurre et de la crème glacée. Tous fabriqués selon des procédés biologiques, les produits vous sont servis en dégustation accompagnés de vins ou de bières artisanales.

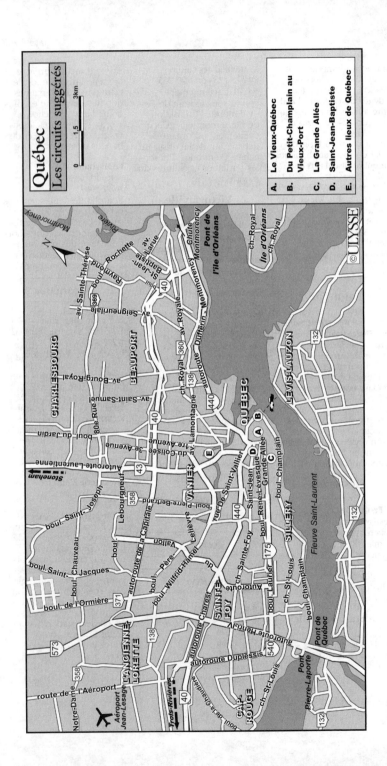

Québec
Les circuits suggérés

0   1,5   3km

A. Le Vieux-Québec
B. Du Petit-Champlain au Vieux-Port
C. La Grande Allée
D. Saint-Jean-Baptiste
E. Autres lieux de Québec

© ULYSSE

Ville de Québec

Québec ★★★, capitale nationale du Québec, est un lieu magique en toute saison. Une balade dans ses rues sinueuses par une belle soirée d'hiver, alors que la neige scintille sous l'éclairage des réverbères et que la ville semble sortie tout droit d'un conte de Noël, est une aventure féerique.

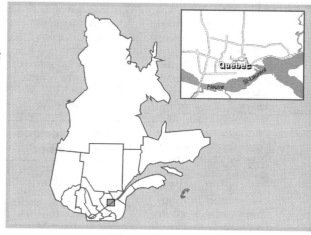

À travers les carreaux des fenêtres d'un restaurant, on aperçoit des visiteurs venus participer au Carnaval ou qui, demain, feront une excursion de ski au mont Sainte-Anne, dégustant des mets copieux, confortablement installés devant l'âtre dans lequel valse un bon feu.

Au printemps et en été, les terrasses de la Grande Allée accueillent leur clientèle assoiffée sous d'innombrables parasols colorés, pendant que, sur les plaines d'Abraham, une vieille dame aux allures de comtesse pratique son tai-chi au milieu d'une vaste étendue d'herbe rase

et toute verte. En automne, le spectacle des feuilles, le vent frais qui les soulève, les étudiants qui se dépêchent pour ne pas manquer le début d'un cours de géométrie à l'École d'architecture, pendant que les députés et les fonctionnaires discutent ferme devant un dernier café avant de rentrer à l'Hôtel du Parlement, sont autant de petits moments privilégiés qu'il est possible de partager avec les habitants du joyau de l'Amérique française.

La ville de Québec est exceptionnelle tant par l'éblouissante richesse de

son patrimoine architectural que par la beauté de son site. La Haute-Ville occupe un promontoire de plus de 98 m, le cap Diamant, et surplombe le fleuve Saint-Laurent, qui, à cet endroit, ne fait qu'un kilomètre de large. Cet étranglement du fleuve est d'ailleurs à l'origine du nom de la ville, puisque le mot d'origine algonquine *kebec* signifie «là où la rivière se rétrécit». Offrant une vue imprenable, les hauteurs du cap Diamant dominent le fleuve et la campagne avoisinante. Ce haut piton rocheux joua, dès les origines de la Nouvelle-France, un rôle stratégique majeur et se prêta très tôt à d'importants travaux de fortification. Surnommée le «Gibraltar de l'Amérique du Nord», Québec est aujourd'hui la seule ville fortifiée d'Amérique au nord de México.

La ville de Québec, qui fut le berceau de la Nouvelle-France, évoque davantage l'Europe que l'Amérique par son atmosphère et son architecture. Ses rues étroites, flanquées de belles résidences en pierre, tout comme ses multiples clochers d'église et d'institutions religieuses, rappellent la France de l'Ancien Régime. D'autre part, les vieilles fortifications de la Haute-Ville, le parlement et les somptueux bâtiments administratifs démontrent avec éclat l'importance que revêt Québec dans l'histoire du Canada. Sa richesse patrimoniale et architecturale fut d'ailleurs reconnue en 1985 par l'UNESCO, lorsque son arrondissement historique fut classé «Joyau du patrimoine mondial», une première en Amérique du Nord.

Avec une population à plus de 95% de souche française, la capitale québécoise compte un nombre impressionnant d'excellents restaurants et cafés. C'est aujourd'hui un centre urbain très animé tout au long de l'année, caractérisé en automne par sa grande variété de couleurs, en hiver par son célèbre carnaval, au printemps par la sortie des musiciens, de même que par l'ouverture des terrasses et, en été, par son festival d'été.

À proximité de la ville, la région offre des paysages montagneux tout à fait charmants. Le présent chapitre propose quatre promenades dans la ville de Québec. On y trouve aussi un circuit ponctué d'attraits situés tout près d'autres circuits.

Bref historique de Québec

C'est au cours de sa deuxième expédition, en 1535, que Jacques Cartier s'arrêta à Stadaconé, un village amérindien occupant l'emplacement qui deviendra par la suite Québec. Il pensait y trouver des pierres précieuses et baptisa le haut piton rocheux faisant face au fleuve du nom de «cap Diamant». Jacques Cartier était alors mandaté par François Ier, roi de France, pour trouver de l'or et un passage vers l'Asie. Mais devant l'échec des trois expéditions de Cartier, le roi de France cessa de financer ses voyages en Amérique du Nord.

Quelques décennies plus tard, le commerce des fourrures et les importants bénéfices que l'on pouvait en tirer relancèrent l'intérêt de la France pour cette contrée inhospitalière. Après maintes tentatives infructueuses sur les côtes et à l'intérieur du continent, on choisit l'emplacement de Québec pour l'installation d'un comptoir permanent. En 1608, Samuel de Champlain et ses hommes érigèrent, au pied du cap Diamant, des bâtiments fortifiés que l'on nomma l'«Abitation». Quoique le premier hiver y fut très pénible, alors que 20 des 28 hommes moururent du scorbut ou de sous-alimentation, cette date marque néanmoins le début d'une présence française permanente en Amérique du Nord. Fondée pour la traite des fourrures, Québec intéressa surtout des marchands français à ses débuts. Puis, peu à peu, quelques familles paysannes vinrent également s'y installer. La Basse-Ville devint le centre des activités commerciales et le lieu de résidence des colons. Elle resta d'ailleurs le centre urbain et commercial de Québec jusqu'au milieu du XIXe siècle, puisque les institutions religieuses occupant la Haute-Ville empêchaient son développement. Très tôt, la capitale de la Nouvelle-France devint la proie des rivalités qui opposaient à l'époque la France à l'Angleterre. En 1629, la ville de Québec fut conquise par les frères Kirke, avant d'être redonnée à la France en 1632. Elle résista en 1690 au siège des forces britanniques conduites par l'amiral Phipps. La pression britannique ne cessa toutefois de croître tout au long du XVIIIe siècle. Elle se solda, en 1759, par la célèbre bataille des plaines d'Abraham, où les troupes britanniques du général Wolfe vainquirent celles du marquis de Montcalm. En 1763, lorsque, par le traité de Paris, la Nouvelle-France fut officiellement cédée aux Britanniques, la population de la ville de Québec s'élevait à près de 9 000 personnes.

Grâce à sa situation géographique, Québec servait de porte d'entrée à la colonie et de principal pôle économique. C'est dans son port que se transbordaient les marchandises impliquées dans un commerce triangulaire entre le Canada, les Antilles et la métropole, Paris. Importante ville portuaire, elle devint tout naturellement un grand centre de construction navale. Québec fut toutefois rapidement marginalisée, à la faveur de Montréal, au cours du XIXe siècle. À la suite de la drague du fleuve Saint-Laurent jusqu'à Montréal et de la construction d'un système ferroviaire ayant pour pôle cette dernière, Montréal supplanta Québec comme plaque tournante du commerce et premier centre économique du Canada. Si Montréal devenait la métropole canadienne, Québec conservait néanmoins un rôle appréciable en tant que capitale de la province et base militaire stratégique. Elle connut même une certaine prospérité dans les années 1920, essentiellement générée par l'industrie de la chaussure.

La croissance de la ville de Québec, dans les années 1960, se fit parallèlement à l'accroissement de l'inter-

vention et des pouvoirs de l'État québécois. Aujourd'hui, la majeure partie de l'économie de l'unique capitale francophone d'Amérique gravite autour de l'administration publique et des services.

Pour s'y retrouver sans mal

Cinq circuits sont proposés pour découvrir Québec: **Circuit A: Le Vieux-Québec ★★★**, **Circuit B: Du Petit-Champlain au Vieux-Port ★★★**, **Circuit C: La Grande Allée et l'avenue Cartier ★★**, **Circuit D: Saint-Jean-Baptiste ★** et **Circuit E: Autres lieux de Québec**. Pour de l'information supplémentaire sur la ville de Québec, consultez le Guide Ulysse *Ville de Québec*.

En voiture

De Montréal, on peut accéder à Québec par les deux rives du fleuve Saint-Laurent. Par la rive nord, on doit emprunter l'autoroute 40 Est. Aux abords de Québec, elle devient

l'autoroute 440, qui se prolonge jusqu'au centre de la ville et porte alors le nom de «boulevard Charest». Par la rive sud, on s'y rend en prenant l'autoroute 20 Est jusqu'au pont Pierre-Laporte, qui permet de traverser le fleuve. Il faut par la suite emprunter le boulevard Laurier, qui change de nom pour «Grande Allée Est», laquelle se rend jusqu'au centre de la ville. Pour louer une voiture:

Budget
Aéroport de Québec
☎*(418) 872-9885*
Vieux-Québec: 29 côte du Palais
☎*(418) 692-3660*
Sainte-Foy: 2481 ch. Ste-Foy
☎*(418) 651-6518*

Discount
Sainte-Foy (Centre Innovation): 2360 ch. Ste-Foy
☎*(418) 652-7289*

Hertz
Aéroport de Québec
☎*(418) 871-1571*
Québec: 580 Grande Allée
☎*(418) 647-4949*
Vieux-Québec: 44 côte du Palais
☎*(418) 694-1224*

National
Aéroport de Québec
☎*(418) 871-1224*
Québec: 295 rue St-Paul
☎*(418) 694-1727*

Via Route
2605 boul. Hamel O.
☎*(418) 682-2660*

En avion

L'**aéroport international Jean-Lesage** (voir p 55), bien que plus petit que les aéroports de Montréal, reçoit des vols internationaux.

Noms des nouvelles villes fusionnées

Québec
Fusion de Beauport, Cap-Rouge, Charlesbourg, Lac-Saint-Charles, L'Ancienne-Lorette,

Loretteville, Québec, Sainte-Foy, Saint-Émile, Sillery, Val-Bélair, Vanier et Saint-Augustin-de-Desmaures.

Traversier

Même si vous n'avez pas l'intention d'aller sur la rive sud du Saint-Laurent, du côté de Lévis, payez-vous au moins un aller-retour à bord du traversier pour la vue. Situé juste en face de Place-Royale, le quai d'embarquement est facile à repérer. Au retour, en partant de Lévis, vous serez impressionné par le magnifique panorama sur Québec la belle! Coût pour un aller simple: 2$ en hiver pour un adulte et 2,50$ en été; 8,50$ par voiture en hiver et 9,85$ en été (maximum 6 passagers). Les horaires variant d'une saison à l'autre, il est préférable de se renseigner directement.

Société des traversiers du Québec
10 rue des Traversiers
☎ *(418) 644-3704*
www.traversiers.gouv.qc.ca

En bateau

Il existe une nouvelle façon agréable et somme toute assez rapide de venir à Québec depuis Montréal ou Trois-Rivières. **Les Dauphins du Saint-Laurent** (☎ *514-288-4499 ou 877-648-4499)* relient ces trois villes, tous les jours de l'été, à l'aide d'hydroglisseurs se déplaçant à 65km/h. Donc vous pouvez partir de la métropole le matin et vous retrouver dans le Vieux-Port de la capitale environ quatre heures et demie plus tard, après avoir admiré les paysages du fleuve à travers les grandes fenêtres du bateau!

En autobus

Il existe un parc d'autobus qui dessert l'ensemble du territoire de la ville de Québec. Un laissez-passer mensuel permettant de circuler librement sur le réseau est en vente au coût de 58,60$. Pour un seul voyage, il en coûte 2,25$ (monnaie exacte) ou 1,90$ (valeur d'un ticket vendu chez les marchands de journaux). On vend des laissez-passer au coût de 5,10$ donnant accès au réseau pendant une journée pour un nombre illimité de passages. Lorsqu'un trajet nécessite une correspondance, le passager doit demander un billet à cet effet au conducteur. Notez que la plupart des autobus sont en service de 6h à minuit et demi. Les vendredis et samedis, on ajoute des autobus «couche-tard»: les n°s 800, 801, 7, 11 et 25, qui partent de la place D'Youville entre minuit et 3h. Pour information: ☎(418) 627-2511.

Taxi

Taxi Co-op
☎ *(418) 525-5191*

Taxi Québec
☎ *(418) 525-8123*

En stop

Pour se rendre à Québec en stop organisé à partir d'autres villes du Québec, voir p 60 pour la liste des adresses d'Allo-Stop à travers le Québec. On peut sortir de Québec en stop organisé avec **Allo Stop Québec** *(carte de membre obligatoire: passager 6$ par an, chauffeur 7$ par an; 665 rue Saint-Jean, Québec, ☎418-522-0056).*

Gares ferroviaires

www.viarail.ca

Gare du Palais
450 rue de la Gare-du-Palais
☎ *(418) 525-3000 ou 800-835-3037*

Gare de Charny
2326 rue de la Gare
☎ *800-835-3037*

Gare de Sainte-Foy
3255 ch. de la Gare
☎ *800-835-3037*

Gares routières

Terminus d'autocars de Québec
320 rue Abraham-Martin
(gare du Palais)
☎ *(418) 525-3000*

Terminus d'autocars de Sainte-Foy
3001 ch. des Quatre-Bourgeois
☎ *(418) 650-0087*

Renseignements pratiques

Indicatif régional: **418**

Renseignements touristiques

Le Bureau d'information touristique de l'Office du tourisme et des congrès de la région de Québec est aménagé dans la Maison de la découverte, située près du Manège militaire et du parc des Champs-de-Bataille (plaines d'Abraham).

Bureau d'information touristique de l'Office du tourisme et des congrès de la région de Québec
fin juin à début sept tlj 8h30 à 19h30; début sept à mi-oct tlj 8h30 à 18h30; mi-oct à fin juin lun-sam 9h à 17h, ven 9h à 18h, dim 10h à 16h
835 avenue Wilfrid-Laurier, G1R 2L3
☎649-2608
⇢522-0830
www.regiondequebec.com

Centre Infotouriste de Québec
fin juin à la fête du Travail tlj 8h30 à 19h, le reste de l'année 9h à 17h
12 rue Sainte-Anne (en face du Château Frontenac), G1R 3X2
☎877-266-5687

Il est à noter également que, dans le Vieux-Québec, un service d'information touristique à mobylette est offert durant l'été. On reconnaît ces mobylettes à leur couleur verte et au signe «?» qu'elles arborent.

Tourisme Québec
Case postale 979
Montréal, H3C 2W3
☎877-266-5687
⇢(514) 864-3838
www.bonjourquebec.com

Bureaux de poste

300 rue St-Paul
☎694-6176

59 rue Dalhousie
☎694-6190

5 rue du Fort
☎694-6102

Banques

Banque Royale
700 place D'Youville
☎692-6800

Caisse populaire Desjardins du Vieux-Québec
19 rue Desjardins
☎522-6806

Banque Nationale
150 boul. René-Lévesque E.
☎647-6100

Visites guidées

Installé au Centre Infotouriste de Québec, rue Sainte-Anne, **CD Tour** *(10$, 15$ pour 2 pers.; 12 rue Ste-Anne, ☎654-1115)* loue des audioguides portatifs avec lesquels on peut effectuer des visites guidées de différents secteurs de la ville, comme le Vieux-Québec, la Cité parlementaire et les plaines d'Abraham. L'enregistrement sur disque compact (CD) vous permet de faire la visite à votre rythme et de la manière qui vous convient. Il s'agit d'enregistrements animés qui mettent en scène des personnages historiques racontant les événements importants qui façonnèrent Québec.

La **Société historique de Québec** *(visites guidées 12$; 72 côte de la Montagne, ☎692-0556, www.societehistoriquedequebec.qc.ca)* propose des visites guidées du Vieux-Québec sous différents thèmes. Ces visites qui se font à pied durent en général entre une heure et demie et deux heures, et vous font découvrir différents aspects de l'histoire de Québec.

Attraits touristiques

L'arrivée à Québec en voiture se fait généralement par la Grande Allée. On traverse d'abord une banlieue nord-américaine pour ensuite aborder un secteur très *British*, aux rues bordées de grands arbres, puis on longe les édifices gouvernementaux de la capitale du Québec pour enfin pénétrer dans la vieille ville, fortifiée par de belles portes d'allure moyenâgeuse.

★★★

Circuit A: Le Vieux-Québec (2 à 3 jours)

Le Vieux-Québec est divisé, par le cap Diamant, en deux parties. La partie qui s'étend entre le fleuve et la falaise fait l'objet du prochain circuit (voir p 421). La section qui occupe le plateau du cap est celle que l'on appelle familièrement le Vieux-Québec. Cité administrative et institutionnelle, elle se pare de couvents, de chapelles et de bâtiments publics dont la construction remonte parfois au XVIIᵉ siècle. Elle est enserrée dans ses murailles, dominées par la Citadelle, qui lui confèrent le statut de place forte et qui, pendant longtemps, ont contenu son développement, favorisant une densité élevée de l'habitat bourgeois et aristocratique. Enfin, l'urbanisme pittoresque du XIXᵉ siècle a contribué à lui donner son image actuelle par la construction d'édifices, comme le Château Frontenac, ou par l'aménagement d'espaces publics, telle la terrasse Dufferin, de style Belle Époque.

Le circuit du Vieux-Québec débute sur la rue Saint-Louis, à la porte du même nom, près de l'Hôtel du Parlement.

Entre 1870 et 1875, les marchands de Québec multiplient les pressions afin que le gouvernement procède à la démolition des fortifications entourant la ville. Lord Dufferin, alors gouverneur général du Canada, s'oppose à l'idée et soumet plutôt un projet d'embellissement, préparé par l'Irlandais William H. Lynn, qui mettra en valeur les murs de la ville tout en facilitant la circulation. Conçu dans l'esprit romantique de l'ère victorienne, il comprend l'érection de nouvelles portes, plus larges, évocatrices de châteaux forts et

de chevaliers. La **porte Saint-Louis**, construite en 1878, constitue, avec sa tourelle en poivrière, une merveilleuse introduction à la visite du Vieux-Québec.

Une fois passé la porte Saint-Louis, sur la gauche, devant le parc de l'Esplanade, on aperçoit les **bustes** du premier ministre anglais Winston Churchill et du président étasunien Franklin Roosevelt. Les deux statues commémorent les **Conférences de Québec**, tenues par les Alliés pendant la Seconde Guerre mondiale en 1943 et 1944.

Sur la droite, de l'autre côté de la rue, se trouve le **Club de la Garnison** *(97 rue Saint-Louis)*, réservé aux officiers de l'Armée canadienne. À côté débute le chemin qui mène à la Citadelle. Comme la visite de

la Citadelle peut prendre deux ou trois heures à elle seule, il est recommandé de lui réserver un avant-midi et de l'effectuer à part (voir p 420).

Au **lieu historique national des Fortifications-de-Québec** ★ *(3$; début mai à mi-oct tlj 10h à 17h; 100 rue St-Louis, ☎648-7016)*, on peut visiter la **Poudrière de l'Esplanade**, qui abrite le **Centre d'initiation aux fortifications et à la Poudrière de l'Esplanade**, où des maquettes et des cartes détaillées retracent l'évolution du système défensif de Québec. On peut même s'y procurer un guide permettant d'effectuer une visite complète des murs de la ville ou participer à un tour guidé *(10$)*. Il est en effet possible de se balader sur le haut des murs, où sont disposés des panneaux d'interprétation

● ATTRAITS

1. Lieu historique national des Fortifications-de-Québec	13. Maison Jacquet	23. Québec Expérience
2. Église unie Chalmers-Wesley	14. Monastère des Ursulines	24. Bureau de poste et salle d'exposition de Parcs Canada
3. Sanctuaire Notre-Dame-du-Sacré-Cœur	15. Musée des Ursulines	25. Palais archiépiscopal
4. Maison Cirice-Têtu	16. Cathédrale anglicane Holy Trinity	26. Université Laval
5. Cavalier du Moulin	17. Édifice Price	27. Maison Montcalm
6. Centre Infotouriste	18. Place de l'Hôtel-de-Ville	28. Maison François-Xavier-Garneau
7. Musée du Fort	19. Hôtel de ville et Centre d'interprétation de la vie urbaine de la Ville de Québec	29. Musée Bon-Pasteur
8. Musée de cire de Québec	20. Basilique-cathédrale Notre-Dame-de-Québec	30. Chapelle et Musée de l'Hôtel-Dieu
9. Ancien palais de justice	21. Séminaire de Québec	31. Lieu historique national du Parc-de-l'Artillerie
10. Maison Maillou	22. Musée de l'Amérique française	32. Église des Jésuites
11. Maison Kent		
12. Musée d'art inuit Brousseau		

◐ HÉBERGEMENT

1. Au Jardin du Gouverneur	6. Centre international de séjour	11. Hôtel Clarendon
2. Auberge de la Chouette	7. Château Bellevue	12. Maison Acadienne
3. Auberge de la Paix	8. Château de Léry	13. Maison du Fort
4. Auberge du Trésor	9. Château de Pierre	14. Manoir LaSalle
5. Auberge Saint-Louis	10. Château Frontenac	15. Manoir Victoria
		16. Marquise de Bassano

◐ RESTAURANTS

1. À la Bastille Chez Bahüaud	8. Chez Temporel	14. Le Continental
2. Aux Anciens Canadiens	9. Guido Le Gourmet	15. Le Petit Coin Latin
3. Café de la Paix	10. L'Élysée-Mandarin	16. Le Saint-Amour
4. Café d'Europe	11. L'Entrecôte Saint-Jean	17. Les Frères de la Côte
5. Café Serge Bruyère	12. La Crémaillère	18. Portofino Bistro Italiano
6. Casse-Crêpe Breton	13. La Grande Table de Serge Bruyère	
7. Chez Livernois		

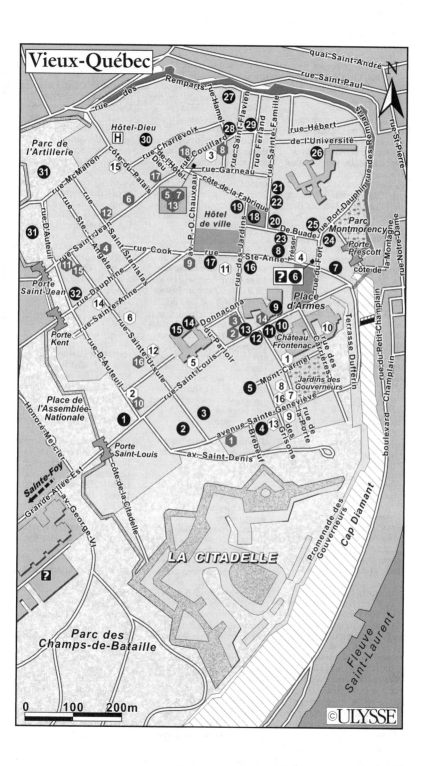

relatant l'histoire des fortifications. On y accède par les escaliers attenants aux portes de la ville.

L'origine de ces murs remonte à une première enceinte faite de terre et de pieux, suffisante pour repousser les attaques des Iroquois, qui fut érigée sur la face ouest de Québec en 1693, d'après les plans de l'ingénieur Dubois Berthelot de Beaucours. Ce mur primitif est remplacé par une enceinte de pierres au moment où s'annoncent de nouveaux conflits entre la France et l'Angleterre. Les plans de l'ingénieur Chaussegros de Léry sont mis à exécution en 1745, mais les travaux ne sont toujours pas terminés au moment de la prise de Québec en 1759. Ce sont les Britanniques qui achèveront l'ouvrage à la fin du XVIIIe siècle. Quant à la Citadelle, entreprise timidement en 1693, on peut dire qu'elle a véritablement été érigée entre 1820 et 1832. L'ensemble adopte cependant les principes mis de l'avant par le Français Vauban au XVIIe siècle, principes qui conviennent parfaitement au site de Québec.

Poursuivez par la rue Saint-Louis, puis tournez à droite dans l'avenue Saint-Denis, à gauche dans l'avenue Sainte-Geneviève et encore à gauche dans la rue Sainte-Ursule.

Jusqu'à la fin du XIXe siècle, on retrouvait à Québec une petite mais influente communauté écossaise presbytérienne, composée surtout d'armateurs et de commerçants de bois. L'**église unie Chalmers-Wesley** *(dons acceptés; 78 rue Ste-Ursule, ☎692-2640)*, cette belle église néogothique aujourd'hui fréquentée par divers groupes, témoigne de sa vitalité passée. Elle a

été construite en 1852 selon les plans de John Wells, à qui l'on doit de célèbres bâtiments comme le siège social de la Banque de Montréal.

L'église arbore une flèche néogothique élancée qui renforce l'image pittoresque de Québec. Son orgue a été restauré en 1985. Des concerts y sont présentés tous les dimanches soirs, du début juillet à la mi-août.

Faisant face à l'ancienne église presbytérienne, le **sanctuaire Notre-Dame-du-Sacré-Cœur** *(entrée libre; tlj 7h à 20h; 71 rue Ste-Ursule, ☎692-3787)* est un lieu de prière ouvert à tous. Il a été érigé en 1910 selon les plans de François-Xavier Berlinguet, qui lui a donné une façade néogothique à deux clochers quelque peu étriqués, inadéquate pour un site aussi exigu. L'intérieur, avec ses verrières et ses peintures murales, est plus invitant.

Revenez à l'avenue Sainte-Geneviève, puis tournez à gauche.

Ce qui fait le charme du Vieux-Québec, ce sont non seulement ses grands monuments, mais aussi chacune de ses maisons, auxquelles se rattache une histoire particulière et pour lesquelles tant d'efforts et de raffinement ont été déployés. Il est agréable de se promener dans les rues étroites, le nez en l'air, pour observer les nombreux détails d'une architecture dense et compacte, et de s'imprégner de cette urbanité étrangère à la plupart des Nord-Américains.

La **maison Cirice-Têtu** ★

(25 av. Ste-Geneviève) a été érigée en 1852 selon les plans de Charles Baillairgé,

membre de la célèbre dynastie d'architectes qui, depuis le XVIIIe siècle, a marqué l'architecture de Québec et sa région. Sa façade de style néogrec, véritable chef-d'œuvre du genre, est ornée de palmettes en acrotère et de couronnes de laurier, disposées avec goût et une certaine symétrie. L'étage noble comporte de larges baies vitrées qui s'ouvrent sur un seul grand salon à la londonienne. La maison a été dotée dès sa construction de toutes les commodités: multiples salles de bain, chauffage central à air chaud, eau courante froide et chaude.

Un court détour sur la gauche, dans la rue des Grisons, permet de se rendre à l'extrémité de la rue Mont-Carmel (sur la gauche) pour voir un des vestiges des premières défenses de Québec, bien dissimulé à l'arrière des maisons. Il s'agit du **cavalier du Moulin**, construit en 1693 selon les plans de l'ingénieur Dubois Berthelot de Beaucours. Un cavalier est un ouvrage situé derrière une fortification principale, permettant au besoin de détruire cette dernière si jamais l'ennemi s'en emparait. Ce cavalier était autrefois coiffé d'un moulin à vent, d'où son nom.

Le **jardin des Gouverneurs** ★ était à l'origine le jardin privé du gouverneur de la Nouvelle-France. Aménagé pour Charles Huault de Montmagny en 1647, il s'étendait à l'ouest du château Saint-Louis, aujourd'hui disparu, qui fut la résidence officielle des gouverneurs. Un obélisque inusité, rendant hommage à la fois au vainqueur et au vaincu de la Conquête, les généraux Wolfe et Montcalm, fut érigé dans la portion sud du square lors de son réaménagement en 1827.

Habitués que l'on est de marcher sur des surfaces revêtues, il est amusant de sentir sous ses pas les planches de bois de la **terrasse Dufferin ★★★**. Cette large promenade fut créée en 1879 à l'instigation du gouverneur général du Canada, Lord Dufferin. Charles Baillairgé en a dessiné les kiosques et les lampadaires de fonte en s'inspirant du mobilier urbain installé à Paris sous Napoléon III. La terrasse est une des principales attractions de la ville et le lieu des rendez-vous galants de la jeunesse québécoise. Elle offre un panorama superbe sur le fleuve, la rive sud et l'île d'Orléans. En hiver, une longue glissoire, réservée aux amateurs de toboggan, est installée dans sa portion ouest.

La terrasse occupe l'emplacement du château Saint-Louis, fabuleuse résidence des gouverneurs de la Nouvelle-France. Situé au bord de l'escarpement, le bâtiment présentait, du côté du fleuve, une façade de trois étages précédée d'une longue terrasse privée en pierre, alors que sa façade fortifiée, donnant sur la place d'Armes, arborait des pavillons coiffés de toitures à l'impériale. Le château, construit au XVIIᵉ siècle par l'architecte François de la Joüe, fut agrandi par l'ingénieur Chaussegros de Léry en 1719. Ses pièces en enfilade étaient le lieu de brillantes réceptions données pour la noblesse française et aussi le quartier général d'où l'on a planifié

le développement de tout un continent. Gravement endommagé par les bombardements durant la Conquête, il sera remodelé dans le goût anglais avant de disparaître dans les flammes en 1834.

À l'extrémité est de la terrasse Dufferin se dressent deux monuments. Le premier fut élevé en 1898 à la mémoire de Samuel de Champlain, fondateur de Québec et père de la Nouvelle-France. Il est l'œuvre du sculpteur parisien Paul Chevré. Le second rappelle que le Vieux-Québec a été déclaré «Joyau du patrimoine mondial» par l'UNESCO en 1985. Notons qu'il s'agit de la première ville nord-américaine à paraître sur la prestigieuse liste de l'UNESCO. Un escalier, à ce bout-ci de la terrasse, conduit au quartier de Place-Royale (circuit B), tandis qu'à l'autre extrémité un escalier mène à la **promenade des Gouverneurs** (voir p 436).

La vocation touristique de Québec s'affirme dès la première moitié du XIXᵉ siècle. Ville romantique par excellence, elle attire très tôt de nombreux visiteurs américains désireux d'y retrouver un peu de l'Europe. En 1890, la com-

pagnie ferroviaire du Canadien Pacifique, dirigée par William Cornelius Van Horne, décide d'implanter un réseau d'hôtels prestigieux à travers le Canada. Le premier de ces établissements voit le jour à Québec. On le nomme **Château Frontenac ★★★** *(1 rue des Carrières)* en l'honneur de l'un des plus célèbres gouverneurs de la Nouvelle-France, Louis de Buade, comte de Frontenac (1622-1698).

Ce magnifique hôtel est l'ambassadeur du Québec le plus connu à l'étranger et le symbole de sa capitale. Ironiquement, il a été conçu par un architecte étasunien, Bruce Price (1845-1903), célèbre pour ses gratte-ciel new-yorkais. Plus étonnant encore, il est devenu le modèle du style «national» du Canada, baptisé style château. Il s'agit d'un croisement à grande échelle entre les manoirs écossais et les châteaux de la Loire. Bruce Price, à qui l'on doit la gare Windsor de Montréal, fut inspiré dans son projet par le site pittoresque et par le mélange des cultures française et britannique au Canada.

Le Château Frontenac a été construit par étapes. À l'aile initiale de Price, donnant sur la terrasse Dufferin, que l'on a inaugurée en 1893, trois autres sections furent ajoutées, la plus importante étant la tour centrale des architectes Edward et William Sutherland Maxwell, édifiée en 1923. Pour mieux apprécier le Château, il faut y pénétrer et parcourir l'allée centrale, décorée dans le goût des hôtels particuliers parisiens du XVIIIᵉ siècle, jusqu'au bar maritime, situé

Château Frontenac

Ville de Québec

dans la grosse tour ronde qui donne sur le fleuve Saint-Laurent. Au fil des ans, le Château Frontenac fut le théâtre de nombreux événements prestigieux, dont la Conférence de Québec de 1944, où le président étasunien Roosevelt, le premier ministre britannique Winston Churchill et son homologue canadien Mackenzie King définirent la configuration de l'Europe de l'après-guerre. On remarquera au sortir de la cour intérieure une pierre gravée de l'ordre de Malte datée de 1647, seul morceau rescapé du vieux château Saint-Louis. Des **visites** *(6,50$; mai à mi-oct tlj 10h à 18h, mi-oct à fin avr sam-dim 13h à 17h;* ☎*691-2166)* du Château Frontenac sont animées par des guides en beaux habits d'époque.

Terrain d'exercice pour les militaires jusqu'à la construction de la Citadelle, la **place d'Armes** ★ devient un square d'agrément en 1832. En 1916, on y élève le monument de la Foi pour commémorer le tricentenaire de l'arrivée des récollets à Québec. David Ouellet est l'auteur de la base néogothique soutenant la statue dessinée par l'abbé Adolphe Garneau.

À l'autre extrémité de la place se trouvent le Centre Infotouriste ainsi que deux musées. Vous pouvez également apercevoir l'arrière de la **cathédrale anglicane Holy Trinity** *(voir p 414).*

Le **Centre Infotouriste de Québec** *(12 rue Ste-Anne)* est installé dans l'édifice blanc au toit de cuivre qui abritait autrefois l'hôtel Union. Celui-ci fut construit en 1803, selon les plans de l'architecte britannique Edward Cannon, pour un groupe de notables qui désiraient doter la ville

d'un établissement hôtelier de grande classe.

De part et d'autre du Centre Infotouriste se trouvent deux institutions touristiques traditionnelles: le Musée du Fort et le Musée de cire de Québec. Le **Musée du Fort** *(6,75$; juil à mi-sept tlj 10h à 19h, mi-sept à fin oct et avr à fin juin tlj 10h à 17h, fév et mars jeu-dim 12h à 16h; 10 rue Ste-Anne,* ☎*692-1759)* recrée, par des effets de son et de lumière autour d'une maquette représentant la ville vers 1750, les six sièges de Québec, de la prise de la ville par les frères Kirke, en 1629, à l'invasion américaine de 1775.

Le **Musée de cire de Québec** *(3$; mai à oct tlj 9h à 22h, reste de l'année tlj 10h à 17h; 22 rue Sainte-Anne,* ☎*692-2289)* présente, quant à lui, une soixantaine de personnages sur 16 tableaux qui racontent l'histoire de Québec ou l'actualité récente. Ainsi, Lara Fabian et Roch Voisine côtoient Churchill, Champlain et Wolfe.

Remontez vers la rue Saint-Louis.

L'**ancien palais de justice** ★ *(12 rue St-Louis)* a été érigé en 1883 selon les plans d'Eugène-Étienne Taché, auteur de l'Hôtel du Parlement, avec lequel le Palais a plusieurs ressemblances. Son style néo-Renaissance française précède le style château comme architecture «officielle» des grands édifices de la ville. L'intérieur, réaménagé entre 1922 et 1930, est constitué de plusieurs salles dotées de belles boiseries. L'ancien Palais loge le ministère des Finances depuis 1987.

Le siège de la Chambre de commerce de Québec est situé dans la **maison Maillou** *(17 rue St-Louis)*, cette belle maison du Régime français, bâtie par l'architecte Jean Maillou en 1736. Elle a été épargnée de la démolition par la crise de 1929, qui a fait avorter un projet d'agrandissement du Château Frontenac sur le site.

L'histoire se fait nébuleuse autour de la **maison Kent** *(25 rue St-Louis)*, où aurait séjourné le duc de Kent, père de la reine Victoria. On ne connaît pas sa date de construction exacte, fixée au XVIIe siècle selon certains ou au siècle suivant selon d'autres. Elle a certainement été considérablement modifiée au XIXe siècle, comme en témoignent ses fenêtres à guillotine de type anglais et sa toiture dont la pente est peu prononcée. Quoi qu'il en soit, c'est sur ce site qu'a été signée la capitulation de Québec aux mains des Britanniques en 1759. Ironiquement, la maison loge aujourd'hui le consulat général de France.

Continuez par la rue Saint-Louis.

Bien connue à Québec pour la qualité de ses œuvres, la Galerie d'art inuit Brousseau compte désormais sur un petit musée pour abriter la collection privée du propriétaire: le **Musée d'art inuit Brousseau** ★ *(6$; tlj 9h30 à 17h30; 39 rue St-Louis,* ☎*694-1828)*. Chacune de ses cinq salles d'exposition porte sur un thème particulier, comme l'histoire, les matériaux utilisés, etc. Les œuvres sont bien réparties, et la visite se fait agréablement dans des salles modernes, aérées et bien éclairées. Les notes historiques et culturelles sont intéressantes et assez complètes. À la fin de la visite, vous pourrez visionner un documentaire portant sur les artistes dont vous aurez vu les œuvres, ou encore passer dans la boutique attenante pour vous en procurer!

La **maison Jacquet** ★ *(34 rue St-Louis)*, ce petit bâtiment coiffé d'un toit rouge et revêtue de crépi blanc, est la plus ancienne maison de la Haute-Ville et la seule du Vieux-Québec qui a conservé son apparence du XVIIe siècle. Elle se différencie des habitations du siècle suivant par son haut toit pentu recouvrant une petite surface habitable sous des plafonds très bas. Construite par l'architecte François de la Joüe pour son propre usage, elle date de 1690. Son nom lui vient de ce qu'elle a été érigée sur un terrain ayant auparavant appartenu à François Jacquet. En 1815, elle est acquise par Philippe Aubert de Gaspé, auteur du célèbre roman *Les Anciens Canadiens*, nom qui inspira les propriétaires du restaurant qu'elle abrite actuellement (voir p 450).

Tournez à droite dans la petite rue du Parloir.

À l'angle de la rue Donnacona, vous trouverez l'entrée du **monastère des Ursulines** ★★★ *(18 rue Donnacona)*. En 1535, sainte Angèle Merici fonde à Brescia, en Italie, la communauté des ursulines. Après son installation en France, celle-ci devient un ordre cloîtré, voué à l'enseignement (1620). Grâce à une bienfaitrice,

Madame de la Peltrie, les ursulines débarquent à Québec en 1639 et fondent dès 1641 leur monastère et leur couvent, où des générations de jeunes filles recevront une éducation exemplaire. Le couvent des Ursulines est aujourd'hui la plus ancienne maison d'enseignement pour filles en Amérique du Nord toujours en activité. On ne peut voir qu'une partie des vastes

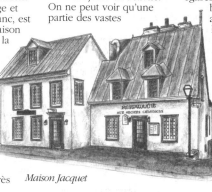

Maison Jacquet

installations où vivent encore quelques dizaines de religieuses. Ainsi, seuls le musée et la chapelle sont accessibles au public en temps normal.

La chapelle Sainte-Ursule a été reconstruite en 1901 sur le site de celle de 1722. On a cependant conservé le décor intérieur du XVIIIe siècle, le plus ancien qui subsiste au Québec. L'œuvre magistrale de Pierre-Noël Levasseur, sculptée entre 1726 et 1736, comprend notamment une chaire surmontée d'un ange à trompette et un beau retable en arc de triomphe de style Louis XIV. Le tabernacle du maître-autel, entièrement doré par les ursulines, est un chef-d'œuvre de dextérité. Quant au tabernacle du Sacré-Cœur, il est attribué à Jacques Leblond dit Latour (vers 1710). Aux murs de la chapelle sont accrochés quelques tableaux provenant de la

collection de l'abbé Desjardins, ancien chapelain des ursulines. En 1820, ce dernier achète chez un marchand d'art parisien plusieurs dizaines de tableaux religieux autrefois suspendus dans les églises de Paris, puis dispersés à la Révolution française. De nos jours, on retrouve ces œuvres dans plusieurs églises à travers le Québec. On remarquera, au-dessus de l'entrée, *Jésus chez Simon le Pharisien* de Philippe de Champaigne et, du côté droit de la nef, *La parabole des dix vierges* de Pierre de Cortone.

La chapelle a été le lieu de sépulture du marquis de Montcalm jusqu'en 2001, alors que ses restes furent transférés au cimetière de l'Hôpital Général. Le commandant des troupes françaises lors de la décisive bataille des plaines d'Abraham, fut, comme son rival le général Wolfe, blessé mortellement lors de l'affrontement. Dans la chapelle se trouve toujours la tombe de la bienheureuse mère Marie de l'Incarnation, fondatrice du monastère des Ursulines en terre canadienne. Une ouverture permet de contempler le chœur des religieuses, reconstruit en 1902 par David Ouellet, qui l'a doté de puits de lumière en forme de coupole. Un intéressant tableau anonyme, intitulé *La France apportant la Foi aux Indiens de la Nouvelle-France*, y est accroché.

L'entrée du **Musée des Ursulines** *(5$; mai à sept mar-sam 10h à 12h et 13h à 17h, dim 13h à 17h; oct à déc et fév à avr mar-dim 13h à*

*16h30; 12 rue Donnacona,
☎694-0694)* fait face à celle
de la chapelle. On y pré-
sente près de quatre siè-
cles d'histoire de ces mo-
niales à travers des meu-
bles Louis XIII, des toiles,
d'admirables travaux de
broderie au fil d'or, des
parements d'autel et des
vêtements d'église des
XVIIe et XVIIIe siècles.

*Poursuivez par la rue Don-
nacona pour emprunter la
rue des Jardins à gauche. Au
passage, remarquez la mi-
nuscule maison sur votre
gauche!*

À la suite de la Conquête,
un petit groupe d'administrateurs et de militaires
britanniques s'installe à
Québec. Les conquérants
désirent marquer leur présence par la construction
de bâtiments prestigieux à
l'image de l'Angleterre,
mais leur nombre insuffi-
sant retardera la réalisation
de projets majeurs jus-
qu'au début du XIXe siècle,
alors que l'on entreprend
l'édification de la **cathédrale anglicane Holy Trinity ★★** *(31 rue des Jardins)*
selon les plans des majors
Robe et Hall, deux ingé-
nieurs militaires qui
s'inspirèrent de l'église
St. Martin in the Fields à
Londres. L'édifice palla-
dien, achevé en 1804, mo-
difiera la silhouette de la
ville, dont l'image fran-
çaise était jusque-là de-
meurée intacte. Il s'agit de
la première cathédrale anglicane érigée hors des îles
Britanniques et d'un bel
exemple d'architecture
coloniale anglaise, à la fois
gracieuse et simple. La
pente du toit fut exhaussée
en 1815 afin de permettre
un meilleur écoulement de
la neige.

L'intérieur, plus sobre que
celui des églises catholiques, fut gratifié de nombreux trésors par le roi

George III. Celui-ci a notamment fait don de plu-
sieurs pièces d'orfèvrerie
ainsi que de bois de chêne
provenant de la forêt de
Windsor pour la fabrica-
tion des bancs. Quant au
trône épiscopal, il est,
selon la légende, fait de
l'orme sous lequel aimait
s'asseoir Samuel de Cham-
plain. Des vitraux et des
plaques commémoratives
sont venus s'ajouter à
l'ensemble au fil des ans.
On y trouve aussi un
orgue Casavant de 1909
qui fut restauré en 1959.
Son carillon de huit clo-
ches figure parmi les plus
anciens du Canada.

*Poursuivez par la rue des
Jardins, d'où vous pourrez
admirer la portion piétonne
de la rue Sainte-Anne, sur
votre droite, et l'Hôtel Clarendon puis l'édifice Price, sur
votre gauche.*

L'**Hôtel Clarendon** *(57 rue
Ste-Anne)* est le plus vieil
hôtel de Québec encore
en activité (voir p 445). Il
a ouvert ses portes en
1870 dans l'ancienne im-
primerie Desbarats (1858).
Le restaurant **Le Charles-
Baillargé** (voir p 450), au
rez-de-chaussée, est le
plus ancien restaurant au
Canada. Avec ses boiseries
sombres au charme victo-
rien, il constitue un lieu
évocateur de la Belle
Époque. L'hôtel a été augmenté en 1929 par l'amé-
nagement d'une tour en
brique brune avec un gra-
cieux hall de style Art déco
réalisé par l'architecte
Raoul Chênevert.

Tout en s'inscrivant avec
sensibilité dans le cadre du
Vieux-Québec, l'**édifice
Price ★** *(65 rue Ste-Anne)*
tient de la tradition du
gratte-ciel nord-américain.
Les architectes Ross et
Macdonald de Montréal,
qui l'ont conçu en 1929,
ont modelé une silhouette

discrète et élancée, sur-
montée d'un toit de cuivre
rappelant le style château.
Le hall intérieur, autre
belle réalisation de style
Art déco, est recouvert de
travertin poli et de bas-
reliefs en bronze illustrant
les différentes activités de
la compagnie Price, spé-
cialisée dans la fabrication
du papier. Les étages su-
périeurs de l'édifice abritent désormais l'appart-
ment de fonction du pre-
mier ministre du Québec.

*Revenez à la rue des Jardins,
que vous emprunterez à
gauche.*

Au numéro 17 se dresse la
coquette **maison Antoine-
Anfelson**, construite en
1780. L'orfèvre Laurent
Amiot y a eu son atelier au
début du XIXe siècle. Les
pièces de l'étage sont revêtues de remarquables boi-
series d'époque Louis XV.

La **place de l'Hôtel-de-Ville ★** occupe depuis 1900
l'emplacement du marché
Notre-Dame, créé au
XVIIIe siècle. Un monu-
ment en l'honneur du car-
dinal Taschereau, œuvre
du Français André Ver-
mare (1923), en agrémente
le flanc ouest.

La composition de l'**hôtel
de ville** *(2 rue des Jardins)*,
influencée par le courant
néoroman américain, sur-
prend dans une ville où
les traditions françaises et
britanniques ont toujours
prévalu dans la construc-
tion d'édifices publics.
George-Émile Tanguay en
a réalisé les plans en 1895,
à la suite d'un difficile
concours où aucun des
projets primés ne reçut un
appui majoritaire des
conseillers et du maire. On
ne peut que regretter la
disparition du collège des
Jésuites de 1666, qui occupait auparavant le même
emplacement.

Les agréables **jardins de l'hôtel de ville** qui l'entourent recouvrent un stationnement souterrain et sont le lieu de maints événements populaires pendant la saison estivale.

Au sous-sol de l'hôtel de ville se trouve le **Centre d'interprétation de la vie urbaine de la Ville de Québec** *(2$; fin juin à début sept tlj 10h à 17h, reste de l'année mar-dim 10h à 17h; 43 côte de la Fabrique, ☎691-4606)*, qui traite des questions de développement et d'aménagement urbain à Québec. Une intéressante maquette de la ville permet de se faire une bonne idée de la configuration des lieux.

À l'autre extrémité de la place de l'Hôtel-de-Ville, la **basilique-cathédrale Notre-Dame-de-Québec** ★★★ est un livre ouvert sur les difficultés que rencontrèrent les bâtisseurs de la Nouvelle-France et sur la détermination des Québécois à travers les pires épreuves. On pourrait presque parler d'architecture organique, tant la forme définitive du bâtiment est le résultat de multiples campagnes de construction et de tragédies, qui laissèrent l'édifice en ruine à deux reprises.

La première église à occuper le site fut érigée en 1632 à l'instigation de Samuel de Champlain, lui-même inhumé à proximité quatre ans plus tard. Ce lieu saint en bois est remplacé en 1647 par l'église Notre-Dame-de-la-Paix, bâtiment de pierres en forme de croix latine, qui servira de modèle pour les paroisses rurales des alentours. Puis en 1674, Québec accueille l'évêché de la Nouvelle-France. Mgr François de Laval

(1623-1708), premier évêque, choisit la petite église comme siège épiscopal, tout en souhaitant une reconstruction digne du vaste territoire couvert par son ministère. L'architecte Claude Baillif élabore un projet grandiose qui devra cependant être ramené à des proportions plus modestes, même avec la contribution financière personnelle de Louis XIV. Seule la base de la tour ouest subsiste de cette époque. En 1742, l'évêché fait reconstruire le temple selon les dessins de l'ingénieur Gaspard Chaussegros de Léry, lui donnant son plan actuel composé d'une longue nef éclairée par le haut et encadrée de bas-côtés à arcades. La cathédrale de Québec se rapproche alors des églises urbaines érigées à travers la France à la même époque.

Lors du siège de Québec, en septembre 1759, la cathédrale est bombardée sans ménagement. Réduite à l'état de ruines, elle ne sera réparée que lorsque le statut des catholiques sera régularisé par la Couronne britannique. Les membres de la plus ancienne paroisse

Basilique-cathédrale Notre-Dame-de-Québec

catholique au nord de México entreprennent finalement de relever leur église en 1770 selon les plans de 1742. Jean Baillargé (1726-1805), à l'origine de la célèbre dynastie d'architectes, inaugure une longue histoire d'amour entre sa famille et la cathédrale en acceptant de se charger des travaux. En 1786, la décoration de l'intérieur est confiée à son fils François (1759-1830), de retour d'un séjour de trois ans à Paris, où il s'est consacré à l'étude de l'architecture à l'Académie royale. Quatre ans plus tard, il livre le superbe baldaquin doré à cariatides ailées du chœur. Le maître-autel, premier au Québec à être conçu comme une façade de basilique, est installé en 1797. Suivent le banc d'œuvre baroque et la voûte en plâtre, offrant un intéressant contraste de sobriété. L'intérieur ainsi parachevé est éclatant et exprime une tradition typiquement québécoise qui privilégie la dorure, le bois et le plâtre.

En 1843, Thomas Baillargé (1791-1859), fils de François, installe l'actuelle façade néoclassique, puis tente de faire élever un clocher à l'est, mais les travaux doivent être interrompus à mi-hauteur, les fondations du XVIIe siècle ne reposant pas sur un sol ayant une capacité portante suffisante. Enfin, Charles Baillargé (1826-1906), cousin de Thomas, dessine l'enclos de fonte du parvis en 1858. Entre 1920 et 1922, l'église est restaurée avec soin, mais quelques semaines seulement après la fin des travaux, un incendie éclate, endommageant gravement l'édifice. Raoul Chênevert et

Maxime Roisin, de Paris, déjà occupés à la reconstruction de la basilique Sainte-Anne-de-Beaupré, se chargent de restaurer une nouvelle fois l'édifice et de reconstituer les parties détruites. En 1959, une crypte est aménagée au sous-sol pour recevoir les sépultures des évêques et des gouverneurs (Frontenac, Vaudreuil, de Callière). Il y a quelques années, plusieurs toiles de maîtres suspendues dans la cathédrale furent subtilisées, laissant les murs nus et forçant la mise en sûreté des chefs-d'œuvre restants, tel le beau *Saint Jérôme* de Jacques-Louis David (1780).

D'autre part, à l'intérieur de la basilique-cathédrale, un spectacle son et lumière d'une durée de 30 min, *Feux sacrés (7,50$; début mai à mi-oct tlj 13h à 21 h; 20 rue De Buade, ☎694-4000)*, retrace une page de l'histoire québécoise à l'aide d'effets spectaculaires projetés en trois dimensions sur trois écrans, le tout présenté de façon simultanée en français et en anglais.

Pénétrez dans la cour intérieure du **Séminaire de Québec ★★★** *(1 côte de la Fabrique, ☎692-3981)* par la porte cochère (décorée aux armes de l'institution), qui fait face à la grille d'entrée, afin de mieux voir ce complexe religieux qui constituait au XVIIᵉ siècle un havre de civilisation au milieu d'une contrée rude et hostile.

Le Séminaire fut fondé en 1663 par Mᵍʳ de Laval à l'instigation du Séminaire des Missions étrangères de Paris, auquel il a été affilié jusqu'en 1763. On en fit le centre névralgique du clergé dans toute la colonie, puisqu'en plus d'y former

les futurs prêtres on y administrait les fonds des paroisses et y répartissait les cures. Colbert, ministre de Louis XIV, obligea en outre la direction du Séminaire à fonder un petit séminaire voué à l'évangélisation et à l'éducation des Amérindiens. Après la Conquête, le Séminaire devient aussi collège classique, à la suite de l'interdiction qui frappe les jésuites, et loge pendant un certain temps l'évêque dépourvu de son palais, détruit par les bombardements. En 1852, le Séminaire met sur pied l'Université Laval, aujourd'hui établie à Sainte-Foy (sauf l'École d'architecture, qui s'y installera il y a quelques années), en faisant la première université de langue française en Amérique. Le vaste ensemble de bâtiments du Séminaire comprend actuellement la résidence des prêtres du côté du fleuve, un collège privé pour garçons et filles, l'École d'architecture de l'Université Laval, de même que le Musée de l'Amérique française, qui a la gestion de ces bâtiments historiques.

Affligé par les incendies et les bombardements, le Séminaire que l'on peut contempler de nos jours est le résultat de multiples chantiers. En face de la porte cochère, on aperçoit l'aile de la Procure, avec son cadran solaire, dont les caves voûtées ont servi de refuge à la population de Québec lors de l'attaque de l'amiral Phipps en 1690. On y trouve également la chapelle personnelle de Mᵍʳ Briand (1785), que Pierre Émond a décorée de branches d'olivier sculptées. La belle aile des Parloirs de 1696 fait équerre avec la précédente, sur la droite. L'emploi de la fenêtre à arc segmentaire autour de

cette cour carrée, extrêmement rare sous le Régime français, traduit une architecture directement empruntée aux modèles français, avant que ne survienne une nécessaire adaptation au contexte québécois.

Dirigez-vous vers le Musée de l'Amérique française, au 2, côte de la Fabrique, d'où partent des visites guidées du Séminaire. Sa chapelle extérieure, de 1890, a d'ailleurs été rebaptisée «chapelle du Musée de l'Amérique française» depuis que c'est cette institution qui gère les collections du Séminaire. La chapelle extérieure a remplacé la chapelle de 1752, incendiée en 1888. Pour éviter un nouveau sinistre, l'intérieur, semblable à celui de l'église de la Trinité, à Paris, fut recouvert de zinc et de fer blanc, peints en trompe-l'œil, selon un plan de Paul Alexandre de Cardonnel et de Joseph-Ferdinand Peachy. On y trouve la plus importante collection de reliques en Amérique du Nord, au sein de laquelle figurent des reliques de saint Anselme et de saint Augustin, des martyrs du Tonkin, de saint Charles Borromée et de saint Ignace de Loyola. Certaines sont authentiques et d'une taille appréciable, d'autres sont incertaines et minuscules. Une chapelle funéraire, au milieu de laquelle prend place un gisant contenant les restes de Mᵍʳ de Laval, premier évêque de l'Amérique du Nord, donne sur le bas-côté gauche.

Le **Musée de l'Amérique française ★★** *(4$; forfait 8,50$ avec visite du Musée de la civilisation et du Centre d'interprétation de Place-Royale; fin juin à fin sept tlj 10h à 17h30, début sept à fin* *juin mar-dim 10h à 17h; 2 côte de la Fabrique, ☎692-2843, www.mcq.org)* se consacre à l'histoire des sept communautés de l'Amérique nées de l'immigration française. Outre les Québécois, on y retrouve les Acadiens, les Franco-Ontariens, les francophones de l'Ouest, les Métis, les Cajuns de la Louisiane et les francophones de la Nouvelle-Angleterre.

Le musée réunit une collection riche de 450 000 pièces, constituée au cours des trois derniers siècles par les prêtres du Séminaire à des fins éducatives. Aménagées dans l'ancien pensionnat de l'Université Laval, les salles d'exposition sont réparties sur cinq niveaux, où sont présentés des trésors d'orfèvrerie, de peinture, d'art oriental, de numismatique, de même que des instruments scientifiques. On peut y voir la première momie égyptienne transportée en Amérique ainsi que plusieurs objets ayant appartenu à Mgr de Laval. Cette prestigieuse collection fait d'ailleurs partie des archives du musée. Des expositions temporaires s'y succèdent, mettant aussi en scène des personnages historiques.

De retour à la place de l'Hôtel-de-Ville, tournez à gauche dans la rue De Buade.

Faisant face à la basilique-cathédrale, s'élève l'ancien **magasin Holt-Renfrew** *(43 rue De Buade)*, ouvert dès 1837. D'abord spécialisé dans la vente des fourrures, dont il est le fournisseur attitré auprès de Sa Majesté britannique, le magasin détiendra pendant longtemps l'exclusivité de la distribution canadienne des créations de Dior et de

Saint-Laurent. Il est maintenant fermé et fait place aux boutiques **Les Promenades du Vieux-Québec**.

Un peu plus loin se trouve l'entrée de la pittoresque **rue du Trésor**, qui débouche aussi sur la place d'Armes et sur la rue Sainte-Anne. Des artistes y vendent peintures, dessins et sérigraphies, dont plusieurs représentent des vues de Québec.

Québec Expérience *(7,50$; mi-mai à mi-oct tlj 10h à 22h, mi-oct à mi-mai tlj 10h à 17h; 8 rue du Trésor, 2e étage, ☎694-4000)* est un spectacle à grand déploiement sur l'histoire de la ville de Québec. Projeté en trois dimensions, ce spectacle multimédia animé vous fera voyager à travers le temps et revivre les grands moments qui ont marqué la ville en compagnie des personnages qui l'ont sillonnée. Une belle façon d'en apprendre plus, particulièrement appréciée des jeunes. Les spectacles, en français ou en anglais, sont d'une durée de 30 min.

Le premier **bureau de poste ★** *(3 rue De Buade)* canadien fut ouvert à Québec en 1837. Il occupa longtemps l'ancien Hôtel du Chien d'Or, une solide demeure construite vers 1753 pour un riche marchand de Bordeaux qui fit placer un bas-relief à l'effigie d'un chien rongeant son os au-dessus de l'entrée. L'inscription suivante apparaît sous le bas-relief, réinstallé au fronton du bureau de poste actuel en 1872: *Je suis un chien qui ronge l'os; en le rongeant, je prends mon repos. Un temps viendra qui n'est pas venu, où je mordrai qui m'aura mordu.* On raconte que le message était destiné à l'intendant Bigot, filou s'il

en fut un, qui, outré, fit assassiner le marchand.

Le bureau de poste reçut son dôme et sa façade sur le fleuve lors d'un agrandissement au début du XXe siècle. Rebaptisé **édifice Louis-Saint-Laurent** en l'honneur du premier ministre canadien, il comprend, en plus du traditionnel bureau de la poste et d'un comptoir philatélique, la **salle d'exposition de Parcs Canada** *(entrée libre; lun-ven 8h à 16h30, sam-dim 10h à 17h; 3 rue De Buade, ☎648-4177)*, où l'on fait état de la mise en valeur du patrimoine canadien.

En face du bureau de poste se dresse le **monument en l'honneur de Mgr François de Laval** (1623-1708), premier évêque de Québec, dont le diocèse couvrait les deux tiers du continent nord-américain. L'œuvre de Philippe Hébert, mise en place en 1908, comprend un bel escalier donnant accès à la côte de la Montagne, qui descend jusqu'au fleuve.

Le monument fait face au **palais archiépiscopal** *(2 rue Port-Dauphin)* reconstruit par Thomas Baillargé en 1844. Le premier palais épiscopal était situé dans l'actuel parc Montmorency. Érigé entre 1692 et 1700 selon les plans de Claude Baillif, il était, selon les commentateurs de l'époque, l'un des plus beaux du royaume français. Les dessins nous montrent en effet un bâtiment impressionnant comportant une chapelle à niches, dont l'intérieur rappelait celui du Val-de-Grâce, à Paris. Les bombardements de 1759 entraînèrent la perte de la chapelle. Le reste de l'édifice fut rétabli et logea l'Assemblée législative du Bas-Canada de 1792 à

Ville de Québec

1840. Il fut démoli en 1848 pour faire place au nouveau parlement, rasé par les flammes quatre ans plus tard.

Lors du rabaissement des murs de la ville, le long de la rue des Remparts, le gouverneur général du Canada, Lord Dufferin, découvrit les superbes vues dont on bénéficie depuis ce promontoire et décida, en 1875, d'y aménager le **parc Montmorency** ★. Par la suite, deux monuments y furent érigés, le premier en l'honneur de George-Étienne Cartier, premier ministre du Canada-Uni et l'un des pères de la Confédération canadienne, le second à la mémoire de Louis Hébert, de Guillaume Couillard et de Marie Rollet, premiers agriculteurs de la Nouvelle-France, arrivés en 1617 et à qui le fief du Sault-au-Matelot, situé à l'emplacement du Séminaire, fut concédé dès 1623. Le sculpteur montréalais Alfred Laliberté est l'auteur des belles statues de bronze.

Poursuivez par la rue des Remparts.

Une ouverture dans la muraille de la rue des Remparts laisse voir les anciens pavillons de l'**Université Laval** ★, élevés en 1856 dans les jardins du Séminaire et complétés en 1875 par l'ajout d'une formidable toiture mansardée, coiffée de trois lanternes argentées. Le soir, sous l'éclairage des projecteurs, elles font penser à un décor de fête royale. L'Université Laval (sauf l'École d'architecture, qui a emménagé au Séminaire de Québec il y a quelque temps) occupe maintenant un grand campus situé à Sainte-Foy.

Suivez la **rue des Remparts**, qui aligne de vieux canons et d'où vous pourrez contempler la ville au bas du cap. Les belles demeures patriciennes qui bordent cette rue font écran au vieux quartier latin qui s'étend derrière. Ses rues étroites, bordées de maisons du XVIIIᵉ siècle, valent bien un petit détour.

La **maison Montcalm** *(45 à 51 rue des Remparts)*, cet ensemble de trois maisons, formait à l'origine une seule grande habitation, construite en 1727. Elle fut habitée par le marquis de Montcalm, commandant des troupes françaises lors de la célèbre bataille des plaines d'Abraham. Le bâtiment a ensuite abrité des officiers de l'Armée britannique avant d'être divisé en trois logements distincts en vue d'un usage privé. De nombreuses maisons de Québec étaient autrefois recouvertes de planches imitant la pierre de taille, à l'instar de la maison Montcalm. Cette tradition, répandue dans la première moitié du XIXᵉ siècle, avait pour but de protéger la maçonnerie et de donner aux maisons une apparence plus riche et plus soignée.

Remontez la rue Saint-Flavien.

À l'angle de la rue Couillard s'élève la **maison François-Xavier-Garneau** *(5$; ven-dim 13h à 17h, visites aux heures; 14 rue St-Flavien, ☎692-2240)*. L'homme d'affaires de Québec Louis Garneau a racheté cette maison à l'architecture néoclassique (1862) qui fut habitée par l'historien et poète dans les dernières années de sa vie. Elle est désormais animée tout l'été par un comédien en costume d'époque qui vous fera revivre l'histoire

de ses pièces et de ses objets par une agréable visite.

Non loin, rue Couillard, le **musée Bon-Pasteur** ★ *(2$; mar-dim 13h à 17h; 14 rue Couillard, ☎694-0243)* raconte l'histoire de la communauté des religieuses du Bon-Pasteur, au service des démunis de Québec depuis 1850. Il est installé dans la maison Béthanie, un édifice éclectique en brique érigé vers 1878 pour héberger les filles-mères et leur progéniture. Le musée occupe les trois niveaux d'une annexe de 1887. Le visiteur y verra des pièces de mobilier et des objets d'art sacré, amassés ou fabriqués par les religieuses, ainsi qu'un document vidéo relatant une adoption.

Revenez sur vos pas dans la rue Couillard. Descendez la rue Hamel jusqu'à la rue Charlevoix, que vous emprunterez à gauche jusqu'à l'Hôtel-Dieu de Québec.

Les augustines, sœurs hospitalières, s'installent d'abord à Sillery, où elles fondent un premier couvent. Inquiétées par les Iroquois, elles s'établissent à Québec en 1642 et entreprennent la construction de l'institution actuelle, comprenant couvent, hôpital et chapelle.

Les bâtiments, refaits à plusieurs reprises, datent pour la plupart du XXᵉ siècle. Subsiste le couvent de 1756, avec ses caves voûtées remontant à 1695, dissimulé derrière la chapelle de 1800, construite avec des matériaux provenant de divers édifices du Régime français ruinés par la guerre. Sa pierre proviendrait du palais de l'Intendant, alors que ses premiers ornements avaient été récupérés de l'église des Jésuites (XVIIe siècle). Seule la balustrade en fer forgé du clocher en témoigne de nos jours. Thomas Baillargé conçoit l'actuelle façade néoclassique en 1839, après avoir achevé le nouveau décor intérieur en 1835. Le chœur des religieuses est visible sur la droite.

La chapelle a été utilisée comme salle des ventes en 1817, puis en 1821 par l'abbé Louis-Joseph Desjardins, qui venait d'acheter une collection de tableaux d'un banquier français en faillite. Celle-ci était constituée d'œuvres confisquées aux églises de Paris pendant la Révolution française. *La Vision de sainte Thérèse d'Avila*, œuvre de François-Guillaume Ménageot placée au-dessus d'un des autels latéraux, provient du Carmel de Saint-Denis, près de Paris.

Le **Musée des Augustines de l'Hôtel-Dieu ★★** *(3$; mar-sam 9h30 à 12h et 13h30 à 17h, dim 13h30 à 17h; 32 rue Charlevoix, ☎692-2492)* retrace l'histoire de cette communauté en Nouvelle-France à travers des pièces de mobilier, des toiles et des instruments médicaux. On peut y voir le coffre qui contenait les maigres bagages des fondatrices (avant 1639) ainsi que les pièces provenant du château Saint-Louis, demeure des gouverneurs sous le Régime français (portraits de Louis XIV et du cardinal de Richelieu). La visite du musée donne accès sur demande à la **chapelle** et aux caves voûtées. La dépouille de la bienheureuse Marie-Catherine de Saint-Augustin, fondatrice de la communauté en Nouvelle-France, repose dans la chapelle, où se trouve également un beau reliquaire doré de style

Louis XIV, sculpté en 1717 par Noël Levasseur.

Empruntez la petite rue de l'Hôtel-Dieu, qui fait face à la chapelle. À l'angle de la rue Saint-Jean, vous jouirez d'une belle vue sur la **côte de la Fabrique**, *donnant sur l'hôtel de ville, sur votre droite, et sur la cathédrale Notre-Dame, au fond de la perspective. Tournez à droite dans la* **rue Saint-Jean**, *agréable artère commerciale du Vieux-Québec.*

Un détour sur la gauche, par la rue Saint-Stanislas, permet de voir l'ancienne église méthodiste, belle réalisation néogothique de 1850. Elle abrite de nos jours l'**Institut canadien** *(42 rue St-Stanislas)*, centre des arts et des lettres qui eut bien des démêlés avec le clergé avant la Révolution tranquille des années 1960, à cause des choix littéraires jugés trop audacieux. On y trouve une salle de spectacle ainsi qu'une succursale de la Bibliothèque municipale.

L'édifice voisin, au numéro 44, est l'**ancienne prison de Québec**, érigée en 1808 d'après les plans de François Baillargé. En 1868, il est réaménagé pour accueillir le Morrin College, affilié à l'Université McGill de Montréal. Cette vénérable institution de la communauté anglophone de Québec abrite aussi la précieuse bibliothèque de la **Quebec Literary and Historical Society**, société savante fondée en 1824. L'édifice coiffé d'un clocher palladien, à l'angle de la rue Cook et de la rue Dauphine, est l'**église presbytérienne St. Andrew**, terminée en 1811.

Revenez à la rue Saint-Jean, que vous traverserez. Tournez à gauche dans la rue McMahon, puis rendez-vous au

centre d'accueil et d'interprétation du parc de l'Artillerie.

Le **lieu historique national du Parc-de-l'Artillerie ★★** *(4$; début mai à mi-oct tlj 10h à 17h, mi-oct à fin mars horaire variable, fin mars à début mai mer-dim; 2 rue D'Auteuil, ☎648-4205)* occupe une partie du vaste site à vocation militaire en bordure des murs de la ville. Le centre d'accueil et d'interprétation est installé dans l'ancienne fonderie où l'on a fabriqué des munitions jusqu'en 1964. On peut y voir une fascinante maquette de Québec exécutée de 1795 à 1810 par l'ingénieur militaire Jean-Baptiste Duberger aux fins de planification tactique. Expédiée en Angleterre en 1813, elle n'est de retour à Québec que depuis quelques années. La maquette est une source d'information sans pareille sur l'état de la ville dans les années qui ont suivi la Conquête.

La visite nous amène à la redoute Dauphine, un beau bâtiment fortifié, revêtu d'un crépi blanc et situé à proximité de la rue McMahon. En 1712, l'ingénieur militaire Dubois Berthelot de Beaucours trace les plans de la redoute, qui sera achevée par Chaussegros de Léry en 1747. Une redoute est un ouvrage de fortification autonome qui sert en cas de repli des troupes. Jamais véritablement utilisée à cette fin, elle sera plutôt à l'origine de la vocation de casernement du secteur. En effet, on retrouve derrière la redoute un ensemble de casernes érigées par l'Armée britannique au XIXe siècle, auquel s'ajoute une cartoucherie, aujourd'hui fermée. La visite du logis des officiers (1820), reconverti en un centre d'initiation au patrimoine, termine le parcours. On peut participer à une visite commentée d'une heure animée par des guides en costumes d'époque, ou faire la visite de façon autonome aidé d'un audioguide. Sur le site, on trouve deux autres expositions: l'une regroupe des jouets anciens, l'autre des poupées dans un économusée appelé **Les Dames de Soie**.

Remontez la rue D'Auteuil.

La plus récente des portes de Québec, la **porte Saint-Jean**, a pourtant les origines les plus anciennes. Dès 1693, on trouve à cet endroit l'une des trois seules entrées de la ville. Elle sera renforcée par Chaussegros de Léry en 1757, puis reconstruite par les Anglais. En 1867, on aménage une porte «moderne» à deux tunnels carrossables, jouxtés de passages piétonniers pour faire taire les marchands qui réclament la démolition pure et simple des fortifications. Cette porte, non conforme au projet romantique de Lord Dufferin, est supprimée en 1898. Elle ne sera remplacée par la porte actuelle qu'en 1936.

Entreprenez l'ascension de l'abrupte pente de la rue D'Auteuil.

Sur la gauche, au numéro 29, se trouve un **ancien orphelinat anglican**, construit pour la Society for Promoting Christian Knowledge en 1824, qui fut le premier édifice néogothique de Québec. Son architecture est lourde de symbolisme, puisqu'elle introduit le courant romantique dans une ville dont ce sera par la suite le véritable leitmotiv.

Le dernier des jésuites de Québec meurt en 1800, sa communauté ayant été frappée d'interdit, d'abord par le gouvernement britannique, à qui sa puissance politique fait peur, ensuite par le pape lui-même (1774). Mais elle ressuscite en 1814, et elle est de retour en force à Québec en 1840. Son collège et son église de la place de l'Hôtel-de-Ville n'étant plus disponibles, la communauté trouve un havre accueillant chez les congréganistes. Ces paroissiens, membres d'une confrérie fondée par le jésuite Ponert en 1657 et regroupant de jeunes laïcs désireux de propager la dévotion mariale, ont pu ériger un lieu saint sur la rue D'Auteuil. François Baillargé trace les plans de l'**église des Jésuites ★** *(rue D'Auteuil, angle rue Dauphine)*, qui sera terminée en 1818. En 1930, la façade est complètement refaite à l'image de la cathédrale. L'ornementation de l'intérieur débute en 1841 par la construction de la fausse voûte. L'autel de Pierre-Noël Levasseur (1770) en constitue la pièce maîtresse. Aujourd'hui, elle sert de refuge aux jeunes marginaux de la ville.

La **porte Kent**, tout comme la porte Saint-Louis, est le fruit des efforts déployés par Lord Dufferin pour donner à Québec une allure romantique. Les plans de la plus jolie des portes du Vieux-Québec ont été élaborés en 1878 par Charles Baillargé d'après les propositions de l'Irlandais William H. Lynn.

Gravissez l'escalier qui conduit au sommet de la porte Kent, puis marchez sur le mur d'enceinte en direction de la porte Saint-Louis, soit vers la gauche.

Hors les murs, on aperçoit l'Hôtel du Parlement et à l'intérieur, plusieurs maisons patriciennes le long de la rue D'Auteuil. Au numéro 69, la **maison McGreevy** *(on ne visite pas)* se démarque par sa monumentalité. Œuvre de Thomas Fuller, auteur des plans du capitole de l'État de New York, elle s'apparente à un édifice commercial. L'entrepreneur en construction Thomas McGreevy, qui l'a fait bâtir en 1868, est responsable de la construction du premier parlement canadien d'Ottawa, dont Fuller a dressé les plans. Derrière la façade de grès jaune de Nepean se déploie un décor victorien somptueux et absolument intact.

Descendez du mur à la porte Saint-Louis. La côte de la Citadelle se trouve de l'autre côté de la rue Saint-Louis.

La **Citadelle ★★★** *(à l'extrémité de la côte de la Citadelle)* représente trois siècles d'histoire militaire en Amérique du Nord. Depuis 1920, elle est le siège du Royal 22ᵉ Régiment de l'Armée canadienne, qui s'est distingué par sa bravoure au cours de la Seconde Guerre mondiale. On y trouve quelque 25 bâtiments distribués sur le pourtour de l'enceinte, dont le mess des officiers, l'hôpital, la prison et la résidence officielle du gouverneur général du Canada, sans oublier le premier observatoire astronomique du pays. L'histoire de la Citadelle débute en 1693, alors que l'ingénieur Dubois Berthelot de Beaucours fait ériger la redoute du cap Diamant au point culminant du système défensif de Québec, quelque 100 m au-dessus du niveau du fleuve. Cet ouvrage solide se trouve de nos jours contenu à l'intérieur du bastion du Roi.

Tout au long du XVIIIe siècle, les ingénieurs français, puis britanniques, élaboreront des projets de citadelle qui demeureront sans suite. L'aménagement d'une poudrière par Chaussegros de Léry en 1750, bâtiment qui abrite maintenant le Musée du Royal 22e Régiment, et le terrassement temporaire à l'ouest (1783) sont les seuls travaux d'envergure effectués pendant cette période. La citadelle, telle qu'elle apparaît au visiteur, est une œuvre du colonel Elias Walker Durnford et fut édifiée entre 1820 et 1832. Surnommé «le Gibraltar de l'Amérique», l'ouvrage, conçu selon les principes élaborés par Vauban au XVIIe siècle, n'a jamais eu à s'essuyer le tir d'un seul canon, mais fut pendant longtemps un élément dissuasif important.

Le **Musée du Royal 22e Régiment** *(6$; avr à mi-mai tlj 10h à 16h, mi-mai à mi-juin tlj 9h à 17h, mi-juin à début sept tlj 9h à 18h, sept tlj 9h à 16h, oct tlj 10h à 15h; ☎694-2815)* présente une intéressante collection d'armes, d'uniformes, de décorations et de documents officiels du XVIIe siècle à nos jours. Il est aussi possible de se joindre à une visite commentée de l'ensemble des installations et d'assister à la relève de la garde. D'une durée de 35 min, la relève s'effectue tous les jours à 10h, de la fin juin au début septembre, sauf en cas de pluie. La retraite, d'une durée de 30 min, se fait à 18h les mardis, jeudis, samedis et dimanches de juillet et d'août, sauf en cas de pluie.

Circuit B: Du Petit-Champlain au Vieux-Port (2 jours)

La partie basse du Vieux-Québec, commerçante et portuaire, est une étroite bande de terre en forme de U, coincée entre les eaux du fleuve Saint-Laurent et l'escarpement du cap Diamant. Elle constitue le berceau de la Nouvelle-France puisque c'est sur le site de l'actuelle place Royale que Samuel de Champlain (1567-1635) choisit en 1608 d'ériger son «Abitation», à l'origine de la ville de Québec. À l'été de 1759, il est aux trois quarts détruite par les bombardements anglais. Il faudra 20 ans pour réparer et reconstruire les maisons.

Au XIXe siècle, de multiples remblais élargissent la Basse-Ville, permettant de relier par des rues les secteurs de Place-Royale et du palais de l'Intendant. Le déclin des activités portuaires, au début du XXe siècle, a provoqué l'abandon graduel de Place-Royale, que l'on a entrepris de restaurer en 1959. Le quartier du Petit-Champlain, avec sa rue du même nom, a quant à lui été récupéré par des artisans qui y ont ouvert leur atelier. Aujourd'hui à vocation plus touristique, le quartier abrite encore nombre d'ateliers dans lesquels les artisans fabriquent et vendent leurs ouvrages.

Ce circuit débute à la porte Prescott, qui enjambe la côte de la Montagne. Les personnes qui ont de la difficulté à marcher devraient plutôt prendre le funiculaire, dont l'accès est situé sur la terrasse Dufferin, afin de débuter le *circuit au pied de la rue du Petit-Champlain.*

Le **funiculaire** *(1,50$; ☎692-1132)* fut exploité dès novembre 1879 par l'entrepreneur W.A. Griffith afin de faciliter les déplacements entre la Haute-Ville et la Basse-Ville. Au départ, le funiculaire fonctionnait à l'eau, laquelle se transvidait d'un réservoir à l'autre. Il fut converti à l'électricité en même temps qu'on illumina la terrasse Dufferin, soit en 1906. Aussi appelé «ascenseur», il nous évite d'emprunter l'escalier et de faire le détour par la côte de la Montagne. Ses installations ont été entièrement rénovées en 1998. Il est en service tous les jours de 7h30 le matin jusqu'à au moins 23h.

La **porte Prescott** *(côte de la Montagne)* est directement accessible du parc Montmorency ou de la terrasse Dufferin par un charmant escalier situé à gauche du pavillon d'entrée du funiculaire. La structure discrètement postmoderne a été réalisée en 1983 selon les plans des architectes Gauthier, Guité, Roy, en souvenir de la première porte érigée à cet endroit en 1797 par Gother Mann. Les piétons peuvent passer directement de la terrasse Dufferin au parc Montmorency, et vice-versa, grâce à la passerelle juchée sur son linteau.

Descendez la côte de la Montagne jusqu'à l'escalier Casse-Cou, sur votre droite.

Il existe un escalier à l'endroit où se trouve aujourd'hui l'**escalier Casse-Cou** *(côte de la Montagne)* depuis 1682. Jusqu'au début du XXe siècle, il était fait de planches de bois qu'il fallait constamment réparer ou remplacer. Il relie la

Ville de Québec

Basse-Ville et la Haute-Ville du Vieux-Québec. Certains commerces se sont installés au niveau de ses différents paliers.

Parmi ceux-ci, on trouve un petit économusée qui dévoile les secrets des souffleurs de verre. À l'**Atelier Verrerie La Mailloche** *(entrée libre; fin juin à début nov tlj 9h à 22h, reste de l'année 9h30 à 17h30; 58 rue Sous-le-Fort, ☎694-0445)*, observez le spectacle fascinant des artisans qui travaillent, devant vous, le verre chauffé suivant des techniques ancestrales de soufflage du verre. À l'étage, une boutique propose les objets créés par ces artistes.

Au pied de l'escalier s'allonge la **rue du Petit-Champlain**, étroite voie piétonne bordée de jolies boutiques et d'agréables cafés, installés dans des maisons des XVIIe et XVIIIe siècles. Certains bâtiments, au pied du cap, ont été détruits par des éboulis, avant que la falaise ne soit stabilisée au XIXe siècle.

La **maison Louis-Jolliet** ★ *(16 rue du Petit-Champlain)* est une des plus anciennes demeures de Québec (1683) et l'une des rares œuvres de Claude Baillif encore debout. Elle fut construite après le grand incendie de 1682 qui détruisit la Basse-Ville. La tragédie incita les autorités à imposer la pierre comme matériau pour bâtir et permit, dans un effort d'urbanisme, de redresser les rues et de créer Place-Royale. La maison fut habitée par Louis Jolliet (1645-1700), qui, avec le père Marquette, découvrit le Mississippi et explora la baie d'Hudson. Pendant

les dernières années de sa vie, il enseigna l'hydrographie au Séminaire de Québec. L'intérieur du bâtiment a été complètement chambardé, puisque l'on y retrouve maintenant l'entrée inférieure du funiculaire.

Escalier Casse-Cou

Suivez la rue du Petit-Champlain jusqu'au bout, là où elle rejoint le boulevard Champlain. Sur la façade de la dernière maison de la rue, vous verrez apparaître une fresque colorée.

Vous aurez sans doute besoin de plusieurs minutes pour admirer les nombreux détails que recèle la belle **Fresque du Petit-Champlain** *(102 rue du Petit-Champlain)*. Quelque 35 personnages, connus ou anonymes, qui ont façonné l'histoire du Québec, et plus particulièrement de Québec et du quartier du Petit-Champlain, sont mis en scène dans six pièces, du rez-de-chaussée au grenier, faisant revivre des lieux différents de leur vie quotidienne tels que des ateliers d'artisans ou une auberge. Comme si les murs de la maison que vous avez sous les yeux s'étaient soudain ouverts sur des pans de l'histoire!

Revenez un peu sur vos pas pour descendre l'escalier qui mène vers le boulevard Champlain. Au bas de l'escalier, retournez-vous et contemplez l'exceptionnelle vue en contre-plongée sur le Château Frontenac.

La **maison Demers** ★ *(28 boul. Champlain)*, cette imposante maison de marchand érigée en 1689 par le maçon Jean Lerouge, est typique des habitations bourgeoises de la Basse-Ville. Elle présente une façade résidentielle à deux niveaux sur la rue du Petit-Champlain, dont seul le rez-de-chaussée n'est pas d'origine, alors que l'arrière, haut de quatre étages, permettait d'emmagasiner les biens dans les voûtes des niveaux inférieurs, qui donnaient directement sur l'anse du Cul-de-Sac. Ce havre naturel est aujourd'hui remblayé et construit. Cependant, il est encore possible d'en percevoir le pourtour en observant le tissu urbain ancien.

L'**anse du Cul-de-Sac**, aussi appelée «anse aux Barques», fut le premier port de Québec. En 1745, l'intendant Gilles Hocquart fait aménager dans sa partie ouest un important chantier naval, où seront construits plusieurs vaisseaux de guerre français avec du bois canadien.

Au XIXe siècle, on érige, sur les remblais, le terminal ferroviaire du Grand Tronc (1854) et le marché Champlain (1858), détruit par le feu en 1899. Le site comprend actuellement des bâtiments administratifs et le **terminal du traversier Québec-Lévis** (voir p 406).

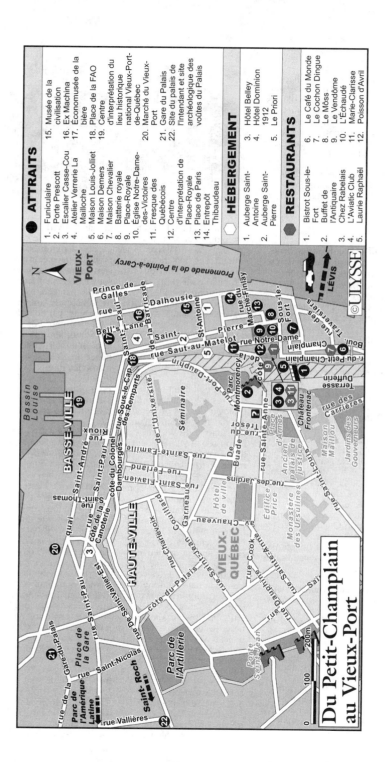

Du Petit-Champlain au Vieux-Port

● **ATTRAITS**

1. Funiculaire
2. Porte Prescott
3. Escalier Casse-Cou
4. Atelier Verrerie La Mailloche
5. Maison Louis-Jolliet
6. Maison Demers
7. Maison Chevalier
8. Batterie royale
9. Place-Royale
10. Église Notre-Dame-des-Victoires
11. Fresque des Québécois
12. Centre d'interprétation de Place-Royale
13. Place de Paris
14. Entrepôt Thibaudeau
15. Musée de la civilisation
16. Ex Machina
17. Économusée de la bière
18. Place de la FAO
19. Centre d'interprétation du lieu historique national Vieux-Port-de-Québec
20. Marché du Vieux-Port
21. Gare du Palais
22. Site du palais de l'Intendant et site archéologique des voûtes du Palais

⬡ **HÉBERGEMENT**

1. Auberge Saint-Antoine
2. Auberge Saint-Pierre
3. Hôtel Belley
4. Hôtel Dominion 1912
5. Le Priori

◆ **RESTAURANTS**

1. Bistrot Sous-le-Fort
2. Buffet de l'Antiquaire
3. Chez Rabelais
4. L'Aviatic Club
5. Laurie Raphaël
6. Le Café du Monde
7. Le Cochon Dingue
8. Le Môss
9. Le Vendôme
10. L'Échaudé
11. Marie-Clarisse
12. Poisson d'Avril

Il est recommandé d'effectuer le bref aller-retour sur le traversier afin de jouir d'un des meilleurs points de vue sur Québec. En hiver, la traversée est une rare occasion de se confronter aux glaces du Saint-Laurent.

Suivez le boulevard Champlain jusqu'à la rue du Marché-Champlain, vers l'est. L'accès au traversier est situé à l'extrémité sud de cette large artère.

L'**Hôtel Jean-Baptiste-Chevalier** ★★ *(60 rue du Marché-Champlain)*, un ancien hôtel particulier, fut le premier des bâtiments du secteur de Place-Royale à retenir l'attention des restaurateurs. Il comprend en réalité trois maisons érigées à des époques différentes: la **maison de l'armateur Chevalier**, en forme d'équerre (1752), la **maison Frérot**, au toit mansardé (1683), et la **maison Dolbec** (1713). Tous ces bâtiments seront réparés ou en partie reconstruits après la Conquête. L'ensemble a été tiré de l'oubli en 1955 par Gérard Morisset, directeur de l'Inventaire des œuvres d'art, qui suggère alors son rachat et sa restauration par le gouvernement du Québec. Cette démarche aura un effet d'entraînement bénéfique et évitera que Place-Royale ne soit rasée.

La **maison Chevalier** *(entrée libre; fin juin à fin oct tlj 10h à 17h30, mai à fin juin mar-dim 10h à 17h30, nov à mai sam-dim 10h à 17h; 60 rue du Marché-Champlain, ☎643-2158)* abrite une annexe du Musée de la civilisation où est présentée une intéressante exposition, «Habiter au passé», portant sur la vie quotidienne des familles de marchands en

Nouvelle-France. Elle renferme des meubles ainsi que des objets d'usage courant. Les boiseries originales de l'Hôtel Chevalier, belle réalisation d'ébénisterie de style Louis XV (vers 1764), sont également visibles.

Empruntez la rue Notre-Dame, puis tournez à droite dans la rue Sous-le-Fort.

La Basse-Ville n'étant pas emmurée, il fallut trouver d'autres solutions pour la protéger des tirs provenant des navires. Au lendemain de l'attaque de William Phipps en 1690, on décida d'aménager la **Batterie royale** ★ *(à l'extrémité de la rue Sous-le-Fort)* selon un plan de Claude Baillif. Son emplacement stratégique permettait en outre de mener une offensive sur la flotte ennemie, si jamais elle s'aventurait dans l'étranglement du fleuve Saint-Laurent, en face de Québec. En 1974, les vestiges de la batterie, long-temps camouflés sous des entrepôts, sont mis au jour. On doit alors reconstituer les créneaux supprimés au XIXe siècle ainsi que le portail de bois, visible sur un dessin de 1699.

Les deux maisons crépies de la rue Saint-Pierre, qui avoisinent la Batterie royale, ont été érigées pour Charles Guillemin au

Place Royale

début du XVIIIe siècle. La forme étriquée de celle de gauche démontre à quel point l'espace était précieux dans la Basse-Ville sous le Régime français, chaque parcelle, même irrégulière, devant être construite. Un peu plus loin, au numéro 25 de la rue Saint-Pierre, se trouve la **maison Louis-Fornel**, aménagée au XVIIe siècle à même les ruines du château fort de Champlain. Il est à noter que ses voûtes s'étendent jusque sous la place Royale elle-même.

Longez la rue Saint-Pierre, puis grimpez à gauche la petite ruelle de la Place menant à la place Royale.

Le secteur de **Place-Royale** ★★★, le plus européen de tous les quartiers d'Amérique du Nord, rappelle un village du nord-ouest de la France. Le lieu est lourd de symboles puisque c'est sur le site de l'actuelle place Royale que Québec a été fondée en 1608. Après de multiples tentatives infructueuses, ce fut le véritable point de départ de l'aventure française en Amérique. Sous le Régime français, ce qu'on nomme aujourd'hui «Place-Royale» représentait le seul secteur densément peuplé d'une colonie vaste et sauvage, et c'est désormais la plus importante concentration de bâtiments des XVIIe et

XVIIIᵉ siècles en Amérique au nord du Mexique.

La place Royale elle-même est inaugurée en 1673 par le gouverneur Frontenac, qui en fait une place de marché. Celle-ci occupe l'emplacement du jardin de l'«Abitation» de Champlain, sorte de château fort incendié en 1682, au même moment que toute la Basse-Ville. En 1686, l'intendant Jean Bochart de Champigny fait ériger, au centre de la place, un **buste en bronze de Louis XIV**, conférant de la sorte au lieu le titre de «place Royale». Le buste disparaît sans laisser de traces après 1700. En 1928, François Bokanowski, ministre français du Commerce et des Communications, offre au Québécois Athanase David une réplique en bronze du buste en marbre de Louis XIV se trouvant dans la Galerie de Diane, à Versailles, afin de remplacer la statue disparue. L'œuvre du fondeur Alexis Rudier ne fut installée qu'en 1931, car on craignait par ce geste d'insulter l'Angleterre!

L'**église Notre-Dame-des-Victoires** ★★ *(entrée libre; début mai à mi-oct tlj 9h30 à 16h30; reste de l'année 10h à 16h30; ne se visite pas lors des mariages, des baptêmes et des funérailles; 32 rue Sous-le-Fort, ☎692-1650)*, cette petite église sans prétention, est la plus ancienne qui subsiste au Canada. Sa construction a été entreprise en 1688 selon les plans de Claude Baillif sur l'emplacement de l'«Abitation» de Champlain, dont elle a intégré une partie des murs. D'ailleurs, sur le sol à côté de l'église, on a marqué de granit noir l'emplacement des vestiges des fondations de la seconde Abitation de Champlain, découverts en 1976.

D'abord placée sous le vocable de l'Enfant-Jésus, cette église est rebaptisée Notre-Dame-de-la-Victoire à la suite de l'attaque infructueuse de l'amiral Phipps en face de Québec (1690), puis Notre-Dame-des-Victoires en rappel de la déconfiture de l'amiral Walker, dont la flotte fit naufrage à l'île aux Œufs lors d'une tempête en 1711. Les bombardements de la Conquête ne laisseront debout que les murs, ruinant du coup le beau décor intérieur des Levasseur. L'église est rétablie en 1766, mais ne sera achevée qu'avec la pose du clocher actuel en 1861.

Raphaël Giroux exécute la majeure partie du décor intérieur entre 1854 et 1857, mais l'étrange tabernacle «forteresse» du maître-autel est une œuvre plus tardive de David Ouellet (1878). Enfin, en 1888, Jean Tardivel peint les scènes historiques sur la voûte et sur le mur du chœur. Mais ce sont les pièces autonomes qui retiennent davantage l'attention: on remarque d'abord l'ex-voto suspendu au centre de la voûte et représentant le *Brézé*, un navire venu au Canada en 1664 avec, à son bord, les soldats du régiment de Carignan-Salières, puis le beau tabernacle déposé dans la chapelle Sainte-Geneviève, attribué à Pierre-Noël Levasseur (vers 1730). Parmi les tableaux accrochés aux murs, il faut signaler la présence d'œuvres de Boyermans et de Van Loo provenant de la collection de l'abbé Desjardins.

Sous le Régime français, la place Royale attire de nombreux marchands et armateurs qui s'y font construire de belles demeures. La haute maison formant l'angle sud-ouest de la place Royale et de la ruelle de la Place, la **maison Barbel**, fut érigée en 1754 pour la redoutable femme d'affaires Anne-Marie Barbel, veuve de Louis Fornel. Elle était, à l'époque, propriétaire d'une manufacture de poteries sur la rivière Saint-Charles et détenait le bail du lucratif poste de traite de Tadoussac.

Quant à la **maison Dumont** *(1 place Royale)*, elle fut construite en 1689 selon les plans de l'indispensable Claude Baillif pour le marchand de vins Eustache Lambert Dumont, en incorporant les vestiges du magasin de la Compagnie des Habitants (1647). Transformée en auberge au XIXᵉ siècle, la maison était l'étape choisie par le président étasunien Howard Taft (1857-1930) lors de son passage annuel à Québec, en route pour La Malbaie, où il passait ses vacances estivales.

Au numéro 3-A se trouve la **maison Bruneau-Rageot-Drapeau**, reconstruite en 1763 sur les fondations de la demeure de Nicolas Jérémie, interprète en langue innue, puis commis aux postes de traite de la baie d'Hudson.

La maison Paradis, rue Notre-Dame, abrite l'**Atelier du patrimoine vivant** *(entrée libre; mai à sept tlj 10h à 17h, début sept à mi-oct mer-dim 10h à 17h; 42 rue Notre-Dame, ☎647-1598)*. L'atelier regroupe plusieurs artisans travaillant selon les méthodes traditionnelles.

Si vous continuez par la rue Notre-Dame vers la côte de la Montagne et que vous vous retourniez, vous serez surpris par un spectacle coloré. Sur le mur aveugle de la maison

Ville de Québec

Soumande, devant le parc de La Cetière, s'étalent les couleurs de la **Fresque des Québécois** ★★. En fait, les passants pourraient fort bien ne pas la remarquer puisqu'il s'agit d'un trompe-l'œil! Cette fresque a été créée par une équipe d'artistes français et québécois dirigés par des experts (historiens, géographes, etc.) assurant à l'œuvre une qualité réaliste fort instructive. On a amalgamé sur 420 m² ces architectures et ces lieux caractéristiques de Québec tels le cap, les remparts, une librairie, les maisons du Vieux-Québec, bref tous ces lieux que côtoient chaque jour les habitants de la ville. On peut s'amuser de longues minutes, comme la foule de passants admiratifs qui s'amasse à ses pieds beau temps, mauvais temps, à repérer les personnages historiques et à tenter de se remémorer le rôle qu'ils ont joué. Du haut vers le bas et de la gauche vers la droite, on aperçoit Marie Guyart, Catherine de Longpré, François de Laval, Jacques Cartier, Thaïs Lacoste-Frémont, François-Xavier Garneau, Louis-Joseph Papineau, Jean Talon, le comte de Frontenac, Marie Fitzbach, Marcelle Mallet, Louis Jolliet, Alphonse Desjardins, Lord Dufferin, Félix Leclerc et, finalement, Samuel de Champlain, grâce à qui tout a commencé!

Revenez à la place Royale, et arrêtez-vous pour une visite au **Centre d'interprétation de Place-Royale** ★★ *(3$, entrée libre début nov à fin mars et les mar début avr à fin juin, forfait 8,50$ avec la visite du Musée de la civilisation et du Musée de l'Amérique française; fin oct à fin juin mar-dim 10h à 17h, fin juin à fin oct tlj 9h30 à 17h; 27 rue Notre-Dame, ☎646-*

3167, www.mcq.org), qui a été inauguré à l'automne 1999. Pour le loger, les maisons Hazeur et Smith, qui avaient été incendiées, ont été remises à neuf dans un style moderne laissant une bonne place aux matériaux d'origine. Le verre y est omniprésent, permettant d'admirer de partout les pièces exposées autant que l'architecture des bâtiments. Entre les deux maisons, un escalier descend de la côte de la Montagne jusqu'à la place Royale en longeant des murs vitrés qui laissent déjà entrevoir les trésors qu'abrite le centre. Sur chacun de ses trois niveaux, une exposition dévoile les pans de l'histoire de Place-Royale. Y sont présentés des vestiges découverts lors des fouilles effectuées sous la place. Objets intacts ou minuscules pièces difficilement identifiables, ils restent tous instructifs. On peut aussi assister à un spectacle multimédia et admirer des maquettes comme celle représentant la seconde Abitation de Champlain en 1635.

On y apprend, entre autres choses, que la première auberge à avoir vu le jour à Québec fut ouverte en 1648 par un certain sieur Boidon, au nom prédestiné! La tradition hôtelière de la place se poursuit jusqu'au milieu du XXᵉ siècle, alors que Place-Royale perd son dernier hôtel dans un incendie.

Au sous-sol, les voûtes de la maison se transforment en salle de jeu, alors que petits et grands peuvent se costumer pour jouer le rôle des anciens occupants des lieux. Une belle idée originale!

Redescendez la ruelle de la Place, qui débouche sur la place de Paris.

La **place de Paris** ★ *(en bordure de la rue du Marché-Finlay)*, cette place raffinée, belle réussite d'intégration de l'art contemporain à un contexte ancien, a été aménagée en 1987 par l'architecte québécois Jean Jobin. Au centre trône une œuvre de l'artiste français Jean-Pierre Raynault, offerte par la Ville de Paris à l'occasion du passage à Québec de son maire. Le monolithe de marbre blanc et de granit noir, baptisé *Dialogue avec l'histoire*, évoque l'émergence de la première forme humaine en ces lieux et fait pendant au buste de Louis XIV, visible dans la perspective. Les Québécois l'ont surnommé le «Colosse de Québec» en raison de sa masse imposante. De la place, autrefois occupée par un marché public, on jouit d'une vue magnifique sur la Batterie royale, le Château Frontenac et le fleuve Saint-Laurent.

L'**entrepôt Thibaudeau** *(215 rue du Marché-Finlay)* se présente comme un vaste immeuble dont la façade principale en pierre donne sur la rue Dalhousie. Il représente la dernière étape de développement du secteur, avant qu'il ne sombre dans l'oubli à la fin du XIXᵉ siècle. L'entrepôt de style Second Empire (version nord-américaine du style Napoléon III), caractérisé par un toit mansardé et par des ouvertures à arcs segmentaires, a été érigé en 1880, selon les plans de Joseph-Ferdinand Peachy, pour Isidore Thibaudeau, président fondateur de la Banque Nationale.

Remontez vers la rue Saint-Pierre, que vous emprunterez à droite.

Au numéro 92 de la rue Saint-Pierre se dresse une imposante demeure de marchand, la **maison Estèbe** de 1752, aujourd'hui intégrée au Musée de la civilisation, dont on aperçoit les murs de pierres lisses en bordure de la rue. Guillaume Estèbe était directeur des Forges du Saint-Maurice, «aux» Trois-Rivières, et négociant. Ayant conduit plusieurs affaires louches avec l'intendant Bigot pendant la guerre de Sept Ans, il fut emprisonné pendant quelques mois à la Bastille pour malversation. Sa maison, où il vécut cinq ans avec sa femme et ses 14 enfants, est érigée sur un remblai qui donnait autrefois sur un large quai privé correspondant à la cour du Musée de la civilisation. Cette cour est accessible par la porte cochère, sur la gauche. L'intérieur, épargné par les bombardements de 1759, comprend 21 pièces, dont certaines revêtues de belles boiseries de style Louis XV.

À l'angle de la rue de la Barricade se trouvent l'ancien édifice de la **Banque de Québec** (Edward Staveley, architecte, 1861) et, en face, l'ancienne **Banque Molson**, installée dans une maison du XVIIIe siècle.

Tournez à droite dans la rue de la Barricade. L'entrée du Musée de la civilisation est située rue Dalhousie, sur la droite.

Le **Musée de la civilisation** ★★ *(7$, forfait 8,50$ avec la visite du Musée de l'Amérique française et du Centre d'interprétation de Place-Royale; mar, sauf en été, entrée libre; fin juin à début sept tlj 10h à 19h, dé-but sept à fin juin mar-dim 10h à 17h; 85 rue Dalhousie, ☎643-2158; www.mcq.org)*, inauguré en 1988, se veut une interprétation de l'architecture traditionnelle de Québec, à travers ses toitures et lucarnes stylisées et son campanile rappelant les clochers des environs. L'architecte Moshe Safdie, à qui l'on doit également le révolutionnaire Habitat 67 de Montréal et le Musée des beaux-arts du Canada, à Ottawa, a créé là un édifice sculptural, au milieu duquel prend place un escalier extérieur, véritable monument en soi. Le hall central offre une vue charmante sur la maison Estèbe et son quai, tout en conservant une apparence contemporaine, renforcée par la sculpture d'Astri Reuch, intitulée *La Débâcle*.

Le Musée de la civilisation propose des expositions temporaires des plus variées. L'humour, le cirque et la chanson par exemple ont déjà fait l'objet de présentations des plus vivantes. On y accueille aussi des expositions venues raconter les grandes civilisations de ce monde.

Parallèlement, les collections permanentes dressent un portrait des civilisations d'ici. «Mémoires» suit l'histoire de l'évolution du peuple québécois. «Nous les Premières Nations», une exposition à grand déploiement élaborée conjointement avec des Autochtones, retrace l'histoire des 11 nations qui peuplent le territoire québécois. On y voit une foule d'objets ainsi que des documents audiovisuels comme ceux du cinéaste Arthur Lamothe.

Parmi les objets les plus intéressants, on notera la présence d'une grande barque du Régime français dégagée lors des fouilles sur le chantier du musée, de corbillards à chevaux très ornés datant du XIXe siècle et d'objets d'art et d'ébénisterie chinois provenant de la collection des jésuites, incluant un beau lit impérial. Il est aussi possible de visiter les caves voûtées datant du XVIIIe siècle qui se trouvent sous le musée.

Dirigez-vous vers le nord-est, en direction du Vieux-Port, par la rue Dalhousie.

Juste à côté du Musée de la civilisation, on aperçoit un imposant édifice de style Beaux-Arts datant de 1912. Il s'agit d'une ancienne caserne de pompiers qui a été rénovée pour accueillir **Ex Machina** *(103 rue Dalhousie)*, un centre de production artistique multidisciplinaire parrainé par l'homme de théâtre Robert Lepage. Remarquez la haute tour coiffée d'un dôme en cuivre qui se dresse à l'angle sud-est, tel un clocher d'église, et qui s'inspire de la tour du parlement. Les pompiers s'en servaient pour suspendre leurs longs boyaux d'arrosage, faits de tissu à cette époque, pour qu'ils sèchent sans risquer de s'abîmer. L'édifice a été agrandi, et, afin de préserver son caractère, on a érigé devant la nouvelle partie un faux mur rappelant le mur de pierres d'origine, mais composé de... matière plastique!

Souvent critiqué pour son caractère trop nord-américain dans une ville à sensibilité tout européenne, le **Vieux-Port** ★ a été réaménagé par le gouvernement du Canada à l'occasion de l'événement maritime «Québec 1534-1984».

Ville de Québec

L'**édifice de la Douane** *(2 quai St-André)* présente, avec son dôme et ses colonnes, une belle architecture néo-classique. Notez qu'à l'époque de sa construction (1856-1857) l'eau du fleuve venait mourir à ses pieds.

Toute la portion du Vieux-Port comprise entre Place-Royale et l'entrée du **bassin Louise** porte le nom de **Pointe-à-Carcy**. Un terminal de croisière y a été aménagé en 2002.

Revenez à la rue appelée «quai Saint-André».

Dans un bar installé depuis plusieurs années dans le Vieux-Port de Québec, L'Inox, on a aménagé un **Économusée de la bière** *(entrée libre; tlj 12h à 3h; 37 quai Saint-André, ☎692-2877)*. Vous pouvez donc, en parcourant des yeux les panneaux d'interprétation accrochés aux murs, en apprendre plus sur l'histoire de ce breuvage qui n'est pas né d'hier! Vous découvrirez aussi tous les secrets de sa fabrication en prenant part à une visite guidée. L'Inox étant une microbrasserie, le maître brasseur peut vous emmener dans son antre, d'ailleurs visible du bar grâce à un mur vitré, tout en vous abreuvant d'explications et en vous faisant déguster le fruit de son travail.

Empruntez la rue Saint-Pierre à gauche.

Au carrefour formé par les rues Saint-Pierre, Saint-Paul et Sault-au-Matelot, on retrouve la **place de la FAO**. Cette place rend hommage à l'Organisation des Nations unies pour l'agriculture et l'alimentation (FAO), dont la première assemblée eut lieu en 1945 au Château Frontenac. Au centre de la place se dresse une sculpture représentant la proue d'un navire semblant émerger des flots. Sa figure de proue féminine, *La Vivrière*, tient à bras le corps des fruits, des légumes et des céréales de toutes sortes.

Devant la place de la FAO, à l'angle de la rue Saint-Pierre, l'ancien édifice de la **Banque canadienne de commerce** en impose par son large portique arrondi.

Empruntez la rue Sault-au-Matelot jusqu'à la rue de la Barricade, ainsi nommée en l'honneur de la barricade qui repoussa l'invasion des révolutionnaires venus de ce qui allait devenir les États-Unis pour tenter de prendre Québec le 31 décembre 1775.

La rue de la Barricade, sur la droite, mène à la **rue piétonnière Sous-le-Cap**. Cet étroit passage, qui était autrefois coincé entre les eaux du Saint-Laurent et l'escarpement du cap Diamant, fut pendant longtemps le seul chemin pour rejoindre le quartier du palais de l'Intendant. À la fin du XIXe siècle, cette rue abritait des familles ouvrières d'origine irlandaise. Les habitants d'aujourd'hui, disposant de trop peu d'espace, ont aménagé des cabanons du côté de la falaise, qui rejoignent les maisons par des passerelles qui enjambent la rue à la hauteur des cordes à linge. On emprunte la rue Sous-le-Cap presque sur la pointe des pieds, tant on a l'impression qu'elle fait partie d'un petit monde à part! Au bout de la rue, vous déboucherez dans la côte du Colonel-Dambourgès puis sur la rue Saint-Paul.

La **rue Saint-Paul** est des plus agréables. S'y alignent plusieurs boutiques d'antiquaires, qui exhibent jusque dans la rue de belles pièces du patrimoine québécois.

Pour atteindre le centre d'interprétation du lieu historique national du Vieux-Port-de-Québec, rejoignez le quai Saint-André par la rue Rioux ou par la rue des Navigateurs.

À l'époque des bateaux à voiles, Québec était une des principales portes d'entrée de l'Amérique, plusieurs navires ne pouvant affronter les courants contraires du fleuve plus à l'ouest. Son port, très fréquenté, était entouré de chantiers navals importants, dont l'existence était justifiée par l'abondance et la qualité du bois canadien. Les premiers chantiers royaux apparaissent sous le Régime français à l'anse du Cul-de-Sac. Le blocus napoléonien de 1806 force les Britanniques à se tourner vers leur colonie du Canada pour l'approvisionnement en bois et pour la construction de vaisseaux de guerre, donnant le coup d'envoi à de multiples chantiers qui feront la fortune de leurs propriétaires. Le centre d'interprétation du **lieu historique national du Vieux-Port-de-Québec** *(3$; début mai à début sept tlj 10h à 17h, début sept mi-oct tlj 13h à 17h; 100 rue St-André, ☎648-3300)* traite plus particulièrement de cette période florissante de la navigation à Québec. On peut aussi prendre part à des visites guidées *(8$)* du Vieux-Port pendant lesquelles on est accompagné de personnages en costumes d'époque.

Empruntez la promenade qui serpente le long du bassin jusqu'au marché du Vieux-Port.

La plupart des marchés publics du Québec ont

fermé leurs portes au début des années 1960, car ils étaient perçus comme des services obsolètes à l'âge des supermarchés climatisés et des aliments surgelés. Mais l'attrait des produits frais de la ferme et celui du contact avec le producteur sont demeurés, de même que la volonté de vivre en société dans des lieux publics non aseptisés. Aussi les marchés publics ont-ils réapparu timidement au début des années 1980. Le **marché du Vieux-Port** ★ *(angle rue St-Thomas et quai St-André)*, érigé en 1987, succède à deux marchés de la Basse-Ville, aujourd'hui disparus (marchés Finlay et Champlain). Il est agréable d'y flâner en été et de jouir des vues sur la marina du bassin Louise, accolée au marché.

Prenez la rue Saint-Paul, puis tournez à droite dans la rue Abraham-Martin pour emprunter la rue de la Gare-du-Palais jusqu'à la gare elle-même.

Pendant plus de 50 ans, les citoyens de Québec ont réclamé qu'une gare prestigieuse soit construite pour desservir leur ville. Leur souhait sera finalement exaucé par le Canadien Pacifique en 1915. Érigée selon les plans de l'architecte new-yorkais Harry Edward Prindle dans le même style que le Château Frontenac, la **gare du Palais** ★ donne au passager qui arrive à Québec un avant-goût de la ville romantique et pittoresque qui l'attend. Le hall, haut de 18 m, qui s'étire derrière la grande verrière de la façade, est baigné de lumière grâce aux puits en verre plombé de sa toiture. Ses murs sont recouverts de carreaux de faïence et de briques multicolores,

donnant un aspect éclatant à l'ensemble.

La gare fut fermée pendant près de 10 ans (de 1976 à 1985), à une époque où les compagnies ferroviaires tentaient d'imiter les compagnies aériennes, soit en déplaçant leurs infrastructures dans la lointaine banlieue. Elle fut heureusement rouverte en grande pompe et tient lieu aujourd'hui de gare ferroviaire et de terminus d'autocars. En face, la **place de la Gare** offre un petit espace de détente marqué par une impressionnante fontaine du regretté Charles Daudelin, *Éclatement II*.

Les architectes De Blois, Côté, Leahy ont restauré avec brio, au milieu des années 1980, l'ensemble de ce quadrilatère, connu sous le nom d'**îlot Saint-Nicolas** et délimité par la ruelle de l'Ancien-Chantier, la rue De Saint-Vallier Est, la rue Saint-Paul et la rue Saint-Nicolas. Le beau bâtiment d'angle en pierre, de même que les deux autres situés derrière sur la rue Saint-Nicolas, ont abrité de 1938 à 1978 le célèbre **Cabaret Chez Gérard**, où se produisaient régulièrement Charles Trenet et Rina Ketty, ainsi que plusieurs autres vedettes de la chanson française, et où Charles Aznavour a fait ses débuts. Il y a chanté tous les soirs pendant deux ans contre un maigre cachet dans les années 1950. C'était ça, la bohème!

Le grand bâtiment revêtu de briques d'Écosse, coiffé d'un clocheton et appelé les **maisons Lecourt**, a été érigé en face de l'îlot Saint-Nicolas, à même les vestiges du magasin du Roi de l'intendant Bigot (1750). Surnommé «La Friponne» en raison de la surenchère des prix pratiqués par

Bigot et ses acolytes au détriment de la population affamée, le site était, avec l'anse du Cul-de-Sac, un des deux seuls points d'accostage à Québec sous le Régime français. Dès le XVIIe siècle, on érige dans l'estuaire de la rivière Saint-Charles des entrepôts, des quais ainsi qu'un chantier naval avec cale sèche, qui a donné son nom à la rue de l'Ancien-Chantier.

Le **site du palais de l'Intendant** ★ ainsi que le **Centre d'interprétation archéologique** font partie de l'**îlot des Palais** *(3$; fin juin à début sept tlj 10h à 17h, reste de l'année sur réservation; 8 rue Vallières, ☎691-6092)* et du **site archéologique des voûtes du Palais**. L'intendant voyait aux affaires courantes de la colonie. C'est pourquoi on retrouvait, à proximité des son palais, les magasins royaux, les quelques industries d'État de même que la prison. L'intendant ayant maintes occasions de s'enrichir, il était normal que sa demeure soit la plus luxueuse des résidences construites en Nouvelle-France. Devant apparaissent les vestiges d'une aile de son palais, constituée du mur de fondation de la structure en brique brune qui s'élève maintenant au-dessus. Le lieu fut d'abord occupé par la brasserie créée en 1671 par Jean Talon (1625-1694), premier intendant. Talon fit de grands efforts pour peupler et stimuler le développement économique de la colonie. À son retour en France, il fut nommé secrétaire du cabinet du roi. Sa brasserie sera remplacée par le palais conçu selon les dessins de l'ingénieur La Guer Morville en 1716. Le bel édifice comportait notamment un portail classique en pierre de taille s'ouvrant sur un escalier en fer à cheval. Une vingtaine de pièces d'apparat, disposées en enfilade, accueillaient réceptions et réunions officielles du Conseil supérieur.

Épargné par les bombardements de la Conquête, le palais sera malheureusement incendié lors de l'invasion américaine de 1775-1776. Ses voûtes serviront de fondation à la brasserie Boswell, érigée en 1872. L'endroit effectue ainsi un retour aux sources inattendu. Les visiteurs ont accès aux voûtes où se trouve un centre d'interprétation archéologique présentant les vestiges et les ruines découvertes sur le site.

Pour retourner à la Haute-Ville, grimpez la côte du Palais, prolongement de la rue Saint-Nicolas.

Circuit C: La Grande Allée et l'avenue Cartier (un jour)

La Grande Allée apparaît déjà sur les cartes du XVIIe siècle, mais son urbanisation survient dans la première moitié du XIXe siècle, alors que Québec s'étend en dehors de ses propres murs. D'abord route de campagne reliant Québec au chemin du Roy, qui conduit vers Montréal, la voie était à l'origine bordée de grandes propriétés agricoles appartenant à la noblesse et aux communautés religieuses du Régime français. À la suite de la Conquête, de nombreux terrains sont aménagés en domaines champêtres, au milieu desquels sont érigées des villas pour les marchands anglophones.

Puis la ville néoclassique s'approprie le territoire, avant que la ville victorienne ne lui donne son cachet particulier. La Grande Allée est de nos jours la plus agréable des voies d'accès au Vieux-Québec. Elle relie les différents ministères de la capitale, ce qui ne l'empêche pas d'avoir la mine joyeuse, même que, sur la dernière portion, plusieurs des demeures bourgeoises qui la bordent ont été reconverties en restaurants ou en discothèques.

Le circuit débute à la porte Saint-Louis et s'éloigne graduellement de la ville fortifiée.

Sur la droite s'élève le **monument à l'historien François-Xavier Garneau** du sculpteur Paul Chevré. Sur la gauche, on aperçoit la **croix du Sacrifice**, en face de laquelle se tient tous les ans la cérémonie du Souvenir, qui a lieu le jour de l'Armistice (11 novembre).

L'**Hôtel du Parlement** ★★★ *(entrée libre; visites guidées fin juin à début sept lun-ven 9h et 16h30, sam-dim 10h à 16h30; début sept à juin lun-ven 9h à 16h30; angle av. Honoré-Mercier et Grande Allée E.,* ☎*643-7239)* est mieux connu des habitants de Québec sous le nom d'Assemblée nationale; ce vaste édifice construit entre 1877 et 1886 est en effet le siège du gouvernement. Il arbore un fastueux décor néo-Renaissance française qui se veut le reflet de la particularité

ethnique du Québec dans le contexte nord-américain. Eugène-Étienne Taché (1836-1912), son architecte, s'est inspiré du palais du Louvre à la fois pour le décor et pour le plan, développé autour d'une cour carrée. Conçu à l'origine pour loger l'ensemble des ministères ainsi que les deux Chambres d'assemblée calquées sur le modèle du système parlementaire britannique, il s'inscrit de nos jours en tête d'un groupe d'immeubles gouvernementaux s'étirant de part et d'autre de la Grande Allée.

La façade principale aux nombreuses statues constitue une sorte de panthéon québécois. Les 22 bronzes de personnages marquants de la nation qui occupent les niches et les piédestaux ont été réalisés par des sculpteurs réputés tels que Louis-Philippe Hébert et Alfred Laliberté. Une élévation annotée de la façade, placée à proximité de l'allée centrale, permet d'identifier ces figures. Devant l'entrée principale, un bronze d'Hébert, intitulé *La halte dans la forêt*, représentant une famille amérindienne, honore la mémoire des premiers habitants du Québec. L'œuvre a été présentée à l'Exposition universelle de Paris en 1889. *Le pêcheur à la Nigog*, du même auteur, est disposé dans la niche de la fontaine.

Hôtel du Parlement

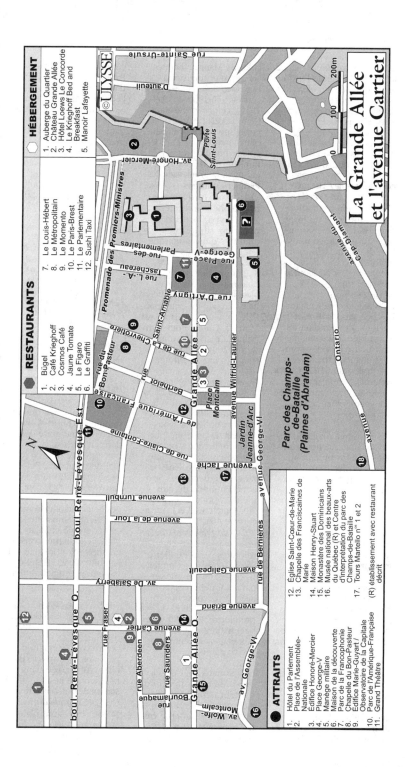

La Grande Allée et l'avenue Cartier

HÉBERGEMENT

1. Auberge du Quartier
2. Château Grande Allée
3. Hôtel Loews Le Concorde
4. Le Krieghoff Bed and Breakfast
5. Manoir Lafayette

RESTAURANTS

1. Bügel
2. Café Krieghoff
3. Cosmos Café
4. Jaune Tomate
5. Le Figaro
6. Le Graffiti
7. Le Louis-Hébert
8. Le Métropolitain
9. Le Momento
10. Le Paris-Brest
11. Le Parlementaire
12. Sushi Taxi

ATTRAITS

1. Hôtel du Parlement
2. Place de l'Assemblée-Nationale
3. Édifice Honoré-Mercier
4. Place George-V
5. Manège militaire
6. Maison de la découverte
7. Parc de la Francophonie
8. Chapelle du Bon-Pasteur
9. Édifice Marie-Guyart / Observatoire de la Capitale
10. Parc de l'Amérique-Française
11. Grand Théâtre
12. Église Saint-Cœur-de-Marie
13. Chapelle des Franciscaines de Marie
14. Maison Henry-Stuart
15. Monastère des Dominicains
16. Musée national des beaux-arts du Québec (R) et Centre d'interprétation du parc des Champs-de-Bataille
17. Tours Martello nᵒˢ 1 et 2

(R) établissement avec restaurant décrit

Parc des Champs-de-Bataille (Plaines d'Abraham)

© ULYSSE

0   100   200m

N

L'intérieur, véritable recueil iconographique de l'histoire du Québec, recèle de belles boiseries dorées, dans la tradition de l'architecture religieuse.

Les députés siègent dans la salle de l'Assemblée nationale, ou Salon Bleu, où l'on peut voir *La première séance de l'Assemblée législative du Bas-Canada en 1792*, du peintre Charles Huot, au-dessus du trône du président de l'Assemblée. La grande composition du même artiste, au plafond, évoque la devise du Québec, *Je me souviens*. Le Salon Rouge, aménagé à l'origine pour le Conseil législatif, seconde Chambre non élue, supprimée en 1968, fait pendant au Salon Bleu. Il est maintenant utilisé lors des commissions parlementaires. Une toile intitulée *Le Conseil souverain*, rappellant le mode de gouvernement en Nouvelle-France, y est accrochée.

Des verrières magnifiques aux accents Art nouveau, dues pour la plupart au maître verrier Henri Perdriau, originaire de Saint-Pierre de Montélimar (Vendée), ornent plusieurs fenêtres de l'Hôtel du Parlement. La plus spectaculaire est sans contredit celle de l'entrée du très beau restaurant **Le Parlementaire** (voir p 452), conçue en forme de porte cochère lumineuse par l'architecte Omer Marchand en 1917. Il est possible d'assister aux débats de l'Assemblée nationale en obtenant préalablement un laissez-passer.

Dans le parc de l'Hôtel du Parlement, il faut encore signaler la présence de trois **monuments** importants: celui à la mémoire d'Honoré Mercier, premier ministre de 1887 à 1891;

celui de Maurice Duplessis, premier ministre à l'époque de la «grande noirceur» (1936-1939 et 1944-1959); celui représentant René Lévesque, qui occupe une place privilégiée dans le cœur des Québécois et qui fut premier ministre de 1976 à 1985. De plus, la **promenade des Premiers-Ministres** *(du côté sud du boulevard René-Lévesque)*, nous informe, à l'aide de panneaux d'interprétation, sur les premiers ministres qui ont marqué le Québec depuis 1867.

Signalons, devant l'Assemblée nationale, la belle **place de l'Assemblée-Nationale**, coupée en deux par l'élégante avenue Honoré-Mercier. Du côté des remparts, la place est animée de plusieurs événements tout au long de l'année.

La croissance fulgurante de la fonction publique dans le contexte de la Révolution tranquille des années 1960 va obliger le gouvernement à construire plusieurs immeubles modernes pour abriter les différents ministères. Une belle rangée de demeures Second Empire a dû être sacrifiée pour faire place aux **complexes H et J** *(sur la Grande Allée, en face de l'Hôtel du Parlement)*, cet ensemble, réalisé en 1970 selon les plans de Pierre Saint-Gelais. Le complexe J, surnommé «le bunker» par les Québécois, abritait jusqu'à récemment l'appartement de fonction du premier ministre du Québec, maintenant aménagé aux étages supérieurs de l'édifice Price.

Les bureaux du Conseil exécutif et du cabinet du premier ministre se trouvent depuis le printemps 2002 dans le superbe **édifice Honoré-Mercier** *(835 boul. René-Lévesque Est)*, du

côté nord de l'Hôtel du Parlement. En fait, il s'agit d'un retour, puisque l'édifice a abrité les bureaux du premier ministre jusqu'en 1972. Avant le déménagement, le bâtiment a eu droit à une rénovation intégrale respectant la beauté de son architecture soulignée par ses marbres, ses moulures de plâtre et ses boiseries. Il fut construit entre 1922 et 1925 selon les plans de l'architecte Chênevert.

Prenez la Grande Allée vers l'ouest en vous éloignant du Vieux-Québec. Vous croiserez, sur votre gauche, la rue Place-George-V, qui longe la place du même nom. Empruntez-la jusqu'à l'avenue Wilfrid-Laurier.

La **place George-V**, un espace de verdure, sert de terrain d'exercice et de parade aux soldats du **Manège militaire** ★ *(av. Wilfrid-Laurier)*. Les quelques canons ainsi que le monument Short-Wallick, érigé à la mémoire des deux militaires britanniques qui ont péri en tentant de combattre l'incendie du faubourg Saint-Sauveur en 1889, sont les seuls éléments de décor de ces lieux destinés à mettre en valeur l'amusante façade de style château du Manège militaire, construit en 1888 selon les plans de l'architecte de l'Hôtel du Parlement, Eugène-Étienne Taché.

Sur l'avenue Wilfrid-Laurier, derrière les complexes H et J, à l'orée des plaines d'Abraham, se trouve un centre d'interprétation du parc des Champs-de-Bataille. Aménagée dans un bâtiment de la Citadelle, la **Maison de la découverte** ★ *(835 av. Wilfrid-Laurier, ☎649-6157)* saura plaire autant aux visiteurs qu'aux gens de Québec. À l'étage, on trouve le Bureau d'information de l'Office du tourisme et des congrès de la région de Québec, qui offre plusieurs services pour orienter les voyageurs. Au rez-de-chaussée, doté d'une entrée sur les plaines, on pourra, en plus de vous offrir quelques services, répondre à vos questions concernant le parc des Champs-de-Bataille, son histoire ainsi que les activités multiples qui s'y déroulent. On y tient de petites expositions et des animations sur des thèmes reliés aux plaines. De là partent diverses visites guidées dont l'une à bord du *Bus d'Abraham*, dans lequel vous serez accompagné par Abraham Martin en personne!

Retournez à la Grande Allée.

Le **parc de la Francophonie** *(entre la rue des Parlementaires et la rue D'Artigny)* et le complexe G (voir ci-dessous), qui se profile en arrière-plan, occupe une partie du faubourg Saint-Louis, aujourd'hui presque entièrement détruit. Le parc est aménagé pour la présentation de spectacles en plein air. Il s'anime, entre autres, pendant le **Festival d'été** (voir p 457). On l'appelle communément «Le Pigeonnier», nom qui lui vient de l'intéressante structure de béton érigée en son centre (1973), d'après une idée des architectes paysagistes Schreiber et Williams.

Continuez par la Grande Allée vers l'ouest, le long de sa section la plus animée.

La **terrasse Stadacona** *(nᵒˢ 640 à 664)* correspond à la première phase d'urbanisation de la Grande Allée. L'ensemble néoclassique, construit en 1847, se définit comme une «terrasse», type d'habi-

tat emprunté à l'Angleterre qui est formé d'un groupe de maisons unifamiliales mitoyennes, aménagées derrière une façade unique. Les maisons ont depuis été reconverties en restaurants et bars, devant lesquels sont déployées des terrasses aux multiples parasols. En face *(nᵒˢ 661 à 695)*, un groupe de maisons Second Empire, érigées en 1882, à l'époque où la Grande Allée était l'artère à la mode auprès de la bourgeoisie de Québec, dénotent l'influence du parlement sur l'architecture résidentielle du quartier. Trois autres demeures de la Grande Allée retiennent l'attention pour l'éclectisme de leur façade: la **maison du manufacturier de chaussures W.A. Marsh** *(nᵒ 625)*, érigée en 1899 selon les plans de l'architecte torontois Charles John Gibson; la **maison Garneau-Meredith** *(nᵒˢ 600 à 614)*, construite la même année que la précédente; la **maison William-Price** *(nᵒ 575)*, véritable petit palais à la manière de Roméo et Juliette qui abrite aujourd'hui restaurants et discothèques, et qui est malheureusement écrasée par la masse de l'**Hôtel Loews Le Concorde** (voir p 447). Du restaurant panoramique **L'Astral** (voir p 453) de cet établissement hôtelier, on a cependant une vue magnifique sur la Haute-Ville et les plaines d'Abraham.

À côté de l'Hôtel Loews Le Concorde se trouve la petite **place Montcalm**, où un monument commémore la mort du général français, survenue lors de la bataille des plaines d'Abraham, le 13 septembre 1759. Tournant le dos à Montcalm, est érigée une **statue du général français Charles de Gaulle** *(1890-*

1970), qui a soulevé une vive controverse lors de son installation au printemps 1997.

Plus loin, à l'entrée des plaines d'Abraham, le **jardin Jeanne-d'Arc ★★** dévoile aux yeux des promeneurs de magnifiques parterres de même qu'une statue de la pucelle d'Orléans montée sur un fougueux destrier et qui honore la mémoire des soldats tués en Nouvelle-France au cours de la guerre de Sept Ans. Vous vous trouvez présentement au-dessus d'un immense réservoir d'eau potable, niché sous cette partie des plaines d'Abraham!

Revenez à la Grande Allée vers l'est, et tournez à gauche dans la rue de La Chevrotière.

Derrière l'austère façade de la maison mère des sœurs du Bon-Pasteur, communauté vouée à l'éducation des jeunes filles abandonnées ou délinquantes, se cache une souriante chapelle néobaroque, conçue par Charles Baillargé en 1866. Il s'agit de la **chapelle du Bon-Pasteur ★★** *(entrée libre; juil et août mar-sam 13h30 à 16h30; 1080 rue de La Chevrotière, ☎648-9710)*. Haute et étroite, elle sert de cadre à un authentique tabernacle baroque de 1730, réalisé par Pierre-Noël Levasseur. Cette pièce maîtresse de la sculpture sur bois en Nouvelle-France est entourée de petits tableaux peints par les religieuses et disposés sur les pilastres.

Au dernier des 31 étages de l'**édifice Marie-Guyart**, surnommé «le calorifère» par les Québécois, se trouve l'**Observatoire de la Capitale** *(4$; fin juin à mi-oct tlj 10h à 17h, mi-oct à fin juin mar-dim 10h à 17h;*

Ville de Québec

1037 rue de La Chevrotière, ☎*644-9841 ou 888-497-4322),* d'où l'on bénéficie d'une vue exceptionnelle sur Québec. À 221 m d'altitude, c'est le point d'observation le plus haut de la ville. Mais pour une vue encore plus perçante, utilisez les lunettes d'approche mises à votre disposition.

Revenez à la rue Saint-Amable, que vous emprunterez à droite jusqu'au parc de l'Amérique Française.

Le **parc de l'Amérique-Française** voit flotter en son centre les drapeaux des différentes communautés francophones d'Amérique du Nord.

Le **Grand Théâtre** *(269 boul. René-Lévesque E.,* ☎*643-8131),* situé à l'autre extrémité du parc, constituait au moment de son inauguration, en 1971, le fleuron de la haute société de Québec. Aussi le scandale fut-il grand lorsqu'une murale du sculpteur Jordi Bonet arborant un poème de Claude Péloquin, où l'on peut encore lire *Vous êtes pas tannés de mourir, bande de caves,* fut dévoilée pour orner le hall. Le théâtre, œuvre de Victor Prus, architecte d'origine polonaise, comprend en réalité deux salles (Louis-Fréchette et Octave-Crémazie), où l'on présente les concerts de l'orchestre symphonique, des spectacles de variétés, du théâtre et de la danse.

Rendez-vous jusqu'à la rue Scott, où vous tournerez à droite pour rejoindre la Grande Allée.

L'**église Saint-Cœur-de-Marie** *(530 Grande Allée E.)* a été construite pour les eudistes en 1919 selon les plans de Ludger Robitaille. Elle fait davantage référence à un ouvrage militaire, à cause de ses tourelles, de ses échauguettes et de ses mâchicoulis, qu'à un édifice à vocation religieuse. On dirait une forteresse méditerranéenne percée de grands arcs. Lui fait face la plus extraordinaire rangée de maisons Second Empire qui subsiste à Québec *(n°s 455 à 555, Grande Allée E.),* baptisée à l'origine **terrasse Frontenac.** Les toitures fantaisistes et élancées de l'église, qui pourraient être celles d'un conte illustré pour enfants, sont issues de l'imagination de Joseph-Ferdinand Peachy (1895).

Continuez par la Grande Allée vers l'ouest.

Les sœurs franciscaines de Marie sont membres d'une communauté de religieuses à demi cloîtrées qui se consacrent à l'adoration du Seigneur. En 1901, elles font ériger le sanctuaire de l'Adoration perpétuelle, qui accueille les fidèles en prière. L'exubérante **chapelle des Franciscaines de Marie ★**, de style néobaroque, célèbre la présence permanente de Dieu. On y voit une coupole à colonnes, soutenue par des anges, et un somptueux baldaquin en marbre.

En face, on aperçoit plusieurs belles demeures bourgeoises, érigées au début du XXe siècle, entre autres la maison de John Holt, propriétaire des magasins Holt-Renfrew, aux numéros 433-435, et la maison voisine au numéro 425, toutes deux érigées dans le style des manoirs écossais. La plus raffinée est sans contredit la maison du juge P.A. Choquette, conçue par l'architecte Georges-Émile Tanguay, qui fait appel à un doux éclectisme, à la fois flamand et oriental.

Poursuivez votre balade dans la même direction.

La **maison Henry-Stuart** *(5$; fin juin à début sept tlj 11h à 17h; 82 Grande Allée O., angle av. Cartier,* ☎*647-4347),* entourée de son jardin, est un des rares exemples de cottage anglo-normand Regency encore debout à Québec. Cette architecture de type colonial britannique se caractérise par une large toiture en pavillon recouvrant une galerie basse qui court sur le pourtour du bâtiment. La maison, élevée en 1849, marquait autrefois la limite entre la ville et la campagne. Son intérieur, qui comprend plusieurs pièces de mobilier provenant d'un manoir de Saint-Jean-Port-Joli, n'a pratiquement pas été modifié depuis 1914. Après avoir été plus ou moins inaccessible pendant quelques années, la maison Henry-Stuart et son joli jardin, qui fait d'ailleurs partie de l'association des Jardins du Québec, sont maintenant ouverts aux visiteurs. La maison loge le Conseil des monuments et sites du Québec. On y sert même le thé les après-midi d'été.

L'**avenue Cartier** est une des belles rues commerçantes de la ville. Épine dorsale du quartier résidentiel Montcalm, elle aligne restaurants, boutiques et épiceries fines qui attirent une clientèle yuppie qui aime y déambuler.

On remarquera, dans les environs, la **maison Pollack** *(1 Grande Allée O.),* d'inspiration américaine, le **Foyer néo-Renaissance des dames protestantes** *(111 Grande Allée O.),* élevé en 1862 par l'architecte Michel Lecourt, et la **maison Krieghoff** *(115 Grande Allée O.),* habitée en 1859 par le peintre d'origine hollandaise Cornelius Krieghoff.

Le **monastère des Dominicains** ★ *(on ne visite pas; 175 rue Grande Allée O.)* et son église sont des réalisations relativement récentes qui témoignent à la fois de la persistance et de la tendance à l'exactitude historique de l'architecture néogothique au XXᵉ siècle. L'ensemble, au cachet britannique, est d'une sobriété qui incite à la méditation et au recueillement.

Tournez à gauche dans l'avenue Wolfe-Montcalm, qui constitue à la fois l'entrée au parc des Champs-de-Bataille et l'accès au Musée national des beaux-arts du Québec.

Au rond-point se dresse le **monument à la mémoire du général Wolfe**, vainqueur de la décisive bataille des plaines d'Abraham. C'est, dit-on, le lieu exact où il s'écroula mortellement. Le monument élevé en 1832 fut maintes fois la cible des manifestants et des vandales. Renversé de nouveau en 1963, il sera reconstruit l'année suivante et muni pour la première fois d'une inscription... en français.

À la suite d'une rénovation d'envergure achevée en 1992, le **Musée national des beaux-arts du Québec** ★★★ *(10$, entrée libre pour les collections permanentes; début juin à début sept tlj 10h à 18h, mer jusqu'à 21h; début sept à fin mai mar-dim 10h à 17h, mer jusqu'à 21h; parc des Champs-de-Bataille; ☎643-2150 ou 866-220-2150, www.mdq.org)*, qui s'est appelé le «Musée du Québec» jusqu'en 2003, a été doté de nouveaux espaces. On aperçoit, sur la droite, le bâtiment original, soit l'édifice Renouveau classique de 1933, dont la façade est tournée vers l'ouest. La nouvelle entrée, dominée par une tour de verre qui n'est pas sans rappeler celle du Musée de la civilisation, est disposée dans l'axe de l'avenue Wolfe-Montcalm. Elle relie en souterrain le premier édifice à l'ancienne prison de Québec du côté gauche (1860), habilement restaurée pour recevoir des salles d'exposition et rebaptisée «édifice Baillargé», du nom de son architecte. Certaines des cellules ont même été conservées.

La visite de cet important musée permet de se familiariser avec la peinture, la sculpture et l'orfèvrerie québécoise, depuis l'époque de la Nouvelle-France jusqu'à aujourd'hui. Le musée a d'ailleurs inauguré en mai 2000 une salle (salle 3) entièrement consacrée au peintre Jean-Paul Riopelle (1923-2002) dans laquelle trône entre autres son imposante murale (42 m) appelée *Hommage à Rosa Luxembourg*.

Les collections d'art religieux provenant de plusieurs paroisses rurales du Québec sont particulièrement intéressantes. On y trouve également des documents officiels, dont l'original de la capitulation de Québec (1759). Le musée accueille fréquemment des expositions temporaires en provenance des États-Unis ou de l'Europe. En outre s'y tiennent plusieurs activités culturelles telles que conférences, films et concerts.

Au rez-de-chaussée de l'édifice Baillargé du Musée national des beaux-arts du Québec se trouve le **Centre d'interprétation du parc des Champs-de-Bataille** *(3,50$, mi-mai à début sept tlj 10h à 17h30, début sept à mi-mai mar-dim 10h à 17h; édifice Baillargé, niveau 1, ☎648-5641)*, où l'on présente une reconstitution de la bataille des plaines d'Abraham ainsi que l'évolution des lieux par la suite à l'aide d'un spectacle multimédia. On y offre des visites guidées du parc.

Prenez l'avenue George-VI à gauche puis l'avenue Garneau à droite.

Le **parc des Champs-de-Bataille** ★★★ *(entrée libre; ☎648-4071)*, créé en 1908, et communément appelé les «**plaines d'Abraham**» (du prénom d'un colon établi à Québec sous Champlain), commémore la bataille de Québec, en plus de donner aux Québécois un espace de verdure incom-

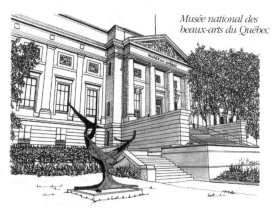

Musée national des beaux-arts du Québec

Ville de Québec

parable. Il couvre une superficie de 101 ha, jusque-là occupés par un terrain d'exercice militaire, par les terres des ursulines ainsi que par quelques domaines champêtres. L'aménagement définitif du parc, selon les plans de l'architecte paysagiste Frederick Todd, s'est poursuivi pendant la crise (1929-1939), procurant ainsi de l'emploi à des milliers de chômeurs de Québec. Les plaines constituent aujourd'hui un large espace vert sillonné de routes et de sentiers pour permettre hiver comme été des balades de toutes sortes. On y trouve aussi de beaux aménagements paysagers ainsi que des sites d'animation historique et culturelle, tel le **kiosque Edwin-Bélanger**, qui présente des spectacles en plein air.

La **Maison de la découverte** (voir p 432), à l'entrée du parc, s'avère une bonne introduction à la visite des plaines avec ses expositions diverses et ses animations axées sur l'histoire et les sciences naturelles.

Les **tours Martello n**[os] **1 et 2 ★** sont des ouvrages caractéristiques du système défensif britannique au début du XIXe siècle. La tour n° 1 (1808) est visible en bordure de l'avenue Ontario, et la tour n° 2 (1815) s'inscrit dans le tissu urbain à l'angle des avenues Laurier et Taché. Une troisième tour se dresse beaucoup plus au nord, à l'autre extrémité du cap, dans le faubourg Saint-Jean-Baptiste, près de la rue... de la Tourelle! À l'intérieur de la tour n° 1, une exposition retrace certaines stratégies militaires utilisées au XIXe siècle (3,50$; fin juin à début sept tlj 10h à 17h30; ☎648-4071).

Des événements spéciaux ont parfois lieu dans la tour n° 2. La troisième tour, quant à elle, accueille de temps en temps des groupes culturels pour des réunions ou autres événements. Informez-vous au numéro de téléphone ci-dessus!

*Ainsi s'achève ce circuit de la Grande Allée. Pour retourner à la ville fortifiée, suivez l'avenue Ontario, qui mène à l'avenue George-VI, à l'est, ou encore empruntez l'avenue du Cap-Diamant (dans le secteur vallonné du parc), qui donne accès à la **promenade des Gouverneurs**. Celle-ci longe la Citadelle et surplombe l'escarpement du cap Diamant, pour aboutir à la terrasse Dufferin. Elle offre des points de vue panoramiques exceptionnels sur Québec, le Saint-Laurent et la rive sud du fleuve.*

Circuit D: Saint-Jean-Baptiste (deux heures)

Quartier de la jeunesse, de bars, de cafés et de petites boutiques, le faubourg Saint-Jean-Baptiste est juché sur un coteau entre la Haute-Ville et la Basse-Ville. Si l'habitat rappelle celui de la vieille ville par l'abondance des toitures mansardées ou pentues, la trame orthogonale des rues est en revanche on ne peut plus nord-américaine. Malgré un terrible incendie en 1845, cet ancien faubourg de Québec a conservé plusieurs exemples de l'architecture de bois, interdite à l'intérieur des murs de la ville.

Le présent circuit débute à la porte Saint-Jean, hors les murs de la cité. Il suit ensuite la rue Saint-Jean, véritable épine dorsale du quartier.

La **place D'Youville**, appelée communément «carré D'Youville» par les Québécois, est cet espace public à l'entrée de la vieille ville, qui était autrefois la plus importante place du marché de Québec. Elle constitue de nos jours un carrefour très fréquenté et un pôle culturel majeur. Un réaménagement (1987) lui a donné une large surface piétonne, agrémentée de quelques arbres et de bancs. L'emplacement du mur de contrescarpe, ouvrage avancé des fortifications nivelé au XIXe siècle, a été souligné par l'intégration de blocs de granit noir au revêtement de la place. En hiver, une portion de la place se recouvre de glace pour le grand plaisir des patineurs qui y virevoltent au son d'une musique entraînante.

Au début du XXe siècle, Québec avait désespérément besoin d'une nouvelle salle de spectacle d'envergure, son académie de musique ayant été détruite par un incendie en mars 1900. Le maire, secondé par l'entreprise privée, entreprit des démarches afin de trouver un terrain. Le gouvernement canadien, propriétaire des fortifications, offrit une étroite bande de terre, en bordure des murs de la ville, qui s'élargissait toutefois vers l'arrière, rendant possible l'érection d'une salle convenable. L'ingénieux architecte W.S. Painter, de Detroit, déjà occupé à l'agrandissement du Château Frontenac, imagina alors un plan incurvé qui permettrait, malgré l'exiguïté des lieux, de doter l'édifice d'une façade monumentale. Inauguré en 1903 sous le nom d'Auditorium de Québec, et connu aujourd'hui comme **Le Capitole de Québec ★** (972 rue St-Jean), ce théâtre

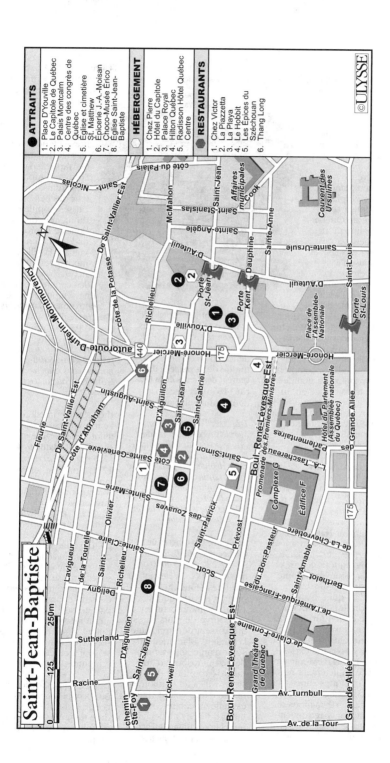

Saint-Jean-Baptiste

© ULYSSE

constitue l'une des plus étonnantes réalisations de style Beaux-Arts au Canada.

En 1927, le célèbre architecte de cinémas étasunien Thomas W. Lamb fit du théâtre un luxueux cinéma de 1 700 places. Rebaptisé Le Capitole de Québec, il continua tout de même à présenter des spectacles jusqu'à l'ouverture du Grand Théâtre, en 1971. Délaissé, Le Capitole de Québec fut abandonné quelques années, avant d'être entièrement restauré en 1992 selon les plans de l'architecte Denis Saint-Louis. L'édifice comprend, de nos jours, la grande salle transformée en un vaste café-concert ainsi qu'un luxueux hôtel (voir p 448) et un restaurant (voir p 454).

Le pavillon du marché Montcalm fut rasé en 1932 pour la construction du **Palais Montcalm** *(995 place D'Youville)*, cette salle multifonctionnelle, aussi connue sous le nom de Monument-National. Lieu privilégié des assemblées politiques et des manifestations en tout genre, le Palais Montcalm adopte une architecture dépouillée qui s'inspire à la fois du Renouveau classique et de l'Art déco. On y vient aujourd'hui pour y entendre un spectacle ou pour y voir une exposition. Le Palais Montcalm sera complètement rénové d'ici quelques années, ce qui coûtera environ une douzaine de millions de dollars: on y retrouvera une salle spécialisée en musique classique ainsi

que la résidence permanente des Violons du Roy.

Capitole de Québec

En quittant les abords de la place D'Youville, vous apercevrez, dans l'axe de la rue du même nom, la délicate façade néogothique de la **chapelle du couvent des sœurs de la Charité** (1856), écrasée par deux immeubles massifs.

Traversez l'avenue Honoré-Mercier, récemment réaménagée avec goût. Plus haut à l'angle de la rue Saint-Joachim débute le large complexe formé par le Centre des congrès, le centre commercial Place Québec ainsi que l'hôtel Hilton Québec et le Radisson Hôtel Québec Centre.

Le **Centre des congrès de Québec** ★ *(900 boul. René-Lévesque E., ☎644-4000 ou 888-679-4000)*, s'élevant au nord de l'Hôtel du Parlement, a été inauguré en 1996. Ce grand bâtiment est pourvu de murs vitrés qui laissent pénétrer toute la lumière à l'intérieur. Il s'agit d'un complexe moderne qui dispose d'une salle d'exposition, de plusieurs salles de réunion et même d'une salle de bal. Il est relié au centre commercial Place Québec ainsi qu'à l'hôtel **Hilton Québec** et au **Radisson Hôtel Québec**

Centre (voir p 448). Sa construction a permis la réfection de toute cette partie du boulevard René-Lévesque. Entre l'hôtel Hilton Québec et le Centre des congrès s'étend la **promenade Desjardins**, qui rappelle la vie et l'œuvre d'Alphonse Desjardins, fondateur des célèbres caisses populaires du même nom. Au bout de la promenade, on a une belle vue sur la ville et les montagnes au loin. À l'entrée du Centre des congrès se dresse une sculpture tout en mouvement, *Le Quatuor d'Airain*, réalisée par Lucienne Payan-Cornet.

De la rue Saint-Joachim, empruntez la rue Saint-Augustin, qui vous ramène à la rue Saint-Jean, où vous tournerez à gauche.

Il existe un cimetière à l'endroit où se trouvent aujourd'hui l'**église** et le **cimetière St. Matthew** ★ *(755 rue St-Jean)* depuis 1771, alors que les protestants de Québec, qu'ils soient d'origine française huguenote ou britannique anglicane et presbytérienne, se regroupent afin de trouver un lieu de sépulture adéquat pour leurs défunts. Plusieurs pierres tombales du début du XIXe siècle subsistent, faisant de ce cimetière un des seuls de cette époque qui n'ait pas été rasé. Le cimetière a été transformé en jardin public. À ses monuments, soigneusement restaurés, se sont ajoutées quelques sculptures.

La jolie église anglicane, qui occupe la portion congrue en bordure de la rue Saint-Jean, est une œuvre néogothique influencée par les ecclésiologistes, ces mandarins de l'Église d'Angleterre qui voulaient renouer avec les traditions moyenâgeuses. Aussi, plutôt que d'avoir l'apparence d'un bâtiment neuf au décor gothique, l'église St. Matthew rappelle dans son plan, et jusque dans ses matériaux, une très vieille église de village anglais. La nef a d'abord été érigée en 1848; puis, en 1870, l'architecte William Tutin Thomas de Montréal, à qui l'on doit notamment la maison Shaughnessy du Centre Canadien d'Architecture, dessine un agrandissement qui donnera au temple son clocher et son intérieur actuels.

L'atrophie de la communauté anglicane de Québec au XXe siècle a entraîné l'abandon de l'église St. Matthew, qui a été habilement recyclée en une succursale de la Bibliothèque municipale en 1980. Plusieurs éléments décoratifs, exécutés par des artistes britanniques, ont été conservés à l'intérieur, dont la très belle clôture du chœur sculptée dans le chêne par Percy Bacon, la chaire en albâtre exécutée par Felix Morgan et les beaux vitraux de Clutterbuck. La sombre voûte à poutres apparentes présente également beaucoup d'intérêt.

Poursuivez par la rue Saint-Jean.

Au numéro 699 se trouve l'**Épicerie J.-A.-Moisan** *(699 rue St-Jean)*, fondée en 1871, qui s'autoproclame «la plus vieille épicerie en Amérique du Nord». Elle a en effet des allures de magasin général d'autrefois avec ses planchers et ses étagères tout en bois, ses anciennes publicités et

ses multiples boîtes en fer blanc.

La Chocolaterie Érico, déjà bien connue des «chocoholiques», a eu la bonne idée de doubler son local d'un tout petit musée relatant l'histoire du chocolat. Si vous voulez en savoir plus sur le chocolat, faites une halte au **Choco-Musée Érico** *(entrée libre; 634 rue Saint-Jean, ☎524-2122)*, où vous apprendrez comment les Mayas utilisaient le cacao, comment pousse ce fruit, le secret de différentes recettes et plus encore. Vous pourrez même observer, par une fenêtre donnant sur les cuisines, les artisans chocolatiers à l'œuvre. Et surtout, n'oubliez pas de goûter!...

L'**église Saint-Jean-Baptiste ★** *(410 rue St-Jean)* est sans contredit le chef-d'œuvre de Joseph Ferdinand Peachy. Fidèle à l'éclectisme français, Peachy est un admirateur inconditionnel de l'église parisienne de la Trinité, qui lui servira plus d'une fois de modèle. Ici, la ressemblance est frappante tant dans le portique extérieur que dans la disposition de l'intérieur. L'édifice, achevé en 1885, entraînera la faillite de son auteur, malencontreusement tenu responsable des fissures apparues dans la façade au cours des travaux. Le parvis de l'église a été réaménagé en une jolie place.

Pour un beau point de vue sur la ville, grimpez les escaliers de la rue de Claire-Fontaine jusqu'à l'angle de la rue Lockwell, sur votre droite. La montée est abrupte mais le coup d'œil en vaut la peine, surtout le soir, alors que les lumières de la Basse-Ville dansent à vos pieds derrière l'imposante église

Saint-Jean-Baptiste. D'ailleurs, en vous promenant dans les jolies rues du faubourg, vous retrouverez cette vue en maint endroit. Entre autres, vous pouvez descendre la rue Sainte-Claire jusqu'à l'escalier qui mène au quartier Saint-Roch, que vous apercevez avec les Laurentides pour toile de fond.

Circuit E: Autres lieux de Québec

Méduse *(541 rue De St-Vallier E., ☎640-9218)* est un regroupement de divers ateliers d'artistes qui soutiennent la création et la diffusion de la culture à Québec. Le complexe formé de maisons restaurées et de bâtiments modernes intégrés à l'architecture de la ville s'accroche au cap et fait un lien entre la Haute-Ville et la Basse-Ville. Y cohabitent plusieurs groupes qui agissent dans différents domaines comme la photographie, l'estampe, la vidéo, etc. On y trouve donc des salles d'exposition et des ateliers. Y logent aussi Radio Basse-Ville, une radio communautaire, et le café-bistro L'Abraham-Martin. Longeant son côté est, un escalier relie la côte d'Abraham et la rue De Saint-Vallier.

La **chapelle** et le **musée de l'Hôpital Général ★★** *(entrée libre; sur rendez-vous mar-ven; 260 boul. Langelier, ☎529-0931)*. Le site de l'Hôpital Général est d'abord occupé par les récollets, qui y font construire la première église en pierre de la Nouvelle-France, achevée en 1621, en prévision de la venue de 300 familles que l'on veut établir sur les berges de la rivière Saint-Charles, dans un bourg baptisé Ludovica. Même si ce projet

Ville de Québec

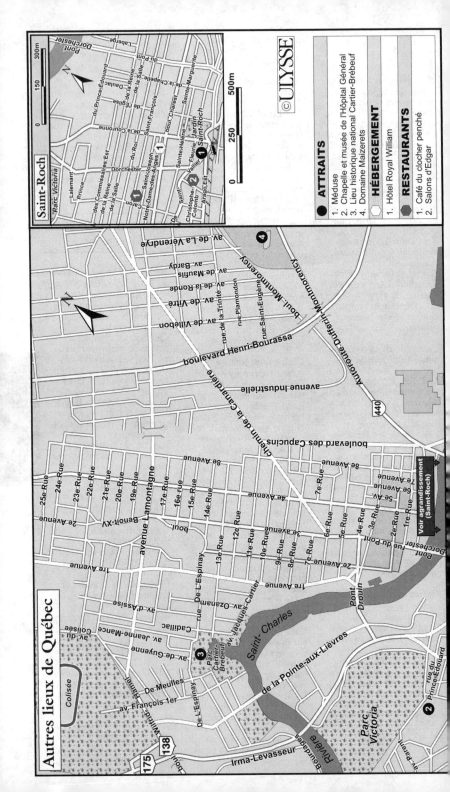

ne se concrétisera jamais, l'institution prendra racine et grandira lentement. En 1673, la chapelle actuelle est construite; puis, en 1682, les récollets dotent leur couvent d'un cloître à arcades, dont il reste quelques composantes intégrées à des aménagements ultérieurs.

En 1693, Mgr Jean-Baptiste de Saint-Vallier, deuxième évêque de Québec, achète le couvent pour en faire un hôpital. Les sœurs hospitalières de l'Hôtel-Dieu prennent en charge l'institution, qui accueille les pauvres, les invalides et les vieillards. Aujourd'hui, l'Hôpital Général est une institution moderne, ouverte à tous et équipée de tous les services (salles d'urgence, de chirurgie, etc.). On a cependant réussi à conserver, plus que dans toute autre institution du genre, quantité d'éléments des XVIIe et XVIIIe siècles tels que certaines des cellules des récollets, des boiseries, des armoires de pharmacie et des lambris peints. Fait rarissime au Québec, l'hôpital n'a jamais été touché par les flammes, et très peu par les bombardements de la Conquête. C'est au cimetière de l'Hôpital Général que furent transférés les restes de la sépulture du marquis de Montcalm, en 2001, provenant de la chapelle des Ursulines, à la Haute-Ville; un monument à Montcalm et à ses soldats s'y dresse.

Il est possible de visiter le **Musée des Augustines** *(entrée libre; sur rendez-vous et pour visite commentée seulement)* ainsi que la chapelle, redécorée par Pierre Émond en 1770 tout en conservant le tabernacle de François-Noël Levasseur, fabriqué en 1722. On peut y voir de belles toiles, dont *L'Assomp-*

tion de la Vierge du frère Luc, peinte sur place en 1670, et quelques tableaux de Joseph Légaré, acquis en 1824.

Le **lieu historique national Cartier-Brébeuf** *(175 rue De L'Espinay,* ☎*648-4038),* situé sur les berges de la rivière Saint-Charles, regroupe entre autres un centre d'interprétation et une reconstitution d'une «maison longue» de type iroquois. Jacques Cartier, lors de son second voyage d'exploration du Canada en 1535, passa l'hiver dans les environs de la rivière.

Domaine Maizerets, voir ci-dessous.

Parcs

Circuit C: La Grande Allée et l'avenue Cartier

LE parc de la ville de Québec est sans contredit le **parc des Champs-de-Bataille** ★★★ (voir p 435), mieux connu sous le nom de «plaines d'Abraham». Cet immense espace de verdure d'une centaine d'hectares, qui s'étend jusqu'au cap dévalant vers le fleuve, offre aux Québécois un lieu magnifique pour la pratique de toutes sortes d'activités de plein air. Les promeneurs et les pique-niqueurs abondent sur les plaines en été, mais la grandeur du site permet à tous d'y trouver un peu de tranquillité.

Le **Domaine Maizerets** ★ *(entrée libre; 2000 boul. Montmorency,* ☎*691-2385),* avec ses grands arbres et ses pelouses, offre aux badauds un lieu idéal pour la promenade. Un arboretum *(*☎*660-6953)* ainsi que plusieurs aménagements paysagers feront la joie des amateurs d'horticulture. Le domaine est d'ailleurs membre de l'association des Jardins du Québec. Au cœur de l'arboretum se dresse une volière à papillons! Quand le temps le permet (elle est fermée en cas de pluie), on peut pénétrer dans ce petit monde peuplé d'une trentaine d'espèces de papillons typiques de l'est du Canada. En plus de s'émerveiller, on pourra en apprendre plus sur les étapes de leur développement. On y trouve aussi des bâtiments historiques tels que le Château, dans lequel une petite exposition retrace l'histoire des lieux. Hiver comme été, on peut y pratiquer plusieurs activités de plein air ou y assister aux concerts en plein air, aux pièces de théâtre ou encore aux conférences sur des sujets comme l'ornithologie.

Le **parc Cartier-Brébeuf** est un petit lieu de verdure au bord de la rivière Saint-Charles. On l'a réaménagé pour en faire un endroit plus agréable pour les promeneurs. Autrefois endiguée dans des murs de béton, la rivière a été libérée de ce joug, du moins à cette hauteur, et parée de plantes aquatiques. Le parc, quant à lui, est embelli de fleurs et d'arbres décoratifs.

Ville de Québec

Activités de plein air

Vélo

La ville de Québec travaille depuis quelques années au développement de son infrastructure cyclable. Aujourd'hui, plus de 50 km de pistes cyclables parcourent la ville. Consultez le guide *Le Québec cyclable* des Guides de voyage Ulysse pour obtenir des cartes de ces pistes.

Parmi celles-ci, une piste appelée le **Corridor des cheminots** *(☎649-2636)* permet aux cyclistes et adeptes d'autres sports de parcourir 22 km en traversant le territoire de différentes municipalités pour aboutir à Val-Bélair.

Non loin de là débute la piste Jacques-Cartier/Portneuf d'environ 70 km, qui permet de rouler sur l'emprise entre Saint-Gabriel-de-Valcartier et Rivière-à-Pierre tout en côtoyant rivières, lacs et chutes dans un cadre enchanteur.

Il faut mentionner aussi les pistes cyclables existant depuis nombre d'années, comme celle qui se rend à Beauport ou celle qui longe une partie de la rivière Saint-Charles. Existent aussi nombre de pistes balisées ou de voies partagées qui font de la ville de Québec et des communautés avoisinantes des endroits agréables à découvrir en bicyclette.

De plus, les parcs comme les plaines d'Abraham se prêtent bien à la promenade en vélo et possèdent même des sentiers propices au vélo de montagne.

L'association Promo-Vélo peut fournir de nombreuses informations sur différents types de randonnées dans la région. De plus, cet organisme publie une carte des parcours cyclables de la région de Québec.

Promo-Vélo
C. P. 700, succ. Haute-Ville
Québec, G1R 4S9
☎*522-0087*

Tourisme Saint-Raymond
☎*(418) 337-2900 ou 800-409-2012*

Pour des forfaits dans des auberges situées près de la piste Jacques-Cartier/Portneuf:
☎*800-409-2012*
www.portneuf.com

Location de vélos

Il est possible de louer des vélos de montagne à la Station Mont-Sainte-Anne et dans le parc de la Jacques-Cartier (voir plus haut).

Cyclo Services Voyages
marché du Vieux-Port
84 rue Prince-de-Galles
☎*692-4052*
20$ par jour
On y organise aussi des excursions dans la ville et ses environs.

Vélo Passe-Sport Plein air
côte du Palais
☎*692-3643*
25$ par jour
On y organise aussi des excursions dans la ville et ses environs.

Vélotek
463 rue St-Jean
☎*648-6022*
25$ par jour

Croisières

Les **Croisières AML** *(billetterie au quai Chouinard, rue Dalhousie,* ☎*692-1159 ou 800-563-4643)* proposent tout l'été des croisières qui vous feront voir Québec et les environs sous un autre angle. Cette compagnie maritime est propriétaire entre autres du *M/V Louis-Jolliet (24$; départs 11h30, 14h, 16h),* dont le port d'attache est Québec. Les croisières de jour durent 1 heure 30 min et vous mènent jusqu'au pied de la chute Montmorency. Le soir, on vous propose des croisières jusqu'à la pointe de l'île d'Orléans, durant lesquelles vous pourrez dîner dans l'une des deux salles à manger du bateau. Ces croisières nocturnes, d'une durée de quelques heures, sont toujours animées par des musiciens, et l'on peut danser sur le pont du navire!

Au départ de Québec, les **Croisières de la Famille Dufour** *(22 quai St-André,* ☎*692-0222 ou 800-463-5250)* vous proposent de naviguer sur un grand catamaran moderne jusque dans la belle région de Charlevoix, à Pointe-au-Pic ou à l'île aux Coudres, ou encore jusqu'au cœur de l'époustouflant fjord du Saguenay.

Patin à roues alignées

Sur les **plaines d'Abraham**, en face du Musée national des beaux-arts du Québec, un grand anneau revêtu est réservé à la pratique du patin à roues alignées. Il s'agit d'ailleurs du seul endroit où l'on peut patiner sur les plaines. Petits et grands juchés sur leurs patins et munis d'un casque de protection défilent en grand nombre par les beaux jours d'été. Un petit kiosque y fait la location d'équipement.

Jogging

Également sur les **plaines d'Abraham**, en face du Musée national des beaux-arts du Québec, un grand anneau plat se prête bien à la pratique du jogging. De même, les rues revêtues et les sentiers des plaines sont parcourus par les joggeurs.

Patin à glace

Sur la **terrasse Dufferin**, chaque hiver, on érige une patinoire qui permet de tournoyer au pied du Château Frontenac, avec vue sur le fleuve et ses glaces. On peut chausser ses patins dans le kiosque de la terrasse *(entrée libre; fin déc à mi-mars tlj 11h à 23h;* ☎692-2955), qui fait aussi la location *(5$/heure)*.

Par les belles journées d'hiver, la **place D'Youville** offre un spectacle féerique avec la neige qui la recouvre, la porte Saint-Jean givrée, Le Capitole de Québec illuminé, les décorations de Noël suspendues à ses lampadaires et les patineurs. En effet, le centre de la place se pare

d'une petite patinoire qui reçoit les amateurs au son d'une musique d'ambiance. Si le courage vous manque pour embarquer dans la valse, vous pourrez toujours profiter du spectacle! La patinoire ouvre le plus tôt possible, soit vers la fin du mois d'octobre, et ferme le plus tard possible au printemps, pour permettre aux Québécois d'en profiter longtemps! Un local où l'on trouve des toilettes permet aux gens de chausser leurs patins *(entrée libre; lun-jeu 12h à 22h, ven-dim 10h à 22h;* ☎691-4685).

Une belle patinoire s'étalant sous les arbres est aménagée au **Domaine Maizerets** *(entrée libre; 2000 boul. Montmorency,* ☎691-2385). La sérénité des lieux est toutefois quelque peu gâchée par des haut-parleurs diffusant la musique d'un poste de radio local. On peut chausser ses patins et se réchauffer auprès du poêle à bois dans le petit chalet tout près. On y loue aussi des patins *(4$; mi-déc à mi-mars, lun-ven 13h à 16h, sam-dim 10h à 16h, tous les soirs 18h à 21h)*.

La **rivière Saint-Charles**, une fois coincée dans les glaces, est entretenue pour permettre aux amoureux du patin à glace d'en profiter. Ainsi, quand la température le permet, une agréable patinoire de 2 km serpente entre les quartiers Limoilou et Saint-Roch, dans la Basse-Ville. On y trouve des locaux chauffés *(lun-ven 12h à 21h, sam-dim 10h à 21h; 5 rue de la Pointe-aux-Lièvres,* ☎691-5488).

Ski de fond

Circuit C:
La Grande Allée
et l'avenue Cartier

Les **plaines d'Abraham** enneigées offrent un site enchanteur aux skieurs de fond. Plusieurs sentiers les sillonnent d'un bout à l'autre, se faufilant tantôt sous les arbres, tantôt sur un promontoire avec vue sur le fleuve et ses glaces. Tout ça en plein cœur de la ville!

Le **Domaine Maizerets** *(entrée libre; 2000 boul. Montmorency,* ☎691-2385) est aussi sillonné par de courts sentiers de ski de randonnée des plus agréables. Au début du parcours se trouve un petit chalet chauffé au bois. On y loue des skis *(4$; mi-déc à mi-mars, lun-ven 13h à 16h, sam-dim 10h à 16h)*.

Glissade

Sur la **terrasse Dufferin** est érigée, en hiver, une longue glissoire sur laquelle vous pouvez vous laisser descendre dans une traîne sauvage. Vous pouvez vous procurer des billets dans le petit kiosque au milieu de la terrasse *(2$ la descente; fin déc à mi-mars tlj 11h à 23h;* ☎692-2955), avant d'attraper un toboggan et d'entreprendre la montée jusqu'au haut de la glissoire. Une fois rendu, n'oubliez pas de jeter un coup d'œil autour de vous: la vue est magnifique!

Les collines des **plaines d'Abraham** se prêtent magnifiquement à la glissade en hiver. Habillez-vous chaudement, et suivez les enfants tirant une traîne sauvage pour connaître les endroits les plus hauts en couleur!

Hébergement

On trouve à Québec tous les types d'héberge-ment: deux auberges de jeunesse, une foule de gîtes touristiques, des auberges, de grands hôtels de luxe, etc. Sans aucun doute, vous y trouverez un petit coin à votre goût où nicher pour une nuit ou une semaine. Bien que le confort puisse être un peu rudimentaire dans les petites auberges, en général, dans les hôtels, le niveau de confort est élevé, et plusieurs services sont souvent disponibles. Il existe plusieurs gîtes touristiques à Québec. Ils offrent l'avantage, outre le prix, de pouvoir partager une ambiance familiale. L'appellation québécoise «Gîtes du Passant» signifie également gîtes touristiques. Les Gîtes du Passant sont membres de la Fédération des Agricotours du Québec et sont tenus de se conformer à des règles et à des normes qui assurent aux visiteurs une qualité impeccable. La Fédération produit annuellement un guide, *Les Gîtes et Auberges du Passant au Québec*, qui vous indiquera pour chaque région les différents types et formules d'hébergement ainsi que les services offerts par les établissements.

Hospitalité Canada Tours *(12 rue Ste-Anne; ☎800-665-1528)* est une centrale de réservations de chambres située à l'intérieur du Centre Infotouriste de Québec. Selon le type d'hébergement recherché, on vous proposera différentes adresses qui font partie du réseau en plus de faire les réservations pour vous. Ce service est gratuit.

Circuit A: Le Vieux-Québec

Centre international de séjour
$
bc
19 rue Ste-Ursule
☎694-0755 ou 800-461-8585
Le Centre international de séjour met à la disposition des jeunes 240 lits. Les chambres peuvent accueillir de trois à six personnes et les dortoirs de 8 à 10 personnes.

Auberge de la Paix
$ pdj
bc, ℂ
31 rue Couillard
☎694-0735
Derrière une belle façade blanche du Vieux-Québec, l'Auberge de la Paix dégage une atmosphère propre aux auberges de jeunesse. Convivialité et découvertes priment dans cet endroit qui porte bien son nom. On y trouve 60 lits répartis dans des chambres pouvant accueillir de deux à huit personnes, ainsi qu'une cuisinette et un salon. En été, une jolie cour fleurit à l'arrière. Les enfants sont les bienvenus! 2$ de frais de literie si vous n'avez pas la vôtre.

Manoir LaSalle
$$
bc/bp, ℂ
18 rue Ste-Ursule
☎692-9953
Le Manoir LaSalle est un petit hôtel abritant 11 chambres, dont une seule offre une salle de bain privée. L'établissement, qui ressemble plutôt à un gîte, est aménagé dans une maison en brique rouge.

Auberge Saint-Louis
$$ pdj
bc/bp, ≡, ℜ
48 rue St-Louis
☎692-2424 ou 888-692-4105
≈692-3797
Située sur la trépidante rue Saint-Louis, l'Auberge Saint-Louis se présente comme un petit hôtel convenable et bien tenu. Le prix des chambres varie, les moins chères n'ayant pas de salle de bain privée.

Au Jardin du Gouverneur
$$ pdj
≡
16 rue Mt-Carmel
☎692-1704
≈692-1713
Au Jardin du Gouverneur est installé dans une mignonne petite maison blanche et bleue en face du tranquille parc des Gouverneurs. Ses chambres sont de dimensions appréciables, mais la décoration est très quelconque. Il s'agit d'un établissement non-fumeurs.

Marquise de Bassano
$$ pdj
bc/bp
15 rue des Grisons
☎692-0316
≈692-2465
www.total.net/~bassano
Le Vieux-Québec a abrité, au cours de son histoire, certains personnages colorés. À l'angle de la rue des Grisons et de l'avenue Sainte-Geneviève s'élève une petite maison victorienne qui, dit-on, fut bâtie

pour l'un d'entre eux. Les boiseries foncées qui ornent l'intérieur préservent encore, pour sûr, les secrets de la marquise de Bassano. Aujourd'hui transformée en gîte touristique, la maison est des plus accueillantes avec ses chambres coquettes et son salon égayé d'un piano et d'un foyer. Au petit déjeuner, servi jusqu'à midi, vos jeunes hôtes se feront un plaisir d'animer la discussion!

Maison du Fort
$$ pdj
≡, ⊗, ℂ
21 av. Ste-Geneviève
☎*692-4375*
⇺*692-5257*
Cette petite résidence coquette dispose de chambres correctes. L'accueil y est fort sympathique, ce qui rend le séjour bien agréable.

Auberge de la Chouette
$$
≡, ℜ
71 rue D'Auteuil
☎*694-0232*
Occupant deux étages au-dessus du restaurant Apsara, les 10 chambres de l'Auberge de la Chouette sont toutes simplement décorées et meublées d'antiquités. Les salles de bain sont rénovées. La famille d'origine vietnamienne qui gère le restaurant et l'auberge vous accueillera avec le sourire.

Château de Léry
$$-$$$
≡, ⊛, ℂ
8 rue Laporte
☎*692-2692 ou 800-363-0036*
⇺*692-5231*
Construit à côté du parc des Gouverneurs, en face du fleuve, le Château de Léry propose des chambres confortables. Celles qui donnent sur la rue offrent une jolie vue. L'hôtel se trouve dans un coin tranquille du Vieux-Qué-

bec, à deux pas de l'animation du centre-ville.

Auberge du Trésor
$$-$$$
ℜ, ≡
20 rue Ste-Anne
☎*694-1876 ou 800-566-1876*
⇺*694-0563*
Le bâtiment abritant l'Auberge du Trésor a été érigé en 1679. Rénové à maintes reprises depuis lors, il a fière allure. En outre, ses chambres offrent un confort contemporain, chacune disposant d'une salle de bain privée et d'un téléviseur couleur.

Maison Acadienne
$$-$$$
bc/bp, ≡, ⊛, ℂ, ℝ
43 rue Ste-Ursule
☎*694-0280 ou 800-463-0280*
⇺*694-0458*
www.maison-acadienne.com
Le long de la rue Sainte-Ursule se dressent plusieurs anciennes maisons dans lesquelles ont été aménagés de petits hôtels. Parmi ceux-ci, la Maison Acadienne se démarque aisément grâce à sa grande façade blanche. Les chambres offrent toutefois un décor un peu fade. Heureusement, certaines d'entre elles ont été rénovées.

Manoir Victoria
$$$
⊛, ≈, ≡, ⊘, △, ℂ, ℜ
44 côte du Palais
☎*692-1030 ou 800-463-6283*
⇺*692-3822*
www.manoir-victoria.com
Le Manoir Victoria est un grand hôtel de 145 chambres niché dans la côte du Palais. Il présente un décor résolument de style victorien dont le chic vous assure d'un bon confort. Son hall, en haut d'un long escalier, est accueillant, et s'y trouvent un bar et une salle à manger. On y loue des suites bien équipées. Plusieurs forfaits culturels ou sportifs sont proposés.

 Hôtel Clarendon
$$$
ℜ, ≡, ⊛
57 rue Ste-Anne
☎*692-2480 ou 888-554-6001*
⇺*692-4652*
www.botelclarendon.com
Construit en 1870, l'**Hôtel Clarendon** (voir p 414) est le plus vieil hôtel de Québec. Quoique l'extérieur du bâtiment soit d'aspect très simple, sa décoration intérieure, de style Art déco, se révèle gracieuse. Le hall est d'ailleurs fort beau. Au cours des ans, les chambres ont été rénovées et sont aujourd'hui spacieuses et confortables. Il s'agit d'une excellente adresse dans la vieille ville.

Château Bellevue
$$$
≡
16 rue Laporte
☎*692-2573 ou 800-463-2617*
⇺*692-4876*
Le Château Bellevue bénéficie d'une jolie vue sur le fleuve. Il dispose de chambres agréables, mais garnies de meubles modernes qui manquent de charme.

Château de Pierre
$$$
≡
17 av. Ste-Geneviève
☎*694-0429 ou 888-694-0429*
⇺*694-0153*
Une ancienne maison de style colonial abrite le Château de Pierre. Le hall, orné d'un énorme lustre, est surprenant et un peu clinquant. Les chambres sont belles.

 Château Frontenac
$$$$$
≡, ℜ, ≈, ⊘, ⊛, ♿
1 rue des Carrières
☎*692-3861 ou 800-441-1414*
⇺*692-1751*
www.fairmont.com
Se dressant fièrement dans le Vieux-Québec, sur le cap surplombant le fleuve Saint-Laurent, le **Château**

Frontenac (voir p 411) est sans doute le bâtiment le plus célèbre de la ville. Pénétrez dans son hall élégant aux couleurs chaudes et orné de boiseries, et laissez-vous entraîner sur les chemins de l'histoire. Le Château Frontenac, construit en 1893, fut en effet l'hôte de plusieurs événements historiques. Partout le décor est d'une richesse classique et raffinée, réellement digne d'un château. Son restaurant peut aussi vous faire goûter la vie de château (voir Le Champlain, p 450). Le luxe des chambres procure aux visiteurs le meilleur confort possible. Les dimensions et les avantages de ces quelque 600 chambres varient beaucoup, mais elles toutes sont agréables. Certaines du côté du fleuve possèdent de beaux oriels qui dévoilent, il va sans dire, une vue magnifique.

Circuit B: Du Petit-Champlain au Vieux-Port

Hôtel Belley
$$
ℂ
249 rue St-Paul
☎692-1694 ou 888-692-1694
⇏692-1696
Le sympathique Hôtel Belley s'est établi dans le Vieux-Port, en face du marché, dans un bel édifice qui abrite un hôtel depuis 1877. Il se présente de fait comme un petit hôtel particulier auquel on s'attache facilement! On y trouve huit chambres douillettes, décorées avec simplicité et arborant qui un mur de briques, qui des poutres en bois et des lucarnes. Elles sont situées au-dessus de la **Taverne Belley** (voir p 455), qui fait office de bar et qui sert, dans deux belles salles du

rez-de-chaussée, des petits déjeuners et des déjeuners appréciés par les gens du quartier. Dans une autre maison, de l'autre côté de la rue, on a aménagé des appartements confortables à souhait et joliment décorés. Certains disposent d'une terrasse, et l'on peut les louer à la nuitée, à la semaine ou au mois.

Le Priori
$$$ pdj
◉, ℜ, ℑ, ℂ, ≡
15 rue du Sault-au-Matelot
☎692-3992 ou 800-351-3992
⇏692-0883
Dans la Basse-Ville, sur une rue paisible, se trouve Le Priori. L'hôtel est établi dans une maison ancienne qui a été rénovée avec minutie. La décoration marie harmonieusement les murs d'une autre époque au mobilier très moderne. L'aménagement est fort original, et même l'ascenseur est innovateur.

Auberge Saint-Pierre
$$$$ pdj
ℂ, ◉, ≡
79 rue St-Pierre
☎694-7981 ou 888-268-1017
⇏694-0406
www.auberge.qc.ca
Dans un édifice ayant abrité, depuis la fin du XIXᵉ siècle, la première compagnie d'assurances au Canada, on a ouvert une jolie auberge. L'Auberge Saint-Pierre a un charme particulier du fait que l'on a tenté de conserver, lors des travaux de rénovation, les atouts du vieux bâtiment. Ainsi, les chambres rappellent un peu les appartements du quartier avec leurs différents paliers et leurs petits couloirs. Chacune révèle de beaux planchers de bois foncé et des murs aux couleurs riches. Les chambres situées aux étages inférieurs bénéficient d'un très haut plafond qui leur donne beaucoup de caractère,

tandis que celles aménagées en hauteur offrent une belle vue.

Hôtel Dominion 1912
$$$$ pdj
≡, ◉
126 rue St-Pierre
☎692-2224 ou 888-833-5253
⇏692-4403
www.hoteldominion.com
Dans l'un des beaux édifices de la rue Saint-Pierre, celui-là datant de 1912 mais rénové, on a ouvert un hôtel qui saura charmer les amateurs d'endroits chics. Le luxueux Hôtel Dominion 1912 affiche un côté moderne, avec des matériaux tels que le verre et le fer forgé tout en respectant le cachet des lieux. Des éléments du décor, comme les teintes crème et sable, les grandes draperies ou les coussins, sofas et couvre-lits moelleux, en font un endroit confortable à souhait. Dans chaque chambre, des photographies noir et blanc du quartier donnent envie de partir à sa découverte. Les derniers étages offrent une vue magnifique, d'un côté sur le fleuve et de l'autre sur le cap et la Haute-Ville.

Auberge Saint-Antoine
$$$$$ pdj
≡, ◉, ℂ, ℑ
10 rue St-Antoine
☎692-2211 ou 888-692-2211
⇏692-1177
www.saint-antoine.com
L'Auberge Saint-Antoine est située près du Musée de la civilisation. Cette superbe auberge se compose de deux bâtiments. L'entrée a été aménagée dans un ancien immeuble en pierre qui a été magnifiquement rénové. Le hall, garni de poutres de bois, de murs de pierres et d'un foyer, est des plus chaleureux. On y sert le petit déjeuner. Les chambres, époustouflantes, sont tou-

tes décorées sur un thème différent. Chacune a un charme bien à elle.

Circuit C:
La Grande Allée
et l'avenue Cartier

Le Krieghoff
Bed and Breakfast
$$ pdj
ℜ, ℝ, ≡
1091 av. Cartier
☎ *522-3711*
≈ *647-1429*
www.cafekrieghoff.qc.ca

Au Café Krieghoff, on a eu une idée originale pour accueillir les voyageurs selon la formule *bed and breakfast*. Ce qu'il y a d'original, c'est que le petit déjeuner est servi dans la salle du café même (voir p 452), ce qui vous garantit d'un coup une bonne bouffe et une bonne ambiance! Le personnel chaleureux se fera d'ailleurs un plaisir de vous mettre à l'aise dans cette atmosphère presque familiale. Les cinq chambres, nichées au-dessus du restaurant, sont simples et propres. Elles ont chacune accès à une salle de bain privée (même si elle ne communique pas avec la chambre) et partagent entre elles un petit salon et un balcon avec vue sur l'animation de l'avenue Cartier.

Auberge du Quartier
$$-$$$ pdj
≡
170 Grande Allée O.
☎ *525-9726 ou 800-782-9441*
≈ *521-4891*

Vous recherchez une mignonne petite auberge de quartier? Campée face à l'imposante église Saint-Dominique, donc à 5 min des plaines et du Musée national des beaux-arts du Québec, l'Auberge du Quartier saura vous plaire. Cette grande maison

blanche et lumineuse renferme une douzaine de chambres propres, coquettes et modernes, réparties sur trois niveaux, dont une suite sous les combles. L'accueil de la propriétaire et de son personnel est fort sympathique.

Manoir Lafayette
$$$
≡, ℜ
661 Grande Allée E.
☎ *522-2652 ou 800-363-8203*
≈ *522-4400*

Le beau bâtiment à corniche qui abrite le Manoir Lafayette est élégant. Ces dernières années, l'hôtel a été rénové. Désormais, les chambres, garnies de meubles aux lignes anciennes, offrent un confort moderne. L'endroit est des plus agréables.

Château Grande Allée
$$$
≡
601 Grande Allée E.
☎ *647-4433 ou 800-263-1471*
≈ *649-7553*

Le Château Grande Allée a ouvert ses portes sur la trépidante Grande Allée. Les chambres, tenues avec soin, sont vastes, si bien que le mobilier ne parvient pas à les remplir. Néanmoins, plusieurs avantages et les grandes salles de bain compensent amplement ce petit défaut.

Hôtel Loews
Le Concorde
$$$-$$$$
≡, ≈, ☉, △, ℜ, ☉, ♿
1225 Place-Montcalm
☎ *647-2222 ou 800-463-5256*
≈ *647-4710*

Se dressant aux abords du Vieux-Québec, l'Hôtel Loews Le Concorde dispose de chambres spacieuses offrant une vue magnifique sur tout Québec. Appartenant à la chaîne d'hôtels Loews, il dispose de chambres confortables. Au sommet

de la tour se trouve un restaurant tournant (voir L'Astral, p 453).

Circuit D:
Saint-Jean-Baptiste

Chez Pierre
$$ pdj
bc/bp, ℝ
636 rue D'Aiguillon
☎ *522-2173*

Chez Pierre est un gîte touristique comptant trois chambres. Deux d'entre elles sont situées dans le sous-sol rénové, mais la troisième, à l'étage, offre tout le charme des appartements du faubourg Saint-Jean-Baptiste. La salle de bain de cette dernière est toutefois aussi située au sous-sol. Pierre, votre hôte, est un artiste peintre dont les larges toiles colorées égaient la maison. Il vous sert, le matin venu, un copieux petit déjeuner.

Palace Royal
$$$
≈, ℜ, ≡, ☉, △, ☉, ♿
775 av. Honoré-Mercier
☎ *694-2000 ou 800-567-5276*
≈ *380-2552*
www.jaro.qc.ca

Nouvellement érigé près la place D'Youville, cet hôtel comptant quelque 230 chambres se veut, sans être de la plus haute catégorie, un établissement des plus confortables. Les chambres entourent une cour intérieure surmontée d'un large puits de lumière et qui accueille une petite piscine, un bassin à remous, quelques fontaines et des plantes qui créent un bel effet. Certaines suites se prolongent d'un balcon donnant sur cette cour. La décoration des chambres, qui s'orne de frises, de lampes à motifs et de rideaux drapés, arbore un style classique.

Ville de Québec

Hilton Québec
$$$

≈, ☺, △, ℜ, ≡, ⅁

1100 boul. René-Lévesque E.

☎*647-2411 ou 800-447-2411*

≠*647-6488*

Situé non loin du Vieux-Québec, le Hilton Québec propose des chambres offrant un confort qui répond aux normes d'une grande chaîne d'hôtels. Au rez-de-chaussée se trouve le centre commercial Place Québec, relié au Centre des congrès.

Radisson Hôtel Québec Centre
$$$

≡, ≈, ☺, △, ℜ, ⅁

690 boul. René-Lévesque E.

☎*647-1717 ou 888-884-7777*

≠*647-2146*

Le Radisson Hôtel Québec Centre est relié au Centre des congrès de Québec et au centre commercial Place Québec. Cette tour abrite plus de 377 chambres, toutes joliment décorées. Les chambres régulières sont garnies d'un mobilier de pin d'aspect un peu rustique mais élégant. Tout au long de l'année, les hôtes peuvent profiter d'une piscine extérieure chauffée.

 Hôtel du Capitole
$$$$

≡, ◉, ℜ

972 rue St-Jean

☎*694-4040 ou 800-363-4040*

≠*694-1916*

www.lecapitole.com

Adjacent au magnifique Capitole de Québec, l'Hôtel du Capitole est aménagé dans les pièces qui ceinturent le bâtiment. Sa petite entrée, cachée dans l'imposante structure, se fait fort discrète. Le décor de l'hôtel n'a rien de luxueux, mais il est amusant. Ainsi, le mobilier des chambres rappelle un décor de théâtre. À l'entrée, on aperçoit le restaurant **Il Teatro** (voir p 454).

Circuit E: Autres lieux de Québec

Hôtel Royal William
$$$$

ℜ, ≡, ◉

360 boul. Charest E.

☎*521-4488 ou 888-541-0405*

www.royalwilliam.com

Dans le quartier Saint-Roch, en pleine période de restauration, on a ouvert un grand hôtel qui exprime bien cet esprit de renouveau animant les environs. L'Hôtel Royal William a pignon sur le boulevard Charest. Il propose une quarantaine de chambres dont l'aspect pratique plaira particulièrement aux gens d'affaires. On y retrouve en effet des tables de travail avec prises de téléphone et accès Internet, sans parler de sa localisation près de tout. Son décor se veut moderne et confortable, comme celui de la plupart des hôtels de cette catégorie.

Restaurants

Circuit A: Le Vieux-Québec

Casse-Crêpe Breton
$

1136 rue St-Jean

☎*692-0438*

Le Casse-Crêpe Breton attire les foules. Même après qu'on a agrandi ses locaux, la clientèle continue de faire la queue à sa porte pour goûter l'une de ses délicieuses crêpes-repas. Préparées sous vos yeux, elles sont garnies de vos ingrédients préférés par les serveuses qui réussissent à rester souriantes malgré ce fol

achalandage. Avec ses hautes banquettes, l'endroit offre une ambiance chaleureuse.

Chez Temporel
$

25 rue Couillard

☎*694-1813*

Chez Temporel, on déguste une cuisine entièrement préparée sur place. Que vous choisissiez un croissant pur beurre, un croque-monsieur, une salade ou le plat du jour, vous êtes assuré que ce sera bon et frais. On y trouve en prime le meilleur espresso en ville! Les serveurs et serveuses sont parfois débordés, mais, si vous savez être compréhensif, ils sauront vous le rendre au centuple. Caché dans un détour de la petite rue Couillard depuis plus de 25 ans, Chez Temporel a vu défiler sur ses deux niveaux une clientèle de tous les âges et de toutes les tendances. Ouvert tôt le matin jusque tard le soir.

Le Petit Coin Latin
$

8½ rue Ste-Ursule

☎*692-2022*

Au Petit Coin Latin, on savoure une cuisine maison dans une ambiance de café parisien. Ses banquettes et ses miroirs trônent dans une atmosphère conviviale et détendue. Son menu propose croûtons au fromage, quiches et pâtés. On peut aussi se rassasier de raclette qu'on prépare sur un petit gril que le personnel dépose sur la table; la raclette est servie avec pommes de terre et charcuteries. Un délice! En été, une jolie terrasse entourée de pierres s'ouvre à l'arrière; on peut s'y rendre directement de la rue en passant par la porte cochère.

L'Entrecôte Saint-Jean
$$
1011 rue St-Jean
☎*694-0234*
L'Entrecôte Saint-Jean propose évidemment des entrecôtes, mais apprêtées de multiples façons et accompagnées de pommes de terre allumettes. La salade aux noix et les profiteroles au chocolat terminent harmonieusement le repas. Rapport qualité/prix intéressant.

Les Frères de la Côte
$$
1190 rue St-Jean
☎*692-5445*
Les Frères de la Côte proposent une savoureuse cuisine bistro. On y mange des pizzas à pâte mince cuites au four à bois et garnies de délicieux ingrédients frais, des pâtes, des grillades, etc. Soirées spéciales de moules-frites à volonté! L'atmosphère animée est décontractée, l'endroit est souvent bondé, un reflet de la rue Saint-Jean, que l'on peut observer par ses grandes fenêtres.

Café Serge Bruyère
$$-$$$
1200 rue St-Jean
☎*694-0618*
La Maison Serge-Bruyère, une institution du Vieux-Québec, est installée dans la maison Livernois, une grande résidence bourgeoise construite au XIXᵉ siècle. Elle loge trois restaurants (le Café Serge Bruyère, le bistro Chez Livernois et La Grande Table de Serge Bruyère, en plus du Pub St-Patrick), dont le raffinement augmente à mesure qu'on en franchit les paliers, le dernier étage étant occupé par **La Grande Table de Serge Bruyère** (voir p 450). Au rez-de-chaussée, on a tout simplement installé un café, qui propose un court menu typique de salades,

sandwichs et viennoiseries s'accompagnant d'une bière ou d'un espresso. Au sous-sol, sous les voûtes, un pub irlandais, le **Pub St-Patrick**, sert des bières de toutes sortes et accueille certains soirs des concerts de musique celtique.

Chez Livernois
$$-$$$
1200 rue St-Jean
☎*694-0618*
Dans la Maison Serge-Bruyère, on trouve le bistro Chez Livernois. La maison Livernois, cette grande demeure du XIXᵉ siècle qui abrite la Maison Serge-Bruyère, est en effet connue pour avoir logé, à partir de 1889, le studio de photographie de Jules Livernois. Chez Livernois, on sert une fine cuisine, composée essentiellement de pâtes et de grillades, dans une atmosphère un peu plus décontractée qu'à **La Grande Table de Serge Bruyère** (voir p 450).

Portofino Bistro Italiano
$$-$$$
54 rue Couillard
☎*692-8888*
Du Portofino, on a voulu faire un bistro à l'ambiance typiquement italienne. Le long bar, les verres à eau bleus, les miroirs au mur et les drapeaux d'équipes de soccer (football) au plafond font partie de cette atmosphère chaude et animée. Ne vous surprenez pas si le patron vous embrasse pour vous souhaiter la bienvenue! À tout cela s'ajoutent les effluves de la cuisine, elle aussi fidèle à l'Italie. Pendant la saison touristique, l'endroit ne désemplit pas. Service de voiturier.

Café de la Paix
$$$
44 rue des Jardins
☎*692-1430*
Sur la petite rue des Jardins, dans un local tout en long, quelques marches plus bas que le trottoir, est aménagé le Café de la Paix. Ce restaurant ouvert depuis des années jouit d'une solide réputation auprès des gens de Québec. On y sert un menu de cuisine française classique où se côtoient cuisses de grenouilles, bœuf Wellington, lapin à la moutarde et saumon grillé.

L'Élysée-Mandarin
$$$
65 rue D'Auteuil
☎*692-0909*
L'Élysée-Mandarin propose une fine cuisine séchuanaise, cantonaise et pékinoise dans un décor rehaussé d'un petit jardin intérieur et de sculptures et vases chinois. Les plats sont toujours succulents, et le service, dans ce restaurant qui a aussi pignon sur rue à Montréal et à Paris, est des plus courtois. Si vous êtes en groupe, essayez un menu dégustation: il serait dommage de ne pas goûter le plus de mets possible!

À la Bastille
Chez Bahüaud
$$$
47 av. Ste-Geneviève
☎*692-2544*
Le restaurant À la Bastille Chez Bahüaud, entouré de nombreux arbres, se trouve à proximité des plaines d'Abraham. Une magnifique tranquillité règne sur la terrasse, idéale pour un dîner en amoureux par un soir de pleine lune. À l'intérieur, une table de billard complète un décor à la fois raffiné et confortable, tandis qu'au sous-sol le bar au style très charmeur offre une am-

Ville de Québec

biance intime. Une fine cuisine française vous y attend.

🌴 Café de la Terrasse
$$$$
1 rue des Carrières
☎**692-3861**
Sur la terrasse Dufferin, dans le Château Frontenac, se trouve le Café de la Terrasse. Ses baies vitrées dévoilent la vue sur la terrasse. Son décor est agréable et sa cuisine française délicieuse.

Le Charles-Baillargé
$$$-$$$$
57 rue Ste-Anne
☎**692-2480**
Le Charles-Baillargé est aménagé au rez-de-chaussée du très bel **Hôtel Clarendon** (voir p 445). Une clientèle distinguée vient y savourer une cuisine française et québécoise d'une grande qualité tout en profitant d'un décor chaleureux fort agréable.

Le Continental
$$$-$$$$
26 rue St-Louis
☎**694-9995**
Le Continental est installé à deux pas du Château Frontenac, à l'intérieur d'une maison historique où est né Louis-Alexandre Taschereau, premier ministre de Québec de 1922 à 1936. Il s'agit aussi de l'un des plus vieux restaurants de Québec. Son menu présente une cuisine continentale où l'on retrouve des fruits de mer, de l'agneau, du canard, etc. Service au guéridon dans une grande salle confortable.

Aux Anciens Canadiens
$$$-$$$$
34 rue St-Louis
☎**692-1627**
Situé dans la plus vieille maison de la Haute-Ville (voir la maison Jacquet, p 413), le restaurant Aux

Anciens Canadiens propose les spécialités traditionnelles du Québec. On peut y goûter le jambon au sirop d'érable, les fèves au lard et la tarte aux bleuets.

🌴 Café d'Europe
$$$-$$$$
27 rue Ste-Angèle
☎**692-3835**
Le Café d'Europe présente un décor sobre et un peu vieillot. L'exiguïté des lieux et l'achalandage de certains jours peuvent rendre l'endroit assez bruyant. Le service s'avère courtois et personnalisé. Fine cuisine française et italienne, traditionnelle dans sa présentation, raffinée dans ses sauces et généreuse dans ses portions. Service de flambées impeccable et sauces onctueuses au goût relevé qui rendent le tout inoubliable pour les papilles.

La Crémaillère
$$$-$$$$
21 rue St-Stanislas, angle rue St-Jean
☎**692-2216**
Un accueil sympathique et une cuisine exquise aux saveurs de l'Europe vous attendent au restaurant La Crémaillère. Ici, mille et une petites attentions rendent les repas inoubliables. Le décor, fort chaleureux, ajoute au charme de l'endroit.

Guido Le Gourmet
$$$-$$$$
73 rue Ste-Anne
☎**692-3856**
Le restaurant de Guido Le Gourmet vous entraîne dans le monde de la fine gastronomie. Son menu de cuisine française et italienne vous propose cailles, veau, saumon et autres délices de la terre et de la mer. Son décor est chic. Sur les tables, de belles grandes assiettes vous promettent mer et monde. Brunchs les dimanches.

Le Saint-Amour
$$$-$$$$
48 rue Ste-Ursule
☎**694-0667**
Le Saint-Amour est, depuis quelques années déjà, l'un des meilleurs restaurants de Québec. Le chef et copropriétaire Jean-Luc Boulay élabore une succulente cuisine créative qui ravit autant la vue que le goût. Dans la chocolaterie, à l'étage, on confectionne des desserts absolument divins. Une vraie expérience gastronomique! De plus, l'endroit est beau, confortable et chaleureux. Il est égayé par une verrière, ouverte à longueur d'année, et décorée de plantes et de fleurs de toutes sortes. Les beaux jours d'été, on en retire le toit pour en faire une terrasse ensoleillée. Service de voiturier.

🌴 Le Champlain
$$$$
1 rue des Carrières
☎**692-3861**
Le Champlain est le grand restaurant du Château Frontenac. Son décor est, il va sans dire, des plus luxueux et sied bien au faste de l'endroit. Sa fine cuisine française est, elle aussi, fidèle à la renommée du château. Son chef, Jean Soular, qui a déjà publié ses recettes, tente toutefois d'ajouter une touche originale à cette cuisine classique. Service impeccable par serveurs en livrée.

🌴 La Grande Table de Serge Bruyère
$$$$
fermé le midi
1200 rue St-Jean
☎**694-0618**
La Grande Table de Serge Bruyère s'est acquis une solide réputation qui s'étend bien au-delà des murs qui ceinturent la vieille ville. Cette réputation, établie d'abord par l'excellent

et regretté cuisinier qui a laissé son nom à l'endroit, se maintient d'année en année grâce au doigté de différents chefs reconnus. Depuis le début de l'année 2000, Martin Côté, un ancien élève de Serge Bruyère, a repris le flambeau après avoir sillonné le monde afin de parfaire son art. Il crée de magnifiques assiettes de gastronomie française aux sauces fines et onctueuses à souhait. La Grande Table de Serge Bruyère est installée au dernier étage de la maison historique Livernois, qui s'élève entre les rues Garneau et Couillard, et arbore un beau décor paré de tableaux de peintres québécois. Service de voiturier.

Circuit B:
Du Petit-Champlain
au Vieux-Port

Buffet de l'Antiquaire
$
95 rue St-Paul
☎692-2661
Le Buffet de l'Antiquaire est un sympathique casse-croûte qui sert une cuisine familiale. Comme son nom le souligne, il est situé au cœur du quartier des antiquaires et peut donc vous offrir une petite halte si vous courez les trésors! Il est un des premiers restaurants de la ville à ouvrir ses portes le matin, soit dès 6h.

Le Cochon Dingue
$$
46 boul. Champlain
☎692-2013
Le Cochon Dingue est un bistro-café fort sympathique. S'étalant entre le boulevard Champlain et la rue du Petit Champlain, il présente un décor agréable et rigolo avec ses miroirs et son plancher carrelé. Il propose une

cuisine bistro, telles ses formules steaks-frites et moules-frites. Ses desserts vous rendront... dingue!

Bistro Sous-le-Fort
$$-$$$
48 rue Sous-le-Fort
☎694-0852
Le Bistro Sous-le-Fort présente une décoration austère et est fréquenté par une clientèle essentiellement composée de touristes. Il propose cependant une délicieuse cuisine québécoise à prix abordable.

Le Café du Monde
$$-$$$
84 rue Dalhousie
☎692-4455
Dans cette grande brasserie à la parisienne, on prépare des plats typiques de ce genre d'établissement tels que le confit de canard, le tartare, la bavette, le boudin et, bien sûr, les moules-frites. Le menu du midi est intéressant avec ses délicieuses profiteroles servies au dessert. Les brunchs de fin de semaine ne laissent pas leur place non plus. Son décor clair invite à la détente et à la discussion avec son plancher carrelé de noir et blanc, ses banquettes de cuir, ses grandes fenêtres donnant sur le port et son long bar orné d'une imposante machine à café en cuivre. Les serveurs, habillés d'un long tablier, sont attentionnés.

Le Môss
$$$
255 rue St-Paul
☎692-0265
Môss est un bistro belge. Son décor est assez froid, avec tables noires, murs de briques, comptoir en inox et éclairage halogène. Mais ses moules-frites, ses grillades et ses desserts au chocolat belge sont savoureux.

L'Aviatic Club
$$$
450 de la Gare-du-Palais
☎522-3555
La magnifique gare du Palais abrite deux restaurants; un tout nouveau qui porte un joli nom évocateur, **Charbon**, et qui sert... des grillades! Et un deuxième, ou plutôt un premier, qui y est installé depuis plusieurs années. L'Aviatic Club vous convie au voyage grâce à son décor sorti de l'Angleterre du milieu du XXe siècle, avec fauteuils de rotin, rideaux rouge vin et palmiers, et à son menu cosmopolite.

Le Vendôme
$$$
36 côte de la Montagne
☎692-0557
Le Vendôme est un des plus vieux restaurants de Québec. On y mange des classiques de la cuisine française tels que chateaubriand, coq au vin et canard à l'orange dans un décor intimiste.

Poisson d'Avril
$$$
115 quai St-André
☎692-1010
Le Poisson d'Avril se trouve au Vieux-Port. Il est installé dans une vieille maison qui arbore pierres et poutres de bois pour le plaisir de tous. Le décor est rehaussé d'un éclairage judicieux et du tissu à motifs de coquillages des chaises. Au menu figurent des pâtes, des grillades et des fruits de mer bien apprêtés. Essayez les moules.

Deux bons restaurants avoisinent le pittoresque escalier Casse-Cou, qui mène au quartier du Petit-Champlain. Tout en haut, sur deux niveaux, **Chez Rabelais** (*$$$-$$$$; 2 rue du Petit-Champlain, ☎694-9460*) propose un menu de cuisine française avec beau-

Ville de Québec

coup de fruits de mer. Un peu plus bas se trouve le **Marie-Clarisse** (*$$$-$$$$; 12 rue du Petit-Champlain, ☎692-0857*), où tout est bleu comme la mer, sauf les murs de pierres. Et pour cause, puisqu'on s'y spécialise dans les poissons et fruits de mer! Ces mets apprêtés de divine façon vous sont servis dans une belle salle à la décoration très réussie. Le froid venu, on réchauffe les «convives-passagers» avec un bon feu de foyer.

L'Échaudé
$$$-$$$$
73 rue Sault-au-Matelot
☎692-1299

L'Échaudé est un attrayant restaurant où l'on a opté pour un cadre Art déco avec plancher carrelé et mur recouvert de miroir. Ambiance détendue. Fine cuisine composée au jour le jour au gré des arrivages du marché, et délicieuse à souhait.

Laurie Raphaël
$$$$
117 rue Dalhousie
☎692-4555

Le chef et copropriétaire du Laurie Raphaël, Daniel Vézina, a obtenu en 1997 le prix du meilleur chef-cuisinier du Québec. Il a aussi, la même année, publié un livre de recettes alléchantes. Pour composer ses délices, le chef s'inspire de toutes les cuisines du monde et apprête ris de veau, pétoncles, viande d'autruche et autres d'une manière originale. Donc pas besoin de vous préciser qu'au Laurie Raphaël on mange bien! Occupant depuis mai 1996 des locaux spacieux avec mur extérieur formant un demi-cercle entièrement vitré, il offre un décor chic, agrémenté de rideaux blanc crème, de couleurs sable et terre, ainsi que de

quelques objets en fer forgé.

Circuit C:
La Grande Allée
et l'avenue Cartier

Bügel
$
164 rue Crémazie O.
☎523-7666

Vous avez envie d'un *bagel*? Sur la jolie petite rue Crémazie, la fabrique de *bagels* Bügel vous en propose de toutes sortes. Sur place, dans une ambiance chaleureuse qui sent bon le feu de bois, on peut en grignoter garnis de salami, de fromage à la crème ou de «végépâté», ou bien on peut y faire des provisions à rapporter à la maison!

Sushi Taxi
$-$$
813 av. Cartier
☎529-0068

Maki, sashimi, temaki... Envie de petites bouchées de poisson cru? Faites un saut au comptoir de Sushi Taxi ou encore, vous l'aurez deviné d'après leur nom, faites-vous livrer à domicile ces délices japonais. Vous pouvez aussi déguster les mets préparés sous vos yeux, sur place, dans un minuscule local décoré aux accents zen.

Le Parlementaire
$-$$
mar-ven
angle av. Honoré-Mercier et Grande Allée
☎643-6640

Les visiteurs espérant côtoyer les membres de l'Assemblée nationale peuvent aller déjeuner au restaurant de l'Hôtel du Parlement, Le Parlementaire. Le menu propose des mets québécois et européens. L'endroit est souvent bondé, surtout le midi, mais on y mange bien. Ouvert seulement

pour le petit déjeuner et le déjeuner.

Cosmos Café
$$
575 Grande Allée E.
☎640-0606

Le Cosmos Café vous promet d'agréables moments dans une ambiance branchée. On y sert des hamburgers, des sandwichs et des salades aux saveurs cosmopolites. Bons petits déjeuners.

Café Krieghoff
$$
1089 av. Cartier
☎522-3711

Le Café Krieghoff, du nom du peintre d'origine hollandaise dont l'ancienne demeure s'élève au bout de l'avenue Cartier, loge dans une vieille maison de cette même artère. On y propose une cuisine légère (quiches, salades, etc.) de qualité ainsi qu'un bon menu du jour. N'oubliez pas d'accompagner le tout de leur excellent espresso. Son atmosphère conviviale et détendue évoque les cafés d'Europe du Nord. En été, on y trouve deux terrasses souvent bondées.

Le Figaro
$$
1019 av. Cartier
☎525-3535

Le Figaro, un agréable bistro, propose une bonne cuisine... bistro! Le décor est beau et le service courtois. En été, on vient sur sa terrasse qui donne sur le trottoir pour voir et être vu. Brunchs les fins de semaine.

Jaune Tomate
$$-$$$
120 boul. René-Lévesque O.
☎523-8777

Presque au coin de l'avenue Cartier, sur le boulevard René-Lévesque, se trouve un joli restaurant jaune et rouge... le Jaune Tomate! On y déguste une bonne cuisine italienne dans un décor champêtre au rez-de-chaussée ou sur la mezzanine. Les samedis et dimanches matins, on vient y déguster des brunchs originaux et savoureux. Les œufs bénédictines sauce hollandaise aromatisée d'un zeste d'orange et de teryaki sauront égayer vos petits matins de fin de semaine!

Café-Resto du Musée
$$-$$$
même horaire que le musée
1 av. Wolfe-Montcalm
☎*644-6780*
Au Musée national des beaux-arts du Québec, on trouve le sympathique Café-Restaurant du Musée. Géré par une école d'hôtellerie voisine, le restaurant se fait un devoir de toujours offrir des mets bien apprêtés et un service hors pair. De grandes baies vitrées permettent de contempler les plaines d'Abraham et le fleuve; l'été venu, on a la même vue de sa terrasse.

Le Momento
$$-$$$
1144 av. Cartier
☎*647-1313*
Le Momento présente un décor moderne aux teintes chaleureuses et embelli par une fresque tirée d'une toile de Botticelli. Vous l'aurez deviné, on y sert une cuisine italienne raffinée et originale qui vous réserve d'agréables surprises. Basilic, origan, tomates séchées, câpres, olives: les sauces sont riches, sans excès, et savoureuses. Le saumon mariné est juste à point, ainsi fond-il dans la bouche.

Le Louis-Hébert
$$$
668 Grande Allée E.
☎*525-7812*
Ce chic restaurant offre un décor soigné et un confort feutré. On y sert une cui-

sine française et des fruits de mer exquis. À l'arrière se trouve une verrière garnie de verdure. Un service courtois et attentionné vous y attend.

Le Métropolitain
$$$-$$$$
1188 av. Cartier
☎*649-1096*
Le Métropolitain est sans doute le meilleur restaurant de sushis de Québec. Ces petits délices japonais sauront vous régaler. Ils sont préparés par des mains expertes, sous vos yeux, derrière un comptoir vitré. Vous pourrez aussi y goûter d'autres spécialités orientales, entre autres des poissons et fruits de mer.

Le Paris-Brest
$$$-$$$$
590 Grande Allée E., angle de La Chevrotière
☎*529-2243*
Au Paris-Brest, la cuisine française est à l'honneur. Préparés avec soin, les plats sauront ravir les palais les plus fins. En été, le restaurant ouvre sa mignonne petite terrasse donnant sur la Grande Allée.

L'Astral
$$$-$$$$
Hôtel Loews Le Concorde, 1225 Place-Montcalm
☎*647-2222*
Juché au sommet d'un des plus grands hôtels de Québec (voir p 447), le restaurant tournant L'Astral offre, en plus d'une cuisine française raffinée, une vue imprenable sur le fleuve, les plaines d'Abraham, les Laurentides et la ville. Le tour complet s'effectue en une heure. Son brunch copieux du dimanche vaut le déplacement.

Le Graffiti
$$$-$$$$
1191 av. Cartier
☎*529-4949*
Le décor vieillot du Graffiti, composé de poutres de bois naturel et de murs de briques, parvient à créer une ambiance très chaleureuse. Ce restaurant sert une cuisine française de qualité supérieure.

Circuit D: Saint-Jean-Baptiste

Chez Victor
$$
145 rue St-Jean
☎*529-7702*
Installé dans un demi-sous-sol au décor rétro, Chez Victor propose des salades et des hamburgers. Mais pas n'importe quels hamburgers! Gros et appétissants, ils sont garnis d'ingrédients frais, et le menu en propose plusieurs variétés, tel le délicieux végétarien. Les frites maison sont parfaites! Le service s'avère cordial.

Thang Long
$$
apportez votre vin
869 côte d'Abraham
☎*524-0572*
Le Thang Long, accroché à la côte d'Abraham, est tout petit, mais on y trouve une cuisine venue du Vietnam, de la Thaïlande, de la Chine et même du Japon! Le décor de ce restaurant de quartier est simple et sans prétention; la cuisine, vraiment à la hauteur. Le service y est empressé. Essayez l'une des soupes-repas; en plus d'être peu coûteuses, elles sont réconfortantes!

Le Hobbit
$$
700 rue St-Jean
☎*647-2677*
Le Hobbit est installé depuis plusieurs années

Ville de Québec

dans une vieille maison du faubourg Saint-Jean-Baptiste. Ses murs de pierres, son plancher carrelé et ses grandes fenêtres qui s'ouvrent sur l'animation de la rue Saint-Jean attirent toujours autant les gens. L'endroit se divise en deux salles: la première partie, de style café, où l'on peut s'éterniser en sirotant un espresso et manger une bouchée; la deuxième étant la salle à manger, où l'on propose un délicieux menu qui varie chaque jour et qui satisfait toujours. Y sont régulièrement exposées des œuvres d'artistes locaux.

La Piazzetta
$$
707 rue St-Jean
☎529-7489

L'aménagement moderne de La Piazzetta laisse peu de place à l'intimité. Mais une clientèle nombreuse et animée vient y déguster de délicieuses pizzas à l'européenne, servies avec une foule de garnitures variées. Plusieurs succursales de La Piazzetta sont maintenant ouvertes partout au Québec; celle-ci, installée dans une vieille maison de la rue Saint-Jean, est la première de la chaîne.

Les Épices du Széchouan
$$-$$$
215 rue St-Jean
☎648-6440

Pour une cuisine exotique aux arômes envoûtants et aux goûts savoureux, essayez Les Épices du Széchouan. Aménagé dans une ancienne demeure du faubourg Saint-Jean-Baptiste, ce resto présente un joli décor relevé de mille et un bibelots venus de Chine. Une table, avec banquette, est agréablement disposée dans un encorbellement. La maison est un peu à l'écart de la rue: il ne faut pas la manquer!

La Playa
$$$
780 rue St-Jean
☎522-3989

Dans un beau décor chaud, le petit restaurant La Playa propose un menu de cuisine californienne et d'autres cuisines méridionales. Les pâtes sont à l'honneur, relevées de sauces savoureuses, telle celle au poulet tandouri. On y prépare aussi une table d'hôte où figurent viandes et poissons apprêtés de délicieuse façon. En été, La Playa ouvre sa mignonne terrasse arrière.

Il Teatro
$$$
972 rue St-Jean
☎694-9996

Dans le magnifique **Capitole de Québec** (voir p 436), Il Teatro sert une fine cuisine italienne. Dans une belle salle au fond de laquelle s'étale un long bar et autour de laquelle miroitent de grandes fenêtres, cette délicieuse cuisine vous sera servie avec courtoisie. En été, on aménage une terrasse protégée du va-et-vient de la place D'Youville.

Circuit E: Autres lieux de Québec

Café du clocher penché
$-$$
203 rue St-Joseph E.
☎640-0597

Dans une ancienne banque du quartier Saint-Roch, près de l'église Notre-Dame-de-Jacques-Cartier avec son clocher penché, le Café du clocher penché propose de bons petits plats préparés avec une touche d'originalité. Si vous y allez pour le petit déjeuner la fin de semaine, essayez les «voleurs de bicyclette»! Situé sur un coin de rue, il bénéficie de plusieurs fenêtres qui

rachètent un peu la froideur des hauts plafonds.

Les Salons d'Edgar
$-$$
soirs mer-dim
263 De St-Vallier E.
☎523-7811

Dans les attrayants Salons d'Edgar, qui font aussi office de bar (voir p 456), on sert une cuisine simple et fortifiante. L'ambiance feutrée crée un décor un peu théâtral, propice à la détente et aux rencontres.

Bars et discothèques

Les bars et discothèques de Québec ne prélèvent généralement pas de droit d'entrée. Il peut arriver qu'il y ait des frais surtout lors d'événements spéciaux ou de spectacles. En hiver, on exige la plupart du temps que vous laissiez votre manteau au vestiaire moyennant un ou deux dollars.

Circuit A: Le Vieux-Québec

Le Chantauteuil
1001 rue St-Jean

Au pied de la côte de la rue D'Auteuil, Le Chantauteuil est un sympathique bistro. Les clients y discutent pendant des heures, assis sur une banquette autour d'une bouteille de vin ou d'un verre de bière.

L'Emprise
Hôtel Clarendon, 57 rue Ste-Anne
☎692-2480

Le plus vieil hôtel de Québec abrite L'Emprise. Ce

bar de style classique est l'endroit de prédilection pour les jazzophiles. Au centre de la salle se trouvent un magnifique piano à queue noir et un long bar en *L*. Calé dans ses fauteuils confortables, on peut régulièrement y écouter des spectacles intimistes.

Le Saint-Alexandre
1087 rue St-Jean
☎694-0015

Le Saint-Alexandre est un pub typiquement anglais. Les murs vert écossais côtoient les murs de pierres qui, eux, se marient parfaitement bien avec les boiseries d'acajou et l'ameublement de même essence. Au fond de la salle se trouve un magnifique piano à queue noir, malheureusement trop peu souvent utilisé. Ici, on a le souci du détail et de l'authenticité. L'alignement impressionnant de bières importées derrière le bar frappe l'œil et nous fait traverser plusieurs frontières. On y sert, en effet, plus de 200 variétés de bières, entre autres une vingtaine à la pression dont les robinets ornent le long bar. Une cuisine légère de qualité y est servie.

Frankie's
48C côte de la Fabrique

Frankie a ouvert cette boîte de nuit où sont régulièrement invités des musiciens de diverses tendances. On ne trouve pas de piste de danse sur ses deux niveaux joliment décorés en rouge et noir: tout le monde est invité à se déhancher où il veut!

Circuit B:
Du Petit-Champlain
au Vieux-Port

L'Inox
37 quai St-André
☎692-2877

Brasserie au style bistro et dernier rempart de la tradition brassicole, L'Inox fait aussi office d'**Économusée de la bière** (voir p 428). Le décor est original, et le bar central en inox frappe l'œil. La clientèle est plutôt jeune et variée. En plus d'y venir pour sa bière, on s'y rend pour ses hot-dogs, histoire de remplir un petit creux. Certaines activités spéciales ont lieu pendant l'année; informez-vous car il peut être intéressant d'assister à une séance de peinture en direct ou à un lancement de disque.

Le Pape-Georges
8 rue Cul-de-Sac
☎692-1320

Le Pape-Georges est un sympathique bar à vins. Aménagé sous les voûtes d'une vieille maison du quartier du Petit-Champlain, il propose un large choix de vins à déguster et des accompagnements tels qu'assiette de fromages et charcuteries. L'atmosphère est chaleureuse, surtout lorsque réchauffée par un chansonnier.

Taverne Belley
249 rue St-Paul
☎692-4595

La Taverne Belley, en face du marché du Vieux-Port, présente quelques particularités propres aux tavernes telles que table de billard et petites tables rondes en métal. Le décor de ses deux salles est chaleureux et amusant avec ses murs de briques parsemés de toiles colorées. Un tout petit foyer diffuse une agréable chaleur l'hiver venu.

Le Troubadour
29 rue St-Pierre
☎694-9176

Le Troubadour niche sous des voûtes non loin de la place Royale. Avec son cadre entièrement de pierres et ses longues chandelles blanches enfoncées dans des bouteilles sur les tables en bois, on se croirait revenu au Moyen Âge. En hiver, on réchauffe l'endroit avec un bon feu de foyer.

Circuit C:
La Grande Allée
et l'avenue Cartier

Le Dagobert
600 Grande Allée E.
☎522-0393

Mieux connu sous le nom du Dag, Le Dagobert est l'une des plus grandes boîtes en ville. Au dire des habitués, il s'agit là d'une des meilleures discothèques pour draguer. Installé sur trois niveaux dans une ancienne demeure, le Dag a effectivement beaucoup de gueule, tout comme sa clientèle! La piste de danse est grande à souhait, et une mezzanine en forme de fer à cheval permet aux «voyeurs» d'observer la faune qui se trémousse. Un écran géant surplombe les lieux et présente les clips de l'heure. En été, la terrasse est toujours bondée. À l'étage, des spectacles y sont présentés.

Maurice
575 Grande Allée E.
☎640-0711

La discothèque Maurice, aménagée dans l'ancienne résidence de l'ex-premier ministre québécois Maurice Duplessis, d'où son nom, ne ressemble à rien d'autre en ville. Le décor est absolument original, à tel point qu'il est difficile de le qualifier. Le rouge est partout présent. Le

Ville de Québec

mobilier aux lignes avant-gardistes se veut on ne peut plus étonnant. La très grande piste de danse, au centre, est bordée de petits comptoirs ici et là. Les portiers prennent un malin plaisir à trier la clientèle sur le volet. Cette dernière est bigarrée, bien belle et âgée de 20 à 35 ans. Ambiance inédite. Droit d'entrée exigé.

À l'étage supérieur, le *cigar room* **Charlotte** présente un décor dans le même style. Une salle avec sofas correspond au titre qu'on lui donne, tandis qu'un peu plus loin on se trémousse sur une petite piste de danse sur laquelle sont parfois présentés des spectacles. Les dimanches sont latinos.

Jules et Jim
1060 av. Cartier
☎524-9570
Le petit Jules et Jim est établi sur l'avenue Cartier depuis plusieurs années. Il offre une douce atmosphère avec ses banquettes et ses tables basses qui évoquent le Paris des années 1920.

Le Turf
1175 av. Cartier
☎522-9955
Sur l'animée avenue Cartier, Le Turf (anciennement connu sous le nom du Merlin) fait danser une clientèle B.C.B.G. dans la trentaine et plus. Au sous-sol, le pub anglais sert des bières importées à une clientèle semblable.

Circuit D: Saint-Jean-Baptiste

Le Fou Bar
525 rue St-Jean
☎523-1987
Au sympathique Fou Bar, une clientèle d'habitués vient siroter un verre tout en discutant ou en zyeu-

tant les œuvres de différents artistes.

Le Temps Partiel
698 rue d'Aiguillon
Dans le Vieux-Québec, pendant plus de 10 ans, la Fourmi Atomik a tenu lieu de repaire à une foule bigarrée et underground. Forcée de fermer ses portes à l'été 2001, elle les a en quelque sorte rouvertes sous cette nouvelle enseigne du faubourg Saint-Jean-Baptiste. L'équipe de la coopérative de travail qui tient ce bar est donc la même que celle qui faisait tourner la Fourmi, et l'on y retrouve la même clientèle et la même musique qui alterne du *black beat* au *punk rock* en passant par l'«alterno» et le techno des années 1980 jusqu'aux toutes dernières nouveautés.

Circuit E: Autres lieux de Québec

La Barberie
310 rue St-Roch
☎522-4373
Au départ, La Barberie était destinée à brasser de la bière; on l'a donc installée dans un local d'un quartier un peu désert. Aujourd'hui, elle ouvre au public ce local qu'elle a, pour l'occasion, rénové en le peignant de couleurs chaudes. Les différentes bières proposées au comptoir, ainsi que celles que vous pouvez goûter dans différents établissements de la capitale et des environs, se révèlent, pour la plupart, délicieuses. Il s'agit d'ales fermentant en fût de chêne.

Les Salons d'Edgar
263 rue De St-Vallier E.
☎523-7811
Vous ne savez trop si vous avez envie de manger une bouchée, de prendre un verre entre amis ou de

jouer au billard? Rendez-vous alors aux Salons d'Edgar, où toutes ces possibilités s'offrent à vous. Son beau décor rehaussé de paravents et de grandes draperies blanches vous donnera un peu l'impression d'être sur la scène d'un théâtre. À l'arrière, dans une salle tout en long au plafond haut, on trouve des fauteuils, des tables de billard, une table de jeu de palets et, comme dans tout salon qui se respecte, un foyer! La musique est bien choisie, et l'on y présente régulièrement des spectacles.

Le Scanner
291 rue De St-Vallier E.
☎523-1916
Vous êtes envahi par une irrépressible envie de naviguer? Pas de panique, Québec, époque oblige, a ses bars et cafés électroniques. Le Scanner, au nom évocateur, met à votre disposition deux ordinateurs pour vous assouvir. Il s'agit d'un bar sur deux niveaux où l'on trouve, outre les jeux informatiques, des jeux sur table (soccer, billard) et des jeux de société. Lors des soirées à thème musical, il serait surprenant que vous restiez river à votre écran cathodique!

Bars et discothèques gays

L'Amour sorcier
789 côte Ste-Geneviève
☎523-3395
Ce petit bar du faubourg Saint-Jean-Baptiste offre une ambiance des plus chaleureuses. En été, il dispose d'une jolie terrasse.

Le Drague
804 rue St-Augustin
☎649-7212
Cette grande discothèque gay a été entièrement

rénovée et arbore aujourd'hui l'un des plus beaux décors de Québec. Au sous-sol, on se trémousse sur une piste de danse spacieuse. Les dimanches soir, des spectacles de travestis sont présentés dans une ambiance des plus folles!

Activités culturelles

Le journal *Voir*, édition de Québec, est distribué gratuitement et donne un aperçu des principaux événements qui se déroulent dans la ville.

Musique

L'**Orchestre symphonique de Québec**, le plus ancien du Canada, se produit régulièrement au Grand Théâtre de Québec *(269 boul. René-Lévesque E., ☎643-8131)*. C'est aussi là que l'on peut voir et entendre l'**Opéra de Québec**.

Théâtres

Le Périscope
2 rue Crémazie E.
☎529-2183
Essentiellement des pièces de théâtre expérimental, dans un beau théâtre rénové.

Théâtre de la Bordée
315 rue St-Joseph Est
☎694-9631

Théâtre du Trident
Grand Théâtre de Québec
269 boul. René-Lévesque E.
☎643-8131

Le Petit Théâtre de Québec
190 rue Dorchester
☎522-0321

Salles de spectacle

Auditorium Joseph-Lavergne
Bibliothèque Gabrielle-Roy
350 rue St-Joseph E.
☎529-0924
Spectacle en tous genres dans une salle intime.

Grand Théâtre de Québec
269 boul. René-Lévesque E.
☎643-8131
voir p 434.

Maison de la Chanson/Théâtre Petit Champlain
68-78 rue du Petit-Champlain
☎692-4744
Dans cet établissement, on assiste à d'excellents spectacles intimistes.

L'Autre Caserne
325 5ᵉ Rue
☎691-7709

Palais Montcalm
995 place D'Youville
☎670-9011 *(billetterie)*
En plus des spectacles de musique, des expositions thématiques y sont présentées.

Salle de l'Institut
42 rue St-Stanislas
☎691-7411 *(billetterie)*

Le Capitole de Québec
972 rue St-Jean
☎694-4444
Installé dans un ancien théâtre inauguré en 1903, Le Capitole de Québec en a retrouvé le charme en 1992. Il compte désormais parmi les plus belles salles de spectacle au Québec.

Cinémas

Place Charest
500 rue du Pont
☎529-9745

Fêtes et festivals

Le **Carnaval de Québec** *(☎626-3716 ou 888-737-3789)* a lieu tous les ans durant les deux premières semaines de février. Il est l'occasion pour les habitants de Québec et les visiteurs de fêter les beautés de l'hiver. Il a sans doute également pour but d'égayer cette période de l'année, où l'hiver semble n'en plus finir. Ainsi, plusieurs activités sont organisées tout au long de ces semaines. Parmi les plus populaires, mentionnons le défilé de nuit, la traversée du fleuve en canot à glace et le concours de sculptures de glace et de neige. En cette saison, la température est très froide; aussi, pour bien profiter de ces festivités, faut-il être très chaudement vêtu.

Le **Festival d'été de Québec** *(☎992-5200 ou 888-992-5200)* se tient généralement pendant 10 jours au début juillet. La ville s'égaie alors de musique et de chansons, de danse et d'animation, tous offerts par des artistes venus des quatre coins du monde. Les arts de la scène et de la rue enfièvrent un public ravi. Tout est au rendez-vous pour faire de cette activité le plus important événement culturel de Québec. Les spectacles en plein air sont particulièrement appréciés. La plupart des spectacles en salle sont payants, et ceux qui sont présentés en plein air sont gratuits.

À l'exposition **Plein art** *(☎694-0260)* sont présentés une foule d'objets d'art et d'artisanat dont on peut faire l'acquisition. L'exposition se tient dans les derniers jours de juillet et jusqu'à la première fin de semaine d'août.

À la fin du mois d'août, chaque année depuis plus de 50 ans, **Expo-Québec** (*Expocité*, ☎691-7110) revient divertir les gens de la région. Devant le Colisée, cette énorme foire agricole doublée d'un parc d'attractions est très courue durant la dizaine de jours de sa tenue.

Achats

Librairies

Le faubourg Saint-Jean-Baptiste foisonne de bonnes boutiques de livres d'occasion. Aux adresses suivantes, vous trouverez aussi de bons conseils.

La Bouquinerie de Cartier
1120 av. Cartier
☎525-6767

Librairie Générale Française
10 côte de la Fabrique
☎692-2442

Pantoute
1100 rue St-Jean
☎697-9748
286 rue St-Joseph Est
☎692-1175

Disquaires

Sillons Le Disquaire
1149 av. Cartier
☎524-8352

Archambault Musique
1095 rue St-Jean
☎694-2088

Boutiques d'artisanat et ateliers d'artisans

Ateliers La Pomme
47 rue Sous-le-Fort
☎692-2875
Articles de cuir.

Le Sachem
17 rue des Jardins
☎692-3056
Artisanat amérindien et inuit.

Cinq Nations
20 rue Cul-de-Sac; 25½ rue du Petit-Champlain
☎692-5476
Artisanat amérindien.

Galerie-Boutique Métiers d'art
29 rue Notre-Dame
☎694-0267
Produits d'artisanat du Québec.

Les Trois Colombes
46 rue St-Louis
☎694-1114
Produits artisanaux et vêtements de qualité.

L'Oiseau du Paradis
80 rue du Petit-Champlain
☎692-2679
Papiers et objets de papier.

Pot-en-ciel
27 rue du Petit-Champlain
☎692-1743
Céramiques.

Verrerie La Mailloche
escalier Casse-Cou
☎694-0445
Objets d'art en verre fabriqués dans l'atelier même (voir p 422).

Vêtements de femme

La Cache
1150 rue St-Jean
☎692-0398

Les Vêteries
33½ rue du Petit-Champlain
☎694-1215

O'Clan
52 boul. Champlain
☎692-1214

Simons
20 côte de la Fabrique
☎692-3630

Vêtements d'homme

Louis Laflamme
1192 rue St-Jean
☎692-3774

O'Clan
67½ rue du Petit-Champlain
☎692-1214

Simons
20 côte de la Fabrique
☎692-3630

Bijoux et arts décoratifs

Lazuli
774 rue St-Jean
☎525-6528

Origines
54 côte de la Fabrique
☎694-9257

Pierres Vives
23½ rue du Petit-Champlain
☎692-5566

Louis Perrier Joaillier
48 rue du Petit-Champlain
☎692-4633

Plein air

Azimut
1194 av. Cartier
☎648-9500
Vêtements et accessoires.

Région de Québec

Sous le Régime français,

Québec est la principale agglomération du Canada et le siège de l'administration coloniale. Pour approvisionner la ville et ses institutions, des fermes sont aménagées dans les environs dès le milieu du XVIIe siècle.

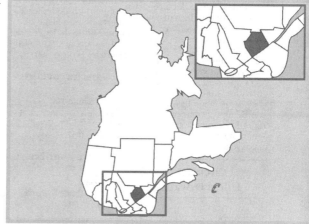

Cette région, à la périphérie de la ville, constitue aussi la première zone de peuplement rural dans la vallée du Saint-Laurent. Il est donc normal d'y retrouver les vestiges des premières seigneuries concédées en Nouvelle-France et d'y éprouver, plus que partout ailleurs dans la campagne québécoise, le sentiment de l'histoire et du passage du temps. Ainsi, on peut voir les fermes les plus anciennes de la colonie et les maisons où vécurent les ancêtres de familles dont la nombreuse progéniture allait essaimer à travers toute l'Amérique au cours des siècles suivants.

Pour s'y retrouver sans mal

Quatre circuits sont proposés autour de Québec: **Circuit A: La côte de Beaupré ★★**, **Circuit B: L'île d'Orléans ★★**, **Circuit C: Le chemin du Roy ★★** et **Circuit D: La Jacques-Cartier ★**. À l'exception du circuit de la Jacques-Cartier, plus sauvage et plus long, les autres excursions peuvent être effectuées en une seule journée au départ de Québec.

Circuit A:
La côte de Beaupré

En voiture

De Québec, empruntez l'autoroute Dufferin-Montmorency (440) en direction de Beauport (sortie 24) puis la rue d'Estimauville. Tournez à droite dans le chemin Royal (route 360), qui devient par la suite l'avenue Royale et que vous suivrez tout au long du circuit. C'est le parcours historique nommé «Route de la Nouvelle-France».

En autobus

L'autobus n° 53 part de la place Jacques-Cartier (*2,25$; rue du Roi, angle de la Couronne*) et emmène les visiteurs près de la chute Montmorency.

En autocar

Vous pouvez vous rendre à Sainte-Anne-de-Beaupré *(9687 boul. Ste-Anne, station-service Irving, ☎418-827-5169)* en prenant l'autocar *(320 rue Abraham-Martin, ☎418-525-3000)*.

Quand on ne se déplace pas en voiture, le seul moyen pour se rendre au parc du Mont-Sainte-Anne, au Grand Canyon des chutes Sainte-Anne ou à la réserve nationale de faune du Cap-Tourmente est de prendre l'autocar de Québec jusqu'à Sainte-Anne-de-Beaupré, pour ensuite faire le dernier bout de chemin (environ 6 km) en taxi.

Circuit B:
L'île d'Orléans

De Québec, empruntez l'autoroute Dufferin-Montmorency (440) en direction du pont de l'Île. Traversez le fleuve, et prenez à droite la route 368, aussi appelé «chemin Royal», qui permet de faire le tour de l'île d'Orléans.

Aucun autobus public ni autocar ne dessert l'île d'Orléans. Certaines entreprises privées organisent des tours de l'île. Pour s'y promener seul et à son gré, il faut donc se déplacer en voiture ou à vélo.

Circuit C:
Le chemin du Roy

En voiture

De Québec, empruntez la Grande Allée vers l'ouest, qui prend ensuite le nom de «chemin Saint-Louis».

Celui-ci se détache de la route principale sur la gauche devant la villa Bagatelle à Sillery. Après avoir suivi le chemin Saint-Louis jusqu'à Cap-Rouge, vous prendrez la route 138, que vous suivrez pour le reste du circuit.

Il est également possible d'effectuer le circuit en sens inverse depuis Montréal (sortie 236 de l'autoroute 40) ou de le lier à une visite du village de Sainte-Anne-de-La Pérade, inclus dans le circuit **«La Mauricie»** (voir p 380).

Gare ferroviaire

Gare de Sainte-Foy
3255 ch. de la Gare, angle ch. St-Louis
☎*800-835-3037*

Gare routière

Sainte-Foy
3001 ch. des Quatre-Bourgeois
☎*(418) 650-0087*

Circuit D:
La Jacques Cartier

En voiture

De Québec, empruntez la côte d'Abraham qui tourne dans la rue de la Couronne, puis suivez l'autoroute Laurentienne (73) jusqu'à la sortie 150. Prenez à droite la 80ᵉ Rue Ouest, qui conduit au cœur du Trait-Carré de Charlesbourg. Ou continuez par l'autoroute 73, qui vous permettra de poursuivre le circuit et de vous rendre jusqu'au parc de la Jacques-Cartier.

En autobus

Pour aller à Charlesbourg au départ de Québec, il faut prendre l'autobus nº 801 (métrobus), dont

les arrêts sont bien identifiés (par exemple à la place D'Youville). Du terminus Charlesbourg, on prend l'autobus nº 72, qui mène à la réserve de Wendake. Le village historique de Onhoüa Chet8eke étant situé au nord de la réserve, il faut faire les derniers kilomètres en taxi.

Gare ferroviaire

Rivière-à-Pierre
470 rue Principale
☎*800-361-5390*

Renseignements pratiques

Indicatif régional: **418**

Renseignements touristiques

Bureau régional

Centre d'information de l'Office du tourisme et des congrès de Québec
835 av. Wilfrid-Laurier, G1R 2L3, Québec
☎*649-2608*
⇔*522-0830*
www.regiondequebec.com

Circuit A:
La côte de Beaupré

Sainte-Anne-de-Beaupré
5490 boul. Ste-Anne
☎*822-0122*

Circuit B:
L'île d'Orléans

Saint-Pierre
490 côte du Pont
☎*828-9411*

Noms des nouvelles villes fusionnées

**Deschambault–
Grondines**
Fusion de
Deschambault et
Grondines.

Portneuf
Fusion de Portneuf et
Notre-Dame-de-
Portneuf.

Circuit C:
Le chemin du Roy

Deschambault
12 rue des Pins
☎286-3002

Circuit D:
La Jacques-Cartier

Charlesbourg
7960 boul. Henri-Bourassa
☎624-7720

Attraits touristiques

★★

Circuit A: La côte de Beaupré (un jour)

Cette longue et étroite bande de terre, coincée entre le Saint-Laurent et le massif laurentien, représente encore de nos jours un écrin de peuplement ancien, en contrebas de zones sauvages peu développées. Elle illustre de la sorte la répartition limitée des populations en bordure immédiate du fleuve, dans plusieurs régions du Québec, et rappelle la

fragilité du développement à l'époque de la Nouvelle-France. De Beauport à Saint-Joachim, la côte de Beaupré est traversée par le premier chemin du Roy de la colonie, aménagé à l'instigation de Mgr de Laval au XVIIe siècle et le long duquel s'agglutinent les maisons typiques de la côte, avec leur rez-de-chaussée surélevé et revêtu de stuc, leur longue galerie de bois chantourné et leurs encadrements de fenêtres en dentelle. Depuis 1960 cependant, la banlieue a progressivement envahi la côte, amenuisant quelque peu la belle homogénéité du lieu. Mais le chemin du Roy reste tout à fait agréable à parcourir. Tour à tour juché sur un cap, dernier soubresaut des Laurentides, ou courant dans la plaine du Saint-Laurent, il offre des vues magnifiques sur les montagnes, le fleuve, les champs et l'île d'Orléans.

★
Beauport
(72 259 hab.)

Beauport a su combiner trois types de développement urbain au cours de son histoire. D'abord village agricole, celui-ci devient au XIXe siècle une

importante ville industrielle, avant de se métamorphoser en l'une des principales villes de la banlieue de Québec au cours des années 1960. La seigneurie de Beauport, à l'origine de la ville actuelle, a été concédée dès 1634 à Robert Giffard, médecin-chirurgien du Perche. Enthousiaste, Giffard fait construire manoir, moulin et bourg dans les années qui suivent, faisant de sa seigneurie l'une des plus considérables de la Nouvelle-France. Malheureusement, les guerres et les conflagrations entraîneront la perte de plusieurs bâtiments de cette époque, dont le vaste manoir fortifié de 1642, doté d'une chapelle et d'une prison, qui sera incendié en 1879.

Le **chemin Royal ★** *(route 360 E.)* correspond au chemin du Roy, tracé au milieu du XVIIe siècle, qui suit tantôt la partie supérieure, tantôt la partie inférieure de la côte de Beaupré. Il traverse diagonalement les terres de l'ancienne seigneurie de Beauport, ce qui explique l'implantation en dents de scie des bâtiments limitrophes. On peut y voir plusieurs maisons ancestrales, telle la **maison des Marcoux** *(588 av. Royal)*, construite au XVIIIe siècle.

Tournez à droite dans la rue du Couvent, à proximité de laquelle vous pouvez garer votre voiture.

Le **bourg du Fargy ★**, un secteur de Beauport, a été constitué en bourg fortifié au milieu du XVIIe siècle. En 1669, le seigneur Giffard dresse même un plan d'aménagement comprenant une place du marché. La **maison Girardin** *(600 av. Royale, ☎666-2199)*, érigée en 1727 par la famille Marcoux sur une terre concé-

Région de Québec

dée à Nicolas Bellanger, originaire de Normandie, est l'un des seuls vestiges du bourg. Ses rares et petites ouvertures ainsi que son épais carré de pierres, conçus pour affronter le rude climat, témoignent des conditions de vie difficiles de l'époque. La maison abrite aujourd'hui les bureaux de renseignements touristiques et le Centre d'art et d'histoire de Beauport. Le groupe de maisons victoriennes de la rue du Couvent (vers 1910) offre un contraste intéressant avec cette demeure du Régime français.

À l'extrémité de la rue du Couvent se dresse l'**Institution des sœurs de la congrégation de Notre-Dame** (1886). Sur la gauche trône l'**église Notre-Dame-de-la-Nativité**, maintes fois rebâtie. Lors de sa dernière reconstruction, en 1916, on a omis les clochers, donnant au bâtiment une apparence trapue. L'intérieur néogothique comprend un maître-autel d'Adrien Dufresne, disciple de l'architecte monastique dom Bellot, lequel est surmonté de statues du sculpteur Henri Angers.

Le **manoir Montmorency** *(2490 av. Royale, ☎663-3330)*, une grande maison blanche, a été construit en 1780 pour le gouverneur britannique Sir John

Haldimand. Cette maison est parvenue à la célébrité en devenant la résidence du duc de Kent, fils de George III et père de la reine Victoria, à la fin du XVIIIe siècle. Le manoir, qui abritait un établissement hôtelier, a été gravement endommagé lors d'un incendie en mai 1993, mais fut reconstruit selon les plans d'origine. Aujourd'hui, on y retrouve un centre d'interprétation, quelques boutiques et un restaurant (voir p 490) d'où l'on bénéficie de vues exceptionnelles sur la chute Montmorency, le fleuve et l'île d'Orléans. La petite chapelle Sainte-Marie et les jardins qui entourent l'hôtel sont ouverts au public.

Le manoir est niché dans le **parc de la Chute-Montmorency ★★** *(entrée libre; stationnement 7,50$; téléphérique: aller 5,50$, aller-retour 7,50$; accessible toute l'année, vérifiez les heures d'ouverture des stationnements; ☎663-3330, www.chutemontmorency.qc.ca)*. La rivière Montmorency, qui prend sa source dans les Laurentides, coule paisiblement en direction du fleuve, jusqu'à ce qu'elle atteigne une dénivellation soudaine de 83 m qui la projette dans le vide, ce qui donne lieu à l'un des phénomènes naturels les plus impressionnants du Québec. Une fois et demie plus élevée que les chutes du Nia-

gara, la chute Montmorency a un débit qui atteint les 125 000 litres d'eau par seconde lors des crues printanières. Afin de permettre l'observation de ce spectacle grandiose, un parc a été aménagé. Depuis 1995, il est possible de faire le tour de la chute. À partir du manoir Montmorency, empruntez la charmante promenade de la falaise, où se trouve le belvédère de la Baronne, qui donne une vue en plongée sur la chute. Cette courte randonnée vous conduit au pont «Au-dessus de la chute» et au pont «Au-dessus de la faille». Il va sans dire que les panoramas qui y sont offerts sont tout à fait extraordinaires. Arrivé à la section est du parc, vous trouverez une aire de jeux pour les enfants et des tables de pique-nique. Vous pouvez descendre par l'escalier panoramique et ses 487 marches ou par le sentier. En bas, empruntez le sentier du bas de la chute, qui vous ramènera à la gare du téléphérique. Vous pourrez remonter tranquillement en admirant encore ce merveilleux spectacle naturel. En hiver, la vapeur d'eau cristallisée par le gel forme des cônes de glace dénommés «pains de sucre», que les plus audacieux peuvent escalader.

Samuel de Champlain, fondateur de Québec, avait été impressionné par cette chute, à laquelle il a donné le nom du vice-roi de la Nouvelle-France, Charles, duc de Montmorency. Au XIXe siècle, le site de la chute constituait un but de promenade pour les équipages, où se rencontraient les messieurs et les gentes dames en carrosse ou en traîneau.

Manoir Montmorency

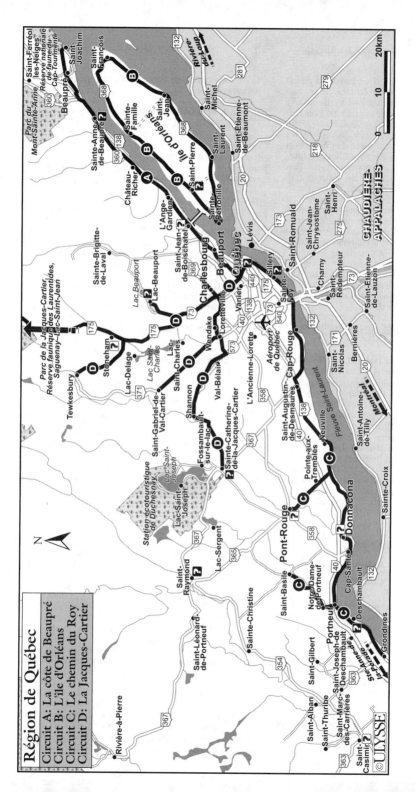

Région de Québec

Circuit A: La côte de Beaupré
Circuit B: L'île d'Orléans
Circuit C: Le chemin du Roy
Circuit D: La Jacques-Cartier

© ULYSSE

La partie basse du parc, située en face de la chute, est accessible par un très long escalier en bois ou par le téléphérique. Pour l'atteindre en voiture, il est nécessaire d'effectuer un détour complexe: il faut alors poursuivre par l'avenue Royale, tourner à droite dans la côte de l'Église, puis encore à droite dans l'autoroute 40. Le stationnement se trouve du côté droit. Pour retourner à l'avenue Royale, il faut emprunter le boulevard Sainte-Anne vers l'ouest, puis la côte Saint-Grégoire et finalement le boulevard des Chutes sur la droite.

Reprenez le chemin Royal en direction est.

La **maison Laurent-dit-Lortie** ★ *(3200 ch. Royal)* aurait été en partie construite à la fin du XVIIe siècle. Au début du siècle suivant, elle est acquise par Jean Laurent dit Lortie. Ses descendants habitent toujours la maison. Les dimensions imposantes du bâtiment témoignent d'ajouts successifs, alors que la pente prononcée de la toiture rappelle l'ancienneté du carré original. La galerie de bois chantourné, typique de la région, fut probablement installée vers 1880.

Saint-Jean-de-Boischatel (3 662 hab.)

La municipalité de Saint-Jean-de-Boischatel occupe le site de la terre domaniale, dite du Caput, concédée à un certain Jean Le Barbier en 1654. La terre est constituée en fief en 1677 grâce à Charles Aubert de la Chesnaye, qui vient d'en faire l'acquisition. Baptisé fief de Charleville, le secteur conservera sa vocation agricole jusqu'au début des années

1970, moment où la banlieue l'envahit.

Le **manoir de Charleville** ★ *(5580 av. Royale)* est l'un des plus anciens bâtiments qui subsistent au Canada. Il a été construit vers 1670 pour le fermier engagé par les propriétaires de la terre du Caput. Son profil bas, sa haute toiture à croupes coiffée d'épis et la petitesse de ses ouvertures trahissent son grand âge. Il faut cependant déplorer le voisinage, qui masque partiellement cette vénérable propriété. L'ancêtre des familles Trudel du Québec s'y est installé à la fin du XVIIe siècle. Au bout de 150 ans, la maison passa aux mains des Huot, qui l'occupèrent jusqu'en 1964.

L'Ange-Gardien (2 952 hab.)

L'une des plus vieilles paroisses de la côte de Beaupré, L'Ange-Gardien a conservé en partie sa vocation agricole. On peut y voir quelques maisons centenaires et jouir de belles percées sur l'île d'Orléans, au milieu du Saint-Laurent.

Les **chapelles de procession** ★, érigées de part et d'autre de l'église *(6357 av. Royale)*, sont les plus anciennes du genre au Québec, puisqu'elles sont les seules dont la construction remonte au Régime français (vers 1750). Ces petits bâtiments, qui servaient de reposoirs lors des processions de la Fête-Dieu, contribuent au charme de l'avenue Royale.

Sur la petite rue de la Mairie, on peut voir la **maison Laberge** *(24 rue de la Mairie)*, maison ancestrale de la famille Laberge, érigée en 1674 et agrandie maintes fois par la suite.

Douze générations de cette famille, dont le patronyme s'est répandu à travers le Québec au fil des siècles, ont habité la maison jusqu'en 1970.

★
Château-Richer
(3 802 hab.)

Sous le Régime français, Château-Richer était le centre névralgique de l'immense seigneurie de Beaupré, qui s'étendait de Saint-Jean-de-Boischatel jusqu'à Baie-Saint-Paul, en pays de Charlevoix. Concédée par la Compagnie des Cent Associés en 1636, la seigneurie devait passer entre les mains du Séminaire de Québec 30 ans plus tard et y demeurer jusqu'à l'abolition de la tenure seigneuriale en 1854. La direction du Séminaire y fit construire au XVIIe siècle un véritable château doté d'une tour servant de prison, le château Richer. L'ensemble, qui fut bombardé par les Britanniques à la Conquête, n'était plus que ruine lors de sa démolition vers 1860.

Le village occupe un emplacement au charme pittoresque, accentué par l'implantation inusitée de l'église sur un promontoire. La campagne environnante est bucolique et procure d'agréables surprises, tels ces îlots boisés plantés de main d'homme au XVIIIe siècle, une rareté dans un pays de défricheurs. Des fours à pain en pierre et des caveaux à légumes centenaires sont visibles de la route et, parfois, encore utilisés. Dans tout le village, on a apposé de petites pancartes de bois devant les bâtiments historiques. Ces panneaux explicatifs vous informent sur l'époque de construction de l'édifice et sur ses particularités architecturales, agrémentant ainsi votre promenade. Une brève excursion sur les hauteurs de la côte permettra d'apercevoir les montagnes, dans le lointain, et les terres en culture, qui sont la raison de vivre des habitants de Château-Richer.

Le **Centre d'interprétation de la Côte-de-Beaupré** ★ *(4$; en été tlj 10h à 17h, le reste de l'année lun-ven 9h à 17h; 7976 av. Royale, ☎824-3677)*, qui occupait le moulin du Petit-Pré, a emménagé pour la saison 2002 dans de nouveaux locaux au cœur du village. Dans une ancienne école de quatre étages, le centre présente une exposition renouvelée portant sur l'histoire et la géographie de la Côte-de-Beaupré, ainsi que des expositions temporaires.

Prenez le boulevard Sainte-Anne (route 138), qui longe le fleuve parallèlement au chemin Royal.

Le miel et les abeilles ont toujours piqué votre curiosité? Voici pour vous un petit économusée des plus intéressants. Le **Musée de l'abeille** *(entrée libre, «safari-abeilles» 3$; fin juin à fin oct tlj 9h à 18h, fin oct à fin juin tlj 9h à 17h; 8862 boul. Ste-Anne, ☎824-4411)* vous propose une brève intrusion dans le monde de ces ouvrières infatigables. Vous pouvez choisir d'y déambuler à votre guise en lisant les panneaux explicatifs et en observant les objets exposés, ou encore participer à un «safari-abeilles» en compagnie d'un apiculteur qui vous initiera à son art. Vous pourrez ainsi y apprendre les étapes de fabrication du miel et même de l'hydromel (vin de miel). On y trouve

une pâtisserie et une boutique (voir p 493).

Reprenez le chemin Royal (route 360).

★
**Sainte-Anne-de-Beaupré
(3 298 hab.)**

Ce village tout en longueur est l'un des principaux lieux de pèlerinage en Amérique du Nord. Dès 1658, une première église catholique y fut dédiée à sainte Anne, à la suite du sauvetage de marins bretons qui avaient prié la mère de Marie afin d'éviter la noyade lors d'une tempête sur le fleuve Saint-Laurent. Les pèlerins affluèrent bientôt en grand nombre. À la seconde église, construite en pierre vers 1676, on a substitué en 1872 un vaste temple, détruit par un incendie en 1922. C'est alors que fut entreprise la construction de la basilique actuelle au centre d'un véritable complexe de chapelles, de monastères et d'équipements aussi divers qu'inusités, tel le Bureau des bénédictions ou le Cyclorama. Chaque année, Sainte-Anne-de-Beaupré accueille plus d'un million de pèlerins qui fréquentent les hôtelleries et les nombreuses boutiques de souvenirs, au goût parfois douteux, qui bordent l'avenue Royale.

Pour en savoir davantage sur les légendes qui peuplent l'imaginaire québécois, il faut se rendre à l'**Atelier Paré** *(entrée libre; présentation animée 1$; mi-mai à mi-oct tlj 9h à 17h30; mi-oct à mi-mai mer-ven 13h à 16h, sam-dim 10h à 16h; 9269 av. Royale, ☎827-3992)*. Cet atelier de sculpture sur bois fait office d'économusée des contes

et légendes puisque les œuvres exposées s'inspirent toutes de ce monde fascinant.

La **basilique Sainte-Anne-de-Beaupré** ★★★ *(tlj 8h30 à 16h30; 10018 av. Royale, ☎827-3781)*, surgissant dans le paysage des petits bâtiments de bois et d'aluminium colorés qui bordent la route sinueuse, étonne par ses dimensions importantes, mais aussi par l'activité fébrile qui y règne tout l'été. L'église, dont le revêtement de granit prend des teintes variées selon la lumière ambiante, a été dessinée dans le style néo-roman français par l'architecte parisien Maxime Roisin, assisté du Québécois Louis Napoléon Audet. Ses flèches s'élèvent à 91 m dans le ciel de la côte de Beaupré, alors que sa nef s'étend sur 129 m de longueur et sur 60 m de largeur aux transepts. On remarquera la statue en bois revêtue de cuivre doré, au sommet de la façade, qui provient de l'église de 1872.

L'intérieur est divisé en cinq vaisseaux, supportés par de lourdes colonnes au chapiteau abondamment sculpté. La voûte de la nef principale est décorée de mosaïques scintillantes racontant la vie de sainte Anne, réalisées par les artistes français Jean Gaudin et Auguste Labouret. Ce dernier est également l'auteur des magnifiques verrières en dalles de verre, enfermées dans du béton armé, que l'on retrouve sur le pourtour de la basilique. Dans le transept gauche se dresse la statue miraculeuse de sainte Anne, portant Marie sur son bras droit. Son diadème nous rappelle qu'elle est la patronne des Québécois. Dans un beau reliquaire, à l'arrière-plan, on

Région de Québec

peut admirer la Grande Relique, soit une partie de l'avant-bras de sainte Anne provenant de la basilique Saint-Paul-Hors-les-Murs, à Rome. Enfin, il faut emprunter le déambulatoire, qui contourne le chœur, pour voir les 10 chapelles rayonnantes, à l'architecture polychrome d'inspiration Art déco, qui ont été conçues au cours des années 1930. La basilique est ouverte toute l'année.

On s'est servi des matériaux récupérés lors de la démolition de l'église de 1676 pour ériger, en 1878, la **chapelle commémorative ★** *(entrée libre; mai à mi-sept tlj 8h à 16h30; en bordure de l'avenue Royale, ☎827-3781)*. Le clocher (1696) est attribué à Claude Baillif, architecte dont les nombreuses réalisations en Nouvelle-France au XVIIᵉ siècle ont presque toutes disparu du paysage, la plupart victimes de la guerre et des incendies. À l'intérieur se trouvent le maître-autel de l'église du Régime français, œuvre de Jacques Leblond dit Latour (vers 1700), ainsi que des toiles du XVIIIᵉ siècle. Au pied de la chapelle du Souvenir, on peut s'abreuver à la fontaine de sainte Anne, aux vertus jugées curatives.

La **Scala Santa ★** *(entrée libre; mai à mi-sept tlj 8h à 16h30; à droite de la chapelle du Souvenir, ☎827-3781)*, étrange bâtiment en bois peint en jaune et blanc (1891), sert d'enveloppe à un escalier que les pèlerins gravissent à genoux en récitant des prières. Il s'agit d'une réplique du Saint-Escalier qu'emprunta le Christ en se rendant au prétoire de Ponce Pilate. Dans chacune des contremarches est inséré un souvenir de la Terre sainte.

Le **chemin de la croix** *(derrière la chapelle du Souvenir)* est situé à flanc de colline et donne accès au **monastère des laïcs**, dont la chapelle de Saint-Gérard vaut une petite visite. Ses statues, grandeur nature, ont été coulées dans le bronze à Bar-le-Duc, en France.

Le **Cyclorama de Jérusalem ★★** *(6$; fin avr à fin oct tlj 9h à 18h, juil et août tlj 9h à 20h; 8 rue Régina, à proximité du stationnement, ☎827-3101)*. Dans cet édifice circulaire, décoré à l'orientale, on peut voir un panorama à 360° de Jérusalem, *Le jour de la Crucifixion*, immense toile en trompe-l'œil de 14 m sur 100 m peinte à Chicago vers 1880 par le Français Paul Philippoteaux et ses assistants. Ce spécialiste du panorama a exécuté là une œuvre remarquable de réalisme, qui fut d'abord exposée à Montréal, avant d'être déménagée à Sainte-Anne-de-Beaupré à la fin du XIXᵉ siècle. Très peu de ces panoramas et cycloramas, populaires à la Belle Époque, ont survécu jusqu'à nos jours.

Le **Musée de sainte Anne ★** *(2$; Pâques à mi-oct tlj 10h à 17h; 9803 boul. Ste-Anne, ☎827-6873)* se voue à l'art sacré qui honore la mère de la Vierge Marie. Ces œuvres, accumulées depuis des années dans la basilique mais nouvellement exposées devant le grand public, sont d'une intéressante diversité. On y trouve des sculptures, des peintures, des mosaïques, des vitraux et des travaux d'orfèvrerie dédiés au culte de sainte Anne, ainsi que des écrits formulant une prière ou un remerciement pour une faveur obtenue. Y sont aussi expliqués des pans de l'histoire des pèlerinages à Sainte-Anne-de-Beaupré. Le tout est ex-

posé sur deux niveaux d'une façon agréable et aérée.

Suivez l'avenue Royale jusqu'à Saint-Joachim (cap Tourmente). Traversez la route 138 puis la municipalité de Beaupré. Tournez à droite dans la rue de l'Église à Saint-Joachim.

Une excursion alternative conduit plutôt à **Mont-Sainte-Anne** (voir p 481) et au charmant village de Saint-Ferréol-les-Neiges par la route 360 Est, qui se sépare de l'avenue Royale à Beaupré.

Saint-Ferréol-les-Neiges (2 092 hab.)

À l'extrémité est de Saint-Ferréol-les-Neiges se trouve un complexe hydroélectrique qui fut en activité de 1916 à 1984, soit **Les Sept Chutes** *(7$; mi-mai à fin juin 10h à 17h, fin juin à début sept 9h à 18h, sept à mi-oct tlj 10h à 17h; 4520 av. Royale, ☎826-3139 ou 877-724-8837)*, aujourd'hui transformé en centre d'interprétation. Sur ce site, vous pourrez en apprendre davantage sur les étapes de production de l'hydroélectricité ainsi que sur la vie des travailleurs dans une telle centrale. De plus, des sentiers de randonnée vous feront longer la rivière Sainte-Anne-du-Nord jusqu'aux chutes, impressionnantes du haut de leurs 130 m.

Au retour vers Québec, empruntez la route 138 Ouest, d'où vous bénéficierez d'un panorama exceptionnel sur l'île d'Orléans, la côte de Beaupré et, par temps clair, la ville de Québec, à 25 km vers l'ouest.

Canyon Sainte-Anne, voir p 481.

Saint-Joachim (1 489 hab.)

Le premier village de Saint-Joachim était situé sur la rive du fleuve à proximité de la ferme du Séminaire. Brûlé à la Conquête, il a été transféré sur son emplacement actuel dans les années qui ont suivi afin de le soustraire au tir des canons. Son isolement, en contrebas du mont Sainte-Anne, a permis de sauvegarder en partie son allure champêtre d'autrefois.

L'**église Saint-Joachim** ★★ *(mi-mai à mi-oct tlj 9h à 17h; 165 rue de l'Église,* ☎827-4020*)*. La première église de Saint-Joachim (XVIIᵉ siècle) a été incendiée par les troupes britanniques en 1759. L'église actuelle, déplacée à l'intérieur des terres au même moment que le village, fut terminée en 1779. Sa façade, refaite en 1895, n'a malheureusement aucun rapport avec le reste de l'édifice. De l'extérieur, cette église n'a en fait rien d'exceptionnel, mais il en va autrement de l'intérieur, qui constitue un véritable chef-d'œuvre d'art religieux au Québec.

La réalisation du décor intérieur, entre 1815 et 1825, introduit au Québec la notion de composition d'ensemble. Si auparavant le décor était strictement affaire d'ornement, il procède à Saint-Joachim d'un plan précis qui soumet la sculpture au cadre architectural dans le plus pur esprit néoclassique. Ainsi, le sanctuaire offre une grande unité, une rigueur et un équilibre exceptionnels, mais aussi une richesse rarement atteinte dans une église de cette époque. François Baillairgé (1759-1830), qui a étudié à l'Académie Royale de Paris

sous le règne de Louis XVI, et son fils Thomas ont réalisé cette œuvre majeure grâce au généreux legs du curé Corbin.

Lorsque l'on pénètre dans l'église, le regard est attiré vers le chœur et son retable triomphal, composé du maître-autel, antérieur au reste du décor (1785), et surmonté d'une toile de l'abbé Aide-Créquy intitulée *Saint Joachim et la Vierge* (1779). Le tout est encadré par quatre magnifiques colonnes à l'antique, entre lesquelles prennent place des statues, entièrement dorées, des quatre évangélistes: Marc, Mathieu, Jean et Luc. Ceux-ci sont représentés assis sur des socles et ornés de leurs attributs respectifs. En face de l'église, on peut voir le presbytère de 1828, avec ses deux portails néoclassiques donnant respectivement accès à la cure et à la salle des habitants.

Au-delà de l'église, prenez à gauche le chemin du Cap.

★★ Cap-Tourmente

Ce cap est le dernier soubresaut de la plaine du Saint-Laurent sur la rive nord, avant que le massif laurentien n'entre directement en contact avec le fleuve Saint-Laurent. Sa colonisation, qui commence dès le début du XVIIᵉ siècle, est liée aux premières tentatives de peuplement de la Nouvelle-France. Samuel de Champlain, fondateur de Québec, y établit une ferme en 1626, dont les vestiges ont été mis au jour. Exploitées par la Société des sieurs de Caen, les terres du cap Tourmente sont acquises par Mᵍʳ de Laval en 1662. Elles passent bientôt entre les mains du Séminaire de Québec, qui aménage au

fil des ans une maison de repos pour les prêtres, une école, une colonie de vacances et, surtout, une vaste ferme qui doit subvenir aux besoins alimentaires de l'institution, en plus de lui procurer des revenus appréciables. À la suite de la Conquête, le Séminaire déplace le siège de sa seigneurie de Beaupré au cap Tourmente, laissant derrière les ruines du château Richer. Il fait construire, entre 1777 et 1781, le **Château Bellevue** ★, superbe bâtiment doté d'un portail néoclassique en pierre de taille. La chapelle Saint-Louis-de-Gonzague (1780) s'ajoute à l'ensemble, trop bien dissimulé dans les arbres.

Réserve nationale de faune du Cap-Tourmente ★★, voir p 481.

Pour retourner à Québec, complétez la boucle formée par le chemin du Cap jusqu'à Saint-Joachim, puis poursuivez en direction de Beaupré avant d'emprunter la route 138 Ouest. Il est possible de lier la visite de la côte de Beaupré à celle de la région voisine, Charlevoix, dont on retrouve le circuit à la page 593. Pour ce faire, rejoignez la route 138 Est par le chemin sinueux en pente prononcée qui s'étend au nord-est du village de Saint-Joachim. Tournez à droite en direction de Baie-Saint-Paul.

Circuit B: L'île d'Orléans (un jour)

Cette île de 32 km sur 5 km, située au milieu du fleuve Saint-Laurent en aval de Québec, est synonyme de vieilles pierres. C'est en effet, de toutes les régions du Québec, l'endroit le plus évocateur de la vie rurale en Nouvelle-

Région de Québec

Félix Leclerc

Félix Leclerc, l'un des plus grands chansonniers et poètes québécois, est né en août 1914 à La Tuque, en Mauricie. Mais c'est de l'île d'Orléans, près de Québec, qu'il fit sa dernière demeure. Lui qui avait commencé sa carrière à la radio a toujours été un homme de voix. Par ses chansons, ses poèmes et ses contes, il a su exprimer, de la plus belle des façons, le monde et les hommes.

Lauréat de plusieurs prix internationaux, il vécut une partie de sa vie à Paris, où il a interprété ses chansons *Le P'tit bonheur*, *Moi mes souliers*, etc.,

sur les plus grandes scènes. En plus de chanter, il a écrit de la poésie (*Calepin d'un flâneur*, *Chansons pour tes yeux*), des pièces de théâtre (*Qui est le père?*, *Dialogues d'hommes et de bêtes*), des contes (*Adagio, Allegro, Andante*), des romans (*Le fou de l'île, Pieds nus dans l'aube*). Il fonde des compagnies théâtrales, monte des séries radiophoniques, enregistre des disques, publie... Cet homme fougueux savait pardessus tout s'émouvoir et émouvoir.

C'est en 1969, à son retour au Québec, qu'il bâtit sa maison à Saint-Pierre, sur l'île

d'Orléans, où il s'installe avec sa famille. Cette île, qui l'avait ensorcelé lors d'un premier séjour en 1946, il a su l'explorer et en tirer son inspiration. Dans sa chanson *Le tour de l'île*, il en dit: *L'île, c'est comme Chartres, c'est haut et propre, avec des nefs, avec des arcs, des corridors et des falaises.*

Sur cette île il habita pendant près de 20 ans. Il s'est éteint le 8 août 1988, entouré de sa femme et de ses enfants, laissant, à eux et à tous les Québécois, un important héritage à chérir.

France. Lorsque Jacques Cartier l'aborde en 1535, elle est couverte de vignes sauvages, d'où son premier nom d'«île de Bacchus». Elle sera toutefois rebaptisée en hommage au duc d'Orléans quelque temps après. À l'exception de Sainte-Pétronille, les paroisses de l'île voient le jour au XVIIe siècle, entraînant une colonisation rapide de l'ensemble du territoire. En 1970, le gouvernement du Québec faisait de l'île d'Orléans un arrondissement historique, afin de la soustraire au développement effréné de la banlieue et, surtout, afin de mettre en valeur ses églises et maisons anciennes, dans le cadre d'un vaste mouvement de retour aux sources des Québécois de souche française. Depuis 1936, l'île est reliée à la terre ferme par un pont suspendu. L'île d'Orléans est également connue pour être le pays de Félix Leclerc (1914-1988), le plus célèbre poète et chansonnier québécois.

De Québec, empruntez l'autoroute Dufferin-Montmorency (440) en direction du pont de l'île. Traversez le fleuve et prenez à droite la route 368, aussi appelé «chemin Royal», qui permet de faire le tour de l'île d'Orléans.

★
Sainte-Pétronille
(1 170 hab.)

Paradoxalement, Sainte-Pétronille est à la fois le site du premier établissement français de l'île d'Orléans et sa plus récente paroisse. Dès 1648, François de Chavigny de Berchereau et son épouse, Éléonore de Grandmaison, y établiront une ferme, qui accueillera également une mission huronne. Mais les attaques incessantes des Iroquois inciteront les colons à s'installer plus à l'est, en face de Sainte-Anne-de-Beaupré. Ce n'est qu'au milieu du XIXe siècle que Sainte-Pétronille voit le jour, grâce à la beauté de son site, qui attire de nombreux estivants. Les marchands anglophones de Québec s'y font construire de belles résidences secondaires. Plusieurs d'entre elles ont survécu aux outrages du temps et sont visibles en bordure de la route.

Éléonore de Grandmaison aura au cours de sa vie quatre maris. Après la mort de François de Chavigny, elle épouse Jacques Gourdeau, qui donnera son nom au fief, propriété de sa femme. Le **manoir Gourdeau** *(137 ch. Royal),* dominant le fleuve du haut d'un promontoire, porte le nom de Gourdeau, même si sa date de construction ne coïncide pas exactement avec la période de la vie du couple. Le long bâtiment aurait été vraisemblablement érigé à la fin du XVIIe siècle, mais a été considérablement agrandi et modifié par la suite.

Tournez à droite dans la rue Horatio-Walker, qui mène à la berge et à une promenade.

La **maison Horatio-Walker** ★ *(11 et 13 rue Horatio-Walker).* Le bâtiment de briques rouges et la maison recouverte de stuc furent respectivement l'atelier et le lieu de résidence du peintre Horatio Walker de 1904 à 1938. L'artiste d'origine britannique

affectionnait la culture française et le calme propice à la méditation de l'île d'Orléans. Son atelier, œuvre de Harry Staveley, demeure toutefois un bel exemple d'architecture anglaise de type Arts & Crafts.

La famille Porteous, d'origine anglaise, s'est installée à Québec dès la fin du XVIIIe siècle. En 1900, elle fait aménager le **Domaine Porteous** ★ *(253 ch. Royal),* entouré de superbes jardins qu'elle baptise «La Groisardière». La demeure, dessinée par les architectes Darling et Pearson de Toronto, est peut-être la première résidence à faire revivre certains traits de l'architecture traditionnelle québécoise, puisque l'on y retrouve des boiseries d'inspiration Louis XV, en plus de son gabarit général, proche de celui du manoir Mauvide-Genest de Saint-Jean (voir ci-dessous). On y trouve aussi plusieurs toiles marouflées de William Brymner et de Maurice Cullen représentant des scènes champêtres de l'île d'Orléans ainsi que des détails Art nouveau. Le domaine, aujourd'hui propriété du Foyer de Charité Notre-Dame-d'Orléans, a été augmenté en 1961-1964 par l'ajout d'une aile supplémentaire et d'une chapelle dans l'axe de l'entrée.

Saint-Laurent (1 612 hab.)

Jusqu'en 1950, on fabriquait à Saint-Laurent des chaloupes (barques) et des yachts à voiles dont la renommée s'étendait aux États-Unis et à l'Europe. Quelques vestiges de cette activité, aujourd'hui totalement disparue, sont conservés en retrait de la route à proximité de la berge. Le village, fondé en 1679,

recèle quelques bâtiments anciens tels que la belle **maison Gendreau** de 1720 *(2387 ch. Royal, à l'ouest du village)* et le **moulin Gosselin**, qui abrite un restaurant *(758 ch. Royal, à l'est du village).*

Le tout petit économusée de la **Forge à Pique-Assaut** *(juin à oct tlj 9h à 17h, nov à mai lun-ven 9h à 12h et 13h30 à 17h; 2200 ch. Royal, ☎828-9300)* vous permet de vous familiariser avec le métier des forgerons en les observant au-devant le grand four ou en prenant part à une visite guidée. On trouve une boutique à l'étage (voir p 493).

Le **Parc maritime de Saint-Laurent** *(3$; mi-juin à début sept tlj 10h à 17h, mai à mi-juin et début sept à début oct sur réservation; 120 ch. de la Chalouperie, ☎828-9672)* a été aménagé sur le site du chantier maritime Saint-Laurent. On peut y voir l'atelier de la «chalouperie» Godbout, une entreprise familiale, érigé vers 1840, de même qu'un ensemble de près de 200 outils artisanaux. Derrière le bâtiment, un sentier descend au bord du fleuve, et l'on peut y louer des chaloupes pour une petite balade.

★★ Saint-Jean (894 hab.)

Saint-Jean était, au milieu du XIXe siècle, le lieu de prédilection des pilotes du Saint-Laurent, qui guidaient les navires dans leur difficile cheminement à travers les courants et les rochers du fleuve. Certaines de leurs maisons néoclassiques ou Second Empire subsistent le long du chemin Royal, témoignant du statut privilégié de ces marins, indispensables à la

Région de Québec

Maison «canadienne»

bonne marche de la navigation commerciale.

On trouve à Saint-Jean le plus important manoir du Régime français encore existant, le **manoir Mauvide-Genest** ★★ *(5$; 1451 ch. Royal, ☎829-2630)* Il a été construit en 1734 pour Jean Mauvide, chirurgien du roi, et son épouse, Marie-Anne Genest. Le beau bâtiment en pierre, revêtu d'un crépi blanc, adopte le style traditionnel de l'architecture normande. Le domaine devient manoir au milieu du XVIIIe siècle, lorsque Mauvide, qui s'est enrichi dans le commerce avec les Antilles, achète la moitié sud de la seigneurie de l'île d'Orléans.

En 1926, Camille Pouliot, descendant de la famille Genest, se porte acquéreur du manoir, qu'il restaure et auquel il ajoute la cuisine d'été et la chapelle. Il le transforme bientôt en musée, où sont regroupées des pièces de mobilier et des objets de la vie traditionnelle. Ainsi, Pouliot devient l'un des premiers à s'intéresser activement au patrimoine québécois.

L'**église Saint-Jean** ★ *(2001 ch. Royal)* a été construite en 1734, mais a subi de multiples modifications et agrandissements par la suite, notamment en 1852, lorsque Louis-Thomas Berlinguet lui donne sa façade-écran actuelle, plus large que la nef, qui n'est pas sans rappeler celle de la cathédrale de Québec. L'influence palladienne transparaît dans la serlienne, au-dessus du portail central, et dans le gracieux clocher à la mode londonienne. L'intérieur, maintes fois remanié, comprend un intéressant banc d'œuvre, surmonté d'un dais (1812) de Louis-Basile David, ainsi que trois tableaux d'Antoine Plamondon: *Saint François-Xavier prêchant aux Indes* (1836), *La mort de saint Joseph* (1846) et *Les Miracles de sainte Anne* (1856). Le presbytère Second Empire, la salle des habitants et le cimetière complètent l'ensemble institutionnel, fort bien situé dans la perspective du chemin Royal.

★
Saint-François
(483 hab.)

Le plus petit village de l'île d'Orléans a conservé plusieurs bâtiments de son passé. Certains d'entre eux sont cependant éloignés du chemin Royal et sont donc difficilement perceptibles depuis la route 368. La campagne environnante est charmante et offre quelques points de vue agréables sur le fleuve, Charlevoix et la côte de Beaupré. On trouve encore, à Saint-François, la fameuse vigne sauvage qui avait valu à l'île son premier nom d'«île de Bacchus».

L'**église Saint-François** ★ *(341 ch. Royal)*, érigée en 1734, a retrouvé sa simplicité du Régime français à la suite d'un incendie dévastateur, survenu en 1988, qui ne laissa debout que les épais murs de moellons du temple. Le décor intérieur raffiné, réalisé selon les plans de Thomas Baillairgé entre 1835 et 1840, est donc perdu à jamais. Derrière l'église, on peut voir une ancienne école en bois construite vers 1830 pour la fabrique de la paroisse.

À la sortie du village, une halte routière, avec une **tour d'observation** ★★, offre une vue remarquable vers le nord et l'est. On peut apercevoir les îles Madame et au Ruau, au milieu du Saint-Laurent, qui marquent la limite entre l'eau douce et l'eau salée du fleuve, le mont Sainte-Anne, couvert de pistes de ski, et dans le lointain, Charlevoix, sur la rive nord, ainsi que les seigneuries de la Côte-du-Sud, sur la rive sud.

★
Sainte-Famille
(1 026 hab.)

La doyenne des paroisses de l'île d'Orléans a été fondée par Mgr de Laval en 1666 afin de regrouper, en face de Sainte-Anne-de-Beaupré, les colons jusque-là concentrés dans les environs de Sainte-Pétronille. Sainte-Famille recèle plusieurs témoins du Régime français, entre autres sa célèbre église, l'une des meilleures réalisations de l'architecture religieuse en Nouvelle-France et la plus ancienne église à deux tours du Québec.

La belle **église Sainte-Famille** ★★ *(3915 ch. Royal)* a été construite, entre 1743 et 1747, en remplacement de la première église de 1669. Le curé Dufrost de Lajemmerais, s'inspirant de l'église des jésuites de Québec, aujourd'hui détruite, fait ériger deux tours coiffées de toitures à l'impériale en façade. L'unique clocher se trouve alors au faîte du pignon. Autre élément inusité: l'aménagement de cinq niches et d'un cadran solaire (détruit) autour de l'entrée, qui confèrent une grande originalité à l'édifice. Au XIXe siècle, de nouvelles statues sont installées dans les niches, et les toits à l'impériale font place à deux nouveaux clochers, ce qui porte leur nombre à trois, un cas unique au Québec.

Bien que modifié à quelques reprises, le décor intérieur comporte plusieurs éléments d'intérêt. Sainte-Famille est au XVIIIe siècle une paroisse riche; elle peut donc se permettre d'entreprendre les travaux de décoration de son église dès le gros œuvre terminé. Ainsi, en 1748, Gabriel Gosselin installe une première chaire; puis en 1749, Pierre-Noël Levasseur réalise l'actuel tabernacle du maître-autel. C'est en 1812 que Louis-Basile David compose la belle voûte à caissons, dans l'esprit de l'école de Quévillon. Plusieurs tableaux ornent l'église, dont *La Sainte Famille*, peint par le frère Luc pendant son séjour au Canada en 1670, *La Dévo-*

Chapelle de procession

tion au Sacré-Cœur de Jésus de Louis-Augustin Wolff (1766) et *Le Christ en Croix*, de François Baillairgé (vers 1802). Du terrain de l'église, on bénéficie de belles vues sur le fleuve et la côte de Beaupré.

La plupart des maisons de ferme de l'île du Régime français de l'île d'Orléans ont été construites à une bonne distance de la route. En outre, elles sont aujourd'hui des propriétés recherchées dont le caractère privé est jalousement gardé par leurs propriétaires, ce qui rend toute visite improbable. Heureusement, grâce à une fondation de citoyens, la **maison Drouin** ★★ *(2$; fin juin à début sept tlj 10h à 18h, début sept à oct sam-dim 10h à 18h; 4700 ch. Royal, ☎829-0330)* s'ouvre chaque été aux visiteurs curieux. Il s'agit d'une des plus vieilles maisons de l'île, et même du Québec puisqu'elle fut bâtie autour de 1675 et agrandie en 1725. Elle s'élève en bordure de la route dans une courbe du chemin Royal et a été construite avec de grosses pierres des champs et des poutres de bois. Son histoire vous sera racontée par des guides en costumes d'époque mimant la vie quotidienne des anciens habitants de la demeure.

Cette maison possède toutes les caractéristiques de l'architecture rustique, encore mal adaptée au contexte climatique difficile et soumis à l'isolement par rapport à la mère patrie, loin de l'autre côté de l'Atlantique. Le carré de pierres est bas, et donc à demi enfoui sous la neige en hiver. Les ouvertures sont timides, et les pignons sont recouverts de bardeaux de cèdre afin de protéger la maçon-

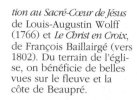

Région de Québec

nerie. Les trois pièces du rez-de-chaussée ainsi que l'étage respirent ce qui fut autrefois l'environnement des premiers colons. Des antiquités, meubles et outils, habitent aussi la maison et sauront vous illustrer encore mieux la vie des pionniers. Une belle visite!

Saint-Pierre
(2 075 hab.)

La plus urbanisée des paroisses de l'île a quelque peu perdu de son charme, avant que l'ensemble du site ne soit classé. Elle demeure néanmoins un lieu important dans la mémoire collective des Québécois, car le chansonnier et poète Félix Leclerc (1914-1988) y a longtemps vécu. L'auteur du *P'tit Bonheur* a été le premier à faire connaître la chanson québécoise en Europe dans les années 1950. Il est inhumé au cimetière local.

Le nouvel **Espace Félix-Leclerc** ★★ *(droit d'entrée; en été tlj 9h à 18h, en hiver mar-dim 9h à 17h, fermé mi-déc à mi-fév; 682 ch. Royal, ☎828-1682)* abrite une exposition permanente sur la vie et l'œuvre de Félix Leclerc, la reconstitution de son bureau de travail, une boîte à chansons, une boutique et un comptoir de restauration. À l'extérieur, vous pourrez profiter des sentiers et des vues sur le fleuve.

L'**église Saint-Pierre** ★ *(1249 ch. Royal)*, cet humble édifice érigé en 1716, est la plus ancienne église villageoise qui subsiste au Canada. Elle est aussi l'une des rares survivantes d'un modèle fort répandu en Nouvelle-France, comportant un seul portail surmonté d'un œil-de-bœuf en façade. La plupart de

ces petites églises au toit pointu ont été détruites au XIXe siècle pour être remplacées par des structures plus élaborées. L'intérieur de l'église Saint-Pierre, saccagé à la Conquête, a été refait à la fin du XVIIIe siècle. On notera tout particulièrement les autels de Pierre Émond (1795), ornés des armoiries papales. Les tableaux qui les surmontent sont de François Baillairgé.

L'église a été abandonnée en 1955, au moment de l'inauguration du temple actuel, situé à proximité. Menacé de démolition, le vénérable édifice a été pris en charge par le gouvernement du Québec. Conservé intact depuis cette date, il renferme des équipements aujourd'hui disparus de la plupart des églises du Québec tels qu'un poêle central, doté d'un long tuyau de tôle, et des bancs à portes permettant d'afficher la propriété privée de ces espaces fermés et de les chauffer à l'aide de briques chaudes et de peaux.

La boucle est maintenant complétée. Tournez à droite pour regagner Québec.

Circuit C: Le chemin du Roy (un jour)

À l'exception de Sillery, près de Québec, les villes et villages de ce circuit bordent le chemin du Roy, première route carrossable tracée entre Montréal et Québec à partir de 1734. Ce chemin, qui longe le fleuve Saint-Laurent (dont plusieurs tronçons subsistent en parallèle avec la route 138) est l'un des plus pittoresques du Canada avec ses belles maisons d'inspiration française, ses

églises et ses moulins du XVIIIe siècle.

Sillery
(13 082 hab.)

Sillery, banlieue cossue de Québec, conserve plusieurs témoins des épisodes contrastés de son histoire, influencée par la topographie dramatique des lieux. La ville est en effet répartie entre la base et le sommet de la haute falaise qui s'étend depuis le cap Diamant jusqu'à Cap-Rouge. En 1637, les jésuites y fondent, sur les berges du fleuve Saint-Laurent, une mission destinée à convertir les Algonquins et les Montagnais qui viennent chaque été pêcher dans les anses en amont de Québec. Ils baptisent leur domaine fortifié du nom du bienfaiteur de la mission, Noël Brulart de Sillery, aristocrate récemment converti par saint Vincent de Paul.

Au siècle suivant, Sillery est déjà un lieu recherché pour la beauté de son site. Les jésuites reconvertissent leur mission en maison de campagne, et l'évêque de Samos vient y ériger une première villa (1732). À la suite de la Conquête, Sillery devient le lieu de prédilection des administrateurs, militaires et marchands britanniques, qui se font construire de luxueuses villas sur la falaise, dans l'esprit romantique, alors en vogue en Angleterre. Le faste de ces habitations, entourées de vastes parcs à l'anglaise, fait contraste avec les maisons ouvrières qui s'agglutinent au bas de la falaise. Les occupants des maisons travaillent aux chantiers navals qui, depuis le blocus de Napoléon en 1806, font fortune en fabriquant les vaisseaux de la Marine britannique avec le bois acheminé de l'Outaouais. Ces chantiers, installés dans les anses protégées de Sillery, ont tous disparu avant l'aménagement du boulevard Champlain vers 1960.

Le **siège social de L'Industrielle-Alliance** *(1080 ch. St-Louis)*, cette «villa» des temps modernes construite pour une grande compagnie d'assurances, est l'une des meilleures réalisations de l'architecture de l'après-guerre à Québec. L'œuvre des architectes Pierre Rinfret et Maurice Bouchard (1950-1952) s'intègre à un beau jardin dans l'esprit des demeures du XIXe siècle.

Le **parc du Bois-de-Coulonge** ★ *(entrée libre; tlj; 1215 ch. St-Louis, ☎528-0773)* se trouve à l'est en bordure du chemin Saint-Louis. Ce beau parc à l'anglaise entourait jadis la résidence du lieutenant-gouverneur du Québec. Certaines dépendances du palais, incendié en 1966, ont survécu, comme le pavillon du gardien et les écuries. À la limite est du parc, on peut voir un ravin au fond duquel coule le ruisseau Saint-Denys. C'est par cette ouverture dans la falaise que les troupes britanniques purent accéder aux plaines d'Abraham, où devait se jouer le sort de la Nouvelle-France. Aujourd'hui, le parc du Bois-de-Coulonge, membre des Jardins du Québec, offre aux promeneurs de magnifiques jardins ainsi qu'un petit arboretum bien aménagé.

La **villa Bagatelle** ★ *(3$; mars à déc tlj 10h à 17h; 1563 ch. St-Louis, ☎681-3010)* logeait autrefois un attaché du gouverneur britannique, qui habitait la propriété voisine du parc

du Bois-de-Coulonge. La villa, construite en 1848, est un bon exemple de l'architecture résidentielle néogothique du XIXe siècle telle que préconisée par Alexander J. Davis aux États-Unis. La maison et son jardin victorien ont été admirablement restaurés en 1984 et sont maintenant ouverts au public. On y trouve un intéressant centre d'interprétation des villas et domaines de Sillery.

Sur l'avenue Lemoine, qui longe la villa Bagatelle au sud, on peut voir la **villa Spencer Grange** *(1321 av. Lemoine)*, érigée en 1849 pour Henry Atkinson. Elle a été habitée par l'impératrice déchue d'Autriche, Zita de Bourbon-Parme, et sa famille durant la Seconde Guerre mondiale.

L'**église St. Michael** *(1800 ch. St-Louis)* desservait autrefois l'importante communauté anglicane de Sillery. Elle a été construite en 1852 dans le style néogothique. À proximité se trouvent le **cimetière protestant Mount Hermon** et le **couvent des sœurs de Sainte-Jeanne-d'Arc** (1917), vaste édifice aux allures de château fort.

Tournez à gauche dans la côte de l'Église.

Une courte excursion facultative permet d'aller voir le ci- metière de Sillery, où est inhumé René Lévesque, fondateur du Parti québécois et premier ministre du Québec de 1976 à 1984. Pour vous y rendre, tournez plutôt à droite dans l'avenue Maguire, puis à gau- che dans le boulevard René-Lévesque Ouest.

L'**église Saint-Michel** ★ *(à l'angle du chemin du Foulon et de la côte de l'Église).* L'église catholique de Sillery possède plusieurs points en commun avec sa

contrepartie anglicane, entre autres le patronyme et le style néogothique. Les deux temples ont, en outre, été érigés au même moment (1852). L'église Saint-Michel, de l'architecte George Browne, est toutefois beaucoup plus vaste. Elle renferme cinq tableaux de la célèbre collection «Desjardins», notamment des toiles autrefois suspendues dans les églises parisiennes et ensuite dispersées lors des Ventes révolutionnaires de 1792, avant d'être rachetées par l'abbé Desjardins.

De l'**observatoire de la Pointe-à-Puiseaux**, situé en face du parvis de l'église, on embrasse du regard un vaste panorama du fleuve Saint-Laurent et de la Rive-Sud. On remarquera sur la droite le pont de Québec, en avant-plan, et le pont Pierre-Laporte, en arrière-plan.

En bas de la côte, tournez à droite dans le chemin du Foulon, qui tire son nom d'un moulin à carder et à fouler la laine, autrefois en activité dans le secteur.

La **maison des jésuites de Sillery** ★★ *(contribution volontaire; juin à sept 11h à 17h, oct à mai 13h à 17h, fermé lun; 2320 ch. du Fou- lon, ☎654-0259)*, faite de pierres revêtues de crépi blanc, occupe le site de la mission des jésuites, dont on peut encore voir les ruines tout autour. Au XVIIe siècle, la mission comprenait une fortification de pierres, une chapelle et une maison pour les pères, en plus des habitations des Amérindiens. Les maladies européennes comme la variole et la rougeole ayant décimé les populations autochtones, la mission fut transformée en maison de repos en 1702. C'est à cette époque

que fut construite la demeure actuelle, fier bâtiment doté d'imposantes souches de cheminée. En 1763, la maison est louée à John Brookes et à son épouse, la romancière Frances Moore Brookes, qui la rend célèbre en y situant l'action de son roman *The History of Emily Montague*, publié à Londres en 1769. C'est aussi à ce moment que la structure est rabaissée et que les ouvertures sont rapetissées dans la tradition des *saltbox* de la Nouvelle-Angleterre. La maison présentera dorénavant deux niveaux sur la devanture et un seul à l'arrière, couverts par une toiture à pentes asymétriques.

En 1824, la chapelle disparaît alors que la demeure sert de brasserie. Elle abritera par la suite les bureaux de divers chantiers navals. En 1929, la maison des jésuites devient l'un des trois premiers édifices classés historiques par le gouvernement du Québec. Depuis 1948 s'y trouve un musée qui met en relief l'intérêt patrimonial du site, riche de plus de 350 ans d'histoire.

Poursuivez par le chemin du Foulon, puis remontez sur la falaise, sur votre droite, en empruntant la côte à Gignac.

Au bout de l'avenue Kilmarnock, sur la droite, se dresse la villa du même nom, aujourd'hui encerclée par des maisons de banlieue. Il s'agit de la plus ancienne des villas de Sillery puisque sa construction remonte à 1810. Le long de l'avenue de la Falaise, à gauche, l'urbaniste français Jacques Gréber a créé en 1948 l'une des premières banlieues de l'après-guerre. En haut de la côte, tournez à droite dans le chemin Saint-Louis.

Le **Domaine Cataraqui ★** (*5$; mars à mi-déc tlj 10h à 17h, mi-déc à mars mar-dim 10h à 17h; 2141 ch. St-Louis, ☎681-3010*), le plus complet des domaines qui subsistent à Sillery, comprend une grande résidence néoclassique, dessinée en 1851 par l'architecte Henry Staveley, un jardin d'hiver et de nombreuses dépendances disposées dans un beau parc restauré. La maison a été commandée par le marchand de bois Henry Burstall, dont l'entreprise était établie au bas de la falaise. En 1935, Cataraqui devient la résidence du peintre Henry Percival Tudor-Hart et de son épouse, Catherine Rhodes. Pour éviter que le domaine ne soit morcelé à l'instar de plusieurs autres, il est acheté par le gouvernement du Québec en 1975. On peut aujourd'hui visiter la maison, ses serres et ses superbes jardins, où se tiennent régulièrement des expositions et des concerts. Au début de l'automne, on peut y assister aux concerts du **Festival de musique ancienne de Sillery**.

La **villa Benmore** (*2071 ch. St-Louis*) offre un décor intérieur de style néogothique très original, réalisé en 1834 par l'architecte George Browne, alors fraîchement débarqué d'Irlande. Comme plusieurs anciennes villas, la maison est maintenant propriété d'une communauté religieuse et a fait l'objet de plusieurs agrandissements.

Reprenez le chemin Saint-Louis vers l'ouest.

La **maison Hamel-Bruneau** (*entrée libre; mar-dim 12h30 à 17h, mer jusqu'à 21h; 2608 ch. St-Louis, ☎654-4325*) est un bel exemple du style Regency, tel que popularisé dans les colonies britanniques au début du XIXe siècle. Celui-ci se définit notamment par la présence de larges toitures à croupes couvrant une galerie basse et enveloppante. La maison Hamel-Bruneau, qui comporte toutefois des fenêtres françaises, a été restaurée avec soin et transformée en centre culturel.

Revenez au chemin Saint-Louis, que vous emprunterez vers l'ouest en direction de Cap-Rouge, où vous suivrez la rue Louis-Francœur, sur votre droite, avant de descendre la côte de Cap-Rouge, sur votre gauche.

Cap-Rouge
(14 738 hab.)

Jacques Cartier et le sieur de Roberval tentent d'implanter une colonie française à Cap-Rouge dès 1541. Ils baptisent leurs campements Charlesbourg-Royal et France-Roy. Les malheureux qui les accompagnent ne se doutent pas encore qu'il fait froid en janvier au Canada et construisent de frêles habitations de bois dotées de fenêtres en papier! La plupart mourront au cours de l'hiver, victimes du froid mais aussi du scorbut, maladie provoquée par une carence en vitamine C dans l'organisme. Les autres rentreront en France au printemps.

Au **Site historique de Cap-Rouge** (*à l'extrémité de la côte de Cap-Rouge*), on peut voir une plaque signalant l'emplacement de la première colonie française en Amérique. Cartier et Roberval avaient l'intention d'en faire le camp de base d'une mission destinée à trouver un passage vers l'Orient.

Empruntez la rue Saint-Félix vers l'ouest. Tournez à gauche dans le chemin du Lac puis encore à gauche dans le rang de la Butte, qui devient la route Tessier. Tournez à gauche dans la route 138 en direction de Saint-Augustin-de-Desmaures.

Saint-Augustin-de-Desmaures (13 249 hab.)

Cette banlieue de Québec était au centre de la seigneurie «De Maure», concédée en 1647 aux pauvres de l'Hôtel-Dieu. Au XVIII⁰ siècle, on y fait passer le chemin du Roy, qui conduit de Québec à Montréal. La municipalité est surtout connue pour le décor intérieur de son église, un beau travail d'ébénisterie québécoise.

L'apparence extérieure de l'**église Saint-Augustin** ★ *(325 route 138)*, construite entre 1808 et 1816, a été modifiée à plusieurs reprises. La dernière réfection de la façade, qui lui a donné cette allure vaguement *pueblo* du Nouveau-Mexique, remonte à 1933. Le décor intérieur est cependant plus attrayant. Il a été réalisé, à partir de 1816, par Olivier Dugal et François-Xavier Leprohon, et constitue un bon exemple de la persistance de l'art baroque au Québec. Le retable en avancée et la magnifique voûte aux multiples caissons losangés méritent une attention particulière. Les tableaux sont d'Antoine Plamondon. Avant de repartir, on notera à l'entrée du cimetière les deux hiboux, gardiens de la nuit, et l'ange annonçant la Résurrection.

Poursuivez par la route 138 en direction de Neuville.

★ Neuville (1 125 hab.)

La région qui s'étend de Neuville à Grondines est traversée par une veine de pierre calcaire, exploitée depuis le Régime français pour la construction d'édifices prestigieux à travers le Québec. Il n'est donc pas étonnant de retrouver un fort contingent de bâtiments en moellons et en pierre de taille dans les villages environnants. De nos jours, c'est à Saint-Marc-des-Carrières, à l'ouest de Deschambault, que sont concentrées les quelques carrières où l'on procède encore à l'extraction et à la taille de la «pierre grise».

Le village de Neuville faisait autrefois partie de la seigneurie de la Pointe-aux-Trembles, concédée à l'ingénieur royal Jean Bourdon en 1653. Neuville est aujourd'hui répartie sur différents paliers, en bordure desquels sont érigées les maisons, favorisant ainsi les vues sur le fleuve Saint-Laurent. Cette disposition confère un charme particulier à cette portion du chemin du Roy.

Le **«château» de Neuville** *(205 route 138)*, sur la gauche, à l'entrée du village, est une demeure fantaisiste érigée entre 1964 et 1972 avec des matériaux provenant de la démolition d'une centaine de maisons de la Grande Allée, à Québec.

La **maison Darveau** *(50 route 138)* a été construite en 1785 pour un des principaux tailleurs de pierre de Neuville, ce qui explique la présence d'encadrements en pierre de taille autour des ouvertures. À cet élément, inhabituel

dans l'architecture rurale de l'époque, s'ajoute un portail classique d'un type commun en France, mais qui, réalisé dans un contexte colonial et apposé sur une simple habitation, représente quelque chose de tout à fait exceptionnel au Québec.

Tournez à droite dans la rue des Érables, 50 m plus loin.

La **rue des Érables** ★ ★ *(visites guidées: ☎286-3002)* se caractérise par une des plus importantes concentrations de maisons en pierre hors des grands centres. Cela s'explique, bien sûr, par l'abondance du matériau, mais aussi par la volonté des propriétaires d'illustrer les talents de constructeurs et de tailleurs de pierre de la main-d'œuvre locale. Au numéro 500, on peut voir le manoir érigé pour Édouard Larue, qui se porte acquéreur de la seigneurie de Neuville en 1828. Cette vaste «Québécoise» est représentative de l'architecture rurale traditionnelle avec son carré de pierres surélevé, sa galerie qui court sur toute la longueur de la façade et sa toiture à larmiers retroussés.

La **chapelle Sainte-Anne** *(666 rue des Érables)* est la plus vaste de toutes les chapelles de procession du Québec. Elle a été construite vers le milieu du XVIII⁰ siècle par des paroissiens qui vouaient un culte particulier à sainte Anne.

En 1696, les villageois entreprennent la construction toute simple de l'**église Saint-François-de-Sales** ★ ★ *(visites guidées; 644 rue des Érables, ☎286-3002)*, qui sera augmentée et modifiée au cours des siècles suivants, au point que les composantes du bâtiment initial disparaîtront presque toutes. Ainsi, un nouveau chœur est érigé en 1761, puis c'est au tour de la nef d'être élargie en 1854; enfin, une nouvelle façade est mise en place en 1915.

L'intérieur comporte une pièce remarquable de l'art baroque en Nouvelle-France. Il s'agit d'un baldaquin en bois, commandé en 1695 pour la chapelle du palais épiscopal de Québec. En 1717, l'évêché échange le baldaquin contre du blé de Neuville afin de nourrir la population de la ville, alors en pleine disette. Le beau maître-autel doré, rappelant une basilique coiffée d'un dôme, est l'un des premiers d'un genre fort populaire au Québec dans la première moitié du XIXe siècle. Il a été réalisé par François Baillairgé vers 1802. Une vingtaine de tableaux peints par Antoine Plamondon (1804-1895), originaire de Neuville, ornent les murs de la nef et du chœur.

À l'extrémité ouest de la rue des Érables, reprenez la route 138 à droite. Poursuivez vers l'ouest par la route 138 en direction de Donnacona.

Le secteur de Pointe-aux-Trembles correspond à la zone rurale qui s'étend à l'ouest de Neuville. On y trouve de belles maisons d'esprit français et québécois, dans un paysage doux comme la brise du fleuve en juillet.

Tournez à gauche dans la rue Notre-Dame pour vous rendre à Donnacona, puis traversez le pont qui franchit la rivière Jacques-Cartier.

★
Cap-Santé
(2 857 hab.)

Ce village agricole occupe un site admirable qui surplombe le fleuve Saint-Laurent. Faisant autrefois partie de la seigneurie de Portneuf, Cap-Santé se peuple lentement à partir de la fin du XVIIe siècle. S'il existe un village québécois typique, c'est peut-être celui-là...

Autrefois, lors de sa migration, le saumon de l'Atlantique remontait la rivière Jacques-Cartier. Au cours des ans, avec la construction de barrages et le flottage du bois qui furent entrepris sur cette rivière, le nombre de saumons de l'Atlantique qui y venaient diminua peu à peu, et l'espèce disparut complètement en 1910. En 1979, on tenta, avec succès, de réintégrer l'espèce dans cet environnement. Le débit de l'eau s'étant transformé en raison des multiples constructions, on dut construire la **passe à saumons de Cap-Santé** *(2$; fin juin à début sept tlj 7h30 à 18h30; 1 route 138,* ☎*285-2210)* pour favoriser sa migration. Aujourd'hui, on vient sur ce site pour observer les saumons remonter la rivière. La meilleure période pour en apercevoir est le mois de juillet. On peut aussi s'essayer à la difficile pêche au saumon!

Le **Site du fort Jacques-Cartier** *(non loin du 15 rue Notre-Dame)* est souligné par une plaque au bord de la route. L'ouvrage, érigé à la hâte en 1759, au plus fort de la guerre de Sept Ans, doit servir à retarder les Anglais dans leur progression vers Montréal. Le courageux chevalier de Lévis tente désespérément par ces mesures de sauver

ce qui reste de la Nouvelle-France. L'attaque du fort ne durera qu'une petite heure, avant que les Français, mal équipés, ne capitulent. Il ne subsiste du fort de bois que des vestiges archéologiques. Cependant, le **manoir seigneurial** de Cap-Santé, érigé vers 1740 sur le même site, est toujours debout, bien dissimulé derrière une forêt.

Reprenez la route 138 à gauche.

Le chantier de l'**église de la Sainte-Famille ★★** *(visites guidées:* ☎*285-2311)* de Cap-Santé, qui s'étire de 1754 à 1764 sous la gouverne du curé Joseph Filion, est grandement perturbé par la Conquête. Ainsi, les matériaux amassés pour compléter l'édifice sont réquisitionnés pour la construction du fort Jacques-Cartier. Néanmoins, l'église, avec ses deux clochers et sa haute nef éclairée par deux rangées superposées d'ouvertures, constitue une œuvre ambitieuse pour l'époque et peut être considérée comme la plus vaste église villageoise construite sous le Régime français. Les trois belles statues de bois, installées dans les niches de la façade en 1775, ont miraculeusement résisté au climat rigoureux. Le revêtement de bois, imitant la pierre de taille, a cependant été ajouté au XIXe siècle. On remarquera, avant de pénétrer dans l'église, le beau cimetière boisé, à l'arrière, et le **presbytère**, réalisé selon les plans de Thomas Baillairgé en 1850.

Le décor de la nef et du chœur, refait en 1859, reprend les formes développées par les Baillairgé, lesquelles sont étirées vers le haut pour les adapter aux proportions inhabituelles des lieux. Le retable «en retour», qui annonce le néobaroque, permet d'aménager une sacristie dans l'espace résiduel de l'abside. Les toiles sont d'Antoine Plamondon, à l'exception de *La Présentation de Marie au temple* de Joseph Légaré (1825). Quant aux vitraux, ils ont été réalisés et installés par la firme Hobbs en 1926.

Le **Vieux Chemin** ★, aujourd'hui une simple rue isolée devant l'église, faisait à l'origine partie du chemin du Roy entre Montréal et Québec. C'est pourquoi on peut encore voir, en face du fleuve Saint-Laurent, plusieurs **maisons du XVIIIᵉ siècle** fort bien conservées, qui ont valu au Vieux Chemin d'être classé parmi les rues les plus pittoresques du Canada.

*Traversez **Portneuf** avant de vous arrêter à Deschambault.*

★★
Deschambault
(1 353 hab.)

La tranquillité du charmant village agricole au bord du fleuve Saint-Laurent qu'est Deschambault a été un peu troublée par la construction d'une aluminerie. Deschambault a vu le jour grâce au seigneur Fleury de La Gorgendière, qui fit construire une première église sur le cap Lauzon en 1720. Le village s'est très lentement développé au gré des saisons, ce qui a permis d'en préserver les atouts.

La **maison Deschambault** *(128 route 138)* est visible au fond d'une longue allée bordée d'arbres. Il s'agit d'une grande maison de pierre dotée de murs coupe-feu et probablement construite à la fin du

Vieux Presbytère

XVIIIᵉ siècle. En 1936, elle n'était plus que ruine. Le gouvernement du Québec, qui en était alors propriétaire, entreprit de la restaurer, démarche fort inhabituelle à cette époque, qui a vu disparaître plusieurs morceaux du patrimoine québécois. Le manoir abrite de nos jours une charmante auberge (voir p 488) ainsi qu'un restaurant de fine cuisine française (voir p 492).

Tournez à gauche dans la rue de l'Église, qui donne accès à la place du village.

Unique en son genre au Québec, l'**église Saint-Joseph** ★ *(120 rue St-Joseph)* de Deschambault présente une large façade comportant deux tours massives disposées légèrement en retrait et qui, au lieu de l'habituel pignon, est surmontée d'un toit à croupe orné d'une statue. Cette solide construction, réalisée entre 1835 et 1841, est l'œuvre de l'architecte Thomas Baillairgé. Les clochers néoclassiques d'origine ont cependant été détruits, pour être remplacés au XXᵉ siècle par des caricatures de l'art de la Nouvelle-France.

Dix statues (1820) de Louis-Thomas Berlinguet ornent la partie supérieure du chœur, alors qu'un retable de 1890 ajoute une note néoromane à l'ensemble. Parmi les tableaux accrochés dans l'église, il faut souligner *L'Adoration des Mages* et *L'Adoration des bergers* (vers 1820) de Jean-Baptiste Roy-Audy.

Le **Vieux Presbytère** *(dons acceptés; juin à août tlj 9h à 17h; mai, sept, oct sam-dim 10h à 17h; 117 rue St-Joseph, ☎286-6891)* occupe un emplacement privilégié d'où l'on bénéficie d'un beau panorama sur le fleuve Saint-Laurent et sa rive sud. Le petit bâtiment, isolé au milieu d'une vaste pelouse, a été érigé à partir de 1815 en remplacement du premier presbytère de 1735. Les fondations de celui-ci sont d'ailleurs visibles au sol devant l'entrée. En 1955, un antiquaire sauvait le vieux presbytère; puis, en 1970, une association de résidants y installait un centre d'exposition, ce qui témoigne de la vitalité de la communauté à l'égard de son patrimoine.

Reprenez la route 138 vers l'ouest. Ce tronçon du chemin du Roy est bordé par de nombreuses demeures québécoises traditionnelles bien conservées. Tournez à droite dans la rue de Chavigny.

Le magnifique **moulin de La Chevrotière** ★ *(entrée libre; juin à sept tlj 10h à 18h; 109 rue de Chavigny, ☎286-6862)* abrite de nos jours un centre d'apprentissage des métiers traditionnels de la construction. Chaque été, de jeunes artisans de l'ensemble du Québec viennent s'y familiariser avec les techniques préindustrielles du travail du bois, du fer et de la pierre. L'imposant bâtiment est situé en bordure d'un ancien tronçon du chemin du Roy, rebaptisé rue de Chavigny en l'honneur de Joseph Chavigny de La Chevrotière, détenteur du fief du même nom, qui fit construire le moulin en 1802. La structure crépie, qui renferme la forge, tout à côté, est en fait le moulin original de 1766.

Reprenez la route 138 en direction de Grondines.

★
Grondines
(669 hab.)

Au XVIIIe siècle, le village de Grondines était situé directement sur la rive du fleuve Saint-Laurent. On décida de le déplacer à l'intérieur des terres en 1831 pour en faciliter l'accès et pour le soustraire aux crues du fleuve. On trouve ainsi des vestiges d'esprit français entre le fleuve et la route 138, alors que le noyau, qui gravite autour de la rue Principale, est plus volontiers victorien. Les citoyens de Grondines ont démontré une grande sensibilité à l'égard de leur environnement au cours des années 1980, alors qu'ils ont mené une chaude lutte, en vue de contrer un projet de traversée fluviale aérienne des lignes d'Hydro-Québec. Ils ont finalement obtenu gain de cause et

sont les premiers à bénéficier d'une traversée sous-fluviale qui permet de préserver intactes les beautés du paysage.

Les vestiges de la première église en pierre de Grondines (1716) sont visibles à proximité du moulin. Après le déménagement du village, il fallut, bien sûr, ériger une nouvelle église, l'**église Saint-Charles-Borromée** ★ *(490 route 138)*. On demanda alors à Thomas Baillairgé, qui s'était illustré dans les paroisses voisines, de tracer les plans d'un temple digne de ce nom. Mais les fonds viennent à manquer, tant et si bien que la structure dont la construction est entreprise en 1832 demeure inachevée. Il faut attendre 1894 pour que l'église reçoive enfin des clochers. Mais le temps n'est plus au néoclassicisme, et l'architecture victorienne domine désormais. Les tours comme les ouvertures seront donc servies à la mode néogothique.

L'intérieur comporte quelques tableaux intéressants, dont *La Madone du Rosaire* de Théophile Hamel, au-dessus de l'autel latéral droit, et *Saint Charles Borromée* de Jean-Baptiste Roy-Audy. Le tabernacle du maître-autel est une œuvre des Levasseur sculptée en 1742. Il ne faut pas oublier, en ressortant, de jeter un coup d'œil sur le **presbytère néoclassique** de 1842, avec sa belle lucarne-fronton.

Même s'il a perdu de sa prestance depuis qu'il a été transformé en phare, à l'instar de plusieurs de ses semblables, le **moulin de Grondines** *(770 rue du Moulin)* demeure important puisqu'il est le plus ancien ouvrage du genre au Qué-

bec à nous être parvenu. Le moulin a été construit dès 1672 pour les religieuses hospitalières de l'Hôtel-Dieu de Québec, à qui la seigneurie de Grondines avait été concédée en 1637.

*Le circuit du chemin du Roy prend fin à Grondines, mais peut être combiné à une visite de la région de la Mauricie, que l'on aborde à **Sainte-Anne-de-la-Pérade** (voir p 380).*

Circuit D: La Jacques-Cartier (trois jours)

Après un court passage au milieu des premières zones de peuplement de la Nouvelle-France, ce circuit aborde les secteurs de villégiature des Laurentides, pour enfin s'enfoncer dans la nature sauvage de la vallée de la rivière Jacques-Cartier et de la réserve faunique des Laurentides. Idéal pour le camping, les descentes de rivière et autres activités de plein air, le circuit de la Jacques-Cartier illustre à quel point la forêt vierge est proche de la grande ville.

★
Charlesbourg
(73 962 hab.)

En Nouvelle-France, les seigneuries prennent habituellement la forme de longs rectangles quadrillés que parcourent les montées et les côtes. La plupart d'entre elles sont également implantées perpendiculairement à un cours d'eau important. Charlesbourg est la seule véritable exception à ce système, et quelle exception! En 1665, les jésuites, à la recherche de différents moyens pour peupler la colonie, tout en assurant sa prospérité et sa sécurité, développent sur leurs terres de la seigneurie de Notre-Dame-des-Anges un modèle d'urbanisme tout à fait original. Il s'agit d'un vaste carré, à l'intérieur duquel des lopins de terre distribués en étoile convergent vers le centre, où sont regroupées les habitations. Celles-ci font face à une place délimitée par un chemin appelé le Trait-Carré où se trouvent l'église, le cimetière et le pâturage communautaire. Ce plan radioconcentrique, qui assure alors une meilleure défense contre les Iroquois, est encore perceptible de nos jours dans le Vieux-Charlesbourg. Deux autres initiatives du genre, Bourg Royal, à l'est, et Petite Auvergne, au sud, ne connaîtront pas le même succès, laissant peu de traces.

La seigneurie de Notre-Dame-des-Anges a été concédée aux jésuites dès 1626, ce qui en fait l'une des premières zones habitées en permanence par les Européens au Canada. Malgré cette présence ancienne et ce développement original, Charlesbourg conserve peu de bâtiments antérieurs au XIXᵉ siècle. Cela s'explique par la fragilité des constructions et la volonté de se moderniser. Depuis 1950, Charlesbourg est devenue l'une des principales composantes de la banlieue de Québec et a perdu beaucoup de son unité.

Il est recommandé de garer sa voiture à proximité de l'église Saint-Charles-Borromée et de parcourir à pied le Trait-Carré.

L'**église Saint-Charles-Borromée ★★** *(135 80ᵉ Rue O.)* a révolutionné l'art de bâtir en milieu rural au Québec.

L'architecte Thomas Baillairgé, influencé par le courant palladien, innove surtout par la disposition rigoureuse des ouvertures de la façade, qu'il coiffe d'un large fronton. En outre, l'église de Charlesbourg a l'avantage d'avoir été réalisée d'un trait et d'être demeurée intacte depuis. Rien n'est donc venu contrecarrer le projet original. La construction est entreprise en 1828, et le magnifique décor intérieur de Baillairgé est mis en place à partir de 1833.

Au fond du chœur, plus étroit que la nef, se trouve le retable en arc de triomphe, au centre duquel prend place un tabernacle, rappelant la basilique Saint-Pierre de Rome, avec une toile du XVIIᵉ siècle d'après Pierre Mignard intitulée *Saint Charles Borromée distribuant la communion aux pestiférés de Milan*. Deux belles statues de Pierre-Noël Levasseur, datées de 1742, complètent l'ensemble. Au sortir, on aperçoit le vaste presbytère Second Empire de 1876, témoin du statut privilégié des curés de village au XIXᵉ siècle, et la Bibliothèque municipale, installée dans l'ancien collège Saint-Charles (1904).

Prenez la 1ʳᵉ Avenue vers le sud, puis tournez à gauche dans la rue du Trait-Carré Est, qui conduit au chemin Samuel.

La **maison Éphraïm-Bédard** *(entrée libre; mi-juin à fin août mer-dim 12h à 19h, début sept à mi-juin mar et jeu 13h30 à 16h; 7655 ch. Samuel, ☎628-8278)*, en pièce sur pièce (fin XVIIIᵉ siècle), est l'une des rares survivantes du Vieux-Charlesbourg. La société historique locale y est installée depuis 1986 et y présente une exposition

sur l'évolution du Trait-Carré. Les cartes anciennes et les photos aériennes exposées permettent de mieux comprendre la physionomie particulière de Charlesbourg. La société organise aussi des visites guidées du secteur.

Si l'on reprend la rue du Trait-Carré Est, on peut voir, au numéro 7970, la **maison Magella-Paradis** *(mi-juin à mi-août mer-dim 11h à 18h, mi-août à mi-juin selon les expositions; ☎624-7961)* de 1833, qui accueille parfois des expositions. Un peu plus loin, au numéro 7985, la **maison Pierre-Lefebvre**, de 1846, abrite la **Galerie d'art du Trait-Carré** *(entrée libre; fin juin à mi-août mer-dim 11h à 18h; début sept à fin juin jeu-ven 19h à 21h, sam-dim 13h à 17h; ☎623-1877)*, où sont présentées des œuvres d'artistes locaux.

Tournez à droite dans la 80ᵉ Rue Est. À l'angle du boulevard Henri-Bourassa se trouve l'ancien moulin des jésuites.

Le **moulin des jésuites ★** *(entrée libre; mi-juin à mi-août tlj 10h à 18h, mi-août à fin août mer-dim 10h à 17h; 7960 boul. Henri-Bourassa, ☎624-7720)*. Ce joli moulin à eau, en moellons crépis, est le plus ancien bâtiment de Charlesbourg. Il a été érigé en 1740 pour les jésuites, alors seigneurs des lieux. Après plusieurs décennies d'abandon, le bâtiment de deux niveaux a enfin été restauré en 1990 pour accueillir le **Centre d'interprétation du Trait-Carré**. On y organise aussi des concerts et des expositions.

Empruntez le boulevard Saint-Joseph dans le prolongement de la 80ᵉ Rue Ouest. Il prend ensuite le nom du boulevard Bastien.

Région de Québec

★
Wendake
(1 035 hab.)

Chassées de leurs terres ontariennes par les Iroquois au XVIIe siècle, 300 familles huronnes s'installent en divers lieux autour de Québec avant de se fixer définitivement, en 1700, à La Jeune-Lorette, aujourd'hui Wendake. Le visiteur sera charmé par le village aux rues sinueuses de cette réserve amérindienne sur les berges de la rivière Saint-Charles. En visitant ses musées et ses boutiques d'artisanat, il en apprendra beaucoup sur la culture des Hurons-Wendats, peuple sédentaire et pacifique.

L'**église Notre-Dame-de-Lorette ★** (140 boul. Bastien), l'église des Hurons-Wendats, terminée en 1730, rappelle les premières églises de Nouvelle-France. L'humble édifice, revêtu d'un crépi blanc, recèle des trésors insoupçonnés que l'on peut voir dans le chœur et dans la sacristie. Certains de ces objets ont été donnés à la communauté huronne par les jésuites et proviennent de la première chapelle de L'Ancienne-Lorette (fin XVIIe siècle). Parmi les œuvres exposées figurent plusieurs statues de Noël Levasseur réalisées entre 1730 et 1740, un parement d'autel représentant un village amérindien, du sculpteur huron François Vincent (1790), et une très belle *Vierge à l'enfant*, d'un orfèvre parisien (1717). À cela, il faut ajouter un reliquaire de 1676, des chasubles du XVIIIe siècle et divers objets de culte signés Paul Manis (vers 1715). L'élément le plus intéressant demeure toutefois le petit tabernacle doré, de style Louis XIII, du maître-autel, sculpté par Levasseur en 1722. La maison Aroüanne (voir ci-dessous) organise des visites guidées.

La **maison Aroüanne** *(entrée libre; début mai à fin sept tlj 9h à 16h, début oct à fin avr sur réservation; 10 rue Chef Alexandre Duchesneau, ☎842-1108)*, située à proximité de l'église, raconte la culture et les traditions huronnes en présentant des vêtements traditionnels et des objets usuels. On y tient également des expositions temporaires et des événements à caractère culturel.

Onhoüa Chetek8e ★ *(8$; nov à fin avr tlj 9h à 17h, fin avr à oct tlj 8h30 à 18h; 575 rue Stanislas-Kosca, ☎842-4308)* est une reconstitution d'un village huron tel qu'il en existait aux débuts de la colonisation. On y retrouve l'aménagement du village avec ses maisons longues en bois et ses palissades. Le site a pour but de faire découvrir aux visiteurs le mode de vie et d'organisation sociale de la nation huronne-wendat. Sur place, on peut goûter à divers mets amérindiens.

Parc de la Falaise et de la chute Kabir Kouba, voir p 482.

Le **Centre culturel Hanenharisgwa** *(465 rue Stanislas-Koska, ☎845-5580)*, au nord-est de Wendake, propose différents forfaits de familiarisation avec la culture amérindienne. Vous pouvez participer à diverses activités d'initiation aux coutumes et au monde spirituel des Hurons-Wendats.

De Wendake, vous pouvez vous rendre dans la région du lac Saint-Joseph, au nord-ouest, une populaire région de villégiature auprès des Québécois qui utilisent ce plan d'eau pour la baignade et les sports nautiques tout au long de l'été.

Sainte-Catherine-de-la-Jacques-Cartier

Sainte-Catherine-de-la-Jacques-Cartier avoisine la **Station écotouristique Duchesnay ★** (voir p 482), un beau parc quatre-saisons où l'on construit, en hiver, le célèbre **Hôtel de glace ★** *(visites guidées 12$, tlj toutes les deux heures 10h30 à 20h30, ☎875-4522 ou 877-505-0423, www.hoteldeglace. qc.ca)*, une époustouflante réalisation! Inspiré du modèle suédois original, l'**Hôtel de glace de Québec** (voir p 489) est le seul du genre en Amérique du Nord et figure sans contredit parmi les attractions incontournables du continent! Bien sûr, sa durée de vie est limitée (début janvier à fin mars), mais, chaque année, les bâtisseurs se remettent à la tâche pour ériger ce magnifique complexe à l'aide de plusieurs tonnes de glace et de neige. Et l'on ne se contente pas d'empiler des blocs de glace, on s'en sert aussi pour décorer! Le hall d'entrée, par exemple, se voit surmonté d'un splendide lustre de glace. L'hôtel abrite une galerie d'art où les sculptures de neige et de glace rivalisent d'originalité, une salle d'exposition, un petit cinéma, une chapelle et un bar où l'on sert de la vodka dans des verres de glace! Émerveillement garanti!

Reprenez la route 73, qui devient la route 175 vers Lac-Beauport.

Lac-Beauport
(4 800 hab.)

Le lac Beauport est un lieu de villégiature fort prisé tout au long de l'année. Une station de ski alpin a été aménagée dans la région: **Le Relais** (voir p 485). Autour du lac, de fort belles plages sont mises à la disposition des visiteurs en été.

*La route 175 passe en bordure des centres de villégiature de **Lac-Delage**, de **Stoneham** et de **Tewkesbury**. Elle donne accès, plus loin, au **parc de la Jacques-Cartier** (voir p 482) et à la **réserve faunique des Laurentides** (voir p 481).*

*Pour revenir à Québec, reprenez la route 175 vers le sud. Vous pouvez également poursuivre vers le nord en direction de la région touristique du **Saguenay–Lac-Saint-Jean** (voir p 617).*

Parcs

Circuit A:
La côte de Beaupré

Parc de la Chute-Montmorency, voir p 462.

Mont-Sainte-Anne ★ *(2000 boul. Beaupré, ☎827-4561)* englobe un territoire de 77 km² et un mont d'une hauteur de 800 m qui compte parmi les plus beaux centres de ski alpin du Québec. Pour héberger les visiteurs, quelques hôtels ont été construits. Par ailleurs, plusieurs autres activités de plein air peuvent y être pratiquées; le site possède notamment un réseau de plus de 200 km de pistes pour vélo de montagne ou de sentiers de ski de fond. Sur place, des comptoirs de location d'équipement sportif permettent à tous de s'adonner à ces activités vivifiantes.

Le **Canyon Sainte-Anne** *(7$; début mai à fin juin et début sept à fin oct tlj 9h à 17h30, fin juin à début sept 8h30 à 18h30; 40 côte de la Miche ou 206 route 138, Beaupré, ☎827-4057)* est composé de torrents aux flots agités, d'une chute atteignant une hauteur de 74 m ainsi que d'une marmite d'un diamètre de 22 m, formée dans le roc par les tourbillons d'eau. Les visiteurs ont l'occasion de contempler cet impressionnant spectacle grâce aux belvédères et aux ponts suspendus installés sur les lieux, telle la passerelle qui conduit au fond de la gorge.

La **réserve nationale de faune du Cap-Tourmente** ★ ★ *(5$; 570 ch. du Cap-Tourmente, St-Joachim, ☎827-4591)* est un lieu pastoral et fertile dont les battures sont fréquentées chaque année par des nuées d'oies blanches (également connues sous le nom de «grandes oies des neiges»). Les oies s'y arrêtent pendant quelque temps, à l'automne et au printemps, afin de reprendre les forces nécessaires pour continuer leur voyage migratoire. La réserve dispose d'installations permettant l'observation de ces oiseaux. Plusieurs autres espèces animales y vivent: au moins 250 espèces d'oiseaux et 45 espèces de mammifères. Sur place, des naturalistes répondent à vos questions. On peut également profiter des sentiers de randonnée pédestre.

Circuit C:
Le chemin du Roy

Au nord-ouest de Québec, la **réserve faunique de Portneuf** *(mi-mai à mi-mars; ☎323-2021)* propose des kilomètres de sentiers destinés à la pratique de maintes activités de plein air, entre autres la motoneige, le ski de fond et la raquette. En outre, son territoire est sillonné de rivières et de lacs. On peut aussi y séjourner dans d'agréables petits chalets *(réservations: ☎800-665-6527 ou 890-6527)*. Bien équipés pour deux à huit personnes, les chalets permettent de profiter pleinement des beautés de la réserve faunique.

Circuit D:
La Jacques-Cartier

La **réserve faunique des Laurentides** *(3,50$; route 175 N., accueil Mercier, ☎848-2422 ou 528-6868)* couvre un territoire de 8 000 km². Vaste étendue sauvage composée de forêts et de rivières, elle abrite une faune diversifiée comprenant des espèces telles que l'ours noir et l'orignal. La chasse et la pêche (à la truite mouchetée) y sont possibles à certaines périodes de l'année. La réserve possède de beaux sentiers de ski de fond, de courte et de longue randonnée, et, afin d'accueillir les skieurs, on y propose de petits chalets *(réservation ☎890-6527 ou 800-665-6527)* pouvant loger de 2 à 17 personnes. Il faut compter 95$ pour deux personnes en chalet. Durant la saison estivale, les canoteurs peuvent descendre les superbes rivières Métabetchouane et aux Écorces.

Région de Québec

Le **parc de la Jacques-Car-tier** ★★ *(3,50$; route 175 N., ☎848-3169 ou 528-8787)*, qui se trouve enclavé dans la réserve faunique des Laurentides, à 40 km au nord de Québec, accueille toute l'année une foule de visiteurs. Il est sillonné par la rivière du même nom, serpentant entre les collines escarpées qui lui méritent le nom de «vallée de la Jacques-Cartier». Le site, qui bénéficie d'un microclimat dû à cet encaissement de la rivière, est propice à la pratique de plusieurs activités de plein air. On y trouve une faune et une flore abondantes et diversifiées qu'il fait bon prendre le temps d'admirer. Les détours des sentiers bien aménagés réservent parfois des surprises, comme un orignal et son petit en train de se nourrir dans un marécage. Un centre d'interprétation, à l'accueil, permet de bien s'informer avant de se lancer à la découverte de toutes ces richesses. On y loue des emplacements de camping (voir p 489) et des chalets pour les groupes, le tout complété par diverses installations sportives (voir «Activités de plein air», ci-dessous).

Dans le parc, des spécialistes organisent des **safaris d'observation de l'orignal** de la mi-septembre à la mi-octobre ainsi que des séances d'**écoute des appels nocturnes des loups** du début juillet jusqu'à la mi-août, en soirée, dans le but de faire connaître ces animaux. Pour participer à ces excursions instructives, il faut compter environ 15$ par adulte; chacune de ces

activités dure au moins trois heures et implique de la marche en forêt. Les réservations *(☎848-5099)* sont essentielles.

À 45 km de Québec, au bord du plus grand lac de la région, le lac Saint-Joseph, la **Station écotouristique Duchesnay** ★ *(Ste-Catherine-de-la-Jacques-Cartier, 143 route Duchesnay, ☎875-2122)* permet de se familiariser avec la forêt laurentienne. Situé sur un territoire de 90 km², ce centre de recherche sur la faune et la flore de nos forêts fait dorénavant partie des centres récréotouristiques de la Sépaq. Reconnu depuis longtemps pour ses sentiers de ski de fond, il se révèle idéal pour pratiquer toutes sortes d'activités de plein air telles que la randonnée pédestre, grâce à ses 16 km de sentiers aménagés, les sports nautiques, etc. La piste cyclable Jacques-Cartier/Portneuf passe par Duchesnay. S'y trouve aussi un pavillon d'interprétation où ont lieu des activités d'éducation et de sensibilisation. De plus, les installations d'accueil ont été entièrement rénovées pour offrir aux visiteurs des lieux d'hébergement et de restauration très confortables. La station accueille chaque hiver le célèbre **Hôtel de glace** (voir p 480).

Le **parc de la Falaise et de la chute Kabir Kouba** se trouve dans le village huron-wendat de Wendake. Quelques petits sentiers nous font longer le bord de la falaise, haute de 40 m, au fond de laquelle coule la rivière Saint-Charles.

Activités de plein air

Vélo

L'entreprise **Cyclo-Services-Voyages** *(84 Dalhousie, Marché du Vieux-Port, ☎692-4052)*, dans le Vieux-Port de Québec, propose une série d'excursions à vélo dans les environs de la ville. On y fait aussi la location de bicyclettes *(7$/heure)*.

Circuit A: La côte de Beaupré

Depuis le Vieux-Port de Québec, une piste cyclable se rend jusqu'au parc de la Chute-Montmorency en passant par Beauport. De plus, le chemin du Roy, sur la côte de Beaupré et sur l'île d'Orléans (location de vélos à l'auberge **Le Vieux Presbytère**, voir p 487), est censé être une voie partagée entre cyclistes et automobilistes. La prudence est toujours de mise, mais ces promenades valent certes l'effort qu'elles requièrent!

Pour le vélo de montagne, **Mont-Sainte-Anne** *(13$/ jour, télécabine une remontée 17$, remontées illimitées 24$; 2000 boul. Beaupré, ☎827-4561)* offre 200 km de sentiers pour les vrais amateurs! Empruntez les pistes de ski alpin pour vous rendre au sommet du mont, ou descendez-les après être monté dans les télécabines munies de supports à vélos. En tout, on trouve plus de 20 pistes aux noms évocateurs, comme «la Grisante» ou «la Vietnam». L'endroit est reconnu; on y dispute d'ailleurs, chaque année, le Championnat du monde de vélo de montagne.

Circuit D:
La Jacques-Cartier

En juillet 1997, une piste cyclable a été inaugurée dans la région de Québec. Utilisant le tracé des anciennes voies ferrées, traversant la réserve faunique de Portneuf et la **Station écotouristique Duchesnay** (où il est possible de garer sa voiture et de louer des vélos, voir p 482) et longeant certains lacs de la région, la **piste Jacques-Cartier/Portneuf** *(5$; 100 rue St-Jacques, St-Raymond, ☎337-7525)* compte 63 km de trajet, depuis Rivière-à-Pierre jusqu'à Shannon. Son environnement envoûtant et son parcours sécuritaire ont déjà attiré de nombreux cyclistes. En hiver, la piste est utilisée par les motoneigistes.

Dans le **parc de la Jacques-Cartier** *(entrée libre; route 175 N., ☎848-3169)*, les marcheurs partagent les sentiers qui le sillonnent avec les mordus de vélo de montagne. On y fait la location de vélos.

À la **Station touristique Stoneham** *(1420 av. du Hibou, Stoneham, ☎848-2411)*, une station de ski alpin reconnue, on peut s'amuser au cours de l'été à vélo de montagne sur les 30 km de pistes qui la sillonnent. On y fait la location de vélos.

Randonnée pédestre

Circuit A:
La côte de Beaupré

Au **cap Tourmente** *(570 ch. du Cap-Tourmente, St-Joachim, ☎827-4591 ou 827-3776)* (voir p 467), vous pouvez, si vos jambes vous le permettent, arpenter l'un des sentiers qui gravissent le cap et qui offrent des vues magnifiques sur le fleuve et la campagne environnante. On peut aussi déambuler sur les trottoirs de bois, adaptés pour les personnes à mobilité réduite, qui sillonnent les battures tout en constituant une promenade profitable.

Mont-Sainte-Anne *(2000 boul. Beau-Pré, Beaupré, ☎827-4561)* dispose de plusieurs sentiers de randonnée.

Le site **Les Sept Chutes** (voir p 466) est agrémenté de sentiers de randonnée pédestre.

Circuit B:
L'île d'Orléans

Sur l'île d'Orléans, la promenade à vélo est plus accessible que la randonnée pédestre. Certaines possibilités de marche s'offrent cependant, tels les **sentiers de l'Isle aux Sorciers** *(1870 ch. Royal, St-Laurent, ☎828-2163)*, qui serpentent à travers un terrain boisé. Vous pouvez aussi y pêcher la truite.

Circuit D:
La Jacques-Cartier

Les sentiers du **parc de la Jacques-Cartier** *(3,50$; route*

175 N., ☎848-3169) (voir p 482) figurent parmi les favoris des gens de la région. Paisibles ou abrupts, ils vous font découvrir de jolis petits coins de forêt ou vous dévoilent des vues magnifiques sur la vallée et la rivière qui y coule.

La **réserve faunique de Portneuf** (voir p 481), la **Station écotouristique Duchesnay** (voir p 482) et la **Station touristique Stoneham** *(1420 av. du Hibou, Stoneham, ☎848-2411)* disposent toutes de nombreux sentiers de randonnée pédestre des plus agréables.

Observation
des oiseaux

Circuit A:
La côte de Beaupré

Pour observer la faune aviaire, l'un des meilleurs endroits de la région est sans contredit la **réserve nationale de faune du Cap-Tourmente** *(St-Joachim, ☎827-4591 ou 827-3776)* (voir p 481). Au printemps et à l'automne, le site est envahi par des milliers d'oies blanches en migration qui offrent un spectacle fascinant. La proximité de ces oiseaux et leur nombre soulèveront certes plusieurs questions auxquelles vous pourrez trouver réponse sur place. La réserve abrite en outre plusieurs autres espèces d'oiseaux que vous observerez à loisir grâce aux nichoirs et aux mangeoires qui les attirent hiver comme été.

Région de Québec

Canot

Circuit D:
La Jacques-Cartier

On peut louer des canots dans la **réserve faunique de Portneuf** (voir p 481) pour y naviguer sur les lacs et rivières, dans le **parc de la Jacques-Cartier** (*36$/jour pour la location; route 175 N.,* ☎848-3169) (voir p 482) pour y descendre la rivière ou encore à la **Rivière Bras-du-Nord** à Portneuf (☎337-2900 ou 800-321-4992).

Rafting

Circuit D:
La Jacques-Cartier

La rivière Jacques-Cartier sait depuis longtemps faire sauter et sursauter les braves qui s'y aventurent au printemps et au début de l'été. Deux entreprises installées depuis longtemps dans la région proposent des expéditions de rafting encadrées et avec tout l'équipement nécessaire. Le **Village Aventure** (*1860 boul. Valcartier, St-Gabriel-de-Valcartier,* ☎844-2200 ou 888-384-5524), affilié au Village Vacances de Valcartier, vous promet une bonne dose d'émotions fortes sur un trajet de 8 km au fil de la rivière Jacques-Cartier. On y propose aussi des descentes en luge d'eau. Avec les **Excursions Jacques-Cartier** (*978 av. Jacques-Cartier N., Tewksbury,* ☎848-7238), vous pourrez aussi faire de belles descentes hautes en couleur.

On fait aussi du rafting sur la rivière Batiscan, dans la **réserve faunique de Portneuf** (voir p 481).

Équitation

Circuit A:
La côte de Beaupré

Le **Ranch des Pionniers** (*2140 av. Royale, St-Ferréol-les-Neiges,* ☎826-2520) organise, depuis plus de 30 ans, des randonnées équestres au pied du mont Sainte-Anne.

Circuit D:
La Jacques-Cartier

Les **Excursions Jacques-Cartier** (*978 av. Jacques-Cartier N., Tewksbury,* ☎848-7238) proposent de l'équitation dans un bel environnement au bord de la rivière Jacques-Cartier et en forêt. Avant le départ, on vous initie aux techniques de base de l'entretien de votre cheval, ce qui vous permet de faire connaissance! En hiver, les cavaliers, emmitouflés dans de longs manteaux taillés spécialement pour bien se protéger, prennent aussi la clef des champs.

Le **Village Aventure** (*1860 boul. Valcartier, St-Gabriel-de-Valcartier,* ☎844-2200 ou 888-384-5524), affilié au Village Vacances de Valcartier, propose des excursions équestres en forêt.

Chasse et pêche

Dans la région de Québec, on peut pratiquer la chasse et la pêche entre autres à

la **réserve nationale de faune du Cap-Tourmente** (☎827-3776 ou 827-4591), dans la **réserve faunique de Portneuf** (☎323-2021) et dans la **réserve faunique des Laurentides** (☎848-2422).

Golf

Circuit A:
La côte de Beaupré

Le terrain de golf de Mont-Sainte-Anne, **Le Grand Vallon** (*lun-jeu 65$, ven-dim 78$; 200 boul. Beau-Pré, Beaupré,* ☎827-4561) a été entièrement réaménagé en 1999. Il offre aujourd'hui un parcours à normale 72 agrémenté de plusieurs fosses de sable et de quatre lacs, et reconnu comme l'un des plus intéressants de l'est du Canada.

Glissade

Circuit D:
La Jacques-Cartier

L'entreprise de rafting les **Excursions Jacques-Cartier** (*29,95$ et 14$ pour la location d'une combinaison isothermique; 10h à 16h; 978 av. Jacques-Cartier N., Tewksbury,* ☎848-7238) propose des glissades sur chambres à air sur les plus hautes pentes de la région.

Au **Club Mont-Tourbillon** (*55 montée du Golf, Lac-Beauport,* ☎849-4418), on propose des glissades sur chambres à air pendant la saison froide. On peut aussi y pratiquer toutes sortes d'activités telles que le ski de fond. On y trouve un restaurant et un bar.

Le spécialiste de la glissade, hiver comme été, est sans contredit le **Village Vacances Valcartier** *(début juin à sept tlj 10h à 17h, déc à mars 10h à 22h; 1860 boul. Valcartier, St-Gabriel-de-Valcartier, ☎844-2200 ou 888-384-5524; de Québec, prenez la route 371 Nord)*, une base de plein air qui dispose de toutes les installations pour s'amuser. En été, les toboggans nautiques *(21,73$)* et la piscine à vagues attirent les foules. En hiver, les glissoires glacées *(15,65$)* vous feront oublier le froid pendant un moment. On peut aussi y faire du rafting des neiges *(19,13$)* et du patin à glace *(4,35$)* sur la longue patinoire de 2,5 km qui serpente dans le boisé. On y trouve un restaurant et un bar.

Ski de fond

Circuit A:
La côte de Beaupré

Mont-Sainte-Anne *(15$; lun-ven 9h à 16h, sam-dim 8h30 à 16h; 2000 boul. Beau-Pré, Beaupré, ☎827-4561)* est sillonné par 250 km de sentiers de ski de fond bien entretenus et ponctués de refuges chauffés. La boutique Sport Alpin du rang Saint-Julien loue de l'équipement de ski *(17$/jour; ☎826-3153)*.

Circuit D:
La Jacques-Cartier

Niché au cœur de la réserve faunique des Laurentides, le **Camp Mercier** *(6$; tlj 8h30 à 16h; Rroute 175 N., réserve faunique des Lauren-*

tides, ☎848-2422 ou 800-665-6527) est sillonné par 192 km de sentiers bien entretenus dans un paysage des plus apaisants. Vu sa situation idéale, il est skiable de l'automne au printemps. Les possibilités de longues randonnées (jusqu'à 68 km) sont intéressantes, et le parcours est jalonné de refuges chauffés. De plus, des chalets à louer peuvent loger de 2 à 12 personnes *(85$ pour deux personnes, 250$ pour 12 personnes)*.

Au centre de ski de fond **Les Sentiers du Moulin** *(9$; tlj 8h30 à 16h; 99 ch. du Moulin, Lac-Beauport, ☎849-9652)*, plus de 130 km de sentiers sont entretenus. Sur le site, quatre chalets chauffés accueillent les skieurs de tous types. Il est possible de prendre une bouchée au casse-croûte.

La **Station écotouristique Duchesnay** *(10$; tlj 8h30 à 16h; Ste-Catherine-de-la-Jacques-Cartier, ☎875-2711)* est très populaire, l'hiver venu, auprès des skieurs nordiques de la région. Dans une vaste et riche forêt, on parcourt 150 km de sentiers bien entretenus en compagnie des petites mésanges et d'autres oiseaux qui n'ont pas peur du froid!

Ski alpin

Circuit A:
La côte de Beaupré

Mont-Sainte-Anne *(52$/jour, 23$/soir; lun 9h à 16h, mar-ven 9h à 22h, sam 8h30 à 22h, dim 8h30 à 22h; 2000 boul. Beau-Pré, Beaupré, ☎827-4561)* est l'une des

plus importantes stations de ski au Québec. Elle compte 56 pistes pouvant atteindre une dénivelée de 625 m. Il est possible d'y faire du ski de soirée car 15 pistes sont éclairées. Elle fait aussi le bonheur des amateurs de surf des neiges. Au lieu d'acheter un billet conventionnel, vous pouvez vous procurer un laissez-passer avec points valides pour deux ans et déduits à la remontée. Il est aussi possible de louer de l'équipement tout près, à la boutique Sport Alpin du rang Saint-Julien *(25$/jour pour le ski, 35$/jour pour la planche à neige, ☎826-3153)*.

Circuit D:
La Jacques-Cartier

Le Relais *(28$/jour, 19$/soir; lun-jeu 9h à 22h, ven 9h à 22h30, sam 8h30 à 22h30, dim 8h30 à 21h; 1084 boul. du Lac, Lac-Beauport, ☎849-1851)* dispose de 25 pistes, toutes éclairées pour permettre le ski en soirée.

La **Station touristique Stoneham** *(41$/jour, 23$/soir; lun-ven 9h à 22h, sam 8h30 à 22h, dim 8h30 à 21h; Stoneham, ☎848-2411 ou 800-463-6888)* peut recevoir des visiteurs tout au long de l'année. En hiver, elle propose 30 pistes de ski alpin, dont 16 sont éclairées. Pour plaire aux skieurs de fond, la station dispose de sentiers s'étendant sur une trentaine de kilomètres. Ces derniers sont aménagés durant l'été pour accueillir les amateurs de vélo de montagne et de randonnée pédestre ou équestre.

Traîneau à chiens

Circuit D:
La Jacques-Cartier

La meute de **La Banquise des Chukchis** (*228 rang St-Georges, St-Basile,* ☎*329-3055*) et ses propriétaires vous proposent différents forfaits de jour ou de soir dont un comprenant le dîner. Vous guidez l'attelage pendant les randonnées, qui se font dans une ambiance... chaleureuse!

Au **Domaine de la Truite du Parc** (*79$/½ journée; 4 rue des Anémones, Stoneham,* ☎*848-3732*), on propose des excursions en traîneau à chiens pendant lesquelles vous guidez l'attelage. En été, on peut aussi y pratiquer la pêche à la... truite!

Hébergement

Circuit A:
La côte de Beaupré

Beauport

Journey's End
$$-$$$
≡, 🐾
240 boul. Ste-Anne
☎*666-1226*
≠*666-5088*
Appartenant à une chaîne hôtelière, le Journey's End en respecte les normes et propose aux voyageurs des chambres confortables où ils peuvent se reposer paisiblement. On y met davantage l'accent sur le prix réduit des chambres que sur la diversité des services.

Hôtel Ramada Québec Est
$$-$$$
≡, ℜ, △, ⊛, ⊘
321 boul. Ste-Anne
☎*666-2828 ou 800-363-4619*
≠*666-2775*
L'hôtel Ramada a été construit à l'entrée de la ville dans un secteur où les voyageurs ne font généralement halte que pour la nuit. Ses chambres sont jolies et grandes. Le rez-de-chaussée renferme par ailleurs un restaurant chinois.

Château-Richer

🚢 **Auberge du Petit Pré**
$$ pdj
bc, ℜ
7126 av. Royale
☎*824-3852*
≠*824-3098*
L'Auberge du Petit Pré est aménagée dans une maison du XVIIIᵉ siècle. Ici, vous aurez droit à un accueil des plus attentionnés. Ses quatre chambres sont douillettes et décorées avec goût. On y trouve une verrière, ouverte durant les beaux jours, deux salons, l'un avec téléviseur et l'autre avec foyer, ainsi que deux salles de bain avec baignoire sur pieds. Le petit déjeuner est généreux et finement préparé. L'aubergiste cuisinier pourra d'ailleurs, s'il est prévenu d'avance, vous concocter, pour le dîner, l'un de ses délicieux repas dont l'arôme envahira la maison, ajoutant ainsi à la chaleur de l'endroit.

Auberge du Sault-à-la-Puce
$$ pdj
⊛, ℜ
8365 av. Royale
☎*824-5659*
≠*824-5669*
Marie-Thérèse Rousseau et Michel Panis ont quitté la ville pour s'installer sur la côte de Beaupré, dans une belle demeure du XIXᵉ siècle coiffée d'un toit mansardé. Ils ont baptisé l'endroit l'Auberge du Sault-à-la-Puce, car l'établissement est voisin d'une petite rivière ponctuée de minuscules rapides. Les hôtes peuvent se prélasser sur sa véranda victorienne, équipée de meubles de jardin, tout en écoutant le doux clapotis de l'eau. Les cinq chambres que compte l'auberge sont dotées d'élégants meubles en fer qui offrent un contraste intéressant avec les boiseries rustiques des murs. Elles possèdent toutes leur propre salle de bain, mais, dans certaines d'entre elles, l'habituelle baignoire a été remplacée par une simple douche, question de pouvoir composer avec l'espace disponible. Excellente table (voir p 490).

🚢 **Auberge Baker**
$$-$$$ pdj
≡, ⊛, 🔥, ℜ, ℂ
8790 av. Royale
☎*824-4478 ou 886-824-4478*
≠*824-4412*
www.auberge-baker.qc.ca
Depuis plus de 50 ans, l'Auberge Baker est installée dans une maison centenaire de la côte de Beaupré. Ses murs de pierres, ses plafonds bas, ses planchers de bois et ses fenêtres à large encadrement charment le visiteur. Ses sept chambres occupent des combles un peu sombres, mais, à cet étage, on trouve aussi une cuisinette, une salle de bain et une terrasse attenante. Elles ont été décorées avec soin, par souci d'authenticité, et meublées d'antiquités. Bonne table (voir p 490).

Sainte-Anne-de-Beaupré

La Bécassine
$$-$$$
≡, ℜ
9341 boul. Ste-Anne
☎*827-4988 ou 877-727-4988*
L'auberge La Bécassine a l'avantage d'être située à moins de 10 min du mont Sainte-Anne. Il s'agit en fait d'un motel puisque la plupart des chambres, au décor simple mais assez agréable, sont situées côte à côte près du bâtiment principal. Celui-ci abrite une vaste salle à manger spécialisée dans les mets de gibier.

Beaupré (Mont-Sainte-Anne)

Camping Mont-Sainte-Anne
$
rang St-Julien,
St-Ferréol-les-Neiges
☎*826-2323 ou 800-463-1568*
Le Camping Mont-Sainte-Anne, situé à Mont-Sainte-Anne, dispose de 166 emplacements dans un site boisé traversé par la rivière Jean-Larose et doté des services essentiels. Vous y êtes, bien sûr, à proximité de toutes les activités de plein air qu'offre le site.

Hôtel Val des Neiges
$$-$$$
≈, ⊘, △, ℜ, ℑ, ⊛, ≡, ✿
201 Val des Neiges
☎*827-5711 ou 888-554-6005*
≈*827-5997*
www.valdesneiges.com
Autour du mont Sainte-Anne, plusieurs chalets ont été construits. L'hôtel Val des Neiges est installé dans un de ces quartiers et côtoie les résidences des vacanciers. Il dispose de chambres au décor rustique qui sont assez jolies. Le centre possède également ment de petits condos bien équipés. On y propose des forfaits croisières.

La Camarine
$$-$$$
≡, ℜ, ⊛, ℑ
10947 boul. Ste-Anne
☎*827-5703 ou 800-567-3939*
≈*827-5430*
www.camarine.com
La Camarine se dresse en face du fleuve Saint-Laurent. Cette mignonne petite auberge de qualité supérieure loue une trentaine de chambres. Le décor allie harmonieusement l'aspect rustique de la maison avec un mobilier de bois aux lignes modernes. L'endroit est charmant.

Château Mont-Sainte-Anne
$$$
≈, ⊘, △, ℜ, ℂ, ✿, ⑁, ≡, ℑ
500 boul. Beau-Pré
☎*827-5211 ou 800-463-4467*
≈*827-3421*
www.chateaumontsainteanne.
com
L'hôtel Château Mont-Sainte-Anne est situé au bas des pistes de ski; on ne pourrait être plus près du mont. Les chambres sont spacieuses, mais, du fait des meubles usés et du décor banal, elles semblent austères. Elles sont munies d'une cuisinette; toutefois, pour s'en servir, il faut compter un supplément de 10$. On y trouve un relais santé (spa).

Circuit B:
L'île d'Orléans

Sur l'île d'Orléans, on dénombre près d'une cinquantaine de gîtes touristiques! On peut s'en procurer la liste au bureau d'information touristique. On y trouve aussi quelques auberges dont la réputation n'est plus à faire, de même qu'un camping. Vous avez donc toutes les possibilités de faire durer le plaisir d'un séjour dans cette île ensorceleuse.

Camping Île d'Orléans
$
≈
357 ch. Royal, St-François
☎*829-2953*
≈*829-2563*
Le Camping Île d'Orléans compte près de 80 emplacements, la plupart ombragés et avec vue sur le fleuve. Plusieurs services sont offerts sur place. On a accès à la grève pour faire de belles promenades.

Auberge Le P'tit Bonheur
$ en dortoir
$$ en chambre privée
bc
183 et 186 côte Lafleur, St-Jean
☎*829-2588*
≈*829-0900*
L'Auberge Le P'tit Bonheur, campée sur l'île d'Orléans, porte le nom d'une chanson de Félix Leclerc, qui fut amoureux de cette île flottant au milieu du fleuve Saint-Laurent. Cette auberge de jeunesse est un bon choix abordable pour qui souhaite découvrir ce coin de pays. De la maison principale, tricentenaire, et du site se dégage une atmosphère conviviale. Plusieurs activités de plein air y sont possibles, hiver comme été.

Le Vieux Presbytère
$$-$$$ pdj
bp/bc
ℜ
1247 av. Monseigneur-D'Esgly, St-Pierre
☎*828-9723 ou 888-828-9723*
≈*828-2189*
www.presbytere.com
L'auberge Le Vieux Presbytère est établie de fait dans un ancien presbytère juste derrière l'église du village. Ici règnent la pierre et le bois. Les plafonds bas traversés de larges poutres, les fenêtres à large encadrement, les antiquités telles que les catalognes et les tapis tressés, vous transporteront à l'époque de la Nouvelle-France. La

salle à manger (voir p 491) et le salon sont invitants. Il s'agit d'un endroit tranquille au charme rustique.

Auberge Chaumonot
$$$ pdj
≡, ≈, ℜ
425 ch. Royal, St-François
☎829-2735 ou 800-520-2735
www.aubergechaumonot.specialistes.com

L'Auberge Chaumonot dispose de huit chambres. Petite auberge construite sur le côté sud de l'île, tout près des berges du fleuve, elle accueille les visiteurs durant l'été seulement. Elle est située loin des villages et de la route dans un cadre champêtre charmant. Les chambres, au décor rustique, offrent un bon confort.

La Goéliche
$$$ pdj
ℜ, ≈, ◉, ℂ
22 ch. du Quai, Ste-Pétronille
☎828-2248 ou 888-511-2248
⇸828-2745
www.goeliche.ca

En mai 1997, l'auberge La Goéliche a rouvert ses portes dans un nouveau bâtiment, après que le château Bel-Air, qui l'abritait depuis plusieurs années, eut été victime des flammes en 1996. Cette nouvelle auberge, un peu plus petite que la première, n'a, bien sûr, plus le charme antique qui avait fait sa réputation. On a su toutefois donner un certain cachet champêtre aux installations modernes. Les 16 chambres sont confortables et offrent une vue imprenable sur Québec. On y trouve aussi un petit salon avec foyer et jeux de société. Vous pouvez aussi y louer des «chalets-condos» à la nuitée ou pour de plus longs séjours. La salle à manger (voir p 491) vaut le déplacement.

Le Canard Huppé
$$$-$$$$ pdj
≡, ℜ, ℑ, ≈, ◉
2198 ch. Royal, St-Laurent
☎828-2292 ou 800-838-2292
⇸828-0966
www.canard-huppe.qc.ca

L'auberge Le Canard Huppé s'est acquis, depuis quelques années, une très bonne réputation. Ses chambres, propres et confortables, offrent un décor champêtre parsemé de canards de bois. La table du restaurant est tout aussi réputée et agréable (voir p 491). L'accueil est attentionné et, puisque l'établissement est situé sur l'île d'Orléans, il s'entoure de beaux paysages.

Circuit C:
Le chemin du Roy

Sainte-Foy

Hôtel Germain-des-Prés
$$$
ℜ, ≡
1200 av. Germain-des-Prés
☎658-1224
⇸658-8846
www.germaindespres.com

L'Hôtel Germain-des-Prés est une véritable institution à Sainte-Foy. Ouvert depuis plusieurs années, il constitue le premier maillon de ce qui est maintenant une chaîne de quatre hôtels-boutiques jouissant d'une excellente réputation. Ses chambres, décorées avec grand soin, sont on ne peut plus accueillantes et offrent toutes les commodités voulues pour se détendre. Peignoirs dans les salles de bain, fauteuils confortables, couette et oreillers en duvet... Sans oublier toutes les petites attentions caractéristiques des hôtels-boutiques où le service est personnalisé, et ce, malgré les 126 chambres. Ces

dernières satisferont aussi les gens d'affaires avec leur table de travail et leur branchement au réseau Internet. On y trouve aussi des salles de réunion.

Deschambault

Auberge Chemin du Roy
$$-$$$ pdj
ℜ
106 rue St-Laurent
☎286-6958 ou 800-933-7040
www.cheminduroy.com

La vieille maison victorienne de l'Auberge Chemin du Roy s'élève sur un beau terrain où coule une chute et où poussent de bons légumes et de multiples fleurs. On y trouve huit chambres décorées de dentelles et d'antiquités, et réparties le long d'un de ces petits couloirs tortueux qu'on retrouve dans les vieilles maisons de ce type. Dans la salle à manger, où le décor est chaleureux, on sert une bonne cuisine variée. Les propriétaires prennent un grand soin du terrain, de l'auberge et de leurs hôtes.

Maison Deschambault
$$$ pdj
ℜ
128 ch. du Roy
☎286-3386
⇸286-4064
www.quebecweb.com/deschambault

La Maison Deschambault propose cinq chambres de grand confort, décorées de motifs fleuris dans des tons pastel. On y trouve aussi un petit bar, une salle à manger servant une fine cuisine (voir p 492), une salle de réunion ainsi que des services de massothérapie. Le tout dans le cadre enchanteur d'une ancienne gentilhommière dans un site paisible invitant à la détente.

Cap-Santé

Gîte de Mlle Bernard
$$ pdj
bc/bp
56 Vieux Chemin
☎285-3149

Le pittoresque Vieux Chemin de Cap-Santé abrite un agréable gîte touristique, le Gîte de Mlle Bernard, bien campé dans un décor historique chaleureux. La maison de bois, entourée de fleurs sauvages et meublée d'antiquités, est accueillante, et les chambres sont mignonnes et confortables. Il y a de quoi faire un agréable séjour parmi ces souvenirs d'antan!

Circuit D:
La Jacques-Cartier

Parc de la Jacques-Cartier

Camping Stoneham
$
≈
101 St-Edmond
☎848-2233

Au cœur même du parc de la Jacques-Cartier, il est possible de planter sa tente dans un environnement absolument magnifique. De nombreux emplacements réservés au camping le long de la rivière sont rustiques, soit semi-aménagés. Bien entendu, vous n'y manquerez pas d'activités!

Lac-Delage

Manoir du Lac Delage
$$$
≡, ≈, ⊘, ℜ, ⅋, △, ☺, ⊛
40 av. du Lac
☎848-2551 ou 800-463-2841
≈848-6945
www.lacdelage.com

Le Manoir du Lac Delage propose une foule d'installations qui enchanteront les amateurs de sport,

hiver comme été. Le centre dispose d'une patinoire et se trouve à proximité des sentiers de ski de fond et des glissoires. En été, les rives du lac permettent la pratique de plusieurs sports nautiques. Les chambres, garnies de meubles en bois, sont confortables.

Lac-Beauport

Château du Lac-Beauport
$$-$$$
≈, ℜ, ⊛, ℂ, ≡
154 ch. Tour-du-Lac
☎849-1811 ou 800-463-2692
≈849-2895
www.chateaulacbeauport.com

Semblable à un gros chalet de ski, le Château du Lac-Beauport offre un bon confort. Il dispose de multiples installations sportives. Situé en face du lac Beauport, il bénéficie d'une agréable plage et permet de s'adonner à des activités telles que la planche à voile, le kayak, le canot et la voile. En hiver, une patinoire est entretenue sur le lac. L'endroit est fort agréable pour qui aime profiter du grand air.

Sainte-Catherine-de-la-Jacques-Cartier

Station écotouristique Duchesnay
$$
bp/bc, ℜ, ℂ
143 route Duchesnay
☎875-2112 ou 877-511-5885
≈875-2868
www.sepaq.com/duchesnay

Au cœur d'une forêt couvrant 90 km² au bord du grand lac Saint-Joseph, plusieurs pavillons et chalets en bois ont été rénovés pour accueillir les visiteurs. Plusieurs formules sont disponibles, le tout sous le signe de la nature et du confort. Si vous louez un chalet en famille, pour profiter du lac et des sentiers pédes-

tres, ou une chambre en amoureux, pour sillonner les nombreuses pistes de ski de fond, vous risquez fort de tomber sous le charme des lieux.

Chaumière Juchereau-Duchesnay
$$-$$$
ℜ, ≈
5050 route Fossambault
☎875-2751
≈875-2752
www.cjduchesnay.ca

Tout près de la Station écotouristique de Duchesnay, où l'on peut pratiquer une foule d'activités de plein air, se dresse la Chaumière Juchereau-Duchesnay, qui propose le gîte et le couvert. Ses neuf chambres, toutes décorées de façon similaire dans des tons pastel, offrent un bon confort, même si l'on n'y retrouve pas le charme antique de la salle à manger. L'endroit, avec ses arbres, sa piscine et sa terrasse, profite d'une tranquillité propice à la détente.

Hôtel de glace
$$$$$ ½ p
143 route Duchesnay, Pavillon l'Aigle
☎875-4522 ou 877-505-0423
≈875-2833
www.hoteldeglace.qc.ca

Vous n'oseriez pas prendre son nom au pied de la lettre, et pourtant il s'agit bel et bien d'un hôtel de glace (voir p 480)! Eh oui, entièrement bâti à même des milliers de tonnes de glace et de neige. Une époustouflante réalisation! Les téméraires accourent d'un peu partout sur le continent pour avoir la chance de vivre l'expérience d'une nuit dans cette oasis du froid. Mais grâce à l'isolation naturelle que procure la glace, il fait toujours entre −2°C et −6°C à l'intérieur des murs. On dort donc tout de même assez confortablement dans les 31 chambres, bien emmitouflé dans un épais sac de couchage étendu sur des peaux de chevreuil. Si vous êtes un novice en camping d'hiver, rassurez-vous, vous serez très bien encadré par une équipe disponible jour et nuit. Notez aussi que les salles de bain communes sont chauffées et que le petit déjeuner et le dîner se prennent dans un chalet chauffé! Sur place, on propose de nombreuses activités de plein air telles que traîneau à chiens, ski de fond, raquette, et même golf sur neige! Une expérience inoubliable!

Saint-Raymond

Teepee Hors-Piste
$
début juin à mi-oct
1606 rang Saguenay
☎337-3599
Dans la vallée du Bras du Nord, tombez dans les bras de Morphée dans un confort.... inusité et surprenant!

Restaurants

Circuit A:
La côte de Beaupré

Beauport

🚢 **Manoir Montmorency**
$$$-$$$$
2490 av. Royale
☎663-3330
Planté en haut de la chute Montmorency, le **Manoir Montmorency** (voir p 462) bénéficie d'un site superbe. Depuis la salle à manger entourée de baies vitrées, on a une vue abso-

lument magnifique sur la chute ainsi que sur le fleuve et l'île d'Orléans, en face. Dans cette salle agréablement décorée, on sert une fine cuisine d'inspiration française, préparée à partir des meilleurs produits de la région. Une belle expérience pour la vue et pour le goût! Sur présentation de votre reçu d'addition ou en mentionnant votre réservation, vous éviterez de payer les frais d'entrée et de stationnement du parc de la Chute-Montmorency, où se trouve le manoir.

Château-Richer

🚢 **Auberge du Sault-à-la-Puce**
$$$
8365 av. Royale
☎824-5659
Le chef de l'Auberge du Sault-à-la-Puce prépare avec soin chacun des plats qu'il concocte et y intègre les fruits et les légumes de son jardin. Il met également à l'honneur les produits locaux, comme les viandes et les volailles des villages voisins. L'établissement, qui compte aussi cinq chambres d'hôte (voir p 486), propose une carte restreinte comprenant trois ou quatre plats d'inspiration française ou italienne. L'entrée de tartare de saumon est un pur délice!

Auberge Baker
$$$$
8790 av. Royale
☎824-4852 ou 824-4478
L'**Auberge Baker** (voir p 486) possède deux salles à manger, l'une aux murs de pierres et avec foyer, et l'autre au décor un peu froid. Au menu figure une bonne cuisine

traditionnelle québécoise. Gibier, viande et volaille sont bien apprêtés et présentés avec soin.

Beaupré
(Mont-Sainte-Anne)

La Camarine
$$$$
10947 boul. Ste-Anne
☎827-1958
L'auberge La Camarine abrite un excellent restaurant où l'on sert une nouvelle cuisine québécoise. La salle à manger est un lieu paisible au décor très simple. Toute votre attention sera portée sur les petits plats originaux que l'on vous présentera. Au sous-sol de l'auberge se trouve un autre petit restaurant, le **Bistro**, ouvert en hiver et servant le même menu que la grande table. Pourvu d'un foyer, cet endroit chaleureux est particulièrement apprécié après une journée de ski. En fin de soirée, on peut s'y rendre pour prendre un verre.

Saint-Ferréol-
les-Neiges

Aubergiste du magasin général
$$$
3470 av. Royale
☎826-3636
À Saint-Ferréol-les-Neiges, un ancien magasin général de la fin du XIXe siècle a été transformé en auberge. L'Aubergiste du magasin général fait une cuisine québécoise bien apprêtée. La salle à manger reste un peu sombre malgré les grandes fenêtres, mais son décor est joli. En été, on peut profiter d'une petite terrasse.

Circuit B:
L'île d'Orléans

Le Vieux Presbytère
$$-$$$
1247 av. Mgr-d'Esgly, St-Pierre
☎828-9723
La table du Vieux Presbytère se spécialise dans les viandes de pintade et de caribou. Le restaurant apprête ces viandes et autres plats de délicieuse façon. La coquette salle à manger de ce bâtiment historique est accueillante et offre une belle vue sur le fleuve, particulièrement depuis la verrière.

Le Canard Huppé
$$$-$$$$
2198 ch. Royal, St-Laurent
☎828-2292
La salle à manger du Canard Huppé sert une nouvelle cuisine régionale. Apprêtés à partir des produits frais qui abondent dans la région et les spécialités de l'île, comme le canard, la truite et les produits de l'érable, ses petits plats sauront ravir les plus exigeants. L'endroit est un peu sombre puisque la couleur vert forêt y prédomine, mais le décor se veut champêtre et est somme toute agréable. Réservations requises.

La Goéliche
$$$-$$$$
22 ch. du Quai, Ste-Pétronille
☎828-2248
La salle à manger de La Goéliche n'a malheureusement plus l'envergure qu'offrait l'ancien édifice (voir p 488). Elle reste quand même agréable, et sa verrière continue de dévoiler l'une des plus belles vues sur la ville de Québec. Vous pourrez y déguster une fine cuisine française: cailles farcies, noisettes d'agneau, râble de lapin.

Moulin de Saint-Laurent
$$$-$$$$
mai à oct
754 ch. Royal, St-Laurent
☎829-3888
Le Moulin de Saint-Laurent propose une cuisine québécoise dans un agréable décor antique. À l'intérieur d'une vaste salle à manger qui accueille régulièrement les groupes de visiteurs, les chaises et les poutres de bois, les murs de pierres ainsi que les ustensiles de cuivre suspendus çà et là mettent en valeur ce vieil édifice. La nourriture est bien présentée et variée. Les beaux jours permettent de s'attabler sur la terrasse avec vue sur la chute qui coule juste à côté du moulin.

Circuit C:
Le chemin du Roy

Sillery

Brynd
$
1360 av. Maguire
☎527-3844
On va au Brynd pour manger un *smoked meat*. Il y en a pour satisfaire tous les goûts et tous les appétits. Son menu propose aussi d'autres plats à ceux qui, tant pis pour eux, ne voudraient pas mordre dans sa spécialité. La viande est fumée et tranchée sous vos yeux comme dans les vraies *delicatessens!*

Paparazzi
$$$
1363 av. Maguire
☎683-8111
Le Paparazzi sert une cuisine venue d'Italie. La salade de chèvre chaud avec épinards et noix de Grenoble caramélisées est, entre autres, un vrai délice. Les jolies tables, aux carreaux de céramique, sont disposées sur différents paliers dans un agréable décor moderne.

Montego
$$$
1460 av. Maguire
☎688-7991
À Sillery, le resto-club Montego vous attend pour une «expérience ensoleillée», comme le dit si bien sa publicité. Le décor aux couleurs chaudes, les grandes assiettes colorées et la présentation des mets sauront charmer votre vue. La cuisine, quant à elle, réjouira vos papilles avec ses saveurs épicées, sucrées et piquantes inspirées de la cuisine californienne et d'autres cuisines... ensoleillées!

Sainte-Foy

Mille-Feuilles
$$
1405 ch. Ste-Foy
☎681-4520
Le Mille-Feuilles est un restaurant végétarien. On y mange de bons petits plats nourrissants et savoureux apprêtés avec soin. Situé sur une portion du chemin Sainte-Foy où se trouvent quelques boutiques et restaurants, il présente un décor peut-être un peu froid, mais l'ambiance est détendue. On y tient une toute petite librairie de livres sur la santé.

Le Bistango
$$$
1200 av. Germain-des-Prés
☎658-8780
Établi dans l'**Hôtel Germain-des-Prés** (voir p 488), le restaurant Le Bistango allie le savoir-faire à une ambiance somme toute décontractée. La salle, assez vaste, est achalandée le midi comme le soir, et décorée avec goût et originalité. Confortablement installé dans un fauteuil ou sur une banquette, vous pourrez déguster des plats

Région de Québec

fins préparés et servis avec attention. Au menu, par exemple: un filet de poisson, une poitrine de volaille, un confit de canard, une salade où se marient crevettes et thon à la japonaise, un simple mais délicieuse bavette. Une bonne adresse si vous vous retrouvez à Sainte-Foy. Certains soirs, des musiciens animent l'établissement.

Le Galopin
$$$-$$$$
3135 ch. St-Louis
☎652-0991
La salle du Galopin est située dans un hôtel de Sainte-Foy, près des ponts. Elle est vaste et confortable. On y déguste une fine cuisine préparée à partir de produits de qualité et servie d'agréable façon.

 **Michelangelo**
$$$-$$$$
3111 ch. St-Louis
☎651-6262
Le Michelangelo sert une fine cuisine italienne qui ravit le palais autant que l'odorat. Sa salle à manger au décor Art déco, bien qu'achalandée, reste intime et chaleureuse. Le service attentionné et courtois ajoute aux délices de la table.

La Tanière
$$$$
mer-dim
2115 rang St-Ange
☎872-4386
La Tanière se spécialise, on l'aura deviné, dans le gibier. Le restaurant, paradoxalement installé dans un «cottage», présente un décor rappelant la chasse avec ses trophées empaillés. On peut y déguster de délicieuses spécialités au goût relevé de la forêt québécoise.

 La Fenouillère
$$$$
3100 ch. St-Louis
☎653-3886
À La Fenouillère, le menu de cuisine française raffinée et créative vous promet de succulentes expériences. Qui plus est, le restaurant s'enorgueillit de posséder l'une des meilleures caves à vins de Québec. Le tout dans un décor sobre et confortable.

Deschambault

 Maison Deschambault
$$$
128 route 138
☎286-3386
L'auberge de la Maison Deschambault est dotée d'un restaurant réputé pour l'excellence de son menu mettant en valeur la fine cuisine française et certaines des spécialités de la région. Ce restaurant bénéficie d'un cadre tout à fait enchanteur (voir p 477).

Circuit D:
La Jacques-Cartier

Wendake

 Nek8arre
$$-$$$
9h à 17h et soir sur réservation
575 rue Stanislas-Kosca
☎842-4308
≈842-3473
Au village huron **Onhoüa Chetek8e** (voir p 480), on trouve un agréable restaurant dont le nom amérindien signifie «le repas est prêt à servir». Nek8arre nous initie à la cuisine traditionnelle des Hurons-Wendats. De bons plats tels que truite à l'argile, brochette de caribou ou chevreuil aux champi-

gnons, accompagnés de maïs et de riz sauvage, figurent au menu. Les tables en bois sont incrustées de petits textes expliquant les habitudes alimentaires des Amérindiens. Plusieurs objets disséminés çà et là viennent piquer notre curiosité, mais heureusement les serveuses sont un peu «ethnologues» et peuvent aussi apaiser notre soif de savoir. Le tout dans une douce ambiance. Il est possible d'éviter de payer le droit d'entrée au village huron si l'on désire se rendre uniquement au restaurant.

Sorties

Théâtres et salles de spectacle

Plusieurs bons théâtres d'été animent les belles soirées de la région. Voici quelques adresses (consultez les journaux locaux pour savoir ce qu'on y présente).

Théâtre de la Fenière (*1500 rue de la Fenière, L'Ancienne-Lorette,* ☎872-1424).

Le **Moulin Marcoux** (*1 boul. Notre-Dame, Pont-Rouge,* ☎873-3425) accueille divers spectacles et expositions.

On présente du théâtre et des spectacles de bonne qualité tout au long de l'année à la **Salle Albert-Rousseau du cégep de Sainte-Foy** (*2410 ch. Ste-Foy, Ste-Foy,* ☎659-6710).

Fêtes et festivals

Beauport

Tout au long de l'été, les mercredis et samedis soirs, le parc de la Chute-Montmorency s'anime des **Grands feux Loto-Québec** (☎523-3389 ou 800-923-3389). Les feux d'artifice éclatent au-dessus de la chute en un spectacle féerique, tandis que, sur le fleuve, se rassemble une flottille d'embarcations de toutes sortes venues les admirer.

Achats

Circuit A:
La côte de Beaupré

Château-Richer

Attenante au **Musée de l'abeille** (8862 boul. Ste-Anne, ☎824-4411), une petite boutique vend une foule d'objets se rattachant au monde des abeilles, depuis les produits de beauté à

base de miel jusqu'à l'hydromel, en passant par le matériel scolaire à l'effigie de l'insecte jaune et noir. Vous y trouverez, il va sans dire, toutes sortes de miel que vous pourrez goûter et vous procurer en différentes quantités.

Sainte-Anne-de-Beaupré

Les **Promenades Sainte-Anne** (10909 boul. Ste-Anne, ☎827-3555) alignent une série de magasins d'usine. De grands noms de la mode et du vêtement de plein air s'y côtoient.

Circuit B:
L'île d'Orléans

Sur l'île d'Orléans, vous trouverez quelques boutiques d'artisanat ainsi que des antiquaires et des ateliers d'ébénisterie. On déniche entre autres, dans l'église de Saint-Pierre, la **Corporation des artisans de l'île** (☎828-2519). Une demi-douzaine de galeries d'art parsèment aussi l'île, une bonne quantité se trouvant dans le village de Saint-Jean.

La boutique de la **Forge à Pique-Assaut** (2200 ch. Royal, St-Laurent, ☎828-9300) (voir p 469) présente divers

objets en fer forgé, des chandeliers jusqu'aux meubles en passant par les bibelots. On y trouve aussi d'autres produits artisanaux.

La **Chocolaterie de l'île d'Orléans** (150 ch. Royal, Ste-Pétronille, ☎828-2252) propose toute une gamme de petites gâteries délectables. Sa crème glacée maison, préparée en été seulement, est tout aussi délicieuse.

À Saint-Jean, dans l'ancien presbytère (2001 ch. Royal) devant l'église face au fleuve, deux boutiques valent la peine qu'on s'y arrête: **Les échoueries**, qui propose une foule d'objets fabriqués par des artisans habiles, et une **boulangerie artisanale** dont les produits révèlent une fabrication de main de maître!

Circuit C:
Le chemin du Roy

L'**avenue Maguire** à Sillery et la **rue du Campanile** à Sainte-Foy comportent toutes deux quelques jolies boutiques. À Sainte-Foy, sur le boulevard Laurier, on trouve aussi un ensemble de quatre centres commerciaux, à savoir **Place Laurier**, **Place Sainte-Foy**, **Place de la Cité** et **Place Belle-Cour**.

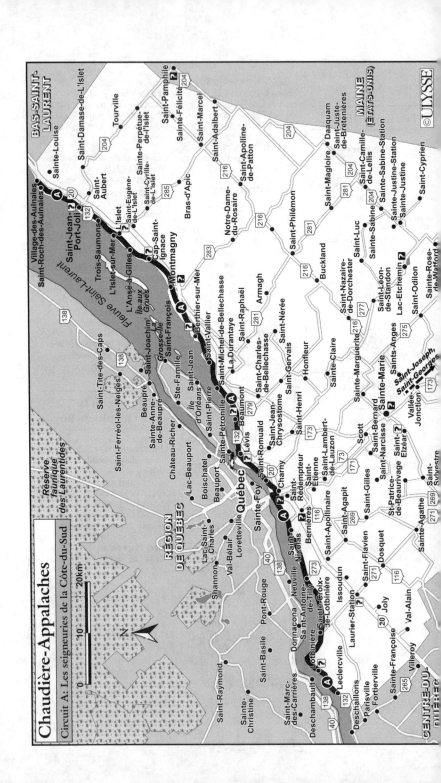

Chaudière-Appalaches

La belle région de Chaudière-Appalaches regroupe quelques petites municipalités au caractère géographique très distinct.

Sur la rive sud du Saint-Laurent, face à Québec, la région s'ouvre sur une vaste plaine fertile avant de lentement grimper vers les contreforts des Appalaches jusqu'à la frontière avec les États-Unis. La rivière Chaudière, qui prend sa source dans le lac Mégantic, la traverse, puis se jette dans le fleuve Saint-Laurent à la hauteur des ponts de Québec.

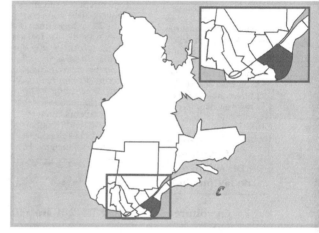

Les rives du fleuve Saint-Laurent, entre Leclercville et Saint-Roch-des-Aulnaies, invitent à de charmantes balades au fil desquelles défile un joli paysage pastoral. Plaine fertile coincée entre la chaîne des Appalaches et le fleuve, ce territoire fut très tôt une zone d'occupation française. On peut y visiter d'agréables petites bourgades, faire une halte à Saint-Jean-Port-Joli, important centre d'artisanat québécois, ou prendre le large, à la découverte de l'archipel de L'Isle-aux-Grues.

Plus au sud se déploie, sur les berges de la rivière Chaudière, la très pittoresque Beauce. Connaissant de fortes crues printanières, la rivière Chaudière inonde, presque chaque année, certains villages bordant ses rives, ce qui a valu aux gens du pays le surnom de «jarrets noirs». Au milieu du XIXᵉ siècle, la découverte de pépites d'or dans le lit de la rivière y attira d'innombrables prospecteurs. Le paysage de la Beauce est constitué d'harmonieuses collines verdoyantes où prospèrent de nombreuses fermes depuis des siècles. Les clochers d'églises annoncent de petits villages qui rythment de façon régulière la campagne beauceronne. La Beauce possède par ailleurs la plus grande concentration d'érablières au Québec, faisant de cette région un véritable royaume de la «cabane à sucre». Le printemps venu, alors que coule la sève des érables, on y vit à l'heure des «parties de sucre». Les gens du pays, les Beaucerons, sont d'ailleurs reconnus pour leur sens des traditions et de l'accueil.

Un peu plus à l'ouest de la rivière Chaudière, dans la région aux abords de Thetford Mines, le «Pays de l'amiante» présente un paysage assez diversifié, jalonné d'impressionnantes mines à ciel ouvert.

Pour s'y retrouver sans mal

Deux circuits sont proposés dans la région de Chaudière-Appalaches, soit **Circuit A: Les seigneuries de la Côte-du-Sud ★★**, qui longe le fleuve Saint-Laurent, de Leclercville à Saint-Roch-des-Aulnaies, et **Circuit B: La Beauce ★**, qui fait découvrir la vallée de la rivière Chaudière de même que le «pays de l'amiante».

Circuit A:
Les seigneuries
de la Côte-du-Sud

En voiture

Au départ de Montréal, quittez l'autoroute 20, à la sortie 253, pour prendre la route 265 Nord jusqu'à Deschaillons. Tournez ensuite à droite dans la route 132 Est. Au départ de Québec, traversez le fleuve par le pont de Québec afin de prendre la route 132 soit vers Lotbinière vers l'ouest, soit vers Saint-Roch-des-Aulnaies à l'est.

En traversier

Le traversier *(2,50$ piéton ou cycliste, voiture 3,10$ et plus selon le nombre de passagers; ☎418-644-3704 à Québec, 418-837-2408 à Lévis, www.traversiers.gouv.qc.ca)* reliant Québec à Lévis permet d'arriver à destination en seulement 15 min. L'horaire varie grandement d'une saison à l'autre, mais les liaisons sont très fréquentes.

Le traversier vers l'île aux Grues, **la Grue des îles** *(gratuit; ☎418-248-3549 à Montmagny, ☎418-248-2968 à l'île aux Grues)*, part du quai de Montmagny et s'y rend en une vingtaine de minutes. La fréquence varie selon les marées.

Les entreprises suivantes peuvent aussi vous conduire à l'île aux Grues ou à la Grosse-Île. Le **Taxi des îles** *(île aux Grues, aller simple 10$; Grosse-Île, 40$ aller-retour, y compris une visite de 4 heures 30 min; 124 rue St-Louis, Montmagny, ☎418-248-2818)*, reconnaissable à ses couleurs jaune et noire, se rend fréquemment aux îles depuis le quai de Montmagny. Les **Croisières Lachance** *(prix variables selon les forfaits; croisières vers Grosse-Île et l'archipel de Montmagny; 110 de la Marina, Berthier-sur-Mer, ☎418-259-2140 ou 888-476-7734, www.croisiereslachance.qc.ca)* proposent des croisières quotidiennes depuis la marina de Berthier-sur-Mer.

Gares routières

Lévis
5401 boul. de la Rive-Sud
☎(418) 837-5805

Montmagny
20 boul. Taché E. (Irving)
☎(418) 248-1850

Saint-Jean-Port-Joli
10 av. de Gaspé E.
(Épicerie Pelletier)
☎(418) 598-6808

Noms des nouvelles villes fusionnées

Saint-Georges
Fusion de Saint-Georges, Saint-Georges-Est, Saint-Jean-de-la-Lande et Aubert-Gallion.

Sainte-Croix
Fusion du village et de la paroisse de Sainte-Croix.

Lac-Etchemin
Fusion de Lac-Etchemin et Sainte-Germaine-du-Lac-Etchemin.

Thetford Mines
Fusion de Thetford Mines, Black Lake, Thetford-Partie-Sud, Robertsonville et Pontbriand.

Lévis
Fusion de Charny, Lévis, Saint-Jean-Chrysostome, Saint-Nicolas, Saint-Rédempteur, Saint-Romuald, Pintendre, Saint-Étienne-de-Lauzon, Sainte-Hélène-de-Breakeyville et Saint-Joseph-de-la-Pointe-de-Lévy.

L'ARCHITECTURE AU QUÉBEC

L'architecture québécoise est le résultat à la fois de l'adaptation de la population à un contexte climatique difficile et de la synthèse d'influences françaises, britanniques et étasuniennes. Les photographies de la présente section illustrent les différentes étapes de l'histoire de l'architecture au Québec. On peut y voir des bâtiments simples, érigés par des paysans, mais aussi des œuvres complexes, dessinées par des architectes mondialement connus.

Cette demeure témoigne de la persistance des modèles du Régime français au Québec, au-delà de la conquête britannique de 1760. Ses fenêtres à vantaux dotées de petits carreaux, ses épais murs de moellons et sa toiture pentue, percée de lucarnes, sont typiques de l'architecture de la Nouvelle-France aux XVIIe et XVIIIe siècles.

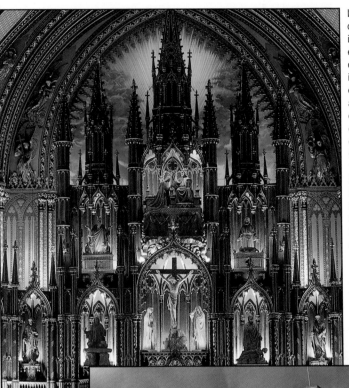

Le Québec a pen
dant longtemps
investi toute son
énergie créatrice
dans le décor
intérieur de ses
églises, donnant
ainsi naissance
de véritables
chefs-d'œuvre
d'ébénisterie.
Construite entre
1824 et 1829, la
basilique Notre-
Dame de Montré
représente un b
exemple du styl
néogothique en
Amérique.
Exécuté par Vic
Bourgeau, aidé
d'une cinquan-
taine d'artisans,
son décor est
entièrement de
bois peint et dor
à la feuille.

Le marché
Bonsecours,
érigé entre 1845
et 1850, réflète
les ambitions
coloniales des
Britanniques à
Montréal au
milieu du XIXe
siècle. Son dôme
recouvert de
métal, son por-
tique sévère, ses
piliers toscans et
ses fenêtres à
guillotine sont
typiques de l'ar-
chitecture néo-
classique, fort
populaire dans
l'ensemble de
l'Empire britan-
nique dans la
première moitié
du XIXe siècle.

Le sentiment d'insécurité des habitants, joint à la volonté du roi de voir sa colonie mieux protégée, amène les citoyens des villes et villages de la Nouvelle-France à entourer leur agglomération d'enceintes fortifiées en pierre ou en bois. À ces ouvrages bastionnés, s'ajoute un ensemble de forts destinés à retarder la progression de l'ennemi. Les enceintes doivent être conçues pour résister à la fois aux attaques-surprises des tribus amérindiennes hostiles et à l'armée britannique, venue par mer sur des navires de guerre.

Tout au long du XIXe siècle, les Québécois tentent de s'adapter au climat extrême en développant une architecture québécoise dite traditionnelle. Par exemple, ils surélèvent le carré de leur habitation et dotent la façade d'une longue véranda afin d'éloigner la neige des fenêtres. La toiture à faible pente sert, quant à elle, à retenir la neige sur le toit afin que celle-ci puisse agir comme isolant.

Ce qui fait le charme du Vieux Québec, ce sont non seulement ses grands monuments, mais aussi chacune de ses maisons, auxquelles se rattache une histoire particulière. Il est agréable de se promener dans les rues étroites pour observer les nombreux détails d'une architecture dense et compacte, et pour s'imprégner de cette urbanité étrangère à la plupart des Nord-Américains.

L'architecture vernaculaire urbaine est le résultat d'une immigration massive des campagnes vers les villes entre 1880 et 1930. Ainsi, les nouveaux arrivants voudront retrouver à Montréal les vérandas de leur enfance, transposées en balcons, ainsi que des accès directs et individuels à la rue, rendus possibles par la présence d'escaliers extérieurs aux contorsions amusantes.

En 1851, le curé Joseph Déziel décide de construire un vaste temple catholique pour desservir la ville de Lévis, alors en plein essor. Thomas Baillargé, l'architecte de tant d'églises dans la région de Québec, en dessine les plans. L'architecture de l'église Notre-Dame-de-la-Victoire se veut l'expression d'une maîtrise exemplaire du vocabulaire néoclassique québécois, à la jonction des styles français et anglais. L'intérieur, divisé en trois vaisseaux, comporte de hautes galeries à colonnes. Sur le terrain de l'église, une plaque signale l'emplacement des canons anglais qui bombardèrent la ville de Québec en 1759.

Le Château Frontenac, ce magnifique hôtel, est l'ambassadeur du Québec le plus connu à l'étranger et le symbole de la capitale. Ironiquement, il a été conçu par un architecte étasunien, Bruce Price (1845-1903), célèbre pour ses gratte-ciel new-yorkais. Plus étonnant encore, il est devenu le modèle du style national du Canada, baptisé style château. Il s'agit d'un croisement à grande échelle entre les manoirs écossais et les châteaux de la Loire.

L'architecture particulière du Musée canadie des civilisations de Hull fut conçue par l'architecte alberta d'origine amérir dienne Douglas Cardinal. Deux étonnants bâtiments de forme organique composent le musé

À Montréal, cette architecture étrange qui évoque un amoncellement de cubes et qui abrite de riches condominiums est surnommée Habitat 67.

Gare ferroviaire

Montmagny
4 rue de la Station
VIA Rail: ☎*800-361-5390*

Circuit B: La Beauce

En voiture

De Québec, empruntez l'autoroute 73 Sud (traversez le pont Pierre-Laporte). Sur la droite apparaît bientôt la chute de la rivière Chaudière. Continuez jusqu'à la sortie 101 vers Scott, où vous emprunterez la route 173, qui va jusqu'à Saint-Georges.

Gares routières

Saint-Georges
11655 promenade Chaudière
☎*(418) 228-4040*

Thetford Mines
127 rue St-Alphonse Ouest
☎*(418) 335-5120*

Renseignements pratiques

Indicatif régional: **418**

Renseignements touristiques

Bureau régional

Association touristique Chaudière-Appalaches
800 autoroute Jean-Lesage,
St-Nicolas, G7A 1C9
☎*831-4411 ou 888-831-4411*
⇄*831-8442*
www.chaudapp.qc.ca

Circuit A: Les seigneuries de la Côte-du-Sud

Lévis
5995 rue St-Laurent
☎*838-6026*

Montmagny
45 av. du Quai
☎*248-9196 ou 800-463-5643*
⇄*248-1436*
www.montmagny.com

Cap-Saint-Ignace
100 pl. de l'Église
☎*246-5390*
⇄*246-3350*

Saint-Jean-Port-Joli
7 pl. de l'Église
☎*598-3747*

Circuit B: La Beauce

Saint-Georges
11700 boul. Lacroix
☎*227-4642 ou 877-923-2823*
⇄*226-2255*

Thetford Mines
682 rue Monfette N.
☎*335-7141 ou 335-6511*
⇄*335-3008*
www.tourismeamiante.qc.ca

Attraits touristiques

Circuit A: Les seigneuries de la Côte-du-Sud (deux jours)

De charmants villages, disposés à intervalles réguliers, ponctuent ce circuit qui longe le majestueux fleuve Saint-Laurent. Englobant à la fois la Rive-Sud de Québec et la Côte-du-Sud, il prend graduellement un caractère maritime, à mesure que le fleuve s'élargit. À plusieurs endroits, on bénéficie de points de vue saisissants sur ce vaste cours d'eau qu'est le Saint-Laurent, dont la teinte varie selon la température et l'heure, ainsi que sur l'île d'Orléans et les montagnes de Charlevoix. Le circuit permet en outre de voir quelques-uns des plus beaux spécimens d'architecture traditionnelle du Québec, qu'il s'agisse d'églises, de manoirs seigneuriaux, de moulins ou simplement de maisons anciennes, dont les petites fenêtres s'ouvrent sur un espace qui semble démesuré. Somme toute, il s'agit peut-être de la région qui incarne le mieux le Québec rural.

Leclercville (320 hab.)

En 1755, l'armée britannique expulse les colons acadiens de leurs terres pour ensuite les déporter vers de lointaines contrées. Certains d'entre eux réussiront à gagner le Québec, où ils s'établiront dans de nouveaux villages. Ils seront bientôt rejoints par des compatriotes de retour d'exil. Leclercville est un des rares villages acadiens de la région de Québec. Son **église Sainte-Emmélie** *(tournez à gauche dans la rue de l'Église),* érigée en 1863 sur un promontoire dominant le fleuve, est un bel exemple d'architecture néogothique réalisée avec de faibles moyens. Ses murs latéraux sont en brique peinte, alors que sa façade est revêtue de tôle imitant la pierre de taille.

Poursuivez par la route 132 Est en direction de Lothinière.

Chaudière-Appalaches

★
Lotbinière (965 hab.)

La seigneurie de Lotbinière est un des rares domaines à être demeuré entre les mains de la même famille depuis sa concession, en 1672, à René-Louis Chartier de Lotbinière. Même s'il n'habite pas les lieux, car il siège au Conseil souverain, celui-ci voit alors au développement de ses terres et du bourg de Lotbinière, qui devient vite un des plus importants villages de la région. Le cœur de Lotbinière, qui recèle plusieurs maisons anciennes en pierre et en bois, est de nos jours protégé par le gouvernement du Québec.

Tournez à droite dans la route du Vieux-Moulin pour voir le moulin du Portage.

Le **moulin du Portage** ★ *(rang St-François)*, un moulin à farine élevé en 1815 pour Michel-Eustache-Gaspard-Alain Chartier de Lotbinière, s'inscrit dans un site bucolique, en bordure de la rivière du Chêne. Le parc entourant le moulin est d'ailleurs un lieu de promenade agréable où il est également possible de pique-niquer.

Revenez à la route 132 Est, qui prend le nom de «rue Marie-Victorin» dans les limites de Lotbinière. Au numéro 7640 se dresse l'imposante demeure construite vers 1817 pour Ambroise Chavigny de La Chevrotière, notaire et administrateur de la seigneurie. Cette résidence, par son haut toit pentu et ses fenêtres à vantaux, perpétue les traditions architecturales de la Nouvelle-France. Plus loin, au numéro 7482, on aperçoit la **maison Pagé** (1785) ainsi qu'une jolie **chapelle de procession** (1834) au numéro 7557.

La monumentale **église Saint-Louis** ★★ *(7510 rue Marie-Victorin)*, disposée parallèlement au Saint-Laurent, compose avec le presbytère et l'ancien couvent un site admirable offrant de belles vues sur le fleuve. L'église actuelle est le quatrième lieu de culte catholique érigé dans les limites de la seigneurie de Lotbinière. Sa construction fut entreprise en 1818 selon les plans de François Baillairgé. Les flèches, de même que le couronnement de la façade, sont cependant le résultat de modifications apportées en 1888. La polychromie de l'édifice (blanc pour les murs, bleu pour les clochers et rouge pour la toiture) crée un effet «tricolore» étonnant.

Le décor intérieur de l'église est un chef-d'œuvre de l'art religieux québécois traditionnel, dont la pièce maîtresse est sans contredit le retable néoclassique en arc de triomphe, sculpté par Thomas Baillairgé en 1824, et au sein duquel prennent place trois toiles de 1730, attribuées au frère François Brékenmacher, récollet du couvent de Montréal. L'orgue du jubé, d'abord destiné à la cathédrale anglicane de Québec, a été construit à Londres par la Maison Elliott en 1802. Trop haut pour le temple anglican, il sera remisé avant d'être acquis par le curé Faucher en 1846. Cent ans plus tard, il sera restauré et électrifié par la Maison Casavant de Saint-Hyacinthe.

Avant d'arriver au village de Sainte-Croix, tournez à gauche dans la route de la Pointe-Platon, qui mène au Domaine Joly-De Lotbinière.

Sainte-Croix (1673 hab.)

Les origines de la famille Chartier de Lotbinière remontent au XIᵉ siècle. Au service des rois de France pendant de nombreuses générations, elle maintiendra ses contacts avec la mère patrie une fois établie au Canada, et ce, malgré la Conquête et l'éloignement. En 1828, Julie-Christine Chartier de Lotbinière épouse Pierre-Gustave Joly, un riche marchand huguenot de Montréal. En 1840, celui-ci acquiert une partie du fief Sainte-Croix des ursulines de Québec afin d'y ériger un manoir seigneurial, connu depuis sous les noms de Manoir de la Pointe-Platon ou de Domaine Joly-De Lotbinière.

Le **Domaine Joly-De Lotbinière** ★★ *(8$; début mai à fin oct tlj 10h à 17h; route de Pointe-Platon, ☎926-2462)* fait partie de l'association des Jardins du Québec. On s'y rend avant tout pour le site, superbe, en bordure du Saint-Laurent. Il faut emprunter les sentiers pédestres qui conduisent à la plage pour contempler le fleuve, les falaises d'ardoise et l'autre rive, sur laquelle on aperçoit l'église de Cap-Santé. De nombreux arbres centenaires d'espèces rares, plusieurs aménagements floraux et un jardin d'oiseaux ainsi que divers pavillons ornent le parc du domaine. Dans un de ceux-ci, on a aménagé une boutique-café près d'une terrasse. Le manoir, érigé en 1840, présente l'aspect d'une villa entourée de galeries dominant le fleuve. L'intérieur accueille une petite exposition qui nous renseigne sur la famille du marquis de Lotbinière. On y apprend entre autres que le fils de Pierre-Gustave

Domaine Joly-De Lotbinière

Joly, Henri-Gustave, est né à Épernay (France), qu'il a été premier ministre du Québec en 1878-1879, puis ministre du Revenu au gouvernement fédéral et, enfin, lieutenant-gouverneur de la Colombie-Britannique. Le Domaine Joly-De Lotbinière fut pris en charge par le gouvernement du Québec en 1967, lorsque le dernier seigneur, Edmond Joly de Lotbinière, a dû quitter les lieux.

À la sortie du stationnement, prenez à gauche le chemin qui rejoint la route 132 Est.

L'**église Sainte-Croix** *(en bordure de la route 132 E.)*. Le centre agronomique de l'Université Laval constitue le principal moteur économique du village de Sainte-Croix, dominé par son église de granit érigée en 1911. D'allure néobaroque, elle présente un intérieur doté d'un plafond à caissons très Belle Époque.

Poursuivez par la route 132 Est. Tournez à gauche dans le chemin de Tilly, qui mène au centre du village de Saint-Antoine-de-Tilly.

★
Saint-Antoine-de-Tilly (1 450 hab.)

La seigneurie D'Auteuil fut acquise par Noël Legardeur de Tilly en 1702, qui lui laissa son nom. Le hameau créé à l'époque est devenu le tranquille petit village surplombant le fleuve que l'on traverse aujourd'hui. On y retrouve encore de petites entreprises de construction navale.

L'**église Saint-Antoine** ★ *(3870 ch. de Tilly)*. La façade actuelle de l'église, ajoutée en 1902, masque l'édifice érigé à la fin du XVIIIᵉ siècle. L'intérieur, décoré par André Paquet entre 1837 et 1840, met en valeur de belles toiles provenant des Ventes révolutionnaires, parmi lesquelles figurent *La Sainte Famille* ou *Intérieur de Nazareth*, d'Aubin Vouet, qui ornait autrefois l'église abbatiale de Saint-Germain-des-Prés à Paris, et *La Visitation* de A. Oudry. À cela, il faut ajouter *Jésus au milieu des docteurs* de Samuel Massé et *Saint François d'Assise* du frère Luc. Une balade dans le cimetière voisin permet de découvrir un beau panorama sur le fleuve Saint-Laurent et de mieux apprécier le profil de la petite église.

Le **manoir de Tilly** *(3854 ch. de Tilly)*. Quatre générations de de Tilly ont habité ce manoir construit à la fin du XVIIIᵉ siècle. Le bâtiment, transformé en auberge (voir p 519), comporte une galerie basse dotée de fins treillis de bois. Un peu plus loin, le manoir Dionne, avec sa galerie ornée de fer forgé, fut la résidence d'Henriette de Tilly, épouse du marchand Charles François Dionne, famille propriétaire de plusieurs seigneuries de la Côte-du-Sud.

Poursuivez vers l'est par le chemin de Tilly, qui rejoint de nouveau la route 132 Est.

Avant d'arriver à Saint-Nicolas, on peut voir une belle chapelle de procession néogothique en brique d'Écosse, malheureusement abandonnée. De l'autre côté du chemin, on aperçoit une maison de ferme dans laquelle est intégrée une écurie, ce qui est fort rare au Québec. On atteint ensuite des agglomérations plus importantes formant une vaste banlieue en face de la ville de Québec: Saint-Nicolas, Saint-Romuald, Lévis-Lauzon.

Continuez par la route 132 Est à travers Saint-Nicolas, un ancien centre de villégiature. Suivez les indications vers Charny. Il faut être vigilant à l'approche des ponts de Québec, car les entrecroisements s'y multiplient.

Charny (10 758 hab.)

La municipalité de Charny doit son existence au chemin de fer. Elle demeure, aujourd'hui même, un centre ferroviaire d'une grande importance. On y

Chaudière-Appalaches

trouve la plus grande **rotonde** (hangar ferroviaire de forme circulaire) au Québec.

Parc de la chute de la rivière Chaudière ★, voir p 517.

★★
Lévis
(41 519 hab.)

La ville de Lévis s'est développée rapidement dans la seconde moitié du XIXe siècle, avec la venue du chemin de fer (1854) et l'implantation de chantiers navals qui s'alimentaient en bois auprès des scieries des familles Price et Hamilton. L'absence de voies ferrées sur la rive nord du fleuve Saint-Laurent à cette époque amène en outre un déplacement partiel des activités portuaires de

Québec vers Lévis. D'abord baptisée Ville d'Aubigny, Lévis acquiert son nom actuel en 1861, lorsque l'on décide d'honorer la mémoire du chevalier François de Lévis, vainqueur des Britanniques lors de la bataille de Sainte-Foy en 1760. La ville haute, institutionnelle et bourgeoise, offre des points de vue intéressants sur le Vieux-Québec, de l'autre côté du fleuve, alors que la ville basse, très étroite, accueille le traversier qui relie Lévis à la capitale québécoise. Lévis et la ville voisine, Lauzon, ont fusionné en 1990.

Tournez à gauche dans la côte du Passage pour rejoindre le secteur du Vieux-Lévis, qu'il est plus agréable de visiter à pied. Prenez à gauche la rue Desjardins, puis tournez à gauche dans la rue William-Tremblay afin d'accéder à la terrasse de Lévis.

La terrasse de Lévis ★★ *(rue William-Tremblay),* aménagée pendant la crise de 1929, offre des points de vue spectaculaires, tant sur Québec que sur le centre de Lévis. On distingue notamment, dans le Vieux-Québec,

Place-Royale, au bord du fleuve, que surplombent le Château Frontenac et la Haute-Ville. Quelques gratte-ciel modernes se profilent à l'arrière, le plus élevé étant l'édifice Marie-Guyart de la Cité parlementaire.

Revenez à la rue Desjardins, tournez à droite, puis à gauche dans la rue Saint-Louis. Enfin, prenez à gauche la côte du Passage avant de vous engager sur la rue Wolfe, sur votre droite, où vous pouvez voir de belles demeures victoriennes.

Le **Centre d'art de Lévis** *(entrée libre; mar-ven 11b à 17b, sam-dim 13b à 17b; 33 rue Wolfe, ☎838-6000)* regroupe sur un même site une salle de spectacle aménagée dans une ancienne église anglicane (1848), baptisée simplement **L'Anglicane** (voir p 525), une demeure ayant également servi de presbytère à l'église voisine et abritant de nos jours un centre d'exposition appelé **Galerie Louise-Carrier**, du nom d'une artiste-peintre originaire de Lévis, et enfin un parc où l'on retrouve quelques sculptures.

Tournez à droite dans la rue Carrier. À l'angle de la rue du Mont-Marie et de la rue Guénette se trouve la maison Alphonse-Desjardins, où vécut le fondateur du Mouvement Desjardins.

La **maison Alphonse-Desjardins** *(entrée libre; lun-ven 10b à 12b et 13b à 16b30, sam-dim 12b à 17b; 6 rue du Mt-Marie, ☎835-2090 ou 800-463-4810, poste 2090).* Alphonse Desjardins (1854-1920) était un homme entêté. Désireux de faire progresser le peuple canadien-français, il s'est battu pendant de nombreuses années pour que

Maison Alphonse-Desjardins

Hd.Piron

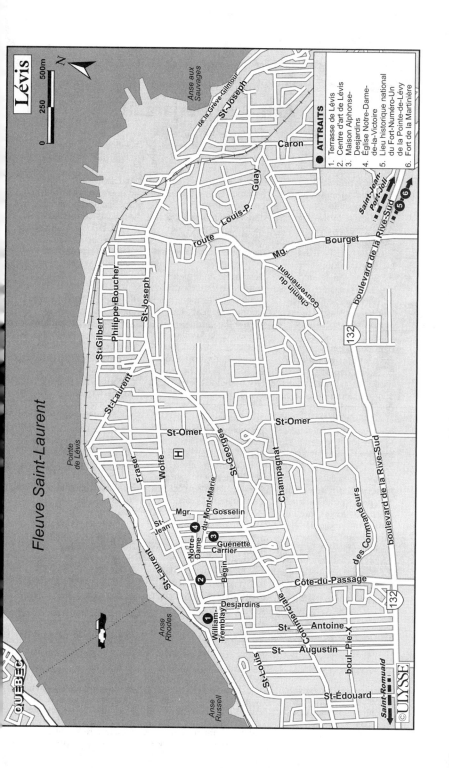

Lévis

0   250   500m

N

QUÉBEC

Fleuve Saint-Laurent

Pointe
de Lévis

Anse
Rhodes

Anse
Russell

Anse aux
Sauvages

de la Grève-Gilmour

St-Joseph

Caron

Guay

Louis-P.

route

Mgr.

Bourget

Chemin du
Gouvernement

St-Gilbert

Philippe-Boucher

St-Joseph

St-Laurent

St-Omer

St-Omer

Fraser

Wolfe

St-
Jean

Notre-
Dame

St-Georges

du-Mont-Marie

Champagnat

des Commandeurs

boulevard de la Rive-Sud

132

Mgr.

Gosselin

Guénette
Carrier

Bégin

Côte-du-Passage

Commerciale

Desjardins

William-
Tremblay

St-
Antoine

St-
Augustin

boul.-Pie-X

St-Louis

St-Édouard

132

Saint-Romuald

Saint-Jean-
Port-Joli

boulevard de la Rive-Sud

© ULYSSE

● ATTRAITS

1. Terrasse de Lévis
2. Centre d'art de Lévis
3. Maison Alphonse-
   Desjardins
4. Église Notre-Dame-
   de-la-Victoire
5. Lieu historique national
   du Fort-Numéro-Un
   de la Pointe-de-Lévy
6. Fort de la Martinière

1
2
3
4
5 6

H

Alphonse Desjardins

Alphonse Desjardins est né à Lévis en 1854. C'est là que, 46 ans plus tard, il fonde la caisse populaire de Lévis, première de l'important mouvement que représente aujourd'hui le Mouvement des Caisses populaires Desjardins.

L'idée d'un outil d'épargne qui serait plus près des petits épargnants lui est venue en constatant les injustices créées par le système de prêt alors en vigueur. Les banques populaires existent déjà en Europe. C'est en adaptant leur mode de fonctionnement à la réalité québécoise que Desjardins arrive à concrétiser son idée d'une coopérative où la solidarité humaine profiterait à tous les membres.

Il travaille donc trois années durant à peaufiner son projet pendant les heures de loisirs que lui laisse son emploi de rapporteur des débats parlementaires à la Chambre des communes à Ottawa. Lorsque les députés ne siègent pas, il rentre chez lui à Lévis.

À la fin de 1900, il réussit à convaincre quelques notables de la ville du bien-fondé de son projet, et, le 6 décembre, ces hommes tiennent une première assemblée durant laquelle sont posés les fondements d'une nouvelle société d'épargne et de crédit.

Pendant les premières années de cette nouvelle institution, les membres viennent déposer leur pécule directement à la maison de la famille Desjardins, rue du Mont-Marie, où Alphonse, ou en son absence sa femme Dorimène, les conseille et enregistre leur dépôt.

Le fondateur des caisses populaires insiste pour que, au départ, les activités de la société soient maintenues à l'intérieur des limites de la paroisse. Mais lorsqu'il se décide à encourager la création de nouvelles caisses, les demandes lui viennent de partout. Car, puisqu'il s'agit de coopératives, les caisses sont mises sur pied à la demande de citoyens intéressés à se regrouper et à se donner

les moyens sûrs d'une meilleure épargne et d'un crédit plus juste. En mars 1906, alors que seulement six caisses sont fondées, le gouvernement du Québec adopte la Loi des syndicats coopératifs. Dès lors, Desjardins fait le tour du Québec pendant plusieurs années pour initier les volontaires à son idée.

En 1909, 22 caisses populaires sont actives au Québec, et, en 1912, on inaugure l'ouverture de la centième. Elles fonctionneront toutes de manière indépendante, mais toujours sous la conduite du fondateur.

À la fin de sa vie, Alphonse Desjardins est toujours aussi impliqué auprès des caisses populaires. Lui qui fondait tant d'espoir sur l'entraide humaine s'éteint au milieu des siens, laissant derrière lui un mouvement coopératif qui regroupe aujourd'hui près de 5 millions de membres répartis dans plus de 1 000 caisses à travers le Québec.

soit acceptée l'idée des caisses populaires, ces institutions financières coopératives contrôlées par leurs membres, donc par tous les petits épargnants qui y ouvrent un compte.

La maison néogothique habitée par les Desjardins pendant près de 50 ans, dans laquelle a débuté la caisse populaire de Lévis, a été construite en 1882. Admirablement bien restaurée lors de son cente-

naire, elle a par la suite été transformée en un centre d'interprétation relatant la carrière et l'œuvre de Desjardins. On y présente un documentaire de même qu'une reconstitution de certaines pièces de la maison. La société historique Alphonse-Desjardins occupe, quant à elle, le premier étage.

L'église Notre-Dame-de-la-Victoire ★ *(18 rue Notre-Dame)*. En 1851, le curé Joseph Déziel décide de construire un vaste lieu de culte catholique pour desservir la ville, alors en plein essor. Thomas Baillargé, l'architecte de tant d'églises dans la région de Québec, en dessine les plans. Ceux-ci sont l'expression d'une maîtrise exemplaire du vocabulaire néoclassique québécois, à la jonction des styles français et anglais. L'intérieur, divisé en trois vaisseaux, comporte de hautes galeries à colonnes. Sur le terrain de l'église, une plaque signale l'emplacement des canons anglais qui bombardèrent Québec en 1759.

Au centre du square, situé en face de l'église, trône le monument du sculpteur Philippe Hébert à la mémoire du curé de Lévis, Joseph Déziel, qui a transformé le paysage de sa ville par la fondation, non seulement de la paroisse, mais aussi du collège de Lévis (1853), du couvent Notre-Dame-de-Toute-Grâce (1858) et de l'Hôtel-Dieu (1877). Pour terminer votre promenade dans Lévis, revenez à la rue Wolfe, que vous emprunterez à droite jusqu'à la rue Saint-Jean. Tournez à gauche pour voir, en surplomb, les quais du chantier naval MIL Davie, établi en 1827 dans la basse ville.

Si vous voulez visiter le lieu historique national du Fort-Numéro-Un, reprenez la route 132 vers l'est, puis tournez à gauche dans le chemin du Gouvernement. Sinon, empruntez la côte du Passage vers le sud (en vous éloignant du fleuve), et tournez à gauche dans la rue Saint-Georges, qui devient la rue Saint-Joseph dans le vieux Lauzon.

Le **lieu historique national du Fort-Numéro-Un-de-la-Pointe-de-Lévy ★** *(3$; début mai à fin août tlj 10h à 17h, fin août à fin sept jeu-dim 13h à 16h; 41 ch. du Gouvernement, ☎835-5182 ou 800-463-6769)*. Craignant une attaque surprise des Américains à la fin de la guerre de Sécession, les gouvernements britannique puis canadien font ériger à Lévis, entre 1865 et 1872, une série de trois forts détachés, intégrés au système défensif de Québec. Seul le Fort-Numéro-Un nous est parvenu intact. Fait de terre et de pierre, il illustre l'évolution des ouvrages fortifiés au XIX^e siècle, alors que les techniques de guerre progressent rapidement. On peut y voir notamment le canon rayé, pièce d'artillerie imposante, les casemates voûtées et les caponnières, ouvrage de maçonnerie destiné à protéger le fossé extérieur. Une exposition raconte l'histoire du fort. Du sommet de la muraille, on bénéficie d'une belle vue sur Québec et l'île d'Orléans. Un peu plus loin, on peut cependant visiter les restes du **fort de la Martinière** *(2$; mai à oct tlj 9h à 16h, nov à avr lun-ven 9h à 16h; 9805 boul. de la Rive-Sud)*, qui présente aussi une exposition sur divers équipements militaires. On peut aussi y profiter du terrain et des aires de pique-nique.

L'**église Saint-Joseph-de-Lauzon ★** *(rue St-Joseph)*. Lauzon formait autrefois le noyau de la seigneurie du même nom, concédée dès 1636 au gouverneur de la Nouvelle-France, Jean de Lauzon. La paroisse Saint-Joseph, fondée en 1673, est la plus ancienne de toute la Rive-Sud de Québec. Elle englobait, à cette époque, l'ensemble du territoire de Lévis, de Saint-Romuald et de Saint-Nicolas. La première église, détruite par le feu en 1830, fut remplacée peu après par l'église actuelle, autre œuvre de la famille Baillargé. On remarquera les deux adorables chapelles de procession de part et d'autre de l'église. Ce sont la **chapelle Sainte-Anne** (1789) et la **chapelle Saint-François-Xavier** (1822). En face de cette dernière se trouve le chantier naval MIL Davie de Lauzon.

La rue Saint-Joseph rejoint la route 132 Est (boulevard de la Rive-Sud). Poursuivez en direction de Beaumont. Un chemin, sur la gauche, permet d'accéder au centre du village.

★
Beaumont
(2 067 hab.)

À Beaumont débute véritablement la Côte-du-Sud, qui correspond de fait à la côte sud de l'estuaire du Saint-Laurent. Ses églises au toit argenté, ses chapelles de procession pour la Fête-Dieu et ses manoirs, disposés dans un paysage plus grand que nature, en font l'authentique terroir du Canada français. La seigneurie de Beaumont, concédée en 1672, est exemplaire à cet égard.

L'**église Saint-Étienne ★★** *(ch. du Domaine)*. La ravissante petite église Saint-Étienne de 1733 est en fait l'une des plus anciennes églises de village subsistant au Québec. Son emplacement, dans l'axe du chemin principal, tout juste avant que celui-ci ne se recourbe vers l'intérieur des terres, formant de la sorte une placette triangulaire à l'avant du parvis, est typique de l'urbanisme classique français du XVIIIᵉ siècle. En 1759, à la Conquête, les Britanniques affichèrent sur l'église de Beaumont la proclamation du général Wolfe décrétant la chute de la Nouvelle-France. Des villageois s'empressèrent de déchirer le document. Pour les punir, le général Monkton, responsable de la déportation des Acadiens en 1755, ordonna à ses soldats de mettre le feu à l'église. Par trois fois, ils appliquèrent des torches enflammées contre ses portes, sans succès. On raconte qu'à chaque tentative une main mystérieuse éteignit les flammes «miraculeusement».

À l'intérieur, le tabernacle du maître-autel, sculpté vers 1715, trône au milieu d'un fin décor de style Louis XV, réalisé par Étienne Bercier au début du XIXᵉ siècle. Au centre

du retable prend place une *Mort de saint Étienne d'Antoine Plamondon* (1826), alors que sur la gauche, derrière la chaire, on aperçoit une chapelle latérale ajoutée en 1894. En ressortant de l'église, on trouve, sur la droite, le presbytère actuel et le vieux presbytère-chapelle en pierre construit en 1721 et recyclé en bibliothèque.

Deux **chapelles de procession du Régime français**, l'une à l'entrée du village (de Sainte-Anne, 1734) et l'autre à sa sortie (de la Vierge, vers 1740), ajoutent au cachet ancien de Beaumont.

Suivez le chemin du Domaine vers l'est jusqu'à ce qu'il rejoigne la route 132 Est. Un peu plus loin, sur la gauche, se trouve le moulin de Beaumont.

Le **moulin de Beaumont** ★ *(6$; début mai à fin juin sam-dim 10h à 16h30, fin juin à début sept mar-dim 10h à 16h30, début sept à fin oct sam-dim 10h à 16h30; 2 rue du Fleuve, route 132,*

☎*833-1867).* Érigé en 1821 sur un palier de la chute à Maillou, le moulin ne révèle que ses étages supérieurs depuis la route. Les terrains du moulin, sur lesquels une aire de pique-nique a été aménagée, descendent graduellement vers le Saint-Laurent, offrant de belles vues sur l'île d'Orléans et les Laurentides. Un escalier donne même accès aux battures du fleuve ainsi qu'aux ruines d'un moulin plus ancien, le moulin Péan.

Le moulin de Beaumont, coiffé d'un toit mansardé de couleur rouge, sert toujours à la mouture du grain, bien que, dans le passé, il ait aussi servi à carder la laine et à scier le bois. On y vend des muffins et du pain, à base de farine moulue sur place et cuits selon les méthodes ancestrales. Une bande vidéo retrace l'histoire du moulin et fait état des fouilles archéologiques sur le site. On y trouve aussi un petit café-terrasse (voir p 523).

Quelques kilomètres plus loin, prenez à gauche la petite route qui mène au cœur du village de Saint-Michel.

★
Saint-Michel-de-Bellechasse
(1 675 hab.)

Les rues ombragées de Saint-Michel sont bordées de jolies maisons blanches au décor de bois peint. Parmi celles-ci, on découvre plusieurs exemples d'architecture marqués par le passage d'influences étrangères, qu'elles soient britanniques ou américaines. À l'entrée du village se trouve la **chapelle votive Notre-Dame-de-Lourdes**, bâtie au début du XXᵉ

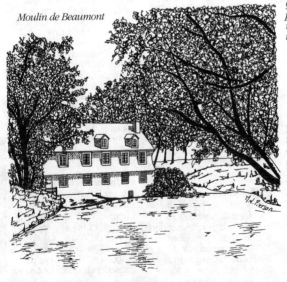

Moulin de Beaumont

siècle. Plus loin, on aperçoit l'**église Saint-Michel**, de style néoclassique et érigée en 1858, ainsi que son presbytère, reconstruit en 1789 à la suite des bombardements durant la Conquête. Saint-Michel-de-Bellechasse a en effet été complètement dévasté en 1759, alors que l'armée britannique, avançant vers Québec, brûlait et pillait les villages de la Côte-du-Sud un à un.

Derrière le presbytère, une **marina** régionale a été aménagée pour accueillir les voiliers et les amateurs de sports nautiques.

La route du village rejoint la route 132 Est. À Saint-Vallier, tournez à gauche pour traverser le centre de l'agglomération par la vieille route (rue Principale).

Saint-Vallier
(1 045 hab.)

Au printemps et à l'automne, époques des grandes migrations, des dizaines de milliers d'oies blanches envahissent la côte entre Saint-Vallier, à l'ouest, et Cap-Saint-Ignace, à l'est, offrant un spectacle surprenant. Plusieurs sites d'observation saisonniers, parfois équipés de tables de pique-nique, parsèment cette portion du trajet. La rue Principale de Saint-Vallier est bordée de plusieurs maisons coquettes construites au XIXe siècle, dont l'ancienne **maison du docteur Joseph Côté** (1851), au numéro 350, mélange d'architecture québécoise traditionnelle (fenêtres françaises à vantaux, larmiers incurvés) et d'architecture coloniale britannique (toiture à croupe basse et débordante).

Le **Musée des voitures à chevaux** *(3$; juin à fin août tlj 9h à 18h, sept sam-dim 9h à 18h; 293 route 132, ☎884-2238)* retrace, à l'aide d'attelages, d'instruments aratoires et d'outils reliés à la vie domestique, l'histoire de l'époque des voitures à chevaux d'été et d'hiver.

Reprenez la route 132 Est jusqu'à Berthier-sur-Mer. Quittez encore une fois la route principale pour entrer dans le village.

★
Berthier-sur-Mer
(1 265 hab.)

Le lieu porte bien son nom puisqu'en arrivant de l'ouest on y sent pour la première fois l'air marin. L'île d'Orléans s'étant retirée du paysage, le fleuve y prend d'ailleurs des allures de mer aux flots bleus. La vue sur les montagnes de Charlevoix, en face, est admirable par temps clair depuis la plage ou le port de plaisance tout équipé de ce petit centre de villégiature estival, fondé à l'époque seigneuriale. Le manoir du seigneur Dénéchaud, érigé au début du XIXe siècle, a cependant été détruit par les flammes en 1992, victime de l'incurie de ses propriétaires, qui l'avaient en effet laissé à l'abandon pendant près de 40 ans.

De Berthier-sur-Mer, il est possible de s'embarquer pour une croisière sur le fleuve Saint-Laurent autour de l'archipel de L'Isle-aux-Grues, aussi appelé archipel de Montmagny, au cours de laquelle on visite le lieu historique national de la Grosse-Île-et-le-Mémorial-des-Irlandais de même que l'île aux Grues elle-même (voir descriptions plus loin). Des croisières semblables sont

également proposées au départ de Montmagny, 15 km plus à l'est.

Juste à côté du Motel-Restaurant de la Plage à Berthier-sur-Mer, un chemin mène à une jolie **plage**. Pas très grande, elle offre cependant un beau sable et un site tranquille où l'on peut profiter du fleuve. En face, on aperçoit deux îles privées (l'île Madame et l'île aux Ruaux), ainsi que la Grosse-Île; la vue sur l'autre rive est magnifique. L'extrémité ouest de la plage est fermée par des roches sur lesquelles on peut grimper pour jouir encore mieux du paysage.

Montmagny
(11 885 hab.)

La ville de Montmagny apparaît déprimante aux yeux de certains, et quelque peu déstructurée à l'arrivée par la route 132, qui prend ici le nom de «boulevard Taché». Elle recèle heureusement quelques recoins plus intéressants et donne accès à des sites d'envergure au milieu du fleuve Saint-Laurent. Depuis longtemps tournée vers l'industrie, Montmagny fut le siège de la fameuse usine Bélanger, où l'on a fabriqué pendant plusieurs générations des cuisinières en fonte, très prisées des familles québécoises. Ces poêles ont toujours concurrencé ceux fabriqués à L'Islet, plus à l'est. L'usine a été rachetée il y a quelques années par Whirlpool, qui l'a modernisée pour y installer une chaîne de montage d'appareils électroménagers, mais malheureusement la compagnie la fermera en mars 2004, mettant ainsi à pied 500 travailleurs. Chaque année, à l'automne, Montmagny accueille le **Festival de l'oie blanche** (voir p 525), qui donne lieu à diverses dégustations de mets à base d'oie. La ville est aussi renommée pour son esturgeon fumé.

Après avoir traversé la rivière du Sud, tournez à gauche dans la rue du Bassin-Nord pour accéder au stationnement du Manoir Couillard-Dupuis.

Le **manoir Couillard-Dupuis** *(4$; fin juin à début sept tlj 10h à 17h, sept à fin juin lun-ven 10h à 17h; 301 Taché E., ☎248-7927).* La seigneurie de la Rivière-du-Sud a été concédée en 1646 à Charles Huault de Montmagny. De multiples transactions et découpages de la seigneurie, survenus au cours du XVIIIᵉ siècle, expliquent la présence de trois anciens manoirs seigneuriaux sur le territoire de la municipalité. Le manoir Couillard-Dupuis, situé près du fleuve, a été reconstruit en 1764 sur les fondations d'une demeure plus ancienne détruite à la Conquête. L'ancien manoir abrite l'**Économusée de l'accordéon**, où l'on offre au visiteur la possibilité de se familiariser avec la fabrication et le fonctionnement de l'accordéon. Des expositions de photos soulignent également les faits saillants des différentes éditions du **Carrefour mondial de l'accordéon** (voir p 525).

Suivez la rue du Bassin-Nord en direction du fleuve Saint-Laurent.

Le **Centre éducatif des migrations** ★ *(4$; juin à nov tlj 9h30 à 17h; 53 rue du Bassin-Nord, ☎248-4565 ou 248-9334)* est situé sur le terrain de camping de la Pointe-aux-Oies; ce lieu est à la fois un centre d'interprétation de la sauvagine (appelée aussi «oie blanche» ou «oie des nei-

ges») et un auditorium où est présenté un spectacle multimédia portant sur la colonisation de la région ainsi que sur l'arrivée des immigrants à la Grosse-Île. Le spectacle son et lumière est une excellente introduction à la visite de la Grosse-Île.

Traversez le boulevard Taché pour prendre la rue du Bassin-Sud, qui rejoint bientôt la rue Saint-Ignace. Après avoir traversé un premier pont, juste avant l'église, tournez à droite dans la rue de la Fabrique. Au-delà d'un second pont, tournez à gauche dans la rue Saint-Jean-Baptiste.

On remarquera qu'à l'instar de la plupart des villes québécoises, et contrairement aux villes européennes, le centre de Montmagny tourne le dos à la rivière (du Sud) et au fleuve (Saint-Laurent), compte tenu des cours d'eau qui représentent une source de vents froids en hiver et qui causent des inondations au printemps au moment de la fonte des neiges, produisant aussi des débâcles. En outre, ces cours d'eau étaient strictement perçus dans le passé comme un élément utilitaire pour le transport, l'industrie et le déversement des déchets. Leurs berges n'étaient donc pas aménagées pour la promenade.

Les rues Saint-Jean-Baptiste et Saint-Thomas, qui se rejoignent en pointe à l'ouest de l'église, sont bordées par quelques cafés, terrasses et boutiques agréables, tous aménagés dans de vieilles maisons. L'avenue Sainte-Marie donne, quant à elle, accès à la **maison historique Sir Étienne-Pascal-Taché** *(4$; juin à sept lun-ven 10h à 17h, sam-dim 10h à 16h; sept à fin oct sam-dim 10h à*

16h; 37 av. Ste-Marie, ☎248-0993 ou 248-9334), dissimulée derrière des immeubles commerciaux. Le beau manoir, construit en 1759, a été habité par Sir Étienne Pascal Taché (1795-1865), premier ministre du Canada-Uni pendant quelques années. C'est lui qui a fait ajouter les deux tours pittoresques qui regardent vers le fleuve.

Revenez à la rue de la Fabrique, que vous emprunterez à gauche en direction du boulevard Taché. Prenez celui-ci à droite avant de tourner à gauche dans l'avenue du Quai.

Devant l'avenue du Quai se dresse le **manoir Couillard de L'Espinay**, érigé en 1817, qui sert maintenant de cadre à un hôtel luxueux (voir p 520). L'avenue du Quai longe une belle promenade aménagée en bordure du bassin de Montmagny où il fait bon s'arrêter pour un pique-nique ou flâner avant le départ d'une excursion en bateau. Le **quai de Montmagny** est un lieu d'observation privilégié des oies blanches au printemps et à l'automne, en plus d'être un des points de départ des croisières vers la Grosse-Île et l'île aux Grues. Juste avant le quai se dresse la gare fluviale où a été aménagé le comptoir de renseignements touristiques.

L'excursion au **lieu historique national de la Grosse-Île-et-le-Mémorial-des-Irlandais** ★★ *(accessible en visite libre ou guidée, mai à oct; service de restauration disponible sur place; il est conseillé de prévoir un pique-nique sur la grève, tables de pique-nique à la disposition des visiteurs; ☎248-8888 ou 800-463-6769, www.parcscanada.qc.ca/grosse-ile)* est un retour dans le passé douloureux de l'immigration en Amérique. Fuyant les épidémies et la famine, les émigrants irlandais furent particulièrement nombreux à venir au Canada au cours des années 1830-1850. Afin de limiter la propagation du choléra et du typhus dans le Nouveau Monde, les autorités décidèrent d'obliger les passagers des transatlantiques à subir une quarantaine avant de débarquer dans le port de Québec. La Grosse-Île s'impose alors comme un choix logique, étant donné sa position rapprochée et son éloignement des côtes. C'est sur cette «île de la Quarantaine» que chacun des immigrants était scruté à la loupe. Les voyageurs en bonne santé résidaient dans des «hôtels» dont le degré de luxe était lié à la classe qu'ils occupaient sur les navires. Les malades étaient aussitôt hospitalisés.

Au total, quelque quatre millions d'immigrants en provenance de 42 pays différents transitèrent par le port de Québec entre 1832 et 1937. De ce nombre, on ne sait pas exactement combien résidèrent un temps à la Grosse-Île, mais près de 7 000 personnes y périrent. Durant l'année 1847, l'épidémie de typhus fut particulièrement impitoyable envers les immigrants irlandais; des 7 000 décès recensés en 105 ans, 5 434 furent comptés ce seul été. En 1997, on a célébré le 150e anniversaire de la Grande Famine, qui fut l'une des principales causes du départ de ces immigrants. La même année, le 17 mars, fête de saint Patrick, le ministère du Patrimoine canadien souligna à sa façon cette tragédie en rebaptisant le site «Grosse-Île-et-le Mémorial-des-Irlan-

dais». En souvenir de ce triste épisode, chaque année depuis 1909, des gens d'origine irlandaise se rendent à la Grosse-Île, où est érigée une croix celtique, pour honorer la mémoire de ceux qui sont passés par l'île.

La visite de la Grosse-Île, dont une partie se fait dans un petit train motorisé, nous entraîne donc autour de l'île, de ses beautés naturelles et de ses installations. Sur la trentaine de bâtiments encore debout, quelques-uns sont désormais ouverts aux visiteurs: le bâtiment de désinfection donne un bon aperçu de la technologie canadienne à la fin du XIXe siècle, sans oublier l'intérieur du lazaret, seul témoin de l'épidémie de typhus de 1847. Ces témoins précieux racontent on ne peut plus clairement une page de l'histoire du continent.

L'**île aux Grues** ★★, seule île de l'archipel de L'Isle-aux-Grues habitée toute l'année, offre aux visiteurs un magnifique cadre champêtre ouvert sur le fleuve. C'est le lieu idéal pour l'observation des oies blanches au printemps, pour la chasse à l'automne et pour la balade en été. En hiver, l'île est prisonnière des glaces, et les habitants doivent alors utiliser l'avion pour avoir accès au continent. Quelques gîtes ruraux parsèment cette île longue de 10 km et vouée à l'agriculture. S'y promener à bicyclette, au milieu des champs de blé dorés et le long du fleuve, est des plus agréables. On peut aussi s'y rendre avec la voiture au moyen du traversier *la Grue des îles* (voir p 496). Au centre de l'île se dresse le hameau de **Saint-Antoine-de-l'Isle-aux-Grues**, avec sa petite église

et ses jolies maisons. On y trouve une boutique d'artisanat, une fromagerie qui produit, avec du lait des vaches de l'île, un délicieux fromage, ainsi qu'un tout petit musée où sont racontées les vieilles traditions qui animaient ou animent toujours la vie des insulaires. À l'est, on aperçoit le **manoir seigneurial McPherson-LeMoine**, reconstruit pour Louis Liénard Villemonde de Beaujeu à la suite du saccage de l'île par l'armée britannique en 1759. L'historien James McPherson-LeMoine a fait de cette invitante demeure, précédée d'une longue galerie, sa résidence d'été à la fin du XIXe siècle. Le peintre Jean-Paul Riopelle, qui en a fait son havre pendant plusieurs années, y est décédé en 2002. En haute saison, un petit kiosque d'information touristique vous accueille au bout du quai. Si vous prévoyez y passer quelques jours, n'oubliez pas de vous munir d'argent liquide, car, sur l'île, il n'y a qu'une petite caisse populaire sans guichet automatique.

Reprenez la route 132 Est en direction de Cap-Saint-Ignace. Tournez à droite dans la route du village (rue du Manoir).

Cap-Saint-Ignace (2 983 hab.)

La Côte-du-Sud, de même que Charlevoix, sur l'autre rive du fleuve, sont des régions propices aux tremblements de terre. Leurs villages ont d'ailleurs été endommagés à maintes reprises par des séismes de forte intensité. À Cap-Saint-Ignace, quatre secousses ont terrorisé les habitants du village entre 1791 et 1925. On a pu malgré tout conserver plusieurs témoins du passé,

Chaudière-Appalaches

dont le manoir Gamache, seul manoir seigneurial du Régime français encore debout sur la Côte-du-Sud.

Le **manoir Gamache** ★ *(on ne visite pas; 120 rue du Manoir, sur la droite, à l'entrée du village)* a été construit en 1744 pour servir de presbytère-chapelle. Sauvé miraculeusement lors de la Conquête, il devient, peu après, la résidence du seigneur Gamache. Le manoir est représentatif de l'architecture rurale du Régime français, caractérisée par d'épais carrés de maçonnerie au ras du sol et par de hautes toitures percées de petites lucarnes. Seul élément peu orthodoxe, la porte principale s'ouvre du côté des terres plutôt que vers le fleuve. Un aménagement paysager met en valeur ce manoir fort bien restauré.

L'**église Saint-Ignace** ★ *(au centre du village)* a été reconstruite entre 1880 et 1894 en remplacement de l'église de 1772. Sa longue nef sans transepts, ses clochetons à angles et son magnifique intérieur doré, pourvu de galeries latérales à colonnes, en font certes l'une des plus intéressantes réalisations de David Ouellet, un architecte de Québec qui a beaucoup travaillé en Beauce, dans le Bas-Saint-Laurent et en Gaspésie.

Poursuivez par la vieille route du village, puis tournez à gauche pour rejoindre la route 132.

L'Anse-à-Gilles

À l'est du village de Cap-Saint-Ignace, un panneau indique que l'on traverse le hameau de L'Anse-à-Gilles. Lieu de villégiature durant la saison estivale, celui-ci comprend quelques maisons ainsi qu'un

terrain de camping au milieu duquel se dresse une curieuse tour ronde. Il s'agit d'un ancien moulin à vent, aujourd'hui dépourvu de son mécanisme, qui fut érigé pour le seigneur Amyot de Vincelotte en 1690.

★ L'Islet-sur-Mer (1 806 hab.)

L'activité du joli village qu'est L'Islet-sur-Mer est, comme son nom l'indique, tournée vers la mer. Depuis le XVIIIe siècle, ses habitants se transmettent de père en fils les métiers de marin et de pilote sur le Saint-Laurent. Certains sont même devenus capitaines ou explorateurs émérites sur les océans lointains. La seigneurie de L'Islet a été concédée par le gouverneur Frontenac en 1677 à deux familles, les Bélanger et les Couillard, qui ont eu tôt fait de mettre leurs terres en valeur, faisant de L'Islet-sur-Mer, au bord du fleuve Saint-Laurent, et de L'Islet, à l'intérieur de la seigneurie, deux communautés prospères qui jouent toujours un rôle important dans la région.

Joseph-Elzéar Bernier (1852-1934)

Joseph-Elzéar Bernier est l'un des marins les plus célèbres du Québec. Il est né en 1852 dans le joli village de L'Islet-sur-Mer d'une lignée de capitaines au long cours.

En 1869, à l'âge de 17 ans, Joseph-Elzéar est nommé capitaine d'un navire auparavant piloté par son père, le *Saint-Joseph*. Il devient ainsi le plus jeune capitaine du monde. Pendant les années qui suivirent, il navigua sur toutes les mers de la planète, établissant même des records de vitesse de traversée.

En 1904, il effectue un premier voyage d'exploration, financé par le gouvernement

canadien, dans l'océan Arctique. Ces voyages seront couronnés par la prise de possession officielle des territoires arctiques canadiens au nom du gouvernement. Une plaque érigée sur l'île Melville commémore cet événement.

Par la suite, Bernier reprendra ses habits de marin à son propre compte pour sillonner l'Arctique, où il fait du commerce, et le golfe du Saint-Laurent, où il fait du transport de marchandises. Jusqu'à la fin de sa vie, à l'âge de 82 ans, il restera en étroite relation avec la mer qui l'a vu naître, grandir et repousser les frontières des exploits humains.

Du parvis de l'**église Notre-Dame-de-Bonsecours** ★★ *(15 rue des Pionniers E., route 132)*, on sent le vent du large, puissant et doux à la fois, et l'on peut bien mesurer l'immensité du fleuve tout proche. L'église actuelle, entreprise en 1768, est un vaste édifice en pierre sans transepts. L'intérieur, réalisé entre 1782 et 1787, est le fruit des enseignements de l'Académie royale d'architecture de Paris, d'où revenait François Baillargé, à qui l'on doit ce décor. Ainsi, contrairement aux églises antérieures, le retable épouse complètement la forme du chœur en hémicycle. Celui-ci est entièrement recouvert de boiseries dorées de styles Louis XV et Louis XVI. Le plafond plat, découpé en caissons, est cependant un ajout du XIXᵉ siècle, tout comme les flèches des clochers, refaites en 1882. Au-dessus du tabernacle de Noël Levasseur provenant de la première église (1728), on remarquera *L'Annonciation* de l'abbé Aide-Créquy, peint en 1776. Sur la gauche, des portes vitrées s'ouvrent sur l'ancienne chapelle des congréganistes, rattachée à l'église en 1853, où l'on organise parfois des expositions estivales à caractère religieux.

La **salle des habitants** *(18 rue des Pionniers E.)*. Au XIXᵉ siècle, les paroisses plus fortunées pouvaient se pourvoir d'une «salle des habitants», lieu d'échanges et d'assemblées publiques où étaient discutées les questions relatives au développement du village. Celle de L'Islet-sur-Mer, située de l'autre côté de la route des Pionniers, a été construite en 1827. Elle conserve toujours son affectation d'origine en plus d'abriter la bibliothèque.

Le **Musée maritime du Québec** ★★ *(9$ pour la visite de tout le site; mi-mai à fin juin et sept à mi-oct tlj 10h à 17h, fin juin à début sept tlj 9h à 18h, reste de l'année mar-ven 10h à 12h et 13h à 16h; 55 rue des Pionniers E., ☎247-5001, www.mmq.qc.ca)* retrace, à l'aide d'objets fabriqués, de maquettes, d'un parc d'interprétation de la mer, mais aussi de deux véritables navires, l'histoire maritime du fleuve Saint-Laurent du XVIIᵉ siècle à nos jours. L'institution, fondée par l'Association des marins du Saint-Laurent, est installée dans l'ancien couvent de L'Islet-sur-Mer (1877) et porte le nom d'un de ses plus illustres citoyens, le capitaine J.-E. Bernier (1852-1934), qui fut l'un des premiers à explorer l'Arctique, assurant de la sorte la souveraineté du Canada sur ces territoires septentrionaux.

La **chapelle des Marins** *(route des Pionniers)*. En route vers Saint-Jean-Port-Joli, on aperçoit, sur la gauche, la chapelle des Marins de L'Islet (1835) et la Croix de tempérance, juchée sur un monticule. Ces structures symboliques servent lors de la procession de la Fête-Dieu, tradition plus que tricentenaire ravivée à la suite de la restauration de plusieurs chapelles dans les villages de la Côte-du-Sud. Les gardes paroissiaux en costumes, les fanions du Vatican et du Sacré-Cœur, l'ostensoir et le Saint-Sacrement, le dais brodé d'or sous lequel se tient le prêtre dans ses plus beaux atours, suivi des fidèles portant les chandelles et s'arrêtant devant les chapelles de procession, forment le décor de cette fête qui a lieu le deuxième dimanche de juin en début de soirée. L'événement, consacré à

l'adoration du Saint-Sacrement, est particulièrement spectaculaire à L'Islet-sur-Mer.

★
Saint-Jean-Port-Joli (3 397 hab.)

Saint-Jean-Port-Joli est devenu synonyme d'artisanat et de sculpture sur bois grâce à la famille Bourgault, qui, au début du XXᵉ siècle, en a fait sa raison de vivre. La route 132 est bordée, à l'arrivée, d'une formidable concentration de boutiques où l'on peut acheter un «grand-père fumant la pipe» ou une «paysanne qui tricote». Il existe même des musées sur le sujet où sont présentées les plus belles pièces. Outre cet artisanat plus vivant que jamais, le village est connu pour son église ainsi que pour le roman *Les Anciens Canadiens*, écrit au manoir seigneurial par Philippe Aubert de Gaspé.

À l'entrée du village, le **moulin seigneurial** est visible sur la droite. Plus loin, la belle **maison Saint-Pierre**, érigée vers 1765, précède, sur la gauche, un belvédère installé en bordure du fleuve Saint-Laurent.

Le **site du manoir de Philippe Aubert de Gaspé** *(710 av. de Gaspé O.)*. Reconstruit en 1764 sur les fondations et selon le même plan que le premier manoir détruit lors de la Conquête, le manoir de Saint-Jean-Port-Joli a malheureusement brûlé en 1909. Seul subsiste le four à pain au bord de la route. Philippe Aubert de Gaspé (1786-1871), seigneur de Saint-Jean-Port-Joli, s'était retiré dans son manoir pour écrire *Les Anciens Canadiens*, publié en 1863. Considérée comme le premier roman canadien-français, l'œuvre, dont l'importance littéraire est aussi grande que son aspect ethnologique, décrit la vie quotidienne à la fin du régime seigneurial.

Le **Centre d'art animalier Faunart** *(4$; mai à oct tlj 9h à 18h, juil et août tlj 9h à 21h; 377 av. de Gaspé O., ☎598-7034)* a été construit au début du XXᵉ siècle dans une grange octogonale abritant une salle d'exposition et une boutique de souvenirs animaliers. On y retrouve quatre grandes disciplines artistiques: la peinture, la photographie, la sculpture et la taxidermie.

Le **Musée des Anciens Canadiens** *(4$; mai, juin, sept et oct tlj 9h à 17h30, juil et août tlj 8h30 à 21h; 332 av. de Gaspé O., ☎598-3392 ou 598-6829)* présente une série de sculptures en bois figuratives qui racontent l'histoire locale.

La **maison Médard-Bourgault** ★ *(4$; mi-juin à début sept tlj 10h à 18h; 322 av. de Gaspé O., ☎598-3880).* Médard Bourgault (1877-1967) fut le premier d'une lignée d'artisans sculpteurs renommés de Saint-Jean-Port-Joli. Ce capitaine au long cours a délaissé la navigation pour se consacrer entièrement à son art lorsqu'il a acheté cette maison en 1920. Au fil des années, il en a sculpté les murs et le mobilier pour en faire une œuvre très personnelle. La maison appartient aujourd'hui à son fils qui y a installé son atelier de sculpture. Si vous désirez voir son travail et celui de son père, il peut vous faire visiter sur demande.

L'économusée **Les Bateaux Leclerc** *(visites guidées 4$; oct à mi-mai lun-ven 9h à 12h et 13h à 17h, mi-mai à fin sept 9h à 18h; 307 av. de Gaspé O., ☎598-3273)* vous permet d'observer le travail des artisans qui, depuis des générations, fabriquent des copies miniatures des bateaux qui ont navigué sur le fleuve Saint-Laurent. En semaine, il est aussi possible d'observer les artisans à l'œuvre. Sur la devanture de la maison, on remarque une haute sculpture murale paraissant tout droit sortie d'un conte fantastique.

L'**église Saint-Jean-Baptiste** ★★ *(2 av. de Gaspé O.).* Cette coquette église, construite entre 1779 et 1781, se reconnaît à son toit rouge vermillon, coiffé de deux clochers, dont l'emplacement, l'un à l'avant, l'autre à l'arrière, au début de l'abside, est tout à fait inusité dans l'architecture québécoise. Autre élément particulier, les chapelles des transepts, à peine suggérés, ne sont que les timides réponses des paroissiens aux exigences d'un évêque, visiblement non partagées. L'église présente un exceptionnel intérieur en bois sculpté et doré, qui aura probablement joué un rôle dans la popularité de cette forme d'art à Saint-Jean-Port-Joli, même s'il constitue une œuvre exécutée par divers artistes du Québec, bien antérieure aux sculptures de la famille Bourgault.

Le tabernacle rocaille de Pierre Noël Levasseur, dit à baldaquin car il est couronné d'une coquille soutenue par des colonnes, provient d'une première chapelle et daterait de 1740. Il est encadré par un retable inspiré de l'église des récollets de Québec, auquel a travaillé le clan Baillargé en 1794-1797 (Jean, le père, François, le fils, et Pierre-Florent, le frère), et au centre duquel est fixée une toile de Louis Dulongpré, *Le Baptême du Sauveur*, commandée en 1798 par la fabrique, tout comme les deux autres tableaux du même auteur, *L'Immaculée Conception* et *Sainte Catherine*. La décoration est complétée, en 1817, par Chrysostome Perrault de Montréal, à qui l'on doit l'admirable fausse voûte à caissons ornée d'une multitude d'étoiles, aux angles de sarments de vigne. En 1937, Médard et Jean-Julien Bourgault sculptent une nouvelle chaire, apportant ainsi une touche locale à l'ensemble.

L'ajout de galeries latérales dans la nef, afin d'augmenter le nombre de bancs, est plutôt rare dans les églises du Québec. Celles de Saint-Jean-Port-Joli, réalisées en 1845, sont les seules à avoir survécu au vent de rénovation et de restauration des 40 dernières années, peut-être parce que leurs structures légères obstruent moins le chœur que dans d'autres temples. Avant de quitter les lieux, on remarquera le banc seigneurial de la famille Aubert de Gaspé, sous lequel sont enterrés les membres de cette illustre famille de seigneurs morts à Saint-Jean-Port-Joli.

Poursuivez par la route 132 en direction de Saint-Roch-des-Aulnaies.

★★
Saint-Roch-des-Aulnaies
(1 073 hab.)

Saint-Roch-des-Aulnaies, un joli village en bordure du fleuve Saint-Laurent, comprend en réalité deux regroupements de maisons. Celui où se trouve l'église est baptisé Saint-

Roch-des-Aulnaies, alors que le second, près duquel est situé le manoir, est identifié comme le village des Aulnaies. Le lieu tire son nom de l'abondance d'aulnes tout le long de la rivière Ferrée, qui alimente le moulin seigneurial. Nicolas Juchereau, fils de Jean Juchereau, sieur de Maur, originaire du Perche, a reçu la seigneurie en 1656. D'abord connue sous le nom de la «Grande-Anse», elle demeurera la propriété de la famille Juchereau jusqu'en 1837, alors qu'elle passe entre les mains d'Amable Dionne, riche marchand de Kamouraska détenant déjà plusieurs autres seigneuries de la Côte-du-Sud. Le manoir qu'il a fait ériger en 1850 pour son fils, Pascal-Amable, alors que ce dernier n'était âgé que de 25 ans, a été restauré par le gouvernement du Québec et ouvert au public par la municipalité (voir ci-dessous).

La plupart des demeures anciennes de Saint-Roch-des-Aulnaies sont exceptionnellement grandes, témoignant ainsi d'une certaine prospérité au XIXe siècle. À l'entrée du village, on aperçoit, sur la droite, la maison Roland-Létourneau (vers 1795), aux massifs murs de pierres. Plus loin, une longue maison en bois, construite pour le notaire Amable Morin (vers 1840), est coiffée d'une balustrade décorative rappelant les *widous walks* (promenades des veuves) des villes portuaires américaines. La maison Miville en pierre, située sur la gauche près de l'embouchure de la rivière Ferrée, a été érigée vers 1800 pour une autre grande famille de la Côte-du-Sud. Le manoir et son moulin se trouvent sur la

droite après le pont enjambant la rivière Ferrée.

La **Seigneurie des Aulnaies** ★★ *(6$; fin mai à début sept tlj 9h à 18h; 525 ch. de la Seigneurie, ☎354-2800 ou 877-354-2800, www.laseigneuriedesaulnaies.qc.ca)*. Le domaine des Dionne a été transformé en un captivant centre d'interprétation du régime seigneurial. Le visiteur est d'abord accueilli dans l'ancienne maison du meunier, reconvertie en boutique et en café. On y sert des galettes et des muffins à base de farine provenant du moulin voisin, vaste bâtiment en pierre reconstruit en 1842 à l'emplacement d'un moulin plus ancien. Des visites guidées du moulin en activité permettent de comprendre le fonctionnement complexe de son engrenage, qui dépend de la force motrice de la rivière Ferrée. Sa roue principale est la plus grande du Québec.

On accède au manoir, érigé sur un promontoire, par un long escalier. Tout comme le manoir du **Domaine Joly-De Lotbinière** (voir p 498), celui des Dionne s'apparente davantage à une villa pittoresque qu'à une austère résidence seigneuriale. Il a été dessiné par Charles Baillargé, membre de la célèbre dynastie de Québec, au début de l'ère victorienne. On reconnaît la marque de cet architecte dans l'ornementation néogrecque du pourtour des ouvertures (voir **Maison Cirice-Têtu**, Québec, p 410). Au sous-sol, des présentoirs interactifs, expliquant de façon détaillée les principes du régime seigneurial et son impact sur le paysage rural québécois, sont disposés dans différentes pièces. L'étage, plutôt sobre, abrite les pièces de réception,

meublées à la mode du XIXe siècle. On remarquera tout particulièrement la belle salle à manger, décorée de palmettes, et les deux tours d'angle, la tour de Madame et la tour de Monsieur, où seigneur et seigneuresse pouvaient se retirer du monde. En 1893, il fut racheté par la famille Miville-Deschênes (Miville-Dechêne selon certains) pour en faire sa résidence secondaire. Un beau jardin faisant partie de l'association des Jardins du Québec, ainsi que des sentiers sauvages entourent le manoir. Des guides et des personnages en costumes d'époque animent le site.

La région touristique de Chaudière-Appalaches se termine ici, mais la Côte-du-Sud se poursuit jusqu'à Rivière-du-Loup; aussi est-il recommandé de jumeler le circuit qui s'achève avec le **Pays de Kamouraska** ★★, dans la région touristique du Bas-Saint-Laurent (voir p 530).

Pour retourner rapidement à Québec ou à Montréal, reprenez l'autoroute 20 vers l'ouest (sortie 430), située tout juste derrière le village de Saint-Roch-des-Aulnaies.

Circuit B: La Beauce (deux jours)

Après les timides tentatives de colonisation du Régime français, la Beauce, ou Nouvelle-Beauce comme on l'appelait fréquemment au XVIIIe siècle, connaît un essor important grâce à l'ouverture du chemin Kennebec (entre 1810 et 1830) puis de la voie ferrée (1870-1895), deux routes qui relieront le Québec et sa capitale à la Nouvelle-Angleterre en

Chaudière-Appalaches

passant par la vallée de la rivière Chaudière. Le long du parcours, les hameaux agricoles tireront profit de ces voies de communication et deviendront dès la fin du XIXe siècle de petites villes industrielles prospères. Reconnus pour leur esprit d'entreprise et favorisés par le destin, les Beaucerons ont créé plusieurs entreprises aux noms familiers à l'oreille des Québécois, comme Vachon (repris par Culinar) et Canam-Manac.

Prenez l'autoroute 73 Sud en direction de Scott. Empruntez la sortie 101 pour rejoindre la route 173, qui longe la rivière Chaudière jusqu'à la frontière canado-étasunienne. Cette route a été baptisée «route du Président-Kennedy».

Scott
(1 477 hab.)

L'un des premiers promoteurs du chemin de fer Lévis & Kennebec Railway, Charles Armstrong Scott, a laissé son nom à ce village dont la prospérité relève, en partie, de sa gare, qui servit pendant quelque temps de terminal pour la Beauce. L'**église Saint-Maxime** (1904), toute de bois, est coiffée d'un élégant clocher.

Poursuivez en direction de Sainte-Marie. Quittez momentanément la route du Président-Kennedy pour suivre la rue Notre-Dame Nord, qui mène au centre de la ville.

Sainte-Marie
(11 576 hab.)

Thomas Jacques Taschereau reçoit, en 1736, la première seigneurie concédée en Beauce. Ses descendants, qui la conserveront jusqu'à la fin du régime seigneurial (1854),

feront de Sainte-Marie le centre de leur domaine. La petite ville va devenir un pôle d'attraction important dans la région au cours du XIXe siècle. Les commerces et les institutions s'y multiplient le long de la rue Notre-Dame. Deux incendies dévastateurs, l'un en 1908 et l'autre en 1926, viendront cependant effacer les traces de cette période faste. Aujourd'hui, Sainte-Marie est surtout connue pour les «petits gâteaux Vachon» de l'entreprise éponyme fondée sur place en 1923 par Rose-Anna Giroux et Arcade Vachon.

La **chapelle Sainte-Anne** *(rue Notre-Dame N.).* Une première chapelle dédiée à sainte Anne fut érigée sur le domaine du seigneur en 1778. Construite en 1892 selon les plans de Georges-Émile Tanguay, la chapelle actuelle est la troisième à occuper le même emplacement. Elle renferme une statue miraculeuse de la bonne sainte Anne, à laquelle les résidants de la Beauce, pour la plupart originaires des environs de Sainte-Anne-de-Beaupré, vouaient un culte particulier, notamment durant la période des crues printanières, souvent dévastatrices.

La **maison J.A. Vachon** *(maison 3,50$; maison-pâtisserie 7,50$; début avr à fin oct lun-ven 9h à 16h30, mi-juin à mi-oct la maison est aussi ouverte sam-dim 10h à 16h30; 383 rue de la Coopérative, ☎387-4052 ou 866-387-4052)* constitue un centre d'interprétation qui retrace l'histoire des «petits gâteaux Vachon» en proposant une visite de l'usine ainsi que de la maison qu'habitait la famille Vachon lorsqu'elle mit sur pied l'entreprise. La mai-

son est classée monument historique.

Le manoir seigneurial de Sainte-Marie a été démoli en 1956. De l'ancien domaine, seules subsistent la chapelle Sainte-Anne et l'imposante maison néoclassique construite en 1809 pour le fils du second seigneur de Sainte-Marie, Jean-Thomas Taschereau, le **manoir Taschereau** *(4$; début juin à début sept tlj 10h à 16h; 730 rue Notre-Dame N., ☎387-3671).* C'est ici que naquit Elzéar-Alexandre Taschereau (1820-1898), qui allait devenir en 1886 le premier cardinal canadien. La maison est ouverte aux visiteurs, bien qu'une partie de celle-ci soit toujours habitée par la famille. Des visites guidées sont animées par un guide en costume d'époque. On y trouve aussi le comptoir de renseignements touristiques de Sainte-Marie.

L'historique **maison Pierre-Lacroix** *(entrée libre; mi-juin à début sept mar-dim 13h à 17h, début juin à mi-juin et sept sam-dim 13h à 17h ; 552 rue Notre-Dame N., ☎386-3821)* est reconnaissable entre toutes puisqu'il s'agit de la seule habitation en moellons de Sainte-Marie et qu'elle s'impose par sa grosseur. Elle fait aujourd'hui office de centre culturel surtout axé sur l'artisanat. On y expose et vend le travail des artisans de la région. Y sont aussi organisés des ateliers de techniques artisanales qui sauront peut-être révéler vos talents!

Au numéro 640 de la rue Notre-Dame se dresse la **maison Dupuis** *(4$; juin à août lun-ven 9h à 16h30, sam-dim 13h à 15h; mars à mai et sept à nov, sur réservation; 640 Notre-Dame S., ☎387-7221),* une jolie petite maison de bois

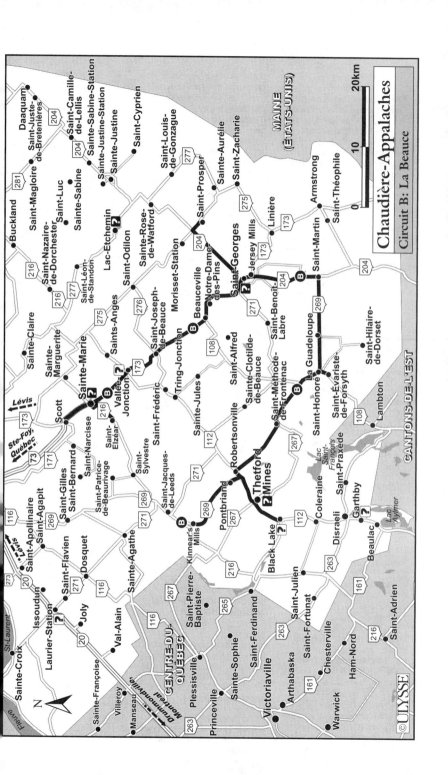

Chaudière-Appalaches

Circuit B: La Beauce

© ULYSSE

N

0   10   20km

blanche et noire. À l'intérieur sont présentées deux expositions. La première nous fait revivre les débuts de l'aviation au Québec en racontant l'histoire des pionniers de l'air originaires de Saint-Marie. La seconde exposition relate, quant à elle, l'histoire du Père Gédéon, personnage mémorable créé par Doris Lussier.

L'**église Sainte-Marie** ★ *(av. Marguerite-Bourgeoys).* Le centre de Sainte-Marie est aménagé directement en bordure de la rivière Chaudière, le mettant périodiquement à la merci des fortes crues printanières qui inondent bon an mal an maisons et commerces. Légèrement désaxée par rapport à la rue Notre-Dame, se dresse une élégante église catholique de style néogothique dessinée par Charles Baillargé en 1856. Son décor intérieur en trompe-l'œil a été réalisé par le peintre décorateur F.E. Meloche en 1887. Le plafond à nervures, soutenu par des piliers fasciculés, est particulièrement réussi. L'église renferme quelques œuvres intéressantes dont un bas-relief en bois intitulé *La Madone des Croisades.*

Suivez la rue Notre-Dame Sud jusqu'à l'embranchement avec la route du Président-Kennedy, que vous reprendrez vers le sud.

Un circuit facultatif vous mène de l'autre côté de la rivière Chaudière, près du petit village de Saint-Elzéar, plus exactement à l'**Observatoire Mont Cosmos** *(6$; réservations requises; mi-mai à fin oct jeu-sam 20h à 24h; 750 rang Haut Ste-Anne,* ☎953-1881)*. Un véritable observatoire muni d'un télescope moderne, pour avoir la tête dans les étoiles! Les activités

d'interprétation qu'on y propose sont très instructives et vous laisseront, une fois de plus, pantois d'admiration devant le monde céleste. On peut aussi déambuler dans des sentiers d'interprétation autour de l'observatoire. Si vous y allez au mois d'août, peut-être pourrez-vous participer au festival organisé pour célébrer les perséides et vous émerveiller devant cette pluie d'étoiles filantes? N'oubliez pas de réserver et de vous habiller chaudement!

Vallée-Jonction (1 952 hab.)

En 1870, Louis-Napoléon Larochelle et Charles Armstrong Scott fondent la Lévis & Kennebec Railway, dont les voies ferrées doivent doubler le réseau routier mis en place en 1830, afin de relier par chemin de fer la ville de Québec à la Nouvelle-Angleterre. En 1881, la Quebec Central Railway acquiert ces voies et fait entreprendre un nouveau chemin de fer, destiné à relier Sherbrooke et les Cantons-de-l'Est à la ville de Québec. Les deux voies ferrées se croisent à Vallée-Jonction. Ce village constituera, dès lors, la plaque tournante du transport par rail dans la Beauce. On y voit encore la gare en pierre (1917) qui abrite le **Centre d'interprétation ferroviaire de Vallée-Jonction** et toutes les infrastructures nécessaires à un centre de triage. À proximité, une halte routière a été aménagée, permettant de voir de plus près la rivière Chaudière. Des panneaux d'interprétation et un belvédère s'ajoutent aux installations.

À l'approche de Saint-Joseph, quittez la route 173 pour vous rendre au centre de la ville en longeant la rivière.

★
Saint-Joseph-de-Beauce (4 429 hab.)

À Saint-Joseph, une plaque *(347 av. du Palais)* commémore la «route du Président-Kennedy», rebaptisée ainsi en 1970. Cette importante voie de pénétration a connu des débuts modestes, lorsque l'on demanda en 1737 aux premiers seigneurs de la Beauce de tracer un sentier pour relier les terres nouvellement défrichées à Lévis, sur la rive sud du fleuve Saint-Laurent, en face de Québec. En 1758, cette première voie fut remplacée par la route Justinienne, plus large et plus droite. Ce n'est qu'en 1830 que la route traversa la frontière pour se rendre jusqu'à Jackman, dans l'État du Maine.

Saint-Joseph est reconnue pour son ensemble institutionnel bien conservé de la fin du XIXe siècle. Celui-ci est établi sur un coteau à une bonne distance de la rivière; il est donc à l'abri des inondations. Les premières maisons, érigées directement sur les rives, ont depuis longtemps été détruites ou, dans certains cas, déménagées vers les hautes terres, ce qui explique que seuls quelques aménagements légers (terrains de jeu, aires de pique-nique) bordent aujourd'hui la rive.

L'**église Saint-Joseph** ★ *(rue Ste-Christine),* de style néo-roman en pierre (1865), a été dessinée par les architectes François-Xavier Berlinguet et Joseph-Ferdinand Peachy, tous deux de Québec. Le **presbytère** fut, quant à lui, réalisé par George-Émile Tanguay, au retour d'un voyage en France effectué au cours des années 1880, époque qui marque l'apogée du style néo-Renaissance française dans la région parisienne. Tanguay s'est inspiré de cette mode pour le dessin du presbytère en brique et en pierre, véritable petit palais pour le curé et ses vicaires.

Le **Musée Marius-Barbeau** ★ *(4$; en hiver lun-ven 9h à 16h30, sam-dim 13h à 16h30; en été lun-ven 9h à 17h, sam-dim 10h à 17h; 139 rue Ste-Christine, ☎397-4039).* Ce centre d'interprétation de l'histoire de la Beauce relate les différentes étapes du développement de la vallée de la Chaudière, des premières seigneuries au percement des voies de communication, en passant par la ruée vers l'or du XIXe siècle. Les arts et traditions populaires étudiés par l'ethnologue et folkloriste beauceron Marius Barbeau y tiennent également une grande place. Le musée est installé dans l'ancien couvent des sœurs de la Charité (1887), bel édifice en brique polychrome de style Second Empire. L'ancien orphelinat, qui loge aujourd'hui des organismes sociaux, avoisine le couvent au sud.

Beauceville
(3 959 hab.)

En 1846, on trouva une énorme pépite d'or dans le lit d'un affluent de la Chaudière, la rivière Gilbert. Dès lors commença une ruée vers l'or qui ne prit fin qu'au début du XXe siècle, lorsque l'on réalisa que la précieuse ressource était sans doute épuisée. Beauceville se situait au cœur de cette frénésie, qui fit quelques chanceux, mais en ruina plus d'un. Plusieurs Beaucerons s'étant fait chercheurs d'or déménagèrent alors au

Klondike (Yukon) afin de poursuivre leurs activités. William Chapman (1850-1917), poète, lauréat de l'Académie française et officier d'Instruction publique de France, est originaire de Beauceville. On lui doit notamment *Les Québécoises* (1876) et *Les feuilles d'érable* (1890), œuvres en vers, lyriques et patriotiques.

Parc des Rapides du Diable, voir p 517.

Poursuivez en direction de Notre-Dame-des-Pins.

Notre-Dame-des-Pins
(1 030 hab.)

Point de départ de plusieurs chercheurs d'or au XIXe siècle, Notre-Dame-des-Pins est de nos jours un tranquille petit village dont le principal attrait est son **pont couvert**, érigé en 1928, sur lequel on peut se promener à pied. Il s'agit du plus long pont du genre au Québec (154 m).

Saint-Georges
(21 967 hab.)

Divisée en Saint-Georges-Ouest et Saint-Georges-Est, de part et d'autre de la rivière Chaudière, la capitale industrielle de la Beauce rappelle les «villes de manufactures» de la Nouvelle-Angleterre. Le marchand d'origine allemande Johann George Pfozer (1752-1848) est considéré comme le véritable père de Saint-Georges, ayant tiré profit de l'ouverture de la route Lévis-Jackman en 1830 pour y faire naître une industrie forestière. Au début du XXe siècle, des filatures (Dionne Spinning Mill) et des manufactures de chaussures se sont installées dans la région, favorisant une augmen-

tation importante de la population. Saint-Georges est de nos jours une ville tentaculaire dont la périphérie est quelque peu rébarbative, mais dont le centre recèle quelques trésors.

L'**église Saint-Georges** ★★ *(1re Avenue, St-Georges O.)* est juchée sur un promontoire dominant la rivière Chaudière. Entreprise en 1900, elle constitue sans contredit le chef-d'œuvre de l'architecte David Ouellet de Québec (réalisé en collaboration avec Pierre Lévesque). L'art de la Belle Époque y trouve ses lettres de noblesse, que ce soit à l'examen de son clocher central culminant à 75 m ou dans son magnifique intérieur à trois niveaux, abondamment sculpté et doré. Devant l'église trône la statue de *Saint Georges terrassant le dragon*. L'original de Louis Jobin, réalisé en bois recouvert de métal (1909), est exposé au **Musée national des beaux-arts du Québec** (voir p 435), à Québec. La statue visible à l'extérieur est une copie en fibre de verre qui remplace le modèle devenu trop fragile.

Parc des Sept-Chutes, voir p 517.

Le **barrage Sartigan** *(à la sortie de la ville)* a été construit en 1967 afin de régulariser le débit de la rivière Chaudière, pour ainsi atténuer dans la mesure du possible les crues printanières.

Prenez la route 204 vers l'est puis la route 275 vers le sud pour rejoindre Saint-Prosper.

Saint-Prosper
(3 863 hab.)

Le **Village des défricheurs** *(8$; début juin à début sept tlj*

Chaudière-Appalaches

9h30 à 16h30, reste de l'année sur réservation; 3821 route 204, ☎594-6009) constitue un centre d'interprétation relatant la vie rurale de la région au XIX⁰ siècle de même que celle de la première partie du XX⁰ siècle. Il compte une dizaine de vieux bâtiments rappelant les différents métiers de l'époque, dont la scierie, la forge, l'école et la fromagerie. Un impressionnant manoir se dresse sur le site, abritant des collections d'œuvres d'artistes et d'objets de la région.

De Saint-Georges, suivez la route 173 Sud jusqu'à Jersey Mills, où vous bifurquerez à droite sur la route 204 pour longer la rivière Chaudière jusqu'à Saint-Martin. Tournez à droite dans la route 269, qui conduit à La Guadeloupe et à Saint-Évariste-de-Forsyth, situé en retrait de la route 108, au cœur de la Haute-Beauce.

Saint-Évariste-de-Forsyth (626 hab.)

La Haute-Beauce est une région isolée, constituée de hauts plateaux cultivés depuis la fin du XIX⁰ siècle seulement. Les villages y sont récents et peu peuplés, mais les résidents sont accueillants et chaleureux. Saint-Évariste domine ce territoire, offrant de belles vues sur les fermes et les érablières avoisinantes.

Revenez à la route 269, que vous emprunterez vers le nord en direction de Saint-Méthode-de-Frontenac. À Robertsonville, tournez à gauche dans la route 112 pour une visite du «Pays de l'amiante», minerai apprécié pour ses propriétés isolantes et sa résistance thermique, mais entouré d'une vive controverse.

Thetford Mines (17 289 hab.)

La découverte d'amiante dans la région en 1876, cet étrange minerai filamenteux et blanchâtre, allait permettre le développement d'une portion du Québec jusque-là considérée comme fort éloignée. Les grandes entreprises américaines et canadiennes qui ont exploité les mines d'Asbestos, de Black Lake et de Thetford Mines, jusqu'à leur nationalisation au début des années 1980, ont érigé les empires industriels qui ont hissé le Québec au premier rang des producteurs mondiaux d'amiante.

Souvent dépeinte comme un milieu désolant, où les gens vivent misérablement entre des montagnes de débris noirs (les terrils) provenant des immenses carrières à ciel ouvert, la région a servi de cadre au film *Mon oncle Antoine* de Claude Jutra. Cette grisaille ne manque toutefois pas d'exotisme pour le visiteur qui désire explorer l'Amérique industrielle et connaître les méthodes d'extraction de même que les diverses utilisations de l'amiante dans la recherche et dans l'aérospatiale.

De superbes collections de pierres et de minéraux provenant du monde entier se retrouvent au **Musée minéralogique et minier de la région de Thedford Mines** *(6$; fin juin à début sept tlj 9h30 à 18h; hors saison tlj 13h à 17h, fermé jan et fév; 711 boul. Smith S., ☎335-2123).* Le musée présente notamment des échantillons d'amiante de plus de 25 pays. Des expositions expliquent aux visiteurs l'histoire du développement des mines ainsi que les différentes caractéristiques des minéraux et roches du Québec.

Les visites minières ★★ *(12$; sur réservation; fin juin à début sept tlj départ 13h30, juil et août départs 10h30, 13h30 et 15h30; 682 rue Monfette N., ☎335-7141, www.tourisme-amiante.qc.ca)* offrent une occasion unique de découvrir une mine d'amiante en pleine exploitation. En plus de descendre dans un puits à ciel ouvert et de visiter les sites d'extraction, vous aurez droit à une séance d'information sur les produits à base d'amiante.

Parc de Frontenac ★, voir p 517.

Black Lake *(8 km au sud-ouest de Thetford Mines par la route 112),* la municipalité voisine de Thetford Mines, offre un des plus impressionnants panoramas miniers en Amérique du Nord.

Revenez à la route 269, que vous emprunterez vers le nord en direction de Kinnear's Mills et de Saint-Jacques-de-Leeds. Isolé à l'écart de la route principale, le hameau de Kinnear's Mills mérite une petite visite.

Kinnear's Mills (360 hab.)

Entre 1810 et 1830, le gouvernement colonial britannique ouvre des cantons, aux noms à consonance anglaise, sur les terres qui n'ont pas encore été concédées aux seigneurs. Des émigrants irlandais, anglais et écossais viennent s'y fixer en petit nombre, bientôt supplantés par les Canadiens français. Ce mélange donnera parfois des noms de village qui semblent étranges aux visiteurs (Saint-Jacques-de-Leeds,

Saint-Hilaire-de-Dorset, etc.).

Le village de Kinnear's Mills, sur les berges de la rivière Osgoode, a été fondé par des Écossais en 1821. On y trouve une étonnante concentration d'églises de différentes dénominations reflétant la diversité ethnique de la région: l'église presbytérienne (1873), l'église méthodiste (1876), l'église anglicane (1897) de même que l'église catholique, de construction plus récente.

Poursuivez en direction de Saint-Jacques-de-Leeds, où vous pouvez voir d'autres églises coquettes, avant de regagner Québec par la route 269 Nord, qui rejoint la route 116.

Parcs

Circuit A:
Les seigneuries
de la Côte-du-Sud

Le **parc de la chute de la rivière Chaudière ★** *(autoroute 73, sortie 130, Charny).* Quittez Québec par le pont Pierre-Laporte, et, aussitôt après la traversée du fleuve, suivez les indications vers la chute.

La rivière Chaudière prend sa source dans le lac Mégantic. Longue de 185 km, elle se jette dans le fleuve Saint-Laurent juste après la chute, laquelle relève d'une formation géologique particulière: un banc de grès, très résistant, se trouve dans un ensemble de roches sédimentaires formé il y a plus de 570 millions d'années. Le gouvernement du Québec a

créé un parc qui comprend tout le site de la chute. Une passerelle installée au-dessus de la rivière Chaudière offre une vue impressionnante sur la chute. Au printemps, le débit atteint près de 1 700 000 l/seconde, soit 15 fois plus qu'en temps normal. C'est à ce moment que la chute est la plus impressionnante.

Une centrale électrique et un barrage ont été construits au niveau de la chute à la fin du XIXe siècle. Heureusement, le barrage n'a pas trop altéré la beauté sauvage du site. Depuis 1970, cette centrale électrique n'est plus en activité, des inondations l'ayant endommagée au point qu'il n'était plus financièrement intéressant de la remettre en fonction.

La rivière Chaudière a longtemps été une voie de communication importante. Les Abénaquis l'empruntaient pour venir vendre leurs fourrures à Québec ou pour se réfugier auprès des Français, pourchassés qu'ils étaient par les Anglais. Les Américains du général Arnold l'ont aussi empruntée en 1775, alors qu'ils cherchaient à conquérir Québec. On peut encore imaginer le campement qu'ils établirent dans la nuit du 8 au 9 novembre 1775 aux abords de la chute.

Circuit B: La Beauce

Le **parc des Rapides du Diable** *(entrée libre; 173 route du Président-Kennedy, Beauceville, à l'ouest, en sortant de Beauceville; ☎774-6252)* est pourvu de sentiers aboutissant à la Chaudière ainsi qu'aux rapides du Diable. Vous aurez l'occasion d'admirer les vestiges d'un moulin datant de

l'époque de la ruée vers l'or beauceronne.

Le **parc des Sept-Chutes** *(entrée libre; début juin à début sept tlj 9h à 21h; 1re Avenue O., St-Georges, ☎228-6070),* à ne pas confondre avec celui de Saint-Ferréol-les-Neiges, dispose de sentiers de randonnée, d'une piscine extérieure, d'un mini-zoo, de même que de plusieurs autres installations de plein air.

Au bord du lac Saint-François se trouve le **parc de Frontenac ★** *(599 ch. des Roy, St-Daniel-Lambton, ☎486-2300 ou 877-696-7272),* qui comprend plusieurs aires de pique-nique, quelques plages et des sentiers d'interprétation. La plus grande partie de son territoire se trouve dans la région des Cantons-de-l'Est.

Le **parc de la Chute Sainte-Agathe** *(voiture 5$, camping 15$; 342 rang Gosford O., Ste-Agathe, ☎599-2661)* offre un agréable site pour la baignade et la randonnée pédestre. À certains endroits, il faut être assez dégourdi pour se rendre de pierre en pierre jusqu'à l'eau, mais on a créé une petite plage pour permettre à tous d'en profiter. Les cascades et les bassins de la rivière Palmer vous promettent un bon rafraîchissement. Depuis la rivière, on aperçoit un pont couvert qui enjambe la chute.

C'est au bord du lac Etchemin qu'a été aménagé l'**Éco-Parc des Etchemins** *(fin juin à fin août tlj 10h à 18h; fin août à fin sept, fins de semaines seulement; 213 1re Avenue, Lac-Etchemin, ☎625-3272).* On y trouve une plage de sable, des sentiers pédestres, des terrains de volley-ball et de basket-ball, des aires de pique-

Chaudière-Appalaches

nique et un casse-croûte. Location de kayaks, pédalos et chaloupes.

Activités de plein air

Randonnée pédestre

Circuit B: La Beauce

Au **parc de la Chute Sainte-Agathe** *(342 rang Gosford O., Ste-Agathe, ☎599-2661),* vous pouvez déambuler le long de la rivière Palmer ou dans les bois environnants.

Au **parc de Frontenac** *(599 ch. des Roy, St-Daniel-Lambton, ☎486-2300 ou 877-696-7272),* de belles randonnées en forêt ou au bord du lac Saint-François vous attendent.

Kayak

Circuit A: Les seigneuries de la Côte-du-Sud

Mordus de kayak, les propriétaires de la **maison Normand** *(30$ pour 3 heures avec guide; 3894 ch. de Tilly, St-Antoine-de-Tilly, ☎886-2218)* sont aussi propriétaires de l'entreprise **Kayaks et Nature**. Chaque jour, ils accompagnent les excursionnistes le long des berges du fleuve pour faire découvrir sa beauté serei-

ne. Pour eux, ce qui prime, après le plaisir bien sûr, c'est la sécurité. L'encadrement et l'initiation se font dans les meilleures conditions possibles, à un rythme qui convient à chacun.

La baie de Montmagny est protégée des vents et des courants qui se font sentir sur le fleuve. C'est donc un bon site pour la mise à l'eau qui permet aux débutants de se familiariser tranquillement avec leur embarcation avant de se lancer au large. L'équipe de **Kayak–Eau–Fleuve** *(35$ par jour; mai à oct tlj; 22 av. des Canotiers, Montmagny)* débute donc ses excursions dans cette baie. Elle vous propose de longer les berges du fleuve ou les côtes de l'archipel de L'Isle-aux-Grues. On peut aussi y louer des kayaks de rivière et des canots.

Croisières

Circuit A: Les seigneuries de la Côte-du-Sud

Les **Croisières Lachance** *(39$; visite de 5 heures sur la Grosse-Île et croisière; 110 rue de la Marina, Berthier-sur-Mer, ☎259-2140 ou 888-476-7734)* proposent des sorties en «mer» sur un bateau confortable. Marins de pères en fils depuis trois générations, les Lachance vous feront découvrir l'archipel de L'Isle aux Grues, riche en histoire; leurs anecdotes vous replongeront dans la vie des insulaires au début du XXe siècle.

Observation des oiseaux

Circuit A: Les seigneuries de la Côte-du-Sud

Ornitour *(prix variables selon les forfaits, comprenant prêt de jumelles, transport et guide; sur réservation seulement; visites individuelles et en groupe; 85, av. de la Cour, Montmagny, ☎241-5368).* Seule entreprise privée au Québec à offrir des forfaits d'observation d'oiseaux, Ornitour vous invite à différentes excursions selon les saisons. Au printemps, l'observation de l'oie blanche; de mai à novembre, des visites axées sur le patrimoine et l'observation des oiseaux à l'île aux Grues (départs au quai de Montmagny); en hiver, des excursions en autoneige B-12 qui permettent d'aller nourrir les oiseaux en forêt (les petites mésanges iront jusque dans votre main!).

Canot

Circuit B: La Beauce

Le comptoir de renseignements touristiques de Sainte-Marie, situé dans le manoir Taschereau, fait la location de canots *(10$ l'heure, 20$ ½ journée, 30$ la journée; juin à fin août).* Vous pouvez ainsi découvrir cette région sur la rivière Chaudière, qui la traverse.

Au **parc de Frontenac**, il est possible de faire de belles excursions en canot sur le lac Saint-François. On y loue des embarcations.

Vélo

Circuit A:
Les seigneuries
de la Côte-du-Sud

L'île aux Grues se prête magnifiquement à la balade à vélo. Ses petites routes plates qui longent le fleuve ou de grands champs de blé offrent des vues à couper le souffle!

Circuit B: La Beauce

À **Saint-Georges** débute une belle grande piste cyclable qui parcourt les rives ouest et est de la rivière Chaudière jusqu'à Notre-Dame-les-Pins et Saint-Jean-de-la-Lande. Cette voie vous fera découvrir les beautés des petits coins cachés de la Beauce, qui valent à coup sûr le coup de pédales! Si un pépin venait à entraver votre promenade, souvenez-vous que Saint-Georges renferme l'entreprise Procycle, le plus gros fabricant de vélos au Canada!

Chasse

Circuit A:
Les seigneuries
de la Côte-du-Sud

La **région de Montmagny** est reconnue depuis belle lurette pour la chasse à l'oie. Si ce sport vous intéresse, vous trouverez de quoi vous satisfaire sur la Côte-du-Sud ou sur une île du Saint-Laurent, comme l'île aux Grues. À l'automne, les rives du fleuve sont littéralement envahies tant par les oies blanches en migration que par les chasseurs qui les attendent. Plusieurs pourvoyeurs louent des caches directement sur les berges, dans lesquelles vous pourrez vous camoufler, accompagné ou non d'un guide expérimenté.

Golf

Circuit A:
Les seigneuries
de la Côte-du-Sud

Le **Golf de l'Auberivière** *(30$; 777 rue Alexandre, Lévis, ☎835-0480)* est situé à quelques minutes des ponts de Québec, dans un bel espace vert sillonné par deux rivières et ponctué de quelques petits lacs. Il a l'avantage d'être facilement et rapidement accessible.

Hébergement

Circuit A:
Les seigneuries
de la Côte-du-Sud

Sainte-Croix

Camping Belle-Vue
$
🐾, ≈, ℜ
6939 route Marie-Victorin
☎/≈926-3482
Le camping Belle-Vue offre bel et bien une vue superbe sur le Saint-Laurent. Situé on ne peut plus au bord du fleuve, au pied d'un cap, il jouit d'un très bel environnement. Tout près se trouve le **Domaine Joly-De Lotbinière** (voir p 498). On peut y pratiquer plusieurs activités telles que baignade et tennis, et l'on y trouve tous les services.

Saint-Antoine-de-Tilly

Ce petit village se trouve à 20 min en voiture de Québec. Il peut être intéressant d'y loger, alors même qu'on visite la capitale québécoise, pour le plaisir de s'éveiller dans la grande nature, avec le majestueux fleuve Saint-Laurent pour toile de fond.

Le Marquis des Phares
$$
bc
705 place des Phares, à l'ouest du village, en descendant vers le fleuve
☎*886-2319*
L'auberge Le Marquis des Phares est moderne et sans cachet, mais elle offre une vue incroyable sur le fleuve. Aussi est-il recommandé de louer l'une des quatre chambres donnant sur le Saint-Laurent.

Manoir de Tilly
$$$-$$$$ pdj
≡, 🐾, ⊛, ⊘, 🅢, ⊙, ℜ
3854 ch. de Tilly
☎*886-2407 ou 888-862-6647*
≈*886-2595*
www.manoirdetilly.com
Le **Manoir de Tilly** (voir p 499) est une ancienne résidence datant de 1786. Les chambres ne sont toutefois pas aménagées dans la partie historique, mais dans une aile moderne qui offre cependant tout le confort et la tranquillité voulus. Elles sont toutes munies d'un foyer et offrent une belle vue. L'accueil est empressé, et la salle à manger propose une fine cuisine de qualité (voir p 522). L'auberge possède aussi un relais

santé (spa) et des salles de réunion.

Beaumont

Manoir de Beaumont
$$$ pdj
≈
485 route du Fleuve
☎833-5635
⇥833-7891
www.manoirdebeaumont.qbc. net
Perché sur le haut d'une colline et entouré d'arbres, le Manoir de Beaumont vous propose la formule «coucher et petit déjeuner» dans le confort et la tranquillité. Les cinq chambres sont joliment décorées dans un style qui respecte l'âge de la maison. Un vaste salon ensoleillé ainsi qu'une piscine sont mis à votre disposition.

Montmagny

Camping Pointe-aux-Oies
🏕, ≈
45 rue du Bassin Nord
☎248-9710
⇥248-7113
Non loin du quai de Montmagny, près du Théâtre des Migrations et surtout au bord de l'eau, le Camping Pointe-aux-Oies possède un site remarquable en plus d'offrir tous les services et nombre d'activités.

Gîte Les deux Marquises
$$
bc/bp
153 rue St-Joseph
☎248-2178
Grande maison familiale en deux parties remplie de charme et de couloirs qui accumule depuis le début du XXe siècle les souvenirs de la famille de cette ancienne enseignante qui vous accueille dans trois chambres.

B&B Gîte Le Migrateur
$$
≈, *bc*
6 av. du Quai
☎248-2117
Pour entrer «chez vous» et prendre plaisir à siroter un rafraîchissement ou placoter avec Mimi et Yvon sur la terrasse fleurie qui entoure la piscine. En prime: nuit avec la bise du fleuve dans trois chambres redécorées pour vous.

La Belle Époque Inn
$$
🐾, ℜ
100 rue St-Jean-Baptiste Est
☎248-3373 ou 800-490-3373
⇥248-7957
www.epoque.qc.ca
L'ambiance cossue et chaleureuse de La Belle Époque Inn laisse un excellent souvenir au visiteur. Le mobilier fait de main de maître, allié au charme de cette maison de 1850, garantit un bon confort.

Manoir des Érables
$$$-$$$$
≡, 🐾, ⊛, ℑ, ≈, ℜ
220 boul. Taché Est
☎248-0100 ou 800-563-0200
⇥248-9507
www.manoirdeserables.com
Le Manoir des Érables est un ancien logis seigneurial à l'anglaise. L'opulence de sa décoration d'époque et son accueil courtois et chaleureux vous assurent d'un séjour de roi. Les chambres sont belles et confortables, et plusieurs d'entre elles ont un foyer. Au rez-de-chaussée, on a aménagé un agréable *cigar lounge* orné de multiples trophées de chasse où l'on propose une grande variété de scotchs et de cigares. Vous pourrez, de plus, profiter de la salle à manger (voir p 523) ou du bistro, qui servent tous

deux une excellente cuisine. On loue aussi des chambres de motel, situées un peu à l'écart sous les érables, et quelques chambres dans un pavillon tout aussi invitant que le manoir lui-même.

Cap-Saint-Ignace

Auberge du Petit cap
$$
ℜ
51 rue du Manoir Est
☎246-5329 ou 800-757-5329
www.aubergedupetitcap.com
L'ancien Hôtel Central, plaque tournante du village, revit dans l'atmosphère d'un relais, aux bonnes nouvelles d'époque. Dix chambres en lattes de bois.

Île aux Grues

Gîte Chez Bibiane
$ pdj
bc
270 ch. du Roi
☎248-6173
Sur l'île aux Grues, deux auberges, quelques emplacements de camping et quelques gîtes peuvent vous héberger et vous permettre de profiter des magnifiques couchers de soleil sur l'archipel. Au Gîte Chez Bibiane, vous serez accueilli d'une manière chaleureuse et discrète, mais la famille ne sera pas avare de conversation si vous avez envie d'en connaître plus sur les insulaires et leur île. Les quatre petites chambres sont décorées avec simplicité; au petit déjeuner, servi dans une pièce où vous avez vue sur le fleuve, on vous fera goûter au fromage frais de l'île. L'endroit est aussi une ferme laitière et, l'automne venu, une pourvoirie pour la chasse à l'oie blanche.

Saint-Eugène-de-L'Islet

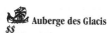 **Auberge des Glacis**
$$
≡, ℝ, ℜ
46 route de la Tortue
☎*247-7486 ou 877-245-2247*
≈*247-7182*
www.aubergedesglacis.com
Installée dans un ancien moulin seigneurial au bout d'une petite route bordée d'arbres, l'Auberge des Glacis a un charme bien particulier. Les chambres sont confortables et possèdent toutes un nom et une décoration bien à elles. La salle à manger sert une délicieuse cuisine française (voir p 523). Le tout a conservé les beaux atours du moulin, comme ses fenêtres de bois à large encadrement et ses murs de pierres. Le site est lui aussi des plus agréables; on y trouve un lac, des sentiers aménagés pour l'observation des oiseaux, une petite terrasse et, bien sûr, une rivière. L'endroit est exceptionnellement tranquille et invite à la détente.

L'Islet-sur-Mer

Gîte Les Pieds dans l'eau
$$ pdj
bc/bp
549 ch. des Pionniers Est
☎*247-5575*
Solange vous accueille au bord du grand fleuve qui est presque dans votre assiette du petit déjeuner, par ailleurs remplie de mets mitonnés avec amour et fantaisie.

Gîte du Docteur
$$ pdj
≡, ℑ, ✪
81 ch. des Pionniers
☎/≈*247-3112*
Au bord de la route 132, on ne peut manquer la grosse demeure recouverte de vigne qu'est le Gîte du Docteur. Cette belle vieille

maison vous offre une halte agréable avec ses quatre chambres confortables. Vous pourrez en outre y profiter d'une verrière et d'un foyer. Fermé en hiver.

Auberge La Marguerite
$$-$$$
≡, ℝ, ℜ
88 ch. des Pionniers Est
☎*247-5454 ou 877-788-5454*
www.aubergelamarguerite.com
Établie dans une maison rénovée mais datant de 1754, l'Auberge La Marguerite a su retrouver son charme d'antan. Les huit chambres, baptisées d'après les goélettes qui ont fait la gloire de la région, sont confortables et décorées avec goût.

Saint-Jean-Port-Joli

Camping de la Demi-Lieue
$
≈
589 av. de Gaspé Est
☎*598-6108 ou 800-463-9558*
≈*598-9558*
Le Camping de la Demi-lieue occupe une ancienne seigneurie mesurant précisément une demi-lieue de long, ce qui offre amplement d'espace pour que chacun puisse profiter de ce beau site au bord de l'eau. On y trouve tous les services nécessaires et, le terrain étant gardé, la sécurité désirée.

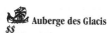 **Maison de L'Ermitage**
$$ pdj
bc/bp
56 rue de l'Ermitage
☎*598-7553*
≈*598-7667*
Dans une vieille maison rouge et blanche à quatre tours d'angle et entourée d'une galerie avec vue sur le fleuve, le gîte de la Maison de L'Ermitage vous propose cinq chambres douillettes et un bon petit déjeuner. On pourra y profiter de nombreux

petits coins ensoleillés, aménagés pour la lecture ou la détente, ainsi que du terrain qui descend jusqu'au fleuve. Juste à côté se tient chaque année l'**Internationale de la Sculpture de Saint-Jean-Port-Joli** (voir p 526).

Auberge du Faubourg
$$$-$$$$
ℂ, ≈, ℜ
280 av. De Gaspé Ouest
☎*598-6455 ou 800-463-7045*
≈*598-3302*
www.aubergedufaubourg.com
L'Auberge du Faubourg est établie à Saint-Jean-Port-Joli depuis plus de 50 ans. Il s'agit davantage d'un motel que d'une auberge puisqu'elle met à votre disposition des unités situées plus ou moins près du fleuve. On y trouve une vaste salle à manger décorée de sculptures, un bar et une boutique d'artisanat.

Circuit B: La Beauce

Saint-Joseph-de-Beauce

Camping Municipal Saint-Joseph
$
✿, ≈
221 route 276
☎*397-5953 ou 800-397-4358*
≈*397-5715*
Ce camping compte 60 emplacements situés au bord d'une rivière et de ses cascades. Dans ce beau décor, on peut se baigner dans le cours d'eau et profiter de plusieurs activités.

Motel Bellevue
$-$$
≡, ✿, ⊛, ℜ
1150 av. du Palais
☎*397-6132*
≈*397-4779*
Le Motel Bellevue se trouve aux abords de la ville. D'aspect très quelconque, il propose des

Chaudière-Appalaches

chambres au mobilier en contreplaqué. Un petit restaurant servant de bons petits déjeuners l'avoisine.

Sainte-Marie

Motel Invitation Inn
$$
≡, 🐾, ⊛, ℂ, ✿, ℜ
889 boul. Vachon Nord
☎888-213-7800 ou 387-7800
⇌387-7800
Le Motel Invitation Inn se trouve à l'entrée de la ville. Le site manque de calme, cependant les chambres sont soignées et le service sympathique.

Saint-Georges

Gîte La Sérénade
$$
bc
8835 35ᵉ Avenue (par la 90ᵉ Rue)
St-Georges-de-Beauce-Est
☎228-1059
Un très bel accueil dans cette maison où l'histoire de famille reste au cœur des discussions et de la décoration. Un peu à l'écart du centre, pour une douce nuit entourée d'arbres.

Auberge-Motel Benedict-Arnold
$$
≡, 🐾, ⊛, ≈, ℝ, ℜ, △
18255 boul. Lacroix
☎228-5558 ou 800-463-5057
⇌227-2941
www.aubergearnold.qc.ca
Située près de la frontière canado-étasunienne, l'Auberge-Motel Benedict-Arnold est une étape reconnue depuis bien des générations. On y trouve plus de 50 chambres, mais elles sont toutes aménagées avec un souci de respecter l'intimité des gens. On y loue aussi des chambres de motel. Deux salles à manger proposent une bonne cuisine (voir p 524).

L'accueil est des plus courtois.

Le Georgesville
$$$
≡, ⊛, ⊘, ℂ, ≈, ✿, △
300 118ᵉ Rue
☎227-3000 ou 800-463-3003
⇌228-4110
www.georgesville.com
Il est facile de trouver Le Georgesville, car il est aménagé dans le plus grand bâtiment de la ville. D'ailleurs, cette construction trop moderne détonne dans Saint-Georges. Les chambres sont néanmoins confortables.

Lac-Etchemin

Manoir Lac-Etchemin
$$-$$$$
≡, ⊛, ≈, ℜ
187 3ᵉ Avenue
☎625-2101 ou 800-463-8489
⇌625-5424
www.manoirlacetchemin.com
Un peu en dehors de nos circuits, mais situé au bord du beau lac Etchemin, dans un environnement agréable, se trouve le Manoir Lac-Etchemin. Il s'agit d'un hôtel moderne pourvu d'une quarantaine de chambres, d'un bar, d'une discothèque, de salles de réunion et d'une salle à manger. On peut y pratiquer une foule d'activités hiver comme été. Certaines chambres ont un balcon avec vue sur le lac.

Restaurants

Circuit A: Les seigneuries de la Côte-du-Sud

Lotbinière

La Romaine
$$
7406 route Marie-Victorin
☎796-2723
Installé dans une vieille maison victorienne, le restaurant La Romaine vous propose, le midi comme le soir, un bon petit menu qui met à l'honneur les produits frais de la région. En été, on trouve toujours du poisson ou des fruits de mer à la table d'hôte. Le service est aimable et sans prétention.

Saint-Antoine-de-Tilly

Manoir de Tilly
$$$$
3854 ch. de Tilly
☎886-2407 ou 888-862-6647
La table du Manoir de Tilly vous propose une cuisine française raffinée, mariée à des produits d'ici, tels l'agneau et le canard, ou à des mets plus inusités, comme l'autruche et le daim. Dans la salle à manger rénovée, il est difficile de s'imaginer qu'on se trouve dans un bâtiment historique. L'endroit est toutefois agréable, et vous pourrez y déguster des plats finement apprêtés et présentés, tout en ayant les yeux rivés sur la vue qui s'offre derrière les grandes fenêtres du mur nord.

Lévis

La Piazzetta
$$-$$$
5410 boul. de la Rive-Sud
☎*835-5545*
On trouve à Lévis un restaurant de la populaire chaîne Piazzetta. Il est malheureusement situé dans un environnement plutôt commercial, au bord de la route 132, qui n'a pas le charme du vieux Lévis. Mais l'ambiance est agréable, et l'on y sert une pizza à pâte mince garnie de façon originale et délicieuse ainsi que de bons accompagnements comme la salade de *proscuitto* et melon.

Beaumont

Moulin de Beaumont
$
fin juin à fin août
dîner seulement
2 route du Fleuve
☎*833-1867*
Au Moulin de Beaumont, on trouve un sympathique petit café offrant une belle vue sur le fleuve et sur le moulin. On y mange de bons petits plats tels que croque-monsieur et pâté de viande, servis avec le délicieux pain maison (à base de farine du moulin). On peut d'ailleurs faire provision de ce pain à la boulangerie attenante au café.

Saint-Vallier

La levée du jour
$
mer-dim fermé à 18h
344 rue Principale
☎*884-2715*
Devant la boulangerie de La levée du jour, on a installé quelques tables munies de jolis parasols. On peut y manger un sandwich ou une quiche accompagnés d'un bon café. On pourra terminer ce petit repas par une crème glacée du bar laitier voisin. N'oubliez pas de faire des provisions à la boulangerie: la tarte aux tomates et le pain sont délicieux.

Berthier-sur-Mer

Café du Havre
$$
120 rue de la Marina
☎*259-2364*
À la marina de Berthier-sur-Mer, le Café du Havre sert des plats tels que hamburgers et pizzas, et propose des tables d'hôte affichant des plats de poisson, de fruits de mer ou de volaille. La terrasse offre une vue imprenable sur le Saint-Laurent.

Montmagny

L'Épi d'Or
$
fermé à 18h
117 rue St-Jean-Baptiste Est
☎*248-3021*
L'Épi d'Or est un comptoir et café sympathique pour les meilleurs croissants et les meilleures crêpes à des kilomètres à la ronde. Commandes possibles.

La Belle Époque
$$-$$$
100 rue St-Jean-Baptiste Est
☎*248-3373 ou 800-490-3373*
L'auberge **La Belle Époque** (voir p 520) bénéficie d'une terrasse ombragée et d'une salle à manger joliment décorée. On y propose une table d'hôte inspirée de la cuisine française et offrant un bon rapport qualité/prix.

Resto L'Olivier
$$$
1 rue St-Jean-Baptiste Est
☎*248-3435*
Le Resto L'Olivier sert des pâtes et des fruits de mer dans une atmosphère de restaurant français de belle qualité.

Manoir des Érables
$$$$
220 boul. Taché Est
☎*248-0100 ou 800-563-0200*
À la table du **Manoir des Érables** (voir p 520), le poisson et la viande de gibier sont à l'honneur. L'oie, l'esturgeon, la lotte, l'agneau ou le faisan sont ici mijotés selon la pure tradition française. Servis dans la magnifique salle à manger de l'auberge, ces produits de la région sauront vous enchanter. À l'automne et en hiver, un feu de foyer réchauffe les convives. Il s'agit d'une des meilleures tables de la région.

Île aux Grues

Sur l'île aux Grues, vous pourrez vous restaurer soit au bon petit casse-croûte situé près du quai ou encore à la table de l'une des auberges de l'île. Du côté ouest, on trouve un grand bateau échoué dont la coque proclame, *Oh! que ma quille éclate, Oh! que j'aille à la mer.* Depuis plus de 20 ans, le **Bateau Ivre** (*$$; mai à début sept; 118 ch. Basse-Ville,* ☎*248-0129*) restaure et divertit autant les insulaires que les visiteurs. On y sert une cuisine familiale honnête, et les soirées sont parfois animées par un petit orchestre. Le tout, à l'intérieur d'un bateau resté tel qu'il était lorsqu'il naviguait et qui offre, il va sans dire, une belle vue sur le fleuve!

Saint-Eugène-de-l'Islet

Auberge des Glacis
$$$$
46 route de la Tortue
☎*247-7486*
À l'Auberge des Glacis, vous avez rendez-vous avec une fine cuisine fran-

çaise qui risque bien de faire partie de vos meilleurs souvenirs gastronomiques! La salle à manger, aménagée dans un moulin historique, est lumineuse et agréable. Vous pourrez y déguster des plats de viande ou de poisson tout aussi beaux que bons. Le midi, on peut aussi prendre un repas plus léger sur la terrasse, au bord de la rivière.

L'Islet-sur-Mer

La Paysanne
$$-$$$$
497 ch. des Pionniers Est
☎247-7276 *ou* 877-660-7276
Le restaurant La Paysanne est situé tout juste au bord du fleuve. Sa salle à manger offre donc une superbe vue sur le Saint-Laurent et sa rive nord. On peut y déguster une fine cuisine française jouant avec les saveurs de la région et présentée de belle façon.

Saint-Jean-Port-Joli

La Boustifaille
$
547 av. de Gaspé Ouest
☎598-3061 *ou* 877-598-7409
Dans la grange qui abrite aussi le théâtre d'été **La Roche à Veillon** (voir p 525), le restaurant La Boustifaille sert une cuisine canadienne généreuse. Avec son décor pittoresque, cette grande salle à manger vous fera bien débuter une soirée au théâtre. Le restaurant est toutefois ouvert tous les jours, du petit matin jusqu'au soir. Un comptoir vend aussi les produits frais de la maison tels que pains, moutardes et confitures.

Café Bistro O.K.
$-$$
247 rue du Quai
☎598-7087
Devant la marina se trouve un bistro des plus agréables. Le Café Bistro O.K. est décoré de façon originale et meublé de vieux bancs d'église sculptés et colorés: après tout, on est à Saint-Jean-Port-Joli! Le menu est inscrit sur un sac en papier et affiche de bons petits plats tels que hamburgers et fines pizzas. Par les belles soirées d'été, sa «galerie-terrasse» est bondée.

Café La Coureuse des Grèves
$$-$$$$
300 route de l'Église (route 204)
☎598-9111
Le Café La Coureuse des Grèves, jadis beaucoup plus petit, a su garder la qualité dans tous les aspects de ce qu'il a à offrir aux visiteurs. Ambiance chaleureuse de bois clair et cafés mémorables. En été, c'est la terrasse fleurie qui compte. N'oubliez pas de demander qu'on vous raconte la légende de *La Coureuse*...

Circuit B: La Beauce

Sainte-Marie

Les Pères Nature
$$
590 boul. Vachon
☎387-2659
Les propriétaires du restaurant La Table du Père Nature de Saint-Georges possèdent aussi Les Pères Nature de Sainte-Marie, un marché de fruits et légumes où l'on peut prendre un repas léger préparé à partir d'aliments sains.

Saint-Georges

Il Mondo
$$-$$$
11615 1re Avenue
☎228-4133
Le restaurant-bar Il Mondo présente un joli décor dernier cri avec céramique, bois et fer forgé. On y mange des mets d'inspiration internationale tels que *nachos* et *panini*. On peut aussi y prendre un délicieux café.

À l'Auberge-Motel Benedict-Arnold, on trouve deux salles à manger affichant le même menu. On y propose une bonne table d'hôte où figurent bœuf, volaille et poisson. La salle de l'**Arnold et Maude** *($$$; 18255 boul. Lacroix,* ☎228-5558 *ou* 800-463-5057*)* est agréable et plus sophistiquée, tandis qu'à l'**Entrecôte** *($$$)* on mange dans une salle aux murs de pierres et à l'ambiance bistro.

🏆 **La Table du Père Nature**
$$$
10735 1re Avenue
☎227-0888
La Table du Père Nature est certes l'un des meilleurs restaurants en ville. On y sert une cuisine française d'inspiration nouvelle, apprêtée avec art et raffinement. La simple lecture du menu saura vous mettre en appétit. On y propose à l'occasion des plats de gibier.

Sorties

Bars et discothèques

Montmagny

L'Autre Bar
118 rue St-Jean-Baptiste
L'Autre Bar, installé dans l'ancien bureau de poste, avec son décor noir et bleu ainsi que sa terrasse, attire une clientèle de plus de 25 ans toutes les fins de semaine. L'établissement se remarque aussi par la fresque qu'on a peinte sur son mur ouest et qui égaie la terrasse.

Le Pub du Lys
135 rue St-Jean-Baptiste E.
☎ 248-4088
Le Pub du Lys est un endroit sympathique où vous pourrez siroter une bière tranquillement en discutant entre amis. Le joyeux propriétaire réchauffe chaque soir l'ambiance avec ses rabais-surprises. La terrasse, très achalandée en période estivale, est le rendez-vous de la jeunesse magnymontoise.

Saint-Jean-Port-Joli

Café La Coureuse des Grèves
300 route de l'Église
☎ 598-9111
À l'étage de la Coureuse des Grèves se trouve un petit bar sous les combles au mobilier de cuir et de bois. On peut y profiter d'un joli «balcon-terrasse» entouré d'arbres.

Saint-Georges

Le Vieux Saint-Georges
11655 1ʳᵉ Avenue
Le Vieux Saint-Georges bénéficie d'une magnifique terrasse où il fait bon prendre un verre par les belles soirées d'été.

Théâtres et salles de spectacle

Lévis

L'Anglicane
33 rue Wolfe
☎ 838-6000
À Lévis, l'Anglicane est une petite salle de spectacle de 175 places aménagée dans une ancienne église... anglicane. Datant de la fin du XIXᵉ siècle, elle offre une acoustique particulièrement bonne qui donne aux concerts un côté intimiste des plus agréables. On y présente des artistes de tous milieux. Devant l'église, un arbre gigantesque pousse comme une fleur en éclosion, ajoutant au pittoresque de l'endroit!

Beaumont

Théâtre Beaumont-Saint-Michel
mai à sept
51 route 132
☎ 884-3344
Entre les villages de Beaumont et de Saint-Michel-de-Bellechasse, sur la route 132, se trouve le Théâtre d'été Beaumont-Saint-Michel, qui, grâce à une bonne réputation acquise au fil des années, attire non seulement les villégiateurs et les gens de la région, mais aussi les résidants de la capitale québécoise.

Saint-Jean-Port-Joli

Théâtre La Roche à Veillon
mi-juin à début sept
547 av. de Gaspé E.
☎ 598-7409 ou 877-598-7409
Le théâtre d'été La Roche à Veillon présente, dans une ambiance toute campagnarde créée par la grange dans laquelle il loge depuis plus de 25 ans, des pièces de théâtre de qualité qui sauront ajouter au plaisir de vos vacances.

Fêtes et festivals

Montmagny

À l'automne, les oies blanches reviennent des régions nordiques où elles ont passé l'été et où elles ont donné naissance, pour se diriger vers le sud et ses températures plus clémentes. En chemin, elles font halte sur les rives du fleuve Saint-Laurent, surtout à certains endroits leur offrant une nourriture abondante, comme les battures de Montmagny. C'est donc l'occasion pour la ville de célébrer le **Festival de l'oie blanche** *(deux semaines en octobre;* ☎ *248-3954)* en offrant toutes sortes d'activités reliées à l'observation et à l'interprétation de ce bel oiseau migrateur.

Carrefour mondial de l'accordéon
une semaine en août
☎ 248-7927
À la fin du mois d'août, Montmagny est l'hôte du Carrefour mondial de l'accordéon, où se rassemblent des accordéonistes venus de partout pour partager et faire découvrir, par des concerts et des ateliers, les secrets de leur art.

Chaudière-
Appalaches

Saint-Jean-Port-Joli

Internationale de la Sculpture de Saint-Jean-Port-Joli
☎598-7288

Chaque année, à la fin du mois de juin, Saint-Jean-Port-Joli accueille un grand rassemblement de sculpteurs venus de partout dans le monde. L'Internationale de la Sculpture de Saint-Jean-Port-Joli est un événement qui fait beaucoup de bruit et qui anime la ville de la plus belle des façons. Des artistes reconnus créent des œuvres sous vos yeux, dont certaines seront ensuite exposées tout l'été pour permettre à tous'de les admirer.

Saint-Jean-Chrysostome

Festivent
☎839-0285

Le Festivent, qui se tient à la fin du mois de juillet, attire les petits et les grands qui ont un jour rêvé de planer au-dessus des nuages. Parachutes, cerf-volants et montgolfières se donnent rendez-vous pour animer le ciel du village.

Achats

Circuit A:
Les seigneuries de la Côte-du-Sud

Lévis

Les chocolats Favoris / La Glacerie à l'Européenne
32 av. Bégin, vieux Lévis
☎833-2287

Confiseur-chocolatier et glacier à l'ancienne dans un décor de mise. Le vrai paradis des «becs sucrés» pour les chocolats fins ou les sorbets. Un beau choix... difficile!

Montmagny

Boutique Suzette-Couillard
70 rue St-Jean-Baptiste E.
☎248-9642

Pour trouver toutes sortes de petits objets pour la maison ou même des antiquités et des bijoux, rendez-vous à la Boutique Suzette-Couillard.

Cap-Saint-Ignace

Les Créations du Berger
1008 ch. des Pionniers O.
☎246-3400

Les Créations du Berger proposent toute une gamme de produits douillets. Ces articles en peau de mouton sont souvent bienvenus l'hiver venu!

Saint-Jean-Port-Joli

Saint-Jean-Port-Joli étant reconnue pour son artisanat, de nombreuses petites boutiques proposent les produits des artisans de la région. Si fouiner dans ce genre de commerce est une activité qui vous plaît, vous aurez certes ici de quoi vous amuser. On y trouve de plus quelques boutiques de brocanteurs où l'on peut dénicher des trésors. Vous verrez plusieurs de ces adresses le long de la route 132; en voici quelques-unes.

La **Boutique et Atelier Myriam** (233 av. de Gaspé O.) propose les sculptures d'un artiste que vous pouvez parfois voir à l'œuvre.

Entre le Musée des Anciens Canadiens et la maison Médard-Bourgaut se trouve l'atelier du fils de ce dernier. La **Boutique Jacques-Bourgault** (326 av. de Gaspé O.) vous propose donc ses œuvres d'art contemporain ou religieux.

Entr'Art (812 av. de Gaspé O.), qui sert à la fois de galerie et de boutique, dispose d'une bonne sélection de sculptures, de peintures et de vitraux.

Saint-Vallier

Artisanat Chamard (mi-mars à déc tlj 8h à 17h, mi-juin à mi-sept tlj 8h à 21h; 601 av. de Gaspé E., ☎598-3425) a une bonne réputation depuis près d'un demi-siècle. On peut s'y procurer des tricots et tissus, des céramiques ainsi que des objets d'art amérindiens et inuits.

À la Bourgade «Village des Artisans» (mi-juin à début sept; 329 av. de Gaspé O., ☎598-6829), vous trouverez une série de boutiques proposant une très bonne sélection d'œuvres artisanales telles que poterie, jouets de bois, peintures, articles de cuir, tricots et tissus ainsi que sculptures.

Bas-Saint-Laurent

La région très pittoresque du Bas-Saint-Laurent s'étire le long du fleuve, depuis la petite ville de La Pocatière jusqu'à Sainte-Luce, et s'étend jusqu'aux frontières avec les États-Unis et le Nouveau-Brunswick.

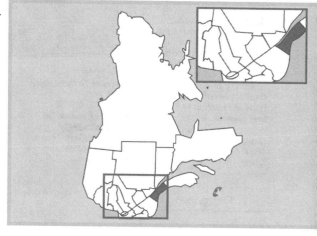

En plus de sa zone riveraine, aux terres très propices à l'agriculture, le Bas-Saint-Laurent comprend également une grande région agro-forestière, aux paysages légèrement vallonnés et riches de nombreux lacs et cours d'eau.

Le peuplement permanent des terres du Bas-Saint-Laurent débuta dès les origines de la Nouvelle-France, puis se fit par étapes selon la succession des différents modes de mise en valeur du territoire. La traite des fourrures y attira les premiers colons qui fondèrent, avant la fin du XVIIe siècle, les postes de Rivière-du-Loup, du Bic, de Cabano et de Notre-Dame-du-Lac.

Les riches terres bordant le fleuve Saint-Laurent furent défrichées puis cultivées dès le siècle suivant. Le paysage de ces plaines reste d'ailleurs structuré selon le mode de division du sol hérité de l'époque seigneuriale. Les terres de l'intérieur furent colonisées un peu plus tard, vers 1850, alors que l'exploitation des richesses forestières se faisait de pair avec la culture du sol.

Il y eut finalement une dernière vague de peuplement au cours de la crise économique des années 1930, alors que la campagne devenait le refuge des ouvriers sans travail des villes. Ces différentes étapes de colonisation du Bas-Saint-Laurent se reflètent d'ailleurs dans son riche patrimoine architectural.

Cette région se trouve à l'extrémité orientale des terres de la vallée du Saint-Laurent, défrichées et cultivées sous le Régime français. Comme ailleurs en Nouvelle-France, la zone habitée formait à l'origine une étroite lisière le long du fleuve. Au XIXe siècle, le Bas-Saint-Laurent devient l'un des principaux lieux de villégiature des riches Montréalais, qui s'y font construire de luxueuses résidences victoriennes.

Pour s'y retrouver sans mal

Un premier circuit, intitulé **Circuit A: Le Pays de Kamouraska** ★★, longe le fleuve, de La Pocatière à Sainte-Luce, offrant de très belles vues sur les vastes étendues d'eau du Saint-Laurent ainsi que sur les montagnes de Charlevoix et du Saguenay. L'intérieur des terres, parsemé de lacs et de villages où l'industrie forestière domine, est traité dans un second circuit, baptisé **Circuit B: La Belle au bois dormant** ★. Pour plus de renseignements, vous pouvez consulter le *Guide Ulysse Gaspésie, Bas-Saint-Laurent et Îles de la Madeleine*.

En voiture

Pour accéder aux deux circuits proposés dans la région, quittez l'autoroute 20 et prenez la route 132 Est. Les routes 232, 185 et 289 vous permettent d'entrer à l'intérieur des terres ainsi que de voir les superbes forêts et vallées du Bas-Saint-Laurent.

En traversier

Rivière-du-Loup
adulte 11,50$, vélo 4,10$, voiture 29,20$
durée: 1 heure
☎*(418) 862-5094 (de Rivière-du-Loup)*
☎*(514) 849-4466 (de Montréal)*
☎*(418) 638-2856 (de St-Siméon)*
relie Rivière-du-Loup et Saint-Siméon dans Charlevoix.

Noms des nouvelles villes fusionnées

Rimouski
Fusion de Rimouski, Pointe-au-Père, Mont-Lebel, Rimouski-Est, Sainte-Blandine et Sainte-Odile-sur-Rimouski.

Sainte-Luce
Fusion de Luceville et Sainte-Luce.

L'Isle-Verte
traversier *La Richardière*
mai à nov
durée: 30 min
5$, vélo 6$, voiture 30$
☎*(418) 898-2843*
quitte L'Isle-Verte pour se rendre à Notre-Dame-des-Sept-Douleurs.

Si vous n'avez pas de voiture, vous pouvez vous embarquer sur un bateau-taxi *(6$;* ☎*418-898-2199).*

Trois-Pistoles
adulte 11,50$, vélo 4,10$, voiture 29,95$
durée: environ 90 min
Trois-Pistoles:
☎*(418) 851-4676*
Les Escoumins:
☎*(418) 233-4676*
relie Trois-Pistoles aux Escoumins sur la Côte-Nord et permet, avec un peu de chance, de voir plusieurs mammifères marins.

Gares routières

Rivière-du-Loup
83 boul. Cartier
☎*(418) 862-4884*

Rimouski
90 rue Léonidas
☎*(418) 723-4923*

Gares ferroviaires

La Pocatière
95 av. de la Gare
☎*800-361-5390*

Rimouski
57 de l'Évêché E.
☎*800-361-5390*

Rivière-du-Loup
615 rue Lafontaine
☎*800-361-5390*

Trois-Pistoles
231 rue de la Gare
☎*800-361-5390*

Renseignements pratiques

Indicatif régional: **418**

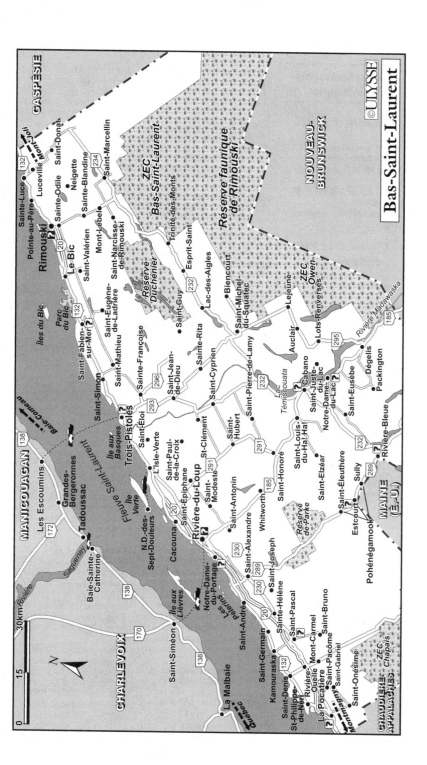

Bas-Saint-Laurent

©ULYSSE

Renseignements touristiques

Bureau régional

**Maison touristique
du Bas-Saint-Laurent**
148 rue Fraser, Rivière-du-Loup,
G5R 1C8
☎867-3015 ou 800-563-5268
⇄867-3245
*www.tourismebas-st-laurent.
com*

Circuit A: Le Pays de Kamouraska

Rivière-du-Loup
189 rue Hôtel-de-Ville
☎862-1981 ou 888-825-1981

Saint-Fabien
33 route 132 O.
☎869-3333

Rimouski
50 rue St-Germain O.
☎723-2322 ou 800-746-6875

Attraits touristiques

Circuit A: Le Pays de Kamouraska (deux jours)

La région de Kamouraska ne constitue que la porte d'entrée de ce circuit, qui s'étend en fait bien au-delà. Mais sa notoriété, acquise notamment grâce au roman *Kamouraska* d'Anne Hébert, a dicté le choix du titre. Le circuit s'inscrit logiquement à la suite de celui des seigneuries de la Côte-du-Sud, dans la région de **Chaudière-Appalaches** (voir p 497). Il est

donc possible de jumeler les deux trajets afin d'avoir un aperçu complet de la Côte-du-Sud.

Suivez la route 132 Est en direction de La Pocatière.

La Pocatière (5 000 hab.)

L'ancienne seigneurie de La Pocatière fut concédée en 1672 à Marie-Anne Juchereau, veuve d'un officier du régiment de Carignan-Salières. Elle passa ensuite entre les mains de la famille D'Auteuil puis de la famille Dionne. L'ouverture d'un collège classique en 1827, puis de la première école d'agriculture au Canada en 1859, devait faire de son bourg une ville d'études supérieures, vocation qu'elle conserve encore de nos jours.

On y trouve également la principale usine de la multinationale Bombardier, spécialisée dans le matériel de transport en commun et l'avionnerie. C'est ici que l'on fabrique les wagons des métros de Montréal, de New York et de plusieurs autres grandes villes à travers le monde.

Tournez à gauche dans la 4ᵉ Avenue, qui mène à la cathédrale et à l'ancien séminaire, imposant édifice Beaux-Arts de 1922 devenu le cégep de La Pocatière.

La **cathédrale Sainte-Anne** *(103 4ᵉ Avenue)*. Siège d'un évêché, La Pocatière possède une cathédrale moderne, achevée en 1969.

Le **Musée François-Pilote** ★ *(4$; lun-sam 9h à 12h et 13h à 17h, dim 13h à 17h; oct à mai fermé sam; 100 4ᵉ Avenue, ☎856-3145)* porte le nom du fondateur de l'École d'agriculture de La

Pocatière. On y présente, dans un des pavillons du collège Sainte-Anne, situé à l'arrière du cégep (au fond du stationnement sur la droite), différentes collections qui racontent la vie rurale au Québec au tournant du XXᵉ siècle (bureau de médecin, instruments aratoires, intérieur bourgeois, vestiges amérindiens, instruments destinés à la fabrication du sucre d'érable, etc.).

Sur l'avenue Painchaud, au centre de la ville, on trouve quelques boutiques et cafés agréables.

Empruntez l'avenue Painchaud pour rejoindre la route 132 Est en direction de Rivière-Ouelle.

Rivière-Ouelle (1 240 hab.)

Ce charmant village, situé de part et d'autre de la rivière qui lui a donné son nom, fut fondé, dès 1672, par le seigneur François de La Bouteillerie. En 1690, un détachement de l'amiral britannique William Phipps tenta un débarquement à Rivière-Ouelle, qui fut aussitôt repoussé par l'abbé Pierre de Francheville, à la tête d'une quarantaine de colons.

Construite en 1931, l'**école Delisle** *(1$; fin juin à début sept tlj 10h à 16h; 214 route 132; ☎856-2761 ou 856-2793)* rappelle l'époque des écoles de rang. On y tourna des scènes de la série *Cormoran*.

L'**église Notre-Dame-de-Liesse** et le **presbytère** ★ *(début juil à mi-août mar-ven 9h à 12h et 13h à 17h; 100 rue de l'Église, ☎856-2603)*. Reconstruite en 1877 sur les fondations de celle érigée en 1792, l'église de Rivière-Ouelle a été dessinée par l'architecte David Ouellet, originaire de La Pocatière. L'intérieur recèle quelques trésors dont le maître-autel importé de France (1716) et sept tableaux de Louis Dulongpré. Le presbytère voisin, construit en 1881, est un bel exemple du style Second Empire, caractérisé par une haute toiture mansardée. Il a été subdivisé en huit logements en 1978.

La **maison Jean-Charles-Chapais** *(on ne visite pas; 204 route 132).* Cette jolie maison de 1821 comporte une toiture à larmiers cintrés, typiques du Pays de Kamouraska. Il semble que cet élément architectural ait été emprunté à la construction navale des goélettes. Fort répandu dans la région au cours de la première moitié du XIXe siècle, le toit «Kamouraska» arrondi rappelle la carène des navires. Jean-Charles Chapais (1811-1885), l'un des pères de la Confédération canadienne, y a habité avant d'emménager dans une demeure plus luxueuse à Saint-Denis (voir ci-dessous).

On retrouvait autrefois deux manoirs seigneuriaux à Rivière-Ouelle. Le manoir D'Airvault, situé en bordure de la rivière, a malencontreusement été démoli vers 1910. Seul le **manoir Casgrain** *(on ne visite pas; 13 rue Casgrain),* construit en 1834, subsiste. Plus modeste que le premier, il présente l'aspect d'une longue maison de bois aux ouvertures symétriques dont la haute toiture recouvre une galerie. Il est visible sur la gauche entre les maisons.

Suivez la route 132 Est en direction de Saint-Denis.

Saint-Denis
(500 hab.)

Au cœur du Pays de Kamouraska, Saint-Denis est un bourg typique, dominé par son église. En face de celle-ci se dresse le monument à l'abbé Édouard Quertier (1796-1872), fondateur de la «Croix noire de la Tempérance», qui fit campagne contre l'alcoolisme. À chaque personne qui s'engageait à ne plus boire d'alcool, il remettait solennellement une croix noire...

La **maison Chapais** ★ *(3$; début juin à mi-oct tlj 9h à 17h; 2 route 132 E.,* ☎498-2353).* Jean-Charles Chapais a fait agrandir cette maison ancienne en 1866 afin de lui donner une prestance équivalente à sa prestigieuse carrière politique. À cette occasion, la structure fut exhaussée et la devanture parée de galeries et d'escaliers sinueux, dignes de l'un des pères de la Confédération.

Son fils, Sir Thomas Chapais (1858-1946), ministre dans le gouvernement Duplessis, y est né et y vécut la majeure partie de son existence. L'intérieur de la maison a conservé son apparence d'origine. On peut notamment voir les splendides meubles Second Empire de la famille Chapais.

★★
Kamouraska
(710 hab.)

Le 31 janvier 1839, le jeune seigneur de Kamouraska, Achille Taché, est assassiné par un «ami», le docteur Holmes de Sorel. L'épouse du seigneur, Joséphine-Éléonore d'Estimauville, avait comploté avec son amant médecin afin de supprimer un mari devenu gênant, pour ensuite s'enfuir vers de lointaines contrées. Ce fait divers a inspiré Anne Hébert pour son roman *Kamouraska*, porté à l'écran par Claude Jutra.

Le village où s'est déroulé le drame qui devait le rendre célèbre fut pendant longtemps le poste le plus avancé de la Côte-du-Sud. Son nom d'origine algonquine, qui signifie «il y a des joncs au bord de l'eau», est depuis toujours associé au pittoresque de la campagne québécoise. À l'arrivée, une plaine côtière sert de préambule au spectacle étonnant de l'agglomération, répartie sur une série de monticules rocailleux, témoins de la force des formations géologiques dans la région.

La **maison Langlais** *(on ne visite pas; 376 rang du Cap),* construite en 1751, fut réparée à la suite de la Conquête, ce qui en fait l'un des plus anciens bâtiments encore debout dans le Bas-Saint-Laurent. Isolée dans un champ, sur la droite, cette grande demeure a servi au tournage des scènes extérieures du film de Jutra.

L'**ancien palais de justice** *(3$; juin à sept tlj 9h à 12h et 13h à 17h; 111 av. Morel,* ☎492-9458)* a été construit en 1888, selon les plans de l'architecte Elzéar Charest, à l'emplacement du premier palais de justice de l'est du Québec. Son architecture d'inspiration médiévale se démarque de l'habituelle tournure néoclassique de ce genre d'édifice en Amérique du Nord. Il sert aujourd'hui de centre d'art et d'histoire et présente des expositions temporaires. En été, des visites guidées permettent de se familiariser avec l'histoire du bâtiment.

L'archipel de Kamouraska, composé de cinq îles, est visible dans le lointain depuis le parvis du Palais.

Descendez la rue faisant face au Palais, puis promenez-vous sur l'étroite avenue Leblanc jusqu'au quai pour bien saisir les charmes de Kamouraska.

Le **Musée de Kamouraska** *(4$; début juin à l'Action de grâce tlj 9h à 17h; début oct à mi-déc, horaire variable; mi-déc à mai sur réservation de groupe seulement; 69 av. Morel, ☎492-9783)*, centre d'ethnologie, d'histoire et de traditions populaires, est installé dans ce qui était autrefois le couvent de Kamouraska. Ses collections sont du même ordre que celles du Musée de La Pocatière, quoique moins élaborées. On peut y voir des objets glanés dans la région, dont un beau retable de François-Noël Levasseur (1734) qui ornait l'ancienne église de Kamouraska. À noter que l'**église** actuelle, derrière laquelle est situé le musée, fut construite en 1914.

La **maison Amable-Dionne** *(on ne visite pas; à l'est de l'église)*. Le marchand Amable Dionne a fait l'acquisition de plusieurs seigneuries de la Côte-du-Sud dans la première moitié du XIXe siècle. Son manoir de La Pocatière est aujourd'hui disparu, mais sa maison de Kamouraska est encore en place. Il s'agit d'un long bâtiment, érigé en 1802 à l'est de l'église, auquel on a ajouté un décor néoclassique vers 1850.

Une route conduit de Kamouraska à Saint-Pascal, permettant ainsi, par ce détour, de voir l'intérieur des terres.

Au numéro 154 du chemin Paradis se trouve le **moulin Paradis**, construit en 1804 au bord de la rivière aux Perles, mais considérablement remanié vers 1880. Il a fonctionné jusqu'en 1977 avant d'être loué pour de multiples tournages.

La famille Taché acquiert la seigneurie de Kamouraska en 1790. Peu de temps après, elle fait construire le **Domaine seigneurial Taché**, qui sera le théâtre du drame décrit plus haut. La maison est aujourd'hui un gîte touristique.

Le **Site d'interprétation de l'anguille** ★ *(5$; début juin à mi-oct tlj 9h à 18h; 205 av. Morel, ☎492-3935)* propose des visites guidées et des excursions de pêche. La visite, avec la dégustation d'anguille fumée, dure en moyenne 30 min. La pêche à l'anguille représente une activité économique importante dans Kamouraska. On y pêche 78% des anguilles du Bas-Saint-Laurent. En fait, l'industrie de la pêche de cette région dépend à 97% de ce poisson à forme allongée. La saison de pêche s'étend de septembre à la fin d'octobre.

★
Saint-Pascal
(2 500 hab.)

La petite ville de Saint-Pascal a connu la prospérité au XIXe siècle grâce à la force des courants de la rivière aux Perles, qui a incité des entrepreneurs à construire des moulins à farine, à scie et à carder sur ses berges. On peut y voir quelques résidences bourgeoises de même qu'une église construite en 1845. Son décor intérieur, conçu par François-Xavier Berlinguet de Québec, comprend un beau baldaquin à colonnes torsadées, enjolivé de guirlandes à motifs floraux. Quatre statues d'archanges, exécutées entre 1891 et 1895 par Louis Jobin et Auguste Dionne, accueillent les visiteurs dans le vestibule.

Retournez à la route 132. Tournez à droite.

Le **berceau de Kamouraska** *(route 132 E., 3 km à l'est du village)*. Une petite chapelle marque l'emplacement du premier village de Kamouraska, fondé en 1674 par le sieur Morel de La Durantaye. En 1790, un violent séisme anéantit le village, que l'on décida alors de déplacer en des lieux moins vulnérables, donnant ainsi naissance à l'agglomération actuelle. Non loin, un peu à l'écart de la route 132, se trouve Saint-Germain. On y aperçoit le manoir de la Pointe-Sèche (1835), l'un des plus anciens et des plus élégants cottages Regency du Québec, malheureusement en ruine.

★
Saint-André
(600 hab.)

Des collines abruptes qui plongent directement dans le fleuve Saint-Laurent voisinent ici avec les champs plats, composant un paysage agréable, complété à l'automne par les clôtures de piquets enfoncés dans les fonds marins, à proximité du rivage, et habillés de filets et de cages pour la pêche à l'anguille. Au large, les îles Pèlerins laissent voir leurs flancs dénudés, abritant des milliers d'oiseaux (cormorans, guillemots noirs) ainsi qu'une colonie de petits pingouins. Les chanceux pourront même apercevoir un béluga ou un faucon pèlerin.

L'église Saint-André ★ ★ *(fin juin à début sept tlj 9h à 11h30 et 13h à 17h; 128 rue Principale, ☎493-2152)*, érigée de 1805 à 1811, est l'une des plus anciennes églises de la région. Son plan à la récollette, caractérisé à la fois par l'absence de chapelles latérales et par un rétrécissement de la nef au niveau du chœur, complété par un chevet plat, se distingue de l'habituel plan en croix latine des églises du Québec. Le profil gracieux de l'édifice, couronné d'un clocher élancé à double lanternons, en fait un élégant exemple d'architecture québécoise traditionnelle.

Le maître-autel, réalisé en 1826, est une réplique de celui de la cathédrale de Québec. Parmi les autres éléments d'intérêt, il faut mentionner l'orgue Mitchell de 1874 ainsi que trois huiles, dont *Le martyre de saint André* de Louis Triaud, réalisé en 1821 pour le fond du chœur.

La **Maison de la prune** *(entrée libre; début août à fin oct tlj 9h à 17h30, visites guidées dim à 10h30; 129 route 132, ☎493-2616)* vous invite à visiter un verger et un centre de documentation, ainsi qu'un ancien magasin général où vous pourrez acheter de savoureux produits du verger tels que gelées, confitures et prunes en sirop.

Halte écologique des battures du Kamouraska, voir p 540.

Falaises d'escalade de Saint-André, voir p 542.

On quitte maintenant le «Pays de Kamouraska» pour aborder l'ancienne seigneurie de la Rivière-du-Loup. Le premier village traversé est **Notre-Dame-du-Portage**.

Dans la municipalité voisine de **Saint-Patrice**, on aperçoit à travers les arbres de belles résidences d'été, érigées à une époque où l'on recherchait davantage le vent frais du Saint-Laurent que la chaleur accablante des plages de la Côte Est américaine.

Parmi ces maisons figure **Les Roches**, résidence d'été de Sir John A. Macdonald, premier ministre du Canada de la Confédération de 1867 jusqu'en 1873 puis de 1878 à 1891. Une plaque, apposée à proximité de la maison, rappelle aux passants son prestigieux occupant. La maison est aujourd'hui un gîte touristique.

★
Rivière-du-Loup
(17 800 hab.)

On la dirait voguant sur une mer déchaînée, tant sa topographie de collines disposées à intervalles réguliers, de part et d'autre de l'embouchure de la rivière du Loup, fait valser ses habitants de bas en haut et de haut en bas.

Rivière-du-Loup est devenue l'une des principales agglomérations du Bas-Saint-Laurent grâce à une situation géographique particulière, faisant de la ville un carrefour de communications d'abord maritime, entre le fleuve Saint-Laurent et l'océan Atlantique via le lac Témiscouata et le fleuve Saint-Jean (Nouveau-Brunswick), puis ferroviaire, alors que la ville devient, pendant quelque temps, le terminal de l'Est du chemin de fer canadien.

De nos jours, Rivière-du-Loup est le point de départ de la route conduisant au Nouveau-Brunswick de

même que le point d'ancrage du traversier qui se rend à Saint-Siméon, sur la rive nord du fleuve Saint-Laurent.

Malgré toutes ses qualités, la région se peuplera lentement sous le Régime français. En 1765, près d'un siècle après sa fondation, le poste de traite de Rivière-du-Loup ne compte que 68 habitants. Il faut attendre l'ouverture de la scierie de Henry Caldwell, en 1799, et l'acquisition de la seigneurie par Alexander Fraser, en 1802, pour que naisse véritablement la ville.

Afin d'apprécier pleinement la visite de Rivière-du-Loup, il est préférable de garer sa voiture dans la rue Fraser pour effectuer le trajet à pied. En plus du circuit proposé ici, le bureau de tourisme local a installé une série de panneaux d'interprétation qui permettent aux visiteurs de connaître l'histoire de la ville et de ses bâtiments.

La seigneurie de la Rivière-du-Loup a d'abord été concédée en 1673 au riche négociant de Québec, Charles Aubert de La Chesnaye, avant de changer plusieurs fois de mains, toutes peu intéressées par ce territoire lointain. Henry Caldwell puis Alexander Fraser lui donneront finalement son envol.

Le **manoir Fraser ★** *(4$; fin juin à mi-oct tlj 10h à 17h; 32 rue Fraser, ☎867-3906)*, érigé en 1830 pour Timothy Donohue, est devenu la résidence seigneuriale de la famille Fraser à partir de 1835. Restauré avec l'aide de la population locale, le manoir a rouvert ses portes au public en juin 1997 et vous offre, en plus des visites commentées, une présentation

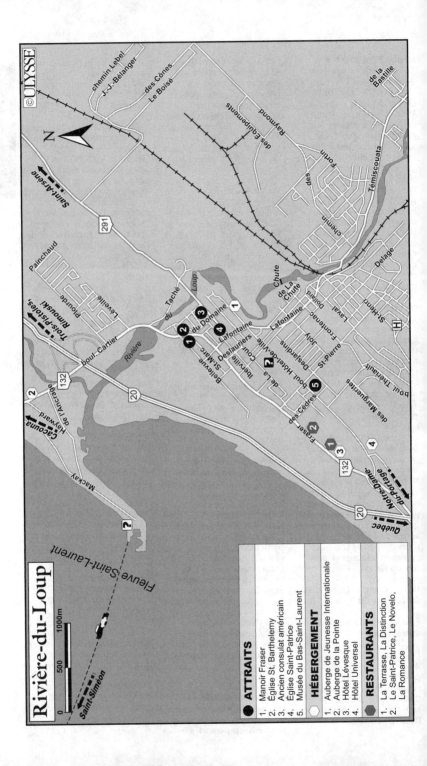

Rivière-du-Loup

Fleuve Saint-Laurent

Saint-Siméon

0   500   1000m

©ULYSSE

N

ATTRAITS

1. Manoir Fraser
2. Église St. Barthélemy
3. Ancien consulat américain
4. Église Saint-Patrice
5. Musée du Bas-Saint-Laurent

HÉBERGEMENT

1. Auberge de Jeunesse Internationale
2. Auberge de la Pointe
3. Hôtel Lévesque
4. Hôtel Universel

RESTAURANTS

2. La Terrasse, La Distinction
   Le Saint-Patrice, Le Novelo,
   La Romance

multimédia d'un dîner officiel de l'époque.

Tournez à droite dans la rue du Domaine.

L'**église St. Barthelemy** *(on ne visite pas; rue du Domaine).* À l'époque où cette église fut érigée (1841), Rivière-du-Loup s'appelait Fraserville et comptait une importante population d'origine écossaise dont faisait partie son seigneur, Alexander Fraser. Le temple presbytérien, digne représentant de l'église officielle d'Écosse, est un édifice sobre en bois, aux traits vaguement néogothiques. Il est de nos jours le fantôme d'une communauté presque totalement disparue.

Tournez à droite dans la rue Iberville.

L'**ancien consulat américain** *(1 rue Iberville).* Cette demeure bourgeoise, aujourd'hui propriété des clercs de Saint-Viateur, a servi de consulat américain au début du XXe siècle, à l'époque où Rivière-du-Loup entretenait de nombreux liens commerciaux avec l'État du Maine. On remarquera ses larges galeries en bois chantourné, apparentées au style Queen Anne américain. L'**ancien bureau de poste**, bel édifice en pierre daté de 1888, se trouve à proximité.

Tournez à gauche dans la rue Lafontaine.

L'**église Saint-Patrice** ★ *(121 rue Lafontaine)* fut reconstruite en 1883 sur le site de l'église de 1855. L'intérieur recèle quelques trésors, dont un chemin de croix de Charles Huot, des verrières de la compagnie Castle (1901) et des statues de Louis Jobin. La rue de la Cour, en face de l'église, mène au **palais de justice**

(33 rue de la Cour), érigé en 1882 selon les plans de l'architecte Pierre Gauvreau. Plusieurs juges et avocats se sont fait construire de belles maisons le long des rues ombragées du voisinage.

Retournez à la rue Fraser en empruntant la rue Deslauriers, située dans l'axe du Palais.

Le **Musée du Bas-Saint-Laurent** ★ *(5$; début juin à mi-oct tlj 10h à 18h, hors saison tlj 13h à 17h ainsi que lun et mer 18h à 21h; 300 rue St-Pierre, ☎862-7547, www.mbsl.qc.ca)* présente des collections d'objets usuels, semblables à celles de La Pocatière et de Kamouraska, de même que des expositions d'art contemporain (œuvres de Riopelle, Lemieux, Tousignant, Gauvreau, etc.), plus intéressantes. Le bâtiment qui abrite le musée est lui-même une réalisation d'architecture moderne «brutaliste» en béton.

Parc des Chutes et de la Croix lumineuse, voir p 541.

★
Cacouna (1 350 hab.)

Le toponyme Cacouna, d'origine malécite, signifie «le pays du porc-épic». Les villas réparties sur toute la longueur du village rappellent l'âge d'or de la villégiature victorienne au Québec, alors que Cacouna était l'une des destinations estivales favorites de l'élite montréalaise. Dès 1840, on s'y presse pour profiter du paysage et des bains de mer, dont les bienfaits ont, dit-on, des vertus curatives. Même si les grands hôtels du XIXe siècle, tel le St. Lawrence Hall, ont disparu, Cacouna n'en conserve pas moins

sa vocation récréotouristique.

Construite pour l'armateur Sir Hugh Montague Allan et sa famille, la **villa Montrose** ★ *(on ne visite pas; 700 rue Principale)* est aujourd'hui une maison de prière. Son architecture néocoloniale américaine traduit l'influence des stations balnéaires de la Nouvelle-Angleterre sur leurs contreparties canadiennes.

Autre célèbre villa de Cacouna, le **Pine Cottage** *(on ne visite pas; 520 rue Principale)*, mieux connu sous le nom de «Château Vert», a été érigé en 1867 pour la famille Molson, brasseurs, banquiers et entrepreneurs de Montréal. Il s'agit d'un bel exemple d'architecture résidentielle néogothique, comme il en subsiste peu au Québec.

L'**église Saint-Georges** et son **presbytère** ★ *(455 route de l'Église, ☎862-4338).* Le presbytère est érigé en 1838 dans le style des maisons rurales traditionnelles de la région de Montréal, soit avec des murs coupe-feu décoratifs et une toiture à pente relativement douce et sans courbures. L'église Saint-Georges suit quelques années plus tard (1845). Elle représente l'aboutissement d'une longue tradition architecturale québécoise qui disparaîtra à l'arrivée, dans les paroisses rurales, des styles historicisants. Il faut en visiter le riche intérieur, qui contient des œuvres intéressantes, dont les autels dorés, les vitraux et les toiles des peintres romains Porta (au-dessus du maître-autel) et Pasqualoni (chapelle de droite).

Site ornithologique du marais du Gros-Cacouna, voir p 543.

★
L'Isle-Verte
(1 040 hab.)

Ce village a conservé plusieurs témoins de son passé glorieux, alors qu'il était un centre de services important pour le Bas-Saint-Laurent. Le calme des environs reflète, quant à lui, un mode de vie ancestral, rythmé par les marées. En face apparaît l'île Verte, baptisée ainsi par Jacques Cartier, qui, en apercevant son tapis de verdure au milieu de l'eau, s'exclama: *Quelle île verte!* Seule île du Bas-Saint-Laurent habitée toute l'année, elle est plus facilement accessible que les autres îles des environs (voir p 528).

L'**île Verte** ★★ *(visites guidées 10$; mi-mai à mi-oct tlj 9h à 12h et 13h à 16h; route du Phare, ☎898-2730, www. ileverte.net)*. Une quarantaine de personnes vivent à l'île Verte, pourtant longue de 12 km. L'isolement et les vents qui la balaient constamment ont eu raison de plus d'un colon. Cependant, l'île fut abordée très tôt, d'abord par les pêcheurs basques (l'île aux Basques se trouve à proximité), puis par les missionnaires français, qui fraternisèrent avec les Malécites, lesquels s'y rendaient, chaque année, pour commercer et pour pêcher.

Vers 1920, l'île a connu un boom économique grâce à la récolte du «foin de mer», sorte de mousse marine que l'on faisait sécher pour ensuite s'en servir comme matériel de rembourrage de matelas et de sièges de voitures.

La faune et la flore de l'île attirent de nos jours les visiteurs de partout, qui peuvent alors observer le salage de l'esturgeon et du hareng dans de petits fumoirs, goûter l'agneau des prés salés, observer les bélugas blancs et les baleines bleues, et photographier les sauvagines, les canards noirs ou les hérons. Le **phare** (1806), situé à la pointe est de l'île, est le plus ancien du fleuve Saint-Laurent. De 1827 à 1964, sa garde fut assurée par cinq générations de la famille Lindsay. De son sommet, on ressent une impression d'espace infini.

Réserve nationale de faune de la Baie de L'Isle-Verte ★, voir p 541.

Reprenez la route 132 Est en direction de Trois-Pistoles.

Trois-Pistoles
(3 810 hab.)

On raconte qu'un marin français, de passage dans la région au XVIIe siècle, échappa son gobelet d'argent, d'une valeur de trois pistoles, dans la rivière toute proche, donnant du coup un nom très pittoresque à celle-ci et, plus tard, à cette petite ville industrielle du Bas-Saint-Laurent dominée par une église colossale.

L'**église Notre-Dame-des-Neiges** ★★ *(fin juin à début sept tlj 9h à 16h; 30 rue Notre-Dame E., ☎851-4949)*. En 1887, lorsqu'elle fut construite, les citoyens de Trois-Pistoles croyaient que leur église allait bientôt devenir cathédrale, ce qui explique la taille et l'opulence de l'édifice, coiffé de trois clochers recouverts de tôle argentée. Le titre échut finalement à Rimouski, au grand désarroi des paroissiens de Notre-Dame-des-Neiges.

La **Maison du notaire** *(mai tlj en après-midi, mi-juin à début sept tlj 9h30 à 21h, début sept à mi-oct tlj 9h30 à 18h, mi-oct à fin déc ven-sam l'après-midi; 168 rue Notre-Dame E., ☎851-1656)*, de type Kamouraska, avec ses larmiers cintrés et sa façade symétrique, fait office de musée et de centre d'art et d'artisanat.

Le **Musée Saint-Laurent** *(3,50$; fin juin à mi-sept tlj 9h à 18h; 552 rue Notre-Dame O., ☎851-2345)* expose une collection de voitures anciennes, d'instrument aratoires ainsi que d'autres antiquités.

Du **manoir seigneurial Rioux-Belzile**, vous aurez une vue imprenable sur l'île aux Basques, une superbe réserve ornithologique.

Au **Parc de l'aventure basque en Amérique** *(6$; juil à mi-sept tlj 9h à 20h, juin et mi-sept à mi-oct tlj 12h à 14h; 66 rue du Parc, ☎851-1556)*, on fait l'interprétation de la pêche à la baleine que pratiquaient les Basques venus dans la région en 1584.

Île aux Basques ★★, voir p 541.

Suivez la route 132 Est. Après avoir traversé Saint-Simon, prenez à gauche la route de Saint-Fabien-sur-Mer si vous désirez vous rapprocher de l'eau, ou à droite celle de Saint-Fabien si vous voulez voir le village à vocation agricole.

★★
Saint-Fabien-sur-Mer
(1 910 hab.)
Le Bic (3 190 hab.)

Le paysage devient tout à coup plus tourmenté et plus rude, donnant au visiteur un avant-goût de la Gaspésie, plus à l'est. À Saint-Fabien-sur-Mer, les cottages forment une bande étroite coincée entre la plage et une falaise haute de 200 m.

Au village de Saint-Fabien, situé à l'intérieur des terres, on peut voir une grange octogonale érigée vers 1888. Ce type de bâtiment de ferme importé des États-Unis, relativement peu pratique quoique original, n'a connu qu'une diffusion limitée au Québec.

*Pour vous rendre au très beau **parc du Bic** (voir p 541), reprenez la route 132 Est, puis tournez à gauche dans le chemin de l'Orignal.*

Vous longerez ensuite le village du Bic (Le Bic) avant d'arriver à Rimouski, principale agglomération urbaine du Bas-Saint-Laurent.

★
Rimouski
(32 400 hab.)

Le développement de la seigneurie de Rimouski (mot d'origine micmaque qui signifie «le pays de l'orignal») fut laborieusement entrepris par le marchand René Lepage, originaire d'Auxerre en France, dès la fin du XVIIᵉ siècle, constituant de la sorte le point le plus avancé de la colonisation dans le golfe du Saint-Laurent sous le Régime français.

En 1919, la ville devient un important centre de transformation du bois grâce à l'ouverture d'une usine de la compagnie Abitibi-Price. Aujourd'hui, Rimouski est considérée comme le centre administratif de l'est du Québec et se targue d'être à la fine pointe de la culture et des arts.

Le **Musée régional de Rimouski** ★ *(4$; juin à sept mer-ven 9h30 à 20h, sammar 10h à 18h; reste de l'année mer-dim 12h à 17h, jeu jusqu'à 21h; 35 rue St-Germain O., ☎724-2272)*. Ce musée d'art et d'ethnologie est installé dans l'ancienne église Saint-Germain, construite entre 1823 et 1827. Par son volume simple et son clocheton disposé au centre de la toiture, elle rappelle l'architecture de plusieurs des églises du Régime français. La **cathédrale Saint-Germain**, qui abrite un orgue Casavant, et l'immense **palais épiscopal** de 1901 sont visibles à proximité. Enfin, dans un parc voisin, se dresse le monument au seigneur Lepage.

Suivez la route 132 Est, qui prend ici différents noms, d'abord celui de rue Saint-Germain Ouest, puis de boulevard René-Lepage et enfin de boulevard du Rivage.

La **maison Lamontagne** ★ *(3$; mi-mai à mi-oct tlj 9h à 18h; 707 boul. du Rivage, Rimouski-Est, ☎722-4038)* est l'une des seules constructions du Régime français à l'est de Kamouraska et un rare exemple d'architecture en colombage pierroté au Canada. Sa partie gauche, où alternent poteaux et hourdis faits de cailloux et d'argile, daterait de 1745, alors que la portion de droite serait un ajout du début du XIXᵉ siècle. On peut y voir une exposition sur l'architecture et l'ameublement ancien.

Le **canyon des Portes de l'Enfer** ★★ *(6,50$;mi-juin à début sept tlj 8h30 à 18h30; mi-mai à mi-juin et début sept à mi-oct tlj 9h30 à 17h; 1280 chemin Duchénier, St-Narcisse-de-Rimouski, parcourez 5,6 km sur une route de terre, ☎735-6063)* offre

un spectacle naturel fascinant, surtout en hiver. Amorcées par la chute Grand Saut (18 m), les Portes s'étendent sur près de 5 km et encaissent la rivière Rimouski avec des falaises atteignant parfois 90 m. Des excursions guidées en bateau ont lieu dans le canyon.

Dirigez-vous ensuite vers le village de Pointe-au-Père. Tournez à gauche dans la rue Père-Nouvel puis à droite dans la rue du Phare.

Pointe-au-Père
(5 000 hab.)

Le **Musée de la Mer** et le **lieu historique national du phare de Pointe-au-Père** ★★ *(9,50$; début juin à fin août 9h à 18h, début sept à mi-oct 9h à 17h, hors saison sur réservation; 1034 rue du Phare O., ☎724-6214)*. C'est en face de Pointe-au-Père que l'*Empress of Ireland* fit naufrage en 1914, faisant 1 012 victimes.

Le Musée de la Mer présente une fascinante collection d'objets récupérés de l'épave du navire et raconte la tragédie de manière détaillée. Le phare, situé à proximité, peut être visité. Il indique l'endroit précis où le fleuve devient officiellement le golfe du Saint-Laurent.

Le **monument à l'*Empress of Ireland*** *(sur la vieille route, en bord de mer)*. Dans la nuit du 23 mai 1914, plus d'un millier de personnes périrent, au milieu du fleuve Saint-Laurent, dans le naufrage du paquebot *Empress of Ireland* du Canadien Pacifique, qui assurait la liaison entre la ville de Québec et l'Angleterre.

La tragédie fut causée par les brumes épaisses qui recouvrent parfois le fleu-

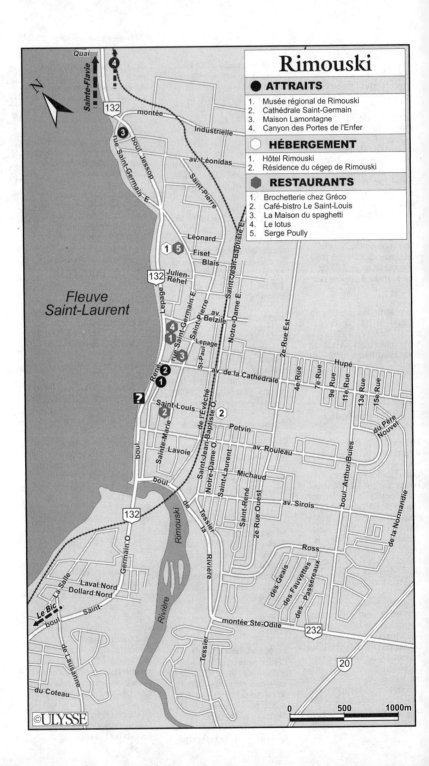

Rimouski

ATTRAITS

1. Musée régional de Rimouski
2. Cathédrale Saint-Germain
3. Maison Lamontagne
4. Canyon des Portes de l'Enfer

HÉBERGEMENT

1. Hôtel Rimouski
2. Résidence du cégep de Rimouski

RESTAURANTS

1. Brochetterie chez Gréco
2. Café-bistro Le Saint-Louis
3. La Maison du spaghetti
4. Le lotus
5. Serge Poully

©ULYSSE

0   500   1000m

Fleuve
Saint-Laurent

ve et qui provoquèrent la collision fatale entre le paquebot et un charbonnier. Ce monument marque le lieu de sépulture de quelques-unes des nombreuses victimes.

Sainte-Luce
(1 420 hab.)

Petite station balnéaire, Sainte-Luce possède les plus belles plages du Bas-Saint-Laurent. Les **promenades de l'Anse-aux-Coques** vous permettent de déambuler en contemplant le fleuve. En été, on y organise un amusant concours de châteaux de sable au bord de l'eau. Quelques auberges accueillent les visiteurs pendant la saison estivale.

L'**église Sainte-Luce ★** *(20 route du Fleuve / route 132 E.),* érigée en 1840, se voit dotée d'une nouvelle façade en 1914. Celle-ci présente un éclectisme lourd, typique de l'œuvre des architectes David Ouellet et Pierre Lévesque, qui travailleront beaucoup en Gaspésie au début du XXe siècle. L'intérieur présente un décor intéressant, réalisé entre 1845 et 1850. On remarquera les belles verrières ajoutées en 1917, ainsi que le tableau du retable, intitulé *Sainte Luce priant pour la guérison de sa mère,* peint en 1842 par Antoine Plamondon.

*Le Bas-Saint-Laurent fait ensuite place à la Gaspésie, dont le village de **Sainte-Flavie** (voir p 552) constitue la porte d'entrée.*

Circuit B: La Belle au bois dormant (un ou deux jours)

L'industrie forestière règne en maître dans cet arrière-pays du Bas-Saint-Laurent situé au nord de la frontière canado-étasunienne (État du Maine), étonnamment proche du fleuve aux environs de Rivière-du-Loup. Cette région de collines boisées et de lacs est prisée des amateurs de plein air qui apprécient particulièrement les milieux sauvages éloignés des grands centres.

Le circuit proposé décrit une boucle presque complète, partant et aboutissant à proximité du fleuve Saint-Laurent. En poursuivant son chemin sur la route transcanadienne au-delà de Dégelis, ce circuit peut également être interprété dans sa partie est comme une étape sur la route du Nouveau-Brunswick et des autres provinces de l'Est canadien *(voir Guide Ulysse Provinces atlantiques du Canada).*

Suivez la route transcanadienne (route 185 Sud) jusqu'à la sortie conduisant à Saint-Louis-du-Ha! Ha!

Saint-Louis-du-Ha! Ha! (1 520 hab.)

Nom d'origine hexcuewaska, Ha! Ha! signifie «quelque chose d'inattendu». Ce terme est tout à fait à propos, lorsque, du sommet du mont Aster, on découvre soudainement le lac Témiscouata dans le lointain.

La **Station scientifique Aster** *(6$; fin juin à début sept tlj 13h à 24h; 59 ch. Bellevue, ☎854-2172)* organise des

soirées d'observation au télescope et présente des expositions scientifiques qui traitent de sismologie, d'énergies douces, de météorologie et de géologie.

Reprenez la route 185 Sud jusqu'à Cabano.

★
Cabano
(3 280 hab.)

Ville forestière par excellence, Cabano est le siège de la cartonnerie Papiers Cascades des frères Lemaire. Seule une partie de l'agglomération du XIXe siècle, appelée Fraser Village, subsiste, le reste ayant été détruit par un terrible incendie survenu en 1950. La ville occupe cependant un très beau site en bordure du lac Témiscouata, entouré de collines et de rivières.

Fort Ingall ★ ★ *(6,50$; juin à fin sept tlj 9h30 à 16h30, juil et août tlj 9h30 à 17h30; 81 ch. Caldwell, ☎854-2375).* Nous sommes ici à quelques dizaines de kilomètres seulement des États-Unis. En 1839, à la suite d'un différend sur le tracé de la frontière canado-étasunienne, le gouvernement britannique fait construire une série de fortins dans les environs du lac Témiscouata afin de défendre les territoires de l'Amérique du Nord britannique et de protéger la précieuse ressource qu'est le bois de coupe. En effet, les Américains profitent de l'isolement de la région à l'époque pour constamment reporter plus au nord la limite entre les deux pays, d'abord pour s'approprier davantage de forêts mais aussi afin de créer une ouverture éventuelle sur le fleuve Saint-Laurent.

Le fort Ingall, qui porte le nom du lieutenant qui le commandait autrefois, faisait partie du système de dissuasion mis en place par les Britanniques. Il n'a jamais connu la guerre et sera abandonné graduellement à la suite du règlement pacifique du conflit par le traité d'Ashburton en 1842, pour ensuite sombrer dans l'oubli. Ce n'est qu'en 1973 que l'on entreprend de reconstituer 6 des 11 bâtiments à partir des vestiges archéologiques. Les structures de bois, construites selon la technique dite en pièce sur pièce, comprennent une caserne et un blockhaus de même que le logement des officiers. L'ensemble, ouvert au public, est entouré d'une palissade de bois et de terre. Une instructive exposition sur l'histoire du fort et de la région est présentée dans un bâtiment, alors que le reste du site est utilisé comme centre culturel par les habitants de la région.

*Longez le lac Témiscouata par la route 185 Sud, puis tournez à droite dans la route 232 en direction de Rivière-Bleue. Si vous choisissez plutôt de poursuivre par la route 185 Sud, vous aborderez alors **Notre-Dame-du-Lac** avant d'arriver à Dégelis, au bord de la rivière Madawaska. Cette excursion facultative permet en outre, à ceux qui le désirent, de traverser au Nouveau-Brunswick, terre acadienne.*

Dégelis (3 424 hab.)

La vallée de la rivière Madawaska a été au centre des disputes frontalières du milieu du XIXe siècle. Des villages autrefois québécois ou acadiens se retrouvent aujourd'hui du côté américain, formant un îlot francophone dans la partie nord de l'État du Maine. Dégelis, principale porte d'entrée du Québec dans la région, est une petite ville dominée par les scieries. «Dégelis» (en vieux français) et «Madawaska» (en langue micmaque) signifient «ne gèle pas». En effet, les forts courants qui prédominent à l'embouchure de la rivière Madawaska l'empêchent de geler pendant l'hiver.

Rivière-Bleue (1 730 hab.)

Autre agglomération née de l'exploitation forestière, Rivière-Bleue est surtout connue pour avoir été l'un des principaux points de passage à l'époque de la Prohibition aux États-Unis (1920-1933). Les *bootleggers*, ces contrebandiers d'alcool qui prenaient des risques énormes pour acheminer les bouteilles de gin, de whisky et de rhum vers les bars et cabarets clandestins de New York et de Chicago, en avaient fait en quelque sorte leur siège social.

Tournez à droite dans la route 289 en direction de Pohénégamook.

Pohénégamook (3 322 hab.)

Cette ville est née de la fusion de trois municipalités pourtant assez éloignées les unes des autres: Sully, Estcourt et Saint-Éleuthère. Les deux premières ont été fondées au bord de la rivière Pohénégamook, qui délimite la frontière entre le Maine et le Québec, alors que la troisième est située à proximité du lac du même nom, reconnu pour sa belle plage et ses activités de plein air. À Estcourt, une borne marque l'emplacement de la ligne frontalière qui traverse le village en diagonale, faisant de certains de ses habitants des citoyens étasuniens. Quelques maisons se retrouvent même à cheval sur la frontière. On est alors aux États-Unis lorsque l'on regarde la télé dans le salon, et l'on rentre au Québec pour le dîner dans la salle à manger. Il va sans dire que le tout se fait dans l'harmonie la plus complète et que, hormis la présence de la borne et de quelques drapeaux, il est difficile de croire que l'on a véritablement changé de pays en traversant la rue.

Suivez la route 289 jusqu'à la route 132.

Avant d'arriver au bord du fleuve, on traverse **Saint-Alexandre**, village intérieur du Pays de Kamouraska, où se trouve une jolie église construite en 1851. Son beau maître-autel est une réplique de celui de la basilique-cathédrale Notre-Dame de Québec.

Parcs

Circuit A: Le Pays de Kamouraska

La **Halte écologique des battures du Kamouraska** *(5$; début mai à fin juin tlj 10h à 18h, fin juin à début sept tlj 8h à 21h, début sept à fin oct tlj 10h à 18h; 273 route 132 O., St-André de Kamouraska, ☎493-2604)* explique l'importance des battures filtrant l'eau du fleuve, servant ainsi d'habitat à de nombreuses espèces d'oiseaux ainsi qu'à plusieurs invertébrés. Vous pouvez parcourir le site, y pique-niquer ou tout simplement observer les marais salants de même que la faune et la flore locale. Le centre dispose de belvédères offrant une vue imprenable sur le fleuve. On propose aussi des randonnée pédestres guidées ou autoguidées.

Le **parc des Chutes et de la Croix lumineuse** ★ *(toute l'année tlj; du chemin Raymond, empruntez les rues Alexandre à gauche, Bernier, à droite, et Ste-Claire à gauche; Rivière-du-Loup)* dispose d'un belvédère juché sur la falaise, offrant une vue superbe sur la ville, le fleuve et les îles, ainsi que de passerelles au-dessus des spectaculaires chutes qui alimentaient autrefois la ville en électricité.

La **réserve nationale de faune de la Baie de L'Isle-Verte** ★ *(mi-juin à mi-sept; visite guidée d'environ 2 heures, réservations requises; 371 route 132, L'Isle-Verte, ☎898-2757)* possède de grandes étendues herbeuses formant un site privilégié pour la reproduction du canard noir et des marais où pullulent les invertébrés. Des sentiers aménagés permettent de profiter de ces lieux exceptionnels.

Des excursions à l'**île aux Basques** ★★ *(15$; début juin à début sept tlj selon les marées, sept sur réservation; visite commentée de 3 heures; marina de Trois-Pistoles, ☎851-1202)* sont proposées par la Société Provencher, qui assure la sauvegarde de cette réserve ornithologique. Les amateurs de faune aviaire y trouveront leur compte, tout comme les fervents d'archéologie, puisqu'on a découvert, il y a quelques années, les installations des pêcheurs basques qui venaient ici chaque année au XVe siècle pour la chasse à la baleine, soit plus de 100 ans avant que Jacques Cartier n'y mette

les pieds. Des vestiges des fours, destinés à faire fondre la graisse de baleine, sont d'ailleurs visibles sur la grève. On peut y pratiquer la randonnée pédestre sur 2 km de sentiers.

Le **parc du Bic** ★★ *(entrée 3,50$; fermé aux voitures en hiver; pour l'horaire des activités animées durant l'été, communiquez avec l'accueil; Le Bic, ☎736-5035)* s'allonge sur une superficie de 33 km² et se compose d'un enchevêtrement d'anses, de presqu'îles, de promontoires, de collines, d'escarpements et de marais, ainsi que de baies profondes dissimulant tous une faune et une flore des plus diversifiées. Ce parc côtier se prête bien à la randonnée pédestre (26 km de sentiers), au ski de fond de même qu'au vélo de montagne et dispose d'un centre d'interprétation *(juin à mi-oct tlj 9h à 17h)*.

Entre Saint-Alexandre et Pohénégamook, le **Havre de Parke** *(6$; toute l'année, dès 9h; route 289, Saint-Alexandre, ☎888-495-2333)* offre 11,4 km de sentiers de randonnée pédestre aussi praticables en skis de fond, raquettes ou traîneau à chiens durant l'hiver. On y trouve également un belvédère pour observer la faune. Visites commentées disponibles sur réservation.

Cormoran

Activités de plein air

Croisières et observation des baleines

Circuit A: Le Pays de Kamouraska

Diverses croisières et excursions sont organisées par la société **Duvetnor** *(début juin à mi-sept tlj; 200 rue Hayward, Rivière-du-Loup, ☎867-1660)*. Vous pourrez visiter les îles du Bas-Saint-Laurent et voir des guillemots à miroir, des eiders à duvet et de petits pingouins. Les départs se font à la marina de Rivière-du-Loup. Les excursions durent de 1 heure 30 min à huit heures selon la destination choisie. Vous pouvez même séjourner au **Phare de l'île du Pot à l'Eau-de-Vie** (voir p 544).

Les **Croisières AML** *(45$; mi-juin à mi-oct 9h à 13h, jusqu'à 17h en haute saison; sortie 507 de l'autoroute 20, 200 rue Hayward, Rivière-du-Loup, ☎867-3361 ou 800-563-4643)* vous emmènent voir les bélugas à bord du *Cavalier des Mers*. Vous découvrirez le béluga, le petit rorqual et peut-être même la baleine bleue. N'oubliez pas d'apporter des vêtements chauds. La croisière dure environ 3 heures 30 min.

Les croisières **Écomertours Nord-Sud** *(réservations requises; mi-juin à fin oct lun-ven 8h30 à 18h, sam-dim 9h à 18h; 606 des Ardennes, Rimouski,* ☎ *724-6227 ou 888-724-8687)* proposent divers forfaits vous entraînant à la découverte des beautés du fleuve et des îles qui le peuplent jusqu'au golfe du Saint-Laurent et à la Basse-Côte-Nord. Ces croisières, dont la durée varie de cinq à huit jours, se font à bord de l'*Écho des Mers*, un bateau pouvant accueillir 49 passagers encadrés par une quinzaine de membres d'équipage. Pour les séjours de quelques jours, des cabines confortables sont mises à votre disposition. Ces «écotours» sont guidés par des spécialistes qui ont pour but de vous faire découvrir la flore et la faune du milieu. Si vous vous rendez jusqu'à la Basse-Côte-Nord, vous pourrez aussi entrer en contact avec ses habitants. L'entreprise organise en outre des forfaits plus «sportifs» de kayak de mer ou de plongée sous-marine. Les départs se font au quai de Rimouski-Est.

Les Écumeurs du Saint-Laurent *(39$; fin juin à mi-sept, tlj selon les marées; marina de Trois-Pistoles,* ☎ *851-9955)* propose des croisières d'observation des baleines au départ de la marina de Trois-Pistoles, dans une embarcation de type Zodiac (12 passagers) ou à bord d'un bateau semi-fermé (24 passagers).

Aquatour *(32$; mi-mai à mi-oct, tlj selon les marées; route 132, St-Fabien-sur-Mer,* ☎ *869-2300 ou 750-1998)* vous fait découvrir le panorama grandiose de la région de Saint-Fabien et du parc du Bic. Les guides interprètes sauront vous intéresser aux mammifères et aux oiseaux marins. Le

capitaine, pour sa part, vous parlera des épaves, des sites géographiques et de leurs légendes.

Vélo

Circuit A: Le Pays de Kamouraska

Le **parc du Bic** *(route 132, à 21 km à l'ouest du centre-ville de Rimouski, à St-Fabien et au Bic,* ☎ *736-5035)* est sans contredit le plus bel endroit de la région pour faire du vélo de montagne. Vous y trouverez 14 km de sentiers aménagés. Malheureusement, il n'est pas possible de gravir le pic Champlain à vélo. Vous pouvez cependant vous y rendre à pied afin d'y contempler le coucher du soleil.

Le **parc Beauséjour** *(boul. de la Rivière, route 132, Rimouski,* ☎ *724-3167)* compte de nombreuses voies cyclables. Les **sentiers du Littoral et de la rivière Rimouski** *(à moins de 2 km du centre-ville,* ☎ *723-0480)* regroupent 7 km de sentiers superbes (vélo de montagne) en bordure de la rivière Rimouski et à travers un marais.

Le Québec et le Nouveau-Brunswick ont uni leurs efforts pour offrir aux amateurs une longue piste cyclable qui sillonne la campagne entre ces deux provinces, de Rivière-du-Loup à Edmundston. Le **Petit Témis** *(☎ 853-3593 ou 800-563-5268, Edmunston:* ☎ *506-739-1992)* offre 135 km de sentiers relativement plats, donc accessibles à toute la famille. Le long du parcours, on trouve des stationnements et divers services.

Escalade

À Saint-André-de-Kamouraska, il existe un magnifique site d'escalade. Les **falaises d'escalade de Saint-André**, en plus d'être sécuritaires grâce à une roche particulièrement dure, offrent à ceux qui relèvent le défi une vue extraordinaire sur les environs. Surveillez les panneaux indicateurs qui vous y conduiront. *(Pour information, contactez la **SEBKA**, ☎493-2604).*

Kayak

Circuit A: Le Pays de Kamouraska

Rivi-Air Aventure *(36$/demi-journée, 65$/jour avec guide, plus 3,50$ pour l'accès au parc; mi-mai à mi-oct tlj, 3 départs 8h, 13h et 17h30 à la marina du Bic, route 132;* ☎ *736-5252)* organise des excursions à bord de kayaks de mer en solo ou en tandem autour de l'archipel des îles du Bic. Vous apprendrez ainsi à découvrir les oiseaux et les mammifères marins qui peuplent le magnifique **parc du Bic** (voir p 541).

La **Société écologique des battures du Kamouraska** **(SEBKA)** *(St-André-de-Kamouraska; pour information ou réservation,* ☎ *493-2604)* propose des sorties en kayak de mer dans l'archipel du Kamouraska, avec guides interprètes. Les départs se font au quai de Kamouraska.

Observation des oiseaux

Le **Site ornithologique du marais du Gros-Cacouna** propose aux amateurs un beau site pour l'observation de la faune aviaire. Situé au port de Cacouna, il est né d'une tentative de concilier les activités portuaires et la richesse de l'environnement du marais. Pour participer à l'une des visites guidées d'une durée de deux heures, informez-vous auprès de la **Société de conservation de la Baie de l'Isle-Verte** (☎898-2757). Le site compte aussi un sentier de randonnée pédestre dc 2 km, de niveau intermédiaire.

L'île Verte et ses marais constituent un site idéal pour l'ornithologie. Sa faune et sa flore d'une richesse remarquable vous réservent d'agréables surprises. La **réserve nationale de faune de la Baie de L'Isle-Verte** (voir p 541), sillonnée de sentiers de randonnée, se prête particulièrement bien à l'observation de la nature.

Le **parc du Bic** (voir p 541) est lui aussi fréquenté par plusieurs espèces d'oiseaux marins et d'oiseaux des forêts. Une randonnée dans ses sentiers vous permettra sûrement de bien les observer.

Pêche

Circuit A: Le Pays de Kamouraska

La **Société d'aménagement de la rivière Ouelle** (route 230, pont de la rivière Ouelle, ☎852-3097) compte quelque 40 fosses aménagées. La rivière Ouelle se prête tout particulièrement bien à la pêche au saumon sur une longueur de 40 km. Cette rivière a été ensemencée de milliers de tacons ces dernières années. Ses abords présentent des panoramas superbes. On peut louer les services de guides.

Ski de fond

Circuit A: Le Pays de Kamouraska

La **Station de ski Val-Neigette** (6$; par la route 232, Ste-Blandine, 8 min du centre-ville de Rimouski, ☎735-2800) propose 20 km de sentiers de ski de fond.

Le **parc du Mont-Comi** (6$; R.R. 2, St-Donat, 31 km au sud-est du centre-ville de Rimouski, ☎739-4858) compte 18 km de sentiers de ski de fond.

Circuit B: La Belle au bois dormant

L'un des meilleurs endroits pour faire du ski de fond est **Pohénégamook Santé Plein Air**. On y trouve 43,5 km de sentiers balisés traversant un «ravage» où errent quelque 750 cerfs de Virginie.

Hébergement

Circuit A: Le Pays de Kamouraska

Kamouraska

Motel Cap Blanc
$$
🐾, ℂ
300 av. Morel
☎/≈492-2919
Le Motel Cap Blanc dispose de chambres simples et confortables offrant une belle vue sur le fleuve Saint-Laurent.

Gîte chez Jean et Nicole
$$ pdj
bc/bp
81 av. Morel, route 132
☎492-2921
Dans cette maison centenaire entretenue avec un soin amoureux, les hôtes ont ouvert un gîte pour le plaisir de rencontrer les gens. Petits déjeuners mémorables…Tout près du village et surtout de la mer. Quatre chambres. Non-fumeurs. Plage.

Saint-André

La Solaillerie
$$-$$$ pdj
ℜ
112 rue Principale
☎493-2914
≈493-2243
www.aubergelasolaillerie.com
Aménagée dans une grande maison de la fin du XIXe siècle, l'auberge La Solaillerie présente une magnifique façade blanche qui est cintrée, à l'étage, d'une large galerie. À l'intérieur, un riche décor évoquant l'époque d'origine de la demeure confère à l'auberge une ambiance chaleureuse. Les

cinq chambres sont douillettes et confortables, décorées avec goût dans le respect de la tradition des vieilles auberges où l'on entend les planchers craquer! La construction d'un pavillon a ajouté à l'auberge six chambres modernes, plus intimes et chaleureusement décorées. Sa table réserve de belles surprises aux fins gourmets (voir p 546).

Rivière-du-Loup

Auberge de Jeunesse Internationale
$ pdj
46 boul. de l'Hôtel-de-Ville
☎862-7566
⇄862-1843
L'Auberge de Jeunesse Internationale de Rivière-du-Loup se présente comme le lieu d'hébergement le moins coûteux en ville. Les chambres sont simples mais propres.

Auberge de la Pointe
$$-$$$
🛏, ⊛, ⊘, ℂ, ≈, ✪, ℜ, △
fermé nov à avr
10 boul. Cartier
☎862-3514 ou 800-463-1222
⇄862-1882
www.auberge-de-la-pointe.qc.ca
En bordure du fleuve Saint-Laurent, l'Auberge de la Pointe se dresse sur un site vraiment exceptionnel et propose, outre des chambres confortables, des soins d'hydrothérapie, d'algothérapie ainsi que de massothérapie. Depuis les belvédères, vous pourrez admirer de superbes couchers de soleil.

On y trouve même un théâtre d'été.

Hôtel Lévesque
$$$
≡, ⊛, ⊘, ≈, ℝ, ✪, ℜ, △
171 rue Fraser
☎862-6927 ou 800-463-1236
⇄867-5827
www.botellevesque.com
L'Hôtel Lévesque tire pleinement parti de son environnement: il s'entoure d'un jardin paysager superbement aménagé. Les chambres sont spacieuses et confortables, certaines offrant une vue sur le fleuve Saint-Laurent.

Hôtel Universel
$$$$
≡, 🛏, ⊛, ⊘, ≈, ℝ, ✪, ℜ, △
311 boul. de l'Hôtel-de-Ville
☎862-9520 ou 800-265-0072
⇄862-2205
www.botuniverdl.com
L'hôtel Universel dispose de 119 chambres décorées d'une façon simple mais agréable.

Île du Pot à l'Eau-de-Vie

Phare de l'île du Pot à l'Eau-de-Vie
$$$$ /pers. pc et croisière
bc
Duvetnor: 200 rue Hayward, Rivière-du-Loup
☎867-1660 ou 877-867-1660
⇄867-3639
Sur une petite île au milieu du fleuve Saint-Laurent, le Phare de l'île du Pot à l'Eau-de-Vie expose à tous vents sa façade blanche et son toit rouge.

Propriété de Duvetnor, organisme sans but lucratif voué à la protection des oiseaux, l'archipel des îles du Pot à l'Eau-de-Vie fourmille d'oiseaux marins que vous pouvez admirer à loisir lors d'un séjour au phare. Duvetnor propose des forfaits qui comprennent l'hébergement, les repas ainsi qu'une croisière sur le fleuve en compagnie d'un guide naturaliste. Le phare, plus que centenaire, a été restauré avec soin. On y trouve trois chambres douillettes dont le décor conserve l'atmosphère historique de l'endroit. Les repas sont délicieux. Si vous avez envie d'un séjour empli de sérénité, voilà l'endroit tout indiqué.

Saint-Antonin

Camping chez Jean
$
🛏, ≈
434 rue Principale, sortie 499 de l'autoroute 20
☎862-3081
Le Camping chez Jean dispose de 73 emplacements, d'une piscine, d'une laverie et d'un casse-croûte.

Île Verte

Les maisons du Phare
$$ pdj
bc
28B ch. du Phare
☎898-2730
⇄898-4002
www.ileverte.net
Sur la très jolie île Verte, le gîte Les maisons du Phare donne l'occasion de séjourner dans une des deux anciennes maisons des gardiens du phare. Accès à la plage.

Phare de l'île du Pot à l'Eau-de-Vie

Trois-Pistoles

Camping Plage Trois-Pistoles
$
🐾, ≈
fin mai à fin sept
130 route 132 Est
☎*851-2403*
≈*851-4890*
Le Camping Plage Trois-Pistoles est à 5 min en voiture de Trois-Pistoles. Ce site unique, directement situé au bord du fleuve, offre un des plus beaux panoramas de la région. Il est également possible d'y faire des randonnées sur la plage et dans les bois environnants. Au mois d'août, des «pêches» à anguilles sont tendues à proximité de la rive, conférant un caractère pittoresque aux environs. Laverie.

La Ferme Paysagée
$ pdj
bc
de Trois-Pistoles, empruntez la route 293 S. depuis la route 132 E., à 4 km de l'église de St-Jean-de-Dieu
☎*963-3315*
www.lafermepaysagee.
freeservers.com
La Ferme Paysagée est un gîte à la ferme fort populaire auprès des familles, mais aussi auprès de ceux qui apprécient la présence d'animaux car on y trouve des cerfs de Virginie, des chèvres, des moutons et même des lamas.

Motel Trois-Pistoles
$$
≡, 🐾, ℜ
64 route 132 Ouest
☎*851-2563*
≈*851-0893*
Le Motel Trois-Pistoles compte 29 chambres confortables, dont certaines offrent une belle vue sur le fleuve Saint-Laurent; les couchers de soleil y sont tout à fait splendides.

Saint-Simon

Auberge Saint-Simon
$$
ℜ
début juin à mi-oct
18 rue Principale, route 132
☎*738-2971*
Érigée en 1830, la charmante Auberge Saint-Simon est une maison d'époque au toit mansardé renfermant neuf chambres aménagées avec goût et desquelles émane un cachet d'antan fort agréable.

Le Bic

Camping du Bic
$
3382 route 132 Ouest, parc du Bic
☎*736-5035 ou 800-665-6527*
Le Camping du Bic propose une centaine d'emplacements dans le magnifique parc du Bic, mettant ainsi à votre disposition ses beautés et ses activités. Malheureusement, de la plupart de ces emplacements, la route, même si elle n'est pas visible, reste audible.

🦌 Auberge du Mange Grenouille
$$-$$$ pdj
bc/bp, ☯, ℜ
148 rue Ste-Cécile
☎*736-5656*
≈*736-5657*
www.aubergedumange
grenouille.qc.ca
La réputation de l'Auberge du Mange Grenouille n'est plus à faire, tant au Québec qu'à l'étranger. L'accueil s'avère charmant, la nourriture savoureuse (voir p 547), et ses 14 chambres sont chaleureusement garnies d'antiquités. On y organise également de célèbres soirées «meurtres et mystères».

Rimouski

Camping Le Bocage
$
124 route 132 Ouest
☎*739-3125*
Vous trouverez 23 emplacements agréables pour véhicules récréatifs, à proximité d'un plan d'eau, sur le site du Camping Le Bocage.

Résidences du cégep de Rimouski
$
☉, *bc*
320 rue St-Louis
☎*723-4636 ou 800-463-0617*
≈*722-9250*
Les Résidences du cégep de Rimouski sont ouvertes toute l'année aux visiteurs qui désirent se loger pour un court séjour à bon prix.

Hôtel Rimouski
$$-$$$
≡, ⊛, ☉, ≈, ℝ, ℜ
225 boul. René-Lepage Est
☎*725-5000 ou 800-463-0755*
≈*725-5725*
www.hotelrimouski.com
L'hôtel Rimouski est d'un chic assez particulier; son grand escalier et sa longue piscine dans le hall d'entrée en charmeront plus d'un. Les moins de 18 ans partageant la chambre de leurs parents peuvent y séjourner gratuitement.

Pointe-au-Père

🦌 Auberge La Marée Douce
$$-$$$
ℜ
1329 boul. Ste-Anne
☎*722-0822*
≈*723-4512*
L'Auberge La Marée Douce se dresse en bordure du fleuve, dans la municipalité de Pointe-au-Père, près du Musée de la Mer. Aménagée dans un bâtiment datant de 1860, elle renferme des chambres confortables, toutes déco-

rées de façon différente. Elle compte aussi quelques chambres dans un pavillon moderne et offre l'accès à une plage.

Sainte-Luce

Auberge Sainte-Luce
$$
ℂ, ℜ
46 route du Fleuve O.
☎739-4955
≈739-4923
L'Auberge Sainte-Luce est établie dans une maison centenaire abritant des chambres simples mais confortables. Elle offre un belvédère et une plage à sa clientèle.

Circuit B: La Belle au bois dormant

Dégelis

Motel 1212
$$
≡, 🐾, ℝ, ℜ
1212 route 185
☎853-1212 ou 800-267-2334
≈853-2055
Le Motel 1212 dispose de 24 chambres rénovées. Depuis le motel, on accède en hiver directement aux sentiers de motoneige.

Pohénégamook

Pohénégamook Santé Plein Air
$$/pers., pc
⊘, ≈, ❂, ℜ, bc/bp, ⌂
1723 ch. Guérette, sortie Notre-Dame-du-Portage de l'autoroute 20
☎859-2405 ou 800-463-1364
≈859-3315
www.pohenegamook.com
Pohénégamook Santé Plein Air est un centre de vacances qui met l'accent sur les séjours de détente et de plein air, et qui dispose de chambres confortables. Parmi les nombreuses activités proposées, mentionnons, entre autres, les baignades rapides au sauna finlandais, les visites à la cabane à sucre au printemps, les balades en montagne et les randonnées à skis.

Notre-Dame-du-Lac

Auberge Marie-Blanc
$$
≡, ℂ, ℜ
mai à nov
1112 rue Commerciale Sud, suivez les indications vers Edmundston-Cabano, et sortez à Notre-Dame-du-Lac
☎899-6747
≈899-0212
L'Auberge Marie-Blanc compte 13 chambres de motel rénovées il y a quelques années, la maison elle-même étant exclusivement réservée à la salle à manger. Le site profite d'un promontoire en bordure du lac. Vous y avez accès à la marina et à une plage. Une piste cyclable se trouve à proximité.

Restaurants

Circuit A: Le Pays de Kamouraska

Saint-André

La Solaillerie
$$$-$$$$
112 rue Principale
☎493-2914
La salle à manger de l'auberge La Solaillerie est décorée avec soin pour mettre en valeur le cachet historique de la vieille demeure qui l'abrite. Vous pourrez donc vous y attabler dans un décor chaleureux pour déguster une fine cuisine préparée et servie avec soin par les propriétaires. D'inspiration française, cette cuisine est apprêtée selon l'inspiration du chef à partir des produits frais de la région tels que cailles, agneau et saumon frais ou fumé. Réservations requises.

Notre-Dame-du-Portage

L'Estran Auberge sur Mer
$$$-$$$$
363 route du Fleuve
☎862-0642 ou 800-622-0642
Depuis la salle à manger de L'Estran Auberge sur Mer, on a bel et bien une vue exceptionnelle sur le fleuve, qui commence sérieusement à ressembler à la mer. La fine cuisine qu'on y déguste saura ravir les plus exigeants. Poissons et fruits de mer sont servis avec les meilleurs accompagnements tout au long de l'été. À l'automne, le gibier est à l'honneur. Réservations requises.

Rivière-du-Loup

La Terrasse, La Distinction
171 rue Fraser
☎862-6927
Les restaurants de l'Hôtel Lévesque, La Terrasse (*$$*) et La Distinction (*fermé dim et lun soir; $$-$$$*), proposent une large gamme de mets italiens délicieusement apprêtés. Aux deux tables, vous pourrez déguster du saumon préparé dans les fumoirs de l'hôtel selon une méthode ancestrale.

Le Saint-Patrice
$$$
169 rue Fraser
☎862-9895
Le Saint-Patrice est sans doute l'une des meilleures tables du Bas-Saint-Laurent, où le poisson, les fruits de mer, le lapin et l'agneau dominent le menu. À la même adresse, **Le Novelo** (*$$*) sert des pâtes et

une fine pizza dans une ambiance bistro, et **La Romance** *($$$)* se spécialise dans les fondues.

Trois-Pistoles

L'ensoleillé
$$-$$$
138 rue Notre-Dame Ouest
☎851-2889
Le café-resto L'ensoleillé est un restaurant végétarien qui propose un menu à la carte très simple. Les menus de trois services du midi et du soir représentent une bonne affaire.

Le Michalie
$$$
55 rue Notre-Dame Est
☎851-4011
Le Michalie, un petit restaurant coquet, propose une cuisine régionale des plus appréciées ainsi que les délices de la gastronomie italienne.

Saint-Fabien

Auberge Saint-Simon
$$$
18 rue Principale
☎738-2971
L'Auberge Saint-Simon vous invite à prendre un repas dans un chaleureux décor ancestral. Elle vous offre une des expériences culinaires les plus savoureuses du Bas-Saint-Laurent, alliant lapin, agneau, flétan et fruits de mer aux légumes frais provenant du petit jardin attenant au bâtiment.

Le Bic

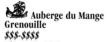 Auberge du Mange Grenouille
$$$-$$$$
148 rue Ste-Cécile
☎736-5656
L'Auberge du Mange Grenouille est l'une des meilleures tables du Bas-Saint-Laurent. Elle a emménagé dans un ancien magasin général, garni de vieux meubles soigneusement choisis afin d'agrémenter les lieux. Tous les jours, on propose un choix de six tables d'hôte, composées de gibier, de poisson, de volaille et d'agneau. Ces créations culinaires sont aussi appétissantes les unes que les autres et sont toujours servies avec attention.

Rimouski

La Maison du spaghetti
$$-$$$
35 rue St-Germain Est
☎723-6010
La Maison du spaghetti propose un menu très varié et fort apprécié de la gent estudiantine rimouskoise, des résidants en général ainsi que des touristes.

Brochetterie chez Gréco
$$-$$$
40 rue St-Germain Est
☎724-2804
La Brochetterie chez Gréco reste fidèle à la tradition des restaurants grecs en servant de très grosses portions de fruits de mer, accompagnés de pâtes, ou en brochette.

Le lotus
$$$
143 rue Belzile
☎725-0822
Si vous avez envie de manger thaïlandais, vietnamien ou cambodgien, rendez-vous au restaurant Le lotus. Les plats y sont délicieux, très exotiques et bien présentés. Chaque jour, en plus du menu à la carte, vous avez le choix entre le souper mandarin, le souper gastronomique et le souper super-gastronomique, chacun d'eux comprenant quatre ou cinq services. Réservations recommandées.

Café-bistro Le Saint-Louis
$$$
97 rue St-Louis
☎723-7979
Le Café-bistro Le Saint-Louis possède tous les airs et les arômes de ses cousins parisiens. Vous y trouverez une grande sélection de bières importées et de microbrasseries. Les mets du menu, composé quotidiennement, sont délicieux et servis dans une ambiance agréable.

Serge Poully
$$$-$$$$
284 rue St-Germain Est
☎723-3038
Le restaurant Serge Poully suggère à ses convives des plats de gibier, de fruits de mer, de steaks et de spécialités de la cuisine française. L'atmosphère décontractée du restaurant et son service attentionné conviennent parfaitement aux repas en tête-à-tête.

Pointe-au-Père

Auberge La Marée Douce
$$$
1329 rue Ste-Anne
☎722-0822
L'Auberge La Marée Douce vous invite à savourer ses spécialités de fruits de mer et sa cuisine française dans sa belle salle à manger, aménagée dans une maison ancestrale.

Sainte-Luce

Café-bistro L'Anse-aux-Coques
$$$
31 route du Fleuve Ouest
☎739-4815
Le Café-bistro L'Anse-aux-Coques est un petit lieu de restauration agréable, situé dans le décor charmant et bien connu de Sainte-Luce-sur-Mer, qui sert des steaks, des sous-marins, des quiches ainsi que du poisson et des fruits de mer.

Circuit B: La Belle au bois dormant

Rivière-Bleue

Transcontinental
$-$$
62 rue St-Joseph
☎893-5666
Le Transcontinental se
présente comme un petit
restaurant où l'on peut
manger des pizzas, du
poulet pané et du steak.

Notre-Dame-du-Lac

Auberge Marie-Blanc
$$-$$$$
1112 rue Commerciale
☎899-6747
L'**Auberge Marie-Blanc** (voir
p 546) vous invite à dégus-
ter ses petits déjeuners et
ses dîners dans une jolie
maison victorienne. Ce site
historique se trouve sur un
promontoire surplombant
le lac; une galerie de bois
superbe fait office de ter-
rasse. Vous pouvez y man-
ger de bons plats de cui-
sine régionale se compo-
sant de poissons (entre
autres les corégones du
lac), de fruits de mer, de
cerf de Virginie, de per-
drix, de canard ou de
lapin.

Sorties

Bars et discothèques

Rimouski

Chiffre de Nuit
204 av. de la Cathédrale
Le Chiffre de Nuit est une
discothèque répartie sur
deux niveaux. Vous y
rencontrerez une clientèle
plutôt jeune, des étudiants
pour la plupart.

Sens Unique
160 av. de la Cathédrale
Le Sens Unique offre une
des atmosphères les plus
chouettes à Rimouski avec
sa musique et sa terrasse.
La clientèle, très variée, se
compose de gens âgés de
18 à 45 ans.

Théâtres et salles de spectacle

Le Bic

Le **Théâtre Les Gens d'en Bas**
*(18-25; 50 route du Golf,
16 km à l'ouest du centre-ville
de Rimouski,* ☎*736-4141)*
produit chaque été une ou
plusieurs pièces. Les repré-
sentations ont lieu du
mardi au samedi à 20h30
*(été seulement, horaire va-
riable le reste de l'année)* à la
Grange-Théâtre du Bic. Le
paysage y est superbe.

Fêtes et festivals

Rimouski

Le **Festi-Jazz** *(*☎*724-7844)*
présente une vingtaine de
spectacles d'artistes de jazz
québécois et internatio-
naux. Les activités se tien-
nent aussi bien dans les
bars et les salles que dans
la rue. Le Festi-Jazz dure
quatre jours et a toujours
lieu durant la fin de se-
maine de la fête du Travail
(première fin de semaine
de septembre).

Le **Carrousel international du
film de Rimouski** *(*☎*722-
0103)* est un festival de
cinéma pour jeune public.
On y fait la projection
d'une quarantaine de films.
Ce festival se tient la troi-
sième semaine de septem-
bre et dure sept jours.

Achats

Rimouski

La Samare *(84 rue St-Ger-
main O.,* ☎*723-0242)* dis-
pose d'un vaste choix
d'articles de cuir de pois-
son. Vous y trouverez
également un grand choix
de sculptures, de vases et
de bibelots, tous issus de
la tradition artisanale
inuite.

Gaspésie

L a vaste péninsule gaspésienne baigne dans les eaux de la baie des Chaleurs, du fleuve et du golfe du Saint-Laurent.

Pour nombre de Québécois, elle évoque d'inoubliables souvenirs de voyage.

Terre un peu mythique à l'extrémité est du Québec, elle fait partie des rêves de ceux qui caressent, souvent longtemps à l'avance, le projet d'en faire enfin le «tour»; de traverser ses splendides paysages côtiers, là où les monts Chic-Chocs plongent abruptement dans les eaux froides du fleuve Saint-Laurent; de se rendre, bien sûr, jusqu'au fameux rocher Percé; de prendre le large pour l'île Bonaventure et de visiter l'extraordinaire parc national Forillon; enfin de lentement revenir en longeant la baie des Chaleurs et en sillonnant l'arrière-pays par la vallée de la Matapédia. Dans ce beau «coin» du Québec, aux paysages si pittoresques, des gens fascinants et accueillants tirent encore leur subsistance, en grande partie, des produits de la mer. La grande majorité des Gaspésiens habitent de petits villages côtiers, laissant le centre de la pénin-

sule recouvert d'une riche forêt boréale. On y retrouve le plus haut sommet du Québec méridional, dans cette partie de la chaîne des Appalaches que l'on nomme les monts Chic-Chocs.

Gaspé, mot d'origine micmaque, signifie «le bout du monde»; les Micmacs habitent ces terres depuis des millénaires. Malgré son isolement, la péninsule a su attirer au cours des siècles des pêcheurs de maintes origines, particulièrement des Acadiens, chassés de leurs terres par les Anglais en 1755. On y retrouve

maintenant une population à forte majorité de langue française.

On se rend en Gaspésie d'abord pour ses paysages rudes et montagneux ainsi que pour le golfe du Saint-Laurent, qui vaut bien l'océan tant il est vaste. Un chapelet de villages de pêcheurs s'égrène sur la côte, laissant l'intérieur pratiquement dans le même état qu'il était au moment de la découverte du Canada par Jacques Cartier en 1534, sans villes et sans routes.

Pour s'y retrouver sans mal

Les deux circuits proposés dans la région touristique de la Gaspésie longent la côte: le **Circuit A: La péninsule ★★** et le **Circuit B: La baie des Chaleurs ★**. Pour plus de renseignements, vous pouvez consulter le *Guide Ulysse Gaspésie, Bas-Saint-Laurent et Îles de la Madeleine.*

Circuit A: La péninsule

En voiture

Pour entamer cet itinéraire, rendez-vous à Sainte-Flavie par l'autoroute Jean-Lesage (20) puis par la route 132, qui mène à Percé en longeant le fleuve Saint-Laurent tout en passant par Matane, Sainte-Anne-des-Monts et Gaspé. Toutefois, rendu à L'Anse-Pleureuse, vous pourrez vous permettre un détour par Murdochville si vous le désirez.

En traversier

Baie-Comeau – Matane: le traversier *(adulte 12,75$, voiture 29,95$, moto 22,45$;* ☎*418-562-2500 ou 877-562-6560)* quittant Baie-Comeau, sur la rive nord du Saint-Laurent, en direction de Matane, permet d'arriver à destination en 2 heures 30 min. L'horaire des traversiers varie grandement d'une année à l'autre; renseignez-vous avant de planifier un voyage. Réservez à l'avance en saison estivale.

Godbout – Matane: le traversier *(adulte 12,75$, voiture 29,95$, moto 22,45$;* ☎*418-562-2500 ou 877-562-6560)* de Godbout, sur la rive nord du Saint-Laurent, en direction de Matane, permet d'arriver à destination en 2 heures 10 min. Réservez à l'avance en saison estivale.

Gares routières

Sainte-Anne-des-Monts
90 boul. Ste-Anne
☎*(418) 763-3321*

Gaspé
20 rue Adams
☎*(418) 368-1888*

Matane
521 av. du Phare E.
(station-service Irving)
☎*(418) 562-4085*

Percé
Ultramar, L'Anse-à-Beaufils
☎*(418) 782-5417*

Gares ferroviaires

Gaspé
3 boul. Marina
☎*(418) 368-4313*

Percé
44 L'Anse-à-Beaufils
☎*800-361-5390*

Circuit B: La baie des Chaleurs

En voiture

Ce circuit succède au précédent itinéraire; il débute à Chandler sur la route 132. De fait, de Chandler à Causapscal, où le parcours se termine, vous suivrez la route 132. Vous croiserez Newport et Carleton-Saint-Omer le long de la baie des Chaleurs, puis Matapédia, porte d'entrée de la vallée du même nom, que vous côtoierez le long de la rivière Matapédia jusqu'à Causapscal.

Noms des nouvelles villes fusionnées

Métis-sur-Mer
Fusion de Les Boules et Métis-sur-Mer.

Port-Daniel-Gascons
Fusion de Port-Daniel et Sainte-Germaine-de-l'Anse-aux-Gascons.

Mont-Joli
Fusion de Mont-Joli et Saint-Jean-Baptiste.

Chandler
Fusion de Chandler, Newport, Pabos Mills, Pabos et Saint-François-de-Pabos.

Matane
Fusion de Matane, Petit-Matane, Saint-Luc-de-Matane et Saint-Jérôme-de-Matane.

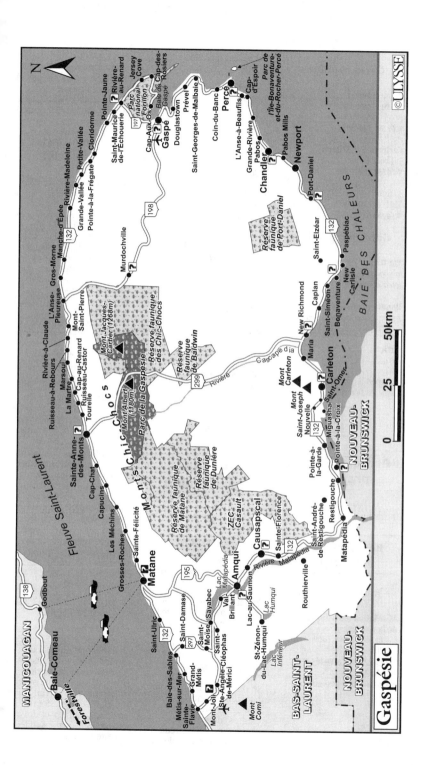

Gaspésie

Gares routières

Bonaventure
118 rue Grand-Pré
Motel Grand-Pré
☎(418) 534-2053

Carleton-Saint-Omer
561 boul. Perron
☎(418) 364-7000

Amqui
219 boul. St-Benoît E.
☎(418) 629-6767

Gares ferroviaires

VIA Rail
☎800-361-5390
www.viarail.ca

Bonaventure
rue de la Gare, près de l'avenue
Grand-Pré

Carleton-Saint-Omer
rue de la Gare

Matapédia
10 rue MacDonnell

Renseignements pratiques

Indicatif régional: **418**

Renseignements touristiques

Bureau régional

**Association touristique
de la Gaspésie**
357 route de la Mer, Sainte-Flavie,
G0J 2L0
☎775-2223 ou 800-463-0323
≈775-2234
www.tourisme-gaspesie.com

Circuit A:
La péninsule

Sainte-Flavie
voir ci-dessus

Matane
968 av. du Phare O.
☎562-1065

Gaspé
27 boul. York E.
☎368-6335

Circuit B:
La baie des Chaleurs

Percé
142 route 132 O.
☎782-5448

Carleton-Saint-Omer
629 boul. Perron
☎364-3544

Pointe-à-la-Croix
1830 rue Principale
☎788-5670

Attraits touristiques

Circuit A:
La péninsule
(deux ou trois jours)

Avant même la découverte de l'Amérique, les Européens venaient pêcher dans les eaux du golfe du Saint-Laurent. Il ne reste plus de traces aujourd'hui des campements qu'ils ont établis sur la côte, mais on se prend à imaginer leur réaction devant ce continent inconnu et leurs rencontres inévitables avec les Autochtones. Le circuit de la péninsule longe des falaises abruptes avant d'atteindre des zones plus clémentes, là même où Jacques Cartier a pris possession du Canada au nom du roi de France.

Sainte-Flavie
(960 hab.)

Surnommé «la porte d'entrée de la Gaspésie», le village de Sainte-Flavie a été fondé en 1829. Il doit son appellation à la seigneuresse Angélique-Flavie Drapeau, fille du seigneur Joseph Drapeau. On y trouve des boutiques d'artisanat et plusieurs établissements d'hébergement avec vue sur le golfe du Saint-Laurent. Malheureusement, certains de ces motels et hôtels déparent le paysage, car leur architecture est totalement étrangère au caractère des lieux.

Le **Centre d'art Marcel-Gagnon** *(entrée libre; début mai à mi-oct tlj 7h30 à 23h, hors saison 8h à 21h; 564 route de la Mer,* ☎*775-2829)* comprend à la fois une boutique d'artisanat, un centre d'exposition, un restaurant et une auberge. À l'arrière, une œuvre de Marcel Gagnon intitulée *Le grand rassemblement*, composée de 80 personnages de béton émergeant du fleuve Saint-Laurent, surprend le visiteur.

★
Grand-Métis
(270 hab.)

Grand-Métis bénéficie d'un microclimat qui attirait autrefois les estivants fortunés. L'horticultrice Elsie Reford a ainsi pu y créer un jardin à l'anglaise où poussent plusieurs espèces d'arbres et de fleurs, introuvables ailleurs à cette latitude en Amérique, et qui constitue de nos jours le principal attrait de la région. Les Malécites ont baptisé l'endroit *Mitis*, qui signifie «petit peuplier», appellation qui s'est transformée en «Métis» avec les années.

Les **Jardins de Métis ★★★** *(12$; début juil à fin août tlj 8h30 à 18h30; juin, sept et oct tlj 8h30 à 17h; 200 route 132, ☎775-2221, www.jardinsmetis.com)* font partie des plus beaux jardins du Québec, et leur nom a fait le tour du monde. Il s'agit aussi d'un site historique national canadien. En 1927, Elsie Stephen Meighen Reford hérite du domaine de son oncle, Lord Mount Stephen, qui avait fait fortune en investissant dans le chemin de fer transcontinental du Canadien Pacifique. Elle entreprend l'année suivante d'y créer un jardin à l'anglaise, qu'elle entretiendra et augmentera jusqu'à sa mort, en 1954. Sept ans plus tard, le gouvernement du Québec se porte acquéreur du domaine et l'aménage pour l'ouvrir au public. Aujourd'hui les Jardins de Métis ont été rachetés par le petit-fils de la fondatrice, Alexander Reford, qui leur a inculqué une énergie nouvelle grâce à des réalisations remarquables telles que le Festival international des Jardins.

Les jardins se divisent en huit ensembles ornementaux distincts: le Massif floral, les Rocailles, le Jardin des rhododendrons, l'Allée royale, le Jardin des pommetiers, le Jardin des primevères, le Muret, qui domine la baie de Mitis, et le Sous-bois, où l'on peut voir un regroupement de plantes indigènes. N'oubliez pas votre insectifuge car les moustiques sont plutôt voraces!

La **Villa historique Reford ★★** *(juin à mi-sept tlj 9h à 17h; à l'intérieur des Jardins de Métis,* ☎*775-3165)* est une villa de 37 pièces qui se dresse au milieu des Jardins de Métis. On y fait revivre la vie des Métissiens du début du XXe siècle. On peut visiter, à travers différentes salles, la chambre des serviteurs, la chapelle, le magasin général, l'école et le cabinet du médecin. On peut aussi s'y restaurer (voir p 574) ou faire des achats à la boutique d'artisanat.

Poursuivez en direction de Matane. Un arrêt à Métis-sur-Mer permet de vous rapprocher de l'eau en quittant momentanément la route 132 Est.

★
Métis-sur-Mer
(620 hab.)

Ce centre de villégiature était, au tournant du XXe siècle, le lieu de prédilection des professeurs de l'Université McGill de Montréal qui louaient d'élégants cottages en bord de mer pour la durée des vacances estivales. Des familles anglo-saxonnes plus fortunées s'y sont également fait construire de vastes résidences apparentées aux styles de la Nouvelle-Angleterre. Elles ont été attirées par la beauté du paysage, mais aussi par la présence d'une petite communauté écossaise établie dans les environs, dès 1820, par le seigneur de Métis, John McNider. Par sa cohésion et la qualité de son architecture de bois, cette municipalité, aussi connue sous le nom de «Metis Beach», se démarque des villages environnants.

La plupart des Écossais sont membres de l'Église presbytérienne, église officielle d'Écosse, bien que plusieurs communautés se soient regroupées avec les méthodistes, au début du XXe siècle, pour former l'Église unie; c'est le cas de celle de Métis-sur-Mer. Leur **chapelle presbytérienne** *(à l'entrée du village)*, érigée en 1874, rappelle par la forme de ses ouvertures et de son clocher l'architecture des églises catholiques de colonisation.

Vous traverserez ensuite Les Boules, puis le charmant village de Baie-des-Sables, avant d'arriver à Saint-Ulric.

Saint-Ulric
(748 hab.)

Ce village est également connu sous l'appellation de «Rivière-Blanche», du nom de la rivière locale qui se jette dans le fleuve. Il est dominé par son imposante **église**, construite en 1912 selon les plans des architectes Ouellet et Lévesque de Québec. Toute la région qui, à partir de Saint-Ulric, s'étend vers l'est sur une distance de 200 km, jusqu'à Rivière-au-Renard, à l'entrée du parc Forillon, fut peuplée tardivement dans la seconde moitié du XIXe siècle.

Matane
(15 560 hab.)

Le principal attrait de Matane, mot d'origine micmaque qui signifie «vivier de castors», est sa gastronomie, fondée sur le saumon et sur les fameuses crevettes de Matane qui font l'objet d'un festival annuel. La ville est le centre administratif de la région et son principal moteur économique grâce à la présence d'une industrie diversifiée, axée à la fois sur la pêche, l'ex-

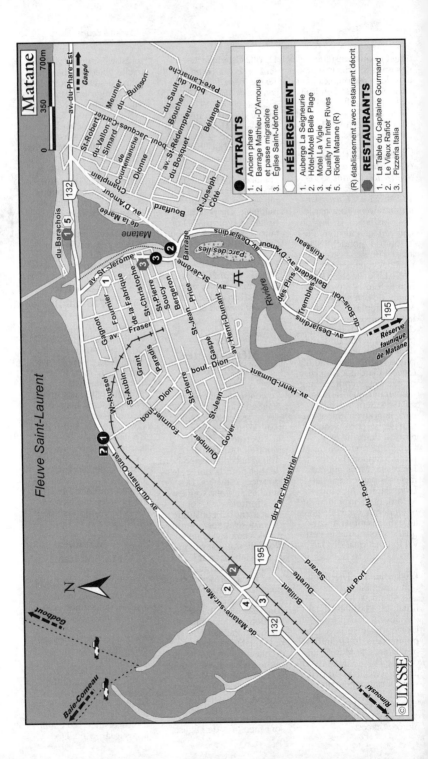

Matane

ATTRAITS
1. Ancien phare
2. Barrage Mathieu-D'Amours et passe migratoire
3. Église Saint-Jérôme

HÉBERGEMENT
1. Auberge La Seigneurie
2. Hôtel-Motel Belle Plage
3. Motel La Vigie
4. Quality Inn Inter Rives
5. Riôtel Matane (R)

(R) établissement avec restaurant décrit

RESTAURANTS
1. La Table du Capitaine Gourmand
2. Le Vieux Rafiot
3. Pizzeria Italia

Fleuve Saint-Laurent

du Barachois
132
av.-du-Phare-Est
Gaspé

Meunier
du Buisson
St-Robert
du Vallon
Simard-Cartier
boul. Jacques-Cartier
de Courtemanche
Dionne
av.-St-Rédempteur
du Sault
Boucher
Bélanger
boul. du
Père-Lamarche
St-Joseph-Côté
av.-du-Bosquet
Bouffard
Champlain
av.-D'Amour
av. de la Marée
Matane
Rivière Matane
av.-St-Jérôme
Barrage
St-Jérôme
Parc des Îles
av.-Desjardins
av.-D'Amour
Belvédère
des Pins
Ruisseau
Trembles
du Bois-Joli
195
Réserve faunique de Matane

Gagnon
av.-Fournier
St-Christophe
St-Pierre
Soucy
Bergeron
St-Jean
Price
av.-Henri-Dunant
Rivière
de la Fabrique
Fraser
W.-Russel
Grant
Paradis
St-Aubin
boul.-Dion
St-Pierre
St-Jean
Gaspé
Fournier
boul.-Dion
Quimper
Goyer
av.-Henri-Dunant
du Parc-Industriel
du Port
av.-du-Phare-Ouest

de Matane-sur-Mer
2
4
3
195
Brillant
Birette
Savard
132
du Port

Rimouski
Godbout
Baie-Comeau

N

ULYSSE

0   350   700m

ploitation forestière, les cimenteries et le transport maritime. Les sous-marins allemands se rendirent jusqu'aux abords du quai de Matane pendant la Seconde Guerre mondiale.

L'ancien phare *(968 av. du Phare)*. Ce phare de 1911, aujourd'hui désaffecté, accueille les visiteurs à l'entrée de la ville. La maison du gardien abrite le bureau de tourisme ainsi qu'un mini-musée d'histoire locale.

La rivière Matane traverse la ville en son centre. On y a aménagé le **barrage Mathieu-D'Amours ★** *(à proximité du parc des Îles)*, doublé d'une **passe migratoire** *(2$)* pour le saumon qui remonte la rivière afin d'aller frayer en amont. Un poste d'observation, situé sous le niveau de l'eau, permet d'observer le spectacle fascinant des saumons qui luttent avec acharnement contre le courant. Le **parc des Îles** avoisine le barrage. On y trouve une plage et une aire de pique-nique.

L'église Saint-Jérôme ★ *(527 rue St-Jérôme)*. Avant même le premier voyage au Canada du moine-architecte français dom Bellot, en 1934, qui allait exercer une influence considérable sur l'architecture des églises québécoises, les architectes Paul Rousseau et Philippe Côté réalisèrent ici l'un des monuments précurseurs du modernisme dans l'art religieux du Québec en réutilisant les murs de l'ancienne église de Matane, incendiée en 1932. Comme on ne pouvait faire porter la nouvelle structure sur les ruines trop fragiles du temple détruit, de grands arcs paraboliques en béton furent construits, supportant la totalité du poids de la toi-

ture. Dans le chœur, on remarquera la grande murale du peintre Lucien Martial.

Une excursion facultative à l'intérieur des terres permet de se rendre à la réserve faunique de Matane, à environ une heure de route de cette ville (voir p 567).

Reprenez la route 132 Est en direction de Cap-Chat et de Sainte-Anne-des-Monts. Vous longerez alors de coquets hameaux de pêcheurs aux noms évocateurs: Sainte-Félicité, L'Anse-à-la-Croix, Grosses-Roches et Les Méchins.

Cap-Chat-Capucins (3 030 hab.)

La **baie des Capucins** est reconnue pour abriter une flore et une faune (particulièrement des oiseaux) très riches et typiques des marais d'eau salée. Il s'agit en effet du seul marais d'eau salée des environs. La promenade qui suit le tracé de la baie est vraiment des plus agréables. Le **Centre d'interprétation de la Baie-des-Capucins** *(3$; fin juin à fin août tlj 10h à 19h; 294 rue du Village, ☎786-2317)* présente une petite exposition sur la nature particulière de la baie.

Éolienne

M.d. Fierba

Selon les uns, le nom de Cap Chat serait attribuable à Champlain, qui a baptisé les environs «Cap de Chatte», en l'honneur du commandeur de Chatte, lieutenant général du roi, alors que d'autres affirment que c'est plutôt la forme d'un rocher rappelant étrangement un chat accroupi, situé à proximité du phare, qui en serait à l'origine. L'**église Saint-Norbert**, érigée en 1916, est le seul monument d'importance au centre de la ville. De facture néoromane, elle est une des rares églises en maçonnerie à l'est de Matane.

L'énergie électrique peut être obtenue de différentes façons. L'une des plus originales et des moins exploitées est sans contredit celle qui utilise la force du vent grâce à l'éolienne. Le village de Cap-Chat, de par sa situation géographique idéale, sert de site, depuis quelques années, à diverses installations d'éoliennes. Vous ne pourrez d'ailleurs pas manquer, depuis la route, ce spectacle un peu surnaturel! Le **Centre d'interprétation de l'énergie éolienne Éole ★** *(8$; début juin à mi-oct tlj 8h30 à 17h; route 132, ☎786-5719)* abrite une éolienne de 110 m de haut, la plus puissante et la plus grande éolienne à axe vertical du monde, ainsi que le plus important parc d'éoliennes de l'Est canadien.

Le **Centre d'interprétation du vent et de la mer le Tryton** *(8$; mi-juin à mi-sept tlj 8h à 18h; 9 route du Phare, près de Cap-Chat, ☎786-5543)*. Situé autour du **phare** construit dès 1871, le centre retrace l'histoire de Cap-Chat ainsi que de ses liens avec le vent et le golfe du Saint-Laurent. D'agréables sentiers conduisent au bord de la mer, où l'on peut flâner à sa guise. Le petit **Musée Germain-Lemieux** retrace l'histoire de la marine.

★
Sainte-Anne-des-Monts (7 100 hab.)

La municipalité de Sainte-Anne-des-Monts possède quelques bâtiments intéressants, notamment l'**église Sainte-Anne**, réalisée par Louis-Napoléon Audet en 1939, et l'**hôtel de ville**, installé dans l'ancien palais de justice de 1885. On y trouve également de belles demeures de capitaines et d'industriels. Sainte-Anne-des-Monts constitue le point de départ des excursions en forêt dans le parc de la Gaspésie, dans la réserve faunique des Chic-Chocs et à la rivière Sainte-Anne.

Centre de Découverte Explorama *(droit d'entrée; juin à mi-oct tlj 9h à 18h, fin juin à mi-août 9h à 20h, le reste de l'année 9h à 17h en semaine et 13h à 17h la fin de semaine; 1 rue du Quai, ☎763-2500)* vous propose de découvrir la péninsule gaspésienne et ses liens étroits avec la mer et la montagne grâce à des activités d'interprétation.

*Une excursion qui vaut le détour conduit au cœur de la péninsule gaspésienne. Empruntez la route 299, qui mène à l'entrée du **parc de la Gaspésie** ★★ (voir p 567).*

*De retour à la route 132, vous traverserez les villages de **Tourelle**, de **Ruisseau-Castor** et de **Cap-au-Renard** avant d'arriver à La Martre.*

★★
De La Martre à L'Anse-Pleureuse

Village de pêcheurs typique, avec son **église en bois** (1914) et son **phare** (1906), La Martre est situé à la limite de la plaine littorale. Au-delà, la côte devient beaucoup plus accidentée et abrupte. La route doit donc épouser le découpage en profondeur des baies et les avancées des caps aux escarpements dénudés. En plusieurs endroits, elle longe directement la mer, dont les vagues viennent lécher l'asphalte par «gros temps». Il est suggéré d'emprunter pendant quelques kilomètres certaines des rares routes qui conduisent à l'intérieur des terres, à partir des villages, afin d'apprécier pleinement la rudesse des paysages et la force des rivières, notamment les routes de gravier qui longent la rivière à Claude et la rivière Mont-Saint-Pierre.

Le **Musée des phares et balises** ★ *(5$; début juin à fin sept tlj 9h à 17h; 10 av. du Phare, ☎288-5698).* On présente, dans l'ancien phare rouge de forme octogonale et dans la maison du gardien, tout aussi éclatante, une intéressante exposition sur l'histoire des phares de la Gaspésie et sur leur fonctionnement.

*Vous traverserez ensuite **Marsoui, Ruisseau-à-Rebours, Rivière-à-Claude, Mont-Saint-Pierre,** où se trouvent des rampes de lancement de vol libre, et enfin un village au nom que l'on croirait tiré d'un roman peuplé de fantômes, **L'Anse-Pleureuse.** Une excursion facultative, par la route 198, conduit à Murdochville, ancienne capitale québécoise du cuivre. Il s'agit de l'unique agglomération*

d'importance à l'intérieur de la péninsule gaspésienne.

Murdochville (1 300 hab.)

Murdochville fut créée en pleine forêt, à 40 km de toute civilisation. Sa fondation ne remonte qu'à 1951, alors que la Gaspésie Mines décide d'exploiter les importants gisements de cuivre de cette région isolée. L'agglomération a été aménagée par l'entreprise selon un plan plus ou moins précis. En 1957, les mineurs de Murdochville ont mené une grève difficile pour la reconnaissance de leur droit à se pourvoir d'un syndicat, écrivant ainsi l'une des pages importantes de l'histoire du syndicalisme québécois.

Malheureusement, en 2002 c'est une triste page de la ville qui s'est écrite: la mine a fermé ses portes. Après 50 années de travail dans les entrailles de la terre, les travailleurs et travailleuses ont été remerciés, et l'exploitation du minerai de cuivre a cessé.

Cependant, on peut encore visiter le **Centre d'interprétation du cuivre** ★ *(10$; début juin à mi-oct tlj 10h à 16h; 345 route 198, ☎784-3335 ou 800-487-8601)* pour en apprendre plus sur la vie de ces mineurs et sur l'histoire et les méthodes de l'extraction du cuivre. La visite guidée du site de l'ancienne mine, agrémentée de plusieurs explications, ainsi que celle de la salle d'exposition, demeurent une expérience enrichissante.

*Revenez sur vos pas en direction de L'Anse-Pleureuse. Tournez à droite dans la route 132 Est pour atteindre d'autres hameaux aux noms savoureux tels que **Gros-***

Morne, Manche-d'Épée, Pointe-à-la-Frégate et L'Échouerie.

À **Madeleine**, on peut voir une des plus anciennes églises de la région, dotée d'un clocher élégamment galbé (1884), alors qu'à **Grande-Vallée** se trouve, outre l'**église Saint-François-Xavier**, le **pont couvert Galipeau**, long de 44 m, qui donne un air vieillot à tout le village. Il s'agit d'une construction de bois de type Town à une seule travée, installée en 1923.

À l'est de Rivière-au-Renard et jusqu'à Gaspé, vous longerez le parc national Forillon, l'un des plus beaux parcs nationaux canadiens.

Rivière-au-Renard (4 000 hab.)

Rivière-au-Renard, centre de transformation du poisson (nettoyage, préparation, mise en conserve ou en boîte), est dominé par ses usines. Quant à son port de pêche, il est le plus important du côté nord de la péninsule gaspésienne. Des programmes gouvernementaux, liés au tourisme et à la création d'emplois, permettent de faire connaître aux visiteurs toutes les étapes de la transformation du poisson.

Le **Centre d'interprétation des pêches contemporaines** *(5$; fin juin à fin août tlj 9h à 17h30; 1 boul. Renard E., à l'intersection des routes 197 et 132, ☎269-7001).* Encore un centre d'interprétation! Cette fois, on aborde les multiples facettes de la pêche contemporaine à travers une exposition et une présentation audiovisuelle. Ce qui est davantage intéressant, c'est la visite guidée des usines et, surtout, la dégustation des produits marins.

★
L'Anse-au-Griffon (995 hab.)

À la suite à la conquête britannique de la Nouvelle-France, la pêche commerciale en Gaspésie est prise en charge par un petit groupe de marchands anglo-normands, originaires de l'île de Jersey. L'un d'entre eux, John LeBoutillier, bâtit à L'Anse-au-Griffon des entrepôts de sel, de farine et morue séchée vers 1840. La morue est alors exportée en Espagne, en Italie et au Brésil.

Le **Centre socioculturel Manoir LeBoutillier ★** *(4$; début juin à mi-oct tlj 9h à 17h; 578 boul. Griffon, ☎892-5150).* Cette belle maison de bois, peinte d'un jaune éclatant, fut construite en 1840 pour servir de résidence et de bureau aux gérants de l'entreprise de LeBoutillier, qui emploiera jusqu'à 2 500 personnes dans la région en 1860. Sa toiture à larmiers cintrés rappelle les maisons de Kamouraska. On y trouve un centre d'interprétation sur l'histoire de la maison et des marchands originaires de Jersey ainsi qu'une boutique d'artisanat et un café.

Après avoir traversé Jersey Cove, vous arrivez à Cap-des-Rosiers, porte d'entrée de la portion sud du parc national Forillon, celle où les paysages sont les plus tourmentés et où la mer est plus présente que jamais.

★
Cap-des-Rosiers (525 hab.)

Occupant un site admirable, Cap-des-Rosiers a été le théâtre de nombreux naufrages. Deux monuments rappellent un naufrage particulier, celui du voilier *Karrik*, au cours duquel 87 des quelque 200 immigrants irlandais qui prenaient place à bord périrent et furent enterrés au cimetière local. La plupart des autres s'établirent à Cap-des-Rosiers, donnant une couleur nouvelle et inattendue à cette communauté. Des noms d'origine irlandaise tels que Kavanagh et Whalen sont encore bien présents dans les environs. C'est également du haut de ce cap que les Canadiens (les premiers Québécois de l'époque) aperçurent la flotte du général Wolfe se dirigeant vers Québec en 1759.

Parc national Forillon ★★★, voir p 567.

Après avoir contourné le cap Gaspé, on entre dans la baie du même nom. Le relief rude des falaises abruptes fait soudainement place à de doux vallons entrecoupés de rivières.

★
Gaspé (16 070 hab.)

C'est ici qu'au début de juillet 1534 Jacques Cartier prend possession du Canada au nom du roi de France, François Ier. Il faut cependant attendre le début du XVIIIe siècle avant que ne soit implanté le premier poste de pêche à Gaspé, et la fin du même siècle pour voir apparaître un véritable village à cet endroit. Tout au long du XIXe siècle, Gaspé vit au rythme des grandes entreprises de pêche des marchands jersiais, qui règlent la vie d'une population de pêcheurs canadiens-français et acadiens démunie et peu éduquée. Au cours de la Seconde Guerre mondiale, Gaspé s'est préparée à devenir la base principale de la Royal Navy, en cas d'invasion de la Grande-Bretagne par les Allemands, ce qui explique la présence des quelques infrastructures militaires aménagées à cette fin sur le pourtour de la baie. La ville de Gaspé est de nos jours la principale agglomération de la péninsule gaspésienne de même que son centre administratif. Elle forme un long et étroit ruban qui épouse les contours de la baie.

L'**ancien sanatorium** *(dans les collines)*. L'édifice tout en longueur qui domine la ville n'est rien d'autre que l'ancien sanatorium de Gaspé, une structure hybride de l'après-guerre dont la volonté de modernisme est soumise aux règles de l'École des beaux-arts (symétrie, composition classique mais grandiloquente, pavillons aux extrémités).

Le **Musée de la Gaspésie** ★★ *(4$; fin juin à début sept tlj 9h à 18h; début sept à fin juin mar-ven 9h à 17h, sam-dim 13h à 17h; 80 boul. Gaspé,* ☎*368-1534)* fut érigé en 1977, à l'initiative de la société historique locale, sur la pointe Jacques-Cartier dominant la baie de Gaspé. Il s'agit d'un musée d'histoire et de traditions populaires où l'on présente une exposition permanente sur la Gaspésie, des premiers occupants amérindiens de la tribu micmaque jusqu'à nos jours, intitulée «Un peuple de la mer». Des expositions temporaires complètent la vocation de l'institution. On y trouve aussi un centre d'archives et de généalogie.

Le superbe **monument à Jacques Cartier**, qui avoisine le musée, est une œuvre de la famille Bourgault de

Saint-Jean-Port-Joli. Sur les six stèles en bronze rappelant des objets mythiques sortis de la nuit des temps sont inscrits des textes relatant l'arrivée de Cartier, la prise de possession du Canada et la première rencontre avec les Amérindiens.

Suivez le boulevard Gaspé jusqu'à la rue Jacques-Cartier.

La **cathédrale du Christ-Roi** ★ *(20 rue de la Cathédrale)*, seule cathédrale en bois d'Amérique du Nord, adopte un parti contemporain, étranger cependant à la Côte Est américaine, puisqu'on peut en parler comme d'un exemple d'architecture californienne de type Shed. Elle a été érigée en 1968, selon les plans de l'architecte montréalais Gérard Notebaert, sur les fondations de la basilique entreprise en 1932 pour commémorer le quatrième centenaire de l'arrivée de Jacques Cartier en sol canadien, mais jamais terminée faute de fonds. L'intérieur est baigné d'une douce lumière provenant d'un beau vitrail de Claude Théberge fait de verre ancien. On y trouve aussi une fresque illustrant la prise de possession du Canada par Jacques Cartier, donnée par la France en 1934.

En face de la cathédrale se dresse la **croix de Gaspé**, commémorant l'arrivée de Jacques Cartier au Canada. Ce navigateur breton, maître pilote du roi de France, a quitté Saint-Malo le 20 avril 1534 avec deux navires et 61 hommes. Lorsqu'il débarqua à Gaspé, où l'attendaient 200 Amérindiens désireux de faire commerce avec les Européens, Cartier fit planter une croix de bois que rappelle cette croix faite

d'un seul morceau de granit et installée en 1934.

Le **monument à Jacques de Lesseps** *(boul. Gaspé)*. Dans le cimetière de Gaspé se trouve un monument à la mémoire de Jacques de Lesseps et de son compagnon d'infortune, Theodor Chichenko, qui périrent dans un accident d'avion en 1927. Lesseps, fils de Ferdinand de Lesseps, constructeur du canal de Suez, était un aventurier et un pilote d'avion renommé qui s'illustra à plusieurs reprises pendant la Première Guerre mondiale. Il fut le premier à survoler Montréal en avion. Une fois démobilisé, il s'installa en Gaspésie, où il effectua des relevés géographiques aériens.

L'**Ash Inn** ★ *(188 rue de la Reine)*. Cette ancienne demeure construite en 1885 pour le docteur William Wakeham, célèbre explorateur de l'Arctique, est l'une des seules maisons en pierre du XIXᵉ siècle de toute la Gaspésie.

Le **sanctuaire Notre-Dame-des-Douleurs** *(2$; début juin à mi-sept tlj 7h à 20h30; mi-sept à fin mai tlj 8h à 19h30; 765 boul. de la Pointe-Navarre,* ☎*368-2133)*. L'église de ce sanctuaire fondé en 1942 renferme des œuvres de Médard Bourgault de Saint-Jean-Port-Joli ainsi qu'un chemin des «Douleurs de Marie» de la céramiste Rose-Anne Monna. D'autres bâtiments, dont l'apparence laisse parfois à désirer, complètent l'ensemble.

En quittant Gaspé, on reprend la route 132 en direction de Percé. On longe alors le côté sud de la baie de Gaspé, où se trouvent de charmants villages aux origines anglo-saxonnes et protestantes. Il

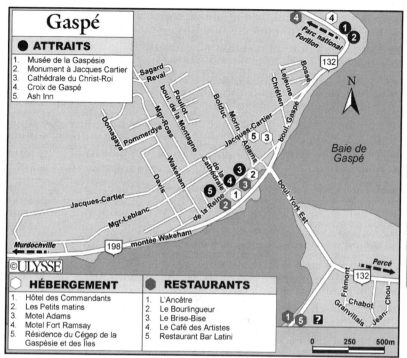

Gaspé

● ATTRAITS

1. Musée de la Gaspésie
2. Monument à Jacques-Cartier
3. Cathédrale du Christ-Roi
4. Croix de Gaspé
5. Ash Inn

Baie de Gaspé

©ULYSSE

⬡ HÉBERGEMENT

1. Hôtel des Commandants
2. Les Petits matins
3. Motel Adams
4. Motel Fort Ramsay
5. Résidence du Cégep de la Gaspésie et des Îles

● RESTAURANTS

1. L'Ancêtre
2. Le Bourlingueur
3. Le Brise-Bise
4. Le Café des Artistes
5. Restaurant Bar Latini

Gaspésie

0   250   500m

s'agit soit de petites communautés de loyalistes américains, soit de communautés d'immigrants britanniques. L'implantation dans ces lointaines contrées, à la fin du XVIIIe siècle, d'une population dont la fidélité au roi d'Angleterre ne faisait aucun doute, était voulue par le gouvernement colonial britannique, qui espérait ainsi consolider son emprise aux quatre coins du Québec et favoriser une assimilation rapide de la population canadienne-française.

Parmi ces villages, on remarquera plus particulièrement **Barachois**, dont l'**église St. Mary** de 1895 occupe un site agréable, de même que **Cape Cove**, avec son **église néogothique St. James** de 1875. Entre ces villages se dresse le **fort**

Prével, aménagé lors de la Seconde Guerre mondiale. Il fut transformé en hostellerie par le gouvernement du Québec à la fin du conflit, mais a conservé les énormes canons qui pointent toujours en direction du large.

Poursuivez par la route 132 jusqu'à Percé.

★★
Percé
(3 770 hab.)

Célèbre centre de tourisme, Percé occupe un site admirable, malheureusement quelque peu altéré par une industrie hôtelière débridée. Le décor naturel grandiose présente plusieurs phénomènes naturels différents dans un périmètre restreint, le principal étant le fameux rocher Percé, qui est au Québec

ce que le Pain de Sucre est au Brésil. Depuis le début du XXe siècle, les artistes, charmés par la beauté des paysages et par le pittoresque de la population, viennent nombreux à Percé chaque été.

Au XVIIe siècle, la famille Denys y a établi un camp de pêche saisonnier que fréquentaient les pêcheurs français et basques. Elle succédait ainsi aux Amérindiens pour qui Percé avait déjà été un important point de rassemblement. En 1781, le puissant marchand jersiais Charles Robin fonde un établissement de pêche dans l'anse du Sud. Des loyalistes, des Irlandais et des immigrants de Guernesey s'ajoutent alors à la population canadienne-française. À cette époque, la population sédentaire demeure très faible par comparaison à la population saisonnière qui travaille dans les frêles bâtiments de Robin. Percé est d'ailleurs le principal port de pêche sur la côte du Québec pendant tout le XIXe siècle. L'industrie touristique prend la relève au XXe siècle, surtout après l'ouverture de la route 132 en 1929, mais le caractère saisonnier et précaire de la vie à Percé demeure.

En arrivant à Percé, l'œil est attiré par le célèbre **rocher Percé ★★★**, véritable muraille longue de 400 m et haute de 88 m à sa pointe extrême. Son nom lui vient des ouvertures cintrées, entièrement naturelles, à la base de la paroi. Une seule des deux ouvertures subsiste depuis l'effondrement de la partie est du rocher au milieu du XIXe siècle. Il est possible de s'y rendre à marée basse, depuis la plage du mont Joli, afin d'admirer le paysage grandiose des environs et d'observer les milliers de fossiles enfermés dans le calcaire *(s'informer des heures et de la durée des marées au préalable)*.

La **maison Hétier ★** *(27 du Mt-Joli)*. L'un des premiers artistes attirés par la beauté du paysage de Percé, Frederick James, était Étasunien d'origine. Sa résidence d'été à Percé (vers 1900) occupe un promontoire faisant partie d'un ensemble de falaises de part et d'autre du **mont Joli**. Sur ce mont, qui est davantage un cap s'avançant dans la mer, aurait été située la première chapelle érigée au Canada. D'autres formations rocheuses, entre autres le **pic de l'Aurore**, les **Trois Sœurs** et le **cap Barré**, sont visibles au nord-ouest.

L'**église Saint-Michel ★** *(57 rue de l'Église)*. Construite avec la pierre locale d'une belle teinte rosée, l'église catholique de Percé a été dessinée en 1898 par l'architecte Joseph Venne, de Montréal, dans une manière éclectique et hautement pittoresque qu'il affectionnait. Il s'agit de l'une des seules églises en pierre de la Gaspésie et de la plus vaste d'entre elles. Le sentier du mont Sainte-Anne, qui mène à une grotte, débute juste derrière l'église.

Le **Musée Le Chafaud ★** *(5$; juin à fin sept tlj 10h à 22h, début sept à début oct 10h à 20h; 145 route 132, ☎782-5100)* est aménagé dans la plus grande des structures formant les installations de Charles Robin à Percé. Le «chafaud» était un bâtiment dans lequel on transformait et entreposait le poisson. Il présente de nos jours une exposition sur le patrimoine local de même que diverses activités liées aux arts visuels. L'entrepôt de sel et la glacière subsistent également à proximité du quai. De l'autre côté de la rue, on retrouve la «Bell House», surmontée d'une cloche qui servait autrefois à appeler les employés au travail, l'ancien magasin de la compagnie Robin avec son toit à pignon et ses ornements de bois scié, et finalement le **Centre d'art de Percé**, qui occupe l'ancienne grange des Robin.

Sur le quai de Percé, plusieurs bateliers proposent de vous emmener jusqu'à l'**île Bonaventure**. Les départs se font fréquemment de 8h à 17h en haute saison. La traversée comporte souvent une courte excursion autour de l'île et du Rocher pour vous permettre de bien en observer les beautés. La plupart des entreprises vous laissent passer le temps que vous voulez sur l'île et revenir avec un de leurs bateaux qui font régulièrement l'aller-retour.

Parc de l'Île-Bonaventure-et-du-Rocher-Percé ★★, voir p 567.

Le **Centre d'interprétation du parc de l'Île-Bonaventure-et-du-Rocher-Percé** *(entrée libre; début juin à mi-oct tlj 9h à 17h; 343 route d'Irlande, ☎782-2721)* présente un court métrage retraçant l'histoire de l'île Bonaventure et de ses fous de Bassan. Il dispose d'une salle d'exposition, d'aquariums d'eau salée ainsi que de deux courts sentiers de randonnée. Une boutique-nature, tenue par le club des ornithologues, vend des livres et des souvenirs.

Le circuit de la péninsule se termine à Percé. Pour effectuer une boucle complète, ce que l'on appelle familièrement «le tour de la Gaspésie», et ainsi revenir en direction de Québec ou de Montréal sans avoir à retourner sur ses pas, il est recommandé de jumeler le circuit de la péninsule au circuit de la baie des Chaleurs.

Circuit B: La baie des Chaleurs (deux jours)

En 1604-1606, le sieur de Monts et Samuel de Champlain fondent des établissements de l'île Sainte-Croix et de Port-Royal, peuplés de colons poitevins qui seront à l'origine du développement de l'Acadie, vaste colonie correspondant aux territoires actuels de la Nouvelle-Écosse, de l'île du Prince-Édouard et du Nouveau-Brunswick. En 1755, au cours de la guerre de Sept Ans, les Britanniques traquent et capturent les Acadiens, qu'ils déportent

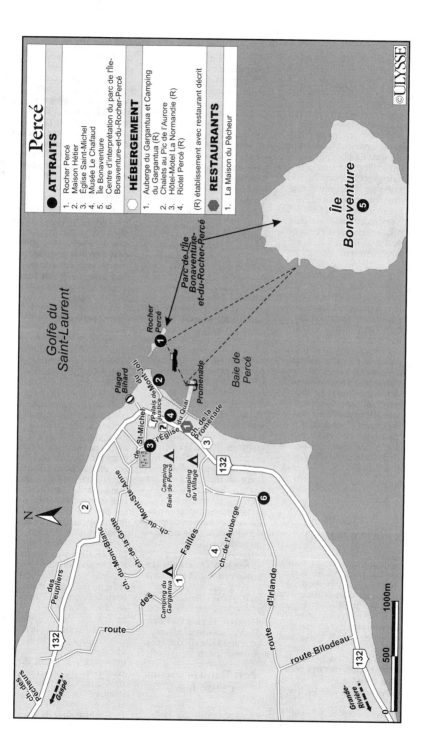

Percé

● ATTRAITS

1. Rocher Percé
2. Maison Hétier
3. Église Saint-Michel
4. Musée Le Chafaud
5. Île Bonaventure
6. Centre d'interprétation du parc de l'île-Bonaventure-et-du-Rocher-Percé

◇ HÉBERGEMENT

1. Auberge du Gargantua et Camping du Gargantua (R)
2. Chalets au Pic de l'Aurore
3. Hôtel-Motel La Normandie (R)
4. Riotel Percé (R)

(R) établissement avec restaurant décrit

⬡ RESTAURANTS

1. La Maison du Pêcheur

©ULYSSE

Golfe du Saint-Laurent

Île Bonaventure

Parc de l'île Bonaventure-et-du-Rocher-Percé

Rocher Percé

Baie de Percé

Plage Bihard

rue du Mont-Joli

St-Michel

Palais de Justice

de l'Église

du Quai

ch. de la Promenade

Promenade

ch. du Mont-Blanc

ch. de la Côte

ch. du Mont-Ste-Anne

Camping Baie de Percé

Camping du Village

Camping du Gargantua

des

route

des Peupliers

Failles

ch. de l'Auberge

route d'Irlande

route Bilodeau

Gaspé

Grande-Rivière

N

132

132

132

2

0   500   1000m

ensuite vers de lointaines contrées. Plusieurs de ceux qui n'auront pas péri au cours du voyage tenteront de revenir sur leurs terres, malheureusement confisquées et octroyées à de nouveaux colons britanniques. Certains s'installeront alors au Québec, plus particulièrement dans la baie des Chaleurs. Paradoxalement, des immigrants irlandais, écossais et anglais viendront bientôt les y rejoindre dans une paix relative, créant un damier de villages tantôt français, tantôt anglais.

Contrairement au circuit de la péninsule, celui de la baie des Chaleurs aborde des paysages doux et davantage de terres en culture. On y trouve, en outre, des plages de sable caressées par une eau plus calme et plus chaude que celle de Percé. La baie elle-même pénètre profondément à l'intérieur des terres, séparant le Nouveau-Brunswick, au sud, du Québec, au nord. Ce circuit peut servir de tremplin à une visite des îles de la Madeleine ainsi que des Provinces atlantiques.

Suivez la route 132 en direction de Chandler.

Chandler
(9 020 hab.)

Ville industrielle, Chandler est dominée par les installations de la papetière Gaspésia. Son port de mer en eaux profondes permet l'exportation du papier journal destiné à l'impression des grands quotidiens d'Europe et d'Amérique. De la grève, on peut voir l'**épave brisée du cargo péruvien** *Unisol*, qui s'est échoué à l'entrée du port en 1983.

Dirigez-vous vers la municipalité voisine, **Pabos Mills**, où l'on effectue des fouil-

les archéologiques au **Bourg de Pabos** *(4,50$; début juin à mi-oct tlj 9h à 17h; 75 ch. de la Plage, ☎689-6043)*, sur le site du poste de pêche en activité de 1729 à 1758, qui représentait l'un des très rares efforts de peuplement permanent en Gaspésie sous le Régime français. Sur l'**île Beauséjour**, au centre de la baie de Pabos, se trouvent les **vestiges archéologiques du manoir de Bellefeuille**, érigé au XVIIIe siècle pour cette famille de seigneurs aventuriers, active de Terre-Neuve jusqu'à l'île du Cap-Breton.

Reprenez la route 132 en direction de Newport.

Newport
(2 208 hab.)

Newport est un important port de pêche commerciale. C'est aussi la patrie de Mary Travers (1894-1941), auteure, compositeure et chansonnière avant la lettre, mieux connue sous le nom de «La Bolduc». Ses chansons populaires et entraînantes, décrivant le quotidien des Québécois, firent un malheur pendant la crise des années 1930. C'était la première fois qu'un artiste d'ici connaissait le succès sans emprunter au répertoire américain ou européen.

Le **Site Mary Travers dite «La Bolduc»** *(4,50$; début juin à mi-oct tlj 10h à 16h, juil et août tlj 9h à 17h; 124 route 132, ☎777-2401)* vous fait découvrir la vie et l'œuvre de cette chanteuse à travers une salle d'exposition et d'animation.

Port-Daniel-Gascons
(2 920 hab.)

En plus d'offrir une belle plage de sable aménagée

pour recevoir les baigneurs, Port-Daniel-Gascons recèle quelques bâtiments intéressants, entre autres l'**église anglicane St. James** de 1907 et son presbytère (1912), doté d'une tour octogonale et de larges galeries en bois qui rappellent l'architecture des villas de bord de mer de la Côte Est américaine. Deux attraits liés aux transports avoisinent le village: le **tunnel ferroviaire du cap de l'Enfer**, creusé sur 190 m de longueur à même le roc, et le **pont couvert en bois** de 1938, sur la route menant à la **réserve faunique de Port-Daniel** (voir p 568), située au nord du village.

Paspébiac
(3 530 hab.)

Petite ville industrielle, Paspébiac était autrefois le quartier général de la compagnie Robin, spécialisée dans la transformation et le commerce de la morue. Cette compagnie a été fondée dès 1766 par le marchand Charles Robin, originaire de l'île de Jersey. Son entreprise essaimera par la suite en plusieurs points sur la côte gaspésienne et même sur la Côte-Nord. En 1791, Robin ajoute un chantier naval à ses installations de Paspébiac, où l'on construira les bateaux qui livreront le poisson jusqu'en Europe. Vers 1840, il est rattrapé par l'entreprise de John LeBoutillier, l'un de ses anciens employés qui lui fait une féroce concurrence. La faillite de la banque de Jersey en 1886 affectera durement les entreprises de pêche de la Gaspésie, qui ne retrouveront jamais leur puissance d'antan.

Le **Site historique du Banc-de-pêche-de-Paspébiac ★★**

(5$; mi-juin à mi-sept tlj 9h à 18h, mi-sept à fin oct tlj 9h à 17h; 3ᵉ Rue, route du Quai, ☎752-6229). Un «banc» est une langue de sable et de gravier propice au séchage du poisson. Jouxté d'un port naturel profond et bien protégé, le banc de Paspébiac se prêtait admirablement bien au développement d'une véritable industrie de la pêche. En 1964, il subsistait encore sur le banc quelque 70 bâtiments des entreprises Robin et LeBoutillier. Cette année-là, un incendie en détruisit cependant la majeure partie. Seuls huit bâtiments sont parvenus jusqu'à nous; ils ont été soigneusement restaurés et sont ouverts au public.

La plupart des bâtiments subsistants ont été construits dans la première moitié du XIXᵉ siècle. On peut notamment voir l'ancienne charpenterie, la forge, les cuisines, le bureau de l'entreprise Robin et une poudrière, de même que le «B.B.» de 1850, cette structure destinée à l'entreposage de la morue dont le haut toit pointu domine les installations. On présente, dans certains des bâtiments, des expositions thématiques consacrées aux constructions navales, au commerce international du poisson et à l'histoire des compagnies de Jersey. Une boutique et un restaurant où l'on sert des mets typiques s'ajoutent à l'ensemble.

★
New Carlisle
(1 480 hab.)

La région de New Carlisle fut colonisée par les loyalistes américains qui s'y fixèrent à la suite de la signature du traité de Versailles, reconnaissant l'in-dépendance des États-Unis en 1783. Le coquet village, doté de quatre églises de diverses dénominations, n'est pas sans rappeler ceux de la Nouvelle-Angleterre. Il faut faire le tour des trois **églises protestantes ★**, fierté des gens de New Carlisle. Ces temples sont distribués le long de la route 132, qui devient la «rue Principale» au centre du village. New Carlisle est aussi connue comme le lieu de naissance de René Lévesque, premier ministre du Québec de 1976 à 1985.

L'**église anglicane St. Andrew** fut construite dans le style néogothique vers 1890. Plus vaste que la plupart des temples de l'Église d'Angleterre érigés dans les villages de taille comparable, elle témoigne de l'importance de cette communauté à New Carlisle. La **Zion United Church**, dont il ne reste plus beaucoup de membres, adopte une forme curieuse, alors que la **Knox Presbyterian Church**, une église de tradition écossaise, reproduit un plan typique des années 1850.

La **maison Hamilton ★** *(3,50$; mi-juin à fin août tlj 10h à 12h et 13h à 16h30; 115 rue Principale, ☎752-6498).* On trouve peu de demeures bourgeoises du XIXᵉ siècle en Gaspésie, contrée de pêcheurs et de travailleurs forestiers. La maison Hamilton, érigée en 1852 pour John Robinson Hamilton, avocat et député, en est un rare exemple. Elle comporte en outre un carré de maçonnerie, ce qui ajoute à son caractère exceptionnel. La façade, quelque peu austère, respecte le vocabulaire néoclassique de l'époque. La maison est toujours habitée, mais les propriétaires actuels ont ouvert ses portes pour permettre au public de découvrir son beau mobilier victorien, notamment un piano de 1840.

Beaucoup plus modeste que la précédente, la **maison natale de René Lévesque** (1922-1987) *(on ne visite pas; 16 Mount Sorel),* premier ministre du Québec de 1976 à 1985, grand responsable de la nationalisation de l'électricité et fondateur du Parti québécois, témoigne des brassages de population dans la région au XIXᵉ siècle, alors que New Carlisle était le centre administratif de la baie des Chaleurs.

Poursuivez par la route 132 en direction de Bonaventure.

★
Bonaventure
(2 890 hab.)

Des Acadiens réfugiés à l'embouchure de la rivière Bonaventure (l'une des meilleures rivières à saumons en Amérique) ont fondé le village du même nom à la suite de la chute de Restigouche aux mains des Britanniques en 1760. Aujourd'hui, Bonaventure est l'un des bastions de la culture acadienne dans la baie des Chaleurs, en plus d'accueillir une petite station balnéaire qui bénéficie à la fois d'une plage sablonneuse et d'un port en eaux profondes. On y fabrique des articles de cuir de poisson, uniques au monde (porte-monnaie, sacs à main).

On estime qu'un million de Québécois sont d'origine acadienne. Le **Musée acadien du Québec ★** *(5$; fin juin à début sept tlj 9h à 18h; début sept à mi-oct tlj 9h à 17h; le reste de l'année lun-ven 9h à 12h et 13h à 17h, sam-dim 13h à 17h; 95 av.*

Port-Royal, ☎ 534-4000) retrace le périple des Acadiens du Québec et d'ailleurs en Amérique. La collection permanente comprend des meubles du XVIIIe siècle, des toiles et des photographies d'époque, ainsi qu'une présentation audiovisuelle à caractère ethnographique, ce qui donne une excellente idée du rayonnement des Acadiens. Le musée est installé dans l'ancienne salle paroissiale de Bonaventure, vaste édifice en bois peint de bleu et de blanc qui date de 1914.

La construction de l'**église Saint-Bonaventure ★** *(100 av. Port-Royal)* a été entreprise en 1860, l'année même où le clergé catholique se tourne enfin vers la baie des Chaleurs, alors jugée fort éloignée, pour ériger canoniquement les premières paroisses. La façade de l'édifice fut modifiée en 1919 selon les plans de l'architecte Pierre Lévesque. L'intérieur très coloré est garni de toiles marouflées du peintre Georges S. Dorval de Québec ainsi que de plusieurs ornements en bois imitant le marbre.

Le **Bioparc de la Gaspésie** *(10$; juil et août tlj 9h à 18h, juin, sept et oct tlj 9h à 17h; 123 rue des Vieux-Ponts, ☎534-1997)* est un lieu idéal à visiter en famille. À l'aide de présentations multimédias et de guides interprètes, vous découvrirez avec ravissement les secrets des animaux vivant en Gaspésie tels que l'ours, le phoque, la loutre, le lynx et le caribou. Sur un parcours d'environ 1 km, on a recréé le milieu naturel où vivent ces animaux: la toundra, la rivière, le «barachois», la forêt et la baie. La visite dure deux heures.

Dans les environs de Bonaventure se trouvent la longue plage de Beaubassin de même que la ZEC (zone d'exploitation contrôlée) de la rivière Bonaventure. Une excursion facultative conduit au village de **Saint-Elzéar**, situé à l'intérieur des terres. On peut y voir le **Musée des cavernes** et la petite grotte de Saint-Elzéar.

Grotte de Saint-Elzéar, voir p 568.

Reprenez la route 132 à droite en direction de New Richmond. Quittez la route principale pour emprunter le boulevard Perron Ouest à gauche.

★
New Richmond
(3 950 hab.)

Les premiers colons anglais de la Gaspésie s'installent ici au lendemain de la Conquête. Ils seront bientôt rejoints par des loyalistes puis par des immigrants écossais et irlandais. Cette forte présence anglo-saxonne se traduit dans l'architecture de la ville aux rues proprettes, ponctuées de petites églises protestantes de diverses dénominations.

Avant d'entrer dans la ville, on trouvera, du côté gauche, le **Village Gaspésien d'héritage britannique ★** *(7$, le prix inclut le voyage en navette; début juin à début sept tlj 9h à 18h, début sept à mi-oct 9h à 17h; 351 boul. Perron O., ☎392-4487).* Il est situé sur la pointe Duthie et regroupe des bâtiments de la baie des Chaleurs, sauvés de la démolition et transportés sur le site de l'ancien domaine Carswell. Ces pièces ont été restaurées afin d'accueillir des expositions thématiques portant sur les

différents arrivants de culture anglo-saxonne en Gaspésie. Les vestiges de la maison Carswell servent à illustrer l'arrivée des colons britanniques; un campement loyaliste reconstitué évoque l'arrivée de ces fidèles sujets en août 1784; une maison et un entrepôt de céréales rappellent, quant à eux, l'immigration écossaise, alors qu'une autre maison témoigne de l'arrivée des Irlandais. Enfin, on retrouve, dans une dernière clairière, la maison Willet, qui date de la fin du XIXe siècle et qui évoque le développement industriel de la région.

L'**église St. Andrew ★** *(211 boul. Perron O.).* Au centre de la ville se trouve une des plus anciennes églises de la baie des Chaleurs. Il s'agit de l'église presbytérienne St. Andrew, construite en 1839 selon les plans de Robert Bash. À la suite des fusions entre communautés protestantes au XXe siècle, le temple fait aujourd'hui partie de l'Église Unie du Canada.

Maria
(2 670 hab.)

En reprenant la route 132 en direction de Carleton-Saint-Omer, on traverse la rivière Cascapédia, à l'embouchure de laquelle se trouvent le village de Maria et la **réserve amérindienne de Gesgapegiag**, avec son **église en forme de wigwam** (maison à toiture arrondie recouverte d'écorce de bouleau ou de branchages). On y trouve également une **coopérative d'artisanat micmaque** *(route 132, ☎759-3504)*, qui vend des produits fabriqués sur place. Depuis plusieurs générations, les paniers de frêne et de foin sont une spécialité des Micmacs.

★
Carleton-Saint-Omer
(4 300 hab.)

Tout comme Bonaventure, Carleton-Saint-Omer est un important centre de la culture acadienne au Québec de même qu'une station balnéaire dotée d'une belle plage de sable caressée par des eaux calmes relativement plus chaudes qu'ailleurs en Gaspésie, d'où le nom donné à la baie des Chaleurs. Les montagnes qui s'élèvent derrière la ville contribuent à lui donner un cachet particulier. Carleton a été fondée dès 1756 par des réfugiés acadiens auxquels se sont joints des déportés de retour d'exil. Connue à l'origine sous le nom de «Tracadièche», la petite ville a été rebaptisée au XIXe siècle par l'élite d'origine britannique en l'honneur de Sir Guy Carleton, troisième gouverneur du Canada.

L'**église Saint-Joseph** ★ *(764 boul. Perron)* est l'un des plus anciens lieux de culte catholiques de la Gaspésie. Sa construction fut entreprise en 1849, mais ne fut véritablement terminée qu'en 1917. On y trouve un tabernacle attribué à François Baillairgé (1828), donné à la paroisse à une date indéterminée. La voûte principale est ornée de toiles marouflées du peintre Charles Huot.

Près du sommet du **mont Saint-Joseph** se trouve l'**oratoire Notre-Dame** (1924), décoré de mosaïques et de verrières.

Prenez la rue du Quai (perpendiculaire à la route 132) vers la mer; après le *Saint-Barnabé*, un bateau échoué, suivez la route de gravier jusqu'aux abords de la **tour d'observa-**

tion. Montez jusqu'au sommet de la tour. Une lunette d'approche est à la disposition des visiteurs pour observer les oiseaux. Un étudiant donne quelques explications sur la faune aviaire. Vers l'ouest, on aperçoit l'ancienne municipalité de Saint-Omer, avec sa belle église néogothique érigée en 1900 selon les plans des architectes Berlinguet et Lemay de Québec.

Au village de Nouvelle, tournez à gauche dans la route de Miguasha.

Nouvelle
(2 080 hab.)

Le **parc de Miguasha** ★★ *(3,50$; début juin à début sept tlj 9h à 18h, début sept à mi-oct 9h à 17h; 231 Miguasha O., ☎794-2475)* intéressera les amateurs de paléontologie mais aussi tous les voyageurs, car il s'agit du deuxième site fossile en importance dans le monde, d'ailleurs reconnu depuis novembre 1999 par l'UNESCO comme faisant partie du patrimoine mondial. Le **Musée paléontologique**, construit dans le parc, expose les fossiles découverts dans les falaises environnantes qui constituaient le fond d'une lagune il y a 370 millions d'années. Le centre d'interprétation abrite une collection permanente de plusieurs spécimens intéressants. Les visites guidées s'avèrent passionnantes. Au laboratoire, vous découvrirez les méthodes employées pour dégager les fossiles et les identifier.

À l'ouest de Miguasha, la baie des Chaleurs se rétrécit considérablement jusqu'à l'embouchure de la rivière Ristigouche, qui se déverse dans la baie.

Pointe-à-la-Croix
(1 660 hab.)

Le 10 avril 1760, une flotte française quitte Bordeaux à destination du Canada afin de libérer la Nouvelle-France, tombée aux mains des Anglais. Seuls trois navires parviennent dans la baie des Chaleurs, les autres ayant été victimes des canons anglais à la sortie de la Gironde. Ce sont *Le Machault*, *Le Bienfaisant* et *Le Marquis-de-Malauze*, des vaisseaux de 350 tonneaux en moyenne. Peine perdue, les troupes anglaises rejoignent les Français dans la baie des Chaleurs à l'embouchure de la rivière Ristigouche. La bataille s'engage. Les Anglais, beaucoup plus nombreux, déciment la flotille française en quelques heures...

Le **lieu historique national de la Bataille-de-la-Ristigouche** ★ *(4$; début juin à mi-oct tlj 9h à 17h; route 132, ☎788-5676)* présente plusieurs objets repris aux épaves de même que quelques morceaux de la frégate *Le Machault*. Une intéressante reconstitution audiovisuelle permet de se faire une idée des différentes étapes de l'affrontement.

Au bord de la route 132, sous un abri ouvert, on aperçoit la **carène du Marquis-de-Malauze**, tirée des sables de la rivière en 1939. Le navire a été construit à Bordeaux en 1745 et affrété par les négociants Draveman et Goudal, puis par les sieurs Lamaletie et Latuillière, avant d'être réquisitionné pour la guerre de Sept Ans. Dans ce navire long de 33 m, une centaine de personnes pouvaient prendre place. On distingue nettement la quille, la carlingue, l'étrave et les bordages qui recouvraient l'extérieur du navire.

Bordeaux House *(on ne visite pas; 101 ch. Bordeaux).* À la fin de la guerre de Sept Ans, Thomas Busteed s'installe à Pointe-à-la-Croix. Sa maison, qui date de la fin du XVIIIe siècle, est l'une des plus anciennes de la Gaspésie. Il lui donna le nom de la ville d'où était venue la flotte française qui rendit son village célèbre.

Entre Pointe-à-la-Croix et Restigouche, un pont traversant la baie des Chaleurs relie le Québec au Nouveau-Brunswick.

Saint-André-de-Restigouche (200 hab.)

Village micmac situé au nord de Matapédia, Saint-André-de-Restigouche constitue le noyau de la plus importante réserve amérindienne de la Gaspésie. Tout comme à Matapédia, on trouve plusieurs vestiges de la bataille de la Ristigouche. Les pères capucins, en charge de la mission, déformèrent légèrement le nom du village en remplaçant le premier *i* par un *e* afin de lui donner une prononciation plus gracieuse. On trouve au centre du village quelques boutiques d'artisanat.

Les rivières Patapédia et Matapédia sont des affluents de la rivière Ristigouche. La Matapédia a creusé une profonde vallée entre les montagnes, délimitant ainsi la frontière ouest de la péninsule gaspésienne. On entre dans la vallée en suivant la route 132 au nord du village de **Matapédia**. De petites communautés isolées, où l'exploitation forestière

constitue la principale activité économique, jalonnent le parcours sinueux. À **Routhierville** et à **Sainte-Florence**, on peut voir des ponts couverts de type Town, aussi appelés «ponts de colonisation».

Causapscal (2 680 hab.)

Les scieries de Causapscal dominent le village traversé en son centre par la rivière Matapédia. Celle-ci est l'une des meilleures rivières à saumons d'Amérique du Nord. Chaque année, les amateurs de pêche sportive séjournent dans la région afin de pratiquer leur sport favori. Longtemps source de conflits entre la population locale et les clubs privés qui détenaient l'exclusivité des droits de pêche sur la rivière, la pêche au saumon constitue de nos jours un apport économique régional appréciable. Causapscal, mot d'origine micmaque qui signifie «pointe rocheuse», a été fondée en 1839 à la suite de l'ouverture d'un relais baptisé «La Fourche», à la jonction des rivières Matapédia et Causapscal. Au centre du village se dresse l'imposante **église Saint-Jacques-le-Majeur**, dessinée dans le style néogothique par les architectes Lévesque et Ouellet en 1910.

Le **Site historique Matamajaw** ★ *(3,90$; début juin à mi-oct tlj 9h à 17h; 53C rue St-Jacques, ☎ 756-5999).* Dès 1873, Donald Smith, futur Lord Mount Stephen, acquiert les droits de pêche de la rivière Matapédia. Quelques années plus tard, les droits sont rachetés par le Matamajaw Salmon Club. Les membres de ces clubs sont en général des hommes d'affaires étasuniens ou canadiens-

anglais qui viennent passer trois ou quatre jours par année au milieu des bois dans un ambiance de détente et de fête. Ultime luxe, ils envoient leurs prises à la maison dans des wagons réfrigérés qui les attendent à la gare de Causapscal. Le club cesse ses activités vers 1950, et les bâtiments du domaine Matamajaw sont classés monuments historiques et ouverts au public en 1984. On y présente une exposition retraçant l'histoire de la pêche au saumon et la vie au club. Depuis 1996, on peut faire l'observation du saumon de l'Atlantique grâce à une fosse reconstituée. Des sentiers mènent au **parc Les Fourches**, où se rencontrent les rivières Matapédia et Causapscal et où l'on peut voir des pêcheurs à l'œuvre.

La berge de la rivière Causapscal constitue l'endroit rêvé pour observer plus de 200 saumons dans la fosse du **Marais** et aux **Falls**, où l'on peut les voir travailler pour remonter les chutes. Deux sentiers d'interprétation et d'observation s'étalant sur 25 km sont aménagés pour accueillir les amateurs de plein air. Les deux sites se trouvent à environ 25 min de Causapscal et font partie de la **réserve faunique de la Rivière Causapscal** *(53-B rue St-Jacques S., ☎ 756-6174 ou 888-730-6174).*

Il faut se promener dans les environs, sur les routes secondaires, afin de pouvoir apprécier pleinement le paysage constitué de chutes, de rapides et de falaises. Reprenez la route 132 en direction d'**Amqui**, où vous pourrez apercevoir un pont couvert érigé en 1931. Plus loin, à **Saint-Moïse**, s'élève l'église la plus originale de toutes les églises anciennes de la

Gaspésie. Réalisée en 1914 selon les plans du chanoine Georges Bouillon, elle adopte un vocabulaire romano-byzantin exprimé à travers un plan polygonal.

*Vous traverserez ensuite **Mont-Joli**, d'où vous bénéficierez d'un beau panorama sur le fleuve Saint-Laurent. La boucle est bouclée et le tour de la Gaspésie terminé.*

Parcs

Circuit A: La péninsule

La **réserve faunique de Matane** *(257 St-Jérôme, Matane, ☎562-3700)* est un ensemble de montagnes et de collines boisées s'étendant sur 1 284 km², parcouru de lacs et de rivières qui sont prisés pour la pêche au saumon.

Le **parc de la Gaspésie** ★★★ *(3,50$; 900 route du parc., Ste-Anne-des-Monts, ☎763-7811 ou 866-727-2427)* couvre 800 km² et abrite les célèbres monts Chic-Chocs; il fut créé en 1937 afin de sensibiliser les gens à la sauvegarde du territoire naturel gaspésien. Le parc est constitué de zones de préservation réservées à la protection des éléments naturels de la région et de la zone d'ambiance, formée d'un réseau de routes, de sentiers ainsi que de lieux d'hébergement. Les monts Chic-Chocs sont la saillie la plus septentrionale de la chaîne appalachienne. Ils s'étendent sur plus de 90 km depuis Matane jusqu'au pied du mont Albert. Les monts McGerrigle se dres-

sent perpendiculairement aux Chic-Chocs et couvrent plus de 100 km². Les sentiers traversent trois paysages étagés en se rendant jusqu'aux sommets des quatre plus hauts monts de l'endroit, le **mont Jacques-Cartier**, le **mont Richardson**, le **mont Xalibu** et le **mont Albert**. C'est le seul endroit au Québec où l'on retrouve à la fois des cerfs de Virginie (dans la riche végétation de la première strate), des orignaux (dans la forêt boréale) et des caribous (dans la toundra, sur les sommets). Les amateurs de randonnée doivent s'enregistrer avant le départ.

Au centre du parc se trouve le **Gîte du Mont-Albert** (voir p 571 et p 575). Il n'a de gîte que le nom, puisqu'il s'agit en fait d'une auberge confortable réputée pour sa table, son architecture de bois délicate inspirée du Régime français et ses panoramas saisissants. On trouve dans le pavillon principal, érigé en 1950, la salle à manger ainsi que 17 chambres. De multiples petits chalets dans le même style sont éparpillés sur le coteau.

Le thème du **parc national Forillon** ★★★ *(4$; toute l'année, tlj; 122 boul. Gaspé, Gaspé, ☎368-5505)* est «l'harmonie entre l'homme, la terre et la mer». La succession de forêts et de montagnes, sillonnées de sentiers et bordées de falaises le long du littoral, fait rêver plus d'un amateur de plein air. Le parc abrite une faune assez diversifiée: renards, ours, orignaux, porcs-épics ainsi que d'autres mammifères y sont représentés en grand nombre. Plus de 200 espèces d'oiseaux y sont répertoriées, notamment le goéland argenté, le cormoran, le pinson, l'alouette et le

fou de Bassan. À partir des sentiers du littoral, on peut apercevoir, selon les saisons, des baleines et des phoques. Il dissimule aussi différentes plantes rares qui aident à comprendre le passé du sol dans lequel elles poussent. On y retrouve donc non seulement des éléments naturels mais aussi des rappels de l'activité humaine. Dans ce vaste périmètre de 245 km² se trouvaient autrefois quatre hameaux, dont les quelque 200 familles furent déplacées lors de la création du parc en 1970. Cette expropriation ne s'est d'ailleurs pas faite sans heurt. Les bâtiments les plus intéressants sur le plan ethnographique furent conservés et restaurés: une dizaine de **maisons de Grande-Grave**, le **phare de Cap-Gaspé**, l'**ancienne église protestante de Petit-Gaspé** et le **fort Péninsule**, partie du système défensif mis en place lors de la Seconde Guerre mondiale pour protéger le Canada contre les incursions des sous-marins allemands.

L'ensemble de Grande-Grave, peuplé à l'origine d'immigrants anglo-normands originaires de l'île de Jersey, dans la Manche, comprend notamment l'**ancien magasin Hyman** de 1845, dont l'intérieur a été soigneusement reconstitué afin de lui redonner son apparence du début du XXᵉ siècle, ainsi que la **ferme Blanchette**, en bord de mer, dont les bâtiments forment avec le paysage environnant une véritable carte postale. Ceux-ci peuvent être visités en tout ou en partie.

Le **parc de l'Île-Bonaventure-et-du-Rocher-Percé** ★★ *(3,50$ pour l'entrée, frais de transport non inclus; début juin à mi-oct 9h à 17h; 4 rue du Quai, Percé, ☎782-2240).*

Pour le rocher Percé (voir p 560). L'**île Bonaventure** abrite d'importantes colonies d'oiseaux et renferme des maisons rustiques le long de ses nombreux sentiers de randonnée. La longueur des sentiers varie de 2,8 km à 4,9 km et couvre un total de 15 km. Vu l'absence de milieu humide, il n'y a pas d'insectes piqueurs dans l'île. Toutefois, veillez à emporter votre gourde car aucun point d'eau n'est présent le long des sentiers, qui aboutissent tous à la formidable réserve ornithologique, où environ 200 000 oiseaux, dont quelque 55 000 fous de Bassan, constituent une véritable exhibition faunique.

Créée en 1953, la **réserve faunique de Port-Daniel ★** *(à 8 km de la route 132 depuis Port-Daniel, ☎396-2789 en saision ou ☎396-2232 hors saison)* présente un intérêt certain pour quiconque s'intéresse à la nature. Vous y trouverez une faune et une flore particulièrement riches. La réserve, d'une superficie de 65 km², est sillonnée de sentiers et parsemée de lacs et de chalets. Certains belvédères offrent de très belles vues.

La **grotte de Saint-Elzéar** *(adulte 37$, enfant de moins de 6 ans non admis; début juin à mi-oct, 1ᵉʳ départ 8h; 198 rue de l'Église, St-Elzéar, ☎534-4335)* vous fera découvrir 500 000 années d'histoire gaspésienne. À travers ce voyage spéléologique et géomorphologique, vous aurez l'occasion de visiter les deux plus grandes salles souterraines du Québec. Des vêtements chauds et une bonne paire de chaussures sont requis, car la température se maintient à 4°C.

Activités de plein air

Randonnée pédestre

Circuit A: La péninsule

Le **parc de la Gaspésie** *(☎763-3301)* propose un superbe réseau de sentiers aux randonneurs. Vous pourrez, dans une même randonnée, admirer quatre types de forêts: une forêt boréale, une forêt d'où sont absents les feuillus, une forêt subalpine constituée d'arbres miniatures et enfin, sur les sommets, la toundra. Nous recommandons, entre autres, les randonnées du mont Jacques-Cartier (difficile) et du mont Albert (très difficile). Pour les marcheurs néophytes, la randonnée du lac aux Américains constitue un choix fort intéressant.

Le **parc national Forillon** *(4$/pers., famille 6$; ☎368-5505)*, avec ses falaises sculptées par la mer et son paysage extraordinaire, vous assure de magnifiques randonnées. Vous y trouverez plusieurs parcours accessibles aux jeunes.

Kayak

Circuit A: La péninsule

À Mont-Saint-Pierre, **Carrefour Aventure** *(10$/heure; 106 rue Cloutier, ☎797-5033)* fait la location de kayaks de mer (accessoires inclus).

Circuit B: La baie des Chaleurs

À Bonaventure, **Cime Aventure** *(200 ch. Athanas-Arsenault, ☎534-2333 ou 800-790-2463, www.cimeaventure.com)* organise des excursions en kayak d'une durée allant de quelques heures à six jours.

Observation des oiseaux

Circuit A: La péninsule

Dans les **Jardins de Métis**, à Grand-Métis, on remarque la présence de nombreux oiseaux dans les clairières, sur les pelouses, dans les jardins, dans la zone boisée et près du fleuve.

La **baie des Capucins** (voir p 555), un marais d'eau salée, abrite une faune aviaire nombreuse que l'on peut observer en déambulant le long du sentier qui la borde.

Le **parc de la Gaspésie** compte plus de 150 espèces d'oiseaux nichant sous différents climats. Vous pourrez facilement les observer en arpentant les sentiers.

Parc Ami Chic Chocs organise, tous les lundis, une visite ornithologique; le départ a lieu à 7h à la boutique du centre d'interprétation, et la visite dure quatre heures.

L'**île Bonaventure** (voir p 567), un site naturel visant à préserver les lieux de nidification des cormorans et des fous de Bassan, est un paradis pour les amateurs d'ornithologie.

Circuit B:
La baie des Chaleurs

Le **barachois de Carleton** est un lieu privilégié pour l'observation de la sauvagine, de la sterne et du grand héron. Vous verrez une grande colonie de sternes à l'extrémité sud du banc de Carleton. Une petite tour d'observation, agrémentée de panneaux d'interprétation, permet de bien observer ces oiseaux.

Vol libre

Circuit A:
La péninsule

Mont-Saint-Pierre est un endroit unique en Amérique du Nord pour le vol libre (voir aussi «Fête du Vol libre», p 577).

Carrefour Aventure *(début juin à sept tlj; 106 rue Cloutier, Mt-St-Pierre,* ☎*797-5033)* propose aux débutants des vols d'initiation en deltaplane tandem. Ce centre dispose aussi d'une boutique de sports où l'on fait la location et la vente d'articles de plein air, ainsi que d'un café «santé».

Croisières et observation des baleines

Circuit A:
La péninsule

Les **Croisières Baie de Gaspé** *(29$; Grande-Grave,* ☎*368-8156)* proposent, à bord du *Narval*, des croisières d'observation de baleines dans les eaux qui baignent le parc Forillon. Attention, vous pourriez aussi croiser des phoques et des dauphins!

Des excursions d'observation des baleines sont organisées par **Observation Littoral Percé** *(40$ pour une durée de 2 heures 30 min à 3 heures; juin à oct; près de l'hôtel Normandie, 240 route 132, Percé,* ☎*782-5359).* Pendant ces excursions, vous aurez l'occasion de voir des baleines, et, avec un peu de chance, vous croiserez un banc de dauphins à flancs blancs. Il ne faut pas s'attendre à voir des queues de baleine comme sur les photographies des magazines; on ne voit généralement que le dos de la baleine, et celle-ci est souvent très loin. Des lois sévères régissent d'ailleurs les organisateurs d'excursions, et de lourdes amendes leur sont imposées lorsqu'ils ne tiennent pas leurs distances. Les départs se font tôt le matin; l'excursion dure toute la matinée (de deux à trois heures). N'oubliez pas de vous munir de vêtements chauds et d'un bon coupe-vent.

Pêche

Circuit A:
La péninsule

La **réserve faunique de Port-Daniel** *(8 km de la route 132 depuis Port-Daniel,* ☎*396-2789 en saison ou* ☎*396-2232 hors saison)* est parsemée d'une vingtaine de lacs dans lesquels il est possible de pêcher la truite. Vous avez le choix entre la pêche d'un jour et la pêche avec hébergement dans les chalets situés au bord des lacs. Des chaloupes sont mises à la disposition des usagers. Il faut réserver 48 heures à l'avance.

Circuit B:
La baie des Chaleurs

À **Causapscal**, le poste d'accueil *(*☎*756-6174, réservations* ☎*888-730-6174, www. cgrmp.com)* des rivières Matapédia et Patapédia, situé en face du Site Matamajaw, émet des permis de pêche pour ces deux rivières.

Pour la pêche au saumon, du début juin à la fin août, vous pouvez bénéficier d'un service de location d'équipement et de la présence d'un guide. On vend des droits d'accès à la journée, et il y a possibilité de forfaits.

La rivière Matapédia représente un véritable trésor pour les pêcheurs de saumons. On y capture des spécimens pesant jusqu'à 20 kg! Si vous êtes patient et que vous passiez quelques jours à Causapscal, peut-être aurez-vous l'occasion de profiter des services du **guide de pêche**

Richard Adams, une légende vivante dans la région.

Traîneau à chiens

Circuit A:
La péninsule

Expéditions en traîneau à chiens *(550$ et plus; 38 rang de la Coulée, St-Luc de Matane, ☎566-2176)*. Ces forfaits durent de trois à cinq jours et incluent la prise en charge à l'aéroport ou à la gare de Mont-Joli, une randonnée à cheval, un guide et un attelage par personne de même que tous les repas et les couchers. Un groupe ne peut excéder six personnes. De plus, il est possible de partir en excursion pour une demi-journée ou une seule journée, au coût de 60$ et 100$ respectivement. Ces prix incluent un repas et un guide avec un attelage de 10 à 12 chiens.

Ski de fond

Circuit A:
La péninsule

La **Station de ski Val-d'Irène** *(prix variables selon les forfaits; 115 route Val-d'Irène, ☎629-3450)* bénéficie des meilleures conditions de ski au Québec. Cependant, on n'y trouve que 7 km de sentiers entretenus. De plus, vous pouvez faire le parcours n° 3, qui n'est pas entretenu.

Hébergement

Circuit A:
La péninsule

Sainte-Flavie

Le village de Sainte-Flavie marque le début de la Gaspésie. Il peut être agréable de s'y attarder un peu avant d'entamer le tour de cette péninsule qui vous réserve de belles découvertes.

Centre d'art Marcel-Gagnon
$$ pdj
ℜ
début mai à mi-oct
564 route de la Mer
☎*775-2829*
≈*775-9548*
L'auberge du Centre d'art Marcel-Gagnon, en bordure de la route 132, propose des chambres tranquilles qui offrent une vue sur les 80 statues grandeur nature baignant dans la mer.

Motel Gaspésiana
$$-$$$
≡, 🐾, ⊛, ℜ
460 route de la Mer
☎*775-7233 ou 800-404-8233*
≈*775-9227*
Le Motel Gaspésiana propose des chambres de motel bien équipées et insonorisées. Leurs larges fenêtres les rendent, somme toute, assez agréables.

Grand-Métis

Motel Métis
$$
🐾, ≈
mi-juin à mi-oct
220 route 132
☎*775-6473*
Le Motel Métis dispose de chambres simples et modernes.

Métis-sur-Mer

Camping Annie
$
≈
1352 route 132
☎*936-3825*
≈*936-3035*
www.campingannie.com
Le Camping Annie est pourvu de 150 emplacements dont 58 équipés des trois raccordements (aux eaux usées, à l'eau potable et à l'électricité) pour véhicules récréatifs. Il se trouve en bordure de sentiers pédestres et cyclables. Situé à 8 km des Jardins de Métis, cet endroit est chaleureux et très sympathique.

Au coin de la baie
$$-$$$
ℂ, ℝ
mi-mai à mi-sept
1140 route 132
☎*936-3855*
≈*936-3112*
Ce motel compte 14 belles chambres.

Auberge du Grand Fleuve
$$$ pdj
ℜ
47 rue Principale
☎*936-3332*
aubergedugrandfleuve.qc.ca
Avec un nom de village aussi original, il fallait s'attendre à y retrouver des établissements témoignant d'une certaine créativité! C'est le cas de l'Auberge du Grand Fleuve, qui se qualifie de «bouquin-couette». Tenue par un couple franco-québécois amoureux des lettres et de

l'art de l'accueil, cette auberge propose le gîte et une fine cuisine dans un environnement largement inspiré de la mer.

Matane

Motel La Vigie
$$
≡, ◉, ℜ
1600 av. du Phare Ouest
☎*562-3664 ou 888-527-3664*
⇄*566-2930*
www.lavigie.com
À proximité de l'itinéraire des motoneigistes, le Motel La Vigie est pourvu de chambres simples aménagées dans un décor moderne.

Hôtel-Motel Belle Plage
$$
ℑ, ℜ
1310 rue Matane-sur-Mer
☎*562-2323 ou 888-244-2323*
⇄*562-2562*
www.hotelbelleplage.com
Situé en bordure de la plage, l'hôtel-Motel Belle Plage propose des chambres simples dans un décor un peu vieillot. Louez l'une des chambres de l'hôtel plutôt que du motel car elles sont plus jolies.

Auberge de La Seigneurie
$$ pdj
bc/bp
621 rue St-Jérôme
☎*562-0021 ou 877-783-4466*
⇄*562-4455*
www.aubergelaseigneurie.com
Vous trouverez un lieu idéal pour vous reposer au confluent du fleuve et de la rivière Matane; l'Auberge de La Seigneurie, située sur l'ancien site de la seigneurie Fraser, vous propose, en effet, des chambres confortables.

Riotel Matane
$$-$$$
≡, ◉, ◷, ≈, ℜ, △
250 av. du Phare Est
☎*566-2651 ou 888-427-7374*
⇄*562-7365*
www.riotel.qc.ca
Le Riotel Matane vous charmera au premier coup d'œil. En arrivant sur place, on constate qu'un effort a été porté à la décoration et au confort. L'escalier de bois en colimaçon et les fauteuils en cuir ne sont qu'un aperçu de ce qui vous attend plus loin. En traversant le restaurant et le bar, vous aurez droit à une superbe vue sur le fleuve. Les chambres de l'étage font partie des plus récentes. De plus, un court de tennis et un terrain de golf sont mis à la disposition des clients de l'hôtel.

Quality Inn Inter Rives
$$$
◉, ◷, ℑ, ≈, ℜ, △
1550 av. du Phare Ouest
☎*562-6433 ou 800-463-2466*
⇄*562-9214*
www.qualityinn.qc.ca
Les élégantes chambres du Quality Inn Inter Rives sont garnies de beaux meubles en bois.

Parc de la Gaspésie

Dans le parc de la Gaspésie, différents emplacements de **camping** *(20$; mi-juin à fin sept)* sont mis à votre disposition. On y trouve aussi 19 **chalets** *(80$)* pouvant accueillir deux, quatre, six ou huit personnes *(☎763-2288 ou 888-270-4483, ⇄763-7803)*.

Gîte du Mont-Albert
$$$
ℂ, ℑ, ≈, ℜ, △
☎*763-2288 ou 866-727-2427*
⇄*763-7803*
Situé dans le **parc de la Gaspésie** (voir p 567), le Gîte du Mont-Albert offre un panorama splendide. Comme ce gîte est construit en forme de fer à cheval, chaque chambre vous offre, en plus d'un bon confort, une vue imprenable sur les monts Albert et McGerrigle.

Mont-Saint-Pierre

Auberge Nouvelle Vague
$
ℂ, ℜ
84 rue Prudent-Cloutier
☎/⇄*797-2851*
Cette auberge de jeunesse propose un hébergement très simple, mais bon marché.

Parc national Forillon

Vous trouverez quatre campings dans le parc. Pour réserver un emplacement, composez le ☎*368-6050 (début juin à mi-oct; 122 boul. de Gaspé, G4X 1A9)*. Pour tout le parc, on dénombre 367 emplacements de camping. Notez que seulement 50% de ces emplacements sont disponibles sur réservation; le reste suit la politique du «premier arrivé, premier servi».

Camping Des-Rosiers
$
secteur Nord
Le Camping Des-Rosiers est doté de 155 emplacements pour tentes et véhicules récréatifs (42 d'entre eux avec électricité: 18$). Il est situé sur un terrain semi-boisé en face de la mer.

Camping Bon-Ami
$
secteur Nord
Le Camping Bon-Ami compte 41 emplacements, pour tentes seulement, situés sur un terrain semi-boisé.

Gaspésie

Camping Petit-Gaspé
$

Le Camping Petit-Gaspé propose 171 emplacements pour tentes et véhicules récréatifs sur un terrain boisé recouvert de gravier fin.

Cap-aux-Os

Auberge de jeunesse de Cap-aux-Os
$
ℜ
2095 boul. Grande-Grève
☎892-5153

Si vous ne recherchez pas le grand luxe et que vous surveilliez vos dépenses, l'auberge de jeunesse de Cap-aux-Os vous conviendra parfaitement. D'ambiance vraiment conviviale, tant à la cafétéria qu'au grand salon, l'auberge est située aux portes du parc national Forillon et propose plusieurs activités.

Gaspé

Résidence du Cégep de la Gaspésie et des Îles
$
ℂ
94 rue Jacques-Cartier
☎368-2749
www.cgaspesie.qc.ca

La résidence du Cégep de la Gaspésie et des Îles loue ses chambres entre la mi-juin et la mi-août. Une cuisinette équipée, la literie, les serviettes et la vaisselle sont fournies.

Motel Fort Ramsay
$$
🐾, ℂ, ℝ, ℜ
254 boul. Gaspé
☎368-5094

Établi entre le parc national Forillon et le centre-ville de Gaspé, le Motel Fort Ramsay dispose de chambres simples mais un peu bruyantes, la route se trouvant à proximité.

Motel Adams
$$
≡, 🐾, ℜ
20 rue Adams
☎368-2244 ou 800-463-4242
⇄368-6963
www.moteladams.com

Situé au centre-ville, le Motel Adams propose des chambres agréables, spacieuses et très propres.

Les Petits matins
$$ pdj
129 rue de la Reine
☎368-1370

Ce gîte touristique situé à deux pas du café Le Brise Bise vous accueille dans une de ses trois chambres, fort jolies et très lumineuses, et ce, au cœur du centre-ville. Les petits déjeuners sont copieux. Strictement réservé aux non-fumeurs.

Hôtel des Commandants
$$$
≡, ⊛, ℜ
178 rue de la Reine
☎368-3355 ou 800-462-3355
⇄368-1702

Anciennement le Quality Inn, l'Hôtel des Commandants se dresse au centre-ville à côté d'un centre commercial. Les chambres sont agréables et confortables.

Fort Prével

 Auberge Fort-Prével
$$$
≈, ℜ
mi-juin à mi-sept
2053 boul. Douglas,
St-Georges-de-Malbaie
☎368-2281 ou 888-377-3835
⇄368-1364

Tout comme le Gîte du Mont-Albert, l'Auberge Fort-Prével est administrée par la Société des établissements de plein air du Québec (Sépaq). La batterie de Fort-Prével servit pendant la Seconde Guerre mondiale; un circuit d'interprétation nous rappelle son rôle. On y

trouve 54 chambres et 13 chalets tout équipés (**$$$$**). On y a une très belle vue sur la mer.

Percé

Camping du Gargantua
$
222 route des Failles
☎782-2852

Le Camping du Gargantua est sans contredit le plus beau camping de Percé et de ses environs. Il offre une vue non seulement sur le rocher Percé et sur la mer, mais aussi sur les montagnes verdoyantes environnantes.

🚢 Auberge du Gargantua
$$
ℜ
juin à mi-oct
222 route des Failles
☎782-2852
⇄782-5229

Depuis 30 ans qu'elle domine Percé du haut de son promontoire, l'Auberge du Gargantua n'a plus besoin d'introduction pour les habitués de la péninsule gaspésienne. Sa table (voir p 576) fait partie des meilleures de la région. Le site et la vue qu'elle offre laisseront dans votre mémoire un souvenir impérissable. Le décor des petites chambres de motel est simple, mais celles-ci sont confortables.

Chalets au Pic de l'Aurore
$$-$$$
🐾, ℂ, ⊠
mi-juin à mi-sept
1 route 132
☎782-2166 ou 800-463-4212
⇄782-5323
www.resperce.com

Les Chalets au Pic de l'Aurore sont situés en haut de la côte, au nord de Percé, et surplombent toute la ville. Chacun des 17 chalets bénéficie d'une jolie terrasse et dispose d'une cuisinette, d'une chambre et d'un salon avec foyer.

Riotel Percé
$$$
ℝ
10 rue de l'Auberge
☎*782-5535 ou 888-427-7374*
⇌*782-5360*
Juché sur une colline surplombant la ville, le Riotel Percé dispose de chambres spacieuses et bien éclairées.

Hôtel-Motel La Normandie
$$$
ℜ
221 route 132
☎*782-2337 ou 800-463-0820*
⇌*782-2337*
www.normandieperce.com
L'Hôtel-Motel La Normandie s'est acquis une excellente réputation à Percé. Cet établissement de luxe est complet plus souvent qu'à son tour durant la haute saison; du restaurant et des chambres, vous pouvez admirer le célèbre rocher Percé.

Motel Le Mirage
$$$
≡, 𝕾, ≈
288 route 132
☎*782-5151 ou 800-463-9011*
⇌*782-5536*
Le Motel Le Mirage dispose de courts de tennis et de chambres confortables offrant une vue superbe.

Circuit B:
La baie des Chaleurs

Chandler

Motel Fraser
$$
≡, ≈, ℜ
325 route 132, à 40 km de Percé, à l'extrémité ouest de Chandler, sortie Pabos Mills
☎*689-2281 ou 800-463-1404*
⇌*689-6628*
Le Motel Fraser offre un bon rapport qualité/prix.

Paspébiac

Auberge du Parc
$$$
⊛, ≈, ✪, ℜ, △
début fév à fin nov
68 boul. Gérard-D.-Lévesque Ouest
☎*752-3355 ou 800-463-0890*
⇌*752-6406*
www.aubergeduparc.com
L'Auberge du Parc est installée dans un manoir qui fut érigé par l'entreprise Robin au XIXe siècle, au centre d'un bois, dans un cadre parfait pour la détente. Bains thermomasseurs, enveloppements d'algues, massages thérapeutiques, pressothérapie, ainsi qu'une piscine emplie d'eau de mer agrémenteront votre séjour.

Bonaventure

Camping Plage Beaubassin
$
début juin à mi-sept
154 rue Beaubassin
☎*534-2313*
En bordure de la baie des Chaleurs, sur une petite presqu'île, le Camping Plage Beaubassin est pourvu de 160 emplacements ainsi que d'une plage surveillée. Une laverie, une salle communautaire et un petit magasin font partie des installations.

Maria

Hôtel Honguedo
$$-$$$
≡, ✖, ≈, ℜ
548 boul. Perron
☎*759-0228 ou 877-678-3232*
⇌*759-1507*
www.honguedo.qc.ca
Avec ses 60 chambres propres offrant un bon confort, l'Hôtel Honguedo, anciennement le Quality Inn Maria, est le plus grand établissement d'hébergement de Maria.

Carleton-Saint-Omer

Camping Carleton
$
mi-juin à fin sept
banc de Larocque
☎*364-3992*
www.carletonsurmer.com
Tout près de la mer et de la plage, le Camping Carleton a peu d'emplacements ombragés, mais il demeure un lieu fort agréable et calme.

Hôtel-Motel Baie Bleue
$$-$$$
ℜ, ⊛, ≈
482 boul. Perron
☎*364-3355 ou 800-463-9099*
⇌*364-6165*
www.baiebleue.com
L'Hôtel-Motel Baie Bleue compte une centaine de chambres, toutes bien tenues, et à la décoration moderne.

Aqua-Mer Thalasso
$$$ pdj
1 325$/pers. pour sept jours incluant l'hébergement, les repas et les traitements
✪
début mai à fin oct
868 boul. Perron
☎*364-7055 ou 800-463-0867*
⇌*364-7351*
www.aquamer.ca
Aqua-Mer Thalasso, situé dans un cadre enchanteur, est un centre de thalassothérapie. On y propose plusieurs forfaits-traitements d'une semaine, dont une cure de remise en forme qui comprend cinq traitements par jour.

Chalets de la Baie
$$$
ℂ
toute l'année
209 rue du Quai
☎*364-7810*
⇌*759-5516*
Construits non loin de la plage de Carleton, les Chalets de la Baie conviendront tout à fait aux personnes qui recherchent

l'essentiel du confort et une situation très centrale.

Pointe-à-la-Garde

**Auberge de jeunesse/
Château Bahia
de Pointe-à-la-Garde**
$ pdj
ℜ
152 boul. Perron
☎/≈**788-2048**
L'auberge de jeunesse et le Château Bahia de Pointe-à-la-Garde se trouvent en retrait de la route, à mi-chemin entre Carleton et Matapédia; il s'agit d'un lieu de détente par excellence. Des mets régionaux de qualité sont servis, tels que saumon frais et jambon à l'érable, tous à prix modique. Vous avez le choix de dormir à l'auberge de jeunesse ou au «château» situé derrière celle-ci.

Causapscal

Camping de Causapscal
$
≈
601 route 132 Ouest
☎**756-5621**
≈**756-3344**
Le Camping de Causapscal a aménagé 48 emplacements pour tentes et véhicules récréatifs. On peut y séjourner entre juin et septembre.

Motel du Vallon
$$
℃, 🐕
609 route 132 Ouest
☎**756-3433**
≈**756-5333**
Seize chambres situées dans un site luxuriant composent le Motel du Vallon.

Auberge La Coulée Douce
$$
ℜ, ≡
21 rue Boudreau
☎**756-5270 ou 888-756-5270**
≈**756-5271**
L'Auberge La Coulée Douce est ouverte du printemps à l'automne, de même qu'en hiver selon l'affluence (tout comme sa salle à manger sur réservation). Cette ancienne demeure de curé a été transformée en une sympathique petite auberge familiale au centre de la vallée de la Matapédia, et elle propose des chambres chaleureusement garnies de vieux meubles.

Restaurants

Circuit A:
La péninsule

Sainte-Flavie

Centre d'art Marcel Gagnon
$$
564 route de la Mer
☎**775-2829**
En bordure de la route 132, le restaurant du Centre d'art Marcel Gagnon propose un menu fort simple à prix abordable.

Le Gaspésiana
$$
460 route de la Mer
☎**775-7233**
Le Gaspésiana est surtout réputé pour son fameux brunch du dimanche. Le menu, très varié, est composé autant de plats de fruits de mer et de poisson que de plats de viande.

Grand-Métis

Les Ateliers Plein Soleil
$-$$
Jardins de Métis
Le restaurant Les Ateliers Plein Soleil se fait un point d'honneur de veiller à ce que tout soit parfait; le service en costume d'époque est attentionné et le décor pittoresque; les plats métissiens et québécois s'avèrent copieux. On trouve aussi un casse-croûte dans la Villa Reford.

Métis-sur-Mer

L'Auberge Métis-sur-Mer
$$-$$$
fin juin à fin oct
1301 route 132
☎**936-3563**
www.aubergemetissurmer.qc.ca
Si vous avez envie d'excellents plats de fruits de mer, optez pour l'Auberge Métis-sur-Mer.

Matane

Pizzeria Italia
$-$$
vers le centre-ville
angle rue St-Pierre et rue St-Jérôme
☎**562-3646**
La Pizzeria Italia propose des pizzas à base d'aliments frais de première qualité, avec un choix intéressant de garnitures.

La Table du Capitaine Gourmand
$$-$$$
260 du Barachois
☎**562-3131**
Ce resto attire une clientèle friande de poissons et de fruits de mer frais, toujours servis en grosses portions. Il dispose d'un vivier à homards. L'endroit est parsemé d'objets hétéroclites tels qu'un coffre au trésor et un casier à homards. La pizza aux fruits de mer est très prisée et le service sympathique.

Riotel Matane
$$-$$$
250 av. du Phare E.
☎**566-2651**
Le restaurant du Riotel Matane propose un menu de cuisine régionale spécialisée dans les plats de fruits de mer, mais sert aussi de délicieuses grillades d'agneau, de cerf et de volaille. La table d'hôte est composée de trois services avec 10 choix de plats principaux.

Le Vieux Rafiot
$$-$$$
1415 av. du Phare O., en bordure de la route 132
☎**562-8080**
Le restaurant Le Vieux Rafiot attire énormément de visiteurs grâce à son étonnante salle à manger, divisée en trois parties par des cloisons percées de hublots et ornée de tableaux d'artistes locaux. Outre sa décoration originale, il propose des plats variés et délicieux.

Cap-Chat-Capucins

Fleur de Lys
$$-$$$
184 route 132 E.
☎**786-5518**
Le Fleur de Lys vous invite à savourer des mets frais du jour et savoureux. L'accueil est chaleureux.

Parc de la Gaspésie

 **Gîte du Mont-Albert**
$$$$
☎**763-2288**
Au Gîte du Mont-Albert, il faut absolument vous laisser tenter par les fruits de mer, préparés de façon inventive. Durant le mois de septembre, on y célèbre le Festival du gibier. Vous aurez alors l'occasion de goûter des viandes aussi peu communes que celles de pintade, de bison et de perdrix.

Gaspé

Le Brise Bise
$-$$
135 rue de la Reine
☎**368-1456**
Le bistro-bar Brise Bise est probablement le café le plus sympathique de Gaspé. On y sert des saucisses, des fruits de mer, des salades et des sandwichs. Le choix de bières et de cafés est varié et le 5 à 7 agréable; des spectacles y sont présentés tout l'été, et l'on y danse en fin de soirée.

Le Bourlingueur
$-$$
39 montée de Sandy Beach
☎**368-4323**
Des tables et des chaises en bois verni donnent au Bourlingueur des allures de vieux pub anglais. Il s'agit d'un endroit vaste et chaleureux où l'on peut manger des plats canadiens ou chinois en toute quiétude.

Le Café des Artistes
$-$$
249 boul. de Gaspé
☎**368-2255**
Les propriétaires du Café des Artistes, eux-mêmes artistes, proposent un concept tout à fait original et sympa. Dans ce centre d'art aux poutres apparentes, vous pourrez, à votre aise, prendre le temps de vous offrir un bon repas en table d'hôte, pour ensuite aller admirer les œuvres de divers artistes. Les glaces maison (celle à l'avocat plus particulièrement) et les sorbets sont excellents.

Restaurant Bar Latini
$$
11h30 à 21h
35 du Ruisseau Dean
☎**368-7447**
Si vous comptez visiter le parc national Forillon pendant la journée, le Latini prépare des plats

pour emporter. Des pâtes fraîches, des salades et de la soupe maison figurent au menu.

L'Ancêtre
$$-$$$
55 boul. York E.
☎**368-4358**
Le restaurant L'Ancêtre propose des spécialités de steaks sur gril et de fruits de mer, le tout servi dans une très belle maison de style anglo-normand avec vue imprenable sur la ville. On y sert le meilleur brunch du dimanche en ville.

Fort Prével

 **Auberge Fort-Prével**
$$$-$$$$
2053 boul. Douglas
☎**368-2281 ou 888-377-3835**
Au **Fort Prével** (voir p 572), en plus d'être plongé dans une ambiance historique, on peut savourer une délicieuse cuisine française et québécoise. Dans une vaste salle à manger, vous dégusterez de petits plats apprêtés et présentés avec raffinement. Au menu figurent des plats de poisson et de fruits de mer, bien sûr, mais aussi toutes sortes de spécialités à faire pâlir d'envie tous les gourmets.

Percé

La Maison du Pêcheur
$$-$$$
155 pl. du Quai
☎**782-5331**
La Maison du Pêcheur se trouve en plein centre du village. Elle regroupe deux restaurants en un. Le rez-de-chaussée abrite une crêperie donnant sur la mer, qui sert aussi le petit déjeuner, tandis que l'étage est aménagé pour recevoir les gens à dîner. Les prix sont un peu élevés, mais tout y est de première qualité.

Gaspésie

Riotel Percé
$$-$$$
10 ch. de l'Auberge
☎782-5535
Le Riotel Percé propose un menu de déjeuner et une table d'hôte. La carte se compose de plats de fruits de mer, de salades et de brochettes.

La Normandie
$$$-$$$$
221 route. 132 O.
☎782-2112
Considéré par plusieurs comme l'une des meilleures tables de Percé, La Normandie propose des mets savoureux dans un lieu tout à fait charmant. On dit beaucoup de bien du feuilleté de homard au champagne et des pétoncles à l'ail, au miel et aux poireaux. Un grand choix de vins y est proposé.

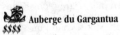

Auberge du Gargantua
$$$$
222 rue des Failles
☎782-2852
L'Auberge du Gargantua offre un décor qui rappelle la vieille France campagnarde, d'où sont issus les propriétaires. De la salle à manger, on a une vue superbe sur les montagnes environnantes, et il serait sage d'arriver assez tôt pour en bénéficier. Les plats sont tous gargantuesques et savoureux, incluant généralement une entrée de bigorneaux, une assiette de crudités puis un potage. Enfin, le plat principal est choisi sur une longue liste affichant aussi bien du saumon et du crabe des neiges que du gibier.

Circuit B:
La baie des Chaleurs

Bonaventure

Café Acadien
$$-$$$
début juin à mi-sept
168 rue Beaubassin
☎534-4276
Le Café Acadien sert de bons petits plats dans un cadre charmant. Cet établissement, ouvert durant toute la saison estivale, est très populaire auprès des résidants et des touristes, ce qui explique peut-être les prix un peu élevés.

New Richmond

Les têtes heureuses
$-$$
104 ch. Cyr
☎392-6733
Ce café-bistro vous charmera tant par son atmosphère que par son menu. Vous y trouverez une foule d'entrées, de croissants, de *bagels*, de sandwichs chauds, de plats de pâtes, de quiches et de mets de riz, tout aussi exquis les uns que les autres. Le pain de ménage et les desserts maison sont délicieux. On propose un très grand choix de bières importées et de bières de microbrasseries.

Carleton-Saint-Omer

La Seigneurie
$$-$$$
482 boul. Perron
☎364-3355
La Seigneurie, le restaurant de l'Hôtel-Motel Baie Bleue, apprête une grande variété de mets délicieux à base de gibier, de poisson et de fruits de mer. La vue depuis la salle à manger est superbe.

La Maison Monti
$$$-$$$$
840 boul. Perron
☎364-6181
La Maison Monti est l'ancienne demeure d'Honoré Bernard, dit Monti, un riche prospecteur qui revint s'installer à Carleton après avoir séjourné dans l'ouest du Canada. La salle à manger, agrémentée d'une verrière, est confortable. Le menu est constitué de gibier, de poisson et de fruits de mer. Le service est sympathique, attentionné et empressé.

Causapscal

Auberge La Coulée Douce
$$-$$$
21 rue Boudreau
☎756-5270
Le restaurant de l'Auberge La Coulée Douce propose un menu de mets délicieux tels que la bouillabaisse gaspésienne et de nombreux plats à base de saumon frais. Le service est sympathique.

Sorties

Bars et discothèques

Matane

Billbard
366 rue St-Jérôme
☎562-3227
Au Billbard, le bar à la mode de Matane, vous entendrez des airs de jazz et de blues. On y sert de l'espresso, des bières de microbrasseries et quelques plats de saucisses européennes. Terrasse.

Vieux Loup de Mer
389 rue St-Jérôme
562-2577
Le Vieux Loup de Mer est
un bar couru de Matane.
Vous y verrez une clientèle
très diverse. On y reçoit
des chansonniers les fins
de semaine.

Gaspé

La Voûte
114 rue de la Reine
Le bar La Voûte reçoit
surtout une clientèle étu-
diante. Les heures
d'affluence sont de 18h à
minuit. On y accueille des
chansonniers régulière-
ment. À l'étage, vous trouverez un lieu de rencontre
pour les 25 ans et plus.

Théâtres et salles de spectacle

Petite-Vallée

Théâtre du Café de la Vieille Forge
juin à fin août
à côté de la Maison LeBreux
4 Longue-Pointe
393-2222
Le Théâtre du Café de la
Vieille Forge vous propose
des pièces à saveur gaspésienne ou québécoise
interprétées par des comédiens locaux. De plus, les
humoristes et les chanteurs
professionnels en tournée
y donnent des spectacles
tout l'été.

Carleton

Théâtre La Moluque
*mi-juil à fin août mar-sam
20h30*
586 boul. Perron
route 132, centre-ville
364-7151
Le Théâtre La Moluque
présente du théâtre professionnel de création ou de
répertoire.

Fêtes et festivals

Matane

Festival de la crevette
562-0404
La crevette de Matane est
bien connue et fait le délice des amateurs bien au-
delà de la Gaspésie. On la
célèbre donc par une fête
conviviale, le Festival de la
crevette, chaque année à
la fin juin.

Mont-Saint-Pierre

Fête du Vol libre
797-2222
La Fête du Vol libre de
Mont-Saint-Pierre souligne
la vocation sportive de ce
hameau. Tout l'été, les
amateurs de vol libre ac-
courent de partout pour se
lancer au-dessus de la
baie, mais, à la fin de
juillet, lors de cet événement, leur nombre
est particulièrement
élevé, et les activités ne
manquent pas.

Achats

Circuit A: La péninsule

Grand-Métis

Les Ateliers Plein Soleil *(Jardins de Métis,* **775-3165),**
un groupe d'artisans de
Grand-Métis, gèrent la
Maison Reford; les artisans
fabriquent et proposent
dans leur boutique tout un
assortiment de nappes,
napperons et serviettes de
table tissés à la main, des
herbes salées, du miel de
la région et même du ket-
chup maison.

Percé

En raison de la situation
très centrale de la place du
Quai, vous ne pourrez pas
la manquer. Regroupement
de plus de 30 commerces,
elle compte de nombreux
restaurants, des boutiques,
une laverie et un comptoir
de la Société des alcools
du Québec.

Vous trouverez
nombre de
boutiques au
centre-ville de
Percé. En voici
quelques-unes:

La boutique **Cormoran** *(mai
à oct; 153 rue Principale,*
782-2397) dispose d'une
énorme sélection de ca-
deaux à offrir ou à s'offrir
et de souvenirs de toutes
sortes reflétant l'artisanat
gaspésien.

Le Macareux *(début mai à fin
oct tlj 8h à 22h; 262 rue Principale,* **782-2414)** vous
propose des souvenirs très
variés tels que sculptures
en bois, agates et pierres
semi-précieuses, t-shirts
ainsi que gravures sur
verre.

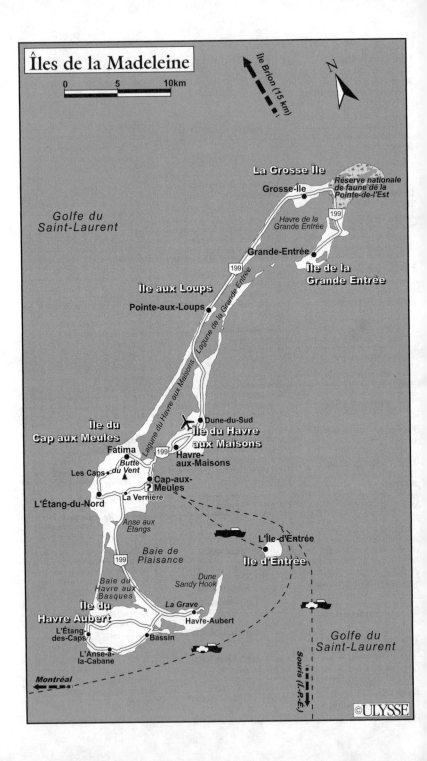

Îles de la Madeleine

Les îles de la Madeleine émergent au cœur du golfe du Saint-Laurent, à plus de 200 km des côtes de la péninsule gaspésienne. Elles constituent un archipel d'environ 65 km de long, composé d'une douzaine d'îles, dont plusieurs sont reliées par de longues bandes de sable qui souvent forment des dunes.

Balayées par les vents du large, ces quelques îles ne manquent pas d'attraits ni de superbes paysages aux multiples coloris. Le blond des dunes et des longues plages sauvages s'y marie au rouge des falaises de grès et au bleu de la mer. Quelques jolies bourgades, aux maisons souvent peintes de vives couleurs, ainsi que des phares et des installations portuaires, complètent agréablement les charmants paysages des îles.

Les 15 000 Madelinots, depuis toujours tournés vers la mer, vivent encore principalement de la pêche au crabe, aux mollusques, au maquereau et surtout au homard. En

grande majorité de souche française, la population se regroupe sur sept îles de l'archipel: l'île de la Grande Entrée, Grosse-Île, l'île aux Loups, l'île du Havre aux Maisons, l'île du Cap aux Meules, l'île du Havre Aubert et l'île d'Entrée. Parmi celles-ci, seule l'île d'Entrée, où vivent quelques familles d'origine écossaise, n'est pas reliée par voie terrestre au reste de l'archipel.

Les îles de la Madeleine furent d'abord habitées sporadiquement par les Micmacs, surnommés les «Indiens de la mer». Dès le XVe siècle, elles étaient régulièrement visitées par

des chasseurs de morses et de phoques, ainsi que par des pêcheurs et des baleiniers principalement d'origine bretonne ou basque.

En 1534, Jacques Cartier y fit escale lors de sa première expédition en Amérique du Nord. L'occupation permanente de l'archipel ne débuta toutefois qu'après 1755, lorsque des familles acadiennes vinrent s'y réfugier après avoir échappé au Grand Dérangement. À la suite de la Conquête, les îles de la Madeleine furent annexées à la province de Terre-Neuve avant d'être intégrées au territoire québécois en 1774.

Quelques années plus tard, en 1798, le roi George III accorda le titre de seigneur des îles de la Madeleine à l'amiral Isaac Coffin, initiant ainsi une période sombre pour les habitants de l'archipel. Lui et sa famille y régnèrent en effet en despotes, jusqu'à ce qu'une loi du Québec permît aux Madelinots de racheter leurs terres en 1895.

Aujourd'hui, de plus en plus, les visiteurs viennent essentiellement découvrir les magnifiques paysages marins de l'archipel. Ils y sont d'ailleurs très bien reçus par des gens à l'accueil proverbial.

Pour s'y retrouver sans mal

En voiture

Des sept îles habitées qui composent l'archipel, six sont reliées par la route 199. Le circuit que nous vous proposons vous entraîne à la découverte de chacune des îles. Pour plus de renseignements, vous pouvez consulter le *Guide Ulysse Gaspésie, Bas-Saint-Laurent et Îles de la Madeleine*.

La septième île, l'île d'Entrée, n'est quant à elle accessible que par bateau

et constitue une destination en soi. Le *S.P. Bonaventure (16$; ☎418-986-5705 ou 986-8452)* fait le triangle Havre-Aubert–Cap-aux-Meules–Île d'Entrée du lundi au samedi. La traversée dure environ une heure.

Si vous désirez vous déplacer rapidement, vous pouvez louer une voiture aux adresses suivantes:

Cap-aux-Meules Honda
1090 route 199, L'Étang-du-Nord
☎*(418) 986-4085*
Loue aussi des motocyclettes.

National Tilden
205 ch. de l'Aéroport, Havre-aux-Maisons
☎*(418) 969-4209*
☎*888-657-3036*

Thrifty
188 ch. de l'Aéroport, Havre-aux-Maisons
☎*(418) 969-9006*
☎*800-367-2277*

Location du Berceau
701 ch. Principal, Havre-Aubert
☎*(418) 937-5614*

En bateau

Traversier *le Madeleine*
37$ par personne
voiture 71,50$
moto 25,50$
vélo 9,25$
☎*(418) 986-3278*
☎*888-986-3278*
≈*(418) 986-5101*
Le traversier *le Madeleine*, partant de Souris (Île-du-Prince-Édouard) et se rendant à Cap-aux-Meules, permet d'atteindre les Îles en cinq heures. Si vous n'avez pas réussi à réserver votre place à l'avance, arrivez au quai quelques heures avant le départ ou, pour être plus sûr, rendez-vous à Souris la veille de votre départ, et réservez

dès lors votre place; renseignez-vous bien sur l'horaire des traversées car il varie grandement d'une saison à l'autre.

CTMA Vacancier
☎*986-3278 ou 888-986-3278*
Croisière hebdomadaire au départ de Montréal le vendredi midi avec escale à Québec en soirée. Observation des baleines à Tadoussac et escale à Matane le samedi après-midi. Arrivée aux Îles le dimanche midi. La croisière peut se prendre en totalité ou en segment. Retour des Îles vers Montréal le mardi soir. Plusieurs tarifs selon le forfait choisi (type de cabine, repas, etc.).

En avion

Air Nova - Air Alliance (Air Canada) *(☎418-969-2888 ou 800-630-3299)*. Ces compagnies proposent des vols quotidiens vers les Îles. Les départs se font à Halifax, à Québec et à Montréal. La plupart des vols ayant une escale à Québec, à Mont-Joli ou à Gaspé selon le cas, il faut compter environ quatre heures pour le voyage. Si vous réservez longtemps à l'avance, vous pourrez bénéficier de rabais parfois considérables.

À vélo

Le vélo est sans conteste la façon la plus agréable de visiter les Îles. Pour louer un vélo:

Le Pédalier
365 ch. Principal, Cap-aux-Meules
☎*(418) 986-2965*

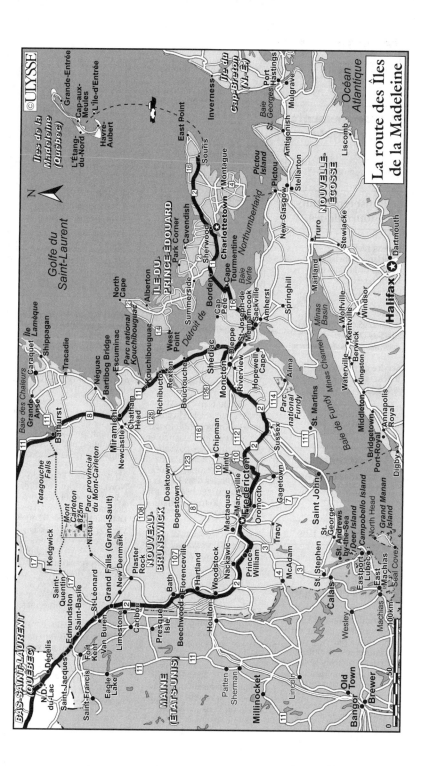

La route des Îles de la Madeleine

Renseignements pratiques

Indicatif régional: **418**

Renseignements touristiques

**Bureau régional
Association touristique
des îles de la Madeleine**
128 ch. Débarcadère
Cap-aux-Meules
Adresse postale: C.P. 1028
Cap-aux-Meules, G0B 1B0
☎ *986-2245 ou 888-624-4437*
≈ *986-2327*
www.ilesdelamadeleine.com.

**Service de réservation
d'hébergement**
☎ *986-2245*

Attraits touristiques

★★
Le tour des Îles

★
Île du Cap aux Meules (1 648 hab.)

Le circuit débute à l'île du Cap aux Meules, car cette île, la plus peuplée de l'archipel, est le point d'arrivée de tous les traversiers (Cap-aux-Meules). Comprenant des infrastructures majeures pour la région, dont l'hôpital, l'école secondaire et le campus du cégep, cette île constitue le cœur de l'activité économique locale. Elle ne manque pas pour autant de charme, les maisons qui y sont bâties affichant toutes de belles couleurs vives. D'ailleurs, certains racontent que, grâce à ces coloris, les marins pouvaient apercevoir leur maison depuis la mer.

Cap-aux-Meules, seule agglomération urbaine des Îles, a connu depuis quelques années un développement majeur, au cours duquel plusieurs bâtiments ont été érigés rapidement, laissant peu de place à l'esthétisme. Par-ci, par-là, quelques belles maisons traditionnelles se démarquent.

En grimpant sur la **butte du Vent** ★★, vous pourrez admirer un superbe panorama sur les Îles et le golfe du Saint-Laurent.

Au sud de Cap-aux-Meules, en suivant le **chemin de Gros-Cap** ★★, vous longerez la baie de Plaisance et découvrirez des paysages splendides. Si vous avez un peu de temps, arrêtez aux **Pêcheries Gros-Cap**, où vous pourrez observer tout le travail de transformation du poisson.

Revenez sur vos pas, et empruntez le chemin de L'Étang-du-Nord jusqu'à L'Étang-du-Nord.

Sur la route, remarquez l'imposante **église de La Vernière** ★, qui présente une intéressante architecture de bois et qui a été classée monument historique.

Longtemps, le village de **L'Étang-du-Nord** comptait plus de la moitié des habitants de l'ensemble des Îles et constituait le plus

Nouvelle municipalité

Îles-de-la-Madeleine
Fusion de L'Île-du-Havre-Aubert, L'Étang-du-Nord, Grande-Entrée, Havre-aux-Maisons, Fatima, Grosse-Île et Cap-aux-Meules.

grand bourg de pêcheurs. Avec la création de Cap-aux-Meules (1959) et de Fatima (1954), il perdit une part importante de sa population et ne compte aujourd'hui qu'un peu plus de 3 000 habitants. La municipalité, pourvue d'un fort joli port, accueille bon nombre de visiteurs qui viennent profiter de la tranquillité et des beautés naturelles de la région.

Au nord de L'Étang-du-Nord, vous pouvez aller vous promener au bord des magnifiques falaises de **La Belle Anse** ★★, d'où la vue est magnifique. Du haut de cet escarpement rocheux, vous contemplerez l'impressionnant spectacle de la mer, violente et tourmentée, se fracassant sans relâche sur les côtes madeliniennes.

Revenez à L'Étang-du-Nord, et reprenez le chemin de L'Étang-du-Nord jusqu'à la jonction avec la route 199. Prenez ensuite cette route en direction de Havre-Aubert; elle traverse la dune du Havre aux Basques.

★★★
Île du Havre Aubert

La mignonne île du Havre Aubert, ponctuée de plages, de collines et de boisés, a su garder un charme bien pittoresque. Très tôt, elle accueillit des colons, et l'on aperçoit encore, ici et là, quelques bâtiments témoins de ces premières années. Auparavant, elle fut même peuplée de communautés micmaques, et des vestiges découverts sur l'île rappellent cette présence.

S'allongeant au bord de la mer et bénéficiant d'une grande baie idéale pour la pêche, la municipalité de **Havre-Aubert** est le premier arrêt sur cette île. Bien qu'elle dispose de paysages magnifiques, son attrait majeur est sans conteste **La Grave ★★★**, ce quartier des plus typiques qui s'est développé au bord d'une plage de galets. La Grave tire son charme de ses maisons traditionnelles revêtues de bardeaux de cèdre, lesquelles composent le cœur d'un centre animé où se déroulent plusieurs manifestations culturelles. Boutiques et cafés s'y succèdent, et vous y passerez, même pendant les jours de pluie, d'excellents moments. Au bord de la mer, vous apercevrez quelques bâtiments qui, à l'origine, abritaient des magasins et des entrepôts dont l'utilité était de recevoir les fruits de la pêche des habitants.

Sur la **colline des Demoiselles**, qui s'élève au loin, vous pouvez observer un bel exemple de maisons caractéristiques des Îles : construction en bois, parements de bardeaux et fenêtres à guillotine.

Si vous désirez explorer le monde fascinant de la vie marine, la visite de l'**Aquarium des Îles ★** *(5$; début juin à fin août tlj 10h à 18h, début sept à mi-oct tlj 10h à 17h; 982 route 199, La Grave, ☎937-2277)* s'impose. Vous aurez alors tout le loisir d'observer (voire de toucher, car certains bassins sont ouverts) un grand nombre d'espèces marines, notamment des homards, des crabes, des oursins, des anguilles, des raies, ainsi qu'une multitude de poissons et de coquillages. Le premier étage a une vocation plus éducative, et des expositions expliquent les diverses techniques de pêche utilisées au cours des ans par les pêcheurs des Îles.

Le **Musée de la Mer ★** *(5$; fin juin à fin août lun-ven 9h à 18h, sam-dim 10h à 18h; fin août à fin juin lun-ven 9h à 12h et 13h à 17h, sam-dim 13h à 17h; 1023 Pointe Shea, à l'extrémité de la route 199, ☎937-5711)* retrace l'histoire du peuplement des Îles et de la relation unissant le destin des Madelinots à la mer. Les visiteurs ont, en outre, l'occasion d'explorer le monde de la pêche et de la navigation, et de découvrir quelques-uns des mythes et légendes entourant la mer.

En quittant Havre-Aubert, suivez le chemin du Sable jusqu'à la dune Sandy Hook.

Dune Sandy Hook ★★★, voir p 585.

Revenez sur vos pas par le chemin du Sable, et prenez le chemin du Bassin jusqu'à L'Étang-des-Caps.

En suivant la route qui longe la mer, entre la pointe à Marichite et L'Étang-des-Caps, vous jouirez d'une **vue magnifique ★★** sur le golfe du Saint-Laurent. Du petit village de **L'Étang-des-Caps**, vous pourrez apercevoir, par temps clair, la petite île dénommée Corps Mort, qui flotte au large.

Revenez sur vos pas par le chemin de la Montagne, poursuivez par le chemin du Bassin, puis retournez à l'île du Cap aux Meules en reprenant la route 199, qui se rend jusqu'à l'île du Havre aux Maisons.

★★
Île du Havre aux Maisons (1 990 hab.)

L'île du Havre aux Maisons, très dénudée, comprend des bourgs fort mignons composés de jolies maisonnettes dispersées le long des routes sinueuses. Au sud de l'île apparaissent d'abruptes falaises, du haut desquelles vous surplomberez le golfe et contemplerez le fascinant spectacle de cet immense bassin.

À chaque extrémité de l'île s'étendent de longues bandes de sable, la Dune du Nord et la Dune du Sud, où se trouvent de belles plages. Portant le même nom que l'île, le village de **Havre-aux-Maisons**, au centre duquel se dresse le vieux couvent et le presbytère, est la principale agglomération de l'île.

Le centre de fabrication de verre **La Méduse ★** *(lun-sam 10h à 17h; 35 ch. de la Carrière, ☎969-4245)* ouvre ses portes aux visiteurs, leur permettant de regarder les souffleurs à l'œuvre. Attenante à l'atelier, une petite boutique présente diverses pièces fabriquées sur place.

Le chemin de la Pointe-Basse, qui traverse le sud

Îles de la Madeleine

de l'île en longeant la baie de Plaisance, révèle de fort beaux points de vue. Sur la route, vous croiserez également un petit chemin qui descend vers la mer entre le cap à Adrien et le cap à Alfred tout en dévoilant le charmant havre naturel de Pointe-Basse. Ne manquez pas de vous arrêter au Fumoir d'Antan et à l'**Économusée du hareng fumé** *(27 ch. du Quai)*.

Continuez par la route 199, qui se rend jusqu'à Grosse-Île en traversant l'île aux Loups.

Grosse-Île (575 hab.)

Les côtes particulièrement accidentées de Grosse-Île furent la cause de bien des naufrages, et nombre de rescapés durent s'y arrêter. C'est ainsi que des individus de descendance écossaise s'y établirent et qu'environ 500 d'entre eux l'habitent encore aujourd'hui. La plupart tirent leurs revenus de la pêche et de l'agriculture; quelques-uns travaillent à la mine de sel Seleine, dont la production débuta en 1983.

La route 199 continue jusqu'à la **réserve nationale de faune de la Pointe-de-l'Est** ★ (voir p 584).

Poursuivez par la route 199 jusqu'à l'île de la Grande Entrée.

★
Île de la Grande Entrée (733 hab.)

L'île de la Grande Entrée, colonisée à partir de 1870, fut la dernière des îles de la Madeleine à être habitée. En y arrivant, vous croiserez d'abord la pointe Old Harry, d'où vous aurez une vue saisissante sur le golfe du Saint-Laurent.

Le bourg principal de l'île, **Grande-Entrée**, possède un port très fréquenté d'où partent quantité de belles barques multicolores dont les équipages se spécialisent dans la pêche au homard.

La Petite École Rouge *(juin à sept lun-ven 9h à 16h, sam-dim 11h à 16h; oct à mai lun-jeu 8h à 16h; 787 ch. Principal, Old Harry, ☎985-2116)* se veut une reconstitution d'une école anglophone d'autrefois. Exposition permanente montrant l'héritage culturel et l'histoire de la communauté anglophone. Voisins de l'école, un parc commémoratif et un musée des vétérans rendent hommage aux anciens combattants.

Pour en connaître davantage sur la vie du phoque, vous pouvez vous rendre au **Centre d'interprétation du phoque** ★ *(juin à août tlj 11h à 18h; 377 route 199, ☎985-2833)*, où diverses expositions tentent de vous faire comprendre les habitudes de vie de ce mammifère.

Pour vous rendre à l'île d'Entrée, prenez le traversier au départ du quai de Cap-aux-Meules.

★★
Île d'Entrée

L'île d'Entrée semble faire bande à part, d'abord en raison de sa situation géographique, qui en fait la seule île habitée non rattachée aux autres, mais aussi par sa population, qui compte quelque 200 résidants, tous de descendance écossaise.

Cette petite communauté, vivant presque exclusivement de la pêche, est parvenue à s'établir sur cette terre bercée par les

vagues et le vent, et possède aujourd'hui une infrastructure suffisant à ses besoins (électricité, routes et téléphone). Vous ne pourrez que goûter l'incroyable sérénité qui règne sur cet îlot vallonné. Ce sont d'ailleurs ses paysages champêtres qui lui donnent tout son charme.

Parcs

Grosse-Île

La Pointe de l'Est, constituée de dunes et de plages, est riche d'une faune aviaire typique des Îles; aussi toute cette zone est-elle protégée par la **réserve nationale de faune de la Pointe-de-l'Est** ★. Si vous vous y rendez pour observer différentes espèces, comme le rare pluvier siffleur (qui niche aux îles de la Madeleine), le canard pilet, le martin-pêcheur d'Amérique, le macareux moine et l'alouette cornue, prenez garde de ne pas endommager les lieux de nidification (ils sont généralement clairement indiqués). On y trouve la **plage de la Grande Échouerie** (voir plus bas).

Plages

Île du Cap aux Meules

La **plage de l'Hôpital**, située le long de la Dune du Nord, est un bon endroit d'où observer les phoques tout en se baignant. Il est à noter que les courants de-

Blanchons

Symbole de l'écotourisme aux Îles de la Madeleine, le blanchon est le petit du phoque du Groenland, le «loup marin» pour les gens des Îles. En effet, le phoque du Groenland vient mettre bas sur les banquises des îles de la Madeleine durant les premières semaines de mars, après un long périple le long des côtes du Labrador et dans le golfe du Saint-Laurent. Près de trois millions de phoques font ce voyage chaque année et remontent, après le sevrage, dans l'Arctique, où ils passent la majeure partie de leur vie.

Les phoques arrivent aux Îles en janvier après avoir suivi les côtes du Labrador pendant environ quatre mois. Ils demeurent dans le golfe deux ou trois mois, au cours desquels ils augmentent leur masse en matières grasses. Le mois de mars voit naître par milliers ces petites boules de fourrure, qui attendrirent le monde entier dans les années 1970, alors que les groupes écologiques manifestaient contre leur chasse. Les blanchons doivent attendre un mois et demi avant leur premier plongeon, ce qui nous permet de les observer facilement. Durant cette période, les blanchons connaissent une croissance hors du commun. Au cours des 12 jours d'allaitement, ils triplent leur poids, le lait maternel étant cinq fois plus riche que le lait de vache.

Les blanchons ne sont plus menacés par la chasse, mais les phoques sont toujours chassés. Ceux-ci constituent de redoutables prédateurs pour les bancs de poissons et abîment les filets de pêche remplis de belles prises. D'ailleurs, plusieurs pêcheurs les tiennent même responsables de la diminution des stocks de poissons. Ainsi, les Madelinots et les Terre-Neuviens en tuent presque 50 000 annuellement. Malgré tout, le phoque du Groenland est loin d'être en voie de disparition. À la suite des pressions des pêcheurs, le gouvernement fédéral a relancé la chasse au phoque en établissant les quotas à 200 000 prises par année.

La viande de «loup marin» est une viande brune fort appréciée. Vous en trouverez en conserve dans plusieurs coopératives d'alimentation des Îles.

viennent dangereux du côté de Pointe-aux-Loups.

L'anse de l'Hôpital, le cap de l'Hôpital, la plage de l'Hôpital et L'Étang-de-l'Hôpital tirent tous leur nom du bateau qui entra à l'intérieur de l'anse avec, à son bord, des occupants affligés d'une maladie contagieuse (le typhus). Le bateau fut mis en quarantaine, et seuls les médecins et les infirmières eurent le droit de monter à bord.

Île du Havre Aubert

Telle une longue bande de sable s'allongeant dans le golfe du Saint-Laurent, la **dune Sandy Hook ★★★** est longue de plusieurs kilomètres, et sa plage compte parmi les plus belles des Îles.

La **plage de l'Ouest ★** s'étend du nord-ouest de l'île du Havre Aubert jusqu'au sud-ouest de l'île du Cap aux Meules. Parfaite pour la baignade et la cueillette de coquillages, elle est réputée pour ses magnifiques couchers de soleil.

Île du Havre aux Maisons

La **plage de la Dune du Sud ★** offre des kilomètres de plages, idéales pour la baignade.

Grosse-Île

À la réserve nationale de faune de la Pointe-de-l'Est, vous trouverez l'une des plus belles plages des Îles, la **plage de la Grande Échouerie ★★**, qui s'étend sur une dizaine de kilomètres.

Îles de la Madeleine

Activités de plein air

Observation des oiseaux

Pendant la randonnée de «L'échouerie» *(2 jours/semaine en matinée)*, organisée par le **Club Vacances Les Îles** *(Grande-Entrée, ☎985-2833)*, vous aurez l'occasion d'observer des nids de pluviers siffleurs, une espèce menacée. Il ne faut pas s'approcher des nids pendant plus de 10 ou 15 min afin de ne pas perturber la nidification. Arrivé sur la plage, vous pouvez observer les guillemots en vol.

La **pointe de la Cormorandière**, du côté nord de Big Hill, sur l'île d'Entrée, réserve de belles surprises à ceux qui aiment les oiseaux.

Pêche

Les visiteurs peuvent prendre part au voyage de pêche organisé par l'entreprise **Excursions en Mers** *(début juin à mi-sept; quai de Cap-aux-Meules; ☎986-4745)*, qui propose aussi des visites de falaises, des balades en mer jusqu'à l'île d'Entrée et l'île du Havre Aubert. Sur le bateau, tout l'équipement pour la pêche et les conseils sont fournis.

Voile et planche à voile

L'Istorlet *(location possible à la semaine; 100, ch. L'Istorlet, ☎937-5266 ou 888-937-8166)* propose des cours de voile et de planche à voile, et loue des embarcations. Comptez 30$ l'heure pour louer un voilier et 25$ l'heure pour une planche à voile. Installé près de Bassin, L'Istorlet bénéficie d'un site idéal pour les débutants désirant s'initier aux sports nautiques dans un environnement sécuritaire et peu agité. Des camps à caractère nautique pour les jeunes et des séjours linguistiques sont aussi offerts.

À bord du bateau *Le Ponton II* de l'entreprise **Excursions de la Lagune** *(20$; en été départs tlj à 11h, 14h et 18h; île du Havre aux Maisons, ☎969-2088)*, vous partirez en balade sur les flots, et, deux heures durant, vous pourrez, grâce à son fond vitré, observer les fonds marins et peut-être même apercevoir des crustacés. Service de bar et dégustation de produits de la mer.

Plongée sous-marine

Si vous avez plutôt l'âme à l'aventure, essayez la plongée sous-marine. C'est une expérience hors du commun, et les Îles ont beaucoup à offrir à ce chapitre. Les fonds marins sont très riches en faune et en flore, car ils sont situés à un véritable carrefour pour les planctons, les poissons, les mollusques et les crustacés.

Pendant ces plongées, vous traverserez des bancs de poissons, et, une fois arrivé au fond, vous pourrez visiter des épaves tout en explorant les trous qui abritent, presque chaque fois, un homard. Les coraux sont omniprésents.

Le Repère du Plongeur
18 allée Léo Leblanc, L'Étang-du-Nord
☎*418-986-3962*

Équitation

La Chevauchée des Îles *(toute l'année, 9h au crépuscule; L'Étang-des-Caps, île du Havre Aubert, ☎937-2368)* organise des randonnées équestres dans la forêt et sur la plage. Il faut réserver.

Les Calèches du Havre
784 route 199, Havre-Aubert
☎*937-2586 ou 937-2339*

Randonnée pédestre

Le **Club Vacances Les Îles** *(Grande-Entrée, ☎985-2833)* organise des randonnées qui ont pour but de vous faire découvrir les divers écosystèmes des îles de la Madeleine.

Kayak

L'Istorlet *(100 ch. L'Istorlet, Havre-Aubert, ☎937-5266)* offre la possibilité de faire des excursions en kayak près des grottes et des falaises. Plusieurs autres activités nautiques sont proposées. Renseignez-vous.

Aérosport Carrefour d'Aventures *(1390 ch. La Vernière, L'Étang-du-Nord,* ☎*986-6677)* Entreprise récréotouristique proposant des excursions et des initiations avec encadrement complet en «cerf-volant de puissance» et en kayak de mer.

Hébergement

Île du Cap aux Meules

Camping Le Barachois
$
début mai à fin oct
87 ch. du Rivage, Fatima
☎*986-6065 ou 986-5678*
Le Camping Le Barachois compte environ 180 emplacements bien abrités du vent. Au cœur d'un petit boisé donnant sur la mer, il bénéficie d'une bonne tranquillité. Plage.

Auberge chez Sam
$$ pdj
bc/bp
1767 ch. de L'Étang-du-Nord, L'Étang-du-Nord
☎*986-5780*
En entrant dans la jolie maison de bois de l'Auberge chez Sam, on est tout de suite frappé par la gentillesse de l'accueil. On est ensuite ravi de découvrir les chambres, cinq au total, toutes mignonnes et bien tenues, et l'on se sent vite à l'aise.

La Maison du Cap-Vert
$$ pdj
toute l'année
bc
202 ch. L.-Aucoin, Fatima
☎*986-5331*
L'auberge familiale La Maison du Cap-Vert vous propose cinq chambres tout à fait charmantes dotées de lits douillets dans une ambiance marine. Cette auberge a vite su se tailler une place très enviable parmi les auberges des Îles. Avec le délicieux petit déjeuner offert à volonté tous les matins, cet établissement représente sans contredit une valeur sûre.

Madeli
$$$
℞
485 ch. Principal, Cap-aux-Meules
☎*986-2211 ou 800-661-4537*
≈*986-2886*
L'auberge Madeli se trouve juste après la pharmacie et la Banque Nationale. Les 64 chambres, construites en 1990, sont situées sous le même toit que le bar, le bowling et le restaurant. La clientèle est en majorité québécoise. L'auberge propose des forfaits.

Château Madelinot
$$$
⊛, ℂ, ≈, ℝ, ℞, △
323 route 199, Fatima
☎*986-3695 ou 800-661-4537*
≈*986-6437*
Vous serez peut-être d'abord surpris d'apercevoir cette grosse maison qui tient lieu de Château Madelinot. Mais le confort des chambres et la vue superbe sur la mer tendent à faire oublier cette première image. Offrant une foule de services, le Château Madelinot est sans conteste le plus connu des lieux d'hébergement des Îles.

Île du Havre Aubert

Camping Plage du Golfe
$
535 ch. du Bassin
☎*937-5224*
≈*937-5115*
Le Camping Plage du Golfe met plus de 70 emplacements à la disposition des campeurs dont quelques-uns aménagés pour recevoir les véhicules récréatifs.

B&B l'Aquarelle
$$ pdj
bc/bp
66 ch. des Fumoirs
☎*937-5908*
Au B&B l'Aquarelle, Miche et Louis vous proposent l'atmosphère chaleureuse d'une maison d'artistes passionnés des Îles et on ne peut plus recevants.

Auberge Chez Denis à François
$$
℞
fermé entre Noël et la Saint-Valentin
404 ch. d'En haut
☎*937-2371*
≈*937-2148*
L'Auberge Chez Denis à François a été construite avec la cargaison de bois d'un bateau qui fit naufrage non loin de là dans les années 1860. Sa clientèle a accès à une laverie, et l'on y prête des vélos.

La Marée Haute
$$-$$$ pdj
≋, ℞, *bc/bp*
25 ch. des Fumoirs
☎/≈*937-2492*
Près de La Grave se trouve La Marée Haute, une jolie petite auberge dans laquelle vous recevrez un accueil des plus chaleureux. Les chambres sont douillettes et offrent un beau décor. Le copropriétaire de l'auberge est aussi cuisinier, donc vous pourrez vous laisser tenter par

Îles de la Madeleine

ses petits plats mijotés avec soin sans le regretter. La vue depuis l'auberge est belle à ravir!

Auberge Havre sur Mer
$$-$$$ pdj
⊛
mai à oct
1197 ch. du Bassin
☎937-5675
⇟937-2540
www.demarque.qc.ca/havre
L'Auberge Havre sur Mer, au bord de la falaise, bénéficie d'un site magnifique, et les chambres, donnant sur une terrasse commune d'où chacun des occupants peut profiter de la belle vue, attirent bon nombre de visiteurs amoureux des Îles. L'endroit est garni de beaux meubles anciens.

Île du Havre aux Maisons

Auberge de la Petite Baie
$$ pdj
ℜ
187 route 199
☎969-4073
⇟969-4900
Rendez-vous à l'Auberge de la Petite Baie, pour une atmosphère chaude, où le comptoir de poste vous raconte encore ses souvenirs et où la table, ornée de vaisselle anglaise, vous ravit les papilles à coup de «loup marin» et de «pot-en-pot des Îles». Réjeanne Langford vous accueille avec soin et fierté. Quatre chambres.

Île de la Grande Entrée

Camping Grande-Entrée du Club Vacances Les Îles
$
🐾, ℜ
377 route 199
☎985-2833 ou 888-537-4537
⇟985-2226
www.clubiles.qc.ca
Le Camping Grande-Entrée du Club Vacances Les Îles compte 24 emplacements, dont 8 pour véhicules récréatifs. Un dortoir est en outre mis à la disposition des visiteurs pour les jours de pluie.

Club Vacances Les Îles
$$$$ pc
377 route 199
☎985-2833 ou 888-537-4537
www.clubiles.qc.ca
Le Club Vacances les Îles est à la fois un camp de vacances familial, un club de détente et un club écologique, tout sous un même toit avec le plaisir et la créativité en plus. L'expérience des Îles! Grandes chambres simples et spacieuses pour laisser entrer le vent. Nourriture maison variée et savoureuse.

Île d'Entrée

Chez McLean
$ pdj
bc
☎986-4541
Le charmant gîte touristique Chez McLean est installé dans une maison bâtie il y a plus de 60 ans et qui a su garder son cachet d'antan.

Restaurants

Île du Cap aux Meules

Le P'tit Café
$$$
☎986-2130
Le P'tit Café du **Château Madelinot** (voir p 587) sert un brunch le dimanche de 10h à 13h30. La cuisson sur pierre de fruits de mer, de viande rouge et de poulet est une particularité du restaurant. Au menu figure un grand choix d'entrées, de potages et de grillades sur charbons de bois. En plus de la vue sur la mer, le décor est agrémenté d'expositions temporaires d'œuvres de peintres locaux et québécois.

La Table des Roy
$$$$
fin mai à mi-sept dès 17h30, fermé dim
1188 ch. La Vernière, L'Étang-du-Nord
☎986-3004
Depuis 1978, La Table des Roy propose une cuisine raffinée qui ne cesse de combler les papilles gustatives des visiteurs. Bien sûr, les fruits de mer, apprêtés de multiples façons, telle cette grillade de pétoncles et de homard sauce coralline, font bonne figure sur ce menu des plus alléchants où l'on propose aussi des plats agrémentés de fleurs et de plantes comestibles des Îles. La salle à manger, tout à fait charmante, confère un cachet particulier à l'établissement.

Île du Havre Aubert

Le Petit Mondrin
$$
La Grave
☎*937-2499*
Le café Le Petit Mondrin
est un établissement garni
de vieilles bouées. Les
fruits de mer, apprêtés
d'une façon très simple
(bouillis), composent
l'essentiel du menu.

Le Régal II
$$
en été 11h à 22h
☎*937-9108*
Campé au bord de la mer,
Le Régal II se tient à
l'endroit où se dressait
autrefois le premier restaurant des Îles, le Régal.
C'est le chef propriétaire
de La Marée Haute qui a
eu l'idée d'ouvrir ce sympathique petit café au
menu simple mais déli-
cieux. Tout au long de
l'été 2002, une équipe de
Radio-Canada y a animé
une émission quotidienne
appelée «Les îles jolies» et
diffusée sur toute la chaîne
francophone. Un excellent
endroit pour faire des
rencontres!

🚢 Café de La Grave
$$
*début mai à début oct 8h30 à
3h*
☎*937-5765*
Avec son joli décor
d'ancien magasin général,
le Café de La Grave offre
une atmosphère des plus
sympathiques, et l'on y
passe des heures à discu-
ter pendant les jours de
mauvais temps. Outre les
muffins, les croissants et la
sélection de cafés, le menu
propose des plats santé,
parfois inusités, tel ce pâté
de «loup marin», mais
toujours bons. L'endroit,
chaleureux à souhait, vous
laissera un souvenir impé-
rissable.

La Saline
$$-$$$
1009 route 199
☎*937-2230*
Ancien hangar à salaison
de La Grave, La Saline
propose une fine cuisine
régionale. On y a une su-
perbe vue sur la mer.
«Loup marin», morue, mou-
les, crevettes... Tous ces
noms aux consonances
océaniques égaient son
menu.

Auberge Chez Denis à François
$$$
fermé fin déc à fin jan
404 ch. d'En Haut
☎*937-2371*
Le restaurant de l'**Auberge
Chez Denis à François** (voir
p 587) propose un choix
de tables d'hôte sept jours
sur sept. Le menu du midi
n'est vraiment pas cher.
On y sert de l'*espresso*. Les
desserts, les cretons, les
bagels ainsi que les fèves
au lard sont tous faits maison. C'est l'un des seuls
restaurants où vous pour-
rez manger du «loup ma-
rin». L'ambiance est décontractée. En été, le restaurant propose les moules-
frites à volonté.

🚢 La Marée Haute
$$$$
25 ch. des Fumoirs
☎*937-2492*
Au restaurant La Marée
Haute, le chef et co-pro-
priétaire sait apprêter les
poissons et fruits de mer
de la meilleure des façons.
Dans cette jolie auberge
d'où l'on a une vue su-
perbe, vous pourrez goû-
ter au «loup marin», au
requin ou encore au ma-
quereau en vous laissant
envoûter par les saveurs
de la mer divinement relevées. On trouve aussi au
menu quelques plats de
viande aussi bien préparés
et de succulents desserts.

Île du Havre aux Maisons

La Moulière
$$$
11h à 22h
292 route 199
☎*969-2233*
L'Hôtel Au Vieux Couvent
dispose de deux restau-
rants. La Moulière, située
au rez-de-chaussée, est
aménagée dans une
grande salle qui servait
jadis de chapelle. Vous
pourrez y savourer de
bons plats dans une am-
biance animée. Toujours
au rez-de-chaussée, dans
l'ancien parloir prolongée
d'une terrasse donnant sur
la mer, vous trouverez le
Rest-O-Bar *($$;* ☎*969-2233)*
qui sert des plats comme
les hamburgers et les
moules, et se révèle tout
aussi fréquenté et sympa-
thique que La Moulière.

🚢 La P'tite baie
$$$$
mar-dim
187 route 199
☎*969-4073*
La P'tite baie sert des mets
bien apprêtés tels que
grillades, fruits de mer et
poissons. Certains plats de
bœuf, de porc et de poulet
figurent également au
menu. En saison, on cui-
sine du «loup marin». En
plus du menu à la carte,
on trouve une table qui
propose un choix de deux
plats principaux. Le service
est courtois et le décor très
soigné.

Grosse-Île

Chez B&J
$$
toute l'année
243 route 199
☎*985-2926*
Le restaurant Chez B&J
sert des pétoncles frais, du
flétan, de la salade de

Îles de la Madeleine

homard et du poisson frais.

Île de la Grande Entrée

Délice de la mer
$$
début juin à sept
907 route 199, quai de Grande-Entrée
☎*985-2364*
Le Délice de la mer se spécialise dans les mollusques et les fruits de mer apprêtés simplement. Les prix sont très abordables et les desserts faits sur place. Le homard y est délicieux.

Sorties

Bars et discothèques

Île du Cap aux Meules

Les Pas Perdus
169 ch. Principal, Cap-Aux-Meules
☎*986-5151*
Bistro-Dodo-C@fé... Venez prendre un café, rencontrer des gens, lire un livre, naviguer dans Internet, jouer du piano... Menu simple et unique. Six chambres à l'étage.

Le Barachois
Fatima
☎*986-3130*
Le Barachois est une discothèque dotée d'une grande piste de danse; il dispose également d'une grande terrasse vitrée. L'endroit est très populaire auprès des jeunes et de la clientèle gay, qui y viennent pour s'amuser et se rencontrer.

Île du Havre Aubert

À La Grave, le **Pub Brophy** sert de la bière de microbrasseries dans un cadre agréable pour gens décontractés.

Île du Havre aux Maisons

Le bar **Chez Gaspard** de l'Hôtel Au Vieux Couvent est installé dans l'ancien réfectoire du couvent. Certains soirs, des musiciens s'y produisent; l'endroit est alors animé et bruyant. Également, on y présente des soirées d'improvisation.

Théâtres et salles de spectacle

Île du Cap aux Meules

Café-théâtre chez Wendell
185 ch. Principal, Cap-Aux-Meules
☎*986-6002*
Théâtre de 144 places. Cinéma parallèle et théâtre d'été.

Boîte à chansons La Côte
Site de la Côte, L'Étang-du-Nord (à côté du quai)
☎*986-5085*
Georges Langford vous présente ses invités: des interprètes d'ici et d'ailleurs.

Île du Havre Aubert

Centre culturel de Havre-Aubert
☎*937-2588*
Le Centre culturel de Havre-Aubert présente le spectacle *Mes îles, mon pays*, avec reconstitution historique des îles de la Madeleine et 50 comédiens sur scène.

Le Vieux Treuil
juil et août
☎*937-5138*
Situé sur le site de La Grave, Le Vieux Treuil est une salle de spectacle où vous pourrez aller au théâtre ou encore entendre du jazz ou de la musique populaire ou classique. On y présente des expositions temporaires.

Fêtes et festivals

Île du Havre Aubert

Le **Concours des châteaux de sable** *(renseignements ☎986-6863)* a lieu au mois d'août sur la plage de Havre-Aubert. Tous les participants s'évertuent pendant des heures à construire le plus beau château de sable. Si vous voulez mettre vos talents à l'épreuve, vous pouvez vous inscrire en appelant au ☎986-6863.

Achats

Boulangerie Madelon
353 ch. Petitpas, Cap-aux-Meules
☎*986-3409*
En plus des pains et des pâtisseries, vous trouverez, à la Boulangerie Madelon, des plats cuisinés, des fromages et du café torréfié. Le commerce à visiter si vous planifiez des pique-niques avec gourmandises.

Les Artisans du sable
La Grave, Havre-Aubert
☎*937-2917*
Les Artisans du sable présentent une foule d'objets en sable fabriqués selon une technique particulière

par des artisans madeli-
nots. Ces objets, allant des
bibelots aux abat-jour,
constituent des souvenirs
typiques des Îles. À visiter
aussi, l'Économusée du
sable, pour en apprendre
plus sur le sable.

La Chocolaterie Diane
2026 Étang-des-Caps,
L'Étang-des-Caps
☎937-5757
Une histoire de cuisine qui
passionnera les gourmets
comme les gourmands. La
Chocolaterie Diane vous
propose des chocolats faits
main, à l'orange, aux fraises, aux pralines...

La Méduse
35 ch. de la Carrière, Havre-aux-
Maisons
☎969-4245
La Méduse est un atelier-
boutique spécialisé en
verrerie d'art (voir p 583).

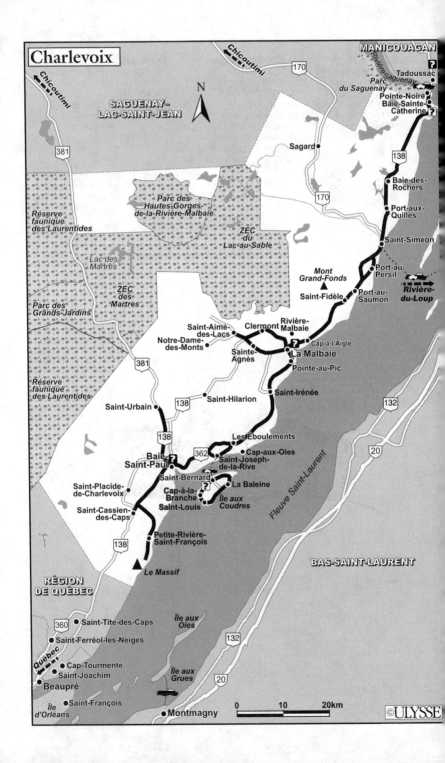

Charlevoix

De nombreux artistes ont été séduits par la singulière beauté des paysages de Charlevoix. Depuis Saint-Joachim jus-qu'à l'embouchure de la rivière Saguenay, la rencontre du fleuve et des montagnes a su y sculpter des paysages envoûtants et poétiques.

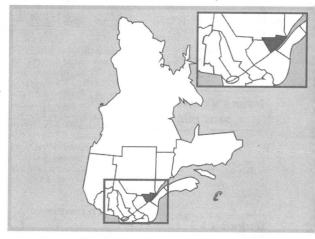

Tout au long de la rive qu'agrémente un chapelet de vieux villages, se succèdent d'étroites vallées et des montagnes tombant abruptement dans les eaux salées du Saint-Laurent. En quittant les berges, on pénètre alors dans un territoire sauvage et montagneux où la taïga se substitue parfois à la forêt boréale.

Les vieilles habitations et églises qui jalonnent le pays, tout comme le lotissement du territoire, hérité de l'époque seigneuriale, rappellent que Charlevoix fut l'une des premières régions de colonisation française.

À la richesse du patrimoine architectural et aux paysages exceptionnels s'allient une faune et une flore d'une éblouissante variété. Déclarée réserve mondiale de la biosphère par l'UNESCO en 1988, la région de Charlevoix abrite des espèces animales et végétales uniques. Près des berges, à l'embouchure de la rivière Saguenay, des baleines de différentes espèces viennent se nourrir tout au long de l'été.

Plus à l'ouest, aux abords du cap Tourmente, des centaines de milliers de grandes oies des neiges font escale à l'automne et au printemps, offrant un étonnant spectacle. Profondément nichée dans l'hinterland, une partie du territoire est constituée d'un environnement ayant les propriétés de la taïga, ce qui est tout à fait remarquable à cette latitude, et abrite différentes espèces animales, entre autres le caribou et le grand loup d'Arctique. En ce qui a trait à la flore, mentionnons que Charlevoix est riche d'innombrables espèces inconnues des autres régions de l'est du Canada.

Charlevoix est sans aucun doute un lieu de séjour fort apprécié au Québec. Dès la fin du XVIIIe siècle, la beauté des paysages y attirait déjà de nombreux visiteurs. Un peu plus tard, au début du XXe siècle, la belle société québécoise, canadienne et étasunienne se donnait rendez-vous, après une agréable croisière sur le fleuve Saint-Laurent, au manoir Richelieu de Pointe-au-Pic. Cette longue tradition d'hospitalité s'est perpétuée, et l'on retrouve désormais un peu partout dans cette belle région de charmantes auberges et d'excellents restaurants.

Pour s'y retrouver sans mal

Le circuit qui vous est proposé pour visiter Charlevoix longe la rive du Saint-Laurent, mais offre également quelques excursions vers l'arrière-pays. Il s'intitule tout simplement **Charlevoix** ★★★. Assurez-vous avant le départ que le moteur de votre voiture ne risque pas de surchauffer dans les ascensions et que les freins sont en bon état, car les côtes de Charlevoix sont parfois abruptes et sinueuses. Pour de plus amples renseignements sur cette région, consultez le *Guide Ulysse Charlevoix, Saguenay–Lac-Saint-Jean*.

En voiture

De Québec, empruntez la route 138, qui constitue le principal axe routier de Charlevoix. Il est cependant possible, et même souhaitable, de joindre ce circuit à celui de la **côte de Beaupré** (voir p 461) dans la région de Québec, qui suit plutôt la route 360 jusqu'à Beaupré. Après avoir traversé les étendues

Noms des nouvelles villes fusionnées

Saint-Siméon
Fusion du village et de la paroisse de Saint-Siméon.

Les Éboulements
Fusion de Les Éboulements et Saint-Joseph-de-la-Rive.

horizontales des battures du fleuve Saint-Laurent, la route 138 grimpe soudainement dans les montagnes de Charlevoix à l'endroit précis où les Laurentides rejoignent le fleuve, refermant ainsi la vallée du Saint-Laurent à l'est. Si l'on jette un regard derrière soi, on aperçoit alors, par temps clair, l'île d'Orléans sur la gauche et la ville de Québec dans le lointain.

En traversier

Saint-Siméon: le traversier *(adulte 10$, voiture 29$, avr à jan;* ☎*418-638- 2856, www.travrdlstsim.com)* quittant Rivière-du-Loup et se rendant à Saint-Siméon arrive à destination en 1 heure 5 min.

Baie-Sainte-Catherine: un traversier *(gratuit;* ☎*418-235-4395)* fait la navette entre Tadoussac et Baie-Sainte-Catherine, et permet d'arriver à destination en 10 min.

Pour se rendre à l'**île aux Coudres**, il faut prendre le traversier *(gratuit;* ☎*418-438-2743)* au quai de Saint-Joseph-de-la-Rive. Il faut prévoir une attente d'environ une demi-heure

pendant les jours d'été. La traversée elle-même dure une quinzaine de minutes. Les voitures y sont admises.

Gares routières

Saint-Siméon
775 rue St-Laurent
☎*(418) 638-2671*

Baie-Saint-Paul
2 route de l'Équerre (centre commercial Le Village)
☎*(418) 435-6569*

Saint-Hilarion
354 route 138
☎*(418) 457-3855*

Clermont
83 boul. Notre-Dame
☎*(418) 439-3404*

La Malbaie
46 Ste-Catherine
☎*(418) 665-2264*

Renseignements pratiques

Indicatif régional: **418**

Renseignements touristiques

Bureau régional

Association touristique de Charlevoix
495 boul. de Comporté, C.P. 275, La Malbaie, G5A 1T8
☎*665-4454 ou 800-667-2276*
≈*665-3811*
www.tourisme-charlevoix.com

Baie-Saint-Paul

Bureau de tourisme de Charlevoix
444 boul. Mgr-De Laval, route 138 (Maison du tourisme de Baie-Saint-Paul)
☎*435-4160*

Attraits touristiques

Charlevoix (deux jours)

Dans ce pays que l'on dirait conçu pour les géants, les villages au creux des baies ou au sommet des caps ont l'apparence de jouets oubliés là par un enfant. À flanc de colline, les humbles maisons des fermiers se mêlent aux luxueuses résidences secondaires des villégiateurs, parfois transformées en auberges. Même si Charlevoix est l'une des premières régions où s'est développé le tourisme en Amérique du Nord, elle recèle néanmoins dans son arrière-pays des coins sauvages aux profondes vallées escarpées et entrecoupées de lacs.

Petite-Rivière-Saint-François (802 hab.)

Jolis paysages charlevoisiens et cottages de bois composent le décor du paisible village linéaire de Petite-Rivière-Saint-François, qui s'étire entre mer et montagnes. La romancière Gabrielle Roy (1909-1983) y avait sa maison d'été, où elle se retirait pour écrire. Du quai, on jouit de belles vues sur les environs.

Le Massif ★ ★ ★, voir p 606.

Poursuivez par la route 138 jusqu'à Baie-Saint-Paul.

★★ Baie-Saint-Paul (7 378 hab.)

Le relief tourmenté de Charlevoix ne favorisera pas le développement de l'agriculture dans cette région sous le Régime français. Seules quelques percées colonisatrices sont effectuées aux XVIIe et XVIIIe siècles sur ce vaste territoire qui dépend en partie du Séminaire de Québec, tout comme la côte de Beaupré. La vallée de la rivière du Gouffre, à l'embouchure de laquelle se trouve Baie-Saint-Paul, est la première région à être colonisée à partir de 1678. Le Séminaire y aménage une métairie et en fait le poste oriental de son domaine.

Plusieurs tremblements de terre viendront cependant troubler le calme pastoral des lieux. En effet, même si l'on trouve dans les environs les plus anciennes formations rocheuses de la planète, la terre continue, malgré tout, de bouger fréquemment. Voici ce que disait, dans

l'édition du 22 octobre 1870 du *Journal de Québec*, Jean-Baptiste Plamondon, alors vicaire de Baie-Saint-Paul : *Environ une demi-heure avant midi [...], une énorme détonation a jeté tout le monde dans la stupeur, et la terre s'est mise, non pas à trembler, mais à bouillonner de manière à donner le vertige [...]. Toutes les habitations semblaient être sur un volcan, et la terre, se fendillant, lançait des colonnes d'eau à quinze pieds en l'air [...].*

On découvre l'ensemble de Baie-Saint-Paul au détour de la route. Une longue pente mène au cœur de la ville, qui conserve un air vieillot, ce qui rend agréable la promenade dans les rues Saint-Jean-Baptiste, Saint-Joseph et Sainte-Anne, bordées de petites maisons de bois au toit mansardé qui abritent de nos jours des boutiques et des cafés. L'endroit attire depuis plus de 100 ans des artistes paysagistes nord-américains séduits par les montagnes et la lumière particulière de Charlevoix. Aussi trouve-t-on à Baie-Saint-Paul une grande concentration de galeries et de centres d'art, où l'on peut voir et acheter de bons exemples de peinture et de gravure canadiennes. Voir le **Circuit des galeries d'art**, p 615.

Le **Belvédère Baie-Saint-Paul** *(444 boul. Mgr-De Laval, route 138, ☎435-4160)*, une halte routière, offre un point de vue des plus spectaculaires qui permet d'embrasser en un coup d'œil la vallée de la rivière du Gouffre, Baie-Saint-Paul et l'île aux Coudres. Vous pouvez vous y informer sur les attraits touristiques, l'hébergement, les activités et services de plein air, la restauration et les particularités de Charlevoix. Le Centre d'histoire naturelle de Charlevoix y présente l'exposition **Charlevoix, un destin venu du ciel ★★** (*contribution volontaire; fin juin à début sept tlj 9h à 17h, fin mai à fin juin et début sept à mi-oct tlj 10h à 16h*), qui relate l'histoire géologique de la région et l'extraordinaire impact météoritique qui en modela le paysage il y a 350 millions d'années.

L'hommage aux fondateurs de Baie-Saint-Paul (*angle rue Forget et rue Ambroise-Fafard*). Le nom de Pierre Tremblay, qui apparaît sur le monument en hommage aux fondateurs, est davantage associé à la seigneurie des Éboulements, plus à l'est; mais celui de Noël Simard (1640-1715), originaire de Puymoyen, en Angoumois (France), est bel et bien lié à l'histoire de Baie-Saint-Paul, puisqu'il fut chargé par Mgr de Laval, évêque de Québec, de développer la portion orientale de la seigneurie du Séminaire.

Le **Centre d'art de Baie-Saint-Paul ★** (*entrée libre; début avr à fin juin et début sept à mi-début sept tlj 10h à 17h, fin juin à début sept tlj 10h à 19h, nov à avr jeu-dim 10h à 17h; 4 rue Ambroise-Fafard,* ☎435-3681). Ce bâtiment moderne conçu en 1967 par l'architecte Jacques de Blois présente une sélection de toiles des artistes de Charlevoix. Un symposium de peinture et de sculpture, au cours duquel on peut voir à l'œuvre de jeunes artistes, est organisé par le centre tous les mois d'août.

Le **Centre d'exposition de Baie-Saint-Paul ★★** (*3$; fin juin à fin août tlj 10h à 19h, début sept à fin juin jeu-dim 10h à 17h; 23 rue Ambroise-Fafard,* ☎435-3681), ce musée-galerie achevé en 1992 selon les plans de

l'architecte Pierre Thibault, accueille des expositions temporaires provenant du monde entier. Il est complété par la galerie René-Richard, où sont exposés plusieurs tableaux du peintre d'origine suisse René Richard (voir ci-dessous).

La **maison René-Richard ★** (*2,50$; tlj 10h à 18h; 58 rue St-Jean-Baptiste,* ☎435-5571). Au début du XXe siècle, François-Xavier Cimon hérite de cette maison entourée d'un parc menant à la rivière du Gouffre. Le portraitiste Frederick Porter Vinton, qui se lie d'amitié avec la famille Cimon, fait aménager un atelier de peinture à proximité de la maison. Celui-ci sera plus tard utilisé par les Clarence Gagnon, A.Y. Jackson, Frank Johnston, Marc-Aurèle Fortin et Arthur Lismer, dont on peut aujourd'hui voir les œuvres dans les principaux musées canadiens. Enfin, en 1942, le peintre René Richard obtient le domaine par son mariage avec la fille Cimon. Depuis la mort de Richard en 1983, la propriété est ouverte au public et fait office de musée et de galerie d'art. La visite des lieux plonge le promeneur dans l'ambiance qui prévalait dans Charlevoix au tournant des années 1940, alors qu'artistes et collectionneurs avertis, venus de New York ou de Chicago, fraternisaient pendant les vacances estivales.

Le **Centre d'histoire naturelle de Charlevoix ★** (*contribution volontaire; fin mai à mi-oct tlj 10h à 16h, mi-oct à fin mai tlj 10h à 16h; 444 boul. Mgr-De Laval/route 138,* ☎435-6275) s'inspire de cinq grands thèmes traitant des merveilles naturelles de la région. Ainsi, l'histoire géologique, la

flore, la faune, les climats, de même que l'histoire humaine y sont expliqués à l'aide de présentations et d'un diaporama. De plus, on y propose une excursion de deux heures à bord d'un autobus scolaire qui vous conduit à travers les rangs de l'arrière-pays, à la découverte des origines météoritiques de Charlevoix.

La **Laiterie Charlevoix ★** (*entrée libre; fin juin à début sept tlj 8h à 19h; sept à juin lun-ven 9h à 17h30, sam-dim 12h à 16h; 1167 boul. Mgr-De Laval,* ☎435-2184), fondée en 1948, a conservé le caractère artisanal des méthodes de fabrication du fromage cheddar. Elle abrite l'**Économusée du fromage**. Chaque jour, avant 11h, vous pouvez voir les fromagers en action et apprendre les rudiments de la fabrication du fromage ainsi que de son processus de maturation. Depuis 1994, la Laiterie Charlevoix est également associée à la fabrication du savoureux «Migneron de Charlevoix», gagnant de plusieurs prix de gastronomie. On y fabrique aussi le Ciel de Charlevoix, un bleu savoureux.

Une balade dans les rangs environnants permet d'apercevoir les quatre moulins à eau de Baie-Saint-Paul, notamment le **moulin César** (*730 rang St-Laurent*), classé monument historique.

Un peu en retrait de la ville, au bord du ruisseau Michel, un vieux moulin de pierres attend votre visite. À ses côtés se trouvent un foulon à laine, un hangar à grain, un séchoir à tabac et encore bien d'autres secrets à découvrir. La visite guidée des **Jardins secrets du Vieux-Moulin** (*7$; mi-juin à début sept*

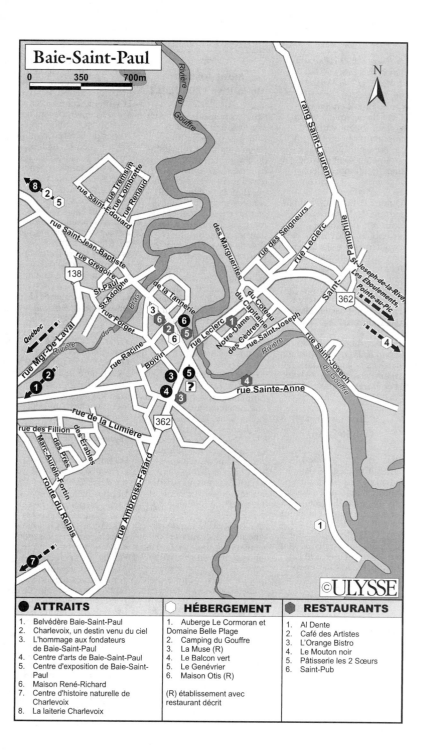

Baie-Saint-Paul

0   350   700m

N

138

362

362

Rivière du Gouffre

rang Saint-Laurent

rue des Seigneurs

rue Leclerc

rue Saint-Édouard

rue Tremblay

rue Lombrette

rue Renaud

rue Saint-Jean-Baptiste

rue Grégoire

St-Paul

St-Adolphe

rue Forget

des Marguerites

de la Tannerie

du Coteau

au Capitaine

Notre-Dame

des Cèdres

rue Saint-Joseph

St-Joseph-de-la-Rive, Les Éboulements, Pointe-au-Pic

Saint-

Québec

rue Mgr-De-Laval

Bras du Rivière

rue Racine

Boivin

rue Leclerc

Rivière du Gouffre

rue Saint-Joseph

rue Sainte-Anne

rue de la Lumière

rue des Fillion

des Prés

des Érables

Marc-Aurèle-Fortin

route du Relais

rue Ambroise-Fafard

©ULYSSE

● ATTRAITS

1. Belvédère Baie-Saint-Paul
2. Charlevoix, un destin venu du ciel
3. L'hommage aux fondateurs de Baie-Saint-Paul
4. Centre d'arts de Baie-Saint-Paul
5. Centre d'exposition de Baie-Saint-Paul
6. Maison René-Richard
7. Centre d'histoire naturelle de Charlevoix
8. La laiterie Charlevoix

◯ HÉBERGEMENT

1. Auberge Le Cormoran et Domaine Belle Plage
2. Camping du Gouffre
3. La Muse (R)
4. Le Balcon vert
5. Le Genévrier
6. Maison Otis (R)

(R) établissement avec restaurant décrit

⬢ RESTAURANTS

1. Al Dente
2. Café des Artistes
3. L'Orange Bistro
4. Le Mouton noir
5. Pâtisserie les 2 Sœurs
6. Saint-Pub

tlj 10h à 16h30, début sept à mi-oct sam-dim 10h à 16h30; 4 ch. du Vieux-Moulin, ☎240-2146) se transforme plutôt en jeu interactif dans lequel chaque visiteur jouera un rôle important qui en fera apprendre plus à tout le groupe au sujet des métiers traditionnels de la région.

Quittez Baie-Saint-Paul par la route 362 *(rue Leclerc)* pour rejoindre Saint-Joseph-de-la-Rive, Les Éboulements et La Malbaie. Une halte panoramique, à flanc de montagne, permet d'apprécier le paysage grandiose. Un peu plus loin, vous croiserez l'entrée du **Domaine Charlevoix** (voir p 605).

Une excursion facultative au départ de Baie-Saint-Paul suit plutôt les routes 138 et 381, en direction de Saint-Urbain et de l'arrière-pays de Charlevoix.

Saint-Urbain (1 650 hab.)

Plusieurs activités de plein air sont proposées dans les environs du village de Saint-Urbain, qu'il s'agisse de ski de randonnée, d'escalade ou de pêche au saumon. Le village et les rangs des alentours offrent de multiples points de vue sur les montagnes de l'arrière-pays de Charlevoix.

Parc des Grands-Jardins ★ ★, voir p 606.

Retournez à Baie-Saint-Paul, et empruntez la route 362 vers l'est. Plus loin, à droite de la route, une pente abrupte mène au village de Saint-Joseph-de-la-Rive, en contrebas des Éboulements.

★ Saint-Joseph-de-la-Rive (200 hab.)

Situé en bordure du fleuve Saint-Laurent, le village de Saint-Joseph-de-la-Rive a longtemps vécu au rythme de la mer. Les goélettes échouées sur le rivage en témoignent avec éloquence. Depuis quelques décennies toutefois, la villégiature et l'artisanat ont remplacé la pêche et les constructions navales. À l'est du quai, où s'amarre le traversier menant à l'île aux Coudres, une plage de sable fin invite à la baignade en eau salée (mais souvent très froide). Un petit kiosque de bois, devant l'église, illustre à merveille la fragilité du bâti face à l'immensité du paysage marin de Charlevoix.

L'**église catholique Saint-Joseph** ★ *(ch. de l'Église)* rappelle, par son gabarit et son revêtement de bois peint blanc, les églises anglicanes des Cantons-de-l'Est. Son intérieur, très original, est orné de différents éléments d'inspiration marine. Par exemple, l'autel est soutenu par des ancres, et le baptistère est formé d'une immense coquille pêchée au large de la Floride. Une bande magnétique décrivant les ornements liturgiques de l'église se met en marche lorsque l'on appuie sur un bouton placé à droite de la porte d'entrée.

La **Papeterie Saint-Gilles** ★ *(entrée libre sauf pour les groupes; lun-ven 8h à 17h, sam-dim 9h à 17h; 304 rue Félix-Antoine-Savard, ☎635-2430 ou 866-635-2430)* est un atelier de fabrication de papier artisanal fondé en 1966 par le prêtre-poète Félix-Antoine Savard (1896-1982), auteur de *Menaud maître-draveur*, avec

l'aide de Mark Donohue, membre d'une célèbre dynastie de l'industrie papetière canadienne. Pendant la visite de cet économusée du papier, des guides expliquent les différentes étapes de la fabrication du papier selon les techniques du XVIIe siècle (défibrage, encuvage, tamisage, pressage, séchage et calandrage). Le papier de Saint-Gilles est reconnaissable à son grain épais et à ses fleurs ou feuilles d'arbre insérées dans chaque pièce. Il est possible de se procurer sur place divers ensembles de papier à lettres de grande qualité.

Le **Musée maritime de Charlevoix** ★ ★ *(3$; mi-mai à mi-juin et début sept à mi-oct lun-ven 9h à 16h, sam-dim 11h à 16h; fin juin à début sept tlj 9h à 17h; 305 pl. de l'Église, ☎635-1131 ou 635-2803)*, situé sur le site d'un chantier naval, raconte la grande époque de ces fameux navires. On peut visiter les bateaux sur place. Le musée renferme l'**Économusée de la goélette**.

Les Santons de Charlevoix *(1$; mai à oct 10h à 17; 303 rue de l'Église, ☎635-1362)*. Depuis quelques années, Saint-Joseph-de-la-Rive s'est mis à la confection des santons, ces figurines en terre cuite représentant non seulement la Sainte Famille de la crèche de Noël, mais aussi tous les personnages d'un village pouvant graviter autour de la crèche. Cette tradition provençale a été transposée ici, à la différence que nos personnages sont costumés à la manière des Québécois d'antan et que les maisons qui les abritent sont des représentations en miniature des maisons traditionnelles de Charlevoix et de l'île aux Coudres.

★★
Île aux Coudres
(1 401 hab.)

Certains visiteurs seront peut-être surpris d'apprendre que l'on trouve quantité de baleines dans le fleuve Saint-Laurent. La vie économique de l'île aux Coudres a gravité autour de la chasse aux cétacés pendant plusieurs générations, plus particulièrement la chasse au béluga (marsouin). On extrayait la graisse des baleines pour ensuite la faire fondre afin de produire une huile destinée aux lampes d'éclairage. On peut voir, à ce sujet, le très beau film de Pierre Perreault, *Pour la suite du monde*. Les constructions navales, principalement les goélettes, appelées «voitures d'eau» dans Charlevoix, constituaient également une industrie importante. Ces navires, d'abord à voiles, et plus récemment à moteur, servaient non seulement à la chasse aux baleines, mais aussi au cabotage. Cette époque est aujourd'hui révolue, mais des souvenirs impérissables y sont rattachés. Seuls les photographes sont autorisés à chasser les baleines avec leur appareil de nos jours, les dernières vraies chasses de l'île ayant été tenues au début des années 1960.

C'est Jacques Cartier qui, ayant remarqué les nombreux coudriers (noisetiers) s'y trouvant, lui a donné le nom d'île aux Coudres en 1535. La colonisation de l'île s'est amorcée vers 1710 sous la direction du Séminaire de Québec. Au fil des ans, la population des deux villages distribués sur son pourtour (L'Isle-aux-Coudres et La Baleine) s'est acquis une certaine auto-

nomie du fait de son isolement, ce qui lui a permis ainsi de conserver vivantes certaines traditions ancestrales disparues depuis bien longtemps dans les autres régions du Québec. La récolte de la sphaigne dans les tourbières du centre de l'île, la pêche à l'anguille ainsi que le tourisme constituent de nos jours la raison d'être des habitants de l'île aux Coudres, qui a néanmoins su conserver son cachet et sa tranquillité.

L'Isle-aux-Coudres constitue la municipalité formée par la fusion des villages Saint-Bernard et Saint-Louis. Le traversier s'amarre au quai de Saint-Bernard, où débute la visite de l'île. C'est le meilleur endroit d'où contempler les montagnes de Charlevoix. On remarquera sur la grève un des derniers chantiers navals de l'île encore en activité.

Suivez le chemin Royal, qui devient le chemin des Coudriers. Le long du parcours, vous pourrez voir plusieurs goélettes échouées sur les berges, doux souvenirs d'une époque révolue. Au cap à Labranche, vous apercevrez Baie-Saint-Paul par temps clair. La visite de l'île aux Coudres s'effectue très bien en bicyclette. Mais il faut savoir lutter contre le vent du large!

Le **Musée Les Voitures d'eau ★** *(4$; mi-mai à mi-juin et mi-sept à mi-oct sam-dim 10h à 17h, mi-juin à mi-juil et mi-août à mi-sept tlj 10h à 17h, mi-juil à mi-août tlj 9h30 à 18h; 203 ch. des Coudriers, St-Louis, ☎438-2208)* raconte l'aventure des goélettes, de leurs constructeurs et de leurs équipages. Il a été fondé en 1973 par le capitaine Éloi Perron, qui a récupéré la goélette *Mont-Saint-Louis*, laquelle peut d'ailleurs être

visitée de la cale à la timonerie.

Les **chapelles de procession** *(à l'entrée et à la sortie du village de St-Louis)*, construites en 1836, servaient pendant la procession de la Fête-Dieu, qui se tient encore dans certaines paroisses de la **Côte-du-Sud** (voir p 497). La chapelle Saint-Pierre, à l'entrée du village, a été restaurée en 1953. Quant à la chapelle Saint-Isidore, située à l'autre extrémité de l'agglomération, elle abrite l'ancien tabernacle de l'église paroissiale Saint-Louis, réalisé en 1771. Ces chapelles démontrent la persistance du vocabulaire architectural du Régime français bien au-delà du XVIIIe siècle. Elles sont d'ailleurs souvent citées en exemple lorsque l'on veut dépeindre l'architecture traditionnelle du Québec.

Au **Musée de l'Isle-aux-Coudres** *(3,50$; mai, juin, sept et oct tlj 8h30 à 18h30; juil et août tlj 8h à 19h; 231 ch. des Coudriers, St-Louis, ☎438-2753)*, on découvre, dans une ambiance fort peu muséologique, les us et coutumes fascinants des habitants de l'île aux Coudres. Une exposition sur la faune et la flore de Charlevoix complète la visite.

Tournez à gauche dans le chemin du Moulin.

Les **Moulins Desgagné ★★** ou **Moulins de l'île-aux-Coudres** *(2,75$; mi-mai à fin juin et fin septembre à mi-oct tlj 10h à 17h, fin juin à fin août tlj 9h à 18h30; 247 ch. du Moulin, St-Louis, ☎438-2184)*. Il est extrêmement rare de retrouver moulin à eau et moulin à vent dans un même voisinage. Les moulins de Saint-Louis forment, en fait, un ensemble unique au Québec. Le moulin à eau, érigé en

Charlevoix

1825, et le moulin à vent de 1836 se complètent, l'un prenant la relève de l'autre selon les conditions climatiques du moment. L'ensemble, comprenant en outre une forge et une maison de meunier, a été restauré par le gouvernement du Québec, qui a profité du fait que les mécanismes étaient encore en parfait état de marche pour remettre les moulins au travail et en faire des centres d'interprétation des moulins à vent et à eau ainsi que l'**Économusée de la farine**. De plus, un meunier moud de nouveau le blé et le sarrasin, et du pain est cuit sur place dans un antique four à bois.

Revenez au chemin des Coudriers, que vous suivrez vers l'est jusqu'à La Baleine. Un second chemin parallèle longe le haut du cap. Vous pouvez cependant vous rendre à la maison Leclerc par le chemin des Coudriers.

La **maison Leclerc** *(126 route Principale)*, construite vers 1750 à l'aide de galets, est depuis toujours propriété de la famille Leclerc. Son profil, très bas, s'inscrit dans la tradition des premières habitations paysannes du Régime français, conçues pour offrir une résistance minimale aux vents violents du Saint-Laurent.

En poursuivant votre route pour boucler le tour de l'île, vous passerez devant d'étranges piquets plantés dans l'eau à proximité de la plage, utilisés pendant la saison de la pêche à l'anguille (pêche à la fascine).

Reprenez le traversier pour Saint-Joseph-de-la-Rive, et remontez vers Les Éboulements.

★
Les Éboulements
(1 044 hab.)

En 1663, un violent tremblement de terre entraîna un gigantesque glissement de terrain. On raconte que la moitié d'une petite montagne s'affaissa alors dans le fleuve, ce qui valut à la région le nom des Éboulements (éboulis). La terre s'étant stabilisée, l'endroit fut concédé à Pierre Tremblay en 1710 et mis en valeur par le seigneur de Sales-Laterrière un siècle plus tard, au moment de la construction de la route des caps, reliant Québec et La Malbaie. Le moulin et le manoir de la seigneurie des Éboulements se trouvent à l'ouest du village et de la route conduisant à Saint-Joseph-de-la-Rive. Il faut donc revenir sur ses pas sur une distance de quelques centaines de mètres pour atteindre le site (sur la gauche).

Le **manoir de Sales-Laterrière (camp le Manoir)** *(tlj 9h à 11h et 14h à 16h; 159 rue Principale, ☎635-2666)* et son **moulin banal ★★** *(3$; mi-juin à début sept tlj 10h à 17h; 157 rue Principale, ☎635-2239)*. Une chapelle de procession en bois (vers 1840), autrefois située à Saint-Nicolas, sur la rive sud du fleuve Saint-Laurent, accueille le visiteur à l'entrée du site. Elle a été reconstruite là en 1968 sous les auspices d'un organisme de préservation du patrimoine, à qui appartient également le moulin seigneurial. Celui-ci a été érigé en 1790 au sommet d'une chute haute de 30 m lui conférant un aspect pittoresque qui inspire peintres et autres esprits romantiques. Son mécanisme est encore en place et fait l'objet de visites guidées en été, qui

se terminent par une petite exposition des plus instructives, accompagnée de maquettes. Il est à noter que la moitié gauche du bâtiment est encore occupée par le logement du meunier.

Le manoir lui-même, lambrissé de bois et décoré de volets rouges (vers 1810), ne peut être visité, puisqu'il sert maintenant d'école aux frères du Sacré-Cœur. Il est toutefois visible depuis l'agréable sentier d'interprétation aménagé sur le domaine seigneurial, à l'est du moulin. On remarquera sur la droite l'étrange appentis cubique qui servait autrefois de prison. Le sentier longe la rivière jusqu'au fond du ravin, d'où l'on jouit de belles vues sur la chute et le moulin.

Cap-aux-Oies

À partir de la route 362, il faut prendre vers le sud une route mal indiquée et non revêtue. Il faut y faire 2 km, puis prendre à gauche et enfin parcourir 1,3 km. On atteint alors la plage, assez étendue, qui permet un coup d'œil différent sur le fleuve.

Revenez à la route 132. La route mène ensuite à Saint-Irénée, que vous rejoindrez après une descente spectaculaire en face du fleuve. Une fois rendu au niveau de l'eau, surveillez l'entrée du Domaine Forget sur votre gauche.

★
Saint-Irénée
(643 hab.)

Saint-Irénée, ou Saint-Irénée-les-Bains, comme on l'appelait à la Belle Époque, constitue la porte d'entrée de la portion de Charlevoix traditionnellement reconnue comme la première région de villégiature en Amérique du Nord. Les *sportsmen* britanniques furent les premiers, à la fin du XVIIIᵉ siècle, à goûter les plaisirs de la vie simple et sauvage de la région, suivis de riches Américains désireux de fuir la chaleur suffocante qui sévissait, pendant l'été, aux États-Unis. Les membres de la bourgeoisie canadienne-anglaise et canadienne-française ont aussi adopté Charlevoix, où ils ont fait construire des villas entourées de jardins. Saint-Irénée est renommée pour ses paysages de carte postale et son festival de musique classique (voir p 615).

Le **Domaine Forget** ★ *(le prix d'entrée et l'horaire varient selon l'activité choisie; 5 rue Saint-Antoine, ☎452-8111 ou 888-dforget).* Sir Rodolphe Forget (1861-1919) fut l'un des grands hommes d'affaires canadiens-français au tournant du XXᵉ siècle. En plus de diriger les destinées d'une dizaine d'entreprises et d'occuper son poste de président de la Bourse de Montréal, il se fait élire député de Charlevoix (1904-1917), qu'il relie à Québec par un chemin de fer. À partir de 1901, il passe ses étés à Gil'Mont, son domaine distribué sur trois plateaux au-dessus du fleuve et du village de Saint-Irénée. La vaste propriété possède sa propre centrale électrique, de même qu'une dizaine de bâtiments secondaires des plus intéressants. La résidence principale, surnommée «le château» par les habitants du village, a malheureusement disparu dans les flammes en 1961. La salle de concerts du Domaine Forget, soit la Salle Françoys-Bernier, peut accueillir 600 mélo-

manes qui découvriront avec plaisir ses qualités acoustiques. Le Domaine Forget publie le calendrier de ses concerts et brunchs musicaux. On peut le demander par téléphone ou se le procurer dans les bureaux d'information touristique.

L'endroit accueille depuis 1977 l'**Académie de musique et de danse de Saint-Irénée**, où maîtres et élèves viennent se perfectionner pendant la saison estivale. Le Domaine Forget, d'où l'on jouit de vues magnifiques sur le fleuve et la campagne environnante, est l'hôte d'un festival annuel de musique classique qui tient un rôle primordial dans la vie sociale des estivants de Charlevoix. Les visiteurs peuvent s'y promener librement, à condition de ne pas troubler la concentration des artistes, disséminés sur la propriété, que l'on entend parfois au détour d'un sentier. Des panneaux d'interprétation expliquent en détail l'histoire du domaine.

Avant d'arriver à Pointe-au-Pic, la route longe le **Club de golf du Manoir Richelieu**, certainement l'un des plus beaux parcours d'Amérique. Ce 18 trous, avec chalet et restaurants, est classé parmi les meilleurs *Golf Resorts* du monde. Au bas de la côte Bellevue, tournez à droite dans la rue Principale.

★
La Malbaie–Pointe-au-Pic (9 456 hab.)

Par un beau jour de 1608, Samuel de Champlain, en route pour Québec, mouille dans une baie de Charlevoix pour la nuit. Quelle ne fut pas sa surprise de constater en se réveillant

au matin que sa flotte reposait sur la terre et non dans l'eau. En effet, à chaque marée basse, l'eau s'en retire complètement, prenant au piège les navires qui s'y trouvent. Il se serait alors exclamé *Ah! La malle baye!*, ce qui veut dire «mauvaise baie». Les municipalités de Pointe-au-Pic, La Malbaie et Cap-à-l'Aigle forment, de nos jours, un tissu continu de rues et de maisons, distribué sur le pourtour de cette fameuse baie.

La seigneurie de la Malbaie dut être concédée par trois fois avant que l'on ne se décide à la développer sérieusement. Jean Bourdon la reçut une première fois pour service rendu en 1653. Trop occupé par son poste de procureur du roi au Conseil souverain, il n'y touche pas. Elle sera ensuite concédée à Philippe Gaultier de Comporté en 1672. À la suite du décès de ce dernier, elle est vendue par sa famille aux marchands Hazeur et Soumande, qui exploitent son bois pour la construction de vaisseaux en France. La seigneurie est rattachée au domaine royal en 1724. Elle sera concédée de nouveau sous l'occupation anglaise, un cas exceptionnel, en 1762. Le capitaine John Nairne et l'officier Malcolm Fraser se partagent alors le territoire, s'y établissent et entreprennent de le coloniser.

Les seigneurs Nairne et Fraser ont inauguré une tradition d'hospitalité qui ne s'est jamais démentie par la suite, hébergeant dans leur manoir respectif amis ou simples étrangers venus d'Écosse et d'Angleterre. Prenant modèle sur ses seigneurs, l'habitant canadien-français se met lui aussi à recevoir chez lui des visiteurs de Montréal

Charlevoix

ou de Québec pendant l'été. Puis des auberges de plus en plus vastes sont érigées pour accueillir les citadins qui débarquent, en nombre toujours croissant, des vapeurs venus de la «grande ville» qui s'amarrent au quai de Pointe-au-Pic. Parmi ces visiteurs fortunés du XIXe siècle, il faut signaler le président américain Howard Taft et sa famille, qui affectionnent les paysages de Charlevoix.

Au début du XXe siècle, de riches Américains et Canadiens anglais se font construire des villas dans les environs du **chemin des Falaises**, qu'il faut parcourir d'un bout à l'autre. Ces résidences secondaires adoptent les styles à la mode à l'époque, à savoir le *Shingle Style* des stations balnéaires de la côte est des États-Unis, architecture aux formes pittoresques caractérisée par l'emploi du bardeau de cèdre comme revêtement des murs extérieurs, et le style des manoirs français du XVIIe siècle, dont les exemples charlevoisiens présentent généralement l'aspect de petits châteaux, recouverts de crépi blanc et dotés de tourelles percées de fenêtres à vantaux

décorées de volets. Un style plus proche de l'architecture vernaculaire québécoise s'est aussi développé à partir de 1920. Quant à l'architecte de La Malbaie, Jean Charles Warren (1869-1929), il s'est surtout fait remarquer par ses créations de mobilier rustique, inspirées à la fois des traditions locales et du mouvement *Arts and Crafts* anglais, qui sont devenues incontournables auprès des estivants. Situé à l'extrémité ouest du chemin des Falaises, le Manoir Richelieu en constitue un élément marquant.

La Malbaie est aujourd'hui devenue le centre administratif régional et a confirmé sa position de force dans l'industrie touristique de la région depuis la fusion avec la municipalité voisine, Pointe-au-Pic, en 1995.

Seul parmi les grands hôtels de Charlevoix à avoir survécu, le **Manoir Richelieu ★ ★** *(181 rue Richelieu)* a vu le jour en 1899. Au premier hôtel de bois a succédé l'hôtel actuel en béton, à l'épreuve du feu et des tremblements de terre, dessiné dans le style château par l'architecte John Smith Archibald en 1929. Nombre de personnalités y ont séjourné, de Charlie Chaplin au roi de

Siam, en passant par les Vanderbilt de New York. Même si l'on ne réside pas au Manoir, il est permis de parcourir discrètement son allée intérieure, bordée d'élégants salons, et de flâner dans ses jardins surplombant le fleuve Saint-Laurent.

Attrait numéro un dans la région, le **Casino de Charlevoix** *(183 rue Richelieu, ☎665-5300 ou 800-665-2274)* est un casino à l'européenne, voisin du Manoir Richelieu, agréablement aménagé et très fréquenté. Une tenue vestimentaire appropriée est de rigueur.

Depuis déjà quelques années, la ville de La Malbaie–Pointe-au-Pic a entrepris d'importants travaux de réfection et de réaménagement du secteur du **quai de Pointe-au-Pic**. On y a développé des installations pour accueillir les paquebots de croisière et les bateaux de plaisance en même temps qu'ont été construits plusieurs infrastructures, un parc et des équipements récréotouristiques, afin que les visiteurs puissent circuler plus facilement, et ce, dans un environnement plus agréable. On accède directement au Manoir Richelieu et au casino à partir du secteur du quai.

Revenez en direction de la côte Bellevue. Tournez à droite pour rejoindre le boulevard de Comporté, qui longe la baie. L'accès au stationnement du Musée de Charlevoix se trouve sur la droite.

Le **Musée de Charlevoix** *(4$; fin juin à début sept tlj 10h à 18h; début sept à fin juin mar-ven 10h à 17h, sam-dim 13h à 17h, fermé lun; 10 ch. du Havre, ☎665-4411)* a emménagé dans un bâtiment relativement neuf,

Manoir Richelieu

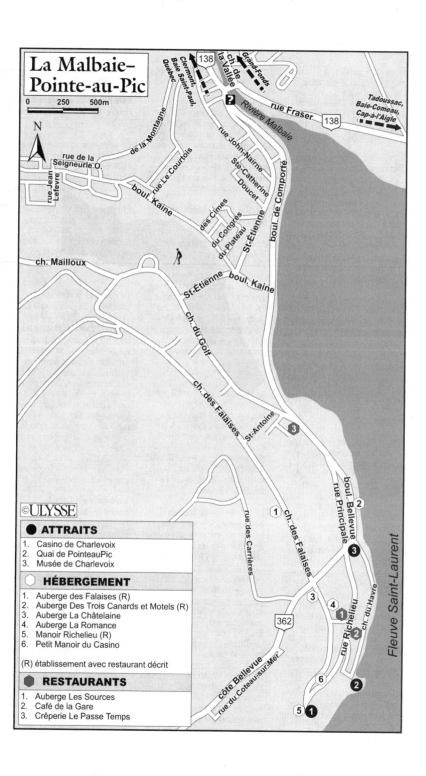

La Malbaie–Pointe-au-Pic

0   250   500m

N

©ULYSSE

● ATTRAITS

1. Casino de Charlevoix
2. Quai de PointeauPic
3. Musée de Charlevoix

◯ HÉBERGEMENT

1. Auberge des Falaises (R)
2. Auberge Des Trois Canards et Motels (R)
3. Auberge La Châtelaine
4. Auberge La Romance
5. Manoir Richelieu (R)
6. Petit Manoir du Casino

(R) établissement avec restaurant décrit

⬢ RESTAURANTS

1. Auberge Les Sources
2. Café de la Gare
3. Crêperie Le Passe Temps

beau à regarder, à l'intérieur duquel il est agréable de déambuler. Le musée est réservé à l'histoire et l'ethnologie des gens de la région ainsi qu'à l'art populaire.

L'écrivain William Hume Blake, connu pour sa traduction du roman *Maria Chapdelaine* de Louis Hémon, est enterré dans le cimetière de l'**église protestante** *(boul. de Comporté)* datant de 1867. Il est à noter que l'église est ouverte au culte (anglican et presbytérien) pendant l'été seulement.

La Malbaie est le centre administratif et judiciaire de Charlevoix. Son **palais de justice** *(30 ch. de la Vallée)* néoclassique fut érigé en 1863 selon le plan standard du gouvernement du Canada-Uni, développé par l'architecte des Travaux publics F.P. Rubidge. Il comprend aussi une prison.

En plus du trajet principal, deux excursions facultatives sont proposées au départ de La Malbaie. Ainsi, si l'on poursuit son chemin sur le boulevard de Comporté, on rejoint la route 138 Ouest en direction des villages de **Clermont**, de **Sainte-Agnès** et surtout de **Saint-Aimé-des-Lacs**, qui donne accès au très beau parc des Hautes-Gorges-de-la-rivière-Malbaie. En revanche, si l'on traverse le pont reliant La Malbaie et Cap-à-l'Aigle, puis que l'on tourne à gauche dans le chemin de la Vallée, on rejoindra Rivière-Malbaie, ses **chutes Fraser** et son chemin des Loisirs, qui mène au mont Grand-Fonds. Afin de poursuivre la découverte de Charlevoix sur le circuit principal, il faut emprunter le même pont, mais tourner plutôt à droite en direction de Cap-à-l'Aigle.

La première excursion suit donc la route 138 Ouest, qui pénètre profondément à l'intérieur des terres. Le paysage de cet arrière-pays est montagneux, mais offre aussi de larges percées visuelles sur des vallées et des plateaux boisés.

L'**église Sainte-Agnès** ★ *(au centre du village de Ste-Agnès)* est un bon exemple des églises de colonisation en bois du XIXe siècle, construites dans les villages isolés, loin à l'intérieur des terres. Thomas Baillairgé a conçu en 1839 les plans du modeste temple, dérivé de l'architecture du Régime français. À l'intérieur, on peut voir un joli décor sculpté ainsi que trois toiles d'Antoine Plamondon. Élément inusité, l'église sert encore de lieu de sépulture. Ainsi, les morts sont enterrés dans une crypte sous l'église, à un emplacement qui correspond à leur banc. L'église Sainte-Agnès a tenu lieu de décor lors du tournage du feuilleton télévisé *Le Temps d'une paix*.

L'histoire de la **Maison du Bootlegger** *(5$; juin, sept et oct sur réservation; juil et août tlj 12h à 20h; 110 Ruisseau des Frênes, ☎439-3711)* a de quoi étonner. Construite en 1860 au bord de la rivière Malbaie dans le plus pur style traditionnel québécois, elle a été démantelée puis déménagée en 1933 par un Américain de Pennsylvanie, un dénommé Stellar, qui en fit un château fort de la contrebande d'alcool au temps de la Prohibition. Il y aménagea un dédale de couloirs et cachettes qui dissimulaient de luxueux bars, un restaurant de grande classe ainsi que des salles de jeux.

Parc des Hautes-Gorges-de-la-rivière-Malbaie ★★, voir p 606.

La seconde excursion suit d'abord le chemin de la Vallée, qui longe la rivière Malbaie. Ce site pastoral est connu des anciens sous le nom de «Vallée Saint-Étienne». Après qu'il eut été défriché à la fin du XVIIIe siècle, les colons découvrirent que les terres agricoles de la Vallée étaient les meilleures de Charlevoix.

La **Forge et la menuiserie Cauchon** *(fin juin à mi-oct tlj 10h à 17h, 323 ch. de la Vallée, Rivière-Malbaie)* occupent le même bâtiment en bordure de la route. La rapidité des changements technologiques au XXe siècle donne à cette entreprise artisanale de 1882 des allures d'ancêtre précambrien. Les forges de ce type disparaissant rapidement; le gouvernement du Québec a décidé de classer l'édifice, avec tout son contenu, afin de le préserver pour la postérité.

Parc du Mont-Grand-Fonds ★, voir p 607.

Reprenez le circuit principal à Cap-à-l'Aigle.

Cap-à-l'Aigle (761 hab.)

Depuis le boulevard de Comporté, à La Malbaie, on aperçoit déjà au loin une noble maison de pierres, élevée sur les escarpements du cap à l'Aigle. Il s'agit de l'ancien manoir de la seigneurie de Malcolm Fraser, baptisée Mount Murray. Celle-ci faisait pendant, à l'est de la rivière Malbaie, à la seigneurie de John Nairne, établie à l'ouest du cours d'eau et baptisée simplement Murray Bay, en l'honneur du gouverneur britannique de l'époque, James Murray. Le village de Cap-à-l'Aigle, dont la vocation touristique remonte au XVIIIe siècle, forme le cœur de la seigneurie de Mount Murray.

Malcolm Fraser, tout comme son compatriote John Nairne, faisait partie des Fraser Highlanders, ce régiment écossais envoyé au Canada pour participer à la prise de Louisbourg. Après la signature du traité de Paris en 1763, qui mettra un terme à la guerre de Sept Ans, Nairne et Fraser s'installent sur leur seigneurie. Tous deux connaissent déjà le français; la famille du premier vit alors en exil à Sens (France) à cause de ses sympathies pour les Stuart, alors que celle du second est d'origine française, puisqu'elle descend de Jules de Berry, qui aurait servi des... fraises exquises à Charles III (le mot «fraise» se traduit par *strawberry* en anglais).

Le **manoir Fraser** ★ *(propriété privée; route 138)* a été construit pour le fils de Malcolm Fraser en 1827 d'après les plans de l'architecte Jean-Baptiste Duléger. Endommagé par un incendie en 1975, il a été restauré par la famille Cabot, propriétaire des titres de la seigneurie de Cap-à-l'Aigle depuis 1902.

Tournez à droite dans le chemin Saint-Raphaël.

Dans un pays où le climat est si rigoureux, les exemples de granges en bois équarri à toiture de chaume ne sont pas légion. La plupart de celles construites aux XVIIIe et XIXe siècles ont disparu depuis longtemps, s'étant affaissées sous le poids de la neige ou ayant tout simplement brûlé au cours d'un des multiples incendies dont le Québec a été affligé. Aussi la **grange Bhérer** *(on ne visite pas; 215 ch. St-Raphaël)*, érigée en 1840, constitue-t-elle un phénomène de conservation exceptionnel en Charlevoix. Le bâtiment en pièce sur pièce possède, de plus, un étage en encorbellement, un mode de construction remontant au Moyen Âge.

Un peu plus loin sur la gauche, on remarquera la coquette église anglicane de Cap-à-l'Aigle, l'**église St. Peter on the Rock** *(ch. St-Raphaël)*.

Poursuivez par le chemin Saint-Raphaël jusqu'à la jonction avec la route 138 Est. Celle-ci traverse Saint-Fidèle puis Port-au-Saumon.

Saint-Fidèle (1 014 hab.)

À l'est de Cap-à-l'Aigle, les montagnes se resserrent encore davantage contre la mer, offrant peu de percées vers l'intérieur des terres.

Le **Centre écologique de Port-au-Saumon** ★ *(5$; début juil à fin août tlj 10h à 14h; 3330 boul. Malcolm-Fraser, ☎877-434-2209)* est voué à la préservation de l'environnement et cherche à sensibiliser les gens sur les différents sujets touchant l'écologie. Il organise des activités éducatives concernant les sciences de la nature et l'environnement dans le cadre du **Festival des sciences de la nature** et se transforme en camp de vacances pour les jeunes durant la saison estivale.

★ Port-au-Persil

Ce charmant petit port doit sa notoriété à sa chute d'eau, à sa chapelle anglicane ainsi qu'à la route qui sillonne la montagne, offrant des paysages pittoresques d'une grande beauté.

Fondée en 1976 par Pierre Legault, **La Poterie de Port-au-Persil/Atelier Guy Simoneau** *(fin juin à fin août tlj 9h à 16h30 sur réservation; 1001 rue St-Laurent, route 138, ☎638-2349)* propose des stages pour les jeunes et les adultes. L'atelier libre vous offre la possibilité de créer une pièce d'argile. La boutique présente les pièces des meilleurs artisans du Québec.

Saint-Siméon (1 462 hab.)

Cette petite municipalité constitue la jonction des routes du Saguenay, de la Côte-Nord et de Québec. Il est possible de rejoindre la rive sud du Saint-Laurent en prenant le traversier Saint-Siméon–Rivière-du-Loup.

★ Baie-Sainte-Catherine (286 hab.)

Cette petite municipalité de la rive nord du Saint-Laurent est bornée par une baie et l'estuaire du Saguenay et dispose d'une jolie plage sablonneuse.

Parcs

Établi à côté de Baie-Saint-Paul, le **Domaine Charlevoix** *(10$ incluant la navette jus-*

Charlevoix

qu'au fleuve, fin juin à début sept tlj 10h à 17h30, début juin à fin juin et début sept à fin oct, sam-dim seulement; route 362, Baie-St-Paul, ☎435-2626 ou 877-435-2627) offre l'occasion de pratiquer diverses activités de plein air telles que le ski de fond, la randonnée pédestre et le vélo de montagne. Les sentiers aménagés sont enjolivés par la diffusion de musique classique. Ses belvédères surplombant le fleuve Saint-Laurent, ainsi que la terrasse Félix-Antoine-Savard, d'où l'on peut contempler l'île aux Coudres, constituent des haltes ravigotantes. On y trouve un restaurant (voir p 612) ainsi qu'un agréable salon de thé en bordure d'un lac habité par des cygnes: bucolique à souhait!

Situé à l'extrémité est de la réserve faunique des Laurentides, le **parc des Grands-Jardins** ★★ *(3,50$; mi-mai à fin juin et août à fin oct lun, mer et ven 8h à 22h, dim, mar, jeu et sam 8h à 18h; juil tlj 8h à 22h; centre d'accueil Thomas Fortin, route 381, Km 31; bureau: 4 rue Maisonneuve, Clermont, ☎439-1227 ou 866-702-9202, ≈439-1228, www.sepaq.com)*, d'une superficie de 310 km², est riche d'une faune et d'une flore de taïga et de toundra, tout à fait inusitées pour la région. Des randonnées pédestres, commentées par des naturalistes et visant à en faire découvrir les beautés naturelles, sont organisées tout au long de l'été. Parmi les promenades proposées, certaines permettent l'observation de caribous. En outre, la piste Mont du lac des Cygnes compte parmi les plus beaux sentiers du Québec. On peut également entreprendre des circuits de canot-camping.

Des activités hivernales y sont également proposées.

Le **parc des Hautes-Gorges-de-la-rivière-Malbaie** ★★ *(3,50$; fin mai à fin oct tlj 8h à 19h; de Baie-Saint-Paul, prenez la route 138 jusqu'à St-Aimé-des-Lacs; bureau: 4 rue Maisonneuve, Clermont, ☎439-1227 ou 866-702-9202, www.sepaq. com)*, qui s'étend sur 233 km², fut créé afin de protéger ce site de l'exploitation commerciale. Il y a 800 millions d'années, une cassure terrestre forma ces magnifiques gorges qui furent, par la suite, modelées par les glaciers. Aujourd'hui, ce site est d'une grande richesse écologique. Les types de forêts couvrant la région vont d'une incroyable diversité, allant des érablières à la toundra alpine. Les parois rocheuses, parfois hautes de 800 m, entre lesquelles serpente la rivière, offrent plusieurs voies propices à l'escalade. La plus connue est certes la voie nommée «Pomme d'or», de niveau expert et haute de 350 m. Dans ce parc, on peut également s'adonner à la motoneige, à la randonnée pédestre (le sentier «L'acropole» est particulièrement apprécié) et au canot-camping. Le centre de location propose des vélos de montagne *(23$/jour)* et des canots *(32$/jour)*. Des **croisières en bateau-mouche** *(26$; durée 1 heure 30 min; ☎439-1227)* sont également proposées. Pour pleinement admirer le site, il faut sillonner la rivière.

Le long de la route d'accès, il faut surveiller, du côté droit, un panneau marqué «ZEC des Martres, secteur 7, lac des Américains». En marchant vers la rivière à cet endroit, on atteint un pont suspendu pour piétons qui enjambe la rivière Malbaie. L'endroit

est assez désert, et l'on se retrouve à jouer les explorateurs de la forêt boréale.

Activités de plein air

Vélo

L'île aux Coudres est l'un de ces endroits que l'on a avantage à visiter à bicyclette. Le terrain est assez plat, et la vitesse du vélo permet de savourer la beauté de son superbe paysage et de profiter du fleuve, envoûtant et omniprésent. La pointe de l'Islet, à l'extrémité ouest, offre un paysage grandiose sur le fleuve Saint-Laurent, avec ses rochers qui ne sont pas sans rappeler la Bretagne.

À La Baleine, du côté est de l'île, **Velo-Coudres** *(743 ch. des Coudriers, La Baleine, Île aux Coudres, ☎438-2118)* loue des vélos pour tous les goûts, alors que **Roland Harvey Bicyclettes et Motels** *(27 Principal, La Baleine, ☎438-2343)* propose un choix plus restreint mais des tarifs plus bas.

Ski alpin

Le Massif *(42$; 1350 rue Principale, Petite-Rivière-St-François, ☎632-5876 ou 877-lemassif)* est l'une des stations de ski les plus intéressantes du Québec. D'abord parce que Le Massif offre le dénivelé le plus haut de l'est du Canada, soit 770 m, ensuite parce qu'il reçoit chaque hiver des chutes de neige abondantes qui, aidées par la neige artificielle, créent des conditions idéales. Sans parler de la nature environnante! La montagne, qui se jette presque dans le fleuve, offre depuis son sommet une vue époustouflante. Depuis l'été 2001, Le Massif a fait l'objet d'intenses travaux de modernisation qui ont changé beaucoup ses infrastructures, mais qui n'ont rien enlevé au plaisir de skier sur ses pentes. On compte maintenant une trentaine de pistes pour tout type de skieurs, et un confortable chalet trône désormais sur le sommet.

Le **parc du Mont-Grand-Fonds** ★ *(30$; lun-ven 10h à 15h45, sam-dim 9h à 15h45; 1000 ch. des Loisirs, La Malbaie, ☎665-0095 ou 877-665-0095)* propose 14 pistes de ski alpin d'une dénivellation de 335 m. La plus longue piste s'étend sur une distance de 2 500 m.

Ski de fond

Le **parc du Mont-Grand-Fonds** *(11$; lun-ven 10h à 15h45, sam-dim 9h à 15h45; 1000 ch. des Loisirs, La Malbaie, ☎665-0095 ou 877-665-0095)* compte quelque 160 km de magnifiques sentiers de ski de fond.

Le centre d'activités **Le Génévrier** *(4,35$; 1175 boul. Mgr-De Laval, Baie-St-Paul, ☎435-6520 ou 877-435-6520)* se trouve à quelques kilomètres au nord de Baie-Saint-Paul. Il dispose d'une quarantaine de kilo-

mètres de sentiers de ski de fond et de raquette. Il compte six sentiers: quatre faciles, un intermédiaire et un très difficile. En outre, il dispose d'installations pour le patin et la glissade.

Le **parc des Grands-Jardins** *(3,50$; poste d'accueil Thomas-Fortin, route 381, ☎439-1227)*. Un réseau de sentiers de 40 km a été aménagé pour le ski de fond et la raquette. Il est possible de louer de petits chalets ou des refuges. Pour ce faire, il faut réserver auprès du ministère de l'Environnement et de la Faune au ☎800-665-6527. Par ailleurs, le parc est réputé pour la pêche.

Traîneau à chiens

Le **Chenil du Sportif** *(130$/jour/pers., 75$/½ jour/pers.; 65 rang Ste-Marie, Les Éboulements, ☎635-2592)* organise des excursions qui peuvent s'étendre d'une demi-journée à trois jours et être agrémentées d'une expérience de pêche sous la glace (pêche blanche) ou de balades en raquettes. Le Chenil du Sportif permet vraiment aux amateurs de traîneau à chiens de guider eux-mêmes l'attelage dans une nature magnifique entre Les Éboulements et Saint-Hilarion. Les guides sont expérimentés et affables. Les forfaits d'un jour comprennent le déjeuner, qu'on déguste dans une sympathique «cabane» en bois rond. Des couchers en refuge et caravane font partie des séjours plus longs.

Randonnée pédestre

Outre les magnifiques parcs de la région (voir plus haut), Charlevoix attire les randonneurs avec son magnifique **Sentier des caps** *(5$; 1 rue Leclerc, St-Tite-des-Caps, ☎823-1117 ou 866-823-1117)*. De Saint-Tite-des-Caps à Petite-Rivière-Saint-François, le sentier couvre 37 km sur des sommets de 500 à 800 m se jetant dans le fleuve. Des refuges et des terrains de camping parsèment le parcours et permettent de prendre le temps qu'on veut pour y déambuler. Ses dénivelés importants conviennent surtout aux marcheurs aguerris. Les vues qui s'ouvrent sur le fleuve tout au long du tracé, et particulièrement depuis les belvédères aménagés, sont littéralement époustouflantes.

Kayak

Île aux Coudres

K-IAC de Mer *(783 rue des Coudriers, La Baleine, ☎438-4388)* propose toutes sortes d'excursions autour de cette belle île déposée au milieu du fleuve, en face de Baie-Saint-Paul. Joignez-vous à une randonnée, formez un groupe pour partir un jour ou deux, ou encore faites une sortie romantique au coucher du soleil... Tout cela dans un environnement sécuritaire et accompagné de guides sympathiques!

Charlevoix

Baie-Saint-Paul

Pour arpenter les méandres de la baie de Baie-Saint-Paul, pensez au kayak de mer! **L'air du large** (☎435-2066), qui porte un très joli nom, loue des embarcations en plus d'organiser des croisières sur le fleuve ou des descentes en kayak de la rivière du Gouffre. Installé au quai de Baie-Saint-Paul (empruntez la rue Sainte-Anne), L'air du large loue aussi des vélos et propose des initiations au cerf-volant acrobatique et au parapentisme. Avis aux amateurs d'eau et de vent!

Équitation

Écurie des deux continents
83 rang 2, La Malbaie
☎439-4187
L'Écurie des deux continents vous invite à partir en randonnée pour quelques heures ou quelques jours. Avec coucher en auberge ou en camping, une longue randonnée en compagnie des chevaux dans le magnifique paysage de l'arrière-pays de Charlevoix pourrait bien se révéler être une douce expérience inoubliables.

Ranch du Fjord
610 route 138, Baie-Ste-Catherine
☎237-4230
Juché sur votre monture, arpentez les falaises typique de Charlevoix et du fjord du Saguenay d'où la vue vous laissera pantois.

Hébergement

Petite-Rivière-Saint-François

Auberge La Courtepointe
$$$$ pc
℃, ℜ
8 rue Racine
☎*632-5858 ou 888-788-5858*
≈*632-5786*
La Courtepointe est située tout près du Massif. L'aménagement général est très bien, et les enfants adorent loger sous les combles. La table est bonne et le petit déjeuner, en particulier, délicieux. Belle collection de tableaux et vue sur le fleuve.

Baie-Saint-Paul

Parc des Grands-Jardins
$
166 boul. de Comporté
Le parc des Grands-Jardins a de petits chalets et des refuges à louer. Il faut les réserver auprès du ministère de l'Environnement et de la Faune au ☎800-665-6527. Par ailleurs, le parc est réputé pour la pêche; donc, si vous voulez louer durant la période estivale, réservez tôt.

Le Genévrier
$ camping
$$$ chalet pour 1 à 4 pers.
℃, ℑ, ℜ
1175 boul. Mgr-De Laval, route 138
☎*435-6520 ou 877-435-6520*
www.genevrier.com
Le camping Le Genévrier est un vaste complexe récréotouristique qui s'intègre magnifiquement à son milieu naturel. Les campeurs de toute tendance sont assurés d'y

trouver chaussure à leur pied. On y dénombre 450 emplacements, principalement en terrain boisé, pour tous types de véhicules récréatifs et d'abris, des plus grosses autocaravanes jusqu'aux tentes des amateurs de camping sauvage. Plusieurs chalets tout équipés, modernes et confortables, sont situés au bord d'un lac ou d'une rivière. En été, on offre en location deux chalets plus rustiques en bois rond, tout équipés, avec literie et douche. Un programme étoffé d'activités sportives et de loisirs est proposé chaque jour. Sentiers de randonnée pédestre et de vélo de montagne le long d'une rivière.

Le Balcon Vert
🐾, ℜ, *bc*
22 côte du Balcon Vert, route 362
☎*435-5587*
≈*435-6669*
www.balconvert.charlevoix.net
L'adresse la plus économique en ville est sans doute l'auberge de jeunesse Le Balcon Vert. Elle dispose, en plus de petits chalets pouvant recevoir quatre personnes, d'emplacements pour les campeurs. Elle ouvre en été seulement.

Camping du Gouffre
$
, ≈
439 ch. Saint-Laurent
☎*435-2143*
Dans un environnement naturel intéressant, le Camping du Gouffre bénéficie d'un bel emplacement au bord de la rivière du Gouffre. On y trouve une piscine, des courts de tennis et tous les services. On y accède par les routes 362 ou 138.

Auberge La Pignoronde
$$
≡, ≈, ℜ
750 boul. Mgr-De Laval
☎*435-5505 ou 888-554-6004*
www.aubergelapignoronde.com
L'étrange bâtiment circulaire de l'Auberge La Pignoronde est d'aspect plutôt quelconque. Heureusement, le décor intérieur est des plus charmants. Ainsi, le hall pourvu d'un foyer s'avère fort accueillant. On y jouit d'une vue superbe en plongée sur la baie.

Auberge Le Cormoran et Domaine Belle Plage
$$$ ½p
⊛, ≈, ☺, ℜ, bc/bp
192 et 196 rue Ste-Anne
☎*435-6030* (Auberge Le Cormoran)
☎*435-3321* (Domaine Belle Plage)
⇅*435-5970*
www.cormoranbelleplage.com
L'Auberge Le Cormoran et Domaine Belle Plage est aménagée dans une vaste maison faisant face au fleuve aux limites de la ville. Elle propose des chambres tranquilles et relativement confortables; certaines d'entre elles n'ont pas de salle de bain privée.

Auberge La Muse
$$$
ℜ, 🐾
39 rue Saint-Jean-Baptiste
☎*435-6839 ou 800-841-6839*
⇅*435-6289*
www.lamuse.com
L'Auberge La Muse se trouve au centre de Baie-Saint-Paul. Elle est installée dans une maison d'époque pourvue d'un joli balcon et nichée sous de grands arbres ainsi que dans un ancien magasin général. Les chambres sont décorées dans un style victorien. Les buffets du petit déjeuner permettent de goûter les spécialités maison qui font la réputation du restaurant (voir p 612).

Auberge Cap-aux-Corbeaux
$$$ pdj
⊛
2 Cap-aux-Corbeaux Sud
☎*435-5676 ou 800-595-5676*
⇅*435-4125*
www.cap-aux-corbeaux.com
Plantée au bout d'une petite route accrochée au cap qui surplombe Baie-Saint-Paul, l'Auberge Cap-aux-Corbeaux offre une vue époustouflante. L'édifice est assez récent, et l'on y a privilégié l'utilisation du bois. Les chambres se trouvent toutes du côté du fleuve pour la vue. Dans l'une d'elles, la baignoire à remous double est même entourée de fenêtres pour des petits moments de véritable détente. L'auberge propose, en été, des apéros pendant lesquels des peintres invités créent une toile devant les convives.

Auberge La Maison Otis
$$$$-$$$$$ ½p
≡, 🐾, ⊛, ☺, ℑ, ≈, ☺, ℜ, △
23 rue St-Jean-Baptiste
☎*435-2255 ou 800-267-2254*
⇅*435-2464*
www.maisonotis.com
L'Auberge La Maison Otis conjugue une ambiance suave et un décor de bon goût à une table divine (voir p 612). L'ancienne section a de petites chambres douillettes, avec le lit au second palier, alors que, dans la nouvelle section, les chambres sont grandes. D'une architecture québécoise classique, cette ancienne banque est située au cœur de la ville.

Saint-Hilarion

L'Aubergine
$$ pdj
🐾, ≈
179 rang 6
☎*457-3018 ou 877-457-3018*
www.aubergineinn.com
En plus de son joli nom, L'Aubergine propose une formule tout à fait intéressante si vous êtes à la recherche de tranquillité et de grand air. Le grand air, vous le retrouverez dans la nature qui l'entoure et dans les multiples activités qui s'offrent à vous dans la région. Quant à la tranquillité, chacune des six chambres de l'établissement étant dotée d'une entrée privée et d'une salle de bain, vous vous y sentirez sûrement à l'aise. Les hôtes préparent, sur réservation, un bon repas du soir végétarien. Les petits déjeuners sont copieux.

Saint-Joseph-de-la-Rive

Auberge Beauséjour et Motels
$$
ℜ, ℂ, ≈, ℜ
569 ch. du Quai
☎*635-2895 ou 800-265-2895*
⇅*635-1195*
Aménagée dans une vaste demeure pourvue d'une superbe terrasse, l'Auberge Beauséjour et Motels bénéficie d'un site à faire rêver. Les chambres, quoique un peu austères, sont correctes.

Île aux Coudres

Notez que tous les lieux d'hébergement de l'île sont fermés durant la saison hivernale.

Auberge La Coudrière et Motels
$$ pdj
≈, ℜ
280 ch. La Baleine
☎*438-2838 ou 888-438-2882*
L'Auberge La Coudrière et Motels propose des chambres confortables. Elle se trouve près du fleuve, donnant aux visiteurs l'occasion de faire de belles promenades.

Charlevoix

Hôtel-Motel Cap-aux-Pierres
$$$
☺, ≈, ✪, ℜ, △
246 ch. La Baleine
☎ *438-2711 ou 888-554-6003*
www.hotelcapauxpierres.com
Un long bâtiment, orné d'une multitude de lucarnes, abrite l'Hôtel-Motel Cap-aux-Pierres. Les chambres, au décor rustique, sont agréables.

Saint-Irénée

L'Eider matinal
$$ pdj
310 ch. des Bains
☎ *452-8259*
≈ *452-8245*
Le gîte touristique L'Eider matinal est joli à l'extérieur comme à l'intérieur! Il est en effet installé dans une belle maison centenaire au toit rouge, plantée au milieu de coquets aménagements paysagers, face au fleuve. Ses quatre chambres sont décorées avec beaucoup de goût et proposent un bon confort au milieu de belles antiquités. Une charmante terrasse épouse la devanture de la demeure, alors qu'un salon agréable est à la disposition des hôtes. En plus, on y est accueilli avec le sourire!

Auberge des Sablons
$$$ ½p
⊛, ℑ, ✪, ℜ
290 ch. des Bains
☎ *452-3594 ou 800-267-3594*
≈ *452-3240*
La jolie maison blanche aux volets bleus abritant l'Auberge des Sablons est tout à fait charmante. Elle se trouve sur un site d'une grande tranquillité voisin du Domaine Forget. Les chambres, au décor vieillot, sont agréables.

La Malbaie–Pointe-au-Pic

Auberge La Châtelaine
$$$ pdj
bc/bp
138 ch. des Falaises
☎ *665-4064*
≈ *665-4623*
Ce gîte est aménagé dans une grande demeure où les souvenirs meublent chaque recoin. Antiquités, couvre-lits fleuris, baignoires à pattes, lucarnes, murs en lattes et grand escalier lui donnent beaucoup de cachet. Une longue véranda, une belle terrasse et un joli terrain permettent de profiter des beaux jours.

Petit Manoir du Casino
$$$-$$$$ pdj
≡, ⊛, ℂ, ℑ, ≈, ✪, ℜ
525 ch. des Falaises
☎ *665-0000 ou 800-618-2112*
≈ *665-4092*
À proximité du casino, le Petit Manoir du Casino est le dernier-né des complexes hôteliers de Pointe-au-Pic. On y retrouve une ambiance familiale. Les 76 chambres sont munies d'un foyer et d'un balcon. La vue sur la baie est superbe.

Auberge La Romance
$$$-$$$$ pdj
⊛, ℑ, 🐕
415 ch. des Falaises
☎ *665-4865*
≈ *665-4954*
www.aubergelaromance.com
L'Auberge La Romance, est effectivement orientée, de la cave au grenier, vers les séjours romantiques. Tout y a été prévu, dans les moindres détails, pour entourer les hôtes d'un nuage de douceur. Par exemple, chaque chambre est pourvue d'une double porte pour insonoriser et d'un haut-parleur qui diffuse, jour et nuit (le contrôle est accessible à l'hôte), une musique romantique... La maison en

bardeaux de cèdres abrite huit chambres décorées et meublées dans un style victorien et romantique. Chacune des chambres offre un cachet qui lui est propre ainsi que certaines installations qui rehaussent son côté romantique, comme un foyer (au gaz ou au bois), un lit à baldaquin, des fenêtres à carreaux ou une baignoire à remous.

Auberge des Falaises
$$$$ pdj
ℑ, ⊛, ≡, ≈, ℜ, ℂ
250 ch. des Falaises
☎ *665-3731 ou 800-386-3731*
≈ *665-6194*
www.aubergedesfalaises.com
L'Auberge des Falaises, qui s'est établie sur le chemin des Falaises il y a plusieurs années, possède certaines chambres offrant une vue absolument spectaculaire. Les chambres, d'une bonne grandeur, se révèlent confortables, mais vous voudrez sans doute façon passer le plus clair de votre temps sur le balcon si vous logez dans le pavillon le plus récent puisque toutes ses chambres donnent sur le fleuve...

Auberge des Trois Canards et Motels
$$$$-$$$$$
🐕, ⊛, ℂ, ℑ, ≈, ℜ
115 côte Bellevue
☎ *665-3761 ou 800-461-3761*
≈ *685-4727*
www.aubergedes3canards.com
L'Auberge Des Trois Canards et Motels offre une vue superbe sur toute la région et abrite neuf chambres chaleureusement décorées et munies de foyer, de tapis douillets et d'une baignoire à remous. Son motel est pourvu de chambres moins bien aménagées, mais avec néanmoins une belle vue sur l'eau.

Manoir Richelieu
$$$$$
≡, ⚐, ⊛, ⊘, ℂ, ℑ, ≈, ☉, ℜ, △
181 rue Richelieu
☎*665-3703 ou 800-441-1414*
≈*665-3093*
www.fairmont.com
Véritable institution hôtelière au Québec, le **Manoir Richelieu** (voir p 602) demeure un des centres de villégiature les plus recherchés et les plus appréciés du Québec. Doté de tourelles, de gâbles et d'un toit aigu, ce joyau architectural d'inspiration normande dispose de 350 chambres et de nombreuses suites dans sa section arrière. Plusieurs boutiques sont aménagées au rez-de-chaussée, de même qu'un lien souterrain avec le casino. Une bonne partie des chambres a été rénovée depuis l'arrivée du casino. Son restaurant fait le bonheur des gourmets (voir «Le Saint-Laurent», p 614).

Cap-à-l'Aigle

Auberge des Peupliers
$$$-$$$$
ℑ, ☉, ℜ, △
381 rue St-Raphaël
☎*665-4423 ou 888-282-3743*
≈*665-3179*
www.aubergedespeupliers.com
L'Auberge des Peupliers est construite à flanc de colline et surplombe le fleuve Saint-Laurent. Les chambres sont garnies de meubles en bois qui leur donnent un charmant air vieillot. L'auberge dispose de salons paisibles, bien agréables pour se détendre.

Auberge Fleurs de lune
$$$$ *pdj*
bp/bc, ⊛, ℂ, ℑ, 🐎
301 rue Saint-Raphaël
☎*665-1090*
≈*665-4458*
L'Auberge Fleurs de lune propose en effet un beau

bouquet: chacune de ses chambres porte le nom d'une fleur et est décorée de tissus et d'agencements fleuris signés Laura Ashley. De plus, elles sont toutes attenantes à un balcon qui dévoile la vue sur le fleuve. La salle de séjour, où brûle un bon feu en hiver, est une pièce accueillante et conviviale.

La Pinsonnière
$$$$-$$$$$
≡, ⊛, ⊘, ℑ, ≈, ℜ, △
124 rue St-Raphaël
☎*665-4431 ou 800-387-4431*
≈*665-7156*
www.lapinsonniere.com
Le luxueux hôtel La Pinsonnière, membre de l'association des Relais & Châteaux, repose sur un site enchanteur près du fleuve. Les chambres sont décorées avec goût; chacune est différente des autres. L'endroit est paisible et sa table courue (voir p 614).

Restaurants

Baie-Saint-Paul

La Pâtisserie Les 2 sœurs
$
mi-juin à début sept tlj, de la fête du Travail à l'Action de grâce mer-dim, fév à juin sam-dim
48 rue St-Jean-Baptiste
☎*435-6591*
La Pâtisserie Les 2 sœurs se présente comme un endroit calme et agréable. Le midi et les soirs de fin de semaine, on propose un menu santé.

Auberge Le Balcon Vert
$
22 côte du Balcon vert
☎*435-5587*
L'auberge de jeunesse Le Balcon Vert possède une

petite cafétéria servant une cuisine simple mais bonne, composée entre autres de plats végétariens. On peut, de plus, profiter d'une terrasse qui offre une vue magnifique.

Café des Artistes
$-$$
25 rue St-Jean-Baptiste
☎*435-5585*
Le Café des Artistes, un café arborant un beau bar acajou et des fauteuils en osier, sert des pizzas européennes et des paninis garnis de succulente façon. Les grandes fenêtres de sa devanture ainsi que les quelques tables de sa galerie vous feront passer, durant les belles journées chaudes, d'agréables moments.

Al Dente
$$
tlj dès 10h
30 rue Leclerc
☎*435-6695*
Derrière la façade d'un cottage quelconque se cache un joli petit restaurant qui vaut le détour pour les amateurs de pâtes fraîches. Al Dente, où l'on peut aussi faire des provisions de pâtes préparées sur place, de sauces maison et d'autres produits fins d'épicerie, propose un menu de plats de pâtes, certes, mais les mets se veulent originaux et apprêtés à partir de produits locaux.

Saint-Pub
$$-$$$
2 rue Racine, angle St-Jean-Baptiste
☎*240-2332*
Fleuron de la microbrasserie Charlevoix, le Saint-Pub est un sympathique restaurant qui sert une bonne cuisine bistro. La microbrasserie y fait de bonnes bières qu'elle brasse pour tous les goûts. Sur la belle rue Saint-Jean-Baptiste, vous reconnaîtrez son architecture originale

Charlevoix

et colorée, égayée d'une terrasse en été.

L'Orange Bistro
$$$

29 rue Ambroise-Fafard

☎240-1197

Sur la belle rue Ambroise-Fafard, les terrasses se suivent mais ne se ressemblent pas toutes! Celle de L'Orange Bistro, tout comme son agréable salle à manger, offre un menu principalement composé de plats de viande et de pâtes, où les produits régionaux occupent une bonne place. Si vous êtes amateur de sandwichs chauds, goûtez au délicieux hamburger à la viande de veau.

Auberge La Muse
$$$

39 rue Saint-Jean-Baptiste

☎435-6839

La table de l'**Auberge La Muse** (voir p 609) propose une cuisine raffinée et originale concoctée à partir des produits du terroir. Elle fait d'ailleurs partie de la Route des Saveurs de Charlevoix. La salle à manger est joliment décorée, et ses fenêtres donnent sur le jardin. En été, la terrasse et le pavillon de jardin se révèlent être des lieux très agréables pour déguster cette cuisine délicieuse.

Le Mouton Noir
$$$

43 rue Ste-Anne

☎240-3030

Le Mouton Noir est l'une des révélations de Baie-Saint-Paul. Sa cuisine épouse les saisons et les nouveaux arrivages de produits régionaux frais. Le menu est inventif, et les plats sont aussi raffinés que bons. En été, une grande terrasse permet de manger à l'extérieur, à proximité de la rivière du Gouffre.

Auberge La Pignoronde
$$$-$$$$

750 boul. Mgr-De Laval

☎435-5505 ou 888-554-6004

Dans un décor exceptionnel qui donne sur la vallée du Gouffre et sur l'île aux Coudres, la salle à manger de l'**Auberge La Pignoronde** (voir p 609) sert une cuisine absolument délicieuse où viandes, poissons et fruits de mer se partagent la scène avec brio. Le service est particulièrement attentionné.

L'Auberge la Maison Otis
$$$-$$$$

23 rue St-Jean-Baptiste

☎435-2255 ou 800-267-2254

Les qualificatifs les plus fins et les plus suaves s'appliquent à la cuisine de L'**Auberge la Maison Otis** (voir p 609), qui a développé un menu gastronomique évolué où les saveurs régionales prennent de nouveaux accents et suscitent de nouvelles compositions. Dans le décor invitant de la plus ancienne section de l'auberge, où se trouvait une banque auparavant, le convive est invité à une expérience culinaire réjouissante ainsi qu'à une soirée apaisante. Le service est impeccable, et plusieurs éléments du menu sont réalisés sur place. Bonne sélection de vins.

Domaine Charlevoix
$$$$

route 362

☎435-2626

Pourquoi ne pas penser à un environnement à couper le souffle pour vous ouvrir l'appétit? C'est ce que propose, en plus d'une agréable visite (voir p 605), le Domaine Charlevoix. Sur la terrasse Félix-Antoine-Savard ou dans la salle à manger heureusement pourvue de grandes fenêtres, l'attrait principal de votre repas demeurera sans nul doute la vue extraordinaire qui s'offre à cet endroit: le fleuve en contrebas, l'île aux Coudres déposée au milieu... Votre assiette retiendra aussi votre attention puisque le midi, avec des sandwichs et des salades, comme le soir, avec une table d'hôte plus élaborée, les produits régionaux sont à l'honneur.

Saint-Joseph-de-la-Rive

À la Mer nature
$$

598 ch. du Quai

☎635-1532

Vous ne pouvez pas manquer, avec sa belle enseigne plantée au bord de la route menant au quai du traversier de l'île aux Coudres, la petite maison en bois de ce restaurant amusant. Fruit de la coopération d'une équipe sympathique, À la Mer nature dégage une atmosphère conviviale. On y arrête pour prendre un verre au bar et discuter, pour dîner ou pour casser la croûte sur la terrasse avant de s'embarquer sur le bateau. Le doigté de son chef, qui puise son inspiration dans diverses cuisines de par le monde, se goûte dans les divers plats du menu, depuis la salade grecque jusqu'à la soupe aux gourganes en passant par les souvlakis, les pizzas et les grillades. Délicieux!

La Maison sous les Pins
$$$

352 rue F.-A.-Savard

☎635-2583

Dans ses salons intimes et chauds, l'auberge La Maison sous les Pins offre une vingtaine de places à une clientèle venue découvrir les fumets raffinés d'un alliage de cuisine régionale et de cuisine française qui met toutefois en valeur les produits charlevoisiens. Ambiance romantique et accueil sympathique. Non-fumeurs.

Île aux Coudres

La Mer Veille
$$-$$$
160 ch. des Coudriers
☎438-2149
La Mer Veille est un restaurant très couru où l'on propose de la petite restauration et des tables d'hôte attrayantes.

Auberge La Coudrière et Motels
$$-$$$
280 rue Principale
☎438-2838 ou 888-438-2882
Le restaurant de l'**Auberge La Coudrière et Motels** (voir p 609) prépare une excellente cuisine, mais on doit parfois déplorer la présence de groupes imposants et bruyants. De la salle à manger, on peut profiter d'une jolie vue sur la côte de Charlevoix.

Les Éboulements

Les Saveurs Oubliées
$$$$
apportez votre vin
350 route 132
☎635-9888
Le restaurant Les Saveurs Oubliées, tenu par l'un des fondateur de la «Route des Saveurs de Charlevoix», s'autoproclame «Relais du terroir», et l'on comprend aisément pourquoi. Le restaurant se veut un complément à la Ferme Éboulmontaise, où sont élevés des agneaux et où poussent divers légumes biologiques. Directement de la ferme à votre assiette! Dans une petite salle au décor champêtre, dégustez une fine cuisine élaborée par un chef d'expérience, Régis Hervé, à partir de ces produits de

grande qualité, que d'autres produits régionaux viennent compléter. Le nom de l'endroit évoque le désir du chef de remettre au goût du jour des recettes qui, autrefois, mijotaient longtemps, lentement, dans des cocottes en terre cuite, pour laisser se fondre toutes les saveurs... Vous pouvez aussi vous procurer de petites douceurs dans la boutique adjacente.

Saint-Irénée

Le St-Laurent Café
$$
128 rue Principale
☎452-3408
À Saint-Irénée, le sympathique St-Laurent Café est juché sur un coteau, comme il y en a tant en Charlevoix, juste à côté de l'église. À l'intérieur, la petite salle se révèle toute mignonne, et l'on peut s'asseoir à de belles tables recouvertes de céramique. À l'extérieur, la terrasse, suspendue au-dessus du cap, dévoile une vue superbe. Le menu est orné de plats colorés comme la salade de foie de volaille et le sauté de poulet à l'érable, qu'on dévore avec gourmandise.

⚓ Auberge des Sablons
$$$-$$$$
290 ch. des Bains
☎452-3594 ou 800-267-3594
Charme, romantisme et bon goût se marient merveilleusement à la qualité de la table de l'**Auberge des Sablons** (voir p 610) pour assurer une soirée dont toutes les composantes contribuent à une agréable réussite. Vous pourrez y savourer une excellente cuisine française tout en admirant le fleuve depuis la terrasse ou le salon.

La Malbaie–Pointe-au-Pic

Le Bellerive
$$
181 rue Richelieu
☎665-3703 ou 800-441-1414
Au Manoir Richelieu, vous trouverez Le Bellerive, qui propose une formule beaucoup plus décontractée que Le Saint-Laurent (voir plus bas), avec une restauration rapide et simple: sandwichs, salades, viande fumée et autres. Terrasse en été.

Café de la Gare
$$
100 ch. du Havre
☎665-4272
Malgré son nom, ce resto n'est pas situé près de la gare mais près du quai. Il trône, avec son architecture ronde, au bord du quai de Pointe-au-Pic. On peut y manger des paninis, des hamburgers et autres plats de cuisine familiale dans sa grande salle toute fenêtrée.

Crêperie Le Passe Temps
$$-$$$
245 boul. De Comporté
☎665-7660
La Crêperie Le Passe Temps constitue un choix judicieux pour un excellent repas le midi ou le soir dans une ambiance des plus plaisantes. On propose au menu une grande diversité de crêpes-repas et de crêpes-desserts de farine de sarrasin ou de blé. Les pâtes fraîches sont exquises, en particulier le spaghetti aux tomates fraîches et au fromage Migneron. La terrasse est très appréciée.

Auberge Les Sources
$$$
8 rue des Pins
☎665-6952
La salle à manger de l'Auberge Les Sources est lumineuse grâce à ses

Charlevoix

grandes fenêtres donnant sur le jardin. On y mange une cuisine pleine de saveurs apprêtée à partir de produits régionaux.

Auberge des Falaises
$$$$
250 ch. des Falaises
☎*665-3731*
La salle à manger de l'Auberge des Falaises se spécialise dans la préparation d'une cuisine raffinée inspirée des produits régionaux.

Auberge des Trois Canards
$$$$
115 côte Bellevue
☎*665-3761 ou 800-461-3761*
Les maîtres queux de l'**Auberge des Trois Canards et Motels** (voir p 610) ont toujours fait preuve d'audace et d'invention pour intégrer à leur cuisine raffinée des éléments du terroir ou des gibiers. Ils y ont toujours réussi avec brio, dotant «Les Trois Canards» d'une réputation nationale enviable. Le service s'y démarque par sa cordialité de bon aloi et l'information qu'on y offre sur les plats servis. Bonne carte des vins.

Le Saint-Laurent
$$$$
181 rue Richelieu
☎*665-3703 ou 800-441-1414*
Depuis quelques années, la salle à manger du Manoir Richelieu, Le Saint-Laurent, a considérablement rehaussé ses normes de qualité, au point de s'imposer comme l'une des meilleures tables gastronomiques de la région. La salle de l'allée vitrée propose, en plus de sa vue imprenable sur le fleuve, un superbe menu composé généralement de trois choix de viandes et de trois choix de poissons offerts en cinq services. Le brunch du dimanche matin

est une expérience à vivre dans Charlevoix même si vous ne logez pas au Manoir.

Cap-à-l'Aigle

Petite Plaisance Inn
$$$
310 rue Saint-Raphaël
☎*665-2653 ou 877-565-2653*
Nommée en hommage à la dernière demeure de Marguerite Yourcenar, l'auberge Petite Plaisance Inn utilise les produits de Charlevoix dans ses recettes et sert à ses convives de bons plats dans un décor aux accents vieillots insufflé par les objets, le mobilier et les murs remplis d'histoire.

Auberge des Peupliers
$$$-$$$$
381 rue St-Raphaël
☎*665-4423 ou 888-282-3743*
La table de l'Auberge des Peupliers réserve de nombreuses et belles surprises à ses convives, fruits des audaces et de l'imagination fertile de son chef. On n'a qu'à s'abandonner à ces découvertes excitantes de saveurs françaises et locales qui ne risquent pas de décevoir.

La Pinsonnière
$$$$
124 rue St-Raphaël
☎*665-4431 ou 800-387-4431*
La table de **La Pinsonnière** (voir p 611) a très longtemps été considérée comme le summum du raffinement gastronomique dans Charlevoix, et, malgré une concurrence de plus en plus féroce, elle mérite encore le titre sous plusieurs aspects. La Pinsonnière offre une carte gastronomique classique de très haut niveau, et les

repas y sont une véritable expérience gustative qui demande qu'on y consacre la soirée. La cave à vins demeure la plus riche de la région et l'une des meilleures du Québec.

Sorties

Bars et discothèques

Baie-Saint-Paul

Saint-Pub
2 rue Racine
☎*240-2332*
On peut goûter les bières de la microbrasserie Charlevoix au **Saint-Pub** (voir p 611).

La Malbaie–Pointe-au-Pic

Sur la route en face du quai de Pointe-au-Pic se trouvent, depuis plusieurs années, deux bars relativement animés les fins de semaine: Le Bambochard et Le Bar à Jazz.

Le Bar à Jazz
av. du Quai
Le Bar à Jazz reçoit à l'occasion de bonnes formations musicales.

Le Bambochard
220 av. du Quai
Au Bambochard, le service est des plus sympathiques. En été, on peut aussi s'y offrir une bonne cuisine originale à prix économique.

Théâtre et salles de spectacle

Saint-Irénée

Salle Françoys-Bernier du Domaine Forget (voir p 601)
5 St-Antoine
☎452-3535, poste 820, ou 888-dforget, poste 820

Fêtes et festivals

Baie-Saint-Paul

Le **Symposium international de la nouvelle peinture au Canada** (☎435-3681) se tient annuellement à Baie-Saint-Paul durant tout le mois d'août. On peut y admirer les talents d'une quinzaine d'artistes du Québec, du Canada et d'ailleurs qui viennent créer sur place des œuvres de grandes dimensions sur le thème suggéré.

Rêves d'automne Charlevoix (☎800-761-5150 ou 435-5150) remporte un succès de plus en plus considérable chaque automne durant la dernière semaine de septembre et la première d'octobre. Ce festival multidisciplinaire met tout en œuvre pour permettre au public d'apprécier pleinement les beautés de l'été indien dans Charlevoix avec toute une série de spectacles musicaux et théâtraux, en plus de suggestions gastronomiques irrésistibles.

Saint-Irénée

Chaque été, de la mi-juin à la fin août, le **Festival international du Domaine Forget** (☎452-3535 ou 888-dforget) amène à Saint-Irénée de nombreux musiciens et chanteurs classiques de réputation nationale et internationale. Ils viennent présenter leur spectacle sur la scène de la Salle Françoys-Bernier ou pendant les brunchs-musicaux qui se déroulent en plein air tous les dimanches. Vous pouvez demander la programmation par téléphone. Abonnements disponibles.

Casino

Casino de Charlevoix
183 rue Richelieu
☎665-5300 ou 800-665-2274
Le Casino de Charlevoix, situé à Pointe-au-Pic, à côté du Manoir Richelieu, est un casino à l'européenne qui attire les foules. Une tenue vestimentaire appropriée est de rigueur.

Achats

Charlevoix est une région rêvée pour les amateurs d'art et d'artisanat. Ses petits villages débordent de boutiques et d'ateliers de sculpteurs, peintres, potiers, etc. qui n'attendent que votre visite. Gardez l'œil ouvert!

Baie-Saint-Paul

Baie-Saint-Paul est particulièrement intéressante pour son **Circuit des galeries d'art**. On y retrouve de tout, chaque boutique ayant sa spécialité. Huiles, pastels, aquarelles, eaux-fortes..., tableaux de grands noms et artistes à la mode, originaux et reproductions, sculptures et poésie..., l'idéal quoi! C'est un plaisir de chaque instant que de flâner dans les rues Saint-Jean-Baptiste, Sainte-Anne ou ailleurs, et de s'arrêter dans toutes ces galeries où le personnel ne demande pas mieux que de parler art.

Les Éboulements

Les Saveurs oubliées
350 route 132
☎635-9888
Adjacente au restaurant (voir p 613) et à la ferme, une petite boutique vend les créations (charcuteries, gelées, confitures, etc.) de Régis Hervé élaborées à partir des produits frais de la région. Les visites de la ferme peuvent aussi se révéler très agréables.

Saint-Joseph-de-la-Rive

Papeterie Saint-Gilles
304 rue Félix-Antoine-Savard
☎635-2613 ou 866-635-2430
Les magnifiques papiers fabriqués à la Papeterie Saint-Gilles sont vendus sur place. Vous y trouverez un papier de coton d'une qualité remarquable. Certains de ces papiers chinés sont incrustés de feuilles d'arbres ou de fougères ou de pétales de fleurs. On y vend aussi une collection de récits, de contes et de chansons québécoises imprimés sur ce précieux papier.

Charlevoix

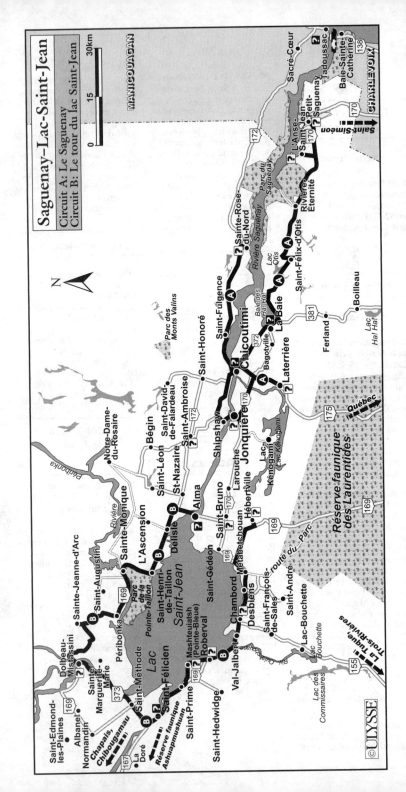

Saguenay–Lac-Saint-Jean

Occupant le fjord le plus méridional du monde, la rivière Saguenay prend sa source dans le lac Saint-Jean, une véritable mer intérieure de plus de 35 km de diamètre. Ce formidable plan d'eau et cette imposante rivière constituent en quelque sorte le pivot d'une superbe région touristique.

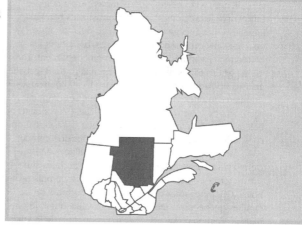

Gagnant rapidement le fleuve Saint-Laurent, la rivière Saguenay traverse un paysage très accidenté où se dressent falaises et montagnes. En croisière ou à partir des rives, on peut y admirer un défilé de splendides panoramas à la beauté sauvage. Jusqu'à Chicoutimi, le Saguenay est navigable et subit le rythme perpétuel des marées. Sa riche faune marine comprend, en été, des mammifères marins de différentes espèces. Au cœur de cette région, la ville de Chicoutimi est un endroit très animé et le principal centre urbain. Plus au nord, le lac Saint-

Jean, qui alimente la rivière Saguenay, impressionne par sa superficie et la couleur de ses eaux. Les jolies plaines, aux abords du lac, sont très propices à l'agriculture et attirèrent les premiers colons au XIXe siècle. La vie rude de ses défricheurs, paysans en été et bûcherons en hiver, fut d'ailleurs immortalisée dans le roman *Maria Chapdelaine* de Louis Hémon. Le bleuet, un fruit tout à fait savoureux que l'on trouve en grande quantité dans la région, fait la renommée du lac Saint-Jean.

Le bleuet est à ce point identifié à cette région que, partout au Québec, on utilise son appellation pour surnommer affectueusement les gens de ce pays. Tout comme ceux de la région du Saguenay, les habitants du Lac-Saint-Jean sont reconnus pour être accueillants et fort colorés.

L'exploitation forestière au Saguenay et l'agriculture aux abords du lac Saint-Jean (les activités économiques ayant été à l'origine de l'arrivée des premiers colons vers le milieu du XIXe siècle) emploient toujours une partie appréciable de la main-d'œuvre locale. D'autres industries sont toutefois venues s'y joindre au cours du XXe siècle, notamment des fonderies d'aluminium, attirées par la grande disponibilité en énergie hydroélectrique.

Des colons, venus principalement de Charlevoix et de la Côte-du-Sud au milieu du XIXe siècle, ont peuplé les régions jumelles du Saguenay et du Lac-Saint-Jean, jusque-là fréquentées sporadiquement par des tribus montagnaises nomades, des missionnaires jésuites et des chasseurs de fourrures. Ces derniers étaient rattachés à de petits postes de traite fondés au XVIIe siècle et étaient disséminés sur un territoire densément boisé. Quelques-unes des familles québécoises établies au Saguenay–Lac-Saint-Jean se sont illustrées par leur fertilité exceptionnelle, dont les Tremblay, tellement nombreux que leur patronyme est au-jourd'hui étroitement associé à la région.

Le Saguenay–Lac-Saint-Jean est le pays du gigantisme: ses rivières, ses lacs, mais aussi ses complexes industriels, qu'il est souvent possible de visiter. Gigantisme illustré aussi par le cataclysme de juillet 1996, alors que plus de 200 mm de pluie tombent sur la région. Les torrents commencent à déferler par-dessus les barrages, bien au-delà du lit des rivières. Les lacs et les réservoirs débordent. La base militaire de Bagotville évacue 15 000 personnes. Une digue se rompt sur le lac Ha! Ha!, provoquant une vague dévastatrice qui va emporter une grande part des villages de Boilleau et Ferland, les submerger de boue puis ravager deux secteurs de La Baie. À Chicoutimi, le plus ancien quartier de la ville, le Bassin, est peu à peu emporté par les eaux. À L'Anse-Saint-Jean, la rupture en chaîne de barrages de castors transforme les ruisseaux en torrents qui détruisent tout sur leur passage.

Ce drame a profondément marqué la société saguenéenne. Cinq municipalités touchées par ses inondations ont aménagé des sites d'interprétation en différents lieux stratégiques: La Baie, Chicoutimi, Jonquière, L'Anse-Saint-Jean et Ferland-et-Boilleau, avec présentations photographiques, cartes et indications sur les particularités de chacun des endroits.

Pour s'y retrouver sans mal

Deux circuits sont proposés: **Circuit A: Le Saguenay ★★** et **Circuit B: Le tour du lac Saint-Jean ★★**. Pour plus de renseignements sur ces deux régions, consultez le *Guide Ulysse Charlevoix, Saguenay–Lac-Saint-Jean*.

Circuit A: Le Saguenay

En voiture

De Québec, empruntez la route 138 Est jusqu'à Saint-Siméon. Prenez à gauche la route 170, qui traverse le village de Sagard avant de parvenir au parc du Saguenay. Cette même route vous permet de continuer jusqu'à Chicoutimi, où, après avoir traversé la rivière, vous pourrez vous rendre à Sainte-Rose-du-Nord par la route 172. Il est possible et même

Noms des nouvelles villes fusionnées

Alma
Fusion d'Alma et Delisle.

Saguenay
Fusion de Chicoutimi, Jonquière, La Baie, Laterrière, Shipshaw, Lac-Kénogami et Tremblay (en partie).

souhaitable de faire précéder le circuit du Saguenay de celui de **Charlevoix** (voir p 595), plus au sud.

Gares routières

Chicoutimi
Autobus Tremblay et Tremblay
55 rue Racine E.
☎*(418) 543-1403*

Jonquière
Autocars Jasmin
2249 rue St-Hubert
☎*(418) 547-2167*

Gares ferroviaires

Hébertville
15 rue Saint-Louis
☎*800-361-5390*

Jonquière
2439 rue St-Dominique
☎*800-361-5390*

Circuit B: Le tour du lac Saint-Jean

En voiture

Le tour du lac Saint-Jean peut très bien s'effectuer à la suite d'une visite du Saguenay. Au départ de Jonquière, suivez la route 170 Ouest jusqu'à Saint-Bruno. Tournez à gauche dans la route d'Hébertville, et poursuivez par la route 169, qui fait le tour du lac.

Gare routière

Alma
430 rue du Sacré-Cœur (restaurant Coq-Rôti)
☎*(418) 662-5441*

Gare ferroviaire

Chambord
78 rue de la Gare
☎*800-361-5390*

Renseignements pratiques

Renseignements touristiques

Indicatif régional: **418**

Bureau régional

Fédération touristique régionale du Saguenay–Lac-Saint-Jean
198 rue Racine E., bureau 210, Chicoutimi, G7H 1R9
☎*543-9778 ou 800-463-9651*
≈*543-1805*
www.tourismesaguenaylac saintjean.qc.ca

Circuit A: Le Saguenay

La Baie
1171 7e Avenue
☎*697-5050 ou 800-263-2243*
≈*697-5180*

Chicoutimi
295 rue Racine Est
☎*698-3167 ou 800-463-6565*
≈*693-0084*

Jonquière
2665 boul. du Royaume
☎*548-4004 ou 800-561-9196*
≈*548-7348*

Circuit B: Le tour du lac Saint-Jean

Alma
1671 av. du Pont Nord
☎*668-3611 ou 888-668-3611*
≈*668-0031*

Saint-Félicien
1209 boul. du Sacré-Cœur
☎*679-9888*
≈*679-0562*

Attraits touristiques

Circuit A: Le Saguenay (deux jours)

Le «royaume du Saguenay», comme ses habitants le désignent souvent avec fierté, sans une once de modestie, est réparti de part et d'autre de la rivière Saguenay et de son fjord cyclopéen. Le Saguenay se compose avant tout de paysages grandioses, riches d'une faune et d'une flore exceptionnelles. La région fut d'abord exploitée pour ses fourrures, ensuite pour son bois, avant d'être colonisée par des sociétés créées à cette fin. Depuis le début du XXe siècle, l'industrie de l'aluminium est implantée massivement aux abords des villes afin de profiter à la fois de l'abondante énergie hydroélectrique, que fournissent les rivières environnantes, et des ports en eaux profondes, où accostent les bateaux transportant la bauxite, minerai d'aluminium.

Petit-Saguenay (850 hab.)

Le quai du village de Petit-Saguenay est le point de départ d'un très beau sentier de randonnée de 10 km longeant le Saguenay jusqu'à L'Anse-Saint-Jean (sentier des Caps). Petit-Saguenay est entouré de montagnes couvertes d'une épaisse forêt.

Saguenay–Lac-Saint-Jean

Reprenez la route 170. Tournez à droite dans la route de L'Anse-Saint-Jean.

★
L'Anse-Saint-Jean
(1 269 hab.)

Au printemps de 1838, une première goélette affrétée par la Société des Vingt-et-Un quitte la région de Charlevoix dans le but de débarquer des colons en divers endroits sur les rives du Saguenay. Le premier site visité fut L'Anse-Saint-Jean, ce qui fait de ce charmant village, aux nombreux fours à pain artisanaux, la plus ancienne municipalité du Saguenay–Lac-Saint-Jean. On peut y voir une **église** en pierre de l'architecte David Ouellet (1890) ainsi qu'un pont couvert, baptisé **pont du Faubourg** et érigé en 1929. Le village et son pont ont été reproduits à l'endos du billet canadien de 1 000 dollars. Il faut ensuite se rendre au **belvédère de l'anse de Tabatière**, qui offre un point de vue spectaculaire sur les falaises abruptes du fjord. Le village s'enorgueillit d'une rivière à saumons, d'un club nautique et de sentiers de randonnée pédestre et équestre. Il constitue en outre un des multiples points de départ pour les croisières sur le Saguenay.

Reprenez la route 170 en direction de Rivière-Éternité.

★
Rivière-Éternité
(555 hab.)

Avec un nom pareil, comment ne pas se laisser emporter par la poésie du Saguenay, d'autant plus que Rivière-Éternité constitue la porte d'entrée du **parc du Saguenay ★★★**

(voir p 633) et du merveilleux **parc marin du Saguenay–Saint-Laurent ★★★** (voir p 654), où l'on peut observer les baleines dans leur habitat naturel.

Sur la première des trois corniches formant le cap Trinité se trouve une statue de la Vierge, baptisée **Notre-Dame-du-Saguenay**. Cette œuvre en bois de pin, fut installée là en 1881, en guise de remerciement pour faveur obtenue par un commis voyageur sauvé in extremis d'une mort certaine après que la glace eut cédé sous son poids. La statue a une taille suffisamment importante (8,5 m de hauteur) pour la rendre nettement visible depuis le pont des navires remontant la rivière.

Revenez à la route 170. Vous traverserez Saint-Félix-d'Otis, situé au bord du lac du même nom, avant d'atteindre la ville de La Baie.

★
La Baie
(20 890 hab.)

La Baie, ville à vocation industrielle, occupe un site admirable au creux de la baie des Ha! Ha! Ce terme savoureux, désignant une «impasse» en vieux français, aurait été employé par les premiers explorateurs de la région qui, s'étant engagés dans la baie, croyaient avoir affaire à une rivière. La ville de La Baie est le résultat de la fusion, en 1976, de trois municipalités limitrophes, soit Bagotville, Port-Alfred et Grande-Baie. Cette dernière est la plus ancienne, ayant été fondée en 1838 par la Société des Vingt-et-Un. Jusqu'à La Baie, le Saguenay est sous

l'emprise des marées d'eau salée, ce qui confère à l'agglomération un caractère maritime. Elle possède d'ailleurs un important **port de mer** qu'il est possible de visiter.

Le **Musée du Fjord ★** *(3346 boul. de la Grande-Baie S., ☎697-5077)* devrait rouvrir ses portes en 2004, après avoir fait l'objet de travaux d'agrandissement. Ces dernières années, le Musée du Fjord racontait l'aventure de la colonisation du Saguenay dans une intéressante exposition permanente à caractère ethnographique. Des expositions temporaires étaient également mises sur pied chaque année. Quelles belles surprises le Musée du Fjord nous réservera-t-il pour 2004?

La Société des Vingt-et-Un fut fondée à La Malbaie (Charlevoix) en 1837, dans le but secret de trouver de nouvelles terres agricoles, pour déplacer le trop-plein de colons canadiens-français des rives du fleuve Saint-Laurent. Sous le prétexte d'effectuer la coupe de bois pour le compte de la Compagnie de La Baie d'Hudson, elle fit défricher différentes anses du Saguenay, y installant hommes, femmes et enfants. Le 11 juin 1838, la goélette de Thomas Simard, transportant les premiers colons, mouilla dans la baie des Ha! Ha! Les hommes débarquèrent et construisirent, sous la gouverne d'Alexis Tremblay, une première cabane en bois de 4 m sur 6, donnant ainsi naissance à l'actuelle ville de La Baie.

Au **Palais municipal ★** *(35$; fin juin à mi-août 21h; 591 5e Rue, ☎697-5151 ou 888-873-3333)*, on présente *La fabuleuse histoire d'un royaume*, un spectacle historique à grand déploiement comme on en retrouve dans certaines villes de province françaises. Plus de 200 comédiens, 1 400 costumes, des animaux, des voitures, des jeux de lumière et des décors donnent vie à cette fresque haute en couleur.

En passant par La Baie, vous ne pourrez pas manquer de remarquer une construction un peu singulière. Une grande pyramide a en effet été érigée au milieu d'un petit parc près de la rivière, à l'aide de panneaux de signalisation routière utilisés pour imposer la nécessité de céder le passage aux autres véhicules. L'idée derrière cette **Pyramide des Ha! Ha!** *(visites 3$; fin juin à début sept lun-ven 9h à 17h, sam-dim 10h à 17h; ☎697-5050)* n'a pourtant rien d'étrange. Elle vient de Jean-Jules Soucy, un artiste reconnu, natif de la région, et son œuvre souligne de façon audacieuse un épisode important de l'histoire du Saguenay. Les panneaux triangulaires «céder» rappellent en effet l'expression «s'aider», ce qui a été essentiel lors du «déluge» qui a dévasté la région en 1996. On peut faire une visite guidée de la pyramide et monter au sommet.

L'église Saint-Alphonse-de-Liguori *(290 rue de la Fabrique)* dessert la paroisse de Bagotville, nommée ainsi en souvenir du gouverneur britannique du Canada Uni de 1841 à 1843, Charles Bagot (une belle façon d'amadouer les marchands anglo-saxons, qui ne pouvaient exiger que l'on rase une agglomération baptisée ainsi). L'église Saint-Alphonse, construite entre 1860 et 1862, est la plus ancienne de tout le Saguenay. Sa façade n'est pas sans rappeler l'église de Cacouna, dans le Bas-Saint-Laurent.

L'église Saint-Marc ★ *(260 rue Sirois)*. Région neuve et relativement prospère, le Saguenay–Lac-Saint-Jean a vu s'élever de nombreuses églises modernes aux lignes audacieuses au cours des années 1940 et 1950. La série des «églises blanches» est particulièrement remarquable. L'une d'entre elles est l'église Saint-Marc, construite en 1955 selon les plans de l'architecte Paul-Marie Côté. On s'assurera de pénétrer à l'intérieur pour admirer sa haute voûte de béton.

La **passe migratoire à saumons de la Rivière-à-Mars** ★ *(2$; mi-juin à mi-sept tlj 10h à 18h; 3232 ch. St-Louis, ☎697-5093)*, installée sur une portion de la rivière qui coule au cœur même de la ville, a pour but d'aider les saumons à remonter la rivière au moment de leur migration. Autour, un agréable parc a été aménagé d'où l'on peut observer les saumons et parfois les pêcher *(30$/pers.)*.

À l'ouest de La Baie, empruntez la route 372, qui conduit au centre de Chicoutimi. Comme il est plus agréable de visiter cette partie de la ville à pied, il est recommandé de garer sa voiture aux environs de la cathédrale, rue Racine.

Saint-Fulgence

Le petit village de Saint-Fulgence, qui s'accroche aux vallons en face de Chicoutimi et à l'orée du fjord, offre plusieurs possibilités intéressantes aux amateurs de plein air. D'abord, on y trouve la porte d'entrée du tout jeune **parc des Monts-Valins** ★ (voir p 633). Plus loin, le **parc du Cap Jaseux**

(voir p 634) s'étend au bord du Saguenay. Et enfin, pour les amoureux des oiseaux, une halte s'impose au **Centre d'interprétation des battures et de réhabilitation des oiseaux CIBRO** *(5,50$; début mai à début oct tlj 8h30 à 18h; 100 rue du Cap-des-Roches, ☎674-2425)*. Les battures qui s'étendent au pied de la grande maison qui abrite le centre d'interprétation, sont remplies d'une foule d'espèces d'oiseaux. Une randonnée pédestre dans les sentiers aménagés est l'occasion de les observer au cœur d'un paysage magnifique. De plus, le CIBRO se veut aussi un lieu de réhabilitation des oiseaux de proie blessés trouvés dans les environs. Ces oiseaux reprennent des forces et se laissent admirer à l'intérieur des neuf volières dispersées sur le terrain.

★
Chicoutimi
(63 326 hab.)

Chicoutimi, mot d'origine innue qui signifie «là jusqu'où c'est profond», une allusion aux eaux du Saguenay, navigables jusqu'à la hauteur de cette ville, la plus importante de tout le Saguenay–Lac-Saint-Jean. Lieu de rassemblements, de fêtes et d'échanges pour les tribus amérindiennes nomades pendant plus de 1 000 ans, Chicoutimi deviendra l'un des plus importants postes de traite des fourrures en Nouvelle-France à partir de 1676. Celui-ci demeurera en activité jusqu'au milieu du XIXe siècle, alors que les industriels Peter McLeod et William Price ouvrent une scierie à proximité (1842), permettant enfin l'aménagement d'une véritable ville à cet endroit, favorisé par la présence de trois

Saguenay–Lac-Saint-Jean

rivières au fort débit: les rivières du Moulin, Chicoutimi et Saguenay. Le centre de Chicoutimi est dominé par des édifices religieux et institutionnels. La rue Racine en est la principale artère commerciale. De la ville victorienne du XIXᵉ siècle, il ne subsiste que bien peu de choses, la majeure partie de Chicoutimi ayant été détruite lors d'un violent incendie en 1912 et le reste ayant été «modernisé» ou banalisé au cours des 30 dernières années. Le long des rues, on retrouvera, sur les enseignes des magasins, des noms typiques du Saguenay, comme Tremblay ou Claveau, mais aussi des noms à consonance anglaise, comme Harvey et Blackburn, symboles d'un phénomène unique au Canada: l'assimilation de familles anglophones aux francophones.

La **cathédrale Saint-François-Xavier** ★ *(514 rue Racine E.)* fut reconstruite à deux reprises à la suite d'incendies. L'édifice actuel, érigé entre 1919 et 1922, est l'œuvre de l'architecte Alfred Lamontagne. Il est surtout remarquable pour sa haute façade à deux tours coiffées de clochers métalliques qui dominent le Vieux-Port. En face de la cathédrale, on remarquera l'ancien bureau de poste en granit rose, de style Second Empire (1905).

Le **Vieux-Port de Chicoutimi** *(en bordure du boulevard du Saguenay).* On y trouve le quai d'embarquement pour les croisières sur le Saguenay de même qu'un agréable marché public.

Reprenez votre voiture afin de visiter les attraits plus éloignés du noyau commercial de la ville. Remontez la rue Bégin, *à l'ouest de la cathédrale, puis tournez à droite dans la rue Price Est. Tournez à gauche dans le boulevard Saint-Paul puis à droite dans la rue Dubuc.*

La **Pulperie de Chicoutimi** ★ ★ *(12$; fin juin à début sept tlj 9h à 18h, reste de l'année mer 17h à 20h, jeu-ven 11h à 17h, sam-dim 10h à 17h; 300 rue Dubuc, ☎698-3100 ou 877-998-3100).* Au tournant du XXᵉ siècle naissent quelques entreprises canadiennes-françaises d'envergure dans le Saguenay–Lac-Saint-Jean, les plus grosses étant les usines de pâte à papier de Val-Jalbert et de Chicoutimi. La pulperie de Chicoutimi fut fondée en 1896 par Dominique Guay et agrandie à plusieurs reprises par la puissante North American Pulp and Paper Company, présidée par Alfred Dubuc. L'entreprise fut pendant 20 ans le plus important fabricant de pâte à papier mécanique au Canada, fournissant les marchés français, américain et britannique. Le vaste complexe industriel, aménagé en bordure de la bouillonnante rivière Chicoutimi, comprenait quatre usines de pâte dotées de turbines et de défibreurs, deux centrales hydro- électriques, une fonderie, un atelier de réparation et un centre ferroviaire. L'effondrement du prix de la pâte en 1921 et le krach de 1929 ont entraîné la fermeture de la pulperie, laissée à l'abandon jusqu'en 1980. Entre-temps, des incendies avaient laissé en ruine la plupart des bâtiments en ruine, mettant cependant en valeur leurs épaisses murailles de pierres.

Le **Musée du Saguenay–Lac-Saint-Jean** *(☎698-3100)* propose une incursion dans l'histoire du Saguenay–Lac-Saint-Jean et plus particulièrement à travers ses personnages légendaires, tel «Alexis le Trotteur». Le musée et la Pulperie de Chicoutimi se sont fusionnés et ne forment, depuis 1996, qu'un seul organisme.

Depuis 1996, l'ensemble a été transformé en musée de site. Autrement dit, tout le complexe devient un gigantesque musée de plus de 1 ha de superficie. On y retrouve un circuit d'interprétation ponctué de 12 stations illustrant le site ainsi qu'une exposition thématique et la **maison Arthur-Villeneuve** *(300 rue Dubuc, à l'intérieur de la Pulperie, ☎698-3100).* Cette

Pulperie de Chicoutimi

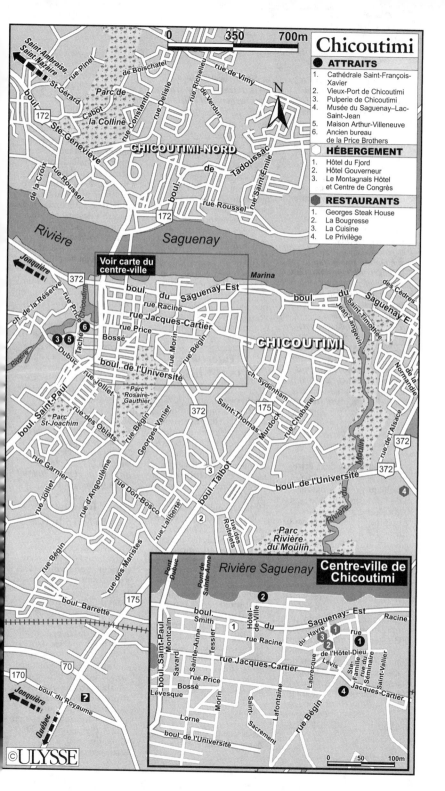

humble maison ouvrière serait le plus important exemple d'art populaire du Québec, sinon du Canada. Elle fut habitée jusqu'en 1990 par le peintre-barbier Arthur Villeneuve, qui en fit une véritable œuvre d'art en recouvrant ses murs, autant extérieurs qu'intérieurs, de fresques naïves racontant la petite histoire du Saguenay.

Une excursion facultative à Laterrière est proposée au départ de Chicoutimi. De la rue Dubuc, prenez à gauche le boulevard Saint-Paul puis immédiatement à droite le boulevard de l'Université, que vous suivrez jusqu'au boulevard Talbot (route 175). Tournez à droite en direction de Laterrière. Si vous optez plutôt pour le circuit principal, empruntez à gauche le boulevard Saint-Paul, puis tournez à gauche dans la rue Price Ouest (route 372), sur laquelle se trouvent l'ancien bureau de la Price Brothers ainsi que le Site archéologique du poste de traite de Chicoutimi.

L'**ancien bureau de la Price Brothers** *(110 rue Price O.)*. William Price, le magnat de l'industrie du bois, est considéré à juste titre comme le père de Chicoutimi. Né à Hornsey (Angleterre) en 1789, il étudie au Hammersmith College de Londres, avant d'immigrer au Québec en 1810. À sa mort, en 1867, ses 14 enfants prennent la relève et rationalisent les effectifs de la compagnie. Ils font construire ce bureau, sorte de siège social de la Price Brothers, dont l'apparence ne diffère toutefois en rien des maisons québécoises traditionnelles. À preuve, le bâtiment fut facilement transformé en trois logements au cours des années 1930.

Le **Site archéologique du poste de traite** *(entre le boulevard Saguenay et la rue Price)*. Le poste de traite des fourrures de Chicoutimi était situé en plein cœur du domaine du Roi, vaste espace de forêts giboyeuses concédé par bail à des marchands ou à des compagnies de fourrures pour une période prédéterminée. Les fonctions d'entreposage, de triage et d'emballage, de même que celles liées à la vie quotidienne des Blancs habitant au poste, s'accomplissaient dans une quinzaine de bâtiments en bois dont il ne subsiste plus de nos jours que quelques vestiges archéologiques, qui attendent toujours d'être mis en valeur.

Laterrière
(5 107 hab.)

Banlieue éloignée de Chicoutimi, à environ 5 km au sud de la ville, Laterrière recèle quelques-uns des plus intéressants vestiges de la colonisation du Saguenay. L'ancien village forestier, autrefois baptisé «Grand-Brûlé», a été fondé par le père Jean-Baptiste Honorat, missionnaire oblat arrivé de France en 1841. Celui-ci voulut en faire une «colonie libre», comme on en retrouvait déjà de rares exemples en France. Le père Honorat se charge alors de l'aménagement du hameau, procédant même à la construction d'un moulin à scie, ce qui amènera William Price à exiger son départ en 1849. Ce dernier détient alors le monopole sur toute l'activité économique de la région et voit d'un mauvais œil la concurrence de ce prêtre qui bafoue l'autorité.

La coquette **église Notre-Dame** ★ *(rue Notre-Dame)*

fut érigée en 1863-1865 d'après les dessins de l'architecte Félix Langlais, qui s'est largement inspiré de son église de Bagotville. Il s'agit d'un exemple tardif de ces églises québécoises mêlant architectures vernaculaire et palladienne à la manière des Baillargé de Québec. À l'intérieur, on peut voir un beau baldaquin, trois tableaux du peintre Édouard Martineau et un autre de Charles Gill, intitulé *La Pietà*.

Le **moulin du Père-Honorat** *(741 rue du Père-Honorat)* n'a du père Honorat que le nom puisque le moulin en bois que ce dernier avait fait construire a été détruit pour être remplacé par celui-ci en 1863. Le beau bâtiment de pierres a depuis été transformé en résidence. Il illustre la persistance des modèles de construction traditionnels en milieu rural.

Revenez au boulevard Saint-Paul. Tournez à gauche dans la rue Price, qui rejoint le boulevard du Saguenay (route 372 O.). Tournez à droite dans la route du Pont à Jonquière.

Jonquière
(57 013 hab.)

En 1847, la Société des défricheurs du Saguenay obtient l'autorisation de s'implanter en bordure de la rivière aux Sables. Le nom de Jonquière est choisi en souvenir de l'un des gouverneurs de la Nouvelle-France, le marquis de Jonquière. Les débuts de cette ville ont été marqués par l'histoire de Marguerite Belley, de La Malbaie, qui alla reconduire à dos de cheval trois de ses fils à Jonquière, pour éviter qu'ils ne soient tentés d'émigrer aux États-Unis. En 1870, tout le territoire compris entre

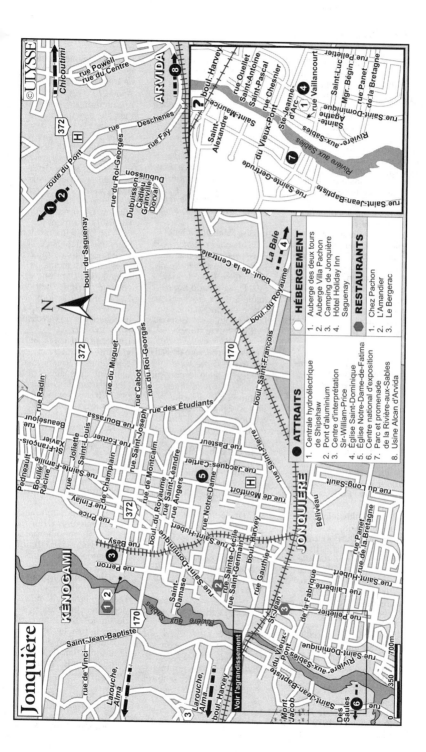

Jonquière

©ULYSSE

ARVIDA

rue Powell
rue du Centre
Chicoutimi

rue Deschenes
rue Fay

route du Pont

rue du Roi-Georges

Dubuisson
Cadieu
Granville
Dorval

boul. du Saguenay

KÉNOGAMI

Saint-Jean-Baptiste
Larouche, Alma

rue de Vinci

170

Rivière aux Sables

rue Perron

rue Bésy

rue Saint-Dominique

Saint-Damase
rue Sainte-Cécile
rue Saint-Germain

boul. Harvey

rue Gauthier

rue de la Fabrique

Mont-Jacob

Voir l'agrandissement

Larouche, Alma
boul. Harvey

rue du Vieux-Pont
Saint-Jean-Baptiste
Rivière-aux-Sables

rue Pelletier

boul. Saint-Dominique

Des Saules

rue Radin

rue Price
rue Finley

Pedneault
Boulé
Racine
Sainte-Famille

Jollette
Saint-Louis

St-François
Xavier
Beauséjour

rue de Champlain
rue Fortier

rue du Muguet

rue Cabot

rue du Roi-Georges

rue Bourassa

rue Saint-Joseph

rue des Étudiants

rue Pasteur

rue de Montcalm

boul. du Royaume
rue Saint-Hubert
rue Saint-Léandre
rue Angers

rue Notre-Dame

rue de Montfort

rue Jacques-Cartier

rue Saint-Pierre

boul. Saint-François

170

JONQUIÈRE

Béliveau

rue du Long-Sault

rue Saint-Hubert
rue de la Bretagne
rue Panet

rue Laliberté
rue Pelletier

boul. du Royaume
La Baie

N

372

372

H

Agrandissement (ARVIDA):

boul. Harvey

rue Ouellet
Saint-Antoine
Saint-Pascal
rue Chesnier

rue Vaillancourt

Saint-Luc
Mgr. Bégin
rue Panet
rue de la Bretagne

rue Saint-Maurice

Saint-Alexandre

du Vieux-Pont

Ste-Jeanne-d'Arc

Sainte-Agathe
rue Saint-Dominique

Rivière-aux-Sables

du Sainte-Gertrude

rue Saint-Jean-Baptiste

Rivière aux Sables

?

4

7

boul. de la Centrale

4

● **ATTRAITS**

1. Centrale hydroélectrique de Shipshaw
2. Pont d'aluminium
3. Centre d'interprétation Sir-William-Price
4. Église Saint-Dominique
5. Église Notre-Dame-de-Fatima
6. Centre national d'exposition
7. Parc et promenade de la Rivière-aux-Sables
8. Usine Alcan d'Arvida

⬡ **HÉBERGEMENT**

1. Auberge des deux tours
2. Auberge Villa Pachon
3. Camping de Jonquière
4. Hôtel Holiday Inn Saguenay

⬡ **RESTAURANTS**

1. Chez Pachon
2. L'Amandier
3. Le Bergerac

---

0   350   700m

Jonquière et Saint-Félicien, au Lac-Saint-Jean, fut détruit lors une conflagration majeure. La région prendra plus de 40 ans à s'en remettre. De nos jours, Jonquière est considérée comme une ville essentiellement moderne, dominée par son usine d'aluminium Alcan. Cette entreprise multinationale possède plusieurs usines au Saguenay–Lac-Saint-Jean, remplaçant les fils Price et leur empire du bois comme principal employeur de la région. Les villes d'Arvida et de Kénogami ont fusionné avec Jonquière en 1975, formant une agglomération suffisamment importante pour rivaliser avec Chicoutimi, toute proche. Jonquière est reconnue pour ses visites industrielles.

Ouverte en 1931, la **centrale hydroélectrique de Shipshaw** ★★ (*entrée libre; juin à août lun-ven 13h30 à 14h30; 1471 route du Pont, ☎699-4165*) est un bel exemple d'Art déco. Elle dessert les usines d'aluminium de la région.

Franchissez le pont d'aluminium, et tournez à gauche dans la rue Price.

Le **pont d'aluminium**, inauguré en 1948, pèse le tiers du poids d'un pont identique en acier, soit 164 tonnes. Il fut érigé dans le but de promouvoir l'utilisation de l'aluminium, encore peu répandue dans la construction de structures à cette époque.

Le **Centre d'interprétation Sir-William-Price** (*5$; mi-juin à début sept tlj 9h à 18h, hors saison lun-ven 9h à 16h; 1994 rue Price, ☎695-7278 ou 877-695-7278*) est consacré à l'histoire de l'ancienne ville de Kénogami, fondée en 1912 par Sir William Price III, proprié-

taire de la compagnie papetière Abitibi-Price et descendant de William Price. L'institution occupe l'ancienne église anglicane St. James de Jonquière, située au centre du parc Ball.

Au sud du boulevard du Royaume, la rue Price devient la rue Saint-Dominique. Il s'agit, avec la rue de la Rivière-aux-Sables, de la plus ancienne artère de Jonquière.

L'**église Saint-Dominique** (*2551 rue St-Dominique*), la plus ancienne église de Jonquière, est l'œuvre de l'architecte René Lemay (1911). Sa façade néoromane à deux clochers est ornée de cinq statues de Louis Jobin en bois recouvert de cuivre doré.

L'**église Notre-Dame-de-Fatima** ★ (*3635 rue Notre-Dame*), de facture contemporaine, est reconnue comme l'une des plus célèbres «églises blanches» du Saguenay. Elle fut érigée en 1963 selon les plans des architectes Paul-Marie Côté et Léonce Gagné. De l'intérieur, on pourra admirer l'effet de lumière des verrières de l'artiste Guy Barbeau sur le béton brut.

De la rue Saint-Dominique, empruntez la rue du Vieux-Pont afin de traverser la rivière aux Sables et de gravir la colline, appelée «mont Jacob», au sommet de laquelle se trouve le Centre national d'exposition.

Le **Centre national d'exposition** (*entrée libre; juil et août tlj 10h à 20h, sept à juin tlj 10 à 17h; 4160 rue du Vieux-Pont, ☎546-2177*). Derrière ce nom pompeux se cache un centre culturel régional où l'on présente des expositions temporaires à caractères artistique, scientifique et historique.

Le **parc et promenade de la Rivière-aux-Sables** (*2230 rue de la Rivière-aux-Sables, ☎546-2177*) est né d'une restauration environnementale majeure dont a fait l'objet la rivière aux Sables le long du plus important secteur historique de la ville. Il relie la place des Nations de la Francité et la place Nikitoutagan au secteur immédiat du pont du boulevard Harvey. On y retrouve Les Halles, qui abritent les étals de plusieurs producteurs machaîchers de la région en plus de quelques établissements de restauration dont une excellente crêperie bretonne. La promenade le long de la rivière est accessible aux marcheurs et aux cyclistes.

L'**usine Alcan d'Arvida**. Si les villes de Jonquière et de Kénogami ont respectivement été aménagées pour l'installation de colons et pour l'industrie du bois, Arvida est, quant à elle, une création de l'industrie de l'aluminium. L'Alcoa (Aluminium Company of America), qui deviendra plus tard l'Alcan (Aluminium Company of Canada), y entreprend en 1925 la construction de la plus grande aluminerie du monde, attirant de nombreux émigrants d'Europe de l'Est qui modifieront à jamais le paysage ethnique du Saguenay–Lac-Saint-Jean. Arvida deviendra donc le principal producteur d'aluminium à l'échelle mondiale et le demeurera pendant des décennies. Son nom étrange est le résultat de la contraction du nom du président fondateur de la compagnie, Arthur Vinning Davis.

Si vous désirez effectuer le circuit B: Le tour du lac Saint-Jean, prenez à gauche le boulevard du Royaume (route 170 O.) depuis la rue Saint-Dominique, puis dirigez-vous vers Larouche et Alma. Si vous désirez plutôt explorer la rive nord du Saguenay et visiter la région de **Tadoussac** *(voir p 646), traversez le pont de la rue Price en direction de Shipshaw. Tournez à droite dans la route 172 Est, qui conduit à Sainte-Rose-du-Nord.*

★
Sainte-Rose-du-Nord
(430 hab.)

Charmant hameau fondé il y a plus de 50 ans, Sainte-Rose-du-Nord a pourtant l'apparence d'un village plus ancien. Il est adossé aux escarpements rocheux du Saguenay, ce qui lui donne l'air irréel des villages de carton que l'on dispose au pied des arbres de Noël. On s'assurera d'entrer dans ses boutiques d'artisanat et de visiter l'**église Sainte-Rose-de-Lima**, dont l'intérieur est décoré sur le thème de la forêt, avec des branches, des racines et de l'écorce de bouleau.

Les **Croisières La Marjolaine** (voir p 634) font sur le Saguenay des excursions entre Sainte-Rose-du-Nord et Chicoutimi.

Le **Musée de la nature** *(4,50$; toute l'année tlj 8h30 à 20h; 199 rue de la Montagne,* ☎*675-2348)* présente différents animaux empaillés et des spécimens de la flore de la région regroupés dans six salles aménagées avec originalité.

★★
Circuit B: Le tour
du lac Saint-Jean
(deux jours)

Différentes communautés innues formant la nation du Porc-Épic gravitaient autrefois autour du vaste lac Saint-Jean (1 350 km²). L'existence de ce lac fut longtemps cachée aux Blancs, puisqu'il faut attendre 1647 pour que le missionnaire jésuite Jean de Quen le découvre en se rendant soigner des malades. Longtemps considérée comme un réservoir inépuisable de fourrures, cette contrée aux terres agricoles riches, aux plages sablonneuses et au climat relativement doux ne fut véritablement colonisée qu'à une date beaucoup plus récente, soit dans la seconde moitié du XIXe siècle. En 1926, le niveau d'eau du lac Saint-Jean fut augmenté de façon significative lors de la construction des barrages sur le Saguenay, entraînant la perte de plusieurs kilomètres carrés de terres agricoles. Le circuit proposé fait le tour du lac dans l'ordre chronologique de sa colonisation, puis revient finalement tout près du point de départ.

Hébertville
(2 482 hab.)

Le village d'Hébertville est considéré comme le berceau du Lac-Saint-Jean. Il fut fondé en 1849 par une société de colons originaires des seigneuries de la Côte-du-Sud, dirigée par le curé Hébert. On y retrouve la seule concentration de demeures québécoises traditionnelles de toute la région. Un bref arrêt sur le parvis de l'**église Notre-Dame** (1879)

permet de voir l'ensemble de l'agglomération. On remarquera notamment le **moulin à scie** de 1851, raison d'être du village, qui trône toujours près de la rivière des Aulnaies.

Remontez par la route 169 Nord jusqu'à la route de Métabetchouan, et tournez à gauche.

Métabetchouan –
Lac-à-la-Croix
(4 418 hab.)

À l'arrivée, on est saisi par l'immensité du lac Saint-Jean, auréolé d'une belle plage de sable beige où la baignade est possible pendant les trop courts mois d'été. Métabetchouan, mot d'origine innue, signifie «lieu de rencontre». C'est en effet à l'embouchure de la rivière qui porte ce nom (auquel a cependant été ajouté un e) que se regroupaient les nations amérindiennes, venant du sud et du nord, lors des célébrations et des échanges commerciaux.

Le **Camp musical du Lac-Saint-Jean** *(1589 route 169,* ☎*349-2085 ou 888-349-2085)* réunit professeurs et étudiants qui viennent pratiquer et donner quelques concerts.

Suivez la route 169, qui fait le tour du lac Saint-Jean.

Desbiens
(1 173 hab.)

Situé de part et d'autre de la rivière Métabetchouane, Desbiens, ce lieu empreint d'histoire, fut habité dès 1652 par une mission d'évangélisation des Amérindiens établie par les jésuites, à laquelle se joindra un poste de traite des fourrures en 1676. Le poste, qui comprenait un

Coureurs des bois

Le coureur des bois est une figure mythique de la culture québécoise. Dès le début de la colonie, Champlain laisse derrière lui un jeune homme, Étienne Brûlé, qui apprendra la langue algonquine et fera le voyage vers l'intérieur des terres. On appelle alors «truchement» les gens comme Étienne Brûlé, qui seront en quelque sorte un test pour mesurer l'impact français, bon ou mauvais, sur les Amérindiens. À son retour, Champlain retrouve Brûlé vêtu comme les indigènes et ravi par ce mode de vie. Les truchements adoptèrent d'abord le mode de vie amérindien pour des raisons économiques, ne voulant pas offenser leurs hôtes et ainsi mettre en péril le commerce des fourrures. Mais avec les mois, ils découvrirent que les habitudes de vie amérindiennes étaient directement influencées par l'environnement. Ainsi, ils ont appris à manger du blé d'Inde (maïs), à chausser les raquettes

et à voyager en canot d'écorce. Ils se sont aussi mis à utiliser les toboggans comme chariots à bagages. Cependant, ces truchements ont eu tendance à se laisser aller, une fois loin de l'Église et de l'État, à une véritable liberté sans contrainte avec des tendances «peu catholiques». D'ailleurs, la mort d'Étienne Brûlé – il fut tué et mangé par les Hurons, avec lesquels il avait vécu long-temps – illustre cet aspect de leur vie.

Avec le temps, la réputation des truchements s'est améliorée, surtout grâce à la sagesse de certains hommes qui ont profondément contribué à la nouvelle colonie. Le truchement est devenu le coureur des bois. Les deux plus illustres person-nages de cette nouvelle vague sont Médard Chouart des Groseilliers et Pierre-Esprit Radisson. Ces deux hommes, grâce à leur ingéniosité et à leur bravoure, ont su créer des liens avec les indigènes. Radisson a

d'ailleurs acquis son adresse après avoir été capturé, torturé et finalement adopté par les Iroquois. Il ira même jusqu'à participer à une expédition au tomahawk, en revenant avec scalps et prisonniers, dans la plus pure tradition iroquoise.

Des Groseilliers et Radisson poussèrent les expéditions du commerce des fourrures jusqu'au lac Michigan et au lac Supérieur. Ils y établirent des postes de traite. En 1654, le gouverneur avait créé le système de permis de traite, ce qui mit fin à leur projet d'aller au-delà des Grands Lacs, à même les territoires de chasse amérindiens. En 1661, des Groseilliers et Radisson ne purent s'entendre avec le gouverneur et s'enfuirent sans permis officiel. Ils furent de retour deux ans plus tard avec une considérable cargaison de fourrures, ayant pris connaissance d'une route terrestre vers la baie d'Hudson.

Ils s'attendaient à être reçus comme des pionniers, mais furent condamnés à l'amende. Plutôt que de baisser la tête, ces deux fiers gaillards sont passés du côté des Anglais pour aider à la fondation de la Compagnie de la Baie d'Hudson. Ce dernier événement changea de nouveau l'image des coureurs des bois, qui redevint négative. Malgré tout, ces hommes, d'abord truchements puis coureurs des bois, furent les premiers Européens à adopter et à comprendre la vie traditionnelle amérindienne. Ils choisiront ce mode de vie dans le respect des conditions géographiques, climatiques, économiques et sociologiques du Nouveau Monde. Leur conduite n'a certes pas toujours été ce qu'elle aurait dû être, et plusieurs furent de véritables bêtes sexuelles. Mais ils jouèrent un rôle crucial dans le développement du Canada, en étant le véritable fil conducteur entre deux grandes cultures.

magasin, une chapelle et des bâtiments de ferme, va prospérer jusqu'en 1880, alors que ses bâtiments sont démontés et transportés à Pointe-Bleue (Mashteuiatsh).

Le **Centre d'histoire et d'archéologie de la Métabetchouane** ★ *(4$; fin juin à début sept tlj 9h à 18h, début sept à fin juin lun-ven sur réservation seulement; 243 rue Hébert, ☎346-5341).* De multiples chantiers de fouilles ont été entrepris autour de l'embouchure de la rivière Métabetchouane, permettant de mettre au jour divers vestiges archéologiques de l'occupation millénaire du site par les Amérindiens ainsi que ceux de la mission des jésuites et du poste de traite des fourrures. Plusieurs des objets découverts au cours des fouilles sont exposés au Centre d'histoire et d'archéologie de la Métatbetchouane, ouvert en 1983. À proximité du centre, on peut voir une petite poudrière en pierre, seul vestige du poste de traite construit par le marchand Pierre

Bécart de Granville au XVIIᵉ siècle. Non loin de là, un monument rend hommage au père Jean de Quen, découvreur du lac Saint-Jean. Ce jésuite originaire d'Amiens, qui parlait couramment innu, fut l'un des principaux rédacteurs des fameuses Relations des Jésuites, considérées aujourd'hui encore comme l'ouvrage le plus solide sur les mœurs et coutumes des Amérindiens sous le Régime français.

Des guides entraînent les visiteurs à la découverte de la grotte de granit appelée le **Trou de la Fée** *(8$; mi-juin à fin août tlj 9h à 17h, fin août à début sept 10h à 16h, reste de l'année sur réservation; ch. du Trou de la Fée, ☎346-1242 ou 346-5436, ☎346-5632 hors saison).*

Poursuivez par la route 169 en direction de Chambord puis de Val-Jalbert. Une excursion facultative à l'Ermitage Saint-Antoine de Lac-Bouchette est proposée au départ de Chambord. Dans ce dernier village se trouve une croix à la mémoire des victi- *mes de l'incendie dévastateur de 1870, qui a détruit l'ensemble des maisons, des cultures et des forêts entre Jonquière et Saint-Félicien.*

Lac-Bouchette (1 351hab.)

L'**Ermitage Saint-Antoine-de-Lac-Bouchette** ★ *(mi-mars à fin déc tlj 7h à 23h; 250 route de l'Ermitage, ☎348-6344 ou 800-868-6344),* situé à la frontière du Lac-Saint-Jean et de la Haute-Mauricie, est dédié d'abord à saint Antoine de Padoue et ensuite à Notre-Dame de Lourdes. Ce populaire centre de retraite et de pèlerinage, placé sous la gouverne des pères capucins, a été aménagé au bord du lac Bouchette, en pleine forêt, à l'instigation du supérieur du Séminaire de Chicoutimi, le père Elzéar Delamarre. On y trouve, regroupés autour de la première chapelle de 1908, le monastère, une hostellerie, une chapelle mariale à l'architecture audacieuse (1950) et une grotte de Lourdes, conçue à même une anfractuosité naturelle. On s'y rend pour se recueillir, mais également pour voir l'intérieur de la chapelle Saint-Antoine-de-Padoue, décoré de 23 toiles marouflées du peintre Charles Huot, connu pour ses grands tableaux historiques accrochés aux cimaises de l'Assemblée nationale de Québec. Les toiles de Huot, réalisées sur une période de 12 ans, lors de séjours de repos au Lac-Saint-Jean, racontent la vie de saint Antoine de Padoue. On notera également la présence d'un calvaire de Louis Jobin et d'un chemin de croix en pierre dans les collines environnantes.

Chambord
(1 660 hab.)

Le **Village historique de Val-Jalbert ★★** *(13$; mi-mai à mi-juin et fin août à mi-oct tlj 9h à 17h, mi-juin à fin août tlj 9h à 19h, début mai et fin oct, groupes sur réservation; route 169, ☎275-3132 ou 888-675-3132).* En 1901, l'industriel Damase Jalbert construit une usine de pulpe au pied de la chute de la rivière Ouiatchouane. L'entreprise prospère rapidement, au point de devenir la plus importante société industrielle entièrement placée sous contrôle canadien-français. En quelques années, une ville modèle voit le jour autour de l'usine. On y trouve un couvent, un moulin, un magasin général, un hôtel, des maisons, le tout réalisé selon un plan d'urbanisme précis. La chute du prix de la pulpe en 1921 et son remplacement par la pâte synthétique dans la fabrication du papier entraînera la fermeture de l'usine en 1927. Le village est alors complètement déserté par ses habitants. Le site demeure abandonné jusqu'à ce que le gouvernement du Québec en fasse une base de plein air, au milieu des années 1960.

Val-Jalbert est un riche morceau du patrimoine industriel nord-américain figé dans le temps. Le site a conservé en partie son aspect de village fantôme, alors que le reste a été soigneusement restauré pour loger certains services d'hébergement de même qu'un centre d'interprétation fort instructif. Il s'inscrit en outre dans un cadre naturel d'une grande beauté. Les visiteurs sont accueillis au stationnement par un guide qui leur fait faire le tour du village en autobus avant de les laisser flâner à leur guise entre les maisons en bois de type *boom town*. Différents points d'observation, reliés par un téléphérique *(3,75$)*, ont été aménagés pour révéler pleinement le paysage. Un terrain de camping avoisine le village, et il est même possible de séjourner dans des anciennes maisons restaurées (voir p 638).

Reprenez la route 169 en direction de Roberval.

Roberval
(11 504 hab.)

Roberval, ville industrielle, était autrefois le carrefour du chemin de fer et de la navigation sur le lac Saint-Jean. Elle est, de nos jours, le point d'arrivée de la fameuse Traversée internationale du lac Saint-Jean, épreuve de natation tenue chaque année en juillet. La région de Roberval est reconnue pour son granit, utilisé pour le parement des gratte-ciel nord-américains. La ville fut baptisée en l'honneur du premier vice-roi de la Nouvelle-France, Jean-François La Rocque de Roberval, qui tenta sans succès de pénétrer au Saguenay dès le XVIe siècle. Elle s'est développée au tournant du XXe siècle, alors que le millionnaire Horace Beemer, de Philadelphie, en fit le terminal d'un train reliant Québec au Lac-Saint-Jean. Beemer y construira également un immense hôtel en bois, aujourd'hui disparu, où il attirera une clientèle d'Américains intéressée par la pêche sportive et les excursions en pleine nature. En 1920, les gouvernements provincial et fédéral choisiront Roberval comme camp de base pour effectuer l'exploration et le relevé cartographique des montagnes et des milliers de lacs de la partie nord du Québec.

Prenez à droite l'avenue Lizotte, qui mène au boulevard Saint-Joseph, que vous suivrez vers l'ouest.

Le long du boulevard Saint-Joseph, on voit certains des principaux édifices de la ville, entre autres la **maison Donaldson** *(464 boul. St-Joseph)* de 1873, qui a servi de magasin général. Elle abrite aujourd'hui le bureau d'information touristique. En face se trouve l'**église Notre-Dame**, œuvre moderne typique de la période des églises-tentes des architectes Saint-Gelais, Tremblay et Tremblay (1966).

Arrivées de Trois-Rivières en 1881, mère Saint-Raphaël et ses compagnes ursulines fondent à Roberval la première école ménagère au Canada (cours de cuisine et de couture). L'actuel **couvent des Ursulines** *(720 boul. St-Joseph)* fut réalisé par étapes, dans le premier quart du XXe siècle selon les plans des architectes Joseph-Pierre et David Ouellet. Il est possible de visiter la chapelle (1909) sous le dôme argenté. À l'ouest du couvent se trouve le **palais de justice** en granit local *(750 boul. Saint-Joseph)*, dont la tour s'inspire de celle de l'Assemblée nationale à Québec.

Poursuivez par le boulevard Saint-Joseph.

Le **Centre historique et aquatique de Roberval ★** *(6$; début juin à mi-juin et fin août à mi-sept 12h à 17h, mi-juin à fin août 10h à 20h; 700 boul. de la Traversée, ☎275-5550)* permet de se familiariser avec l'histoire, la faune et la flore du Lac-Saint-Jean. On peut notamment y voir un aquarium où sont regroupées les différentes espèces de poissons de la région, dont la fameuse ouananiche, sorte de saumon d'eau douce. La colonisation du pourtour du lac et les grands moments de la Traversée internationale du lac Saint-Jean y sont évoqués dans un immeuble à l'architecture étonnante.

Empruntez à droite la petite route qui borde le lac en direction de Mashteuiatsh (Pointe-Bleue).

★
Mashteuiatsh (Pointe-Bleue)
(1 947 hab.)

Durant plus de 1 000 ans, les Innus ont vécu en communautés nomades tout autour du lac Saint-Jean. L'avancée de la colonisation et l'exploitation forestière auront cependant raison de ce mode de vie. En 1856, une réserve sédentaire est créée à Pointe-Bleue, sur la rive ouest du lac, où vivent aujourd'hui 1 500 des quelque 10 000 Innus du Québec. D'abord appelée Pointe-Bleue, elle a été rebaptisée Mashteuiatsh en 1983. Le visiteur ne doit

toutefois pas s'attendre à y retrouver les villages de wigwams dépeints dans les livres d'histoire. Mashteuiatsh ressemble davantage à une banlieue pavillonnaire où l'aluminium coloré prédomine. Le site offre cependant de beaux points de vue sur le lac Saint-Jean. Depuis quelques années, les Innus tentent de faire revivre leurs traditions à travers un musée qui captive les visiteurs, mais aussi à travers des événements *(pow wow)* et des formules d'hébergement *(kukum)* particulières qui peuvent rendre le séjour à Mashteuiatch tout simplement inoubliable.

Le **Musée amérindien de Mashteuiatsh ★** *(6$; mi-mai à mi-oct tlj 10h à 18h, mi-oct à mi-mai lun-ven 9h à 12h et 13h à 16h, ven jusqu'à 15h; 1787 rue Amishk, ☎275-4842 ou 888-875-4842)* évoque les us et coutumes des premiers habitants du Saguenay– Lac-Saint-Jean. Des expositions temporaires font également découvrir aux visiteurs certaines autres nations autochtones du Canada. Parmi les objets exposés en permanence figurent les chaises et la table du Conseil de bande, des raquettes aux formes variées et des vêtements traditionnels. Il arrive parfois que des artisans, travaillant selon des techniques anciennes, se regroupent sur les terrains du musée pour communiquer leur savoir-faire.

La route qui longe le lac Saint-Jean à l'ouest de Pointe-Bleue rejoint bientôt la route 169, que vous emprunterez en direction de Saint-Prime, où l'on fabrique un excellent fromage cheddar très prisé des Britanniques, puis vers Saint-Félicien et son célèbre Jardin zoologique.

Saint-Félicien
(11 059 hab.)

Les terres de la portion sud-ouest du Lac-Saint-Jean furent habitées graduellement entre 1850 et 1870. Saint-Félicien se trouvait alors à la limite septentrionale du peuplement de la région. C'est ici que débuta le grand feu de 1870, qui détruisit tout sur son passage jusqu'à Jonquière. On remarquera, au centre de la ville, l'imposante **église néoromane Saint-Félicien** *(boul. du Sacré-Cœur)*, construite en 1913 d'après les dessins de l'architecte Joseph-Pierre Ouellet. Sous ses clochers, hauts de 55 m, se déploie un intérieur éclectique aux multiples galeries et balustrades.

Le **Zoo sauvage de Saint-Félicien ★★** *(18$; juin et août tlj 9h à 18h, sept à mi-oct tlj 9h à 17h, fin oct à fin déc sur réservation; ouvert durant les Fêtes et de janvier à mars les samedis et dimanches; en hiver, la partie pédestre est accessible du lundi au vendredi 9h à 17h; 2230 boul. du Jardin, ☎679-0543 ou 800-667-5687, www.d4m. com/zoosauvage)* abrite plusieurs espèces de la faune du Québec que vous pourrez observer dans leur habitat naturel. En effet, il tient sa particularité du fait que les animaux ne sont pas en cage; ils circulent librement; ce sont plutôt les visiteurs qui font le tour du zoo dans un petit autobus grillagé. La reconstitution d'un camp de bûcherons, d'un campement innu, d'un poste de traite des fourrures et d'une ferme coloniale, avec des bâtiments authentiques regroupés sur le site, ajoute un élément historique à la visite de ce zoo non traditionnel.

Une excursion facultative vers Chibougamau (voir p 691), les réserves fauniques et les territoires de chasse amérindiens du lac Mistassini, à n'entreprendre que si l'on s'est bien préparé, est proposée au départ de Saint-Félicien (route 167 Nord). Ainsi, on devra être équipé d'un véhicule tout-terrain, de bidons d'essence bien remplis, d'une tente, de vêtements chauds et de nourriture pour parcourir les 280 km de route en forêt qui séparent le lac Saint-Jean du lac Mistassini. De Saint-Félicien, suivez la route 169 en direction de Saint-Méthode et de Dolbeau-Mistassini.

Dolbeau-Mistassini (15 373 hab.)

Dolbeau fait partie de la seconde vague de colonisation du Lac-Saint-Jean, celle qui vise se développer le croissant nord-ouest du lac entre 1875 et 1900. C'est le pays de *Maria Chapdelaine*, du dur labeur et d'une vie faite de choses simples qui a marqué les gens d'ici. Dolbeau, dont l'économie est dominée par la papeterie Domtar, porte le nom du récollet Jean Dolbeau (duché d'Anjou 1586 - Orléans 1652), qui fut responsable de la mission de Tadoussac. La ville de Dolbeau-Mistassini est renommée pour ses produits à base de bleuets, dont des vins apéritifs, ainsi que pour ses 10 jours westerns qui gravitent autour du village factice construit pour ce festival.

Mistassini et Dolbeau ont fusionné il y a quelque temps, et il ne faut surtout pas confondre le nom de Mistassini avec celui du village cri de Mistissini, situé au bord du lac Mistassini, car plus de 300 km les séparent. La ville de Dolbeau-Mistassini est implantée sur les bords de la rivière Mistassini, le long de la route 169. Elle se définit comme la «capitale mondiale» du bleuet. Chaque année, au mois d'août, on y tient en effet le **Festival du bleuet**, qui constitue autant une manifestation culinaire qu'une fête de retrouvailles entre les «Bleuets» qui ont essaimé à travers l'Amérique.

Mistassini a été fondée en 1892 par des moines cisterciens venus d'**Oka** (voir p 298) qui y ont construit une grande abbaye (1909-1935), malheureusement abandonnée depuis quelques années. Les moines de Mistassini continuent cependant à fabriquer des gâteries, notamment de délicieux bleuets enrobés de chocolat (en saison seulement).

Le **Centre Astro** *(6$; juin à sept tlj 13h à 21h, jusqu'à 24h par ciel dégagé; 1208 route de la Friche, ☎276-0919)* met un observatoire astronomique à la disposition des visiteurs, qui peuvent ainsi observer les étoiles et le soleil.

Poursuivez par la route 169 en direction de Sainte-Jeanne-d'Arc et de Péribonka.

★ Péribonka (562 hab.)

Louis Hémon naît à Brest (France) en 1880. Après des études au lycée Louis-LeGrand à Paris, il obtient une licence en droit de la Sorbonne. En 1903, il s'installe à Londres, où il entame sa carrière d'écrivain. L'esprit aventurier d'Hémon le conduit au Canada. Il vit à Québec puis à Montréal, où il rencontre des investisseurs désireux de construire un chemin de fer dans la partie nord du Lac-Saint-Jean. Il se rend sur place pour faire du repérage, mais c'est davantage la vie quotidienne du pays qui l'intéresse. En juin 1912, il rencontre Samuel Bédard, qui l'invite chez lui, à Péribonka. Hémon participe alors aux travaux de la ferme et recueille secrètement dans un cahier ses impressions de voyage, qui donneront naissance à son chef-d'œuvre, le roman *Maria Chapdelaine*.

Hémon n'aura cependant pas le loisir de goûter à l'immense succès de son roman. Le 8 juillet 1913, alors qu'il marche sur une voie ferrée près de Chapleau, en Ontario, il est frappé par un train. L'écrivain décède, quelques minutes plus tard, dans les bras de ses compagnons de voyage.

Maria Chapdelaine fut d'abord publié en feuilleton dans *Le Temps* de Paris, puis sous forme de roman chez Grasset, en 1916, avant d'être traduit dans plusieurs langues. Nul autre ouvrage ne fit autant connaître le Québec à l'étranger. Le roman fut même porté à l'écran à trois reprises, par Jean Duvivier en 1934 (avec Madeleine Renaud et Jean Gabin), par Marc Allégret en 1949 (avec Michèle Morgan dans le rôle-titre) et par Gilles Carle en 1983 (avec Carole Laure dans le rôle-titre). Péribonka est un coquet village qui sert de point de départ à la Traversée internationale du lac Saint-Jean.

Le **Musée Louis-Hémon – Complexe touristique Maria-Chapdelaine** ★★ *(5,50$; juin à sept tlj 9h à 17h, sept à juin lun-ven 9h à 16h; 700 route 169, ☎374-2177).* La maison de Samuel Bédard et de son épouse, Eva née

Bouchard, où a séjourné Louis Hémon durant l'été 1912, subsiste toujours en bordure de la route 169. Il s'agit d'un des trop rares exemples d'habitation de colons du Lac-Saint-Jean ayant survécu à l'amélioration du niveau de vie dans la région. La maison au confort minimal, qui a inspiré Hémon tout en donnant naissance au mythe de la «cabane au Canada», a été construite en 1903. Elle devient un musée dès 1938, ce qui permettra de conserver intact son mobilier, voire la disposition initiale de celui-ci à travers les humbles pièces d'habitation. Un grand bâtiment postmoderne a été érigé à proximité pour abriter les objets personnels de Louis Hémon, différents souvenirs liés aux villageois ayant inspiré l'œuvre d'Hémon, de même que des rappels du succès du roman *Maria Chapdelaine*.

La route traverse ensuite les villages de Sainte-Monique, de Saint-Henri-de-Taillon (où se trouve l'accès au parc de la Pointe-Taillon) et de Delisle. En route vers Alma, vous franchirez le Saguenay au pont de l'Isle Maligne, qui domine le barrage hydroélectrique de l'Alcan.

Alma
(31 224 hab.)

Ville industrielle, Alma est située à l'entrée de la région du Lac-Saint-Jean. On y trouve une vaste aluminerie et un moulin à papier entourés par les quartiers ouvriers et bourgeois. Le parc Falaise nous rappelle qu'Alma est jumelée, depuis 1969, à la ville de Falaise, en Normandie.

Le **Musée d'histoire du Lac-Saint-Jean** *(3$; fin juin à début sept lun-ven 9h à 17h, sam-dim 13h à 17h; début sept à fin juin lun-ven 9h à 12h et 13h à 16h30; 54 rue St-Joseph, ☎668-2606)* présente une exposition permanente sur l'histoire d'Alma de même que des expositions temporaires d'art et d'histoire.

Les personnes qui le désirent peuvent visiter les installations de la **Papeterie Alma ★** *(fin juin à début sept mar-jeu 9h30 à 13h30; 1100 rue Melançon, ☎668-9400, poste 9348)*. Elles seront conduites au département des pâtes et à la salle des machines; de l'information sur tout le processus de fabrication leur sera offerte.

Parcs

Circuit A:
Le Saguenay

Le **parc du Saguenay ★ ★ ★** *(3,50$; 91 ch. Notre-Dame, Rivière-Éternité, ☎272-1556 ou 877-272-5229)* couvre une partie des berges de la rivière Saguenay. Il s'étend des rives de l'estuaire (situé dans la région touristique de Manicouagan) jusqu'à Sainte-Rose-du-Nord. À cet endroit, d'abruptes falaises se jettent dans la rivière, créant de magnifiques paysages. Des sentiers de randonnée pédestre, s'étendant sur une centaine de kilomètres, permettent de découvrir cette fascinante région. Parmi eux, mentionnons le petit sentier de 1,7 km, situé au bord du Saguenay, qui s'avère assez facile à parcourir, le sentier de la Statue, d'une longueur de 3,5 km, qui offre une ascension difficile, et le superbe sentier des Caps, long de 25 km, pour lequel il faut compter trois jours de marche. Le réseau de sentiers du parc s'étend désormais, sur la rive sud, de Rivière-Éternité jusqu'aux limites de Petit-Saguenay (100 km), soit l'anse aux Petites-Îles. Sur la rive nord, il est possible de relier Tadoussac au point d'accueil de la baie Sainte-Marguerite en trois jours environ, avec campings rustiques et refuges. L'enregistrement est obligatoire pour ce dernier. En hiver, ces sentiers se transforment en pistes de ski de fond. Pour loger les visiteurs, des emplacements de camping et des refuges sont aménagés. Le parc possède trois centres d'interprétation *(91 ch. Notre-Dame, Rivière-Éternité; 1121 route 172 Nord, Sacré-Cœur; 750 ch. Moulin-Baude, Tadoussac).*

Le **parc des Monts-Valin ★** *(accessible par la route 172, à 27 km de Chicoutimi et à 17 km de St-Fulgence; 360 rang St-Louis, accueil Petit-Séjour: ☎674-1200),* avec ses hauts sommets, offre une foule d'activités quatre-saisons. Randonnée pédestre, vélo de montagne, canotage, villégiature en chalets et pêche sportive sont les vedettes estivales.

En hiver, l'accumulation de neige égale des niveaux records pouvant atteindre 5 m. Toute cette neige transforme les arbres en fantômes immaculés qui ont engendré les légendes de la «Vallée des Fantômes» ou des «Champs de Momies». Ce territoire sauvage et spectaculaire dominant la région devient alors un haut lieu du ski hors-piste, du ski de fond, de la raquette et de l'escalade de glace.

À **Saint-Fulgence**, au bout d'une petite route de terre qui s'accroche aux falaises du fjord, le **parc du Cap Jaseux** *(ch. de la Pointe-aux-Pins, ☎674-9114 ou 877-698-6673)* propose des activités de plein air liées à la forêt et à la rivière. On peut partir sur le fjord en kayak, camper, profiter de la plage ou faire de la randonnée. Un circuit original, **D'Arbre en Arbre**, nous entraîne même dans les airs: des plates-formes reliées par des ponts suspendus et des câbles ont été installés au sommet des arbres pour l'observation de la faune et de la flore mais surtout du paysage! En hiver, ski de fond et raquette.

Circuit B: Le tour du lac Saint-Jean

La **réserve faunique Ashuapmushuan** *(accès par la route 167, Km 33, La Doré, ☎256-3806)*, vaste territoire de près de 3 400 km², est un site privilégié pour la chasse (orignal et lièvre). Elle offre l'avantage de mettre à la disposition des visiteurs des chalets confortables. Un superbe forfait d'une journée combine la découverte du spectaculaire secteur des chutes de la Chaudière, une randonnée dans des portages millénaires et une descente des rapides dans des «rabaskas», ces grands canots amérindiens.

La **réserve faunique des lacs Albanel, Mistassini, Waconichi** *(Rupert, route 167, ☎748-7748)* ainsi que la **réserve faunique Assinica** *(route L-231, ☎748-7748)* disposent de bons coins pour la pêche.

Le **parc de la Pointe-Taillon** ★ *(prix d'entrée selon les activités ou services; 825 3e*

Rang Ouest, St-Henri-de-Taillon, ☎347-5371) se trouve sur la bande de terre qui est formée par la rivière Péribonka et qui avance dans le lac Saint-Jean. Le site est un endroit privilégié pour pratiquer divers sports nautiques tels que le canot et la voile. En outre, le parc possède de magnifiques plages de sable. Des pistes cyclables et des sentiers de randonnée pédestre permettent de se promener tout en en découvrant les beautés.

Activités de plein air

Randonnée pédestre

Circuit A: Le Saguenay

Le **sentier des Caps** *(après le pont du Faubourg, prenez le chemin Thomas Nord à droite sur une distance de 3 km; L'Anse-St-Jean)* mène au pied d'un pylône soutenant la première ligne de 735 kW d'Hydro-Québec. Deux observatoires y ont été aménagés, offrant une vue extraordinaire sur le fjord.

Kayak

L'Anse-Saint-Jean

Installé dans le joli petit village de L'Anse-Saint-Jean, au creux de la baie qui lui donne son nom,

Fjord en kayak *(359 rue Saint-Jean-Baptiste, ☎272-3024)* organise des excursions en kayak sur le fjord, pour tous les goûts et tous les âges. Imaginez: tout petit dans votre embarcation sécuritaire, vous admirez ces falaises bombées se jeter dans l'eau de la rivière... Inoubliable!

Saint-Fulgence

Depuis le **parc du Cap-Jaseux** *(☎674-9114 ou 877-698-6673)*, il est possible de partir en randonnée de kayak de mer sur le fjord.

Croisières

Circuit A: Le Saguenay

Les **Croisières La Marjolaine** *(35$; boul. Saguenay Est, Port de Chicoutimi, ☎543-7630 ou 800-363-7248)* organisent des sorties en bateau sur le Saguenay. La promenade s'avère des plus agréables pour découvrir le spectacle fascinant du fjord. L'excursion part de Chicoutimi et va jusqu'à Sainte-Rose-du-Nord. Le retour se fait en autocar, sauf aux mois de juin et de septembre (l'aller et le retour se font alors en bateau). La croisière dure toute la journée. On peut également partir de Sainte-Rose-du-Nord pour se rendre à Chicoutimi.

Les **Croisières du cap Trinité** *(20$; fin mai à mi-sept; 461 rue Principale, Rivière-Éternité, ☎272-2591, hors saison ☎272-2486)* vous entraîne à la découverte d'une magnifique section du spectaculaire fjord du Saguenay: la baie Éternité, à l'entrée de laquelle se dresse le cap Trinité, sur lequel s'élève la célèbre statue de Notre-Dame-du-Saguenay. Ce secteur recèle plusieurs agréables attraits que vous pourrez découvrir à bord du *C.-N.-Robitaille II* au cours d'une excursion de 1 heure 30 min.

Voir le chapitre «Manicouagan», p 655, pour d'autres croisières sur la rivière Saguenay.

Pêche blanche

Circuit A:
Le Saguenay

Le **parc du Saguenay** (voir p633) et la rivière Saguenay attirent une foule d'amateurs de pêche blanche. De décembre à la mi-mars, lorsque la rivière est gelée, elle se couvre de petites cabanes en bois colorées qui accueillent les pêcheurs. La rivière recèle plusieurs espèces de poissons, entre autres le sébaste, la morue, le flétan du Groenland et l'éperlan. Vous pouvez louer du matériel de pêche à **Rivière-Éternité** (*seulement pêche blanche, pêche estivale: l'équipement est offert à la location d'une cabane*) et à **La Baie** (*1352 Anse-à-Benjamin, ☎544-4176*).

Vélo

Le Lac-Saint-Jean est doté d'une des plus importantes infrastructures cyclistes du Québec avec la **Véloroute des Bleuets** (*Corporation du circuit cyclable Tour du Lac-*

Saint-Jean, 1671 av. du Pont Nord, Alma, ☎668-4541). Ce réseau ceinture tout le lac Saint-Jean sur 256 km de pistes cyclables et de voies partagées. La plus belle section va de Saint-Gédéon à Roberval où les cyclistes longent le lac de près. Le secteur de la Pointe-Taillon est également très agréable. La traversée de la décharge du lac, à Alma, se fait par navette fluviale.

Équitation

Centre équestre des plateaux 31 ch. des Plateaux, L'Anse-Saint-Jean ☎272-3231

Traversez le célèbre pont couvert de L'Anse-Saint-Jean accompagné de l'écho sourd du bruits des sabots, avant d'arpenter les rangs de l'arrière-pays qui bordent la baie... Voilà ce que vous réservent les randonnées équestres du Centre équestre des plateaux!

Observation des oiseaux

Les amateurs d'ornithologie en visite au Saguenay ne devraient pas manquer le **Centre d'interprétation des battures et de réhabilitation des oiseaux CIBRO** (*5,50$; début mai à début oct tlj 8h30 à 18h; 100 rue du Cap-des-Roches, ☎674-2425*) à **Saint-Fulgence** (voir p 621).

Ski alpin

Circuit A:
Le Saguenay

La **Station touristique du Mont-Édouard** (*32$; 67 rue Dallaire, L'Anse-St-Jean, ☎272-2927*) propose le plus haut dénivelé de la région, soit 450 m. Vingt pistes de ski alpin, destinées aux skieurs de tous les types, y sont aménagées.

Les monts Valin, où s'étend le parc du même nom, abritent aussi une station de ski alpin. **Le Valinouët** (*31$; 200 route du Valinouët, St-David-de-Falardeau, ☎673-6455 ou 800-260-8254*) propose 25 pistes sur un dénivelé de 350 m. Reconnu pour la qualité de sa poudreuse.

Ski de fond

Circuit A:
Le Saguenay

Situé à 7 km de La Baie et en bordure de la rivière à Mars, le **Centre de Plein air Bec-Scie** (*6,50$; 7400 ch. des Chutes, ☎697-5132*) dispose d'un réseau de 10 sentiers, dont 4 faciles, 4 difficiles et 2 très difficiles.

Le **Club de Ski le Norvégien** (*6$; 4885 ch. St-Benoît, Jonquière, ☎546-2344*) propose un grand réseau de 60 km de sentiers pour les skieurs de tous les niveaux.

Hébergement

Circuit A:
Le Saguenay

Petit-Saguenay

Site récréo-patrimonial de la Rivière Petit-Saguenay
$-$$$
🐾, C, ℑ, bc
100 rue Eugène-Morin
☎*272-1169 ou 877-262-1169*
⇌*272-2346*
La réserve faunique de la rivière Petit-Saguenay est dotée de chalets rustiques extrêmement agréables et d'un petit camping aménagé au bord ou non loin de la rivière. Randonnée pédestre. Pêche au saumon.

Auberge Les 2 Pignons
$$-$$$ pdj
ℜ
117 rue Dumas
☎*272-3091 ou 877-272-3091*
Une hôtellerie accueillante, chaleureuse, sobre et économique au cœur du village. Bonne table.

Auberge du Jardin
$$-$$$
≡, ⊛, ℑ, ℜ
71 rue Dumas
☎*272-3444 ou 888-272-3444*
⇌*272-3174*
L'auberge du Jardin est bâtie au pied d'une falaise, dans un cadre enchanteur. Son joli bâtiment blanc renferme des chambres chaleureuses et confortables.

L'Anse-Saint-Jean

Camping de L'Anse
$
🐾, ≈
325 rue St-Jean-Baptiste
☎*272-2554*
☎*272-2633 (hors saison)*
⇌*272-3148*
Le Camping de L'Anse, en plus de donner directement sur le fjord, présente l'avantage de disposer d'emplacements très bien équipés.

La Ferme des trois cours d'eau
$$ pdj
bc
6 rue de L'Anse
☎*272-2944*
Les trois chambres de ce petit gîte se trouvent à l'étage d'une modeste maison de ferme nichée dans un endroit paradisiaque. Le site est vraiment incroyable. Entourée de champs où paissent des troupeaux et traversée par un ruisseau paisible, la ferme fait face à la baie où la rivière Saint-Jean rejoint le fjord du Saguenay. Cette rencontre a lieu sous vos yeux puisque aucun obstacle ne bloque la vue, dans un environnement on ne peut plus bucolique!

Auberge des Cévennes
$$
bp/bc, ℑ, ℝ, ≡, ℜ
294 rue St-Jean-Baptiste
☎*272-3180 ou 877-272-3180*
www.auberge-des-cevennes.qc.ca
L'Auberge des Cévennes a pignon sur la rue Saint-Jean-Baptiste depuis nombre d'années. Cette grande maison centenaire abrite de jolies petites chambres bien décorées qui donnent sur les longues vérandas entourant la demeure. En plus de ces espaces propices à la détente, un salon commun est mis à la disposition des hôtes qui ont aussi accès au grand terrain. Le forfait

en demi-pension qui comprend la table d'hôte du soir (voir p 639) se révèle avantageux.

Les Gîtes du Fjord
$$$-$$$$$
C, ℑ, ≈, ℜ
344 rue St-Jean-Baptiste
☎*272-3430 ou 800-561-8060*
⇌*272-3480*
Juchés sur une falaise du fjord, Les Gîtes du Fjord se composent de chalets et de condos, parfaits pour les vacances en famille.

Rivière-Éternité

Centre de villégiature du Parc du Saguenay
$$$-$$$$$
C, ℑ
91 rue Notre-Dame
☎*272-1556 ou 877-272-5229*
⇌*272-3438*
Le Centre de villégiature du Parc du Saguenay fait partie des installations du parc et jouit donc de toutes les possibilités qu'il offre. Il propose différents chalets situés à 2 km du Saguenay.

La Baie

Auberge de la Rivière Saguenay
$$ pdj
≡, ⊛, ℜ
9122 ch. de la Batture
☎*697-0222 ou 866-697-0222*
⇌*697-1178*
www.aubergesaguenay.com
L'Auberge de la Rivière Saguenay bénéficie d'un site enchanteur, entouré d'une belle nature verdoyante, et d'une tranquillité à faire rêver. Elle propose des forfaits spécialisés originaux axés sur la gastronomie régionale et amérindienne, les plantes sauvages, le plein air, les activités culturelles, le romantisme et les médecines douces. Ses chambres confortables et décorées avec goût sont désignées de noms puisés dans la

nature plutôt que par des numéros. Dix d'entre elles ont un balcon privé qui offre une vue extraordinaire sur le fjord. L'accueil est amical.

Auberge de la Grande-Baie
$$-$$$
&, ℜ
4715 boul. de la Grande-Baie Sud
☎544-9334 ou 800-463-6567
≈544-5115
Aux abords de la baie des Ha! Ha!, l'Auberge de la Grande-Baie propose des chambres petites mais coquettes, très abordables. En fait, les moins chères se trouvent dans la section «motel» de l'établissement. Toutefois, si votre budget vous le permet, vous opterez plutôt pour les chambres aménagées dans la partie avant de l'auberge, car elles offrent une splendide vue sur la baie. Salle à manger agréable.

Auberge des Battures
$$-$$$$
≡, ⊛, ℜ
6295 boul. de la Grande-Baie Sud
☎544-8234 ou 800-668-8234
≈544-4351
www.battures.ca
L'Auberge des Battures n'offre pas seulement un point de vue extraordinaire sur la baie des Ha! Ha!: on y trouve aussi une excellente qualité d'hébergement et une cuisine raffinée.

Auberge des 21
$$$
≡, ⊛, ◔, C, ᘔ, ≈, ✪, ℜ, △
621 rue Mars
☎697-2121 ou 800-363-7298
≈544-3360
www.aubergedes21.com
La coquette Auberge des 21 dispose, en plus d'une vue magnifique sur la baie des Ha! Ha!, de chambres confortables et d'un relais santé (spa) qui vous aidera à profiter au maximum de vos moments de détente.

Chicoutimi

Hôtel du Fjord
$$-$$$ pdj
241 Morin
☎543-1538 ou 888-543-1538
≈543-8253
www.hoteldufjord.qc.ca
Situé en dehors du regroupement des grands hôtels de la ville, l'Hôtel du Fjord se trouve à deux pas du parc du Vieux-Port, de la rivière Saguenay et du centre-ville.

Le Montagnais Hôtel et Centre de Congrès
$$-$$$
≡, ⊛, ◔, ≈, ✪, ℜ, △
1080 boul. Talbot
☎543-1521 ou 800-463-9160
≈543-2149
www.lemontagnais.qc.ca
Le Montagnais Hôtel et Centre de Congrès, installé dans un vaste bâtiment, est bien situé pour les personnes qui désirent courir les magasins car il se trouve à côté des centres commerciaux.

Hôtel Gouverneur
$$-$$$$
≡, ≈, ℜ
1303 boul. Talbot
☎549-6244 ou 888-910-1111
≈549-5527
www.gouverneur.com
Construit au cœur de la ville, l'Hôtel des Gouverneurs est le rendez-vous des gens d'affaires qui recherchent des chambres au confort moderne.

Jonquière

Auberge des deux tours
$ pdj
bc/bp, ≡
2522 rue St-Dominique
☎695-2022 ou 888 454-2022
www.aubergedeuxtours.qc.ca
En face de l'église, sur l'animée rue Saint-Dominique, se dresse une maison dont l'architecture ne passe pas inaperçue. Ses deux tours ont inspiré les propriétaires qui ont aménagé une auberge dans cette grande demeure dont les couloirs, les escaliers et les salles communes conservent le souvenir des anciens habitants. Les chambres, simples, ont été rafraîchies: leurs nouveaux tons leur donnent de l'éclat. Les hôtes ont accès aux galeries et balcons pour prendre le frais en été.

Camping Jonquière
$
🐾, ℜ
3553 ch. du Quai
☎542-0176
Au Camping Jonquière, grâce à sa situation géographique avantageuse au bord du lac Kénogami, on peut s'adonner à une foule d'activités nautiques et disposer d'une petite marina.

Cepal
$$ pdj
≡, ℜ, ≈
3350 rue Saint-Dominique
☎547-5728 ou 800-361-5728
≈547-4882
www.cepalaventure.com
En pleine nature, au bord de la rivière aux Sables et non loin de l'impressionnant lac Kenogami, le centre de villégiature Cepal propose des séjours plein air. De la motoneige au canot, en passant par la pêche et la randonnée pédestre, toute la famille pourra s'en donner à cœur joie! Les chambres, simplement aménagées, se révèlent confortables. Une foule de forfaits comprenant les repas et les activités y sont proposés.

Auberge Villa Pachon
$$$ pdj
ℜ
1904 rue Perron
☎542-3568 ou 888-922-3568
≈542-9667
www.aubergepachon.com
Le restaurant **Chez Pachon** (voir p 640) est également devenu l'adresse,

Saguenay–
Lac-Saint-Jean

depuis son déménagement à Jonquière, de l'Auberge Villa Pachon, en ajoutant le volet hébergement à la restauration. On y trouve cinq chambres et une suite, aménagées dans une des plus belles résidences historiques de tout le Saguenay–Lac-Saint-Jean: la villa patrimoniale de Price Brothers.

Hôtel Holiday Inn Saguenay
$$$$
&, ≡, ☉, ≈, ℜ
2675 boul. du Royaume
☎548-3124 ou 800-363-3124
⇊548-1638
www.saguenay.holiday-inn.com
L'Hôtel Holiday Inn Saguenay, bâti en retrait de la ville, est tout de même très bien situé sur la route de Chicoutimi. Il dispose de chambres de qualité.

Circuit B: Le tour du lac Saint-Jean

Hébertville

Auberge Presbytère Mont-Lac-Vert
$$ pdj
ℜ
335 rang du Lac-Vert, Mont-Lac-Vert
☎344-1548 ou 800-818-1548
⇊344-1013
www.aubergepresbytere.com
L'Auberge Presbytère Mont-Lac-Vert est située dans un très beau cadre, et il y règne une atmosphère chaleureuse propice à la détente. Sa table en a ravi plus d'un.

Métabetchouan

Auberge La Maison Lamy
$$ pdj
bc/bp
56 rue St-André
☎349-3686 ou 888-565-3686
Dans une magnifique résidence bourgeoise au cœur d'un village très pittoresque, la Maison Lamy possède un charme

tout à fait irrésistible. Accueil chaleureux. Décoration soignée. Près du lac Saint-Jean et de la Véloroute des Bleuets. Plage.

Chambord

Le **camping** *($; ☎275-3132 ou 888-675-3132, ⇊275-5875, www.sepaq.com)* du village historique de Val-Jalbert est exceptionnel. Son vaste terrain offre de beaux emplacements naturels qui raviront les amateurs de camping rustique.

Village historique de Val-Jalbert

Des **appartements** et des **chambres d'hôtel** *($$-$$$; ≡, ℂ, bc/bp, ℜ; ☎275-3132 ou 888-675-3132, ⇊275-5875)* sont disponibles sur le site du Village historique de Val-Jalbert.

Mashteuiatsh (Pointe-Bleue)

Ceux qui veulent en connaître davantage sur la culture innue et rencontrer des gens peuvent **loger chez l'habitant**. Le bureau de renseignements touristiques de Mashteuiatsh *(1516 rue Ouiatchouan, ☎275-7200, en hiver ☎275-2473)* peut les aider dans leurs démarches.

Saint-Félicien

Camping de Saint-Félicien
$
⚅, ≈, ℜ
2206 boul. du Jardin
☎679-1719 ou 866-679-1719
⇊679-5410
Le Camping de Saint-Félicien est, comme son nom le laisse supposer, situé à côté du zoo de Saint-Félicien; aussi, durant la nuit, pourrez-vous entendre les animaux. Il dispose d'un vaste terrain et d'installa-

tions complètes pour recevoir les campeurs.

Hôtel du jardin
$$-$$$
≡, 🐾, ⊛, ☉, ≈, ☯, ℜ, ◠
1400 boul. du Jardin
☎679-8422 ou 800-463-4927
⇊679-4459
www.boteldujardin.com
L'Hôtel du jardin accueille les personnes qui désirent loger près du zoo en tout confort.

Péribonka

Auberge de l'Île-du-Repos
$
ℂ, ℜ
105 route Île-du-Repos
☎347-5649 ou 800-461-8585
⇊347-4810
L'Auberge de l'Île-du-Repos s'est acquis, au fil des ans, une belle réputation. Il s'agit d'une grande auberge de jeunesse qui se dresse seule sur son île au milieu de la rivière, et ce, dans un décor enchanteur. Elle offre une belle ambiance et un milieu propice aux échanges et aux activités de plein air. On y présente régulièrement des spectacles en tout genre. Emplacements de camping disponibles.

Alma

Complexe Touristique de la Dam-en-Terre
$$-$$$
≡, ℂ, ≈, ℝ, ℜ
1385 ch. de la Marina
☎668-3016 ou 888-289-3016
⇊668-4599
www.damenterre.qc.ca
Le Complexe Touristique de la Dam-en-Terre loue des chalets bien aménagés offrant une belle vue sur le lac Saint-Jean. Les personnes disposant d'une tente peuvent opter pour le camping, qui s'avère plus économique que la location de chalets.

Hôtel Universel
$$$
≡, ℜ
1000 boul. des Cascades
☎*668-5261 ou 800-263-5261*
≈*668-9161*
www.hoteluniversel.com
En plein cœur de la ville, l'Hôtel-Motel Universel propose 75 chambres tout confort.

Restaurants

Circuit A:
Le Saguenay

Petit-Saguenay

L'auberge du Jardin
$$$-$$$$
71 rue Dumas
☎*272-3444 ou 888-272-3444*
Bâtie au pied d'une falaise, dans un cadre enchanteur, L'auberge du Jardin dispose d'une bonne table et d'une chaude ambiance.

L'Anse-Saint-Jean

Bistro de l'Anse
$
319 rue St-Jean-Baptiste
☎*272-4222*
Installé dans un ancien camp de pêche, Le Bistro de l'Anse offre une ambiance chaleureuse. On s'y rend pour prendre un verre en soirée en écoutant les spectacles de musique qu'on y présente, pour prendre l'apéro sur la galerie ou pour manger un sandwich ou une salade. Le grand terrain derrière la maison plonge dans l'estuaire de la rivière Saint-Jean, où l'on pêchait autrefois et où l'on pêche encore!

Le Maringouinfre
$$-$$$$
212 rue St-Jean-Baptiste
☎*272-2385 ou 877-272-2385*
Le restaurant Le Maringouinfre propose un menu de grillades et de fruits de mer. L'accent est mis sur la fraîcheur des aliments et l'intimité.

Auberge des Cévennes
$$$
294 rue St-Jean-Baptiste
☎*272-3180 ou 877-272-3180*
À La Maison des Cévennes, on peut goûter une cuisine française classique avec quelques accents modernes. Son menu comporte plusieurs fruits de mer.

La Baie

Auberge des Battures
$$$$
6295 boul. de la Grande-Baie Sud
☎*544-8234 ou 800-668-8234*
La salle à manger de l'Auberge des Battures bénéficie d'une vue panoramique sur la baie des Ha! Ha!. On y savoure une délicieuse cuisine d'inspiration française. Bar, terrasses, salon avec foyer et piano.

Le Doyen
$$$$
Auberge des 21, 621 rue Mars
☎*697-2121 ou 800-363-7298*
Le restaurant Le Doyen propose un des meilleurs menus de la région, sur lequel figurent de savoureux plats de gibier. La salle à manger bénéficie d'une vue exceptionnelle s'étendant sur toute la baie des Ha! Ha!. Le brunch du dimanche est excellent. Dirigé par un chef de renom, Marcel Bouchard, qui a remporté plusieurs prix régionaux, nationaux et internationaux, Le Doyen contribue tangiblement à l'évolution de la cuisine régionale et à son raffinement, jusqu'à lui valoir ses lettres de noblesse.

Auberge de la Rivière Saguenay
$$$$
9122 ch. de la Batture
☎*697-0222 ou 866-697-0222*
Le chef cuisinier de la superbe Auberge de la Rivière Saguenay a développé un menu axé sur les traditions autochtones, les mets régionaux et la cuisine internationale. Profitant d'une belle vue sur le fjord, cette auberge offre un site fort agréable.

Chicoutimi

Georges Steak House
$$-$$$
433 rue Racine Est
☎*543-2875*
À prime abord, vous serez peut-être surpris par le décor du Georges Steak House, qui n'a rien d'extraordinaire. Mais sa réputation repose avant tout sur ses grillades, parmi les meilleures qui soient.

La Bougresse
$$-$$$
260 rue Riverin
☎*543-3178*
La Bougresse se distingue par la variété et la qualité de sa cuisine, toujours bonne. La confiance et la fidélité de la clientèle chicoutimienne sont la meilleure assurance de qualité en ce qui a trait à La Bougresse, qui organise régulièrement des soirées «moules à volonté» très courues.

La Cuisine
$$$-$$$$
387 rue Racine Est
☎*698-2822*
Ça sent le bon café fraîchement moulu à La Cuisine. Nous recommandons particulièrement le tartare, les moules, le lapin, le ris de veau et le steak frites.

Le Privilège
$$$$
1623 boul. St-Jean-Baptiste
☎ *698-6262*

Le Privilège fait partie des meilleures tables de la région. Dans le décor pittoresque d'une maison centenaire, tous vos sens sont mis à contribution. On sert une cuisine intuitive qui s'inspire des étals des marchés, et ce, à un nombre limité de convives. L'ambiance et le service sont décontractés et amicaux. Réservations requises.

Jonquière

Le Bergerac
$$$-$$$$
fermé dim-lun
3919 rue St-Jean
☎ *542-6263*

L'une des meilleures tables de Jonquière, le restaurant Le Bergerac a développé une excellente carte de fine cuisine qu'il propose en menu du jour le midi ou en table d'hôte le soir.

Chez Pachon
$$$$
1904 rue Perron
☎ *542-3568 ou 888-922-3568*

Le restaurant Chez Pachon, une «institution» bien connue de la ville de Chicoutimi, a déménagé à Jonquière en août 1999. Il occupe désormais la magnifique villa patrimoniale de Price Brothers, dans un environnement champêtre vraiment exceptionnel. Son chef, déjà renommé dans toute la région, présente une gastronomie teintée de traditions culinaires françaises et influencée par les saveurs régionales. Spécialités de cassoulet de Carcassonne, confit de magret et foie de canard,

filet et carré d'agneau, ris de veau, poissons et fruits de mer. Le soir seulement, sur réservation.

L'Amandier
$$$$
fermé lun
5219 ch. St-André
☎ *542-5395*

L'Amandier abrite une étonnante salle ornée de plâtre sculpté et de boiseries surchargées. On y sert une cuisine régionale préparée à partir de produits frais. À la qualité de la table s'ajoute une ambiance unique qu'il fait bon partager en groupe, puisque la chaleur des matériaux, l'originalité de l'aménagement et l'accueil des hôtes favorisent l'esprit à la fête et les soirées amicales. Un peu en retrait de la ville, le restaurant n'est pas facile à trouver. Réservations requises.

Sainte-Rose-du-Nord

Café de la Poste
$
163 rue des Pionniers
☎ *675-1053*

Situé à deux pas du quai d'où il est possible de contempler le fjord, le chaleureux Café de la Poste offre un décor intérieur avec boiseries, une terrasse enchanteresse ainsi qu'une ambiance familiale unique. En plus d'une cuisine hors pair, cet ancien bureau de poste permet de déguster un savoureux pain artisanal, des boissons alcoolisées fruitées (cassis ou framboises) ainsi que de délicieuses pâtisseries. Le tout fait à la maison par les propriétaires.

Circuit B: Le tour du lac Saint-Jean

Hébertville

Auberge Presbytère Mont-Lac-Vert
$$$
335 rang 3, Mont-Lac-Vert
☎ *344-1548 ou 800-818-1548*

L'Auberge Presbytère Mont-Lac-Vert dispose de deux salles à manger. Au sous-sol, on dresse des buffets à prix économique aux sportifs qui veulent faire un repas copieux. L'auberge propose, quant à elle, une excellente table d'hôte. L'endroit a gardé tout le cachet de l'ancien presbytère.

Desbiens

Desbiens-Venue
$$
1290 rue Hébert
☎ *346-1106*

Aux aventuriers avides de découvertes de cuisine régionale, on recommande de passer par le restaurant Desbiens-Venue afin de savourer une succulente soupe aux gourganes, l'épaisse tourtière du Lac-St-Jean ainsi que sa fameuse tarte aux bleuets. En plus de dresser un brunch tous les dimanches, les propriétaires souriants et courtois servent de l'excellent pain maison tous les matins, au petit déjeuner.

Saint-Félicien

Hôtel du Jardin
$$-$$$$
1400 boul. du Jardin
☎ *679-8422 ou 800-463-4927*

L'Hôtel du Jardin propose un menu de fine cuisine régionale qui plaît à tout coup.

Roberval

Château Roberval
$$-$$$
dès 17h
1225 boul. St-Dominique
☎275-7511 ou 800-661-7611
Le Château Roberval figure parmi les tables renommées jeannoises. Le menu de spécialités régionales est rempli d'agréables surprises.

Alma

Bar restaurant chez Mario Tremblay
$$-$$$
534 Collard O.
☎668-7231
On ne va pas au Bar restaurant chez Mario Tremblay pour y prendre le repas de sa vie, mais à cause de la réputation de cet ex-hockeyeur et entraîneur surnommé «le Bleuet bionique». Cet endroit, de type brasserie, est un temple populaire à la gloire du hockey.

Sorties

Bars et discothèques

Chicoutimi

Rue Racine, vous trouverez nombre de bars et discothèques pour passer une agréable soirée. Vous y rencontrerez sûrement des gens de la région avec qui échanger, puisque, avec leur convivialité légendaire, les gens du Saguenay sont toujours prêts à discuter avec les visiteurs. Essayez entre autres l'**International**, ouvert de-

puis plusieurs années. Vous pourrez y prendre une bière sur des airs blues et rock, ou encore le **Loft**, où vous irez plutôt, comme la clientèle jeune qui s'y presse, pour danser.

Jonquière

À Jonquière, c'est sur la rue Saint-Dominique entre le boulevard Harvey et la rue Dupont que ça se passe! Vous n'aurez pas non plus de mal à trouver un établissement à votre mesure.

Café-théâtre Côté-cour
4014 rue de la Fabrique
☎542-1376
Surveillez la programmation du Café-théâtre Côté-cour, qui fait partie de la Maison communautaire, elle-même installé dans un vieux bâtiment de briques rouges qui a toujours joué un rôle important dans la vie communautaire de Jonquière. Depuis plus de 30 ans, sa salle de spectacle veille à la diffusion locale des arts et de la culture.

Fêtes et festivals

Chicoutimi

Le **Carnaval-Souvenir de Chicoutimi** *(mi-fév; ☎543-4438 ou 877-543-4439)*, c'est une grande célébration pendant laquelle les habitants, en costumes d'époque, revivent les us et coutumes qui avaient cours durant les hivers d'antan.

Roberval

Depuis 1955, la dernière semaine de juillet (neuf jours) est consacrée à la

Traversée internationale du Lac Saint-Jean *(☎275-2851)*. Les nageurs font 40 km en huit heures entre Péribonka et Roberval, et les plus vaillants, toujours inscrits au marathon, s'offrent l'aller-retour en 18 heures.

Achats

Circuit A:
Le Saguenay

L'Anse-Saint-Jean

On peut s'arrêter faire des provisions à la **Pâtisserie Louise** *(332 rue St-Jean-Baptiste)*, où l'on remarque des fours à pain en pierre à l'extérieur.

Le Coquill'Art
356 rue Saint-Jean-Baptiste
☎272-3284
En face de la marina, la boutique le Coquill'Art déborde d'une multitude d'objets d'artisanat d'ici et d'ailleurs.

Chicoutimi

Pour ceux qui s'ennuient de l'alimentation saine et naturelle, **Le garde-manger** *(angle Ste-Famille et Hôtel-Dieu, derrière l'église)* est l'endroit idéal pour préparer son pique-nique.

La boutique de **L'Aventurier** *(250 rue Racine E., ☎545-2251)* propose un grand choix d'articles de plein air de qualité. On y trouve entres autres l'excellente marque québécoise de vêtements et accessoires Chlorophylle, d'ailleurs originaire de Chicoutimi.

Chicoutimi compte quelques excellentes librairies

Saguenay–Lac-Saint-Jean

où l'on pourra vous conseiller les meilleures œuvres d'auteurs régionaux ou de superbes ouvrages sur la région, comme la **Librairie Les Bouquinistes** *(392 Racine E.,* ☎*543-7026)* et **Archambault** *(1130 boul. Talbot,* ☎*698-1586)*. Si vous collectionnez les livres anciens, ne manquez pas d'aller fouiner dans les étagères de la **Bouquinerie Jacques-Cartier** *(366 Savard,* ☎*696-1534)*.

Bleuetières

Évidemment, au pays où il ne suffit que de trois bleuets pour faire une tarte (!), nous vous recommandons quelques adresses:

Bleuetière Au Gros Bleuet
159 rang 2, à 3 km de St-David-de-Falardeau
☎*673-3269*

Bleuetière de Saint-François-de-Sales
ch. du Moulin, 15 km à l'ouest du village de St-François-de-Sales
☎*348-6548*

Manicouagan

La région

de Manicouagan longe le fleuve sur 300 km et s'enfonce dans le plateau laurentien jusqu'au nord des monts Groulx et du réservoir Manicouagan.

Jumelée à la région de Duplessis (voir chapitre suivant), elle forme ce que l'on appelle la «Côte-Nord». Couverte d'une riche forêt boréale, Manicouagan est aussi dotée d'un fabuleux réseau hydrographique servant à alimenter les huit centrales électriques du complexe Manic-Outardes.

Bordant le littoral depuis l'embouchure de la rivière Saguenay jusqu'à Baie-Trinité, la route 138 permet d'admirer de beaux panoramas, constitués de falaises escarpées et de plages sauvages. Pour les amants du plein air, le parc nature de Pointe-aux-Outardes rend possible l'observation d'une multitude d'espèces d'oiseaux, alors que les monts Groulx, loin dans l'hinterland, offrent de belles occasions d'expéditions aux plus aventureux.

L'une des principales attractions de la région demeure incontestablement le parc marin du Saguenay–Saint-Laurent, où l'on peut aisément voir, en saison estivale, de nombreuses baleines de différentes espèces.

L'histoire de la région a toujours été intimement liée à l'exploitation des richesses naturelles du territoire. Avant même la fondation de la ville de Québec, les Européens y établirent de nombreux postes afin d'y traiter avec les Amérindiens. Par la suite, au cours du XIXe siècle, l'industrie de la coupe et de la transformation du bois devint le principal créateur d'emplois de la région de la Manicouagan.

Enfin, depuis 1959, le fort débit des rivières aux Outardes et Manicouagan a été mis à profit pour y aménager huit grandes centrales hydroélectriques. Terminé en 1989, le complexe Manic-Outardes est maintenant doté d'une puissance de plus de 6 500 mégawatts et a permis au Québec de devenir un des leaders en technologie hydroélectrique. On peut maintenant visiter ce complexe dont fait partie notamment le plus grand barrage à voûtes et à contreforts du monde (Manic-5).

Ces importantes réserves d'eau peuvent toutefois se faire menaçantes. En juillet 1996 par exemple, une très forte pluie tombe inlassablement durant deux jours sur le nord-est du Québec et provoque des crues aussi subites que puissantes. Les ruisseaux deviennent des torrents et arrachent tout sur leur passage. Les réservoirs créés par les nombreux barrages s'emplissent à une vitesse folle et débordent ou provoquent des coups d'eau qui décuplent le débit de toutes les rivières. L'ensablement de l'embouchure de plusieurs rivières modifie radicalement l'aspect visuel et la configuration de plusieurs sections de la côte.

À Forestville, un impressionnant cap de sable, à l'embouchure de la rivière du Sault aux Cochons, est emporté, déviant le cours d'eau du barrage hydroélectrique. Le lien routier est recréé en quelques jours, surtout dans les secteurs de Ragueneau et de Baie-Trinité, qui ont été rudement touchés, mais ces événements marqueront pour toujours la mémoire collective de la Côte-Nord.

Point de convergence des Inuits et de nations amérindiennes depuis des temps immémoriaux, grâce notamment à son réseau hydrographique tentaculaire et à ses importants territoires de chasse aux mammifères marins, la Côte-Nord était également connue des Européens avant même la «découverte» du Canada par Jacques Cartier en 1534. Au XVIe siècle, elle était fréquentée par les pêcheurs basques et bretons qui y faisaient, eux aussi, la chasse aux cétacés: la précieuse graisse de baleine, fondue sur place dans de grands fours, servait à la fabrication de chandelles et de pommades.

La présence humaine, bien que très ancienne, n'a cependant laissé que peu de traces sur la Côte-Nord avant le XXe siècle. De nos jours, les petits ports de pêche alternent avec les villes papetières et minières. Le tourisme, lié à l'observation des baleines, occupe une place de plus en plus grande dans l'économie de la région depuis que ces espèces sont protégées. La Côte-Nord est faite sur mesure pour les amateurs de grands espaces et de nature sauvage.

Pour s'y retrouver sans mal

Il est possible de relier l'unique circuit de Manicouagan: **La Côte-Nord** ★★ à celui de **Charlevoix** ★★★ (voir p 595) ou à celui du **Saguenay** ★★ (voir p 619) au départ de Tadoussac. Pour rejoindre le début du circuit de Manicouagan, prenez le traversier qui relie Baie-Sainte-Catherine à Tadoussac, à l'embouchure du Saguenay.

En raison de la présence de nombreux sentiers et de la faible étendue de l'agglomération, il est recommandé de visiter Tadoussac à pied. Vous pouvez garer votre voiture dans le stationnement du parc du Saguenay, situé à proximité du quai du traversier. Pour plus de renseignements sur cette région, consultez le *Guide Ulysse Côte-Nord, Manicouagan–Duplessis*.

En voiture

Depuis Beauport, dans la région de Québec, empruntez la route 138, qui longe la rive nord du fleuve Saint-Laurent jusqu'à Natashquan, dans la région de Duplessis. À Baie-Sainte-Catherine, un bateau (gratuit) vous fera traverser la rivière Saguenay pour vous déposer à Tadoussac. Afin de suivre le circuit de la Côte-Nord, continuez toujours par la route 138. Vous ne pouvez pas vous tromper: il n'y a qu'une seule route!

En traversier

Sauf pour le traversier Baie-Sainte-Catherine–Tadoussac, il vaut mieux réserver un passage quelques jours à l'avance en été.

Tadoussac
Le traversier (*gratuit*, ☎*418-235-4395*) partant de Baie-Sainte-Catherine et se rendant à Tadoussac permet d'arriver à destination en seulement 10 min. L'horaire des traversées varie grandement d'une saison à l'autre; renseignez-vous avant de planifier un voyage.

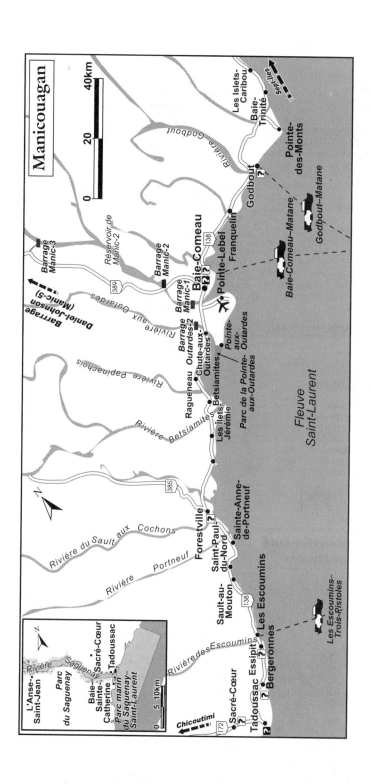

Manicouagan

Baie-Comeau, Godbout, Matane

Le traversier *(adulte 12,75$, voiture 29,95$, moto 22,45$; ☎568-7575 de Godbout, ☎294-8593 de Baie-Comeau, ☎562-2500 de Matane)* desservant ces trois localités fait le trajet de Baie-Comeau à Matane en Gaspésie en 2 heures 20 min.

Les Escoumins

Il existe un traversier *(tarifs non disponibles au moment de mettre sous presse; ☎233-2266 ou 233-4676 des Escoumins, ☎851-4676 de Trois-Pistoles)* quittant Trois-Pistoles et se rendant aux Escoumins en 1 heure 30 min.

Gares routières

Tadoussac
443 rue du Bateau-Passeur (Pétro-Canada)
☎(418) 235-4653

Bergeronnes
138 route 138 (Irving)
☎(418) 232-6330

Baie-Comeau
212 boul. LaSalle
☎(418) 296-6921

Renseignements pratiques

Indicatif régional: **418**

Renseignements touristiques

Bureau régional

Association touristique régionale de Manicouagan
337 boul. LaSalle, bur. 304, Baie-Comeau, G4Z 2Z1
☎*294-2876 ou 888-463-5319*
⇜*294-2345*
www.tourismecote-nord.com

Tadoussac

197 rue des Pionniers, G0T 2A0
☎*235-4744*
⇜*235-4984*

Baie-Comeau

3501 boul. Laflèche, G5C 1E4
☎*589-3610 (en saison)*

Attraits touristiques

★★

La Côte-Nord

★★
Tadoussac (910 hab.)

L'emplacement stratégique de Tadoussac, à l'embouchure du Saguenay, lui vaudra d'être choisi pour l'établissement du premier poste français de traite des fourrures en Amérique dès 1600, soit huit ans avant la fondation de la ville de Québec. Tadoussac est en fait le plus ancien site d'occupation blanche au nord du Mexique.

En 1615, les récollets y implantent une mission d'évangélisation qui fonctionnera jusqu'au milieu

du XIXe siècle. Le village acquiert sa vocation touristique en 1864, lorsqu'on inaugure le premier grand hôtel Tadoussac, au bord du fleuve Saint-Laurent, afin de mieux loger les visiteurs, de plus en plus nombreux à venir profiter de l'air marin et des paysages grandioses de ces deux cours d'eau que sont le fleuve Saint-Laurent et la rivière Saguenay. Tadoussac est en outre un lieu privilégié pour l'observation des baleines. Bien qu'il ait un âge plus que respectable dans le contexte nord-américain, le village de Tadoussac donne une impression de précarité, comme si un fort vent pouvait un jour tout balayer sans laisser de traces...

Bâtie en 1875 sur les restes de la première scierie de la région, la **Station piscicole** *(4,50$; visites guidées mi-juin à mi-sept 10h à 18h; 115 rue du Bateau-Passeur, ☎235-4569 ou 236-4604)* demeure aujourd'hui un site d'importance ayant pour but de repeupler les rivières à saumons du Québec.

Dominant le désordre du village, l'**Hôtel Tadoussac ★** *(mi-mai à mi-oct; 165 rue du Bord-de-l'Eau, ☎235-4421)* est à cette communauté ce que le Château Frontenac est à Québec, soit son emblème et son point de repère dans les brumes hivernales. L'hôtel actuel, construit entre 1942 et 1949 pour la Canada Steamship Lines, succède au premier hôtel de 1864. Sa forme allongée et son revêtement à clins de bois, dont la blancheur contraste violemment avec sa toiture de tôle peinte en rouge, ne sont pas sans rappeler les hôtels de villégiature de la Nouvelle-Angleterre érigés dans la seconde moitié du XIXe

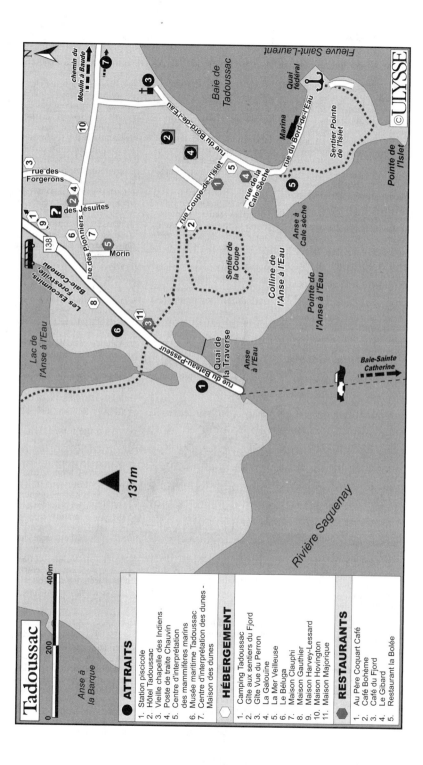

Tadoussac

0 200 400m

Anse à la Barque

● ATTRAITS

1. Station piscicole
2. Hôtel Tadoussac
3. Vieille chapelle des Indiens
4. Poste de traite Chauvin
5. Centre d'interprétation des mammifères marins
6. Musée maritime Tadoussac
7. Centre d'interprétation des dunes - Maison des dunes

⬡ HÉBERGEMENT

1. Camping Tadoussac
2. Gîte aux sentiers du Fjord
3. Gîte Vue du Perron
4. La Galouïne
5. La Mer Veilleuse
6. Le Béluga
7. Maison Clauphi
8. Maison Gauthier
9. Maison Harvey-Lessard
10. Maison Hovington
11. Maison Majorique

⬢ RESTAURANTS

1. Au Père Coquart Café
2. Café Bohème
3. Café du Fjord
4. Le Gibard
5. Restaurant la Bolée

131m

Rivière Saguenay

Baie-Sainte Catherine

Lac de l'Anse à l'Eau

chemin du Moulin à Baude

rue des Forgerons

des Jésuites

rue des Pionniers

Morin

Les Escoumins, Forestville, Baie-Comeau

138

rue du Bateau-Passeur

Quai de la Traverse

Anse à l'Eau

Pointe de l'Anse à l'Eau

Colline de l'Anse à l'Eau

Sentier de la Coupe

rue Coupe-de-l'Islet

rue du Bord-de-l'Eau

rue de la Cale Sèche

Anse à Cale sèche

Baie de Tadoussac

Marina

Quai fédéral

Sentier Pointe de l'Islet

Pointe de l'Islet

Fleuve Saint-Laurent

N

© ULYSSE

siècle. D'ailleurs, cet hôtel servit de toile de fond au long métrage américain *Hotel New Hampshire*. Cependant, le décor intérieur, composé de boiseries cirées et de meubles anciens, s'inspire davantage du terroir canadien-français.

La vieille **chapelle des Indiens**, aussi nommée **Petite chapelle de Tadoussac** *(2$; mi juin à mi-oct tlj 9h à 21h; 169 rue du Bord-de-l'Eau, ☎235-4324)*. Les jésuites succèdent aux récollets à la tête de la mission de Tadoussac en 1640. Ils feront construire plusieurs chapelles, qui brûleront ou pourriront, avant de faire élever en 1747 celle qui nous est finalement parvenue. Le père Claude-Godefroy Coquart, originaire de Melun, en France, fut chargé de sa construction. Il assumait alors un très vaste ministère, car il était à la fois responsable de la cure de Tadoussac, du Saguenay, du Lac-Saint-Jean et de toute la Côte-Nord. La chapelle des Indiens de Tadoussac est le plus ancien édifice religieux en bois qui subsiste au Canada. Son intérieur dépouillé renferme un tabernacle du XVIIIe siècle attribué à Pierre Émond. À l'été 1997, diverses manifestations ont souligné le 250e anniversaire de la construction de la chapelle.

Le **Poste de traite Chauvin** ★ *(3$; fin mai à mi-juin tlj 10h à 18h, mi-juin à mi-sept 9h à 20h30, mi-sept à mi-oct 10h à 18h; 157 rue du Bord-de-l'Eau, ☎235-4657)*. L'Américain William Hugh Cover-

dale, président de la Canada Steamship Lines au cours des années 1940, était un homme féru d'histoire. En plus de reconstruire l'hôtel Tadoussac dans le goût du XIXe siècle, il fit entreprendre une reconstitution du premier poste de traite de Tadoussac par l'architecte Sylvio Brassard (1942).

Ce petit bâtiment de billots équarris, ouvert aux visiteurs, rappelle le premier poste de traite des fourrures de Nouvelle-France, établi par le huguenot Pierre Chauvin de Tonnetuit en 1600. Imaginons pendant quelques instants que, durant ses premières années, l'ancêtre de ce bâtiment était la seule structure érigée et habitée par des Européens en Amérique! On y

Chapelle des Indiens

présente une intéressante exposition sur la traite des fourrures entre Français et Montagnais.

Le **Centre d'interprétation des mammifères marins** ★ *(5,50$; mi-mai à mi-juin tlj 12h à 17h, mi-juin à mi-sept tlj 9h à 20h, mi-sept à mi-oct tlj 12h à 17h; 108 rue de la Cale-Sèche, ☎235-4701)* fut créé afin de faire connaître les mammifères marins qui viennent tous les ans se nourrir dans l'estuaire du

Saint-Laurent. La majeure partie de l'exposition traite des baleines et tente de démythifier divers aspects de leur comportement. Le centre s'avère fort instructif. D'ailleurs, sur place, des naturalistes répondent à vos questions. En outre, on y trouve des squelettes d'animaux marins, des vidéos et un aquarium contenant divers poissons vivant dans le fleuve.

Tadoussac a toujours été tournée vers la mer. Le **Musée maritime de Tadoussac** *(2,50$; mi-juin à début sept tlj 10h à 16h; 145 rue du Bateau-Passeur, ☎235-4446, poste 242)* évoque les grands moments de la navigation et des chantiers navals du village.

Les **dunes** et la **Maison des dunes** ★ sont situées à environ 5 km au nord de la ville. Les dunes furent formées, il y plusieurs milliers d'années, lors de la fonte des glaces. Quoique désormais il les protège contre toute forme d'exploitation, le gouvernement tolère que certaines personnes viennent skier sur ces hautes dunes. Pour plus de renseignements et pour louer le matériel, on peut se rendre à l'auberge de jeunesse. Sur le site, on trouve une petite maison logeant un **Centre d'interprétation des dunes** *(3,50$; début juin à début sept tlj 10h à 18h, début sept à mi-oct tlj 9h à 17h; 750 ch. du Moulin-à-Baude, ☎235-4238)*. Pour vous y rendre, prenez la rue des Pionniers, à droite de la route 138. Au bout de 3,5 km, vous apercevrez des dunes de chaque côté de la route. À 5,8 km de Tadoussac se trouve le stationnement de la Maison des dunes.

★
Bergeronnes
(770 hab.)

La municipalité de Bergeronnes est formée des hameaux de Petites-Bergeronnes et de Grandes-Bergeronnes, où se trouve un chantier de fouilles archéologiques. Sur ce site de dépeçage amérindien ont été découverts des couteaux datant du sylvicole supérieur (de 200 à 1100 de notre ère) qui servaient à découper la peau des phoques et des baleines. Le littoral de Bergeronnes est, par ailleurs, le meilleur endroit d'où observer certaines espèces de cétacés, car c'est précisément ici que les baleines bleues s'approchent le plus de la côte.

Le **Centre d'interprétation Archéo-Topo ★** *(5,50$; mi-mai à mi-oct tlj 9h à 17h; 498 rue de la Mer, ☎232-6286)* présente de façon moderne et vivante toute la richesse archéologique de ce secteur de la Côte-Nord.

Le **Centre d'interprétation et d'observation de Cap-de-Bon-Désir ★** *(5$, prix familiaux et de groupe disponibles; début juin à mi-juin 9h à 18h, mi-juin à début sept 8h à 20h, début sept à mi-oct 9h à 18h; 13 ch. du Cap-Bon-Désir, ☎232-6751)* est installé autour du phare du cap Bon-Désir, encore en activité. On y présente une intéressante exposition sur la vie des cétacés en plus d'y trouver un point d'observation des baleines.

★
Les Escoumins
(2 212 hab.)

On trouve aux abords des Escoumins d'agréables sentiers permettant d'observer les oiseaux et les poissons. Le site est également reconnu pour la plongée sous-marine. La croix métallique des Escoumins, plantée sur une pointe avançant dans le fleuve, commémore la croix de bois érigée par les Montagnais en 1664 à l'arrivée du père missionnaire Henri Nouvel. Au cours de la Seconde Guerre mondiale, des soldats allemands seraient débarqués de leur sous-marin à la faveur de la nuit pour participer à une fête foraine.

Le **quai des pilotes** est l'un des endroits les plus fréquentés aux Escoumins. Situé à l'entrée ouest de la municipalité, il constitue l'endroit de prédilection des plongeurs, mais, surtout, il est le point de départ des pilotes qui vont rejoindre les bateaux marchands au large. Ces navires de transport sont obligés de faire monter à bord un pilote; il les guide à travers les très nombreux périls du fleuve qui, contrairement à ce qu'on pourrait penser, est très peu profond pour ces bateaux ayant généralement un fort tirant d'eau. Vous remarquerez que tous ces navires s'arrêtent devant Les Escoumins en attendant le pilote qui sera transporté par un des bateaux rapides accostés au quai.

Le **Centre des loisirs marins** *(5$; début juin à mi-oct tlj 8h30 à 16h30, fin juin à début sept tlj 8h30 à 19h; 41 rue des Pilotes, ☎233-2860)* dessert surtout la clientèle nombreuse des plongeurs, mais on peut également s'y rendre pour observer les préparatifs de ces mêmes plongeurs ou le transport des pilotes qui se rendent sur les navires marchands. Des passerelles permettent d'accéder aux sites de plongée et aux aires de pique-nique. On y présente aussi une exposition sur les grands fonds marins. Un belvédère pour l'observation des mammifères marins y a été construit.

La **réserve amérindienne des Escoumins (Essipit)**. La Côte-Nord est habitée depuis longtemps par la nation innue. Les communautés nomades, dispersées sur le rivage, vivaient autrefois exclusivement de la chasse et de la pêche. Au milieu du XIXᵉ siècle, l'arrivée de nombreuses familles blanches des îles de la Madeleine et de la Gaspésie a entraîné leur sédentarisation.

La réserve Essipit a été créée en 1903. On y trouve des sentiers pédestres pour l'observation de la faune et de la flore, des boutiques d'artisanat et une tour d'observation des baleines.

La route 138 traverse ensuite les villages de pêcheurs de Sault-au-Mouton, de Saint-Paul-du-Nord et de Sainte-Anne-de-Portneuf avant de parvenir à Forestville. Entre Forestville et Colombier, on trouve les accès à trois zones d'exploitation contrôlée (ZEC), dotées de réseaux de sentiers, de même qu'aux barrages Bersimis-1 et Bersimis-2 d'Hydro-Québec.

Poursuivez par la route 138 Est en direction des Îlets-Jérémie, de Betsiamites, de Chute-aux-Outardes et de Baie-Comeau.

Les Îlets-Jérémie
(40 hab.)

Un poste de traite français y fut installé dès le XVIIᵉ siècle. La chapelle des

Îlets-Jérémie, semblable à celle de Tadoussac, est une reconstitution de la chapelle des récollets érigée vers 1720. Elle est considérée comme un lieu de pèlerinage par les gens de la Côte-Nord.

Betsiamites
(2 520 hab.)

Betsiamites est la principale agglomération innue du Québec. Son nom signifie «là où il y a des lamproies». Elle fut désignée comme réserve amérindienne dès 1861. L'année suivante, le père Charles Arnaud de la communauté des oblats de Marie-Immaculée y ouvre une mission. Ce prêtre, originaire de Visan, en France, s'y dévouera jusqu'en 1911. Un monument s'élevant en face de l'église de la mission honore sa mémoire.

Traversez le village de Chute-aux-Outardes, puis tournez à droite en direction de Pointe-aux-Outardes.

Pointe-aux-Outardes
(1 350 hab.)

La municipalité de Pointe-aux-Outardes possède la plus importante usine de bois de sciage de l'est du Canada, la Scierie des Outardes.

Au bout de la pointe se trouve le beau **parc nature de Pointe-aux-Outardes** (voir p 655).

Reprenez la route 138 Est vers Baie-Comeau.

Baie-Comeau
(26 905 hab.)

Le colonel Robert McCormick, éditeur et rédacteur en chef du quotidien étasunien *The Chicago Tribune*, en avait assez de dépendre des compagnies papetières étrangères pour son approvisionnement en papier journal. Il a donc choisi de bâtir sa propre usine à papier à Baie-Comeau en 1936, donnant du coup naissance à la ville industrielle que l'on connaît aujourd'hui.

Au fil des ans, d'autres entreprises tout aussi importantes ont été attirées par l'abondance et le faible coût de l'énergie électrique, grâce aux barrages des rivières aux puissants courants qui se jettent dans le fleuve aux environs de Baie-Comeau. La ville, encore toute jeune, a été baptisée en l'honneur de Napoléon Comeau (1845-1923), célèbre trappeur, géologue et naturaliste de la Côte-Nord. Cette petite ville de la Côte-Nord vit aussi grandir Brian Mulroney, premier ministre canadien de 1984 à 1993.

Baie-Comeau se divise en deux secteurs distincts, séparés l'un de l'autre par une zone rocailleuse longue de 4 km. Le secteur Mingan (anciennement Hauterive), à l'ouest, correspond aux quartiers commercial et ouvrier, dominés par la **cathédrale Saint-Jean-Eudes** *(987 boul. Joliet)*, seul siège épiscopal de la Côte-Nord. Le secteur Marquette, à l'est, est un quartier à la fois résidentiel aisé et industriel lourd, où habitaient traditionnellement les cadres des entreprises érigées à proximité. Un traversier fait la navette régulièrement entre Baie-Comeau et Matane, sur l'autre rive du fleuve Saint-Laurent. La traversée, d'une durée de 2 heures 20 min, est une bonne façon de mesurer la largeur incroyable du fleuve à cet endroit (environ 50 km).

Situé dans le secteur Marquette, le **quartier résidentiel Sainte-Amélie**, aux coquettes maisons néogeorgiennes, rappelle les banlieues américaines de l'entre-deux-guerres et témoigne du fort contingent de cadres américains à Baie-Comeau au cours des années 1930 et 1940. Cette omniprésence avait provoqué un certain ressentiment dans la population canadienne-française qui n'avait pas accès aux postes supérieurs des entreprises étrangères, ce qui fut par ailleurs un des éléments déclencheurs de la Révolution tranquille des années 1960. L'**église Sainte-Amélie** *(37 av. Marquette)* est décorée de fresques et de vitraux de l'artiste montréalais d'origine italienne Guido Nincheri.

Les premiers barrages hydroélectriques du Québec furent construits par des entreprises privées, que ce soit pour l'usage de l'industrie ou pour l'éclairage des maisons. Certaines de ces entreprises détenaient le monopole de l'énergie électrique dans des régions entières, ce qui a amené le gouvernement québécois à nationaliser la plupart des compagnies d'électricité en 1964.

Dès lors, Hydro-Québec a pris la relève et a entrepris un formidable programme d'expansion destiné à attirer les industries énergivores et à exporter une partie de la production d'électricité vers les États-Unis.

Le **Centre d'information d'Hydro-Québec ★** *(135 boul. Comeau,* ☎*294-3923 ou 800-énergie)* constitue un bon point de départ pour la visite des centrales de la rivière Manicouagan. Il permet de bien se préparer à la visite des sites. On peut ainsi mieux se

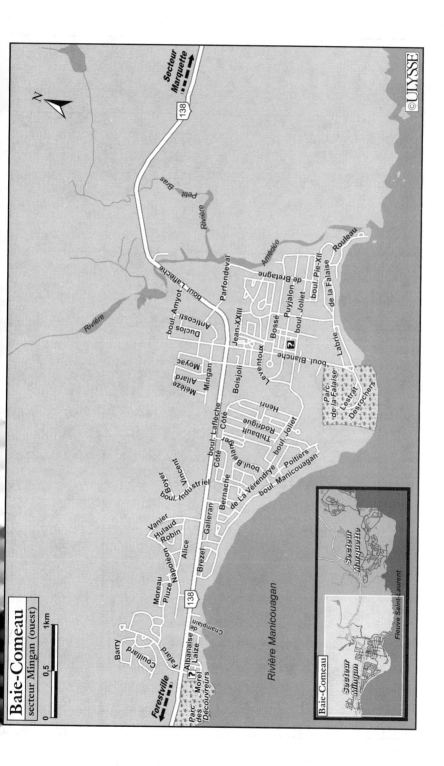

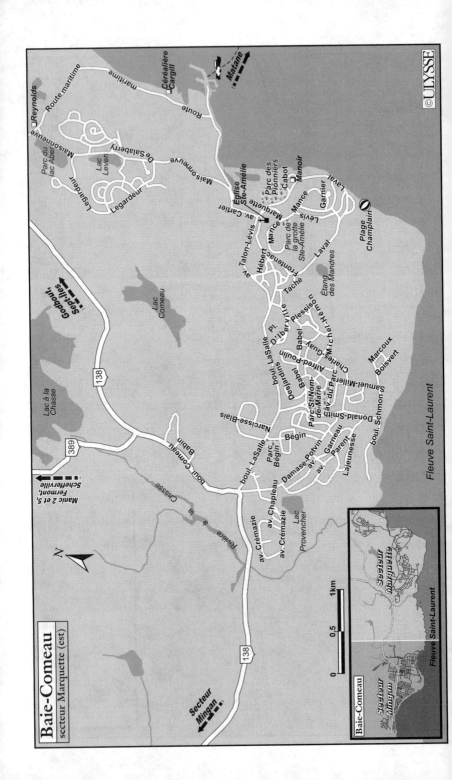

Baie-Comeau
secteur Marquette (est)

© ULYSSE

Matane

Céréalière Cargill

Route maritime

Reynolds

Route maritime

Maisonneuve

Parc du lac Aber

Legardeur

Lac Leven

De Salaberry

Legardeur

Maisonneuve

Église Ste-Amélie

av. Cartier

Parc des Pionniers

Cabot

Manoir

Mance

Marquette

Garnier

Laval

av. Talon-Lévis

Mance

Lévis

Parc de la grotte Ste-Amélie

Hébert

Frontenac

Laval

Plage Champlain

Tâché

Étang des Mandres

Lac Comeau

Godbout, Sept-Îles

138

Plessisson

D'Iberville

Pl.

Alfred-Poulin

Babel

Charles-Guay

M.-Michel-Hémon

Marcoux

Boisvert

Lac à la Chasse

389

Desjardins

Babel

Parc St-Nom-de-Marie

av. du Parc

Samuel-Millerand

Donald-Smith

boul. Schmon

Manic 2 et 5, Fermont, Schefferville

Narcisse-Blais

boul. Comeau

Babin

boul. LaSalle

Bégin

Parc Bégin

Damase-Potvin

av. Garneau

av. Parent

Lajeunesse

N

av. Crémazie

av. Chapleau

av. Crémazie

Lac Provencher

Rivière à la Chasse

138

Secteur Mingan

Fleuve Saint-Laurent

0   0,5   1km

Baie-Comeau

Secteur Marquette

Secteur Mingan

Fleuve Saint-Laurent

Manic-5 (barrage Daniel-Johnson)

représenter le trajet à parcourir pour atteindre les centrales et l'envergure des infrastructures, tellement énormes que leur ampleur est parfois difficile à évaluer sur place.

Les **centrales Manic-2 et Manic-5 (barrage Daniel-Johnson)** ★★★ *(entrée libre; tlj fin juin à début sept, visites guidées de 90 min à 9h, 11h, 13h30 et 15h30; 1866 La Manic, prendre la route 389, Manic-2 se trouve au Km 21 et Manic-5 au Km 211; ☎294-3923)* se dressent sur la rivière Manicouagan. Un parcours de 30 min de route, à travers des panoramas saisissants du rocheux Bouclier canadien, aboutit au premier barrage du complexe, soit Manic-2. Il s'agit du plus grand barrage-poids à joints évidés du monde.

La visite guidée du barrage vous entraînera à l'intérieur de l'imposante structure, mais sachez qu'un spectacle encore plus surprenant vous attend à trois heures de route plus au nord: Manic-5 et le barrage Daniel-Johnson. Érigé en 1968, ce barrage porte le nom du premier ministre québécois qui mourut sur les lieux le matin de la cérémonie d'inauguration. Doté d'une arche centrale de 214 m, il constitue, avec ses 1 314 m de long, la plus importante structure à voûtes multiples du monde. Il a pour but de régulariser l'alimentation en eau de toutes les centrales du complexe Manic-Outardes. La visite mène les curieux au pied du barrage ainsi qu'au sommet de sa crête, d'où l'on a une vue panoramique sur la vallée de la Manicouagan et le réservoir de 2 000 km².

La route 389, achevée depuis 1987, permet d'atteindre Fermont et Schefferville en voiture au départ de Baie-Comeau. Ces villes sont très éloignées du circuit principal.

★
Godbout (430 hab.)

Le village de Godbout occupe un site pittoresque au fond d'une baie. Il est reconnu pour ses activités liées à la pêche sportive, que ce soit en haute mer ou le long de la rivière Godbout, aux tumultueux rapides. La pêche, à cet endroit, peut même parfois être qualifiée de miraculeuse. Pas étonnant que Napoléon Comeau ait choisi de s'y installer pour mener à bien ses activités de garde-pêche, de guide et de naturaliste. Il connaissait la médecine traditionnelle des Amérindiens et fit découvrir plusieurs nouvelles espèces de poissons aux scientifiques canadiens et américains.

Une plaque à sa mémoire, réalisée par le sculpteur Jean Bailleul, a été érigée près de l'église du village.

Le **Musée amérindien et inuit** ★ *(3$; fin juin à fin oct tlj 9h à 22h; 134 chemin Pascal-Comeau, ☎568-7306)*. Contrairement à ce que l'on pourrait croire, la majorité des objets exposés dans ce petit musée privé proviennent non pas de la Côte-Nord, mais du Grand Nord canadien (Yukon, Territoires du Nord-Ouest et Nunavut). Il n'en demeure pas moins que les collections d'art inuit, amassées par le chaleureux fondateur de l'institution, Claude Grenier, sont fort intéressantes. On peut notamment y voir de bons exemples de sculptures inuites en «pierre à savon» (stéatite).

Tournez à droite dans la petite route menant à Pointe-des-Monts.

★
Pointe-des-Monts

Ici le fleuve s'élargit soudainement pour atteindre les proportions d'une véritable mer (près de 100 km de largeur en face de Sept-Îles). Le long de la côte, les vents soufflent en permanence sur les villages de plus en plus dispersés. Même si le secteur fut fréquenté régulièrement par les Européens dès le XVIᵉ siècle, les conditions climatiques rébarbatives n'ont pas suscité l'enthousiasme des colons. Mis à part quelques postes de traite des fourrures et quelques fragiles missions établies sous le Régime français, il faut attendre le début du XIXᵉ siècle pour voir arriver une autre forme d'occupation permanente du sol, celle des phares et de leur gardien.

Le **phare de Pointe-des-Monts** ★ *(2,50$; mi-juin à mi-sept tlj 9h à 18h; 1830 ch. du Vieux Phare, ☎939-2400).* De nombreux vaisseaux se sont abîmés sur les côtes aux environs de Pointe-des-Monts. En 1805, les autorités du port de Québec décident de baliser le fleuve afin de réduire le risque de naufrage.

Le phare de Pointe-des-Monts est l'un des premiers construits (1829). Ses sept étages comportent des pièces d'habitation circulaires dotées de cheminées et d'armoires encastrées. Ils accueillent de nos jours un gîte (voir p 660) et un centre d'interprétation portant sur la vie de gardien de phare, pas aussi solitaire qu'on pourrait le croire...

Reprenez la route 138 vers l'est.

*On quitte maintenant la région touristique de Manicouagan pour pénétrer dans celle encore plus sauvage de **Duplessis** (voir p 663), où le paysage prend parfois des allures de taïga.*

Parcs

Le **parc du Saguenay** ★★★ *(section Tadoussac)* s'étend le long de la rivière du même nom, de Tadoussac jusqu'à la baie des Ha! Ha! (voir aussi p 633). Des sentiers de randonnée pédestre permettent de découvrir la végétation recouvrant ces abruptes falaises. D'ailleurs, au haut des falaises, il est intéressant de constater la présence d'une végétation rabougrie. On y dénombre trois sentiers: le sentier du Fjord, le sentier de la colline de l'Anse à l'Eau et le sentier de la pointe de l'Islet. Ce dernier offre une vue magnifique sur le fleuve Saint-Laurent.

Le **parc marin du Saguenay–Saint-Laurent** ★★★ *(182 rue de l'Église, Tadoussac, ☎235-4703 ou 800-463-6769)* comprend le fjord du Saguenay ainsi qu'une partie de l'estuaire du Saint-Laurent. Il a été créé afin de protéger l'exceptionnelle vie aquatique qui y habite. Ce merveilleux fjord est le plus méridional de l'hémisphère Nord. Creusé par les glaciers, il a une profondeur de 276 m près du cap Éternité et de 10 m à peine à son embouchure. Cette configuration particulière, créée par l'amoncellement de matériaux charriés par les glaciers, a laissé un bassin où l'on retrouve la faune et la flore marines de l'Arctique. En effet, l'eau à la surface du Saguenay, dans les premiers 20 m, est douce et se trouve à une température variant entre 15 et 18°C, alors que l'eau en profondeur est salée et se maintient autour de 1,5°C. Ce milieu, reliquat de la mer de Goldthwait, a conservé ses habitants, comme le requin arctique ou le béluga, qu'on retrouve aussi beaucoup plus au nord dans l'Arctique.

En outre, grâce à une oxygénation constante, y prolifèrent une multitude d'organismes vivants dont se nourrissent plusieurs mammifères marins, com-

---

Nouveaux règlements pour l'observation des baleines

Dans le parc marin du Saguenay–Saint-Laurent, la priorité est mise sur la conservation de la faune et de la flore. Les baleines demeurent les mammifères les plus facilement observables et les plus recherchés dans ce but. Depuis 2002, de nouveaux règlements sont cependant en vigueur afin de déranger le moins possible les activités des cétacés. Ces règlements qui empêchent les embarcations d'approcher à moins de 200 m des baleines (400 m pour les bélugas, plus menacés), et qui les obligent à adopter un comportement sécuritaire lorsqu'elles se trouvent à moins d'un mille marin d'une baleine, sont appliqués avec beaucoup de sévérité. Assurez-vous d'en prendre connaissance si vous êtes propriétaire d'une embarcation.

me le petit rorqual, le rorqual commun et le rorqual bleu. Ce dernier pouvant atteindre 30 m, il constitue le plus grand mammifère du monde. Dans le parc, on peut également apercevoir des phoques et parfois des dauphins.

Très tôt les pêcheurs venus d'Europe tirèrent parti de ces richesses marines. Certaines espèces telles que la baleine franche furent malheureusement trop chassées. Aujourd'hui, on peut s'aventurer sur le fleuve pour contempler de plus près ces impressionnants animaux. Toutefois, afin de les protéger de certains abus, des règles strictes ont été édictées, et les bateaux ne peuvent pas les approcher de trop près.

Le **parc nature de Pointe-aux-Outardes ★** *(4$; début juin à début sept tlj 8h à 18h, début sept à fin oct 8h à 17h; 4 rue Labrie Ouest, Pointe-aux-Outardes, ☎567-4226)* donne sur le fleuve. Les visiteurs peuvent s'y rendre pour profiter de ses belles plages. Cependant, il est surtout connu comme un des plus importants sites de migration et de nidification du Québec. D'ailleurs, plus de 175 espèces d'oiseaux y ont déjà été observées. Le parc abrite des sentiers de randonnée, un marais d'eau salée, des dunes ainsi qu'une plantation de pins rouges.

Activités de plein air

Croisières et observation des baleines

Au quai de la ville de Tadoussac, plusieurs entreprises organisent des excursions sur le fleuve.

On peut observer les baleines à partir de grands bateaux confortables pouvant accueillir jusqu'à 300 personnes ou d'embarcations pneumatiques très sécuritaires. Les **Croisières AML** *(45$; début mai à fin oct, 2 départs par jour; 177 rue des Pionniers, Tadoussac, départ au quai de Tadoussac et à Baie Sainte-Catherine, ☎235-4642 ou 800-463-1292)* proposent ce genre d'excursion qui dure en moyenne trois - heures.

Le **Groupe Dufour** *(40$; mai à oct, 3 départs par jour; 165 rue du Bord-de-l'Eau, Tadoussac, ☎235-4421 ou 800-561-0718)* propose des excursions tout confort sur de grands bateaux, notamment le superbe catamaran *Famille Dufour II*. L'entreprise possède aussi quelques embarcations pneumatiques de grandes dimensions, performantes et pouvant se rendre plus proches de l'action. Interprétation par des naturalistes. Les croisières peuvent se rendre jusqu'à Québec par le fleuve Saint-Laurent et jusqu'à Chicoutimi par la rivière Saguenay. Différent forfaits sont offerts.

À bord de canots pneumatiques de 8 m bien équipés, **Les Croisières Neptune** *(36$; mi-mai à mi-oct, départs à 6h30, 9h, 11h30, 14h et 16h30, durée 2 heures; 507 rue du Boisé, Bergeronnes, ☎232-6716)* transportent rapidement les amateurs de sensations fortes au cœur de la fosse marine où s'ébattent les mammifères marins.

Les Pionniers des Baleines *(mi-mai à mi-oct 3 départs par jour d'une durée de 2 heures 15 min pour 32,50$ et 1 départ par jour d'une durée de 4 heures pour 55$; 41 rue des Pilotes, Les Escoumins, ☎233-3274)*. Personne ne peut ravir ce titre à la famille Ross, qui dispose aujourd'hui de deux canots pneumatiques accueillant chacun 12 passagers.

Pour découvrir le fleuve et son littoral avec des gens fort sympathiques, pensez aux **Croisières du Grand Héron** *(40$; début mai à fin oct, 4 départs, durée 2 heures 30 min; rue du Quai, Ste-Anne-de-Portneuf, ☎587-6006 ou 888-463-6006)*. Les activités suggérées ont pour thèmes la découverte de la mer, l'interprétation du littoral, l'observation des oiseaux et des mammifères marins. On peut y contempler la faune, par exemple les baleines bleues, à différentes heures du jour et de la nuit. On peut également assister aux couchers et aux levers de soleil sur le fleuve.

Les sorties nocturnes permettent notamment d'observer un phénomène naturel unique, la bioluminescence du plancton, soit son émission naturelle de lumière. Chaque mouvement de l'eau fait réagir les millions de planctons qui émettent une lumière presque phosphorescente. On assiste alors à un spectacle incroyable, distinguant même les bancs de poissons qui fuient devant le bateau!

Le Gîte du Phare de Pointe-des-Monts *(fin juin à début sept, croisières d'une durée de 2 heures 30 min pour 25$ et croisières d'une durée de 5 heures pour 50$; 1830 ch. du Vieux Phare;* ☎*939-2332 ou 589-8408 hors saison)* organise quelques excursions fort intéressantes. En canot pneumatique ou en petit bateau de pêche, on observe les mammifères marins ainsi que l'environnement marin de la région à partir de l'endroit même où le golfe du Saint-Laurent prend naissance.

Kayak

Le kayak vous donne la liberté, seul ou à deux, d'approcher les baleines et les phoques de très près. Évidemment, vous aurez aussi besoin de chance!

Souvenez-vous que de forts vents et de grosses vagues peuvent se produire à l'embouchure du fjord du Saguenay. Les kayakistes inexpérimentés devraient toujours se laisser diriger par un guide professionnel (il leur est conseillé de choisir soigneusement leur guide, car ce ne sont pas tous les guides de Tadoussac qui sont compétents: il y a eu quelques malheureuses expériences qui sont survenues).

Les entreprises **Tayaout Plein Air** *(148 rue du Bord-de-l'Eau,* ☎*235-1056 ou 888-766-1056)* et **Mer et Monde** *(53 rue Principale, Bergeronnes,* ☎*232-6779 ou 866-637-6663)* proposent des excursions de un à cinq jours accompagnées de guides. Les tarifs varient selon le forfait.

Plongée sous-marine

Situé sur le territoire du parc marin du Saguenay–Saint-Laurent, le secteur des Escoumins est fréquenté 12 mois par année par les plongeurs. Quatre sites sont accessibles par voie terrestre, alors qu'une vingtaine d'autres le sont par bateau. Les plongeurs qui vont plus au large doivent prendre garde à la force des courants qui, conjuguée au mouvement des marées, peuvent les emporter rapidement. Au **quai des Pilotes** (voir p 649), le paysage marin est surprenant. Anémones, étoiles de mer et oursins sont présents en quantité phénoménale tout le long de la paroi très raide.

Un réseau de passerelles vous permet l'accès aux sites et services, alors que le **Centre des loisirs marins des Escoumins** *(mi-mai à mi-oct; 41 rue des Pilotes, Les Escoumins,* ☎*233-2860)* propose des vestiaires, des douches de rinçage pour l'équipement, des chariots,

de l'information et une boutique. Le secteur sous-marin de **Pointe-des-Monts** est reconnu pour son cimetière d'épaves, puisqu'une foule de bateaux se sont échoués dans ce lieu stratégique à l'entrée du golfe, et ce, depuis l'arrivée des Européens au Nouveau Monde.

Randonnée pédestre

Les nombreux sentiers de courte et moyenne randonnée qui sillonnent le territoire de **Tadoussac** ont quelque chose de fantastique: ils traversent des écosystèmes radicalement différents les uns des autres.

Tadoussac est aussi le point de départ de l'un des sentiers de longue randonnée les plus remarquables du Québec: le **sentier du Fjord**, d'une beauté prenante. D'une longueur de 43 km et de difficulté intermédiaire, il débute près de la baie de Sainte-Marguerite *(*☎*235-4238, réservations pour le camping* ☎*877-272-5229, www.sepaq. com).* Ce sentier spectaculaire offre une vue presque constante sur l'embouchure du Saguenay, les falaises, les caps, le fleuve et le village. On trouve un terrain de camping sauvage vers le neuvième kilomètre. Il est également possible de poursuivre la marche au-delà de la Passe-Pierre, où est situé un autre terrain de camping, merveilleusement aménagé dans un lieu idyllique.

Tout près de Baie-Comeau, le **Camping de la Mer** *(72 rue Chouinard, Pointe-Lebel,* ☎*589-6576)* a aménagé 5 km de sentiers agréables et larges, puis en a dressé la carte. On peut également faire 30 km à pied sur la divine plage de la péninsule Manicouagan jusqu'à Pointe-aux-Outardes et son parc nature. La **péninsule Manicouagan** s'étend sur un territoire de 150 km² de sable fin recouverts de forêt, de champs en friche, de marais, de dunes et de plages.

Véritable paradis naturel, le **parc nature de Pointe-aux-Outardes** *(4 rue Labrie O., Pointe-aux-Outardes, ☎567-4226)* (voir p 655) protège et met en valeur un milieu naturel fascinant qui regroupe huit écosystèmes sur 1 km². Un circuit de randonnée pédestre de 6 km permet de découvrir cet environnement extraordinaire.

Observation des oiseaux

Le secteur de Tadoussac est l'un des plus propices du Québec en ce qui a trait à l'observation des oiseaux rapaces. Les spécialistes en dénombrent des quantités phénoménales sur ce qui pourrait être un couloir migratoire. Ouvrez l'œil!

En entrant dans le village de Bergeronnes par la voie d'accès de gauche, avant le viaduc, on passe derrière l'église pour emprunter la rue de la Mer jusqu'au petit parc aménagé à la **pointe à John**. De ce lieu d'observation privilégié, on verra, en plus des baleines, nombre d'oiseaux marins et d'oiseaux riverains rassemblés sur les battures. L'hiver y est une saison particulièrement active.

Au parc du **Cap-de-Bon-Désir** *(Bergeronnes)*, les visiteurs sont surtout attirés par l'observation des baleines qu'ils font à partir du rivage, mais les ornithologues remarqueront un sentier qui mène à un point de vue superbe sur la baie de Bon-Désir, située à l'ouest du cap.

Si vous avez l'intention de vous rendre le long du grand **marais de Saint-Paul-du-Nord** pour y observer la faune aviaire particulièrement abondante, arrêtez-vous d'abord au **Centre d'interprétation des marais salés de Pointe-au-Boisvert** *(741 route 138, Longue-Rive, ☎231-1077)* afin de bien entreprendre toute activité d'ordre ornithologique dans le secteur. On a aménagé un sentier d'interprétation autoguidé qui facilite la visite du marais salé et qui contribue à mieux faire connaître cet écosystème captivant.

Un peu plus en aval, la route 138 croise, côté mer, le chemin Boisvert, qui mène à une zone de marais délimitée par la **pointe au Boisvert**. Un sentier pénètre dans la zone marécageuse, à 1,4 km de la route 138.

On trouve à Sainte-Anne-de-Portneuf l'un des sites ornithologiques les plus recherchés du Québec: la **barre de Portneuf**, aussi appelée le «banc de Portneuf». Il s'agit d'une longue pointe sablonneuse de 4 km, très facilement accessible et visible de la terre ferme.

On y a déjà dénombré jusqu'à 15 000 oiseaux en une journée durant la migration. La meilleure période d'observation s'étend entre la fin de juillet et la

fin de septembre. Il faut choisir, de préférence, la marée montante pour s'y promener, alors que les oiseaux sont plutôt regroupés sur le rivage intérieur. On accède au banc de sable par son extrémité nord à partir du stationnement.

La **péninsule Manicouagan**, cette large avancée de sable et de forêt, regroupe plusieurs pôles d'intérêt que sont la baie Henri-Grenier, la pointe Lebel, la pointe aux Outardes et la plage de la pointe Paradis, toutes fréquentées par de nombreux oiseaux riverains. Le territoire permet de faire des observations intéressantes de la mi-avril à la fin de septembre.

Les environs du **phare de Pointe-des-Monts** ont la réputation de constituer un endroit exceptionnel pour l'observation de nombreuses espèces d'oiseaux marins. À cause de sa situation géographique très avancée dans le fleuve ainsi que de son isolement, Pointe-des-Monts, avec le vieux phare, est aussi fréquentée par une multitude de canards plongeurs ainsi que par le huart à queue rousse.

Traîneau à chiens

L'auberge de jeunesse de Tadoussac, la **Maison Majorique** *(55$ la demi-journée, excursions de 18 et 20 km; ☎235-4372)* (voir p 658) organise des sorties en traîneau à chiens. Les clients sont accompagnés et peuvent guider les attelages.

Hébergement

Tadoussac

Maison Majorique
$
bc
158 rue du Bateau-Passeur
☎235-4372 ou 800-461-8585
≈235-4608
La Maison Majorique est
l'auberge de jeunesse de
Tadoussac. Vous y trouve-
rez des lits en dortoir ou
en chambre privée ainsi
que des emplacements de
camping (en été). Vous
pourrez profiter des repas
communautaires à très bas
prix. De plus, hiver
comme été, une foule
d'activités de plein air y
sont organisées. Plage.

Camping Tadoussac
$
428 rue du Bateau-Passeur
☎235-4501 ou 888-868-6666
≈235-4902
www.essipit.com
Aucun panorama ne sur-
passe celui du Camping
Tadoussac, qui surplombe
la baie et le village.

La Galouïne
$$ pdj
bc/bp, ℂ
251 rue des Pionniers
☎235-4380
Galouïne est un mot aca-
dien désignant un vent de
tempête. Rassurez-vous:
vous serez tout de même
bien à l'abri sous le toit de
cet agréable petit gîte!
Nous ne sommes pas en
Acadie ici, mais l'origine
madelinienne des sympa-
thiques propriétaires ex-
plique le nom donné à
cette grande maison pro-
longée par de longs
balcons et plantée dans la
rue des Pionniers. Marie-
Line, qui a fait la décora-

tion des chambres, leur a
donné une touche person-
nelle et créatrice qui les
rend invitantes et origina-
les. Les couleurs chaudes
ou vives qui priment un
peu partout, même à
l'extérieur, ajoutent au
charme de l'endroit. Deux
chambres sont aménagées
sous les combles, pour
encore plus de cachet! Une
petite cuisine, bien
équipée, permet de mijoter
des petits plats.

La Mer Veilleuse
$$ pdj
ℜ, bc, ⊗
113 de la Coupe-de-L'Islet
☎235-4396
≈235-1142
Petit gîte touristique décoré avec goût, La Mer Veilleuse offre une belle vue
sur le fleuve. On y prépare
d'excellents petits déjeuners. Le service est efficace
et sympathique. Plage.

Gîte aux sentiers du Fjord
$$ pdj
bc
toute l'année
148 de la Coupe-de-L'Islet
☎235-4934
Au Gîte aux sentiers du
Fjord, vous trouverez une
belle ambiance comme en
famille! Le service est ex-
cellent. Préférable de ré-
server. Plage.

Gîte Vue du Perron
$$ pdj
ℵ, ℂ, bc
261 rue Champlain
☎235-4929
≈235-1173
Dans les escarpements du
village, le Gîte Vue du
Perron intéressera tout
spécialement les familles
ou les groupes formés de
couples puisqu'il compte
un appartement de deux
chambres.

Maison Hovington
$$ pdj
mai à oct
285 rue des Pionniers
☎235-4466
☎(514) 671-4656 (hors saison)
≈235-4897
Jolie résidence ancienne
construite en face du
fleuve, la Maison Hoving-
ton offre une vue superbe.
Ce gîte touristique dispose
de chambres fort bien
tenues.

Maison Clauphi
$$ pdj
bc
mi-mai à mi-oct
188 rue des Pionniers
☎/≈235-4303
www.clauphi.com
La Maison Clauphi se com-
pose d'une auberge, d'un
motel avec petites cham-
bres et de quelques petits
chalets. L'établissement est
très bien situé dans le village et propose de nom-
breuses activités de plein
air. Location de vélos.

Maison Gauthier
$$ pdj
mai à oct
159 rue du Bateau-Passeur
☎235-4525
☎(514) 671-4656 (hors saison)
≈235-4897
Les chambres de la Maison
Gauthier sont décorées
avec simplicité et avec
goût. La pièce la plus jolie
est sans doute la salle de
séjour, où l'on sert le petit
déjeuner et qui offre une
vue splendide sur le
fleuve.

Maison Harvey-Lessard
$$ pdj
≡, ⊛, ✿
début juin à début nov
16 rue Bellevue
☎235-4802 ou 827-5505
≈827-6926
http://harveylessard.com
Indiscutablement, la Mai-
son Harvey-Lessard profite
du point de vue le plus
spectaculaire de Tadoussac
avec ses balcons. Cham-

bres agréables décorées avec goût.

Le Béluga
$$
ℜ
191 rue des Pionniers
☎*235-4784*
⇄*235-4295*
www.le-beluga.qc.ca
Bien situé dans le village, l'hôtel-motel Le Béluga dispose de chambres spacieuses et confortables.

Hôtel Tadoussac
$$$$$
≈, ℜ
mi-mai à mi-oct
165 rue du Bord-de-l'Eau
☎*235-4421 ou 800-561-0718*
⇄*235-4607*
www.familledufour.com
Faisant face au fleuve dans un long bâtiment blanc évoquant vaguement un manoir de la fin du XIXᵉ siècle, l'**Hôtel Tadoussac** (voir p 646) se distingue aisément par son toit rouge vif. L'hôtel, célèbre pour avoir servi de toile de fond au film *Hotel New Hampshire*, dispose de chambres moins confortables qu'on pourrait l'espérer.

Bergeronnes

Camping Bon Désir
$
♞
198 route 138
☎*232-6297*
☎*232-6326 (hors saison)*
⇄*232-1019*
Donnant sur le fleuve, le Camping Bon Désir bénéficie d'un panorama exceptionnel et permet aux kayakistes d'accéder directement à la mer. On peut aussi y faire l'observation des baleines.

Auberge La Rosepierre
$$ pdj
⊛, *ℜ*, *bc/bp*
66 rue Principale
☎*232-6543 ou 888-264-6543*
⇄*232-6215*
www.rosepierre.com
L'Auberge La Rosepierre est une superbe auberge dont les chambres confortables ont été décorées avec raffinement. Une véritable collection de granits du Québec a été intégrée à l'auberge: les propriétaires en parlent avec passion. Le granit ne dépouille pas les lieux de leur chaleur, bien au contraire, et l'on s'y sent à l'aise dès l'entrée. Location de vélos.

Forestville

Auberge de la Baie Verte
$$ pdj
≡, ⊛, *ℜ*, *bc/bp*
75 1ʳᵉ Avenue
☎*587-6469 ou 877-390-6469*
⇄*587-6468*
www.aubergebaieverte.com
Magnifiquement située, l'Auberge de la Baie Verte bénéficie d'une vue impressionnante sur la baie et du calme que lui procure son emplacement, un peu en retrait de la ville. Plage.

Pointe-Lebel

Le Camping de la Mer
$
♞, ≈, *ℜ*
72 rue Chouinard
☎*589-6576*
⇄*295-2670*
La péninsule Manicouagan abrite un site paradisiaque où les amateurs de plage de sable fin en auront à satiété. Le Camping de la Mer est aménagé pour ceux qui veulent vivre pleinement la mer et son environnement. Sentiers de randonnée pédestre, équitation, observation des

oiseaux marins et, en prime, l'une des plus longues plages au Québec.

Baie-Comeau

Motel Le Comte
$$
≡, ♞, ⊛, *ℜ*
285 boul. LaSalle
☎*296-9686 ou 800-563-9686*
⇄*296-4749*
Le Motel Le Comte est installé dans un long bâtiment de briques qui compte plus de 100 chambres au décor moderne.

La Caravelle
$$
♞, ℑ, ≈, *ℜ*, △
202 boul. LaSalle
☎*296-4986 ou 800-463-4986*
⇄*296-4622*
Tous les voyageurs qui ont régulièrement l'occasion de s'arrêter à Baie-Comeau connaissent l'hôtel-motel La Caravelle, qui domine toute la ville du haut d'une colline. On y trouve 70 chambres, dont certaines à prix économique et d'autres équipées de lit d'eau. Chambres avec foyer.

Le Petit Château
$$-$$$ pdj
≡
2370 boul. Laflèche
☎*295-3100*
⇄*295-3225*
Quelle grande et magnifique résidence que cette auberge installée dans une oasis en pleine ville! Le Petit Château est un gîte accueillant même s'il privilégie une atmosphère simple et champêtre.

Hôtel le Manoir
$$-$$$$
≡, ⊛, ⊘, ℑ, ✪, *ℜ*
8 rue Cabot
☎*296-3391 ou 800-463-8567*
⇄*296-1435*
En bordure de l'eau s'allonge le beau bâtiment en pierre de l'Hôtel le Manoir, qui propose des

chambres spacieuses et éclairées. Louez l'une des chambres donnant sur le fleuve, car elles offrent une belle vue. Plage.

Comfort Inn
$$$ pdj
&., ≡, **,** ℜ
745 boul. Laflèche
☎589-8252 ou 800-465-6116
≈589-8752
On trouve également à Baie-Comeau un hôtel Comfort Inn, qui dispose de chambres confortables, fidèles aux normes de cette chaîne.

Godbout

 Gîte Aux Berges
$
ℜ, bc
avr à sept
180 rue Pascal-Comeau
☎568-7816
≈568-7833
www.maisonnette-chalet-quebec.com
Le Gîte Aux Berges demeure, à tout point de vue, l'un des meilleurs lieux d'hébergement de la Côte-Nord. Les chambres sont pourtant aménagées sans prétention, et l'endroit est loin d'être luxueux, mais la qualité et la chaleur de l'accueil, les services touristiques proposés ainsi qu'une cuisine régionale raffinée font toute la différence. Vous trouverez ici un lieu de détente et de repos au cœur d'un village fascinant. On y fait aussi la location de chalets de bois rond situés près de l'auberge. Plage.

Pointe-des-Monts

Gîte du Phare de Pointe-des-Monts
$$ pdj
, bc/bp
mi-juin à mi-sept
route du Vieux Fort
☎939-2332
☎598-8408 (hors saison)
www.pointe-des-monts.com
Le Gîte du Phare de Pointe-des-Monts vous propose cinq chambres confortables dans un site classé monument historique. Sa situation, sur les rives du fleuve Saint-Laurent, en fait une halte inoubliable.

Restaurants

Tadoussac

Le Gibard
$
début mai à fin oct
137 rue du Bord-de-l'Eau
☎235-4534
Le Gibard est un petit café-bar où il fait bon prendre son temps en sirotant un bon bol de café au lait le matin ou une bière fraîche l'après-midi. On peut aussi s'y offrir une cuisine simple. L'établissement est joli, et ses grandes fenêtres donnent sur le port et le fleuve.

Café Bohème
$
239 rue des Pionniers
☎235-1180
Blotti dans l'ancien magasin général, le Café Bohème offre effectivement un bel endroit pour vivre la bohème. Installé sur sa terrasse au cœur de l'animation du village, ou entre ses murs de bois parés de jolies photographies, on peut y flâner un moment en sirotant un espresso ou en avalant un sandwich, une salade et, surtout, un dessert!

Au Père Coquart Café
$-$$
début juin à oct
115 rue de la Coupe-de-L'Islet
☎235-1170
Sur une petite rue perpendiculaire à la rue du Bord-de-l'Eau, on trouve un sympathique café nommé en l'honneur du père jésuite qui fit bâtir la vieille chapelle de Tadoussac. Au Père Coquart Café sert des mets simples ainsi que des spécialités régionales, dans la même ambiance détendue que l'on retrouve un peu partout dans le village. Sa jolie terrasse est bondée durant les beaux jours. Le matin, on y propose de bons petits déjeuners.

Café du Fjord
$$
154 rue du Bateau-Passeur
☎235-4626
Le Café du Fjord est très populaire. À l'heure du dîner, on y propose un buffet de fruits de mer. Plus tard, dans la soirée, l'endroit est animé par un spectacle ou la musique de la discothèque.

Restaurant la Bolée
$$$-$$$$
164 rue Morin
☎235-4750
On va au Restaurant la Bolée pour manger de bons plats simples, comme les crêpes fourrées. En soirée, l'endroit est parfait pour prendre un verre. Juste au-dessous du restaurant se trouve une boulangerie.

Bergeronnes

Auberge La Rosepierre
$$-$$$
66 rue Principale
☎232-6543
Endroit au charme singulier, l'**Auberge La Rosepierre** (voir p 659) abrite une salle à manger aménagée avec beaucoup de goût et propose une table d'hôte où les saveurs et la façon de faire régionales sont à l'honneur. Naturellement, les plats de poisson et de fruits de mer au menu et toujours apprêtés avec une touche particulière.

Les Escoumins

Restaurant Le Bouleau
$$$-$$$$
Complexe hôtelier Pelchat
445 route 138
☎233-2401
En plus d'une vue spectaculaire, le Complexe hôtelier Pelchat propose toute la gamme de fruits de mer locaux, très bien apprêtés.

Forestville

Le P'tit Café
$
25 route 138
☎587-4242
Endroit fort sympathique, le restaurant Le P'tit Café offre à ses convives une cuisine variée, santé et sans prétention, telle que plats de fruits de mer et desserts maison accompagnés d'un bon café. Situé dans le centre commercial Les Galeries Forestville.

Baie-Comeau

Les 3 Barils
$$-$$$
200 boul. LaSalle
☎296-3681
Pour un repas entre amis, dans une atmosphère détendue, on peut opter pour la brasserie Les 3 Barils, qui sert une cuisine simple.

Le Manoir
$$$
8 rue Cabot
☎296-3391
La renommée de la salle à manger de l'hôtel Le Manoir n'est plus à faire. Dans un décor extrêmement chaleureux et luxueux, on y fait une fine cuisine élaborée, à laquelle on peut attribuer les qualificatifs les plus élogieux. Ce rendez-vous des gens d'affaires et des industriels peut également plaire à la clientèle touristique, qui appréciera le point de vue unique sur la baie et l'ambiance de vacances qui règne sur la terrasse extérieure. Remarquable choix de vins.

La Cache d'Amélie
$$$$
37 av. Marquette
☎296-3722
La Cache d'Amélie est le relais gastronomique par excellence à Baie-Comeau. Dans le pittoresque ancien presbytère de la plus belle paroisse de la ville, vous aurez droit à une intimité heureuse qui prédispose admirablement aux fins plaisirs de la table.

Pointe-des-Monts

Phare de Pointe-des-Monts
$$$
route du Vieux Fort
☎939-2332
Le restaurant du Phare de Pointe-des-Monts, situé dans une petite baie tranquille, propose un menu constitué essentiellement de fruits de mer frais. La cuisine est excellente et le service impeccable.

Sorties

Bars et discothèques

Tadoussac

Café du Fjord
154 rue du Bateau-Passeur
☎235-4626
Surveillez la programmation du Café du Fjord. Des noms importants du rock, du jazz et du blues y passent de juin à la fin août. Les événements spéciaux s'y succèdent. On peut aussi danser et prendre un verre.

Baie-Comeau

Discothèque Le Broadway
1850 boul. Laflèche
Pour se trémousser sur les derniers succès rock ou *dance*, les 18-30 ans fréquentent la Discothèque Le Broadway.

Pub en ville
1850 boul. Laflèche
Un chansonnier égaie les soirées de fin de semaine du Pub en ville, qui propose aussi son 5 à 7 quotidien et fait jouer une musique d'ambiance. Écran géant.

Fêtes et festivals

Tadoussac

À la mi-juin, le **Festival de la chanson de Tadoussac** (**☎235-4108**) se tient dans plusieurs bars du village. Dans un feu roulant de

Manicouagan

spectacles, des grands noms de la chanson partagent la vedette avec des artistes de la relève.

Achats

Tadoussac

Dans un village où l'on trouve absolument de tout comme souvenirs, la **Boutique Nima** *(231 rue des Pionniers,* ☎*235-4858)* propose des objets de qualité. Elle présente de superbes pièces d'art inuit et amérindien.

Métiers d'art du rivage
251 rue des Pionniers
☎*235-4380*

Au rez-de-chaussée du gîte La Galouïne, une très jolie boutique propose des objets originaux façonnés, pour la plupart, par Les Artisans du sable des Îles de la Madeleine. Fabriqués avec du sable, les cruches, vases, bibelots, serre-livres, etc., fascinent et émerveillent. Vous y trouverez aussi quelques bijoux et des créations inspirées de mille et une choses rejetées par la mer. Marie-Line, la sympathique propriétaire, fignole de généreux emballages.

La boutique du photographe
239 rue des Pionniers
☎*235-1180*

Jumelée au **Café Bohème** (voir p 660), où se tiennent des expositions de photos, La boutique du photographe procure plaisirs et services tant à ceux qui s'amusent à faire de la photo qu'à ceux qui aiment en regarder.

Betsiamites

À l'entrée de la réserve amérindienne de Betsiamites, vous remarquerez sur votre gauche un bâtiment qui abrite le **Centre d'artisanat Opessamo** *(59 Ashini)*, où l'on vend les créations des artisans locaux.

Duplessis

La région de Duplessis couvre un immense territoire sauvage qui, jusqu'au Labrador, longe le golfe du Saint-Laurent sur près d'un millier de kilomètres. Sa population, composée à la fois de francophones, d'anglophones et d'Innus, vit dispersée sur le littoral du golfe du Saint-Laurent et dans quelques villes minières de l'arrière-pays.

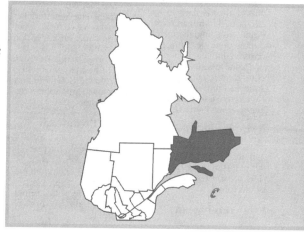

Cette région étant éloignée des grands centres, son moteur économique est l'exploitation des richesses naturelles. Pendant des milliers d'années, les Amérindiens et les Inuits y vécurent essentiellement de la chasse et de la pêche. Vinrent ensuite les Basques et les Bretons, pêcheurs ou baleiniers, qui, dès le XVIᵉ siècle, y érigèrent des postes saisonniers.

Aujourd'hui, les gens du pays vivent surtout de la pêche, de l'industrie forestière, de l'exploitation des mines de fer ou de titane et d'une importante fonderie d'aluminium,

venue s'installer à Sept-Îles pour y bénéficier de la grande disponibilité d'hydroélectricité.

Le plus réputé fils de cette région, le poète Gilles Vigneault, raconte souvent dans son œuvre la vie des gens de ce «coin» du Québec. Le long de la côte, quelques dizaines de milliers de Québécois vivent dans une série de petites agglomérations qui, à partir de Natashquan, ne sont plus reliées au reste du Québec par le réseau routier.

Pays de grands espaces et de nature sauvage, Duplessis offre au visiteur

la jouissance de son calme, la richesse de sa faune et de sa flore, ou la pratique de la chasse et de la pêche. On y vient aussi, et avec raison, pour s'émerveiller devant les splendeurs de l'île d'Anticosti et de l'étonnant archipel de Mingan.

Pour s'y retrouver sans mal

La région de Duplessis englobe la moyenne et la basse Côte-Nord. Deux circuits sont proposés pour découvrir ce coin isolé du

Québec: **Circuit A: La Minganie ★** et **Circuit B: Au pays de Gilles Vigneault ★★**.

Circuit A:
La Minganie

Ce circuit s'inscrit à la suite de celui de **La Côte-Nord ★★**, dans la région touristique de **Manicouagan** (voir p 646). Le premier village abordé dans le circuit de la Minganie est Pointe-aux-Anglais, inclus depuis quelques années dans les limites de la municipalité de Rivière-Pente-côte, dont le centre est situé 12 km plus au nord. Ce circuit se termine à Havre-Saint-Pierre.

En voiture

On accède à la Minganie en empruntant la route 138. C'est d'ailleurs la seule route!

En bateau

Le cargo **Relais Nordik** *(le tarif est déterminé selon la destination; réservations requises; avr à jan; 17 av. Lebrun, Rimouski, ☎418-723-8787 ou 800-463-0680)* quitte Sept-Îles pour atteindre Port-Menier (île d'Anticosti), Havre-Saint-Pierre, Natashquan, Kegaska, La Romaine, Harrington Harbour, Tête-à-la-Baleine, La Tabatière, Saint-Augustin et Blanc-Sablon. Comme il n'y a qu'un seul départ par semaine, renseignez-vous avant de planifier votre voyage.

En avion

La compagnie **Les Ailes de Gaspé** *(☎418-368-1995)* propose des vols nolisés.

La compagnie aérienne **Air Satellite** de Baie-Comeau

(☎418-589-8923) propose des vols quotidiens en été ainsi que durant la période de Noël au départ de Rimouski, de Sept-Îles, de Baie-Comeau, de Havre-Saint-Pierre, de Longue-Pointe-de-Mingan et de l'île d'Anticosti.

En train

QNS&L
☎(418) 968-7803
Le train relie Schefferville à Sept-Îles, et ce, trois fois par semaine en été et deux fois par semaine en hiver. Le voyage, d'une durée de 8 à 12 heures, vous fera traverser le Bouclier canadien jusqu'aux abords de la toundra.

En autocar

La compagnie **Intercar** *(gare du Palais, Québec, ☎418-525-3000)* relie Québec à Havre-Saint-Pierre via toutes les villes principales le long du Saint-Laurent.

Gares routières

Sept-Îles
126 rue Monseigneur Blanche
☎(418) 962-2126

Havre-Saint-Pierre
843 boul. de l'Escale
☎(418) 538-2033

Circuit B: Au pays
de Gilles Vigneault

En 1996, la route 138 a été rallongée jusqu'à Natashquan. Mais, au-delà, seuls l'avion, l'hydravion et le bateau de ravitaillement hebdomadaire (au départ de Havre-Saint-Pierre) relient au reste du Québec, pendant l'été, les habitants des villages qui jalonnent la côte. En hiver, les glaces et la neige tracent une route naturelle pour les motoneiges; aussi est-il

paradoxalement plus simple de se déplacer d'un village à l'autre pendant la saison froide. «Au pays de Gilles Vigneault» est un véritable circuit pour les aventuriers qui recherchent le dépaysement complet.

Renseignements
pratiques

Indicatif régional: **418**

Renseignements
touristiques

Bureau régional

Association touristique régionale de Duplessis
312 av. Brochu, Sept-Îles, G4R 2W6
☎962-0808 ou 888-463-0808
⇥*962-6518*
www.tourismecote-nord.com

Circuit A:
La Minganie

Port-Cartier

Tourisme 50ième parallèle
62 route 138, G5B 2G9
☎766-4414 ou 888-766-6944
⇥*766-4412*

Sept-Îles

Corporation touristique de Sept-Îles
1401 boul. Laure O., G4R 4K1
☎962-1238 ou 888-880-1238
⇥*968-0022*
www.vitrine.net/ctsi/index.html

Havre-Saint-Pierre

Centre culturel et d'interprétation de Havre-Saint-Pierre
957 rue de la Berge
☎538-2512

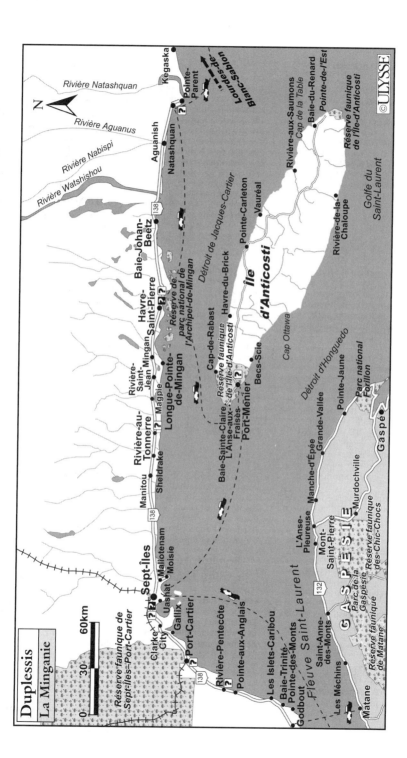

Duplessis
La Minganie

©ULYSSE

Réserve faunique de Sept-Îles-Port-Cartier

Rivière Natashquan

Rivière Aguanus

Rivière Nabispi

Rivière Watshishou

N

Kegaska

Pointe-Parent

Lourdes-de-Blanc-Sablon

Aguanish

Natashquan

138

Baie-Johan-Beetz

Havre-Saint-Pierre

Réserve de parc national de l'Archipel-de-Mingan

Rivière-Saint-Jean Mingan

Longue-Pointe-de-Mingan

Magpie

Rivière-au-Tonnerre

Sheldrake

Manitou

138

Détroit de Jacques-Cartier

Cap-de-Rabast

Havre-du-Brick

Réserve faunique de l'Île-d'Anticosti

Baie-Sainte-Claire
L'Anse-aux-Fraises
Port-Menier

Becs-Scie

Île d'Anticosti

Pointe-Carleton

Vauréal

Rivière-aux-Saumons

Cap de la Table

Baie-du-Renard

Pointe-de-l'Est

Réserve faunique de l'Île-d'Anticosti

Golfe du Saint-Laurent

Rivière-de-la-Chaloupe

Cap Ottawa

Détroit d'Honguedo

Sept-Îles

Maliotenam
Moisie

Uashat

Clarke City

Gallix

Port-Cartier

Rivière-Pentecôte

Pointe-aux-Anglais

Les Islets-Caribou

Baie-Trinité
Pointe-des-Monts

Godbout

Saint-Anne-des-Monts

Les Méchins

Matane

Réserve faunique de Matane

Fleuve Saint-Laurent

132

Parc de la Gaspésie

Réserve faunique des Chic-Chocs

G A S P É S I E

L'Anse-Pleureuse

Manche-d'Épée

Grande-Vallée

Mont-Saint-Pierre

Murdochville

Pointe-Jaune

Parc national Forillon

Gaspé

60km

0   30

138

138

2

Île d'Anticosti

Pour visiter Anticosti, nous vous proposons les forfaits de trois entreprises dans différentes sections de l'île.

Sépaq Anticosti
C.P. 179, Port-Menier, G0G 2Y0
☎535-0156 ou 800-463-0863
minimum de quatre personnes pour chaque réservation

Sépaq Anticosti a mis de l'avant trois types de forfaits abordables pour toutes les clientèles. Le forfait Chalet permet de loger dans un pavillon en bord de mer ou de rivière pendant sept jours et sept nuits, et comprend l'usage d'un véhicule tout-terrain et le transport aérien (aller-retour) au départ de Sept-Îles.

Le forfait Auberge conduit les visiteurs pour sept jours et sept nuits au site enchanteur de la pointe Carleton, avec son phare en bord de mer. Chambre avec salle de bain à l'étage. Tous les repas inclus. Transport aérien (aller-retour) au départ de Sept-Îles compris. Pied-à-terre très bien localisé.

Très abordable financièrement, le forfait Camping donne accès à tous les campings sur le territoire de la Sépaq, en bord de mer, pour sept jours et sept nuits. Véhicule tout-terrain fourni. Transport aérien (aller-retour) au départ de Sept-Îles.

Safari Anticosti
239$ pers.
mi-juin à mi-sept
1024 de la Digue, Havre-Saint-Pierre
☎786-5788
☎538-1414 *(hors saison)*
www.safarianticosti.com
La pourvoirie Safari Anticosti propose un forfait de deux jours incluant le transport aérien, l'hébergement dans les superbes installations du phare de Cap-de-la-Table, les repas, les visites des principaux attraits naturels et du musée Henri-Menier, des sites fossilifères d'Anticosti et du Jardin des sculptures.

Départs tous les jours à 9h30 et 14h30. Forfaits jusqu'à sept jours sur demande. Location de véhicules utilitaires et 50% de rabais pour les enfants de moins de 12 ans.

Auberge de la Pointe-Ouest
25$ pers./jour
☎535-0155
À l'extrême ouest de l'île, à environ 15 min de route de Port-Menier et des services, l'Auberge de la Pointe-Ouest s'est installée dans les maisons des gardiens de l'ancien phare de la Pointe-Ouest.

Dans un décor enchanteur au possible, au bord de la mer, l'auberge propose de l'hébergement tout confort et à très bas prix. Cuisine complète à la disposition des clients. Nombreuses possibilités d'activités aux alentours et assistance logistique offerte par les responsables de l'endroit. Camping au coût de 10$ par jour. Parfait pour petits ou grands groupes.

Circuit B: Au pays de Gilles Vigneault

Natashquan

Corporation de développement touristique de Natashquan
33 allée des Galets
☎726-3756

Attraits touristiques

Circuit A: La Minganie (quatre jours)

Au-delà de Pointe-des-Monts (Manicouagan), le paysage se désertifie. Les forêts et les falaises font place en maint endroit à des plaines septentrionales de bord de mer, balayées par des vents incessants. L'intérieur des terres demeure, quant à lui, exclusivement une région de nature sauvage. Ainsi, à quelques mètres seulement de la chaussée carrossable, débute une zone pratiquement inhabitée, interrompue jusqu'au pôle Nord et même jusqu'à la Russie, de l'autre côté du globe.

La Minganie, qui tient son nom de l'étrange archipel de Mingan, situé à la fin du présent circuit, est reconnue pour ses tumultueuses rivières à saumons, perpendiculaires au fleuve Saint-Laurent. La chasse à la baleine, à la base du peuplement de la Côte-Nord, a maintenant fait place à l'observation des cétacés, possible depuis le quai de chaque village.

La Minganie est parsemée de rêves d'empires dont les morceaux ne sont plus que de fragiles souvenirs. Qu'il s'agisse des Basques, des colons de Nouvelle-France ou d'Henri Menier, l'archéologie peut aujourd'hui nous révéler leur passage en Minganie.

Au cours de la Seconde Guerre mondiale, des sous-marins allemands se sont aventurés près des côtes de la Minganie, coulant, en passant, des navires de ravitaillement du front européen, mais aussi de simples cargos circulant dans le golfe du Saint-Laurent. Des villageois racontent avoir vu des sous-marins émerger des eaux du fleuve devant leur maison. Des soldats seraient même descendus à terre secrètement pour se procurer des victuailles et de l'alcool.

Rivière-Pentecôte (640 hab.)

Avant la Conquête, l'armée britannique a tenté, à plusieurs reprises, de s'approprier le Canada par la force. En 1711, au cours de la guerre de Sécession d'Espagne, elle envoie une flotte importante, commandée par l'amiral Walker, dans le but de prendre Québec. Mais le brouillard sur le fleuve Saint-Laurent entraîne les vaisseaux de guerre britanniques vers les récifs de l'île aux Œufs, où ils s'abîment les uns après les autres. Pointe-aux-Anglais, en face de l'île aux Œufs, venait d'être baptisée. Le hameau de Pointe-aux-Anglais fait maintenant partie de Rivière-Pentecôte.

Le **Musée Louis-Langlois ★** *(2$; fin juin à début sept tlj 10b à 17b; 2088 route Mgr-Labrie, Pointe-aux-Anglais,* ☎ *799-2262 ou 799-2212)* présente une exposition sur le naufrage de la flotte de Walker, en 1711. Des vestiges ramenés à la surface témoignent de cette catastrophe maritime, qui aura tout de même donné un sursis à la Nouvelle-France, marqué par une période de paix durable au cours des décennies suivantes.

Port-Cartier (7 633 hab.)

La coupe de bois et l'extraction du minerai de fer constituent les principales activités économiques de cette ville industrielle dotée d'un important port en eau profonde, principalement utilisé pour le transbordement des céréales et l'expédition du minerai de la compagnie Québec-Cartier. La ville est divisée en deux par la rivière aux Rochers, à l'embouchure de laquelle se trouvent les îles Patterson et McCormick, sillonnées de sentiers panoramiques.

Réserve faunique de Sept-Îles–Port-Cartier ★, voir p 675.

Poursuivez par la route 138 en direction de Sept-Îles.

Sept-Îles (25 683 hab.)

La ville de Sept-Îles est répartie dans différents quartiers entourant la vaste baie de Sept-Îles (45 km²). Ancien poste de traite des fourrures sous le Régime français, elle connaît un âge d'or industriel au début du XXᵉ siècle grâce à l'exploitation des forêts de l'arrière-pays. Vers 1950, Sept-Îles devient la plaque tournante du transport du fer et du charbon, extraits des mines de Schefferville et de Fermont, auxquelles elle est reliée par un chemin de fer. Son port en eaux profondes, libre de glaces en hiver, est le second en importance au Canada, après Montréal, pour le tonnage manutentionné.

L'archipel, formé de sept îles à l'embouchure de la baie, a donné son nom à cette ville qui agit en outre comme le centre administratif de l'ensemble de la Côte-Nord. Sept-Îles constitue un bon point de départ pour l'exploration des régions septentrionales du Labrador et du Nord-du-Québec.

Le **Vieux-Poste ★** *(3,25$; fin juin à fin août tlj 9b à 17b; boul. des Montagnais,* ☎ *968-2070)* nous rappelle que Sept-Îles a été un important poste de traite des fourrures sous le Régime français. L'ensemble est une reconstitution, à partir de fouilles archéologiques et de documents d'époque, du poste tel qu'il était au milieu du XVIIIᵉ siècle, avec sa chapelle, son magasin et ses maisons entourées d'une palissade de bois. La culture innue y est racontée à travers les expositions et les activités saisonnières se déroulant à l'extérieur.

Le **Musée régional de la Côte-Nord ★** *(4$; en été tlj 9b à 17b; reste de l'année mar-ven 10b à 12b et 13b à 17b, sam-dim 13b à 17b; 500 boul. Laure,* ☎ *968-2070)*, construit en 1986, vise à la fois des objectifs anthropologiques et artistiques. Il présente certaines des 40 000 pièces provenant des fouilles archéologiques réalisées sur la Côte-Nord, quelques animaux naturalisés, des objets amérindiens ainsi que des œuvres d'artistes contemporains (peintures, sculptures, photographies) provenant de différentes régions du Québec.

En bordure de la baie des Sept-Îles, le **parc du Vieux-Quai** occupe le cœur de l'activité estivale. On y trouve, entre autres, des sites remarquables d'où l'on peut admirer les îles dispersées à l'horizon,

Duplessis

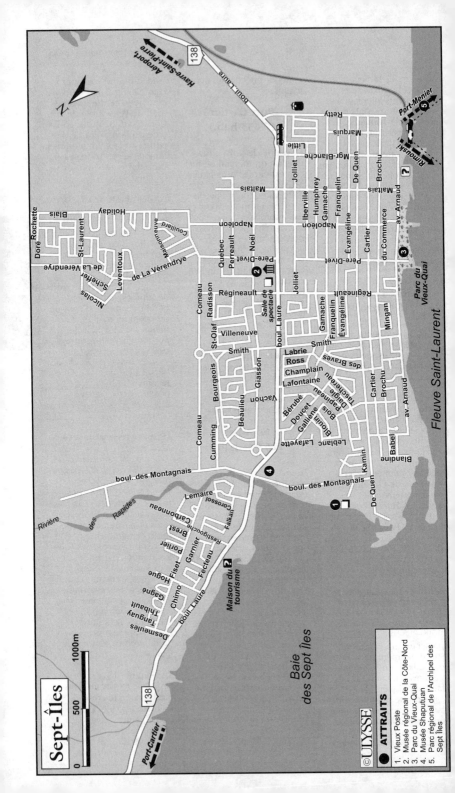

Sept-Îles

N

0   500   1000m

138 Port-Cartier

138 Aéroport Havre-Saint-Pierre

boul. Laure

Blais Doré Rochette Holliday St-Laurent
Leventoux Nicolas Scheffer de La Vérendrye Couillard
Massenneuve Coulliard

Québec Napoléon Mallais
Perreault Noël Iberville Jolliet Little
Régineault Père-Divet Humphrey Retty
Comeau Radisson Napoléon Gamache Mgr-Blanche
St-Olaf Villeneuve Franquelin Marquis
Smith boul. Laure Évangéline De Quen
Bourgeois Giasson Jolliet Cartier Brochu
Beaulieu Vachon Smith du Commerce Mallais
Labrie Régineault
Comeau Ross Gamache Parc du
Cumming Champlain Franquelin Vieux-Quai
Lafontaine Évangéline
Bérubé Papineau Mingan
Doucet Daigle Teschereau
Galliène Bois Cartier
Leblanc Lafayette Brochu
Blouin av. Arnaud
Kamin Babel
Blandine De Quen

boul. des Montagnais
Lemaire
Corossol Falkim
Restigouche Carbonneau
Brest Garnier
Portier Fiset Fecteau
Chimo Hogue boul. Laure
Gagné
Tanguay Thibault
Desmeules

Rivière des Rapides

Salle de spectacle

Maison du tourisme ?

?

Fleuve Saint-Laurent

Baie
des Sept Îles

Port-Menier 5
Rimouski
av. Arnaud ? 2
3

2
4
1

© ULYSSE

ATTRAITS

1. Vieux Poste
2. Musée régional de la Côte-Nord
3. Parc du Vieux-Quai
4. Musée Shaputuan
5. Parc régional de l'Archipel des
   Sept Îles

ainsi que plusieurs artisans locaux venus exposer leurs créations.

Le **Musée Shaputuan** *(3$; 290 boul. des Montagnais, ☎962-4000)* présente de façon captivante l'histoire et la culture des Innus de la Côte-Nord. Le musée est jumelé à un restaurant des plus agréables dont la carte présente de savoureux mets locaux et où le service s'avère tout à fait impeccable. Une initiative remarquable et prometteuse.

Parc régional de l'Archipel des Sept Îles ★ ★, voir p 675.

Reprenez la route 138 Est. Après De Grasse, tournez à droite en direction de Maliotenam et de Moisie.

Maliotenam

Cette réserve innue est l'hôte, au début du mois d'août, du **Festival Innu Nikamu** *(☎927-2985)*, célébration intimiste de la musique autochtone traditionnelle et contemporaine de tout le Canada.

Moisie (1 040 hab.)

Les berges marécageuses et humides de la rivière Moisie ont servi de prétexte à la dénomination de ce village qui fut le site d'importantes forges au XIXᵉ siècle, mais dont il ne subsiste plus que quelques vestiges. Au nord-est du village se trouve l'embouchure de la rivière, considérée par les spécialistes comme la meilleure rivière à saumons du Québec!

*Revenez à la route 138. Tournez à droite vers Sheldrake, Rivière-au-Tonnerre, Magpie et Longue-Pointe-de-Mingan. Entre Sept-Îles et Longue-Pointe-de-Mingan, les distan-*ces à parcourir entre les villages augmentent et les services offerts diminuent. Aussi faut-il s'assurer d'avoir fait le plein d'essence et d'avoir bien mangé avant de quitter la région de Sept-Îles.*

Longue-Pointe-de-Mingan (580 hab.)

Située sur une pointe de sable avançant dans le Saint-Laurent, Longue-Pointe-de-Mingan fut une importante base aérienne de l'Armée américaine pendant la Seconde Guerre mondiale. La station de recherche des îles de Mingan, spécialisée dans l'étude des mammifères marins du Saint-Laurent, y est située.

Au **Centre de recherche et d'interprétation de la Minganie** *(4,75$; mi-juin à début sept tlj 9h à 18h; 625 rue du Centre, ☎949-2126 ou 538-3331)*, vous pourrez poser toutes les questions qui vous chicotent, qu'elles soient d'ordre touristique ou scientifique. Des documents audiovisuels et des expositions vous y attendent. Vous y trouverez de plus des spécialistes de la **Station de recherche des îles Mingan** *(entrée libre; horaire variable; ☎949-2845)*, qui proposent des activités d'animation.

L'**île aux Perroquets ★** *(île dominée par son phare au large de Longue-Pointe-de-Mingan)*. Au XIXᵉ siècle, quelques aristocrates et bourgeois excentriques élirent domicile sur la Côte-Nord, soit pour s'isoler du monde, soit pour tirer profit des énormes ressources de la région. Le comte Henri de Puyjalon, né au château de l'Ort, près de Bordeaux, en 1840, est l'un d'entre eux. En 1888, il devient le gardien du phare de l'île aux Perroquets, nouvellement construit, puis de celui de l'île de la Chasse, où il demeura jusqu'à sa mort, en 1905.

Mingan (400 hab.)

Des Innus et des Blancs cohabitent dans ce village situé en face des îles de Mingan. On trouve à Mingan un important site de pêche au saumon.

L'**église de Mingan** *(15 rue de l'Église, au centre du village)* fut construite en 1918 par John Maloney, qui a inspiré à Gilles Vigneault le personnage de Jack Monoloy dans sa célèbre chanson «Jack Monoloy». L'église a été entièrement décorée par des artisans locaux.

★ Havre-Saint-Pierre (3 520 hab.)

Petite ville pittoresque, Havre-Saint-Pierre a été fondée en 1857 par des pêcheurs madelinots (originaires des îles de la Madeleine, dans le golfe du Saint-Laurent). En 1948, à la suite de la découverte d'importants gisements d'ilménite (titane), à 43 km à l'intérieur des terres, son économie se voit transformée du jour au lendemain par la firme QIT-Fer-et-Titane. Havre-Saint-Pierre devient, dès lors, un centre industriel et portuaire très fréquenté. Depuis l'ouverture du parc national de l'Archipel-de-Mingan en 1983, elle a également acquis une vocation touristique non négligeable. Havre-Saint-Pierre est un excellent point de départ pour l'exploration des îles de Mingan et de la grande île d'Anticosti.

Duplessis

Le **Centre culturel et d'interprétation de Havre-Saint-Pierre ★** *(2$; début juil à début sept tlj 10h à 22h; 957 rue de la Berge,* ☎*538-2450 ou 538-2512)* est installé dans l'ancien magasin général de la famille Clarke, restauré avec talent. On y raconte l'histoire locale à travers une exposition et un diaporama.

Au **Centre d'accueil et d'interprétation de la réserve de parc national de l'Archipel-de-Mingan** *(mi-juin à fin août; 975 rue de l'Escale,* ☎*538-5264,* ☎*538-3331 hors saison),* vous trouverez une exposition photographique ainsi que tous les renseignements voulus sur la faune, la flore et la géologie des îles.

Réserve de parc national de l'Archipel-de-Mingan ★★, voir p 675.

Nous vous proposons un circuit facultatif sur l'île d'Anticosti. Il faut compter au moins quatre jours pour en profiter pleinement.

★★
Île d'Anticosti
(340 hab.)

La présence amérindienne sur l'île d'Anticosti remonte à la nuit des temps. Les Innus l'ont fréquentée de façon sporadique, le climat rigoureux de l'île ne leur permettant pas de s'y établir en permanence.

Ce sont des pêcheurs basques de passage qui l'ont baptisée «Anti Costa» en 1542, ce qui signifie en quelque sorte «anti-côte» ou «*Non! Après tout ce chemin parcouru à travers l'Atlantique, ce n'est pas encore la terre ferme!*».

En 1679, Louis Jolliet obtient l'île en concession

du roi de France en guise de remerciement pour ses expéditions révélatrices au centre du continent nord-américain. Bien que quelques colons s'installent alors dans l'île, son isolement et ses terres pauvres battues par les vents donnèrent un air de modestie à l'entreprise de Jolliet. Ses gens furent décimés par les troupes de l'amiral Phipps, au retour de l'attaque ratée sur Québec en 1690. La rage de la défaite fut augmentée lorsque la flotte britannique fit naufrage aux abords de l'île. Anticosti est crainte par les marins, car, depuis le XVIIe siècle, plus de 400 navires s'y sont échoués.

En 1895, l'île d'Anticosti devient le domaine exclusif d'Henri Menier, magnat du chocolat en France au XIXe siècle. Le «baron Cacao» fait transporter sur l'île des cerfs de Virginie et des renards roux afin de se constituer une réserve de chasse personnelle. Il voit, en outre, au développement de l'île en aménageant un premier village modèle à Baie-Sainte-Claire (aujourd'hui aban

donné), puis un second à Port-Menier, qui constitue encore la principale agglomération de l'île.

Menier gouvernait l'île comme un monarque absolu régnant sur ses sujets. Il dota l'île d'une entreprise d'exploitation forestière de même que d'une flotte de pêche à la morue. En 1926, après une dizaine d'années difficiles dans l'industrie chocolatière, ses héritiers vendent Anticosti à un consortium de compagnies forestières canadiennes, appelé Wayagamack, qui y poursuivront leurs opérations de coupe de bois jusqu'en 1974, date à laquelle l'île est cédée au gouvernement du Québec pour en faire une réserve faunique.

C'est seulement depuis 1983 que les résidants de l'île ont le droit d'acheter des terrains et des maisons. L'île, encore en partie inexplorée, recèle bien de belles surprises, dont la **caverne de la rivière à la Patate** (voir p 676), découverte en 1981!

Port-Menier (280 hab.)

Il s'agit du seul village habité de l'île. C'est ici qu'accoste le *Relais Nordik* une fois par semaine. La plupart des maisons ont été construites sous l'ère Menier, ce qui donne au village une certaine homogénéité architecturale.

Le long de la route de Baie-Sainte-Claire, on aperçoit les fondations du **château Menier** (1899), extravagante villa de bois apparentée au Shingle Style américain. Bâti à la fin du XIXe siècle pour assurer un grand confort à son entourage, le château renferme

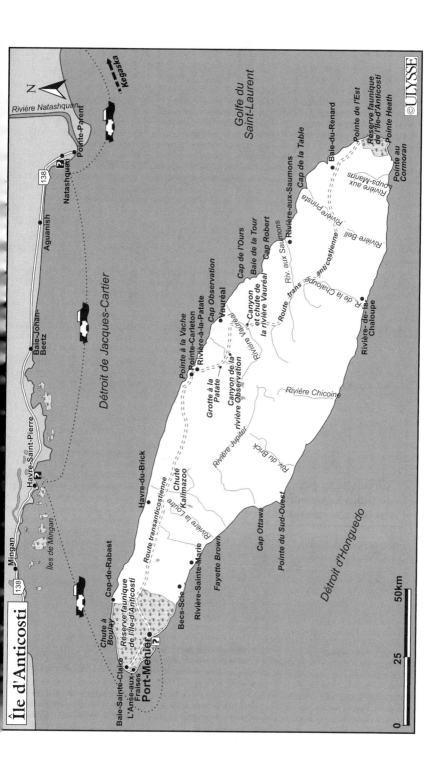

un vitrail en forme de fleur de lys, des antiquités norvégiennes, des tapis orientaux et de la fine porcelaine. Avec la vente de l'île en 1926, le mobilier est réparti entre les nouveaux propriétaires, ou tout simplement vendu.

Malheureusement, en 1954, faute de pouvoir l'entretenir adéquatement, les villageois mettent le feu à la superbe demeure de Menier, réduisant en cendres ce morceau de patrimoine irremplaçable. À **Baie-Sainte-Claire**, on peut voir les restes d'un four à chaux érigé en 1897, seul vestige de ce village à l'existence éphémère.

À l'**Écomusée d'Anticosti** ★ *(entrée libre; fin juin à fin août tlj 10h à 20h; ☎535-0250 ou 535-0311)*, on peut admirer des photographies prises à l'époque où Menier était propriétaire de l'île d'Anticosti.

Parc d'Anticosti ★★, voir p 676.

Circuit B: Au pays de Gilles Vigneault (trois à cinq jours)

«Mon pays, ce n'est pas un pays, c'est l'hiver», voilà comment Gilles Vigneault, fier fils de la Basse-Côte-Nord, décrit son coin de pays subarctique, où l'on voit flotter des icebergs en plein mois de juillet. Les animaux (ours, orignaux, phoques, baleines) peuvent y être admirés en plusieurs endroits, non pas derrière les barreaux d'un zoo, mais dans la vie de tous les jours, aux abords des villages, sur les rochers dénudés, sur les plages de sable fin et dans l'eau.

Le territoire fut colonisé à partir du milieu du XIXe siècle, car, auparavant, ces zones étaient exclusivement réservées aux compagnies de traite des fourrures et de pêche à la morue. Les hameaux francophones, innus et anglonormands alternent sur la côte. Certains des villages à majorité anglophone, peuplés de pêcheurs originaires de l'île de Jersey (dans la Manche), n'ont que peu d'attachement au Québec. Le bâti de la Basse-Côte-Nord a conservé son cachet ancien à travers ses cabanes de pêcheurs en bois et ses vieux quais.

★
Baie-Johan-Beetz (100 hab.)

Appelé à l'origine «Piastrebaie» en raison de sa situation géographique, à l'embouchure de la rivière Piashti, le village sera renommé en 1918 Baie-Johan-Beetz en l'honneur du savant naturaliste belge, Johan Beetz. Piastrebaie fut fondée vers 1860 par Joseph Tanguay. Avec sa femme, Marguerite Murduck, il vécut de la pêche au saumon.

Dans les années qui suivirent arrivèrent des immigrants des îles de la Madeleine: les familles Bourque, Loyseau, Desjardins et Devost. Aujourd'hui encore, les descendants de ces familles vivent principalement de chasse et de pêche.

La **maison Johan-Beetz** ★ *(3$; début juin à mi-sept tlj 9h à 17h; réservations recommandées; ☎539-0137, ☎539-0157 hors saison)*. Johan Beetz est né en 1874 au château d'Oudenhouven, dans le Brabant (Belgique). Le chagrin causé

par le décès de sa fiancée l'amène à vouloir partir pour le Congo. Un ami l'incite plutôt à émigrer au Canada. Passionné de chasse et de pêche, il visite la Côte-Nord, où il décide bientôt de s'installer.

En 1898, il épouse une Canadienne et construit cette coquette maison Second Empire que l'on peut visiter sur réservation. Beetz a peint de belles natures mortes sur les panneaux des portes intérieures. En 1903, il fait figure de pionnier en entreprenant l'élevage d'animaux à fourrure, dont les peaux sont vendues à la Maison Revillon de Paris.

Au cours de sa vie sur la Côte-Nord, Johan Beetz a contribué à améliorer la vie de ses voisins. Grâce à ses études universitaires, pendant lesquelles il apprit les rudiments de la médecine, il fut l'homme de science auquel les villageois faisaient confiance. Muni de livres et d'instruments de fortune, il réussit à soigner, tant bien que mal, les habitants de la Côte-Nord. Il réussit même à préserver le village de la grippe espagnole grâce à une quarantaine savamment contrôlée. Ainsi, si vous demandez aux aînés de vous parler de monsieur Beetz, vous n'entendrez que des éloges.

Le **refuge d'oiseaux de Watshishou** ★ *(à l'est du village)* abrite plusieurs colonies d'oiseaux aquatiques.

★
Natashquan (392 hab.)

Petit village de pêcheurs aux maisons de bois usé par le vent salé, Natashquan a vu naître le célèbre poète et chansonnier

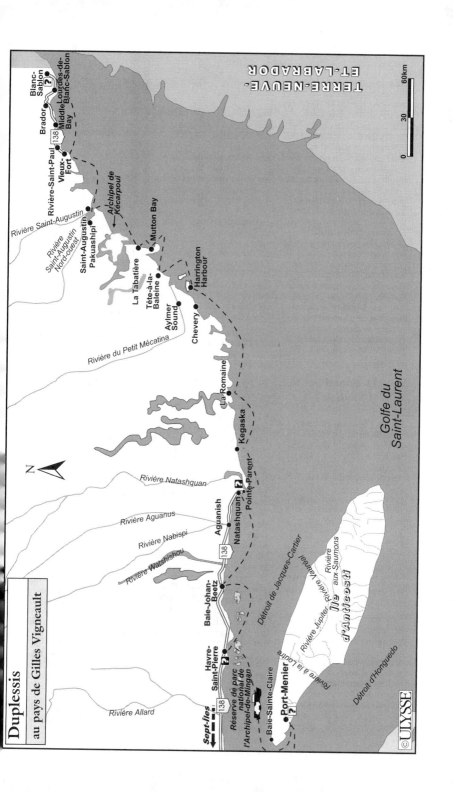

Duplessis
au pays de Gilles Vigneault

©ULYSSE

Gilles Vigneault en 1928. Plusieurs de ses chansons ont pour thème les gens et les paysages de la Côte-Nord. Vigneault vient périodiquement se ressourcer à Natashquan, où il possède toujours une maison. Natashquan, mot d'origine innue, signifie «l'endroit où l'on chasse l'ours». Le village voisin, Pointe-Parent, est surtout peuplé d'Innus.

Les municipalités situées à l'est de Pointe-Parent ne sont pas accessibles par la route. Aussi faut-il prendre le bateau ou l'avion afin de visiter les lieux décrits ci-dessous. Il faut également noter qu'à l'est de Kegaska, première escale du navire de ravitaillement, on change de fuseau horaire (une heure de décalage en plus par rapport au reste du Québec).

La Romaine (900 hab.)

Innus, Naskapis et Inuits cohabitaient autrefois sur ce territoire aux paysages rocailleux. De nos jours, les Blancs et les Innus y vivent en harmonie. La pêche constitue la principale activité économique de l'endroit, comme d'ailleurs de la plupart des villages de la Basse-Côte-Nord.

★ Harrington Harbour (315 hab.)

Les trottoirs de bois font la renommée de ce village de pêcheurs anglo-saxons isolés sur une petite île. Le sol, composé de gros rochers inégaux, rendait difficile l'aménagement d'une agglomération conventionnelle: les habitants ont donc relié les maisons entre elles par des passe-

relles de bois légèrement surélevées.

Près du village de **Chevery**, accessible en bateau-taxi depuis Harrington Harbour, se trouvent les vestiges archéologiques du poste de traite des fourrures et du site de pêche au «loup-marin» de Nantagamiou, tous deux implantés en 1733 par le commerçant Jacques Bellecourt, sieur de Lafontaine.

Le bateau de ravitaillement se faufile ensuite entre une multitude d'îles dénudées aux parois rocheuses. Ce paysage extraordinaire pourrait être celui d'une autre planète.

★ Tête-à-la-Baleine (350 hab.)

Sixième escale du bateau de ravitaillement, Tête-à-la-Baleine est un village pittoresque où l'on pratique toujours la chasse au «loup marin». On peut y observer un phénomène particulier à la Basse-Côte-Nord: la migration saisonnière des habitants. En effet, les pêcheurs possèdent deux maisons, l'une sur la terre ferme et l'autre, plus modeste, érigée sur une île au large et habitée par toute la famille durant la saison de la pêche. Cette dernière porte le nom de «maison de mer». Ainsi, les pêcheurs de Tête-à-la-Baleine se rendent sur l'**île Providence**, pendant l'été, pour se rapprocher des bancs de poissons. Cette tradition est en perte de vitesse, ce qui a entraîné l'abandon de plusieurs maisons insulaires ces dernières années.

Certaines de ces habitations recouvertes de bardeaux de cèdre peuvent maintenant être louées par les visiteurs. On notera,

sur l'île Providence, la présence d'une jolie chapelle érigée en 1895.

Le bateau s'arrête à La Tabatière avant de parvenir à Saint-Augustin.

Saint-Augustin (930 hab.)

Village le plus peuplé de la Basse-Côte-Nord, Saint-Augustin se trouve à une dizaine de kilomètres en amont sur la rivière Saint-Augustin. On y accède en passant par un havre très impressionnant, protégé à l'ouest par l'archipel Kécarpoui et à l'est par l'archipel Saint-Augustin. En face du village se trouve la communauté innue Pakuashipi.

Lourdes-de-Blanc-Sablon (750 hab.)

Petit village de pêcheurs, Lourdes-de-Blanc-Sablon dispose de plusieurs bureaux administratifs et d'un centre hospitalier qui desservent tous cette partie de la Basse-Côte-Nord. Tout près du littoral, sur l'île Verte, se trouvent les restes du *Bremen*, un avion allemand qui effectua l'une des premières traversées aériennes de l'Atlantique en 1928.

La Basse-Côte-Nord est encore desservie par des prêtres missionnaires, comme au temps de la colonie. Mgr Scheffer fut nommé en 1946 premier vicaire apostolique de la région de Schefferville-Labrador. Le **Musée Scheffer** *(entrée libre; tlj 8h à 21h; dans l'église de Lourdes-de-Blanc-Sablon, ☎461-2000)* raconte la vie de Mgr Scheffer ainsi que l'histoire de la région de Blanc-Sablon.

Blanc-Sablon
(330 hab.)

Cette région isolée a pourtant été fréquentée, dès le XVIᵉ siècle, par les pêcheurs basques et portugais, qui y ont établi des pêcheries où l'on faisait fondre la graisse des «loups marins» et où la morue était salée avant d'être expédiée en Europe. Les Vikings, dont le principal établissement a été retrouvé sur l'île de Terre-Neuve, toute proche, auraient peut-être implanté un village dans les environs de Blanc-Sablon vers l'an 1000. À Brador, le site du poste de Courtemanche (XVIIIᵉ siècle) a été mis au jour.

Blanc-Sablon n'est qu'à environ 4 km de la frontière avec le Labrador, ce territoire subarctique dont une large portion est constituée de terres amputées au Québec et, aujourd'hui, partie intégrante de la province de Terre-Neuve, dont le nouveau nom est Terre-Neuve-et-Labrador (!). Une route y conduit directement. L'ancienne colonie britannique de Terre-Neuve ne s'est jointe au Canada qu'en 1949. Cette province est accessible par traversier au départ de Blanc-Sablon.

Parcs

Circuit A:
La Minganie

La **réserve faunique de Sept-Îles–Port-Cartier** ★ *(24 boul. des Îles, Port-Cartier,* ☎ *766-2524)* s'étend sur 6 423 km² et est surtout fréquentée par les chasseurs, les pêcheurs à la ligne ainsi que les canoteurs d'expérience qui aiment chevaucher les rapides de la rivière aux Rochers.

Le **parc régional de l'Archipel des Sept Îles** ★★ est composé des îles Petite et Grande Boule, Dequen, Manowin, Corossol et Grande et Petite Basque. La crevette étant abondante aux alentours, la pêche demeure une activité populaire. Sur l'île Grande Basque, des sentiers d'interprétation de la nature et des emplacements de camping ont été aménagés. Pour participer à une croisière dans l'archipel, voir p 677.

Composée d'une série d'îles et d'îlots s'étendant sur 95 km, la **réserve de parc national de l'Archipel-de-Mingan** ★★ *(1303 rue de la Digue, Havre-St-Pierre,*

☎ *538-3285 ou 800-463-6769,* ☎ *538-3331 hors saison)* recèle de formidables richesses naturelles. Sa particularité vient des falaises composées de calcaire stratifié fort tendre qui ont été façonnées par les vagues.

Ces formations proviennent de sédiments marins qui, aux environs de l'équateur, il y a de cela 250 millions d'années, furent propulsés au-dessus du niveau de la mer, avant d'être recouverts d'un manteau de glace de plusieurs kilomètres d'épaisseur; en fondant, les glaces dérivèrent, et c'est ainsi que les îles émergèrent de nouveau à leur emplacement actuel, il y a 7 000 ans, formant d'impressionnants monolithes de pierre. Outre cet aspect fascinant, le climat et la mer ont favorisé le développement d'une flore rare et variée.

De plus, environ 200 espèces d'oiseaux y nichent. Parmi les espèces qu'on peut apercevoir, mentionnons le joli macareux moine, le fou de Bassan et la sterne arctique. Dans le fleuve, on note la présence de baleines telles que le petit rorqual et le rorqual bleu.

On trouve deux **centres d'accueil et d'interprétation**, un premier à Longue-Pointe-de-Mingan *(Centre de recherche et d'interpréta-*

Duplessis

tion de la Minganie, 625 rue du Centre, ☎949-2126) et un second à Havre-Saint-Pierre (Centre d'accueil et d'interprétation de la réserve de parc national de l'Archipel-de-Mingan, 975 rue de l'Escale, ☎538-5264). Ils sont ouverts en été seulement. Il est possible de camper dans l'archipel de Mingan, près de **Havre-Saint-Pierre** (voir p 678). Il existe également des sentiers de randonnée pédestre sur certaines îles.

En plus d'offrir des attraits naturels considérables, le parc recèle quelques vestiges d'une occupation humaine très ancienne remontant à plus de 4 000 ans. Les ancêtres des Innus du village de Mingan furent les premiers à visiter régulièrement cet endroit pour y faire la chasse à la baleine et pour y cueillir de petits fruits.

Mis à part les explorateurs vikings, dont les traces d'occupation ont été mises en valeur sur l'île de Terre-Neuve, les premiers Européens connus à mettre les pieds sur le sol canadien sont les baleiniers basques et bretons, lesquels ont laissé des témoignages de leur passage dans les îles de Mingan. Les archéologues ont notamment retrouvé les vestiges de leurs fours circulaires en pierre et en terre cuite rouge (XVIᵉ siècle), destinés à faire fondre la graisse des cétacés avant de l'exporter vers l'Europe où elle servait principalement à la fabrication de chandelles.

En 1679, les Français Louis Jolliet et Jacques de Lalande se portent acquéreurs de l'archipel, qu'ils transforment en un poste de traite des fourrures doublé d'une pêcherie pour la morue. Ces installations,

détruites par les Anglais à la Conquête, n'ont jamais été reconstruites.

Vingtième parc du réseau de Parcs Québec, le **parc d'Anticosti** ★★ a été créé au centre de l'île d'Anticosti pour en protéger les plus beaux sites.

Le parc d'Anticosti permet à chaque personne une utilisation rationnelle du

territoire afin de s'adonner à son activité préférée. Plusieurs kilomètres de sentiers de randonnée sillonnent ce havre de verdure qui se prête bien à la marche, à la baignade ou à la pêche. L'île appartient au gouvernement du Québec depuis 1974, mais la randonnée pédestre récréative n'y est pratiquée que depuis 1986. Réputée pour ses cerfs de Virginie, elle offre également des panoramas à couper le souffle. En effet, plages immenses, chutes, grottes, escarpements et rivières composent son magnifique décor.

À 65 km de Port-Menier, vous trouverez la **chute Kalimazoo**. Un peu plus loin, vous arriverez à **Baie-MacDonald**, nommée en

mémoire d'un pêcheur de la Nouvelle-Écosse, Peter MacDonald, qui y vécut en ermite plusieurs années. On raconte même qu'après avoir été malade, puis soigné à Baie-Sainte-Catherine, il fit près de 120 km en raquettes pour retourner chez lui. La baie MacDonald constitue un superbe site entouré d'une longue plage de sable fin.

Continuez par la route qui longe ces magnifiques plages, et vous croiserez plus loin la **pointe Carleton**, avec son phare datant de 1918. Non loin de la pointe, vous pourrez voir l'épave de cet ancien dragueur de mines que fut le **M.V. Wilcox**, échoué depuis juin 1954.

À quelque 12 km de la pointe Carleton, vous trouverez le chemin pour accéder à la **caverne de la rivière à la Patate**. Si vous disposez d'un véhicule à quatre roues motrices, vous pourrez parcourir les 2 km suivants, mais vous devrez en faire deux autres à pied. Cette grotte, dont les galeries font près de 625 m de long, fut découverte en 1981 puis visitée par une équipe de géographes en 1982.

La **chute et le canyon de la Vauréal** ★★ sont parmi les sites naturels les plus impressionnants de l'île d'Anticosti. La chute, qui se jette dans le canyon du haut d'une paroi de 70 m, offre un spectacle saisissant. Il est possible de faire une courte randonnée (1 heure) le long de la rivière, au creux du canyon, jusqu'à la base de la chute. Vous y découvrirez de magnifiques falaises de calcaire gris striées de schistes rouge et vert. En faisant encore 10 km sur la route principale, vous arriverez à l'embranchement donnant accès à la **baie de la Tour** ★★, qui se trouve 14 km plus loin. Il s'agit d'une longue plage adossée à de superbes parois de calcaire.

Activités de plein air

Croisières et observation des baleines

Circuit A: La Minganie

La **Tournée des îles** *(35$; Marina Havre-Saint-Pierre, kiosque n° 2,* ☎*538-2547)* organise des excursions en bateau d'une durée de trois heures dans l'archipel des Sept-Îles. La croisière donne aussi l'occasion de prendre connaissance de la richesse marine du Saint-Laurent, qui compte plusieurs variétés de mammifères marins, en particulier des baleines. Elle se rend jusqu'à l'île Corossol, une importante réserve ornithologique.

Sur toute la Côte-Nord, la plus belle expérience que puisse vivre quiconque aime les baleines, c'est d'aller à la rencontre des rorquals à bosse en compagnie des biologistes de la **Station de recherche des îles Mingan** *(75$/pers.; 378 rue du Bord-de-la-Mer, Longue-Pointe-de-Mingan,* ☎*949-2845).* À bord de canots pneumatiques à coque rigide de 7 m, les observateurs participent à une journée de recherche

qui consiste à identifier les animaux par les marques que l'on distingue sous la queue. On assiste parfois à des biopsies, et on recueille des données qui serviront aux chercheurs. Il faut avoir le cœur solide toutefois, puisque les sorties, qui débutent par un rendez-vous matinal à 7h à la station de recherche, durent un minimum de six heures et, parfois, beaucoup plus longtemps, et ce, dans une mer houleuse.

Observation des oiseaux

Circuit A: La Minganie

Toute la **baie de Sept-Îles** permet à l'ornithologue amateur de faire un grand nombre d'observations d'oiseaux riverains et palustres ainsi que de canards. Sur le rivage, on peut souligner quelques bons lieux d'observation comme la pointe du Poste, au bout de la rue De Quen, le Vieux Quai ainsi que deux haltes le long de la route 138, à l'ouest de la ville. En croisière autour des îles qui ponctuent la baie, on peut voir sur l'île Corossol diverses colonies d'oiseaux marins.

La **réserve de parc national de l'Archipel-de-Mingan** abrite de nombreuses merveilles naturelles uniques au Québec, voire dans tout l'est de l'Amérique. Il en est de même sur le plan ornithologique. On y reconnaît par exemple l'une des rares colonies de macareux moines du golfe, sur l'île aux Perroquets, à l'extrémité ouest de l'archipel.

On les observe principalement à partir des bateaux d'excursion dont le port d'attache est à Havre-Saint-Pierre, Mingan et Longue-Pointe-de-Mingan.

Dans la forêt de cette partie de la Côte-Nord, on remarque plus spécialement la paruline à calotte noire, la paruline rayée, la mésange à tête brune, le bruant fauve, le bruant de Lincoln et la grive à joues grises.

Circuit B: Au pays de GillesVigneault

Au **refuge d'oiseaux de Watshishou** de Baie-Johan-Beetz, on peut, en déambulant sur des trottoirs de bois, observer la faune aviaire.

Plongée sous-marine

Circuit A: La Minganie

Protégée par les îles qui l'entourent, la baie de Sept-Îles rend le milieu marin plus favorable à la plongée sous-marine. Plus de 75 lieux de plongée ont été répertoriés dans la baie: on en trouve de tous les degrés de difficulté. Deux épaves artificielles y ont même été créées et immergées en 1995.

Kayak

Circuit A: La Minganie

Si vous ne possédez pas d'embarcation, les **Expédi-**

tions Agaguk *(1062 rue Bo-réale, Havre-Saint-Pierre, ☎538-1588)* proposent de belles randonnées guidées sécuritaires.

Ski alpin

Circuit A: La Minganie

Pour le ski alpin, la **Station de ski Gallix** *(24,50$; déc à avr lun-ven 10h à 15h, sam-dim 9h à 15h30; 1 ch. du Centre de ski, Gallix, ☎766-7547 ou 766-5900)* offre une dénivellation de 185 m et compte 22 pentes dont 7 éclairées en soirée.

Motoneige

Afin de satisfaire les amateurs, une carte indiquant les sentiers de motoneige de la région est disponible à l'Association touristique de Duplessis, où se trouve l'organisme suivant:

Association des clubs de motoneige de la Côte-Nord
312 av. Brochu
Sept-Îles, G4R 2W6
☎296-8967

Circuit B: Au pays de Gilles Vigneault

La **communauté innue de Pakuashipi** *(Conseil des Innus de Pakuashipi, Pakuashipi/Saint-Augustin, ☎947-2253)* propose plusieurs activités de familiarisation avec la culture autochtone, entre autres des excursions en motoneige qui ont lieu - dans un rayon d'environ 80 km et qui comportent la pratique de diverses activités de chasse et de

pêche ainsi que des séjours dans des camps de bois. Pakuashipi n'est accessible que par avion ou motoneige au départ de Natashquan.

Hébergement

Circuit A: La Minganie

Sept-Îles

Camping sauvage de l'île Grande-Basque
$
fin mai à mi-sept
Corporation touristique de Sept-Îles
1401 boul. Laure Ouest
☎962-1238 ou 968-1818 en été
⇰968-0022

Camper sur une île sauvage, dans la tranquillité de la nature, c'est le fantasme de plusieurs citadins. Le Camping sauvage de l'île Grande-Basque rend ce rêve possible dans l'environnement superbe de la baie de Sept-Îles. Cette île étant la plus rapprochée de la rive, elle représente une belle étape pour les kayakistes et les canoteurs. Foyers, avec bois disponible sur place. Pas d'eau potable.

Auberge internationale Le Tangon
$ en dortoir
bc
555 av. Jacques-Cartier
☎962-8180
⇰961-2965

L'Auberge internationale Le Tangon est l'auberge de jeunesse de Sept-Îles, l'endroit où les jeunes aiment s'arrêter pour coucher à très petit prix, pour faire des rencontres imprévisibles et pour profiter d'une chaude ambiance.

Hôtel Sept-Îles
$-$$
⊚, ℝ, ℜ
451 av. Arnaud
☎962-2581 ou 800-463-1753
⇰962-6918
www.hotelseptiles.com

L'hôtel Sept-Îles se dresse au bord du fleuve et bénéficie d'un beau panorama. Les chambres sont simplement décorées, mais offrent un confort adéquat.

Hôtel Gouverneur Sept-Îles
$$-$$$$
≡, ✕, ≈, ℜ
666 boul. Laure
☎962-7071
⇰962-8338
www.gouverneur.com

L'Hôtel Gouverneur Sept-Îles est situé sur un boulevard très passant, près d'un centre commercial. Il dispose de chambres modernes et confortables.

Havre-Saint-Pierre

Camping de la Réserve de parc national de l'Archipel-de-Mingan
$
mai à sept
☎538-3285 (en saison)
☎538-3331 (hors saison)
⇰538-3595
www.parcscanada.qc.ca

La réserve de parc national de l'Archipel-de-Mingan dispose de 34 emplacements de camping sauvage situés sur six îles de l'archipel, lesquelles ont leurs propres caractéristiques. Les campeurs qui recherchent la paix totale et l'isolement au sein d'un environnement marin éblouissant seront comblés par ces emplacements. Ils doivent toutefois faire preuve d'une grande autonomie et d'un sens de l'organisation sans faille. Sur les îles, les services et installations consistent en une plate-forme pour tentes, des toilettes sèches, des tables, des grils, des abris pour le bois et du bois de chauffage.

En saison touristique, il est permis de réserver jusqu'à sept jours à l'avance pour les individus et jusqu'à six mois à l'avance pour les groupes. On peut aussi s'inscrire quotidiennement à la «criée», qui a lieu à 14h45 au Centre d'accueil et d'interprétation de Havre-Saint-Pierre. Les emplacements réservés qui n'ont pas été réclamés sont alors distribués aux premiers arrivés. La durée maximale de séjour sur une même île est de six jours. Un service de bateau-taxi assure le transport des personnes qui n'ont pas d'embarcation. Des frais supplémentaires sont alors exigés. La température étant extrêmement changeante, il est recommandé d'emporter suffisamment de vêtements chauds. Il faut aussi prévoir de l'eau potable et de la nourriture pour deux jours de plus que le séjour planifié, même s'il n'est que d'un jour, puisque le mauvais temps et le brouillard peuvent modifier l'horaire des services maritimes. Destination fabuleuse pour le kayak de mer. Plage.

Auberge de la Minganie
$
ℂ, *bc*
mai à oct
3980 route 138
☎*538-1538*
L'Auberge de la Minganie, une sympathique auberge de jeunesse, se trouve près de la ville, à côté du parc national de l'Archipel-de-Mingan. Si vous venez en autocar, il faut demander au chauffeur d'arrêter devant l'auberge. On peut y participer à plusieurs activités culturelles et de plein air.

Hôtel-Motel du Havre
$$-$$$
≡
970 boul. de l'Escale
☎*538-2800 ou 888-797-2800*
≈*538-3438*
Il y a un établissement qu'on ne peut manquer de voir en entrant à Havre-Saint-Pierre, puisqu'il est situé à l'intersection de la route principale et de la rue de l'Escale, qui traverse le village et mène au quai. L'Hôtel-Motel du Havre est définitivement le grand hôtel de la ville. Accueil sympathique.

Île d'Anticosti

Port-Menier

Auberge Au Vieux Menier
$ en dortoir
$ pdj en gîte
bc
juin à sept
26 ch. de la Ferme
☎*535-0111*
L'Auberge Au Vieux Menier propose une formule d'hébergement entre le gîte touristique et l'auberge de jeunesse. Elle est située sur l'emplacement de l'ancienne ferme Saint-Georges, soit le plus vieux bâtiment de l'île. On y retrouve aussi un centre d'interprétation de fossiles. Tarifs économiques.

Auberge Port-Menier
$$$
ℜ
rue des Menier
☎*535-0122*
≈*535-0204*
L'Auberge Port-Menier est une institution de longue date sur l'île. Dans un décor sommaire, l'auberge propose des chambres propres. Plusieurs circuits de visites guidées sont organisés à l'auberge. Le hall d'entrée est décoré

des quelques magnifiques reliefs sur bois provenant du Château Menier. Location de vélos.

Circuit B: Au pays de Gilles Vigneault

Baie-Johan-Beetz

🚢 **Maison Johan-Beetz**
$$ pdj
15 Johan-Beetz
☎*539-0137*
Vous pouvez loger dans la Maison Johan-Beetz, un hôtel exceptionnel puisqu'il s'agit d'un monument historique décoré de dessins de Johan Beetz. Les chambres sont confortables quoique rudimentaires.

Natashquan

Auberge La Cache
$$
ℂ
183 ch. d'En Haut
☎*726-3347 ou 888-726-3347*
≈*726-3508*
L'Auberge La Cache met une dizaine de chambres agréables à la disposition des voyageurs.

Kegaska

🚢 **Gîte le Brion**
$$
bc
av. Kegaska
☎/≈*726-3738*
www.kegaska.com
On trouve à Kegaska un petit gîte familial vraiment sympathique qui vous assure d'un accueil chaleureux ainsi que d'un bon repas. Ambiance détendue et service attentionné. Ouvert toute l'année. Plage.

Duplessis

Restaurants

Circuit A:
La Minganie

Sept-Îles

Café du Port
$$-$$$
495 av. Brochu
☎962-9311
Le mignon Café du Port
propose une bonne cui-
sine familiale simple et
délicieuse. L'endroit est
des plus sympathiques.

Chez Omer
$$$
372 av. Brochu
☎962-7777
Le restaurant Chez Omer
prépare de délicieux plats
de fruits de mer.

Havre-Saint-Pierre

 Chez Julie
$-$$$$
1023 rue Dulcinée
☎538-3070
La réputation du restaurant
Chez Julie n'est plus à
faire, car ses excellents
plats de fruits de mer en
ont ravi plus d'un. Son
décor, avec sièges en vi-
nyle, ne parvient pas à
refroidir l'ardeur des in-
conditionnels, qui y re-
viennent pour savourer la
pizza aux fruits de mer et
au saumon fumé.

Île d'Anticosti

Port-Menier

Auberge Place de l'Île
$
☎535-0279
L'Auberge Place de l'Île
propose une bonne cui-
sine familiale, avec un

menu du midi différent à
chaque jour. Située au
centre du village, l'auberge
dispose également de sept
chambres propres et
confortables.

 Pointe-Carleton
$-$$
La salle à manger de
Pointe-Carleton est la meilleure et la plus agréable
table de l'île. Dans une
pièce éclairée ou sur la
terrasse, le point de vue
est spectaculaire et la cuisine savoureuse. Chaque
soir, on propose une spé-
cialité différente. Si vous
êtes ici un soir de «Bac-
chante» (assiette du pê-
cheur), ne manquez le
repas pour rien au monde.

Auberge Port-Menier
$$-$$$
☎535-0122
L'Auberge Port-Menier
abrite une salle à manger
qui propose une cuisine
populaire de qualité.

Sorties

Circuit A:
La Minganie

Port-Cartier

Graffiti
☎766-3513
Avec sa programmation de
spectacles et d'expositions,
son bar et son restaurant,
le café-théâtre Graffiti reste
l'un des endroits les plus
animés et les plus courus
en ville.

Sept-Îles

Resto-Bar de l'O
451 av. Arnaud, Hôtel Sept-Îles,
accès par l'arrière
En plein cœur de la ville et
juste au bord de la magnifique promenade du parc
du Vieux-Quai, le Resto-
Bar de l'O est le rendez-
vous des visiteurs et des
gens de Sept-Îles pour son
«5 à 7» et pour ses soirées
animées. L'ambiance y est
à la discussion, aux ren-
contres et à la camara-
derie. Clientèle de plus de
30 ans.

Île d'Anticosti

Port-Menier

Auberge Au Vieux Menier
☎535-0111
L'Auberge Au Vieux Me-
nier et son bar-café vous
accueillent chaleureuse-
ment. Terrasse.

Achats

Circuit A:
La Minganie

Sept-Îles

Au quai, vous trouverez
deux poissonneries ven-
dant du poisson frais.

La Côte-Nord vous fascine
suffisamment pour que
vous ayez le goût de lire
encore plus sur le sujet? **La
Librairie Côte-Nord** *(Mail
Place de Ville, 770 boul.
Laure,* ☎968-8881*)* propose
une bonne sélection de
livres sur la région. Vous y
serez bien conseillé.

Les artisans et artistes régionaux vous proposent
leurs produits à la **Boutique**

de souvenirs de la **Terrasse du Vieux-Quai** *(en saison)* et dans **Les abris de la promenade du Vieux-Quai**, situés à l'extrémité ouest de la promenade du Vieux-Quai. Il y a aussi la boutique **Les Artisans du Platin** *(451 av. Arnaud, ☎968-6115)*.

Les amateurs de produits artisanaux amérindiens trouveront un choix intéressant et typiquement innu à la **boutique du Musée régional de la Côte-Nord** *(500 boul. Laure, ☎968-2070)*.

Longue-Pointe-de-Mingan

La Boutique des Îles *(138 rue de la Mer E., ☎949-2320)* a de tout sur ses étalages, des vêtements de bonne qualité à l'effigie de la Minganie aux produits artisanaux innus ou locaux, en passant par les petits souvenirs moins coûteux et les belles reproductions animalières.

Île d'Anticosti

Port-Menier

Les Artisans d'Anticosti *(mi-juin à fin déc 8h à 18h; ☎535-0270)* ont une superbe sélection de produits artisanaux et de vêtements de cuir de chevreuil ainsi que des bijoux en bois de cerf. T-shirts et cartes géographiques.

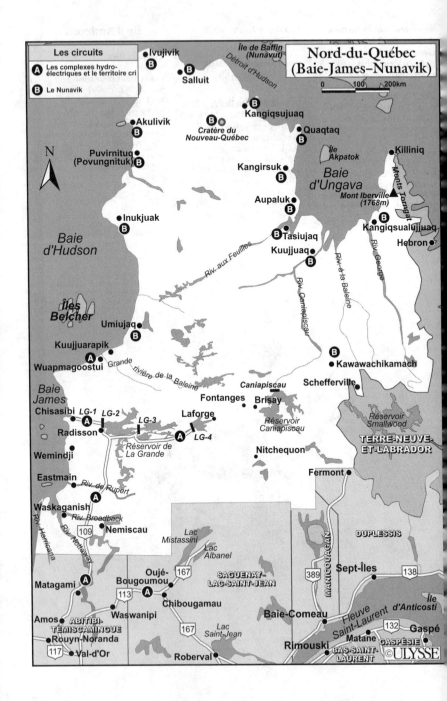

Nord-du-Québec

L'ensemble géographique du Grand Nord québécois, composé de deux grands secteurs, à savoir la Baie-James et le Nunavik, constitue un gigantesque territoire septentrional s'étendant depuis le 49e parallèle jusqu'au nord du 62e parallèle et couvrant plus de la moitié de la superficie du Québec.

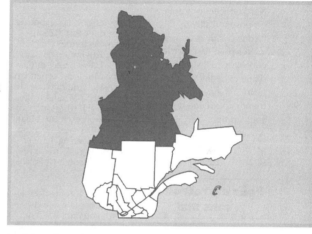

La singulière beauté de ses paysages dénudés, l'extrême rudesse de son climat hivernal ainsi que sa végétation, où la toundra succède à la taïga et à la forêt boréale, en font une région résolument différente du reste du Québec. Les gens du Sud la jugent souvent inhospitalière. Elle est du moins très difficile d'accès, puisque les routes et les chemins de fer s'arrêtent au Moyen-Nord, et que près de 2 000 km séparent Montréal d'Ivujivik, le village le plus septentrional du Québec. Quoique certains s'y aventurent, ce vaste territoire demeure toujours le royaume des peuples autochtones du Nord. Les 14 localités qui ponctuent les rivages de la baie d'Hudson, du détroit d'Hudson et de la baie d'Ungava regroupent quelque 9 500 habitants, dont 90% d'Inuits. En inuktitut, la langue des Inuits, ce territoire a pour nom le Nunavik, et il est géré en grande partie par les Inuits eux-mêmes. Quant aux Cris, ils sont 12 000 à vivre dans neuf villages de la taïga, pour la plupart aux abords immédiats de la baie James.

Dans cette vaste région, Français et Anglais rivalisèrent pour le contrôle de la traite des fourrures dès les premières années de la colonisation de l'Amérique du Nord.

Mais, depuis maintenant 30 ans, c'est le gouvernement du Québec qui s'intéresse au Nord, notamment à la puissance de certaines de ses rivières. Grâce à de spectaculaires exploits technologiques, on érigea, dans la région de la baie James, de formidables barrages hydroélectriques dont les centrales atteignent une puissance de 10 282 mégawatts (MW).

De plus en plus, le nord du Québec attire les visiteurs, ses vastes régions sauvages et sa faune unique agissant comme des aimants sur les amateurs de grands espaces et de nature vierge, toujours davantage nombreux aux quatre coins du monde. Parallèlement, les citadins des régions plus méridionales qui souhaitent faire l'expérience d'un mode de vie tenu pour plus près de la nature se laissent volontiers fasciner par la culture des peuples cri et inuit du Nord québécois, lesquels proposent d'ailleurs des façons créatives et passionnantes pour assouvir leur curiosité, qu'il s'agisse d'une expédition en traîneau à chiens à travers la toundra ou d'une nuitée sous un tipi.

Pour s'y retrouver sans mal

L'immense région du Nord-du-Québec se divise en deux circuits: **Circuit A: Les complexes hydroélectriques et le territoire cri** et **Circuit B: Le Nunavik**.

Circuit A:
Les complexes hydroélectriques et le territoire cri

En voiture

Le Nord-du-Québec constitue 51% du territoire du Québec et ne compte qu'environ 40 000 habitants (Inuits, Amérindiens et autres). La route 109 pénètre une petite partie de cet immense territoire; elle part d'Amos (en Abitibi-Témiscamingue) et se rend à Radisson.

Longue de plus de 600 km et entièrement revêtue, cette route est presque déserte. Un seul relais routier s'y trouve, au kilomètre 381, et vous pourrez y prendre une bouchée et faire le plein d'essence. Il faut donc partir bien préparé pour cette expédition. D'ailleurs, nous vous conseillons de faire ce long voyage en une seule journée.

Une autre route, est-ouest, dessert les installations hydroélectriques du complexe La Grande: LG-2, LG-3, LG-4, Brisay et Caniapiscau. Il est cependant impossible de dépasser le kilomètre 323 sans l'autorisation d'Hydro-Québec. La portion de route reliant LG-2 et LG-4 est de gravier. Il existe également une portion de route reliant Radisson à Chisasibi et à LG-1.

À l'est de la route 109 s'allongent la route du Nord, couvrant 437 km, qui relie Chibougamau et Nemiscau, puis la route de la Baie-James, à la hauteur de la rivière Rupert. Vous trouverez de l'essence au poste de Nemiscau Cree Construction *(lun-sam 7h à 9h et 15h à 18h)* et à la station-service qui se trouve à l'entrée du village de Nemiscau *(lun-ven, sam-dim 9h à 15h)*.

Il s'agit d'une route de terre et de pierre plutôt difficile, surtout en été. On s'y déplace, de préférence, en véhicule tout-terrain. Les poids lourds y circulent constamment et ne sont pas du genre à céder le passage. On doit donc constamment être sur la défensive, conduire de façon très préventive et garder la droite en cédant la place aux camions que l'on croise et qui, souvent, ont tendance à rouler au

milieu de la route. Les conditions de conduite sur la route du Nord sont meilleures en hiver, alors que la chaussée est plus dure et uniforme bien que glacée.

Location de voitures

Location Aubé
aéroport de La Grande
☎*(819) 638-8353*
≈*(819) 638-7294*

En autocar

Il est possible de visiter la région de Radisson en tour guidé. L'agence **Tours Chanteclerc** *(152 Notre-Dame Est, Montréal, ☎514-398-9009 ou 800-361-8415)*, organise des excursions en autocar partant de Québec et allant jusque dans la région de la baie James, au complexe hydroélectrique de LG-2. Le voyage s'étend généralement sur une semaine. La distance séparant la ville de Québec et Radisson est de plus de 1 600 km.

En avion

En raison de la restructuration dont l'industrie aérienne canadienne fait actuellement l'objet, les lignes et les transporteurs qui desservent ces destinations sont sujets à changement, si bien que l'information qui suit ne vise qu'à donner une idée des possibilités existantes.

Air Alma
☎*800-463-9660*
Air Alma propose des vols entre Montréal et Chibougamau. L'aller-retour le moins cher coûte environ 500$ et peut être obtenu trois jours avant le départ.

Air Creebec
☎*800-567-6567*
www.aircreebec.ca
Air Creebec est la seule compagnie aérienne à desservir tous les villages cris du Grand Nord québécois au départ de Montréal ou de Val-d'Or. Mistissini, Oujé-Bougoumou et Waswanipi sont accessibles par taxi ou par voiture de location depuis l'aéroport de Chibougamau. Des vols sont aussi offerts jusqu'à Radisson–La Grande (complexe hydroélectrique). Notez que, en réservant sept jours à l'avance, vous pouvez bénéficier d'un rabais d'environ 50% sur le prix régulier des billets. Les tarifs aller-retour à prix réduit au départ de Montréal varient entre 350$ (Chibougamau) et 800$ (Chisasibi).

Air Inuit
☎*800-361-2965*
Cette compagnie aérienne propose des liaisons avec Radisson–La Grande (complexe hydroélectrique).

Circuit B: Le Nunavik

Aucune route ni chemin de fer ne relie les communautés inuites du Nunavik entre elles. Il est donc impossible d'utiliser la voiture ou le train pour ses déplacements. L'avion constitue le seul moyen de transport pour se déplacer d'une communauté à l'autre.

Une petite route non revêtue relie toutefois le village naskapi de Kawawachikamach à Schefferville. Pour se rendre à Schefferville, le visiteur a le choix de prendre le train ou l'avion.

En avion

Air Inuit
☎*800-361-2965*
Air Inuit dessert tous les villages inuits du Nord québécois. En réservant sept jours à l'avance, vous pourrez profiter d'une réduction substantielle.

Air Creebec
☎*800-567-6567*
Air Creebec ne dessert Kuujjuarapik qu'au départ de Montréal. Comptez autour de 800$ pour un aller-retour, que vous pouvez retenir jusqu'à sept jours à l'avance.

First Air
☎*800-267-1247*
www.firstair.com
First Air est la compagnie aérienne qui relie Montréal à Kuujjuaq, porte d'entrée du Nunavik. Comptez entre 1 500$ et 2 000$ pour un aller-retour Montréal-Kuujjuaq. Il y a, à l'occasion, des billets pour aussi peu que 400$. À noter que les points Aéroplan sont valides pour se procurer un billet pour ce trajet.

Air Canada
☎*(514) 393-3333 ou*
888-247-2262
Il n'y a aucun vol direct sur Schefferville, mais Air Canada assure la liaison jusqu'à Sept-Îles, d'où il est possible de prendre une correspondance pour Schefferville sur les ailes d'Aviation Québec-Labrador.

Renseignements pratiques

Renseignements touristiques

L'infrastructure touristique du Nord-du-Québec est très peu développée, aussi est-il difficile d'y partir à l'aventure. Il est recommandé de réserver à l'avance les hôtels ainsi que toutes les visites envisagées. D'ailleurs, pour découvrir ces terres lointaines de même que pour y pratiquer la chasse ou la pêche, il est fortement recommandé de faire appel aux services d'un pourvoyeur.

Sachez que les prix des biens et services sont beaucoup plus élevés dans le Nord-du-Québec que dans les régions plus au sud. La grande majorité des biens de consommation doivent en effet y être acheminés par la voie des airs, et le coût de la vie y est relativement élevé, d'où une différence marquée dans les prix courants.

Circuit A:
Les complexes hydroélectriques et le territoire cri

Tourisme Baie James
lun-ven 8h30 à 16h
166 boul. Springer, C.P. 1270, Chapais, G0W 1H0
☎*(418) 745-3969 ou*
888-745-3969
≈*(418) 745-3970*

Municipalité de Baie-James
Sur la route entre Matagami et Radisson, au kilomètre 6, se trouve un petit

Nord-du-Québec

bureau (*819-739-4473*, *819-739-2088, www.muni cipalite.baie-james.qc.ca)* où tout visiteur voyageant sur la route doit s'arrêter afin de s'enregistrer. De là, vous pourrez aussi faire les réservations pour la visite des centrales hydroélectriques.

Chibougamau
600 3ᵉ Rue, bureau 2
Chibougamau, G8P 1P1
☎ *(418) 748-6060*
⇌ *(418) 748-4020*

Service de sécurité civile et de tourisme de la municipalité de Baie-James
110 boul. Matagami, C.P. 500, Matagami, J0Y 2A0
☎ *(819) 739-2030*
⇌ *(819) 739-2713*
www.municipalite.baie-james. qc.ca

On songe à créer sous peu un office de tourisme cri central. Entre-temps, voici une source d'information valable:

Cree Regional Authority
Alfred Loon, responsable du développement économique
☎ *(514) 861-5837*
⇌ *(514) 861-0760*
www.gcc.ca
Vous pouvez en outre obtenir des renseignements sur les possibilités de visite dans la plupart des communautés cries en vous adressant au Conseil de bande de chacune des communautés concernées, quoique plusieurs d'entre elles possèdent leur propre coordonnateur touristique.

Tourisme Mistissini
Michael Prince, coordonnateur touristique
187 Main St., Mistissini, G0W 1C0
☎ *(418) 923-3253*
⇌ *(418) 923-3115*
www.nation.mistissini.qc.ca

Tourisme Oujé-Bougoumou
Gaston Cooper, coordonnateur touristique
203 rue Opemiska, Oujé-Bougoumou, G0W 3C0
☎ *(819) 745-3905 ou 888-745-3905*
⇌ *(819) 745-3544*
www.ouje.ca/tourism

Agence de Chisasibi Mandow
Simon Herodier, responsable des activités touristiques
P.O. Box 720, Chisasibi, J0M 1E0
☎ *(819) 855-3373 ou 800-771-2733*
⇌ *(819) 855-3374*
www.mandow.ca

Conseil de bande de Waskaganish
Doris Small, coordonnateur touristique
P.O. Box 60, Waskaganish, J0M 1R0
☎ *(819) 895-8650*
⇌ *(819) 895-8901*

Conseil de bande d'Eastmain
Société de développement Wabannutao Eeyou Jonathan Cheezo, directeur Marketing
P.O. Box 90, Eastmain, J0M 1W0
☎ *(819) 977-0211 ou 877-5-EASTMAIN*
⇌ *(819) 977-0281*
www.eastmain-nation.ca

Conseil de bande de Waswanipi
Société de développement Waswanipi Marlene Kitchen, directrice générale
P.O. Box 8, Waswanipi, J0Y 3C0
☎ *(819) 753-2587*
⇌ *(819) 753-2555*

Conseil de bande de Nemaska
Lac Champion
Nemaska, J0Y 3B0
☎ *(819) 673-2512*
⇌ *(819) 673-2542*

Conseil de bande de Wemindji
Mike McGee, coordonnateur touristique
☎ *(819) 978-0264*
⇌ *(819) 978-0258*

Conseil de bande de Whapmagoostui
P.O. Box 390, Whapmagoostui, J0M 1G0
☎ *(819) 929-3384*
⇌ *(819) 929-3203*

Société de la faune et des parcs du Québec

Chibougamau
☎ *(418) 748-7701*

Radisson (protection de la faune)
☎ *(819) 638-8305*

Nemiscau
☎ *(819) 673-2512*

Kuujjuaq
☎ *(819) 964-2791*
⇌ *(819) 964-2502*

Bureau régional
☎ *(418) 748-7701*

Circuit B: Le Nunavik

Association touristique du Nunavik
B.P. 779, Kuujjuaq, J0M 1C0
☎ *888-594-3424*
⇌ *(819) 964-2002*
www.nunavik-tourism.com

Fédération des coopératives du Nouveau-Québec
19950 Clark Graham, Baie-d'Urfé, H9X 3R8
☎ *(514) 457-9371 ou 800-363-7610*
⇌ *(514) 457-4626*

Naskapi Band of Québec
B.P. 5111
Kawawachikamach, G0G 2Z0
☎ *(418) 585-2686*
⇌ *(418) 585-3130*

Attraits touristiques

Circuit A:
Les complexes hydroélectriques et le territoire cri

Qu'on l'appelle Moyen-Nord, Radissonnie, région de la Baie-James ou territoire cri..., ce territoire presque aussi indéfinissable qu'innommable représente la contrée québécoise la plus nordique qui soit accessible par la route. Ces chemins, construits par les bâtisseurs de barrages et les exploitants de mines, ont véritablement ouvert le cœur du Québec aux populations du Sud tout en permettant aux Autochtones d'accéder, pour le meilleur et pour le pire, au monde moderne.

C'est donc tout un univers qui s'ouvre au voyageur un peu plus téméraire en quête d'authenticité et de dépaysement. Ici, tout est différent. Le temps, le climat, la faune, la flore, l'espace, les gens, rien n'est comme ailleurs.

Matagami (2 300 hab.)

Matagami est une petite ville minière qui a vu le jour en 1963. Ce sont les riches mines de zinc et de cuivre situées sur son territoire qui ont attiré les habitants de cette petite communauté. Matagami constitue, pour ceux qui se déplacent par voie ter-

restre, la porte d'entrée de la région de la Baie-James.

La route entre Matagami et Radisson

Au cours des années 1972-1973, les travailleurs québécois ont mis 450 jours pour percer la forêt boréale sur une distance de 740 km (jusqu'à Chisasibi) afin de construire la route de la Baie-James. Le défi était considérable, quand on connaît la taille des rivières qu'ils ont dû enjamber et le nombre incroyable de lacs contournés. En vous y aventurant, faites attention au paysage qui changera subtilement. Ainsi vous verrez l'épinette noire rapetisser, puis devenir frêle et rabougrie.

★
Nemiscau (550 hab.)

Les Français ont pratiqué la traite des fourrures dès 1661 sur ce lieu de rencontre historique. Le commerce a continué de jouer une place déterminante dans l'histoire de Nemiscau, principalement avec la Compagnie de la Baie d'Hudson, qui y a tenu un poste jusqu'en 1970. Le centre de l'activité économique disparaissant, les Cris se sont dispersés, mais ce n'était que pour mieux se retrouver sur les bords du merveilleux lac Champion avec l'aménagement d'un très beau village en 1979. Il s'agit donc d'un village récent, fort bien équipé, qui est devenu le centre administratif du Grand Conseil des Cris.

★★
Radisson (350 hab.)

La ville de Radisson a été construite à partir de 1974 pour accueillir les travail-

leurs du Sud, venus aménager le complexe hydroélectrique de la Baie-James. Pendant les moments forts de la construction du complexe, soit en 1978, Radisson était habitée par plus de 3 000 personnes.

Si vous désirez visiter la région, **Voyages jamésiens** *(96 Albanel, ☎819-638-6673)* propose une fin de semaine à la Baie- James pour environ 700$ par personne incluant le transport de Québec ou de Montréal, l'hébergement et les activités. Aux visites des barrages s'ajoute une excursion en canot-moteur sur la rivière La Grande en été ou un après-midi de ski de fond en hiver.

On se rend surtout à Radisson pour visiter une partie de l'impressionnant complexe hydroélectrique construit dans le Moyen-Nord québécois. Vous avez la possibilité de visiter la **centrale Robert-Bourassa ★★★**, autrefois connue sous le nom de La Grande 2 ou LG-2 *(entrée libre, toute l'année mer, ven et dim 13h, été tlj 13h, réservations requises 48 heures à l'avance; de toutes les régions du Québec ☎800-291-8486, de l'extérieur du Québec ☎819-638-8486, www.hydro quebec.com/visitez)*. La visite dure quatre heures et comprend le tour des installations extérieures et une séance d'information. Vous pouvez également visiter **La Grande-1** *(toute l'année selon disponibilités, réserver 48 heures à l'avance; en été tlj sauf mar 8h)*.

Au cours des années 1960, le gouvernement du Québec envisage de tirer parti des richesses hydroélectriques du Moyen-Nord québécois et projette la construction de barrages sur les rivières de cette partie du territoire. Il faut

Nord-du-Québec

cependant attendre le début des années 1970 pour qu'un projet d'exploitation hydraulique de La Grande Rivière (ou rivière Chisasibi, en cri), qui s'étire d'est en ouest sur 800 km et se déverse dans la baie James, soit mis de l'avant par le premier ministre québécois d'alors, Robert Bourassa. Le projet comporte deux phases, dont la première prévoit la construction de trois puissantes centrales sur cette rivière, soit La Grande-2 (LG-2), remommée Robert-Bourassa, La Grande-3 (LG-3) et La Grande-4 (LG-4). Leur mise en chantier débute en 1973 et s'échelonne sur plusieurs années, car la construction de ces centrales présente une grande complexité et requiert des travaux d'envergure. Ainsi, pour accroître la puissance installée, il faut augmenter le débit de La Grande Rivière; pour ce faire, des cours d'eau sont détournés, notamment l'Eastmain et l'Opinaca, de même que la Caniapiscau à l'est. La source de la rivière Caniapiscau sert à la création d'un réservoir de tête de 4 275 km², le plus grand lac artificiel du Québec.

Le complexe hydroélectrique La Grande a nécessité la construction de 215 barrages et de digues, les premiers servant à fermer le lit des rivières, à rehausser le plan d'eau et à créer des chutes, alors que les secondes ont pour fonction d'empêcher les eaux rehaussées de fuir par des vallées secondaires. Au total, le projet a nécessité 2 624 000 000 m³ de moraine, de pierre et de sable, assez pour construire 80 pyramides de Chéops. L'eau est ainsi retenue pour lui permettre de s'engouffrer dans les prises d'eau et de suivre les conduites forcées la menant jusqu'aux turbines qu'elle actionne.

Le 27 octobre 1979, la centrale LG-2 (Robert-Bourassa) commence à produire de l'électricité. Les centrales LG-3 et LG-4 sont respectivement inaugurées en 1982 et 1984. En 1990, ces trois centrales fournissent près de la moitié de la production totale d'électricité du réseau d'Hydro-Québec. Quant à la deuxième phase du projet, elle comprend le suréquipement de LG-2, créant ainsi la centrale LG-2A, et la construction de quatre autres centrales, dont trois sur la rivière La-

Femme inuite et enfant

forge. La Grande 1 fut terminée en 1995 et Laforge 2 en 1996.

La centrale La Grande-2 est la troisième plus puissante centrale au monde (puissance installée de 7 326 MW), après Itaipu, au Brésil, à la frontière avec le Paraguay (puissance installée de 12 600 MW), et Guri, au Venezuela (puissance installée de 10 000 MW). Aménagée à 137 m sous terre, La Grande-2 constitue la plus grande centrale souterraine du

monde. Son barrage est long de 2,8 km et haut de 162 m, environ la taille de la Place Ville-Marie, à Montréal, et un réservoir d'une superficie de 2 835 km² l'alimente. Pour les années où les précipitations d'eau sont très grandes, il a fallu prévoir un évacuateur de crues. Cet évacuateur comprend huit vannes-wagons d'une largeur de 12 m et d'une hauteur de 20 m, ainsi qu'un canal de restitution long de 1 500 m et d'une dénivellation de 110 m. On le surnomme d'ailleurs «l'escalier des géants», car il présente 10 «marches» sculptées dans le roc, chacune haute d'une dizaine de mètres et large comme deux terrains de football. Il a été conçu pour subvenir à un surplus d'eau qui se produit statistiquement une fois tous les 75 ans. Dans ces situations exceptionnelles, il peut évacuer 16 280 m³ d'eau par seconde, soit deux fois le débit moyen du fleuve Saint-Laurent au niveau de Montréal. Il a cependant peu servi jusqu'à maintenant puisqu'on ne l'a ouvert que de 1979 à 1981 (pour la simple et bonne raison que les turbines n'étaient pas encore toutes fonctionnelles à l'intérieur de la centrale) et le 30 août 1987 (sur une période de quelques heures seulement, à l'occasion de la visite du premier ministre français d'alors, M. Jacques Chirac, aujourd'hui président de la France).

La centrale comporte quatre niveaux: le premier abrite la salle des machines, le second renferme les alternateurs, le troisième permet l'accès aux bâches spirales (où se trouvent les turbines) et la galerie de drainage occupe le dernier. Pour amortir les surpressions et les dépressions qui se produisent au moment de la mise en marche et de l'arrêt des machines, une chambre d'équilibre a dû être construite.

La construction de ce complexe hydroélectrique a eu des retombées importantes, aussi bien sur l'environnement que sur les populations autochtones vivant dans cette région du Québec. Pour créer les réservoirs, il a fallu inonder quelque 11 505 km² de territoire, soit 6,5% du bassin hydrographique de la rivière La Grande (2,9% de la superficie des terrains de chasse des Cris). Tout au long de la construction de ce gigantesque projet hydroélectrique, Hydro-Québec et sa filiale, la Société d'énergie de la Baie James (SEBJ), qui a pour rôle d'administrer tous les projets d'aménagement hydroélectrique de cette région, ont étudié les impacts d'un tel projet sur l'environnement, et ils continuent d'assurer un suivi. Une partie de ces terres inondées consistant en terrains de chasse pour les Autochtones, les Cris et les Inuits qui les occupaient ont contesté le droit du gouvernement du Québec de faire une telle utilisation de leurs terres ancestrales. Les négociations entre les diverses parties allaient s'échelonner jusqu'au 11 novembre 1975, jour de la signature de la Convention de la Baie James et du Nord québécois, qui établit les droits et les obligations des Autochtones ainsi que les modalités des projets de développement hydroélectrique. Selon l'entente signée par les parties en cause, soit les Cris, les Inuits, les gouvernements du Québec et du Canada, Hydro-Québec, la SEBJ et la Société de développement de la Baie James

(SDBJ), on reconnaît l'usage exclusif de certaines terres aux Autochtones et des garanties de droits exclusifs de chasse, de pêche, notamment en ce qui concerne certaines espèces (corégone, esturgeon) et de piégeage (trappe). De plus, les Autochtones acquièrent de très larges pouvoirs sur l'administration de leurs terres et obtiennent des indemnités en argent. Depuis 1975 jusqu'à la fin du dernier siècle, 11 conventions complémentaires et huit ententes particulières ont été signées afin de mieux circonscrire les droits de chacun. Il est à noter que la Convention de la Baie James constitue l'une des seules ententes avec les Blancs reconnues par les nations autochtones depuis la proclamation royale de 1763!

L'entrée dans la centrale est tout à fait saisissante. On a l'impression de descendre dans le ventre de la Terre. La salle des turbines et la centrale, aux dimensions d'une cathédrale, procurent un sentiment de surréalisme tout à fait unique au Québec. Le gigantisme de ces installations a de quoi satisfaire tous les mégalomanes du monde.

Radisson–Brisay

Il ne faut surtout pas oublier que la route de la Baie-James ne se termine pas à Radisson. À partir du lac Yasinski (km 544), on peut effectivement emprunter la longue route de gravier vers le réservoir Caniapiscau et le barrage de Brisay, pour se rendre véritablement au centre géographique du Québec.

★★
Chisasibi (3 250 hab.)

Le village moderne de Chisasibi (dont le nom cri signifie «la grande rivière») a été construit en 1981, après le départ des Cris de l'île de Fort George. Ce petit village est organisé selon la tradition matriarcale des Cris, c'est-à-dire que l'on retrouve les maisons en petit groupe, celle de la mère entourée de celles de ses filles. Les maisons de deux niveaux en bois sont souvent doublées d'un tipi. Ce dernier sert de cuisine puisqu'on préfère toujours la nourriture cuite sur le feu à celle préparée sur la cuisinière électrique. Vous remarquerez que les rues ne portent pas de nom et sont souvent sans issue. Mais ne vous découragez pas, les Cris sont très aimables et auront tôt fait de vous aider. Le cimetière s'avère lui aussi intéressant puisqu'on peut y voir deux traditions de sépulture réunies. Traditionnellement, les Cris enterraient leurs morts à l'endroit de leur décès, la tête orientée en direction du soleil levant. Comme bien des gens ont perdu la vie en forêt, ils construisaient une petite clôture autour de la tombe pour pouvoir la retrouver. Aujourd'hui, avec l'influence des religions européennes, ils enterrent les morts dans un cimetière commun, mais la tradition de la clôture perdure. L'alcool est interdit à Chisasibi. Donc, surtout n'en ayez pas durant votre visite et ne soyez pas surpris de voir un barrage quelques kilomètres avant le village, car il s'agit d'un poste de contrôle.

Nord-du-Québec

Le météorite de la baie d'Hudson

Si vous observez une carte du Québec, vous constaterez un arc de cercle parfait à l'est de la baie d'Hudson. Vous remarquerez aussi la présence des îles Belcher au centre de la baie. Certains scientifiques identifient cette formation géologique à la chute d'un météorite. En fait, lorsqu'un météorite tombe, il forme un cratère d'une incroyable rondeur. De plus, la force d'un tel choc provoque un phénomène de vagues vers l'extérieur et vers le centre, un peu comme lorsqu'on jette une roche dans l'eau. Ces trois éléments étant présents, il est possible d'énoncer l'hypothèse qu'un météorite aurait frappé le Moyen-Nord québécois. Le Québec compte d'ailleurs plusieurs cratères formés par des météorites d'une taille considérable, le cratère du Nouveau-Québec, le demi-cratère dans Charlevoix, qu'on peut visiter, et le réservoir Manicouagan, ce dernier étant le plus vaste du Québec.

Si cette hypothèse est fondée, ce météorite serait le plus gros à avoir jamais frappé la face de la Terre. Un tel choc aurait été suffisant pour changer l'axe de la Terre et ainsi provoquer des changements considérables au niveau du climat. Aussi, ce même choc, avec les multiples répercussions possibles, aurait pu causer la disparition des dinosaures!

Cependant, il est impossible d'affirmer avec certitude que ce gigantesque arc de cercle a été formé à la suite de la chute d'un météorite. On manque de preuves concrètes. Par exemple, le météorite du réservoir Manicouagan a été identifié grâce à la présence de pierres semblables à celles rapportées par les expéditions lunaires. Diverses études se contredisent à ce sujet. Ainsi le Québec ne s'est pas encore vu attribuer la présence du plus gros cratère météorique du monde, celui-ci se trouvant dans le golfe du Mexique, sur les pourtours de la péninsule du Yucatán. D'autres scientifiques associent la formation géologique de la baie d'Hudson au mouvement des plaques tectoniques. Mais là encore, ils n'ont trouvé aucune marque dans les fonds marins, ou peut-être serait-ce un vestige du passage du glacier qui a sévi sur le Québec il y a 20 000 ans. Le mystère demeure entier.

L'île de Fort George

Avec l'augmentation du débit de la rivière La Grande, l'érosion des côtes de l'île a quelque peu augmenté. Les Cris ont alors accepté de déménager leur village au site actuel de Chisasibi. L'île de Fort George continue cependant de porter une très grande importance symbolique; d'ailleurs, tous les Cris du Canada et leurs frères blancs s'y donnent rendez-vous pour le **Grand Pow Wow** annuel, au mois d'août. Le visiteur peut profiter de son passage sur l'île pour vivre à la façon traditionnelle des Cris. Vous dormirez sous un tipi, sur une couche de branches d'épinette, et mangerez comme les Cris le font depuis des millénaires. Pour information, contactez l'agence Chisasibi Mandow (☎800-771-2733).

Waskaganish
(1 600 hab.)

Fondé en 1668 par Médard Couart Des Groseillers, le village porta d'abord le nom de Rupert puis Rupert's House et Fort Rupert en l'honneur du premier gouverneur de la Compagnie de la Baie d'Hudson. Passant alternativement aux mains des Français et des Anglais, ce poste important est resté des plus actifs jusqu'en 1942, date à laquelle les infrastructures du village de Waskaganish furent mises en place.

On peut visiter le lieu traditionnel du campement **Nuutimesaanaan** (*Smokey Hill*), où l'on fumait le poisson et les œufs de poisson (*waakuuch*).

★
Eastmain (550 hab.)

Eastmain bénéficie d'un panorama saisissant sur l'embouchure de la rivière. On y ressent également la chaleur et l'accueil des communautés plus isolées.

★
Wemindji
(1 000 hab.)

Les Cris ne se sont installés ici, au bord de la baie James et à l'embouchure de la rivière Maquatua, qu'en 1959, après avoir quitté Vieux-Comptoir, 45 km plus au sud. Une grande partie de la population s'adonne toujours aux activités traditionnelles, mais les Cris ont également développé de nouveaux secteurs économiques avec la création d'un important élevage de renards et de lynx: la Wemindji Cree Fur Ranch. Le nom de Wemindji (qui signifie «montagne de l'ocre») s'explique par la présence dans les collines environnantes de ce colorant minéral, l'ocre, que l'on mélangeait à de la graisse pour en faire de la peinture.

Cette région forestière, parsemée de lacs et de rivières, est propice aux activités de plein air, à la chasse et à la pêche.

Chibougamau
(8 664 hab.)

Chibougamau? Un nom amérindien chargé de rêve qui conserve encore tout son mystère, d'autant plus que l'on ne s'accorde pas sur sa signification. Située à 250 km au nord-ouest du lac Saint-Jean, Chibougamau est la plus importante ville nordique au Québec, regroupant 25% de l'ensemble de la population du nord du Québec. Elle joue un rôle phare dans la région puisqu'elle se trouve au carrefour des routes importantes entre l'Abitibi-Témiscamingue et le Saguenay–Lac-Saint-Jean, et que, depuis l'ouverture de la route du Nord en 1993, elle se veut la porte d'entrée du Grand Nord. Ville jeune, elle vit le jour grâce à la découverte, au début du XXe siècle, de minerais sur son territoire. Plusieurs compagnies minières s'y sont succédé au cours des ans, avec plus ou moins de succès. Aujourd'hui, sa vocation forestière et minière est bel et bien assurée; une nouvelle mine à ciel ouvert a d'ailleurs été mise en exploitation en janvier 1997. De plus en plus ouverte au tourisme et disposant de plusieurs installations touristiques, Chibougamau a certes beaucoup à offrir.

Au centre de la ville se dressent les restes du **moulin à Fleury**, qui rappelle l'œuvre des premiers défricheurs de la région. Construit dans les années 1930 par Gabriel Fleury, le moulin servait à concasser la roche pour en séparer les minerais utiles.

Chibougamau, ville minière, propose d'en apprendre plus sur la géologie. Trois sites géomorphologiques, soit le **parc Allard**, le **parc Leblanc** et le **parc du Souvenir**, montrent chacun un type de roche différente qui raconte l'histoire de la formation et de la composition du sol de la planète. Dans les deux premiers, on découvre de la roche volcanique et, dans le dernier, des fossiles vieux de 2 millions d'années.

Le **Centre d'intérêt minier** *(9$; mi-mai à sept tlj 10h à 17h; à 10 km du centre-ville, route 167 N., ☎748-6060)* vous propose une visite à l'intérieur des galeries de la mine Bruneau, qui fut exploitée dans les années 1960. À flanc de montagne, l'entrée de la mine est reconnaissable au large mur de cuivre qui la borde. Suivez les rails qui guidaient autrefois les chariots remplis de minerais, et embarquez-vous pour une exploration des plus inusitées. À l'intérieur, on présente une exposition qui relate l'histoire de l'exploitation minière en remontant jusqu'aux premiers humains et un spectacle son et lumière qui chante les mérites de ce sol si riche. Pour la visite, enfilez l'habit du mineur, et pénétrez dans les galeries obscures, éclairées seulement par le faisceau de votre lampe frontale. Au cours de ce périple, vous vous familiariserez avec la vie quotidienne des hommes qui consacrent leur vie au dur labeur dans les mines. N'oubliez pas que la température moyenne dans les galeries est de seulement 5°C!

★★
Oujé-Bougoumou
(650 hab.)

Le dernier-né des villages cris est aussi le plus remarquable à bien des points de vue. Après une très longue errance de Mistissini à Chibougamau, du lac aux Dorés à Chapais et ailleurs, un groupe de Cris de la région a choisi le lac Opémiska pour s'installer de façon définitive. Leur acharnement leur a valu la reconnaissance du statut de réserve et leur a permis d'envisager la réalisation d'un village unique et fascinant. Sa conception a été confiée à l'architecte d'origine amérindienne Douglas Cardinal, qui est également l'auteur du Musée canadien des civilisations à Hull. Il a imprégné à Oujé-Bougoumou un caractère profondément marqué par la tradition malgré l'utilisation soutenue de la symbolique et des lignes fuyantes. Chaque résidence évoque, par sa toiture en particulier, le tipi ancien. Les édifices principaux sont particulièrement impressionnants. L'ensemble du village a la forme d'une oie qui se termine par la reconstitution d'un village traditionnel utilisé pour les grands événements et l'accueil touristique.

Oujé-Bougoumou a mérité en 1995 une reconnaissance officielle de l'Organisation des Nations unies (ONU) en tant qu'un des 50 villages au monde représentant le mieux les objectifs de convivialité, de respect de l'environnement et de développement durable poursuivis par l'ONU.

À l'entrée du village, vous remarquerez un édifice tout à fait unique duquel s'échappe une colonne de fumée. Il s'agit de l'usine de cogénération, qui fournit le chauffage à tous les bâtiments du village par un système à eau chaude alimenté par les résidus de sciage (copeaux) de la scierie Barrette de Chapais, à 26 km de là.

★★
Mistissini
(3 200 hab.)

Au cœur de ce qu'on appelait à l'époque de la traite des fourrures «Le Domaine du Roi» et à mi-chemin entre la vallée du

Saint-Laurent et la baie d'Hudson, Mistissini et l'immense lac Mistassini ont longtemps été un point de rencontre de première importance entre les Blancs et les Autochtones, véritable carrefour sur la route des fourrures. Le village de Mistissini est localisé à l'extrémité sud-ouest du lac Mistassini, sur la presqu'île Watson, entre la baie du Poste et la baie Abatagouche.

Avec ses 2 336 km², le **lac Mistassini** était la plus grande étendue d'eau au Québec avant qu'on ne crée les grands réservoirs. Le lac est long de 161 km et large de 19 km; il constitue la principale source d'alimentation de la rivière Rupert. Sa profondeur atteint 180 m. Champlain connaissait déjà son existence en 1603, mais les premiers explorateurs français, notamment Guillaume Couture, ne l'atteindront qu'en 1663. Le jésuite Charles Albanel le traverse en 1672 au cours d'une expédition le menant du lac Saint-Jean à la baie James.

★★
Whapmagoostui
(600 hab.)
★★
Kuujjuarapik
(1 300 hab.)

Voilà une communauté vraiment singulière, autant par son histoire et sa localisation que par sa composition sociale. En effet, le village de Whapmagoostui, (dont le nom cri signifie «là où il y a des baleines»), est juxtaposé au village de Kuujjuarapik (dont le nom inuktitut signifie «la petite grande rivière»), à l'embouchure de la Grande rivière de la Baleine, sur la baie d'Hud-

son. Cette coexistence perdure depuis environ deux siècles autour du poste de traite qui s'est appelé Great Whale River ou Poste-de-la-Baleine, nom que les francophones donnent encore au village aujourd'hui. Il ne s'agit, en fait, que d'une seule agglomération divisée par ce que certains appellent sur place «une frontière imaginaire». Le visiteur non avisé passe d'ailleurs d'un côté à l'autre de cette «frontière» sans même s'en rendre compte. Un regard plus attentif permet toutefois de constater que, même s'ils vivent en harmonie, les deux communautés ne partagent aucun service public, si ce n'est le centre local de services communautaires (CLSC), un centre de santé qui a été construit en plein sur la ligne. Les Inuits sont soignés d'un côté du corridor, les Cris de l'autre, chacun leur jour. Le meilleur exemple d'intégration reste le bar, du côté inuit, que les deux communautés fréquentent simultanément tout en restant chacun de son côté.

Whapmagoostui est la plus nordique des communautés cries, à la limite extrême du territoire cri et aux confins du territoire inuit qui va, historiquement, jusqu'aux environs de l'extraordinaire lac Guillaume-Delisle.

Les villages sont bordés par une grande plage de sable formant des dunes d'où l'on peut apercevoir les magnifiques **îles Manitounuk**. Ces dernières sont représentatives de ce que l'on appelle les **cuestas hudsoniennes**, caractérisées par des dunes et des plages de sable, vers le large, et de spectaculaires falaises escarpées de l'autre côté, vers le continent.

Elles constituent un refuge pour d'innombrables oiseaux, phoques, baleines et bélugas.

Circuit B: Le Nunavik

Kuujjuarapik
(1 300 hab.)

Voir Whapmagoostui, plus haut.

★
Umiujaq (325 hab.)

Situé à 160 km au nord de Kuujjuarapik, le village d'Umiujaq (dont le nom inuktitut signifie «qui ressemble à un bateau») a été inauguré en décembre 1986. La Convention de la Baie James et du Nord québécois offrait aux Inuits de Kuujjuarapik la possibilité de déménager dans la région du lac Guillaume-Delisle, advenant la réalisation du projet hydroélectrique de Grande-Baleine. Une partie des habitants, craignant les répercussions néfastes du projet, se prononça par voie de référendum, en octobre 1982, en faveur de la création d'une nouvelle communauté plus au nord, qui devint le petit village d'Umiujaq. Après maintes études archéologiques, écologiques et d'aménagement du territoire, la construction du village débuta au courant de l'été 1985, pour se terminer un an et demi plus tard.

Situé au pied d'une colline «ressemblant à un *umiaq*», cette grande embarcation construite en peau de phoque, le village d'Umiujaq fait face à la baie d'Hudson.

★
Inukjuak (1 184 hab.)

Deuxième village en importance du Nunavik, Inukjuak (dont le nom inuktitut signifie «le géant») est localisé à l'embouchure de la rivière Innuksuac, en face des îles Hopewell et à 360 km au nord de Kuujjuarapik.

La vie des habitants d'Inukjuak reste fortement liée à la pratique des activités traditionnelles. La découverte sur place d'un gisement de stéatite a permis d'encourager la

Nouveau-Québec, Kativik ou Nunavik

En 1912, le gouvernement fédéral divise la Terre de Rupert entre le Manitoba, l'Ontario et le Québec. Ainsi la frontière septentrionale du Québec passe de la rivière Eastmain au détroit d'Hudson, 1 100 km plus au nord. On nommera alors cette région **Nouveau-Québec**. Avec la Convention de la Baie-James et du Nord québécois, le gouvernement du Québec crée une nouvelle région, celle-là appelée **Kativik**, pour désigner l'ensemble des villages situés au nord du 55ᵉ parallèle. Mais, en 1986, la communauté inuite tient un référendum et adopte le nom de **Nunavik**, qui signifie «le pays où vivre».

pratique de la sculpture. De nombreux sculpteurs parmi les plus renommés du Nunavik y habitent et travaillent dans leur petit atelier.

Les plus vieux bâtiments du village sont ceux de la vieille mission anglicane et de l'ancien comptoir de traite situés derrière le magasin Northern et la coopérative fondée en 1967.

Les **îles Hopewell**, avec leurs falaises escarpées, méritent d'être explorées de plus près tout spécialement au printemps, alors que la banquise, sous l'effet des marées et des courants, se présente comme un immense champ de gigantesques blocs de glace imbriqués.

Puvirnituq
(1 200 hab.)

On retrouve à Puvirnituq le centre de santé Inuulitsivik, seul autre hôpital du Nunavik avec celui de Kuujjuaq, du côté de la baie d'Ungava. Ce centre de santé est reconnu entre autres pour le projet-pilote de sages-femmes qui y assurent depuis des années les services d'obstétrique de première ligne.

Le village de Puvirnituq est reconnu pour ses sculpteurs qui ont fondé l'une des coopératives les plus dynamiques du Nunavik. Par ailleurs, une petite entreprise produit et exporte de l'excellent omble de l'Arctique fumé qu'il vaut la peine de se procurer.

Cette communauté est située sur la rive est de la rivière Puvirnituq, à environ 4 km de la baie du même nom et à 180 km au nord d'Inukjuak. Le territoire autour du village se présente sous la forme d'un plateau dont l'altitude est inférieure à 65 m.

Depuis quelques années, par souci de rester fidèle à la prononciation originale, le mot «Povungnituk» s'écrit «Puvirnituq», dont le nom inuktitut signifie «là où il y a une odeur de viande faisandée». Ce nom quelque peu original (qui s'abrège souvent en P.O.V.) remonterait à une époque où la rivière était plus profonde qu'en temps normal et où plusieurs bêtes se seraient noyées en tentant de la traverser. Leurs carcasses se seraient décomposées sur la plage, et l'odeur aurait inspiré les habitants de la communauté à lui donner ce nom. Une autre explication veut qu'une épidémie ravagea la colonie, tuant tous les habitants et ne laissant aucun survivant pour enterrer les morts. Lorsque familles et amis arrivèrent des camps avoisinants au printemps, l'air était vicié par l'odeur des corps en décomposition.

Akulivik (450 hab.)

Le village d'Akulivik se trouve à 100 km au nord de Puvirnituq, son plus proche voisin, et à 650 km au nord de Kuujjuarapik. Il est construit sur une presqu'île qui s'avance dans la baie d'Hudson juste en face de l'île Smith. La communauté est bordée, au sud, par l'embouchure de la rivière Illukotat et, au nord, par une baie profonde formant un port naturel et protégeant le village des vents. Cette configuration géographique favorise le départ prématuré des glaces au printemps et constitue un lieu privilégié pour la chasse. Vestiges de la dernière période glaciaire, des coquillages fossilisés,

réduits en miettes, ont donné au sol un aspect sablonneux caractéristique.

L'**île Smith**, qui appartient au Nunavut canadien comme toutes les îles à marée basse au large des côtes du Nunavik, se trouve juste en face du village, à quelques minutes en bateau ou en moto-neige. Cette île montagneuse, qui offre des paysages d'une beauté fascinante, est également le refuge de milliers de bernaches et d'oies blanches au printemps.

Ivujivik (275 hab.)

Village le plus septentrional du Québec, Ivujivik est situé à 150 km d'Akulivik et à 2 140 km de la ville de Québec. Il est niché au fond d'une petite anse au sud des îles et du détroit de Digges, près du cap Wolstenhlome, dans une région montagneuse. Ivujivik est le théâtre de courants marins importants qui s'affrontent à chaque marée, car la baie et la détroit d'Hudson s'y rencontrent. Le nom d'Ivujivik évoque d'ailleurs ce phénomène puisque, d'origine inuktitut, il signifie «là où les glaces s'accumulent en raison des forts courants».

★★
Salluit (1 200 hab.)

Situé à 250 km au nord de Puvirnituq, à 115 km à l'est d'Ivujivik et à 2 125 km de la ville de Québec, le village de Salluit (dont le nom inuktitut signifie «les gens minces») est blotti dans une vallée formée de montagnes escarpées, à une dizaine de kilomètres de l'embouchure du fjord du même nom.

Le site même de Salluit, dominé par les montagnes

dentelées et les collines abruptes, est très spectaculaire. Situé entre mer et montagnes, dans un **fjord ★★** magnifique, le village est l'un des plus pittoresques du Nunavik. La **baie Déception**, que les Inuits appellent «Pangaligiak», est un lieu réputé pour la chasse, la qualité de sa pêche et la richesse de sa faune et de sa flore en toute saison.

★★
Kangiqsujuaq
(500 hab.)

Entouré de majestueuses montagnes au creux d'une superbe vallée, le village de Kangiqsujuaq (dont le nom inuktitut signifie «la grande baie») se dresse fièrement dans le fjord de l'immense baie de Wakeham. Cette communauté, appelée successivement Wakeham Bay puis Maricourt, est située à 208 km de sa voisine Salluit et à 420 km de Kuujjuaq. Deux rivières à débit important traversent le village. Celui-ci s'est développé depuis 1912 autour d'un poste de traite de la société Révillon Frères.

L'attrait naturel et touristique par excellence de la région et du Nunavik en général est sans contredit le **cratère du Nouveau-Québec ★★**, que les Inuits appellent «Pingualuit», désormais protégé par la création du **parc Pingualuit**. Située à moins de 100 km du village, cette gigantesque fosse est impressionnante avec ses 3 770 m de diamètre et ses 446 m de profondeur. Découvert par Chubb, un aviateur intrigué par sa parfaite rondeur, le cratère aurait été formé par la chute d'une énorme météorite. Aucune rivière ne s'y déversant, une équipe de chercheurs de l'Université de Montréal a résolu le mystère de son alimentation en eau en découvrant une source souterraine dans les profondeurs du cratère.

La société minière Raglan exploite dans la région une mine de nickel qui emploie de nombreux Inuits de la communauté de Kangiqsujuaq.

Sur les îles côtières, à l'est du village, se trouvent des restes d'anciens campements datant de la période de Thulé.

Quaqtaq (275 hab.)

Le village de Quaqtaq (dont le nom inuktitut signifie «ver intestinal») est limité au nord par la baie Diana et au sud et à l'est par des collines basses et rocheuses. Localisé à 157 km de son voisin Kangiqsujjuaq et à 350 km au nord de Kuujjuaq, le village s'étend sur une péninsule qui avance dans le détroit d'Hudson et qui forme le littoral est de la **baie Diana** ★, appelée «Tuvaaluk» (la grande banquise) par les Inuits. Cette pointe de terre est située à l'endroit où le détroit d'Hudson et la baie d'Ungava se confondent.

Les Inuits et leurs ancêtres ayant occupé la région pendant près de 2 000 ans, on y retrouve de nombreux sites archéologiques. Les environs de la baie Diana, région réputée pour la chasse, la pêche et l'observation de la nature, comptent environ un millier de bœufs musqués. Les plus chanceux auront peut-être même l'occasion d'apercevoir quelques légendaires harfangs des neiges. On peut aussi y observer, selon les périodes de l'année, les migra-tions de morses, de bélugas et d'ours polaires.

Kangirsuk (400 hab.)

Cette petite communauté est localisée sur la rive nord de la rivière Arnaud, à 13 km en amont de la baie d'Ungava. Jadis connu sous les noms de Payne Bay ou de Bellin, le village de Kangirsuk (dont le nom inuktitut signifie «la baie») se trouve à 118 km au sud de Quaqtaq, à 230 km au nord de Kuujjuaq et à 1 536 km de la ville de Québec.

Quelques sites archéologiques se trouvent à proximité du village, dont un plus important s'étend sur l'**île Pamiok**. Ces sites, d'une qualité exceptionnelle, ouvrent une fenêtre sur le passé lointain des premiers habitants de la région. Les Vikings auraient notamment séjourné dans la région du lac Payne au cours du XIe siècle. On retrouve donc des vestiges de cette époque aux alentours de Kangirsuk.

Aupaluk (175 hab.)

La communauté d'Aupaluk est localisée sur la côte sud d'une petite crique de l'Ungava, la baie Hopes Advance. Située à 80 km du village de Kangirsuk et à 150 km au nord de Kuujjuaq, Aupaluk est la plus petite communauté inuite du Nunavik. Camp de chasse traditionnelle, elle ne fut cependant créée qu'en 1975, alors que des Inuits de Kangirsuk et d'autres villages s'installèrent dans cette zone où abondaient caribous, poissons et mammifères marins.

Il s'agit du premier village arctique québécois entièrement conçu par les Inuits, et que certains appellent avec humour *Big Apple* (la «Grosse Pomme» évoquant la ville de New York!). Traversée par la route de migration des caribous, la région en compte des milliers du mois d'octobre au mois de décembre. Un bon nombre d'entre eux y séjournent jusqu'au printemps.

Tasiujaq (200 hab.)

Le village de Tasiujaq (dont le nom inuktitut signifie «qui ressemble à un lac») est situé à 80 km au sud d'Aupaluk, son plus proche voisin, et à 110 km au nord de Kuujjuaq. Il est établi sur une terrasse de sable et de gravier sur les rives du lac aux Feuilles. Le village tire son nom de la baie formée par ce lac et renommée pour ses marées impressionnantes qui transforment complètement le paysage en quelques heures. Ces marées sont en fait parmi les plus grandes du monde, plus hautes que celles de la baie de Fundy selon les inconditionnels de Tasiujaq. L'amplitude moyenne des marées dans la baie est de 16 à 18 m. À la pleine lune du mois d'août, le marnage peut même atteindre 20 m. Le village est à la limite septentrionale de croissance des arbres. On peut d'ailleurs apercevoir les arbres les plus nordiques du Québec quelque 20 km plus au nord.

★
Kuujjuaq (2 100 hab.)

Située à 1 304 km au nord de Québec, la capitale administrative, économique et politique du Nunavik s'étend sur une terre plate et sablonneuse sur la rive nord-ouest de la rivière Koksoak, à 50 km en

Nord-du-Québec

amont de son embouchure sur la baie d'Ungava. Avec une population dépassant les 2 000 habitants, dont un bon nombre de non-Autochtones, elle constitue la plus importante communauté inuite du Québec.

Aujourd'hui le village de Kuujjuaq (dont le nom inuktitut signifie «la grande rivière») est le centre administratif de la région du Nunavik, et l'on y trouve le siège social de l'administration régionale de Kativik ainsi que des bureaux de divers organismes régionaux et gouvernementaux. Kuujjuaq deviendra d'ailleurs probablement la capitale du nouveau territoire «autonome» du Nunavik, qui devrait voir le jour d'ici les prochaines années sur le sol québécois. Ses deux grandes pistes d'atterrissage font partie du «Système de Surveillance Nord», et le village est la plaque tournante du transport aérien du Québec nordique, abritant le siège social de plusieurs compagnies aériennes de vols nolisés.

Certains connaissent mieux Kuujjuaq sous l'appellation de Fort Chimo. Fort Chimo était au XIXe siècle et au début du XXe siècle un prospère poste de traite de la Compagnie de la Baie d'Hudson. Depuis, le village a été déménagé sur l'autre berge de la rivière Koksoak, où il était plus facile de construire la piste d'atterrissage dont les Étasuniens avaient besoin pour leur base militaire, qu'ils ont exploitée pendant quelque temps dans les années 1940. Aujourd'hui on peut toujours visiter le Vieux-Chimo, où il reste toujours quelques bâtiments du temps de la Compagnie de la Baie d'Hudson. Les installations sont maintenant utilisées pour le camp d'été des jeunes de Kuujjuaq.

Kuujjuaq possède des hôtels, des restaurants, des magasins, une banque et des boutiques d'artisanat, et dispose de la plupart des services dont sont dotées les capitales régionales du Sud. L'hôpital Tulattavik offre les services de première ligne. Il constitue la principale ressource médicale de la région de l'Ungava.

La majestueuse **rivière Koksoak ★** est l'une des merveilles de la région. Elle donne à Kuujjuaq une tout autre dimension et offre un cadre pittoresque. Ses marées façonnent des paysages d'une beauté fascinante.

Près de l'île Elbow, entre Kuujjuaq et le Vieux-Chimo, on peut visiter une épave échouée dans les années 1950. Selon ce qu'en disent les anciens, le bateau transportait une grande quantité de bière et d'alcool. Le naufrage aurait donné suite à une grande fête bien arrosée. Ikkaqivvik (dont le nom inuktitut signifie «l'endroit où l'on touche le fond») désigne d'ailleurs à la fois l'endroit où se trouve l'épave et le bar de Kuujjuaq.

★★★
Kangiqsualujjuaq (650 hab.)

Situé à 160 km au nord-est de Kuujjuaq sur la côte est de la baie d'Ungava, le village de Kangiqsualujjuaq (dont le nom inuktitut signifie «la très grande baie») est blotti au fond d'une anse, à l'ombre d'un affleurement de granit et à l'embouchure de la rivière George. Le village s'appelait d'ailleurs «George River» auparavant. Les *Qallu-* *nak* (les Blancs) préfèrent souvent ce nom beaucoup plus simple à prononcer. Kangiqsualujjuaq, dont la vallée est envahie par la végétation, est la communauté la plus à l'est du Nunavik.

Avant 1959, il n'y avait pas de village proprement dit à cet endroit; les camps d'été étaient établis sur la côte, et les camps d'hiver, à une cinquantaine de kilomètres à l'intérieur des terres. Le hameau a été créé à l'initiative d'Inuits locaux qui fondèrent la première coopérative du Nouveau-Québec, qui avait pour but de commercialiser l'omble chevalier. La construction du village débuta donc au début des années 1960, et les premiers services publics furent organisés à cette époque.

Kangiqsualujjuaq a tristement fait la manchette dans le monde entier le 1er janvier 1999. Alors que pratiquement tout le village était réuni dans le gymnase de l'école pour célébrer la nouvelle année, une avalanche a soudainement écrasé le bâtiment situé au pied d'une colline escarpée. Quatorze habitants y ont laissé leur vie, marquant à jamais la petite communauté.

La région attire l'une des plus grandes hardes de caribous au monde. En effet, le troupeau de la rivière George est le plus imposant du Nunavik avec ses quelque 600 000 têtes. Les chasseurs de Kangiqsualujjuaq procurent à l'entreprise Les aliments arctiques du Nunavik inc. une grande partie des 3 000 kg de viande de caribou que celle-ci met en marché annuellement sur le territoire et dans le Sud.

Les **monts Torngat** ★ ★ ★, dont le nom inuktitut signifie «montagnes des mauvais esprits», sont situés à une centaine de kilomètres à l'est du village. Entre la baie d'Ungava et l'océan Atlantique, à la frontière entre le Québec et le Labrador, ils forment la chaîne de montagnes la plus élevée du Québec. Ils s'étendent sur 220 km et ont une largeur d'environ 100 km, ce qui en fait une chaîne aussi vaste que les Alpes. Plusieurs sommets culminent à près de 1 700 m, comme le majestueux **mont D'Iberville** ★, le plus haut sommet du Québec, qui domine le massif avec ses 1 768 m.

★
Kawawachikamach (600 hab.)

Située à 15 km de Schefferville, à quelque 1 000 km au nord de Montréal et tout près de la frontière avec le Labrador, Kawawachikamach est la seule communauté naskapie au Québec. Apparentés aux Cris et aux Innus, les Naskapis font, comme eux, partie de la famille linguistique algonquienne. Kawawachikamach, dont le nom naskapi signifie «là où la rivière sinueuse se transforme en un grand lac», se trouve dans une région d'une beauté naturelle exceptionnelle, au milieu d'innombrables lacs et rivières.

Peuple nomade et grands chasseurs, les Naskapis suivaient la route de migration des caribous dont ils dépendaient pour vivre. À la suite de la quasi-disparition des caribous sur leur territoire et de leur plus grande dépendance face aux postes de traite, ils vécurent, à partir de 1893, des années marquées par la famine. Fuyant la faim et la maladie, et aidées par le gouvernement fédéral, plusieurs familles s'installèrent près de Fort Chimo en 1949. Sept ans plus tard, les Naskapis décidèrent d'aller vivre avec les Innus de Matimekosh, près de Schefferville, dans l'espoir d'améliorer leurs conditions de vie.

En 1978, les Naskapis signèrent, avec les gouvernements fédéral et provincial, la Convention du Nord-Est québécois, inspirée de l'entente survenue trois ans plus tôt avec les Inuits et les Cris. Les Naskapis abandonnèrent alors leurs titres sur leurs terres ancestrales et, en retour, obtinrent une compensation financière, des droits inaliénables sur certains territoires et de nouveaux droits de pêche, de chasse et de piégeage (trappe). Ils décidèrent en outre de s'établir sur les rives du lac Matemace, à 15 km au nord-est de Schefferville. Inauguré en 1984, le village de Kawawachikamach est doté d'équipements collectifs modernes, d'un dispensaire et d'un centre commercial.

En 1982, la fermeture de l'usine Iron Ore, principal employeur des hommes naskapis, donna un coup dur à la communauté. Les Naskapis se tournèrent alors vers le tourisme d'aventure et la création de pourvoiries pour subvenir à leurs besoins. En 1989, ils faisaient l'acquisition du réputé club de chasse et pêche Tuktu.

Activités de plein air

Circuit A: Les complexes hydroélectriques et le territoire cri

Radisson

Il y en a qui veulent pêcher des poissons immenses dans une région sauvage. D'autres rêvent de chasser le caribou dans la taïga ou de l'observer pendant un safari-photo à motoneige. Certains souhaitent passer les vacances familiales de leur vie en louant un chalet confortable au bout du monde. La **Pourvoirie Mirage** *(99 5ᵉ Avenue Est, La Sarre, J9Z 3A8,* ☎*819-339-3150,* ≈*819-339-3151)* a élaboré quelques forfaits extrêmement séduisants qui rendent tout cela possible.

Chisasibi

L'agence **Chisasibi Mandow** *(C.P. 720, Chisasibi, J0M IE0,* ☎*819-855-3373)* est le mieux organisé et le plus fiable des organismes touristiques en territoire cri, celui qui offre la plus grande diversité de produits. Sous l'égide du Conseil de bande, Mandow propose des safaris-photos, des séjours d'observation de la nature, des randonnées à motoneige ou en skis de fond, des excursions en canot et des forfaits de pêche. L'entreprise dispose également de plusieurs chalets et campements en milieu sauvage pour la pêche à la truite, au brochet et au doré ou pour la chasse au caribou, à l'oie blanche et à la bernache. Les forfaits durent de trois à sept jours.

Nadockmi *(P.O. Box 240, Chisasibi, J0M 1E0, ☎819-855-3000)*, une pourvoirie située sur la rivière Kapsaouis et proposant la chasse au caribou et à l'ours noir, ainsi que la pêche au brochet, au doré et à l'omble de fontaine, permet aux touristes d'observer les Cris qui pratiquent les activités traditionnelles de piégeage (trappe) ou de pêche au filet sous la glace.

Tel que mentionné précédemment, les communautés cries s'orientent de plus en plus vers le tourisme. Vous trouverez ci-dessous quelques-unes des entreprises et communautés qui proposent des activités de plein air dans la région. Si vous vous intéressez à une communauté en particulier, et qu'elle n'apparaît pas dans la liste qui suit, prenez contact avec une des sources citées sous la rubrique «Renseignements touristiques».

Oujé-Bougoumou

Le **bureau de tourisme** (voir «Renseignements touristiques») organise des visites de 90 min de cette communauté primée et de son village culturel. Il peut par ailleurs vous aider à profiter de visites et forfaits de plus longue durée.

Nuuhchimi Wiinuu Tours *(74 Opataca St., Oujé-Bougoumou, G0W 3C0, ☎800-745-2045, ≈418-745-3500, www.ouje.ca/tourism)*. David et Anna Bosum offrent aux visiteurs une prise de contact de première main avec la culture crie. En font partie des randonnées en raquettes dans la brousse, des séances d'introduction

à la culture crie, des «aliments du pays» tels que l'orignal, le castor et le lagopède, la découverte de l'artisanat traditionnel et des récits de conteurs.

Circuit B: Le Nunavik

En vertu des règles du gouvernement du Québec, au Nunavik tout chasseur doit utiliser les services d'un pourvoyeur. Pour de plus amples renseignements, veuillez communiquer avec la **Société de la faune et des parcs du Québec** (voir «Renseignements touristiques»). Les chasseurs peuvent communiquer avec les pourvoyeurs membres de l'**Association touristique du Nunavik** (voir «Renseignements touristiques») pour obtenir des renseignements complets sur les divers forfaits offerts et les tarifs applicables.

Les divisions touristiques **Arctic Adventures** et **Inuit Adventures** *(19950 Clark Graham, Baie-d'Urfé, H9X 3R8, ☎514-457-9371 ou 800-465-9474, ≈514-457-9834, www.arcticadventures. ca)* de la Fédération des coopératives du Nouveau-Québec, qui appartient à part entière aux Inuits du Nunavik, organisent des excursions au Nunavik depuis 1969 et 1990 respectivement. Tandis qu'Arctic Adventures se voue aux expéditions de chasse et de pêche, Inuit Adventures propose des visites culturelles dans des communautés du Nunavik, y compris Inukjuak, Puvirnituq, Ivujivik, Kangiqsujuaq et Kangirsuk.

Inukjuak

La **Fédération des coopératives du Nouveau-Québec** *(19950 Clark Graham, Baie-*

d'Urfé, H9X 3R8, ☎514-457-9371 ou 800-363-7610) propose des forfaits de tourisme d'aventure dans la région d'Inukjuak. De la mi-mars au début de mai, elle organise des séjours d'une durée de cinq jours pour des groupes de deux à six personnes. Ces séjours incluent une expédition de deux jours en traîneau à chiens dans la toundra. Accompagnés de guides inuits, les voyageurs auront la chance d'observer des caribous et des lagopèdes dans leur milieu naturel, de pêcher la truite sous la glace et de passer une nuit inoubliable dans un igloo. Une visite de l'Institut culturel Avataq et du musée Daniel Weetaluktuk ainsi qu'une rencontre avec des sculpteurs sont également au programme. Le séjour se termine par un spectacle de chant de gorge présenté par les femmes du village.

La Fédération des coopératives du Nouveau-Québec, en collaboration avec l'Institut culturel Avataq, propose également un circuit archéologique durant le mois de juillet. Ce forfait de huit jours permet de découvrir en canot à moteur les sites archéologiques pré-dorsétiens, dorsétiens et thuléens de la région d'Inukjuak. Les excursionnistes sont accompagnés tout au long de leur séjour par un archéologue et des guides inuits.

Kangiqsujuaq

Avec **Inuit Adventures**, il est possible de partir à la découverte du gigantesque cratère du Nouveau-Québec (désormais protégé par la création du parc québécois Pingualuit) en motoneige. De la mi-mars au début de mai, des guides inuits emmènent des groupes de deux à six personnes dans la région de Kangiqsujuaq pour une durée de six jours. En route vers ce site naturel extraordinaire, le visiteur aura la chance d'observer de nombreux caribous, de dormir dans un igloo et de pêcher sous la glace. De retour au village, une rencontre avec des anciens est prévue. La dernière journée est consacrée à une excursion en motoneige vers des sites archéologiques dorsétiens.

Aventures Ammuumaajjuq *(poste restante, Kangiqsujuaq, J0M 1K0, ☎819-338-3368 ou 338-3377, ≈819-338-3396)* se spécialise dans le tourisme d'aventure, l'écotourisme, la chasse et la pêche.

Quaqtaq

Les environs du village de Quaqtaq et la baie Diana sont renommés pour être riches en fruits de mer et en espèces animales terrestres et marines. L'abondance des truites, des ombles chevaliers, des pétoncles, des moules, des palourdes ainsi que la présence de bélugas, de phoques, de morses, de narvals, de renards arctiques, de lièvres et de loutres font de la communauté un endroit très apprécié des chasseurs, des pêcheurs et des observateurs. On y retrouve, de plus, de nombreux oiseaux tels que la perdrix, l'eider, la bernache et l'oie du Canada.

Tommy Angnatuk *(☎819-492-9071)* est propriétaire de deux kayaks de mer et organise des expéditions dans la baie Diana et éventuellement près des îles de la baie d'Ungava.

Tasiujaq

La pourvoirie **Safari Nordik** *(639 boul. Labelle, Blainville, J7C 3H8, ☎450-971-1800 ou 800-361-3748, www.safari-nordik.com)* se spécialise dans les activités de pêche à la truite, au saumon et à l'omble. En été, elle organise également des descentes de la rivière aux Feuilles en canot pneumatique ou standard. En hiver, elle propose des randonnées en motoneige.

Kuujjuaq

Quelques compagnies aériennes de vols nolisés ont leur siège social à Kuujjuaq. Elles permettent aux visiteurs d'aller pratiquer leurs activités préférées hors des sentiers battus. **Johnny May's Air Charters** *(☎819-964-2662 ou 964-2321)* offre un service de transport à bord d'hydravions pour des voyages de chasse et de pêche dans la région de l'Ungava et du détroit d'Hudson, ainsi qu'aux monts Torngat et au cratère du Nouveau-Québec (parc Pingualuit).

Plusieurs pourvoiries, comme **Ungava Adventures** *(46 rue Ste-Anne, bureau 3A, Pointe-Claire, H9S 4P8, ☎514-694-4424 ou 866-444-3445, ≈514-694-4267, www. ungava-adventures.com)*, organisent des excursions autour de Kuujjuaq pour chasser le caribou, pêcher le saumon et l'omble ou simplement pour faire un safari-photo extraordinaire.

Arctic Adventures *(19950 Clark Graham, Baie-d'Urfé, H9X 3R8, ☎514-457-9371 ou 800-465-9474, ≈514-457-4626, www.arcticadventu res.ca)* organise des excur-

sions de chasse au lagopède et de pêche sous la glace, ainsi que des forfaits incluant la chasse au caribou avec nuitées dans un camp ou la pêche au saumon et à l'ombre avec nuitées dans un camp, avec ou sans guide.

Qimutsik Eco-Tours *(284 Evans, Kirkland, H9H 3L9, ☎514-694-8264 ou 888-297-3467, ≈514-694-8264, www.qimutsiktours.com)* a vu le jour sous l'inspiration de deux jeunes Inuits du Nunavik, qui, de concert avec leur partenaire établi à Montréal, proposent des excursions d'une semaine en traîneau à chiens au départ de Kuujjuaq, en hiver et au printemps. Les participants dorment dans des tentes de campement et dans des igloos qu'ils érigent eux-mêmes avec l'aide de leurs guides.

Hébergement

Circuit A:
Les complexes hydroélectriques et le territoire cri

Whapmagoostui

Coop Hotel
$$$$$
ℂ
Eleidja Petajumskum
P.O. Box 419
☎*(819) 929-3266*
☎*(514) 457-3971 à Montréal*
Le Coop Hotel propose 11 chambres dont une avec salle de bain privée. La cuisine est mise à la disposition des clients.

Nemiscau

Hôtel Nemaska
$$$
2 Lakeshore
☎*(819) 673-2615*
Nemiscau dispose de services hôteliers modernes et confortables à l'Hôtel Nemaska, situé dans l'édifice du Conseil cri.

Radisson

Hôtel-motel Le carrefour La Grande
$$
ℂ, ℥, *bc/bp*
53 av. Des Groseillers
☎*(819) 638-6005*
⇌*(819) 638-7497*
L'Hôtel-motel Le carrefour La Grande propose des chambres convenables, toutes avec cuisinette.

Auberge Radisson
$$
❄, ℜ
66 av. Des Groseillers
☎*(819) 638-7201 ou*
888-638-7201
⇌*(819) 638-7785*
L'Auberge Radisson dispose de chambres tout confort, toutes munies d'un téléviseur et d'une salle de bain privée.

Chisasibi

Motel Chisasibi
$$$
à l'étage du centre commercial
☎*(819) 855-2838*
⇌*(819) 855-2735*
Le Motel Chisasibi dispose de 20 chambres confortables avec salle de bain privée et téléviseur. Aucun service de restauration.

Chibougamau

Camping municipal
$
♿
juin à début sept
500 route 167 Sud
☎*748-7276*
⇌*748-4020*
Le Camping municipal de Chibougamau est situé tout près de la ville au bord du lac Sauvage. On y trouve une quarantaine d'emplacements pour tentes et véhicules récréatifs ainsi que plusieurs services et installations sportives.

Hôtel-Motel Chibougamau
$$
⊛, ℝ, ℜ
473 3ᵉ Rue
☎*748-2669*
⇌*748-2107*
Au centre de la ville s'élève l'hôtel Chibougamau, avec sa tourelle et sa façade de pierres. Ouvert depuis près de 40 ans, il offre plusieurs services. Forfaits motoneige.

Hôtel-Motel Harricana
$$-$$$
≡, ⊛, ℝ, ℜ
1000 3ᵉ Rue
☎*748-7771*
⇌*748-2887*
L'Hôtel Motel Harricana propose une centaine de chambres modernes tapissées de tons pastel. Les gens d'affaires y trouveront des salles de réunion. Possibilité de forfaits motoneige et de forfaits traîneau à chiens.

Oujé-Bougoumou

Auberge Capissisit
$$
ℜ
☎*(418) 745-3944*
L'Auberge Cassipit met 12 chambres confortables à la disposition des voyageurs. Le mobilier de la salle principale, œuvre d'artisans autochtones du sud des États-Unis, est

particulièrement remarquable.

Circuit B: Le Nunavik

La Fédération des coopératives du Nouveau-Québec (FCNQ) exploite la plupart des établissements hôteliers situés dans les communautés inuites. Les réservations pour les hôtels de la FCNQ devraient être faites par le biais de son numéro de téléphone vert (☎*800-363-7610*). À titre de référence, les numéros de téléphone des différents hôtels sont toutefois également ment fournis ci-dessous.

Inukjuak

Hôtel Inukjuak
☎*(819) 254-8306*
La gérante de l'établissement est Myna Weetaluktuk. Pouvant accueillir 21 personnes, l'hôtel affiche les tarifs suivants: 125$ (occupation simple), 180$ (occupation double) avec deux petits lits, 210$ (occupation double) avec grand lit et téléviseur.

Akulivik

Danielly Qinuajuak
$$$
☎*(819) 496-2526*
☎*(819) 496-2002 (coopérative)*
☎*800-363-7610 FCNQ*

Salluit

Qavvik Hotel
$$$$$
☎*(819) 255-8501*
⇌*(819) 255-8504*
La Fédération des coopératives du Nouveau-Québec n'y exploitant aucun hôtel, il n'y a qu'un établissement privé pour se loger à Salluit, soit le Qavvik Hotel, qui propose 10 chambres avec deux petits lits chacune.

Kangiqsujuaq

Lukasi Napaaluk
$$$$$
☎*(819) 338-3252*
Le seul hôtel du village est
géré par Lukasi Napaaluk.
Il peut loger 14 personnes.

Quaqtaq

La Fédération des coopératives du Nouveau-Québec
gère le seul lieu d'hébergement de la communauté.
Le gérant, Jusipi Keleutak,
peut être contacté au
☎(819) 492-9206. Pouvant
accueillir sept personnes,
l'établissement affiche les
tarifs suivants: 115$ (occu-
pation simple), 215$ (oc-
cupation double).

Kangirsuk

Le seul établissement hôtelier de la communauté est
administré par la Fédéra-
tion des coopératives du
Nouveau-Québec. On peut
joindre la gérante, Maggie
Simigak, au ☎(819) 935-
4382. Pouvant accueillir
sept personnes, l'établissement pratique les tarifs
suivants: 115$ (occupation
simple), 215$ (occupation
double).

Sculpture inuite

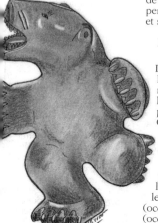

Aupaluk

On trouve un seul établissement hôtelier administré
par la Fédération des coopératives du Nouveau-
Québec dans ce petit vil-
lage. On peut contacter le
gérant, Tommy Grey, au
☎(819) 491-7060. Pouvant
accueillir six personnes,
l'établissement pratique les
tarifs suivants: 115$ (occu-
pation simple), 215$ (oc-
cupation double). Il est
possible de devoir partager
sa chambre avec d'autres
voyageurs, et il est fortement recommandé de
réserver.

Kuujjuaq

La Fédération des coopératives du Nouveau-Québec
gère un des deux hôtels
du village. La gérante,
Emily Mesher, peut être
contactée au ☎(819) 964-
2272. Cet établissement
peut loger 20 personnes et
affiche les tarifs suivants:
150$ (occupation simple),
250$ (occupation double).

Kuujjuaq Inn
$$$$$
🐾, ℜ
☎*(819) 964-2903*
≈*(819) 964-2031*
Le Kuujjuaq Inn dispose
de 22 chambres pour deux
personnes avec téléviseur
et salle de bain privée.

Kangiqsualujjuaq

Le seul établissement
hôtelier de la commu-
nauté est administré par
la Fédération des coo-
pératives du Nouveau-
Québec. On peut
joindre le gérant, Tom-
my Etook, au
☎(819) 337-5241. Pou-
vant accueillir sept
personnes,
l'établissement affiche
les tarifs suivants: 115$
(occupation simple), 215$
(occupation double). Les

chambres pouvant loger
de deux à quatre person-
nes, il est possible de devoir les partager avec
d'autres voyageurs.

Restaurants

Circuit A:
Les complexes
hydroélectriques
et le territoire cri

Radisson

Radis-Nord
57 av. Des Groseillers
☎*(819) 638-7255 ou 638-7242*
Le Radis-Nord est un ma-
gasin général vendant
diverses denrées et provisions. C'est une bonne
adresse à connaître pour
ceux qui préparent une
expédition dans l'arrière-
pays.

Restaurant Radisson
$-$$$
61 av. Des Groseillers
☎*(819) 638-7387*
Le Restaurant Radisson
propose une cuisine
simple mais bonne. Il
possède un permis de
vente d'alcool.

Auberge Radisson
$$$-$$$$
66 av. Des Groseillers
☎*(819) 638-7201*
Le restaurant de l'Auberge
Radisson propose un ex-
cellent menu. Le service
est courtois et amical.

Chibougamau

Hôtel-Motel Chibougamau
$$
17h30 à 21h30
473 3ᵉ Rue
☎*748-2669*
La salle à manger de
l'Hôtel Chibougamau est

Nord-du-Québec

très fréquentée par la clientèle locale et par les gens d'affaires qui en apprécient principalement les grillades.

Circuit B: Le Nunavik

Puvirnituq

Allie's Coffee Shop
$
☎(819) 988-2600
Allie's Coffee Shop sert des repas de type casse-croûte.

Kuujjuaq

Aliments de l'Arctique Inuksiutiit
☎(819) 964-2817
Les Aliments de l'Arctique Inuksiutiit se spécialisent dans la préparation de gibier.

Kuujjuaq Inn
$$-$$$
☎(819) 964-2903
Le Kuujjuaq Inn offre un service de restauration. Il arrive que le cuisinier prépare du poisson fraîchement pêché ou de la viande d'animaux abattus récemment. Il faut compter environ 20$ pour un repas.

Sorties

Bars et discothèques

Circuit B: Le Nunavik

Kuujjuarapik

Kuujjuarapik possède un bar, ouvert de midi à minuit, où l'on peut danser et consommer bières et boissons alcoolisées.

Kuujjuaq

Attenant au Kuujjuaq Inn, se trouve le **Lounge**, sorte de café-bistro où les Kuujjuamiut se réunissent après le travail ou après un repas au restaurant de l'hôtel. Plusieurs terminent la soirée au bar **Ikkaqivvik**, situé de l'autre côté de la rue. La musique y est des plus éclectiques, allant du country en inuktitut au techno, en passant par le chant de gorge et le disco. On y donne même des cours de *salsa-merengue* une fois par semaine! Notez que le bar est fermé à l'occasion de certaines fêtes, comme entre Noël et le jour de l'An; lorsqu'un décès survient dans le village, il ferme ses portes jusqu'au lendemain de l'enterrement.

Un petit centre de congrès a été construit à Kuujjuaq et a ouvert ses portes à l'été 2002 pour accueillir la Conférence circumpolaire internationale. Des représentants de tous les pays ou territoires arctiques (Russie, Scandinavie, Nunavut, Alaska, Groenland) s'y sont réunis en août 2002 pour discuter politique, culture et société. La salle de conférences sert maintenant de salle de cinéma, ce qui en fait la salle de cinéma la plus septentrionale du Québec.

Fêtes et festivals

Circuit B: Le Nunavik

Festival des neiges *(à la mi-mars, à Puvirnituq)*

Ce festival est l'occasion pour la population du village de participer à plusieurs jeux inuits traditionnels sur la glace en face du village. L'élément le plus spectaculaire du festival est le concours de sculpture sur glace.

Jeux de la fête de Pâques *(à la mi-avril, à Kuujjuaq)*

Comme à Puvirnituq, ce festival est l'occasion de prendre part à des jeux inuits traditionnels. Généralement, les activités se déroulent au Forum (le complexe sportif du village) et au lac Stewart, situé à environ 5 km au nord du village. Une course de motoneiges sur le trajet Kuujjuaq-Tasiuaq-Kuujjuaq est un des événements les plus attendus du festival.

Aqpik *(à la mi-août, à Kuujjuaq)*

Ce festival est nommé d'après la plaquebière (chicoutai) ou *aqpik*, ce petit fruit jaune au goût amer ressemblant à la framboise et que l'on cueille à l'automne. Lors de ce festival, les Inuits du Nunavut canadien et du Nunavik, ainsi que les Inuits de l'Alaska et du Groenland, se rassemblent chaque soir pour jouer leur musique et participer à des jeux, des concours et des compétitions.

Achats

Il serait vraiment malheureux de rentrer d'un voyage dans le Grand Nord québécois sans rapporter un souvenir fait main de la région. Ainsi un périple en territoire cri ne saurait-il être complet sans une «oie en mélèze laricin», soit un leurre à ce jour fabriqué selon les méthodes ancestrales. Et on ne pourrait quitter le Nunavik sans avoir acheté une sculpture en «pierre de savon» ou un bijou en bois de caribou.

On peut se procurer également du délicieux omble de l'Arctique fumé, des tisanes locales et de succulentes saucisses de caribou.

Chaque village compte au moins une coopérative où l'on peut s'approvisionner en denrées de base. Depuis que des vols quotidiens relient le Nunavik à Montréal, la qualité et la quantité de produits se sont beaucoup améliorées. Il est possible de payer presque partout avec une carte de crédit ou de débit.

Circuit A: Les complexes hydroélectriques et le territoire cri

Radisson

La boutique **Inouis** *(65 av. Des Groseillers,* ☎*819-638-6969)* se spécialise dans l'art amérindien. Ainsi,

vous y découvrirez de magnifiques sculptures et de jolis pendentifs.

Chisasibi

Une petite boutique extrêmement intéressante a été aménagée sous le grand tipi. On y offre un excellent choix de produits artisanaux locaux.

Circuit B: Le Nunavik

Kuujjuarapik

La quantité et la qualité des sculptures produites dans ce village sont proportionnelles au grand intérêt manifesté par les membres envers le mouvement coopératif, solidement implanté à Puvirnituq. Les cartes de crédit et de débit sont acceptées au magasin Northern et à la boutique de la coopérative.

Kuujjuaq

Outre la coopérative, on trouve deux autres établissements où aller admirer

les talents des artistes inuits. **Innivik Arts and Crafts Shop** *(*☎*819-964-2780 ou 964-2590)* propose aux visiteurs divers produits artisanaux et objets d'art fabriqués par les artisans de la communauté. Quant à **Tivi Galeries** *(844A Airport Road,* ☎*819-964-2465 ou 800-964-2465)*, c'est la seule galerie d'art inuite du Nord-du-Québec.

Kangiqsualujjuaq

Avec les peaux de caribou, les artisans de Kangiqsualujjuaq fabriquent de nombreux produits artisanaux. Ils ont conservé l'art ancestral de la fabrication des mitaines ou *pualluk* (moufles), dans lequel ils excellent, et exportent une partie de leur production vers d'autres villages inuits. D'autres vêtements sont fabriqués au village, comme les *kamik,* les pantoufles, les manteaux, les *nasak,* ainsi que des bijoux en bois de caribou.

Index

Index

Index

Index

Index

Index

Index

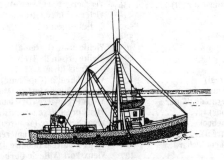

Bon de commande Ulysse

Guides de voyage

☐	Abitibi-Témiscamingue et Grand Nord	22,95 $	20,58 €
☐	Acapulco	14,95 $	13,57 €
☐	Arizona et Grand Canyon	24,95 $	19,99 €
☐	Bahamas	24,95 $	19,67 €
☐	Belize	16,95 $	15,09 €
☐	Boston	17,95 $	13,99 €
☐	Calgary	16,95 $	15,09 €
☐	Californie	29,95 $	19,67 €
☐	Canada	29,95 $	22,99 €
☐	Cancún et la Riviera Maya	19,95 $	13,99 €
☐	Cape Cod – Nantucket – Martha's Vineyard	17,95 $	13,57 €
☐	Carthagène (Colombie)	12,95 $	10,67 €
☐	Charlevoix – Saguenay – Lac-Saint-Jean	22,95 $	20,58 €
☐	Chicago	19,95 $	15,09 €
☐	Chili	27,95 $	19,67 €
☐	Colombie	29,95 $	22,10 €
☐	Costa Rica	27,95 $	19,67 €
☐	Côte-Nord – Duplessis – Manicouagan	22,95 $	20,58 €
☐	Cuba	24,95 $	19,67 €
☐	Cuisine régionale au Québec	16,95 $	15,09 €
☐	Disney World	19,95 $	14,99 €
☐	El Salvador	22,95 $	22,11 €
☐	Équateur – Îles Galápagos	24,95 $	19,67 €
☐	Floride	29,95 $	19,67 €
☐	Gaspésie – Bas-Saint-Laurent – Îles de la Madeleine	22,95 $	14,99 €
☐	Gîtes et Auberges du Passant au Québec	17,95 $	14,99 €
☐	Guadalajara	17,95 $	13,57 €
☐	Guadeloupe	24,95 $	15,09 €
☐	Guatemala	24,95 $	19,67 €
☐	Haïti	24,95 $	22,99 €
☐	Hawaii	29,95 $	19,67 €
☐	Honduras	24,95 $	19,67 €
☐	Hôtels et bonnes tables du Québec	17,95 $	13,57 €
☐	Huatulco et Puerto Escondido	17,95 $	13,57 €
☐	Jamaïque	24,95 $	22,99 €
☐	La Havane	16,95 $	12,04 €
☐	La Nouvelle-Orléans	17,95 $	15,09 €
☐	Las Vegas	17,95 $	13,57 €
☐	Lisbonne	18,95 $	12,99 €
☐	Louisiane	29,95 $	19,67 €
☐	Los Angeles	19,95 $	14,99 €
☐	Los Cabos et La Paz	14,95 $	13,57 €
☐	Martinique	24,95 $	14,99 €

Guides de voyage (suite)

☐ Miami	18,95 $	15,09 €
☐ Montréal	19,95 $	17,99 €
☐ Montréal pour enfants	19,95 $	17,84 €
☐ New York	19,95 $	15,09 €
☐ Nicaragua	24,95 $	19,67 €
☐ Nouvelle-Angleterre	29,95 $	22,99 €
☐ Ontario	27,95 $	19,67 €
☐ Ottawa – Hull	14,95 $	13,57 €
☐ Ouest canadien	29,95 $	19,67 €
☐ Ouest des États-Unis	29,95 $	19,67 €
☐ Panamá	27,95 $	22,99 €
☐ Pérou	27,95 $	19,99 €
☐ Phoenix	16,95 $	13,57 €
☐ Plages du Maine	12,95 $	10,67 €
☐ Porto	17,95 $	12,04 €
☐ Portugal	24,95 $	19,67 €
☐ Provence – Côte d'Azur	29,95 $	15,09 €
☐ Provinces atlantiques du Canada	24,95 $	19,99 €
☐ Puerto Plata – Sosua	14,95 $	12,04 €
☐ Puerto Rico	24,95 $	21,19 €
☐ Puerto Vallarta	14,95 $	14,99 €
☐ Le Québec	29,95 $	19,67 €
☐ Québec et Ontario	29,95 $	19,67 €
☐ République dominicaine	24,95 $	19,99 €
☐ Sainte-Lucie	17,95 $	14,99 €
☐ Saint-Martin – Saint-Barthélemy	17,95 $	13,99 €
☐ San Diego	17,95 $	13,99 €
☐ San Francisco	17,95 $	15,09 €
☐ Seattle	17,95 $	15,09 €
☐ Toronto	18,95 $	14,99 €
☐ Tunisie	27,95 $	19,67 €
☐ Vancouver et Victoria	19,95 $	17,99 €
☐ Venezuela	29,95 $	19,67 €
☐ Ville de Québec	17,95 $	14,99 €
☐ Washington, D.C.	19,95 $	15,09 €

Espaces verts

☐ Cyclotourisme au Québec	22,95 $	15,09 €
☐ Cyclotourisme en France	22,95 $	15,09 €
☐ Motoneige au Québec	22,95 $	15,09 €
☐ Le Québec cyclable	19,95 $	15,09 €
☐ Le Québec en patins à roues alignées	19,95 $	15,09 €
☐ Le Sentier transcanadien au Québec	24,95 $	22,99 €
☐ Randonnée pédestre Montréal et environs	19,95 $	19,99 €
☐ Randonnée pédestre Nord-Est États-Unis	22,95 $	19,67 €
☐ Ski de fond et raquette au Québec	22,95 $	19,99 €

Espaces verts (suite)

☐	Randonnée pédestre au Québec	22,95 $	19,67 €
☐	Randonnée pédestre dans les Rocheuses canadiennes	22,95 $	19,99 €

Guides de conversation

☐	L'Anglais pour mieux voyager en Amérique	9,95 $	6,56 €
☐	L'Espagnol pour mieux voyager en Amérique latine	9,95 $	6,99 €
☐	L'Espagnol pour mieux voyager en Espagne	9,95 $	6,99 €
☐	L'Italien pour mieux voyager	9,95 $	6,99 €
☐	Le Portugais pour mieux voyager	9,95 $	6,99 €
☐	Le Québécois pour mieux voyager	9,95 $	6,99 €

Journaux de voyage Ulysse

☐	Journal de voyage Ulysse	12,95 $	12,99 €

budget●zone

☐	Amérique centrale	14,95 $	10,52 €
☐	Ouest canadien	14,95 $	10,52 €
☐	Le Québec	14,95 $	11,95 €
☐	Stagiaires Sans Frontières	14,95 $	13,57 €

Titre	Qté	Prix	Total
Nom :	Total partiel		
	Port		4,75$/2,95 €
Adresse :	Total partiel		
	Au Canada TPS 7%		
	Total		

Tél. :   Fax :

Courriel :

Paiement :   ☐ Chèque   ☐ Visa   ☐ MasterCard

N° de carte_____ Expiration_____

Signature_____

Guides de voyage Ulysse
4176, rue Saint-Denis,
Montréal (Québec)
H2W 2M5
☎(514) 843-9447,
Sans frais : ☎1-877-542-7247
Fax : (514) 843-9448
info@ulysse.ca

En Europe:

Les Guides de voyage Ulysse, SARL
127, rue Amelot
75011 Paris
☎01.43.38.89.50
Fax : 01.43.38.89.52
voyage@ulysse.ca

Consultez notre site : www.guidesulysse.com